हैरी पॉटर

और हाफ़-ब्लड प्रिंस

मंजुल पब्लिशिंग हाउस द्वारा हिन्दी में प्रकाशित
जे. के रोलिंग की अन्य पुस्तकें

हैरी पॉटर और पारस पत्थर
हॉगवर्ट्स में पहला वर्ष

हैरी पॉटर और रहस्यमयी तहख़ाना
हॉगवर्ट्स में दूसरा वर्ष

हैरी पॉटर और अज़्काबान का क़ैदी
हॉगवर्ट्स में तीसरा वर्ष

हैरी पॉटर और आग का प्याला
हॉगवर्ट्स में चौथा वर्ष

हैरी पॉटर और मायापंछी का समूह
हॉगवर्ट्स में पाँचवाँ वर्ष

हैरी पॉटर और मौत के तोहफ़े
हॉगवर्ट्स में सातवाँ वर्ष

हैरी पॉटर

और हाफ़-ब्लड प्रिंस

जे.के. रोलिंग

अनुवाद : डॉ. सुधीर दीक्षित

MANJUL
मंजुल पब्लिशिंग हाउस

MANJUL

मंजुल पब्लिशिंग हाउस

कॉरपोरेट एवं संपादकीय कार्यालय

• द्वितीय तल, उषा प्रीत कॉम्प्लेक्स, 42 मालवीय नगर, भोपाल-462 003

विक्रय एवं विपणन कार्यालय

• सी-16, सेक्टर 3, नोएडा, उत्तर प्रदेश, 201301

वेबसाइट : www.manjulindia.com

वितरण केन्द्र

अहमदाबाद, बेंगलुरू, कोच्चि, कोलकाता, चेन्नई,
हैदराबाद, मुम्बई, नई दिल्ली, पुणे

जे.के. रोलिंग द्वारा लिखित मूल अंग्रेजी पुस्तक
हैरी पॉटर ऐंड द हाफ़ ब्लड प्रिंस का हिन्दी अनुवाद

Harry Potter and the Half-Blood Prince by J. K. Rowling – Hindi edition

यह हिन्दी संस्करण 2007 में पहली बार प्रकाशित
9वीं आवृत्ति 2025

ISBN 978-81-8322-074-3

अनुवाद : डॉ. सुधीर दीक्षित

मुद्रण व जिल्दसाज़ी : थॉमसन प्रेस (इंडिया) लिमिटेड

समर्पण

अपनी सुंदर बेटी

मैकेंजी को

अध्याय एक

दूसरा मंत्री

आधी रात होने वाली थी। प्रधानमंत्री अपने ऑफ़िस में अकेले बैठकर एक लंबा मेमो पढ़ रहे थे, जो उन्हें ठीक से समझ में नहीं आ रहा था। दरअसल वे किसी दूर देश के राष्ट्रपति के फ़ोन का इंतज़ार कर रहे थे और सोच रहे थे कि वह जाने कब फ़ोन करेगा। इस दौरान वे पिछले हफ़्ते की अप्रिय घटनाओं की यादों को दबाने की कोशिश कर रहे थे। यह सप्ताह बहुत लंबा, कष्टकारी और मुश्किल बीता था। ऐसा लग रहा था, जैसे उनके दिमाग़ में पिछले सप्ताह के अलावा किसी और चीज़ के लिए जगह ही नहीं बची थी। उन्होंने अपने सामने रखे मेमो में लिखी बातों पर ध्यान केंद्रित करने की कोशिश की, लेकिन उन्हें उस पर अपने एक राजनैतिक विरोधी का हँसता हुआ चेहरा दिखा, जिसने उसी शाम की न्यूज़ में बयान दिया था। उसने न सिर्फ़ पिछले सप्ताह में हुई सभी भयंकर घटनाएँ दोहराईं (जैसे किसी को याद दिलाने की ज़रूरत थी!), बल्कि यह भी स्पष्ट किया कि वे सारी घटनाएँ सरकार की ग़लती की वजह से हुई थीं।

उसके आरोपों के बारे में सोचकर ही प्रधानमंत्री के दिल की धड़कनें तेज़ होने लगीं, क्योंकि ये आरोप न तो उचित थे, न ही सच थे। आख़िर उनकी सरकार उस पुल को गिरने से कैसे रोक सकती थी? कोई यह कैसे कह सकता है कि सरकार पुलों पर पर्याप्त ख़र्च नहीं कर रही है। उस पुल को बने अभी दस साल भी नहीं हुए थे। बहरहाल, विशेषज्ञ भी यह नहीं बता पा रहे थे कि पुल बीच से दो टुकड़ों में कैसे टूट गया, जिससे दर्जन भर कारें नदी में गिर गईं। कोई यह आरोप लगाने की ज़ुर्रत कैसे कर सकता था कि पुलिस वालों की कमी के कारण दो भयंकर और सनसनीख़ेज़ हत्याएँ हुई थीं? और सरकार पश्चिमी प्रांत में आए भयंकर तूफ़ान का पहले से कैसे अनुमान लगा सकती थी, जिससे जान-माल का काफ़ी नुक़सान हुआ था? और क्या यह *उनकी* ग़लती थी कि उनका एक कनिष्ठ मंत्री हरबर्ट कोर्ली उसी सप्ताह अजीब हरकतें करने लगा था

और इस वक़्त घर पर पड़ा था।

विरोधी ने अपनी चौड़ी मुस्कान को छिपाते हुए अंत में कहा, 'पूरे देश में उदासी का माहौल है।'

दुर्भाग्य से यह बात बिलकुल सच थी। ख़ुद प्रधानमंत्री को भी ऐसा ही लग रहा था। इन दिनों लोग सचमुच सामान्य से कहीं ज़्यादा दुखी नज़र आ रहे थे। यहाँ तक कि मौसम भी मनहूस था। जुलाई के बीच में ठंड भरा कुहासा था ... यह ठीक नहीं था, यह सामान्य नहीं था ...

उन्होंने मेमो के दूसरे पन्ने को पलटा। जब उन्होंने देखा कि मेमो बहुत लंबा है, तो हार मान ली। अपने सिर के ऊपर हाथ फैलाकर उन्होंने दुखी मन से अपने ऑफ़िस में चारों तरफ़ नज़र डाली। कमरा आकर्षक था। इसमें लंबी चौखट वाली खिड़कियों के सामने संगमरमर की सुंदर अँगीठी थी। बाहर की ठंड से बचने के लिए खिड़कियाँ बंद थीं। हल्की कँपकँपी के साथ उठकर प्रधानमंत्री ने खिड़कियों के पास जाकर उस हल्की धुंध को देखा, जो काँच के पार थी। वे कमरे की तरफ़ पीठ करके खड़े हुए, लेकिन तभी उन्हें अपने पीछे किसी के खाँसने की आवाज़ सुनाई दी।

वे स्तब्ध होकर काले काँच में अपना भयभीत प्रतिबिंब देखते रहे। वे उस खाँसी को पहचानते थे। उन्होंने यह पहले भी सुनी थी। वे बहुत धीरे-धीरे मुड़कर ख़ाली कमरे को देखने लगे।

हालाँकि वे ज़रा भी बहादुर महसूस नहीं कर रहे थे, लेकिन उन्होंने बहादुरी का नाटक करते हुए कहा, 'हैलो?'

एक पल के लिए तो उन्होंने यह असंभव उम्मीद की कि कोई जवाब नहीं मिलेगा। बहरहाल, उन्हें फ़ौरन एक आवाज़ सुनाई दी - एक सख़्त, निर्णायक आवाज़, जिसे सुनकर लग रहा था जैसे यह कोई लिखा हुआ वक्तव्य पढ़ रही हो। जैसा कि प्रधानमंत्री जानते थे, खाँसी की आवाज़ कमरे के दूर वाले कोने में लगी एक छोटी और गंदी ऑइल पेंटिंग में से आई थी। वहाँ पर मेंढक जैसा दिखने वाला नाटा आदमी खड़ा था, जिसने एक लंबी सफ़ेद विग पहन रखी थी। खाँसी की आवाज़ उसी की थी।

'मगलुओं के प्रधानमंत्री के लिए संदेश। तत्काल मिलना है। फ़ौरन जवाब दें। आपका, फ़ज।' पेंटिंग वाले आदमी ने प्रधानमंत्री की तरफ़ सवालिया निगाह डाली।

'अर,' प्रधानमंत्री ने कहा, 'सुनो ... मेरे पास समय नहीं है ... देखो, मैं किसी के टेलीफ़ोन का इंतज़ार कर रहा हूँ ... किसी देश के राष्ट्रपति का फ़ोन आने वाला है -'

'उसका इंतज़ाम किया जा सकता है,' तस्वीर वाले आदमी ने तत्काल कहा। प्रधानमंत्री का दिल डूब गया। उन्हें इसी बात का डर था।

'लेकिन मैं सचमुच उनसे बातचीत करना चाहता था –'

नाटा आदमी बोला, 'हम ऐसा इंतज़ाम कर देंगे कि वह राष्ट्रपति आज फ़ोन करना भूल जाएगा। वह आज के बजाय कल रात को फ़ोन करेगा। कृपया तत्काल मिस्टर फ़ज को जवाब दें।'

'मैं ... ओह... ठीक है,' प्रधानमंत्री ने कमज़ोरी से कहा। 'ठीक है, मैं फ़ज से मिल लेता हूँ।'

वे अपनी डेस्क की तरफ़ तेज़ी से बढ़े और चलते-चलते ही अपनी टाई सीधी की। वे अपनी कुर्सी पर बैठ गए और अपने चेहरे को शांत तथा सामान्य बनाने की कोशिश की। तभी संगमरमर के मैंटलपीस के नीचे की ख़ाली अँगीठी में हरी लपटें चमकने लगीं। उन्होंने कोशिश की कि उनके चेहरे पर हैरानी या दहशत के भाव न आएँ, जब उन्हें लपटों के बीच में एक मोटा आदमी दिखा। वह भौंरे जितनी तेज़ी से घूम रहा था। कुछ ही पल बाद वह उनके ऑफ़िस के शानदार गलीचे पर उतर गया और अपने लंबे धारीदार चोगे की आस्तीनों से राख साफ़ करने लगा। उसके हाथ में नीबू जैसे रंग का हरा हैट था।

'आह ... प्रधानमंत्री,' कॉर्नेलियस फ़ज ने कहा और हाथ आगे करते हुए प्रधानमंत्री की तरफ़ बढ़े। 'आपसे दोबारा मिलना अच्छा लगा।'

बहरहाल, प्रधानमंत्री को इस मुलाक़ात से कोई ख़ास ख़ुशी नहीं हुई थी, इसलिए वे कुछ नहीं बोले। उन्हें फ़ज से होने वाली मुलाक़ातों से ख़ुशी नहीं, बल्कि दहशत होती थी। आम तौर पर इसका मतलब यह होता था कि उन्हें कोई बहुत बुरी ख़बर सुनने को मिलने वाली है। इसके अलावा, इस वक़्त फ़ज के चेहरे से साफ़ ज़ाहिर था कि वे ख़ासे चिंतित थे। वे अब पहले से ज़्यादा दुबले, गंजे और बूढ़े दिख रहे थे। उनका चेहरा थोड़ा सफ़ेद था और उस पर उदासी का भाव था। प्रधानमंत्री राजनेताओं में इस तरह का भाव पहले भी कई बार देख चुके थे और जानते थे कि यह कोई अच्छा संकेत नहीं है।

फ़ज से पल भर के लिए हाथ मिलाने के बाद उन्होंने पूछा, 'मैं आपकी क्या मदद कर सकता हूँ?' फिर उन्होंने अपनी डेस्क के सामने वाली सबसे सख़्त कुर्सी की तरफ़ इशारा किया।

फ़ज ने बुदबुदाकर कहा, 'समझ में नहीं आता कि कहाँ से शुरू करूँ?' फिर वे कुर्सी खींचकर बैठ गए और अपने हरे हैट को घुटनों पर रख लिया। 'बहुत बुरा सप्ताह था, बहुत बुरा सप्ताह था ...'

प्रधानमंत्री ने सख़्त लहज़े में पूछा, 'आपका सप्ताह भी बुरा गुज़रा है क्या ?' इस बात से उन्होंने यह जताने की कोशिश की कि उनके पास पहले से ही काफ़ी चिंताएँ हैं तथा फ़ज को अपनी परेशानियाँ बताकर उनकी चिंताएँ और नहीं बढ़ानी चाहिए।

'हाँ, ज़ाहिर है,' फ़ज ने कहा और थकान से भरी आँखें मलते हुए उदासी से प्रधानमंत्री की तरफ़ देखा। 'प्रधानमंत्री, मेरा सप्ताह भी आपके सप्ताह जैसा ही था। ब्रॉकडेल पुल ... बोन्स और वैन्स की हत्याएँ ... इसके अलावा पश्चिमी प्रांत की तबाही ...'

'आपका – अर – आपका – मेरा मतलब है कि इन – इन घटनाओं में – आपके लोग शामिल थे ?'

फ़ज ने प्रधानमंत्री पर थोड़ी सख़्त निगाह डाली।

'ज़ाहिर है,' उन्होंने कहा। 'निश्चित रूप से अब तक तो आप समझ ही चुके होंगे कि क्या हुआ है ?'

'मैं ...' प्रधानमंत्री झिझके।

इसी तरह के व्यवहार के कारण उन्हें फ़ज से मिलना पसंद नहीं था। आख़िरकार वे प्रधानमंत्री थे और उन्हें यह अच्छा नहीं लगता था कि कोई उनके साथ किसी नासमझ स्कूली लड़के जैसा व्यवहार करे। लेकिन ज़ाहिर है, फ़ज से उनकी पहली मुलाक़ात से यही सिलसिला चला आ रहा था। जिस दिन वे प्रधानमंत्री बने थे, उसी रात को वे फ़ज से पहली बार मिले थे। उन्हें वह मुलाक़ात इतनी अच्छी तरह याद थी, जैसे कल की ही बात हो और वे जानते थे कि उन्हें वह घटना मरते दम तक याद रहेगी।

उस दिन भी वे इसी ऑफ़िस में अकेले खड़े हुए थे और उस विजय का स्वाद ले रहे थे, जो बरसों तक सपने देखने और योजना बनाने की बदौलत मिली थी। तभी उन्हें आज रात की तरह ही अपने पीछे किसी के खाँसने की आवाज़ सुनाई दी थी। तस्वीर वाले बदसूरत नाटे आदमी ने उन्हें बताया कि जादू मंत्री उनसे परिचय करना चाहते हैं।

ज़ाहिर है, उन्होंने सोचा कि लंबे चुनावी अभियान और तनाव के कारण उनका दिमाग़ घूम गया है। वे इस बात पर दहशत में आ गए थे कि एक तस्वीर उनसे बात कर रही थी। बहरहाल, उन्हें इससे भी ज़्यादा दहशत तब हुई, जब ख़ुद को जादूगर कहने वाला एक आदमी अँगीठी से उछलता हुआ निकला और उनसे हाथ मिलाने लगा। वे अवाक् होकर सुनते रहे, जबकि फ़ज उन्हें समझाते रहे कि दुनिया भर में जादूगर और जादूगरनियाँ छिपकर रह रहे हैं। उन्होंने प्रधानमंत्री को आश्वस्त किया कि उन्हें इस बारे में परेशान होने की ज़रूरत नहीं

है, क्योंकि जादू मंत्रालय पूरे जादूगर समुदाय की ज़िम्मेदारी लेता है और ग़ैर-जादूगर समुदाय को उनका पता नहीं लगने देता। फ़ज ने कहा कि यह काम मुश्किल था, क्योंकि इसमें झाड़ुओं के ज़िम्मेदारी भरे प्रयोग संबंधी नियम बनाने से लेकर ड्रैगनों को क़ाबू में रखने तक हर चीज़ शामिल थी (प्रधानमंत्री को याद आया कि ड्रैगनों का नाम सुनकर उन्होंने सहारे के लिए अपनी डेस्क पकड़ ली थी)। फ़ज ने पिता जैसे अंदाज़ में अवाक् प्रधानमंत्री का कंधा थपथपाया।

उन्होंने कहा, 'चिंता न करें। हो सकता है, आप मुझे दोबारा न देखें। मैं आपको तभी दिक्क़त दूँगा, जब हमारी तरफ़ कोई सचमुच गंभीर घटना होगी, कोई ऐसी चीज़, जिससे मगलू – यानी ग़ैर-जादूगर लोग – प्रभावित हो सकते होंगे। वरना हम जियो और जीने दो के सिद्धांत पर चलेंगे। वैसे मैं यह कहना चाहूँगा कि आप इस ख़बर को पहले वाले प्रधानमंत्री से ज़्यादा अच्छी तरह से ले रहे हैं। *उन्होंने* मुझे खिड़की से बाहर फेंकने की कोशिश की थी। उन्हें लगा था कि विरोधी दल ने मुझे यहाँ किसी छलावे के तौर पर भेजा था।'

आख़िरकार, प्रधानमंत्री की आवाज़ निकली।

'आप – आप सचमुच छलावा *नहीं* हैं?'

यह उनकी आख़िरी, हताशा भरी उम्मीद थी।

'नहीं,' फ़ज ने धीरे से कहा। 'नहीं, मैं छलावा बिलकुल नहीं हूँ। देखिए।'

उन्होंने प्रधानमंत्री के चाय के कप को चूहे में बदल दिया, जो प्रधानमंत्री का मुँह कुतरने की कोशिश करने लगा।

प्रधानमंत्री तेज़ साँसें लेते हुए बोले, 'लेकिन मुझे – मुझे किसी ने बताया क्यों नहीं – ?'

फ़ज अपनी छड़ी जैकेट में रखते हुए बोले, 'जादू मंत्री सिर्फ़ वर्तमान मगलू प्रधानमंत्री के सामने ही प्रकट होता है। हमें लगता है कि यह इस बात को गोपनीय रखने का सबसे अच्छा तरीक़ा है।'

प्रधानमंत्री ने पूछा, 'अगर ऐसा है, तो पहले वाले प्रधानमंत्री ने मुझे चेतावनी क्यों नहीं दी – ?'

इस बात पर फ़ज सचमुच हँस दिए।

'मेरे प्रिय प्रधानमंत्री, क्या *आप* कभी किसी को यह बात बताएँगे?'

हँसते-हँसते फ़ज ने अँगीठी में थोड़ा पाउडर फेंका, हरी दहकती लपटों में क़दम रखा और झोंके की आवाज़ के साथ ग़ायब हो गए। प्रधानमंत्री किसी मूर्ति की तरह स्तब्ध खड़े रह गए। वे जानते थे कि वे मरते दम तक किसी को भी इस मुलाक़ात के बारे में बताने की हिम्मत नहीं कर सकते, क्योंकि उनकी बात पर

भला कौन यक़ीन करेगा ?

इस सदमे से उबरने में उन्हें थोड़ा वक़्त लगा। कुछ समय तक तो उन्होंने ख़ुद को यक़ीन दिलाने की कोशिश की कि फ़ज से हुई मुलाक़ात उनका वहम था। शायद लंबे चुनावी अभियान के दौरान नींद की कमी के कारण यह हुआ होगा। इस अप्रिय मुलाक़ात को भुलाने की असफल कोशिश में उन्होंने चूहा अपनी भतीजी को दे दिया, जो इस बात से बड़ी ख़ुश हुई। फिर उन्होंने अपने प्राइवेट सेक्रेटरी को आदेश दिया कि वह उस बदसूरत नाटे आदमी की तस्वीर हटा दे, जिसने फ़ज के आने की घोषणा की थी। बहरहाल, तस्वीर टस से मस नहीं हुई, जिससे प्रधानमंत्री को काफ़ी निराशा हुई। जब कई कारपेंटर, दो-एक भवन-निर्माता, एक कला इतिहासकार और वित्तीय मामलों के सलाहकार इसे दीवार से नहीं हटा पाए, तो प्रधानमंत्री ने यह कोशिश छोड़ दी। अब उन्हें बस यही उम्मीद थी कि उनके बचे हुए कार्यकाल में यह तस्वीर स्थिर और ख़ामोश रहेगी। कभी-कभार वे कनखियों से देख लेते थे कि तस्वीर वाला आदमी जम्हाई ले रहा है या अपनी नाक खुजा रहा है। एक-दो बार तो वह अपनी तस्वीर से ग़ायब हो गया और अपने पीछे कीचड़ के रंग जैसा भूरा ख़ाली कैनवास छोड़ गया। बहरहाल, कुछ समय में प्रधानमंत्री ने ख़ुद को प्रशिक्षित कर लिया कि वे तस्वीर की तरफ़ बहुत ज़्यादा न देखें। जब भी तस्वीर संबंधी कोई विचित्र घटना दिखती थी, तो वे हमेशा दृढ़ता से सोचते थे कि उन्हें दृष्टिभ्रम हो रहा है।

फिर, तीन साल पहले जब आज रात की तरह ही प्रधानमंत्री अपने ऑफ़िस में अकेले थे, तब तस्वीर ने एक बार फिर फ़ज के तत्काल आगमन की घोषणा की। फ़ज अँगीठी से तेज़ी से बाहर निकले। वे बुरी तरह भीगे थे और भयंकर दहशत में थे। इससे पहले कि प्रधानमंत्री यह पूछ सकें कि वे गलीचे पर पानी क्यों गिरा रहे हैं, फ़ज एक ऐसी जेल के बारे में बोलने लगे, जिसका नाम प्रधानमंत्री ने कभी नहीं सुना था। उन्होंने 'सीरियस' ब्लैक नाम के आदमी का नाम लिया, हॉगवर्ट्स जैसी किसी जगह का ज़िक्र किया और हैरी पॉटर नाम के लड़के के बारे में कुछ कहा। मगर उनकी इन बातों से प्रधानमंत्री को कुछ समझ में नहीं आया।

'... मैं अभी-अभी अज़्काबान से आया हूँ,' फ़ज ने हाँफते हुए और अपने हैट की किनारी के बहुत सारे पानी को अपनी जेब में डालते हुए कहा। 'यह जेल उत्तरी समुद्र के बीच में है, बहुत बुरी जगह है ... दमपिशाच बौखला गए हैं -' फ़ज काँपने लगे '- आज तक वहाँ से कोई फ़रार नहीं हुआ था। प्रधानमंत्री, मुझे आपके पास आना ही था, मजबूरी थी। ब्लैक पहले भी मगलुओं की हत्या कर चुका है और हो सकता है कि वह तुम-जानते-हो-कौन के साथ फिर जुड़ने की योजना बना रहा हो ... लेकिन ज़ाहिर है, आप तो तुम-जानते-हो-कौन के बारे

में कुछ भी नहीं जानते होंगे!' उन्होंने एक पल के लिए प्रधानमंत्री को निराशा से घूरा और कहा, 'अच्छा, बैठ जाइए, बैठ जाइए, अच्छा यही रहेगा कि मैं पहले आपको पृष्ठभूमि बता दूँ ... व्हिस्की पीजिए ...'

प्रधानमंत्री को यह थोड़ा बुरा लगा कि उनसे उन्हीं के ऑफ़िस में बैठने और उन्हीं की व्हिस्की पीने को कहा जा रहा है। बहरहाल, वे बैठ गए। फ़ज ने अपनी छड़ी बाहर निकाली और हवा में से शराब से भरे दो बड़े गिलास उत्पन्न किए। उन्होंने एक गिलास प्रधानमंत्री के हाथ में दे दिया और कुर्सी खींचकर बैठ गए।

फ़ज एक घंटे से भी ज़्यादा समय तक बोलते रहे। इस दौरान उन्होंने एक जादूगर का नाम लेने से इंकार कर दिया और इसके बजाय उसे चर्मपत्र पर लिखकर प्रधानमंत्री के उस हाथ में दे दिया, जिसमें व्हिस्की का गिलास नहीं था। जब आख़िरकार फ़ज चलने के लिए खड़े हुए, तो प्रधानमंत्री भी उठकर खड़े हो गए।

'तो आपको लगता है कि ...' उन्होंने अपने बाएँ हाथ में रखे चर्मपत्र के नाम पर नज़र डालते हुए कहा, 'लॉर्ड वोल्–'

'तुम-जानते-हो-कौन!' फ़ज ने गुर्राते हुए कहा।

'माफ़ करें ... तो आपको लगता है कि तुम-जानते-हो-कौन अब भी ज़िंदा है?'

फ़ज ने अपना धारीदार चोगा ठुड्डी के नीचे बाँधते हुए कहा, 'देखिए, हमें वह अब तक नहीं मिला है, लेकिन डम्बलडोर कहते हैं कि वह ज़िंदा है। मेरी राय में वह तब तक ख़तरनाक नहीं है, जब तक कि उसके समर्थक उसके पास नहीं पहुँच जाते। इसीलिए हमें ब्लैक की इतनी ज़्यादा चिंता हो रही है। तो, आप वह चेतावनी दे देंगे, है ना? बहुत बढ़िया। अच्छा प्रधानमंत्री, मुझे उम्मीद है कि अब हमें एक-दूसरे से दोबारा नहीं मिलना पड़ेगा! गुड नाइट।'

लेकिन उन्हें दोबारा मिलना पड़ा था। कुछ महीने बाद ही परेशानहाल फ़ज मंत्रालय कक्ष में हवा में से उत्पन्न हुए थे। उन्होंने प्रधानमंत्री को यह जानकारी दी कि **क्विडिच** वर्ल्ड कप (यह जाने कौन सा वर्ल्ड कप था) में थोड़ी सी उलझन आ गई थी और इसमें कई मगलू 'शामिल' थे, लेकिन प्रधानमंत्री को चिंता करने की कोई ज़रूरत नहीं थी। तुम-जानते-हो-कौन का निशान दोबारा दिखा था, लेकिन इससे भी कोई दिक्क़त नहीं थी। फ़ज के हिसाब से यह घटना महत्वहीन थी और जैसा उन्होंने बताया था, मगलू संपर्क कार्यालय मगलुओं की याददाश्त मिटाने के काम में जुटा हुआ था।

'ओह, और मैं तो भूल ही गया था,' फ़ज ने आगे कहा। 'हम जादूगरी के

त्रिकोणीय टूर्नामेंट के लिए इस देश में तीन ड्रैगन और एक स्फ़िंक्स ला रहे हैं। यह बहुत सामान्य सी बात है, लेकिन जादुई प्राणी नियमन एवं नियंत्रण विभाग की नियमावली में लिखा है कि देश में बहुत ख़तरनाक प्राणी लाते वक़्त हमें आपको जानकारी देनी होगी।'

प्रधानमंत्री ने हड़बड़ाते हुए कहा, 'मैं – क्या – *ड्रैगन ?'*

'हाँ, तीन ड्रैगन,' फ़ज ने कहा। 'और एक स्फ़िंक्स। तो अब मैं चलता हूँ, आपका दिन अच्छा गुज़रे।'

प्रधानमंत्री को यह उम्मीद थी कि ड्रैगन और स्फ़िंक्स के बारे में बताने के बाद वे दोबारा नहीं आएँगे, लेकिन ऐसा नहीं हुआ था। पिछली मुलाक़ात को अभी दो साल भी नहीं हुए थे कि फ़ज एक बार फिर अँगीठी से बाहर निकले और इस बार उन्होंने यह ख़बर दी कि अज़्काबान से क़ैदी सामूहिक रूप से फ़रार हो गए थे।'

'*सामूहिक रूप से* फ़रार ?' प्रधानमंत्री ने भर्राई आवाज़ में दोहराया।

'चिंता करने की कोई बात नहीं है, चिंता करने की कोई बात नहीं है!' फ़ज ने चिल्लाकर कहा, जब उनका एक पैर लपटों में जा चुका था। 'हम उन्हें जल्दी ही पकड़ लेंगे – बस आपको ख़बर देनी थी!'

और इससे पहले कि प्रधानमंत्री चिल्लाकर कह पाते, 'एक मिनट रुकिए!', फ़ज हरी चिंगारियों के बीच में पहुँचकर ग़ायब हो चुके थे।

अख़बार वाले और विरोधी चाहे जो कहें, प्रधानमंत्री मूर्ख नहीं थे। उन्हें अच्छी तरह एहसास था कि पहली मुलाक़ात में फ़ज ने दोबारा न मिलने का जो आश्वासन दिया था, उसके बावजूद वे न सिर्फ़ एक-दूसरे से बार-बार मिल रहे थे, बल्कि हर मुलाक़ात में फ़ज पहले से ज़्यादा परेशान दिख रहे थे। हालाँकि प्रधानमंत्री जादू मंत्री (वैसे वे मन ही मन फ़ज को हमेशा *दूसरा* मंत्री कहते थे) के बारे में सोचना पसंद नहीं करते थे, लेकिन उन्हें यह डर लगा रहता था कि अगली बार फ़ज कोई ज़्यादा गंभीर ख़बर लाएँगे। इसलिए चिंतित और परेशान फ़ज को एक बार फिर अँगीठी से निकलते देखकर उन्हें लगा कि यह इस उदासी भरे सप्ताह की सबसे बुरी घटना है। इससे भी ज़्यादा उलझन प्रधानमंत्री को इस बात से हुई कि फ़ज के हिसाब से प्रधानमंत्री को उनके आने का कारण मालूम होना चाहिए था।

'मुझे क्या पता कि – अर – जादूगर समुदाय में क्या हो रहा है ?' प्रधानमंत्री ने ताव में आते हुए कहा। 'मुझे देश चलाना है और आपके बिना भी मेरे पास इस वक़्त बहुत सारी चिंताएँ हैं –'

'हमारी चिंताएँ एक ही हैं,' फ़ज उनकी बात बीच में काटते हुए बोले। 'ब्रॉकडेल पुल अपने आप नहीं टूटा था। और वह दरअसल तूफ़ान नहीं था। वे हत्याएँ मगलुओं ने नहीं की थीं। हरबर्ट कोर्ली का परिवार उसके बिना ज़्यादा सुरक्षित रहेगा। हम लोग इस वक़्त उसे सेंट मंगोज़ जादुई रोग एवं दुर्घटना अस्पताल भिजवाने की व्यवस्था कर रहे हैं। यह काम आज रात को हो जाएगा।'

प्रधानमंत्री को समझ में नहीं आया कि वे क्या कहें, 'आप क्या ... मुझे कुछ समझ में ... *क्या ?*'

फ़ज ने गहरी साँस लेते हुए कहा, 'प्रधानमंत्री, मुझे आपको यह बताते हुए बेहद अफ़सोस हो रहा है कि वह लौट आया है। तुम-जानते-हो-कौन लौट आया है।'

'लौट आया ? आपका मतलब है कि ... वह ज़िंदा है ? मेरा मतलब है -'

प्रधानमंत्री ने तीन साल पहले की उस भयंकर बातचीत को याद करने की कोशिश की, जब फ़ज ने उन्हें बताया था कि तुम-जानते-हो-कौन नाम के जादूगर ने हज़ारों गंभीर अपराध किए थे, उससे सभी डरते थे और वह पंद्रह साल पहले रहस्यमय रूप से ग़ायब हो गया था।

'हाँ, ज़िंदा है,' फ़ज ने कहा। 'देखिए, मुझे लगता है, अगर कोई मर न सके, तो उसे ज़िंदा ही कहना होगा, है ना ? मैं दरअसल इसे ठीक से नहीं समझ पाया हूँ और डम्बलडोर सही तरीक़े से समझाने को तैयार नहीं हैं - लेकिन चाहे जो हो, अब उसके पास एक शरीर है और वह चल रहा है, बातचीत कर रहा है और हत्याएँ कर रहा है, इसलिए हमारी बातचीत के संदर्भ में उसे ज़िंदा ही मानना होगा।'

प्रधानमंत्री को समझ में नहीं आया कि इस पर वे क्या कहें ? बहरहाल, वे अपने सामने आने वाले किसी भी विषय पर जानकार दिखने के आदी थे, इसलिए उन्होंने फ़ज की पुरानी बातें याद करने की कोशिश की।

'क्या *सीरियस ब्लैक* भी तुम-जानते-हो-कौन के साथ है ?'

'ब्लैक ? ब्लैक ?' फ़ज ने विचलित होते हुए कहा और अपने हैट को अपनी उँगलियों में तेज़ी से घुमाया। 'आपका मतलब है, सिरियस ब्लैक ? बिलकुल नहीं। ब्लैक मर चुका है। बाद में हमें पता चला कि हमें ब्लैक के बारे में ग़लतफ़हमी हो गई थी। वह बेगुनाह निकला। और वह तुम-जानते-हो-कौन के दल में भी नहीं था,' उन्होंने रक्षात्मक ढंग से आगे कहा और अपने हैट को पहले से कहीं ज़्यादा तेज़ी से घुमाने लगे, 'हालाँकि सारे सबूत उसी की तरफ़ इशारा कर रहे थे - हमारे पास पचासों चश्मदीद गवाह थे। ख़ैर, चाहे जो हो, जैसा मैंने

कहा, वह मर चुका है। सच तो यह है कि उसकी हत्या हुई थी। जादू मंत्रालय में। दरअसल इसकी जाँच होने वाली है ...'

प्रधानमंत्री को हैरानी हुई कि यह सुनकर उनके मन में फ़ज के प्रति करुणा का भाव आ गया था। बहरहाल, फ़ौरन ही उन्हें इस बात पर घमंड होने लगा कि हालाँकि वे अँगीठियों से प्रकट नहीं हो सकते थे, लेकिन *उनके* कार्यकाल में किसी सरकारी कार्यालय में हत्या नहीं हुई थी ... कम से कम अब तक तो नहीं ...'

यह सोचते हुए प्रधानमंत्री ने अंधविश्वास के चलते धीरे से अपनी लकड़ी की डेस्क को छुआ। फ़ज ने आगे कहा, 'ब्लैक अब मर चुका है। प्रधानमंत्री, मुद्दे की बात यह है कि युद्ध शुरू हो चुका है और अब क़दम उठाने ही पड़ेंगे।'

'युद्ध?' प्रधानमंत्री ने घबराहट में दोहराया। 'निश्चित रूप से यह कहना तो थोड़ी अतिशयोक्ति होगी?'

फ़ज थोड़ी जल्दी-जल्दी बोलने लगे, 'तुम-जानते-हो-कौन के साथ अब उसके वे समर्थक आ गए हैं, जो जनवरी में अज़्काबान से फ़रार हुए थे।' अब वे अपना हैट इतनी तेज़ी से घुमाने लगे थे कि यह नीबू जैसे हरे झोंके की तरह दिख रहा था। 'जब से वे लोग खुलकर सामने आए हैं, तब से लगातार क़हर बरपा रहे हैं। ब्रॉकडेल पुल वाला काम उसी का था, प्रधानमंत्री। उसने मुझे धमकी दी थी कि अगर मैं उसके लिए पद नहीं छोड़ूँगा, तो वह मगलुओं की सामूहिक हत्या करेगा और –'

प्रधानमंत्री ने आवेश में कहा, 'हे भगवान, तो यह *आपकी* ग़लती थी, जिसकी वजह से लोगों की मौत हुई है, जबकि ज़ंग लगे सामान तथा घिसे हुए खंभों जैसे आरोपों का जवाब मुझे देना पड़ रहा है!'

'*मेरी* ग़लती!' फ़ज ने आवेश में आते हुए कहा। 'आप यह कह रहे हैं कि आप ऐसे ब्लैकमेल के सामने झुक जाते?'

'शायद नहीं,' प्रधानमंत्री ने खड़े होते हुए और कमरे में टहलते हुए कहा, 'लेकिन ब्लैकमेलर ऐसी तबाही मचा पाता, इससे पहले मैं उसे पकड़ने के लिए ज़मीन-आसमान एक कर देता!'

फ़ज तैश में आते हुए बोले, 'क्या आपको लगता है कि मैंने पूरी कोशिश नहीं की होगी? मंत्रालय का हर ऑरर उसे और उसके समर्थकों को पकड़ने की कोशिश कर रहा था – और अब भी कर रहा है। लेकिन हम दुनिया के सबसे ताक़तवर जादूगर के बारे में बात कर रहे हैं, जो तीन दशकों से पकड़ में नहीं आया है!'

'मुझे लगता है, शायद आप मुझसे यह भी कहने वाले हैं कि पश्चिमी प्रांत में तूफ़ान भी उसी ने उत्पन्न किया था?' प्रधानमंत्री ने कहा, जिनका ग़ुस्सा हर क़दम के साथ बढ़ता जा रहा था। उन्हें इस बात पर ग़ुस्सा आ रहा था कि उन्हें इन भयंकर तबाहियों का कारण तो पता चल गया था, लेकिन वे यह बात जनता को नहीं बता सकते थे। यह तो सरकार की ग़लती होने से भी ज़्यादा बुरा था।

'वह तूफ़ान था ही नहीं,' फ़ज ने दुखी होकर कहा।

'माफ़ कीजिए!' प्रधानमंत्री ने उछलते और चीख़ते हुए कहा। 'पेड़ उखड़ गए थे, छतें टूट गई थीं, लैंपपोस्ट झुक गए थे, भयंकर चोटें –'

फ़ज ने कहा, 'यह प्राणभक्षियों ... यानी तुम-जानते-हो-कौन के समर्थकों का काम था। और ... और हमें यह भी संदेह है कि इसमें दानवों का हाथ भी हो सकता है।'

प्रधानमंत्री चहलक़दमी करते हुए अचानक रुक गए, जैसे किसी अदृश्य दीवार से टकरा गए हों।

'*किसका* हाथ?'

फ़ज मुस्कराए, 'पिछली बार बड़े कामों में उसने दानवों का इस्तेमाल किया था। कुप्रचार निवारण कार्यालय चौबीसों घंटे काम कर रहा है। हमारे विस्मृति अधिकारी उस घटना को देखने वाले सभी मगलुओं की याददाश्त मिटाने में जुटे हैं। जादुई प्राणी नियमन एवं नियंत्रण विभाग के ज़्यादातर कर्मचारी सॉमरसेट के आस-पास दौड़-धूप कर रहे हैं, लेकिन हमें अब तक एक भी दानव नहीं मिल पाया है – यह बहुत बुरा हुआ।'

प्रधानमंत्री ने आवेश में आते हुए कहा, 'आप यह क्या कह रहे हैं?'

'मैं इस बात से इंकार नहीं करूँगा कि मंत्रालय का मनोबल काफ़ी कम है,' फ़ज ने कहा। 'और अमेलिया बोन्स के मरने का अफ़सोस भी है।'

'किसके मरने का?'

'अमेलिया बोन्स के मरने का। जादुई क़ानून पालन विभाग की प्रमुख। हमें लगता है कि तुम-जानते-हो-कौन ने उनकी हत्या ख़ुद की होगी, क्योंकि वे बहुत अच्छी जादूगरनी थीं – और सारे सबूत बताते हैं कि उन्होंने जमकर संघर्ष किया था।'

फ़ज ने अपना गला साफ़ किया और ऐसा लगा, जैसे अपना हैट घुमाना बंद करने के लिए उन्हें काफ़ी कोशिश करनी पड़ी थी।

'लेकिन उस हत्या की ख़बर तो अख़बारों में छपी थी,' प्रधानमंत्री का ग़ुस्सा अब हैरानी में बदल चुका था। '*हमारे* अख़बारों में। अमेलिया बोन्स ...

अख़बारों में तो लिखा था कि वे एक अधेड़ महिला थीं, जो अकेली रहती थीं। यह नृशंस हत्या थी, है ना? इससे काफ़ी सनसनी फैली थी। पुलिस हैरान है।'

फ़ज ने आह भरते हुए कहा, 'हाँ, ज़ाहिर है, पुलिस तो हैरान होगी ही। जिस कमरे में हत्या हुई थी, वह अंदर से बंद था। हालाँकि हम जानते हैं कि यह हत्या किसने की है, लेकिन हम हत्यारे को पकड़ नहीं पा रहे हैं। इसके अलावा एमेलिन वैन्स भी थी, लेकिन शायद आपने उसके बारे में नहीं सुना होगा -'

'ओह हाँ, मैंने सुना है!' प्रधानमंत्री ने कहा। 'सच तो यह है कि वह वारदात यहीं पास में हुई थी। अख़बार वालों ने इसे जमकर उछाला था : *प्रधानमंत्री के पड़ोस में क़ानून व्यवस्था से खिलवाड़ -*'

फ़ज ने प्रधानमंत्री की बात को अनसुना करते हुए कहा, 'जैसे इतना सब ही काफ़ी नहीं था। हमें पता चला है कि अब तो दमपिशाच भी चारों तरफ़ घूम रहे हैं और हर जगह लोगों पर हमला कर रहे हैं ...'

पहले शायद यह वाक्य प्रधानमंत्री को समझ में नहीं आता, लेकिन अब वे ज़्यादा समझदार हो चुके थे।

उन्होंने सावधानी से कहा, 'मुझे लगता था कि दमपिशाच अज़्काबान में क़ैदियों की पहरेदारी करते हैं?'

'करते थे,' फ़ज ने थके अंदाज़ में कहा। 'लेकिन अब नहीं करते। उन्होंने जेल की पहरेदारी छोड़ दी है और जाकर तुम-जानते-हो-कौन के दल में शामिल हो गए हैं। मैं इस बात से इंकार नहीं करूँगा कि यह बहुत बड़ा झटका था।'

प्रधानमंत्री ने दहशत भरी आवाज़ में कहा, 'लेकिन कहीं आप यह तो नहीं कहना चाहते हैं कि ये प्राणी ही लोगों की आशाओं और ख़ुशियों को छीन रहे हैं?'

'बिलकुल ठीक कहा। और वे बढ़ते जा रहे हैं। इसी कारण इतना धुंध भरा माहौल है।'

प्रधानमंत्री के घुटने जवाब दे गए और वे अपने क़रीब वाली कुर्सी पर बैठ गए। यह सोच-सोचकर ही उन्हें चक्कर आ रहे थे कि अदृश्य प्राणी शहरों और देहातों में उड़ रहे थे तथा उनके मतदाताओं में निराशा फैला रहे थे।

'देखिए फ़ज - आपको कुछ करना होगा! जादू मंत्री होने के नाते यह आपकी ज़िम्मेदारी है!'

'मेरे प्यारे प्रधानमंत्री, क्या आपको लगता है कि इतने सारे झमेले के बाद भी मैं जादू मंत्री बना रहूँगा? मुझे तीन दिन पहले हटा दिया गया है! पूरा जादूगर समुदाय एक पखवाड़े से चिल्ला-चिल्लाकर मेरे इस्तीफ़े की माँग कर रहा था।

मैंने अपने पूरे कार्यकाल में उन्हें कभी इतना एकजुट नहीं देखा!' फ़ज ने मुस्कराने की बहादुरी भरी कोशिश करते हुए कहा।

प्रधानमंत्री कुछ पल के लिए अवाक् रह गए। अपनी हालत पर वे नाराज़ थे, लेकिन इसके बाद भी उन्हें अपने सामने बैठे निराश व्यक्ति के लिए सहानुभूति महसूस हुई।

उन्होंने आख़िरकार कहा, 'मुझे बहुत अफ़सोस है! क्या मैं आपके लिए कुछ कर सकता हूँ?'

'मदद के प्रस्ताव के लिए धन्यवाद, प्रधानमंत्री, लेकिन आप मेरे लिए कुछ नहीं कर सकते। मुझे आज रात को आपके पास सिर्फ़ इसलिए भेजा गया है, ताकि मैं आपको ताज़ा स्थिति की पूरी जानकारी दे दूँ और अपने उत्तराधिकारी से आपका परिचय करवा दूँ। मेरे ख़्याल से अब तक उन्हें यहाँ आ जाना चाहिए था, लेकिन ज़ाहिर है, इस वक़्त वे बहुत व्यस्त हैं, क्योंकि इतना कुछ हो रहा है।'

फ़ज ने मुड़कर बदसूरत नाटे आदमी की तरफ़ देखा, जो लंबे घुँघराले बालों की विग पहने था और एक क़लम की नोक से अपना कान साफ़ कर रहा था।

फ़ज की निगाह पड़ते ही उसने कहा, 'वे आने ही वाले हैं। इस समय वे डम्बलडोर को चिट्ठी लिख रहे हैं।'

'मेरी शुभकामनाएँ उनके साथ हैं,' फ़ज ने कहा और पहली बार उनकी आवाज़ में कटुता का पुट था। 'मैं पिछले पंद्रह दिन से हर दिन डम्बलडोर को दो चिट्ठियाँ लिख रहा था, लेकिन वे टस से मस नहीं हुए। अगर वे उस लड़के को राज़ी कर लेते, तो मैं अब भी जादू मंत्री होता ... ख़ैर, शायद स्क्रिमग्योर मुझसे ज़्यादा ख़ुशक़िस्मत साबित हों।'

दुखी फ़ज ख़ामोश हो गए। बहरहाल, लगभग तत्काल ही तस्वीर ने ख़ामोशी तोड़ दी। तस्वीर वाले जादूगर ने अचानक सख़्त, आधिकारिक लहज़े में कहा।

'मगलुओं के प्रधानमंत्री के लिए संदेश। मुलाक़ात का आग्रह। अत्यावश्यक। फ़ौरन जवाब दें। र्यूफ़स स्क्रिमग्योर, जादू मंत्री।'

'हाँ, हाँ, अच्छा,' प्रधानमंत्री ने बेध्यानी में कहा और अभी वे पलटे ही थे कि अँगीठी की लपटें एक बार फिर से हरी हो गईं और कुछ ही पल बाद शानदार गलीचे पर दूसरा घूमता हुआ जादूगर प्रकट हो गया। फ़ज उठकर खड़े हो गए। एक पल झिझकने के बाद प्रधानमंत्री भी खड़े हो गए। नया आगंतुक सीधा खड़ा हुआ और अपने लंबे काले दुशालों पर लगी राख को साफ़ करके चारों तरफ़ देखने लगा।

प्रधानमंत्री के मन में पहले तो यह मूर्खतापूर्ण विचार आया कि र्‌यूफ़स स्क्रिमग्योर बूढ़े शेर हैं। उनके हल्के नारंगी बालों और घनी भौंहों में सफ़ेद लकीरें थीं। उनकी आँखें पीली थीं, जिन पर तार के फ़्रेम वाला चश्मा था। हालाँकि वे थोड़ा लँगड़ाकर चलते थे, लेकिन उनकी चाल में एक शाही अंदाज़ झलकता था। उन्हें देखकर लगता था कि वे चालाक और सख़्त होंगे। प्रधानमंत्री को समझ में आ गया कि संकट की इस घड़ी में जादूगर समुदाय ने फ़ज की जगह पर स्क्रिमग्योर को क्यों चुना था।

'आप कैसे हैं?' प्रधानमंत्री ने विनम्रता से कहते हुए अपना हाथ आगे बढ़ाया।

स्क्रिमग्योर ने बहुत कम देर हाथ मिलाया, कमरे में चारों तरफ़ नज़रें दौड़ाईं और फिर दुशाले में से छड़ी बाहर निकाल ली।

उन्होंने पूछा, 'फ़ज ने आपको सब कुछ बता दिया?' फिर वे दरवाज़े तक चलकर गए और अपनी छड़ी से की-होल को ठोंका। प्रधानमंत्री को लॉक लगने की आवाज़ सुनाई दी।

'अर - देखिए,' प्रधानमंत्री ने कहा। 'अगर आपको बुरा न लगे, तो मैं लॉक को खुला रखना चाहता हूँ।'

'मैं नहीं चाहता कि कोई बीच में बाधा डाले,' स्क्रिमग्योर ने कहा, 'न ही देखे,' उन्होंने आगे कहा, जब उन्होंने अपनी छड़ी से खिड़कियों की तरफ़ इशारा करके पर्दे बंद कर दिए। 'अब ठीक है! अच्छा, इस समय मैं काफ़ी व्यस्त हूँ, इसलिए हम सीधे काम की बात पर आते हैं। सबसे पहले तो हमें आपकी सुरक्षा के बारे में बातचीत करनी होगी।'

प्रधानमंत्री अपनी पूरी ऊँचाई तक तनकर खड़े हुए और बोले, 'धन्यवाद, लेकिन मैं अपनी वर्तमान सुरक्षा व्यवस्था से पूरी तरह संतुष्ट हूँ -'

'हम नहीं हैं,' स्क्रिमग्योर ने बात काटते हुए कहा। 'यह मगलुओं के लिए बहुत बुरा होगा, अगर उनका प्रधानमंत्री सम्मोहन शाप के वशीभूत होकर काम करने लगे। आपके बाहरी ऑफ़िस में जो नया सेक्रेटरी आया है -'

प्रधानमंत्री ने गर्मजोशी से कहा, 'आप चाहे जो कहें, मैं किंग्सले शैकलबोल्ट को कभी नहीं निकालूँगा! वह बहुत कार्यकुशल है! वह बाक़ी लोगों से दोगुना काम करता है -'

'ऐसा इसलिए है, क्योंकि वह जादूगर है,' स्क्रिमग्योर ने बिना मुस्कराए कहा। 'वह बहुत प्रशिक्षित ऑरर है, जिसे आपकी सुरक्षा के लिए नियुक्त किया गया है।'

प्रधानमंत्री ने कहा, 'ज़रा ठहरें! आप अपने लोगों को मेरे ऑफ़िस में नियुक्त नहीं कर सकते। देखिए, मेरे यहाँ कौन काम करेगा, यह फ़ैसला मैं ही करूँगा –'

स्क्रिमग्योर ने ठंडे स्वर में कहा, 'अभी तो आप कह रहे थे कि आप शैकलबोल्ट के काम से ख़ुश हैं!'

'मैं ख़ुश हूँ – मेरा मतलब है, मैं ख़ुश था –'

'तो फिर तो कोई दिक्क़त ही नहीं है, है ना ?' स्क्रिमग्योर ने कहा।

'मैं ... ठीक है, जब तक शैकलबोल्ट का काम ... उत्कृष्ट रहता है,' प्रधानमंत्री ने कमज़ोर आवाज़ में कहा, लेकिन ऐसा लगा जैसे स्क्रिमग्योर ने उनकी बात सुनी ही नहीं थी।

'अब आपके कनिष्ठ मंत्री हरबर्ट कोर्ली के बारे में –' उन्होंने आगे कहा, 'जो बतख़ की नक़ल करके जनता का मनोरंजन कर रहा है।'

'उसके बारे में क्या ?' प्रधानमंत्री ने पूछा।

स्क्रिमग्योर बोले, 'स्पष्ट रूप से उस पर ग़लत तरीक़े से सम्मोहन शाप किया गया था। इससे उसका दिमाग़ घूम गया है और वह लोगों के लिए ख़तरा बन चुका है।'

'वह सिर्फ़ बतख़ जैसी आवाज़ ही तो निकाल रहा है!' प्रधानमंत्री ने कमज़ोर स्वर में कहा। 'निश्चित रूप से थोड़े से आराम से ... शायद पीना कम करने से ...'

स्क्रिमग्योर ने कहा, 'सेंट मंगोज़ जादुई रोग एवं दुर्घटना अस्पताल के उपचारकों का एक दल इस वक़्त उसकी जाँच कर रहा है। अब तक वह तीन उपचारकों का गला घोंटने की कोशिश कर चुका है। मुझे लगता है, सबसे अच्छा यही रहेगा कि हम उसे कुछ समय के लिए मगलुओं के बीच से हटा लें।'

'मैं ... अच्छा ... वह ठीक तो हो जाएगा, है ना ?' प्रधानमंत्री ने चिंता के साथ पूछा। स्क्रिमग्योर कंधे उचकाकर अँगीठी की तरफ़ बढ़ने लगे।

'देखिए, मुझे आपसे बस इतना ही कहना था। प्रधानमंत्री, मैं आपको आगे की घटनाओं के बारे में बताता रहूँगा – या, अगर व्यस्तता के कारण मैं व्यक्तिगत रूप से नहीं आ पाया, तो फ़ज को भेज दूँगा। फ़ज सलाहकार बनने के लिए राज़ी हो गए हैं।'

फ़ज ने मुस्कराने की कोशिश की, लेकिन सफल नहीं हुए। वे इस तरह दिख रहे थे, जैसे उनके दाँतों में दर्द हो। स्क्रिमग्योर अपनी जेब में उस रहस्यमय पाउडर की तलाश कर रहे थे, जिससे आग हरी हो जाती थी। प्रधानमंत्री ने एक

पल के लिए दोनों जादूगरों को निराशा से घूरा। फिर पूरी मुलाक़ात में वे जिन शब्दों को दबाने की कोशिश कर रहे थे, वे उनके मुँह से निकल पड़े।

'लेकिन सुनिए - आप *जादूगर* हैं! आप *जादू* कर सकते हैं! निश्चित रूप से आप *हर चीज़* ठीक कर सकते हैं!'

स्क्रिमग्योर धीरे से मुड़े और उन्होंने हैरानी से फ़ज की तरफ़ देखा, जो आख़िरकार मुस्कराने में कामयाब हो गए और धीरे से बोले, 'दिक्क़त यह है प्रधानमंत्री कि सामने वाले भी जादू कर सकते हैं!'

इतना कहने के बाद दोनों जादूगर एक-एक करके हरी आग में चले गए और ओझल हो गए।

अध्याय दो

स्पिनर्स एंड

जो ठंडी धुंध प्रधानमंत्री की खिड़कियों के बाहर थी, वह कई मील दूर एक गंदी नदी के ऊपर भी छाई थी। इस नदी के किनारे कचरे के ढेर से ढँके थे। ऊपर एक बंद मिल की विशाल चिमनी नज़र आ रही थी, जो अँधेरे में थोड़ी डरावनी दिख रही थी। पानी की आवाज़ के अलावा और कोई आवाज़ नहीं आ रही थी। आस-पास एक दुबली-पतली लोमड़ी के अलावा कोई नहीं था। यह लोमड़ी ऊँची घास में सूँघकर किनारे पर मरी पड़ी किसी पुरानी मछली या खाने के सामान की तलाश कर रही थी।

लेकिन तभी एक बहुत हल्की *खट्ट* की आवाज़ हुई और एक दुबली-पतली नक़ाबपोश आकृति हवा में से नदी के किनारे पर प्रकट हो गई। लोमड़ी एकदम स्थिर हो गई और उस आकृति को बहुत सावधानी से देखने लगी। कुछ पल तक इधर-उधर देखने के बाद आकृति तेज़-तेज़ क़दमों से चलने लगी। उसका लंबा चोगा घास पर सरसरा रहा था।

फिर एक और *खट्ट* की आवाज़ के साथ दूसरी नक़ाबपोश आकृति प्रकट हो गई।

उस आकृति ने चिल्लाकर कहा, 'ठहरो!'

चिल्लाने की इस कठोर आवाज़ से लोमड़ी चौंक गई। अब तक वह घास में दुबकी हुई थी। लेकिन अब दहशत में आकर वह उछली और उसने किनारे पर छलाँग लगा दी। हरी रोशनी की चमक हुई और एक चीख़ के साथ लोमड़ी ज़मीन पर गिर गई - वह मर चुकी थी।

दूसरी आकृति ने अपने पैर से उसे पलटा।

'बस लोमड़ी है,' नक़ाब के नीचे से किसी महिला की आवाज़ आई। 'मुझे लगा था, शायद कोई ऑरर होगा - बहना, ज़रा ठहरो!'

उसके आगे जाने वाली महिला रोशनी की चमक को देखकर ठहर गई थी, लेकिन अब वह उस किनारे पर ऊपर जा रही थी, जहाँ लोमड़ी अभी-अभी गिरी थी।

'बहन - नार्सिसा - मेरी बात सुनो -'

दूसरी महिला ने पहली महिला का हाथ पकड़ लिया, लेकिन उसने हाथ छुड़ा लिया।

'वापस लौट जाओ, बेला!'

'तुम्हें मेरी बात सुननी ही होगी!'

'मैं तुम्हारी बात सुन चुकी हूँ। मैंने फ़ैसला कर लिया है। मुझे अकेला छोड़ दो!'

नार्सिसा नाम की महिला अब किनारे के ऊपर पहुँच गई, जहाँ पुरानी रेलिंग नदी को एक सँकरी सड़क से अलग करती थी। बेला नाम की महिला तत्काल उसके पीछे चल दी। चलते समय वे सड़क किनारे बने ईंट के खंडहर मकानों को देखती रहीं, जिनकी खिड़कियाँ अँधेरे में डूबी थीं।

बेला ने हिक़ारत भरी आवाज़ में कहा, 'वह यहाँ रहता है? *यहाँ?* इस मगलू तबेले में? इस जगह पर क़दम रखने वाले हम पहले जादूगर होंगे -'

लेकिन नार्सिसा उसकी बात नहीं सुन रही थी। वह तो ज़ंग लगी रेलिंगों के बीच की एक दरार में से निकलकर तेज़ी से सड़क की तरफ़ जा रही थी।

'बहन, *सुनो तो सही! रुको!*'

बेला नार्सिसा के पीछे-पीछे चल दी। उसका चोगा पीछे लहरा रहा था। उसने देखा कि नार्सिसा मकानों के बीच की एक गली से दूसरी सड़क पर पहुँच गई थी, जो पहले वाली सड़क से काफ़ी मिलती-जुलती थी। वहाँ की कुछ स्ट्रीटलाइटें टूटी हुई थीं। दोनों महिलाएँ रोशनी के टुकड़ों और गहरे अँधेरे के बीच तेज़-तेज़ चल रही थीं। मोड़ पर बेला ने नार्सिसा को पकड़ लिया। इस बार वह उसका हाथ पकड़ने में कामयाब हो गई और उसे घुमा दिया, ताकि वे आमने-सामने हो जाएँ।

'बहन, तुम्हें यह काम नहीं करना चाहिए। तुम उस पर भरोसा नहीं कर सकतीं -'

'शैतानी शहंशाह भी तो उस पर भरोसा करते हैं, है ना?'

'मुझे लगता है ... शैतानी शहंशाह ... ग़लत भरोसा करते हैं,' बेला ने हाँफते हुए कहा और उसकी आँखें नक़ाब के नीचे से चारों तरफ़ घूमकर देखने लगीं कि कहीं कोई उनकी बात सुन तो नहीं रहा है। 'चाहे जो हो, हमें चेतावनी

दी गई है कि हम यह योजना किसी को भी न बताएँ। ऐसा करना शैतानी शहंशाह के आदेश की अवहेलना होगी –'

'मुझे छोड़ दो, बेला!' नार्सिसा गुर्राई और उसने अपने चोगे के नीचे से छड़ी निकालकर बेला के चेहरे की तरफ़ लहराई। बेला हँस पड़ी।

'तुम अपनी ही बहन पर वार करोगी? तुम ऐसा नहीं कर सकतीं –'

'इस वक़्त मैं कुछ भी कर सकती हूँ!' नार्सिसा ने बौखलाई आवाज़ में कहा और अपनी छड़ी चाकू की तरह नीचे की, जिससे रोशनी की एक और चमक हुई। बेला ने अपनी बहन का हाथ इस तरह छोड़ दिया, जैसे जल गई हो।

'नार्सिसा!'

लेकिन नार्सिसा तो तब तक आगे जा चुकी थी। अपना हाथ मलते हुए बेला उसके पीछे-पीछे चल दी, हालाँकि अब वह उससे थोड़ी दूरी पर चल रही थी। वे ईंट के मकानों की वीरान भूलभुलैया में और अंदर पहुँच गईं। आख़िरकार नार्सिसा स्पिनर्स एंड नाम की सड़क पर पहुँच गई, जहाँ मिल की ऊँची चिमनी किसी दैत्याकार उँगली की तरह खड़ी दिख रही थी। बंद और टूटी खिड़कियों के पास से गुज़रते समय उसके क़दमों की आहट गूँज रही थी। आख़िरकार वह सड़क पर बने आख़िरी मकान के पास पहुँच गई, जहाँ नीचे वाली मंज़िल के कमरे के पर्दे में से हल्की रोशनी दिखाई दे रही थी।

उसने दरवाज़े पर दस्तक दी। तब तक बेला बड़बड़ाती हुई उसके पास आ चुकी थी। वे दोनों इंतज़ार करते समय हाँफ रही थीं। गंदी नदी से आती बदबू रात की हवा में भरी हुई थी। कुछ पल बाद उन्हें दरवाज़े के पीछे हलचल सुनाई दी और यह थोड़ा सा खुल गया। एक आदमी की हल्की सी झलक दिखाई दी, जिसके लंबे काले बाल पीले चेहरे और काली आँखों के ऊपर पर्दों की तरह झूल रहे थे।

नार्सिसा ने अपना नक़ाब पीछे पलट दिया। उसका चेहरा इतना पीला था कि अँधेरे में चमक रहा था। उसके पीछे झूल रहे लंबे सुनहरे बालों के कारण वह पानी में डूबी हुई महिला की तरह दिख रही थी।

'नार्सिसा!' उस आदमी ने दरवाज़े को थोड़ा ज़्यादा खोलते हुए कहा, जिससे नार्सिसा और उसकी बहन पर रोशनी पड़ने लगी। 'कितना सुखद आश्चर्य है!'

'सीवियरस,' नार्सिसा फुसफुसाकर बोली। 'क्या मैं तुमसे बात कर सकती हूँ? बहुत ज़रूरी बात है।'

'हाँ, हाँ, क्यों नहीं।'

स्नेप उन्हें जगह देने के लिए थोड़े पीछे हट गए। नक़ाबपोश बेला बिना आमंत्रण के अंदर जाने लगी।

पास से गुज़रते समय उसने रूखे स्वर में कहा, 'स्नेप।'

स्नेप बोले, 'बेलाट्रिक्स!' उनका पतला मुँह थोड़ी व्यंग्यात्मक मुस्कान में सिकुड़ गया और उन्होंने दरवाज़ा धड़ से बंद कर दिया।

वे सभी एक छोटे सिटिंग रूम में पहुँच गए, जो अँधेरी कोठरी जैसा लग रहा था। दीवारें पूरी तरह से पुस्तकों से ढँकी हुई थीं। ज़्यादातर पुस्तकों पर चमड़े के पुराने काले या भूरे कवर चढ़े थे। एक जर्जर सोफ़ा था, एक पुरानी कुर्सी थी और एक खटारा टेबल भी रखी थी। छत से लटक रहे लैंप से हल्की रोशनी आ रही थी। ऐसा लग रहा था, जैसे यह *जगह* लंबे समय से उपेक्षित रही थी और यहाँ आम तौर पर कोई नहीं रहता था।

स्नेप ने नार्सिसा को सोफ़े पर बैठने का इशारा किया। नार्सिसा ने अपना चोगा उतारकर एक तरफ़ फेंक दिया और बैठ गई। उसने अपने काँपते हुए सफ़ेद हाथ अपनी गोद में रख लिए। बेलाट्रिक्स ने धीरे से अपना नक़ाब हटाया। उसकी बहन नार्सिसा गोरी थी, जबकि वह साँवली थी, उसकी पलकें भारी थीं और उसका जबड़ा उभरा हुआ था। नार्सिसा के पीछे खड़े होने के लिए जाते समय भी उसने स्नेप पर से अपनी नज़रें एक पल के लिए भी नहीं हटाईं।

'मैं तुम्हारे लिए क्या कर सकता हूँ ?' स्नेप ने पूछा और दोनों बहनों के सामने वाली कुर्सी पर बैठ गया।

नार्सिसा ने धीरे से पूछा, 'हम ... हम अकेले हैं, है ना ?'

'हाँ, ज़ाहिर है। देखो, वर्मटेल भी यहाँ है, लेकिन हम कीड़े-मकोड़ों की परवाह नहीं करेंगे, है ना ?'

उन्होंने अपनी छड़ी अपने पीछे की पुस्तकों की दीवार की तरफ़ लहराई। तत्काल एक धमाका हुआ और उसके पीछे छिपा हुआ एक दरवाज़ा खुल गया। वहाँ एक सँकरी सीढ़ी नज़र आई, जिस पर एक नाटा आदमी खड़ा था।

स्नेप ने अलसाई आवाज़ में कहा, 'वर्मटेल, जैसा तुम्हें एहसास हो गया होगा, हमारे यहाँ मेहमान आए हैं।'

नाटा आदमी झुककर आख़िरी कुछ सीढ़ियाँ उतरा और कमरे में आ गया। उसकी आँखें छोटी और पानीदार थीं। उसकी नाक नुकीली थी और उसके चेहरे पर चापलूसी भरी मुस्कान थी। उसका बायाँ हाथ उसके दाएँ हाथ को सहला रहा था, जिसे देखकर ऐसा लग रहा था, जैसे उस पर चाँदी का ग्लव्ज़ चढ़ा हो।

'नार्सिसा!' उसने चूँ-चूँ करती आवाज़ में कहा, 'और बेलाट्रिक्स! कितना बढ़िया है –'

स्नेप बोले, 'वर्मटेल हमारे लिए ड्रिंक्स लेकर आएगा और इसके बाद अपने बेडरूम में चला जाएगा।'

वर्मटेल ने इस तरह आह भरी, जैसे स्नेप ने उसे कोई चीज़ फेंककर मार दी हो।

'मैं तुम्हारा नौकर नहीं हूँ!' उसने चूँ-चूँ करती आवाज़ में कहा, लेकिन स्नेप से नज़रें नहीं मिलाईं।

'अच्छा ? मुझे तो लग रहा था कि शैतानी शहंशाह ने तुम्हें यहाँ मेरी मदद के लिए भेजा है।'

'हाँ, मदद के लिए भेजा है – लेकिन तुम्हारे ड्रिंक्स बनाने – और तुम्हारा घर साफ़ करने के लिए नहीं भेजा है!'

'वर्मटेल, मुझे पता नहीं था कि तुम इससे ज़्यादा ख़तरनाक कामों में दिलचस्पी रखते हो,' स्नेप ने रेशमी अंदाज़ में कहा। 'इसका आसानी से इंतज़ाम किया जा सकता है : मैं शैतानी शहंशाह से बात कर लूँगा –'

'अगर मैं चाहूँ, तो मैं ख़ुद ही उनसे बात कर सकता हूँ!'

'ज़ाहिर है, तुम कर सकते हो,' स्नेप ने व्यंग्य से कहा। 'लेकिन उससे पहले ड्रिंक्स ले आओ। घरेलू जिन्नों की बनाई शराब अच्छी रहेगी।'

वर्मटेल एक पल के लिए झिझका। ऐसा लगा, जैसे वह बहस करना चाहता हो, लेकिन फिर वह मुड़ा और एक दूसरे छिपे हुए दरवाज़े से चला गया। उन्हें दरवाज़ा भड़भड़ाने और गिलासों के खनकने की आवाज़ आई। कुछ ही क्षणों में वह लौट आया। उसके हाथ में एक ट्रे थी, जिस पर एक धूल खाई बोतल और तीन गिलास थे। उसने ट्रे जर्जर टेबल पर पटक दी और तेज़ी से चला गया। जाते-जाते वह अपने पीछे पुस्तकों से ढँके दरवाज़े को धड़ाम से बंद कर गया।

स्नेप ने ख़ून जैसी लाल शराब तीन गिलासों में भरी और दोनों बहनों को एक-एक गिलास पकड़ा दिया। नार्सिसा ने बुदबुदाकर धन्यवाद दिया, जबकि बेलाट्रिक्स बिना कुछ बोले स्नेप को लगातार ग़ुस्से से घूरती रही। उसके इस अंदाज़ से स्नेप ज़रा भी विचलित नहीं दिख रहे थे, बल्कि थोड़े ख़ुश दिख रहे थे।

'शैतानी शहंशाह के नाम,' स्नेप ने अपना गिलास उठाकर उसे ख़ाली करते हुए कहा।

दोनों बहनों ने भी ऐसा ही किया। स्नेप ने उनके गिलास दोबारा भर दिए।

जब नार्सिसा ने अपना दूसरा गिलास ख़त्म कर लिया, तो वह तेज़ी से बोली, 'सीवियरस, मुझे इस तरह यहाँ आने के लिए अफ़सोस है, लेकिन मुझे तुमसे मिलना ही था। मुझे लगता है कि सिर्फ़ तुम ही मेरी मदद कर सकते हो -'

स्नेप ने उसे रोकने के लिए हाथ उठाया और अपनी छड़ी सीढ़ियों वाले छिपे हुए दरवाज़े की तरफ़ की। एक तेज़ धमाका और चीख़ सुनाई दी, फिर वर्मटेल के तेज़ी से सीढ़ियाँ चढ़ने की आवाज़ सुनाई दी।

'माफ़ी चाहता हूँ,' स्नेप ने कहा। 'कुछ समय से वह दरवाज़ों के पीछे छिपकर बातें सुनने लगा है। मुझे नहीं पता कि वह ऐसा क्यों करता है ... हाँ तो, तुम कुछ कह रही थीं, नार्सिसा ?'

नार्सिसा ने एक गहरी कँपकँपाती साँस ली, फिर दोबारा बोली।

'सीवियरस, मैं जानती हूँ कि मुझे यहाँ नहीं आना चाहिए था। मुझसे कहा गया था कि मैं यह बात किसी को भी नहीं बताऊँ, लेकिन -'

'तब तो तुम्हें कुछ नहीं कहना चाहिए!' बेलाट्रिक्स ने ग़ुर्राते हुए कहा। 'ख़ास तौर पर इसके सामने!'

'इसके सामने ?' स्नेप ने व्यंग्य से दोहराया। 'इस बात का क्या मतलब है, बेलाट्रिक्स ?'

'इस बात का मतलब यह है कि मुझे तुम पर भरोसा नहीं है, स्नेप, जैसा तुम बहुत अच्छी तरह जानते हो!'

नार्सिसा ने सुबकने जैसी आवाज़ निकाली और अपना चेहरा हाथों में छिपा लिया। स्नेप ने टेबल पर अपना गिलास रखा और दोबारा टिककर बैठ गए। उनके हाथ उनकी कुर्सी के हत्थों पर थे और वे बेलाट्रिक्स के ग़ुस्से भरे चेहरे को देखकर मुस्करा रहे थे।

स्नेप ने कहा, 'नार्सिसा, मुझे लगता है कि हमें पहले वह सुन लेना चाहिए, जो बेलाट्रिक्स कहने के लिए बेताब है। इससे वह बार-बार बीच में बाधा नहीं डालेगी। अच्छा, तो बताओ बेलाट्रिक्स, तुम्हें मुझ पर भरोसा क्यों नहीं है ?'

'सैकड़ों कारण हैं!' वह ज़ोर से बोली और सोफ़े के पीछे से आगे आते हुए उसने टेबल पर अपना गिलास धम्म से रख दिया। 'कहाँ से शुरू करूँ! जब शैतानी शहंशाह का पतन हुआ था, उस वक़्त तुम कहाँ थे ? जब वे ग़ायब हो गए थे, तो तुमने उन्हें ढूँढ़ने की कोशिश क्यों नहीं की ? तुम इतने सालों से क्या कर रहे थे, जब तुम डम्बलडोर की जेब में रह रहे थे ? तुमने शैतानी शहंशाह को

पारस पत्थर हासिल करने से क्यों रोका? जब शैतानी शहंशाह का पुनर्जन्म हुआ, तो तुम उनके पास फ़ौरन क्यों नहीं पहुँचे? तुम कुछ सप्ताह पहले कहाँ थे, जब हमने शैतानी शहंशाह की भविष्यवाणी हासिल करने के लिए युद्ध किया था? और स्नेप, हैरी पॉटर अब भी ज़िंदा क्यों है, जबकि वह पाँच साल से तुम्हारे रहमोकरम पर है?'

वह चुप हो गई। उसका सीना बहुत तेज़ी से ऊपर-नीचे हो रहा था। उसके गालों पर लाल रंग आ गया था। उसके पीछे नार्सिसा स्थिर बैठी थी और उसका चेहरा अब भी उसके हाथों में छिपा हुआ था।

स्नेप मुस्कराए।

'इन सवालों का जवाब देने से पहले - ओह हाँ, बेलाट्रिक्स, मैं इनका जवाब दूँगा! तुम मेरे ये शब्द उन लोगों तक पहुँचा देना, जो मेरी पीठ पीछे कानाफूसी करते हैं और मेरे विश्वासघात की झूठी कहानियाँ शैतानी शहंशाह तक पहुँचाते हैं! मैं उनका मुँह बंद करने के लिए तुम्हारे इन सभी सवालों का जवाब दूँगा और तुम मेरी बात उन तक पहुँचा देना! बहरहाल, तुम्हारे सवालों का जवाब देने से पहले मैं तुमसे एक सवाल पूछना चाहता हूँ। क्या तुम सचमुच ऐसा समझती हो कि शैतानी शहंशाह ने मुझसे ये सभी सवाल नहीं पूछे होंगे? और अगर मैं उन्हें संतोषजनक जवाब नहीं दे पाया होता, तो क्या मैं तुम्हारे सामने बात करने के लिए यहाँ बैठा होता?'

वह झिझकी।

'मैं जानती हूँ कि वे तुम पर यक़ीन करते हैं, लेकिन -'

'तुम्हें लगता है कि वे ग़लती कर रहे हैं? या यह कि मैंने किसी तरह उन्हें चकमा दे दिया है? शैतानी शहंशाह को मूर्ख बना दिया है, जो दुनिया के सबसे बड़े जादूगर हैं, संसार के सबसे निपुण गुप्त-घुसपैठिए हैं?'

बेलाट्रिक्स कुछ नहीं बोली, लेकिन वह पहली बार थोड़ी परेशान दिखी। स्नेप ने इस बात पर ज़्यादा ज़ोर नहीं दिया। उन्होंने अपना गिलास दोबारा उठाकर उसमें से एक घूँट पिया और आगे बोलने लगे, 'तुमने पूछा है कि जब शैतानी शहंशाह का पतन हुआ, उस वक़्त मैं कहाँ था। मैं वहीं था, जहाँ रहने का उन्होंने मुझे आदेश दिया था - हॉगवर्ट्स जादूगरी और तंत्र विद्यालय में, क्योंकि वे मुझसे एल्बस डम्बलडोर की जासूसी करवाना चाहते थे। तुम्हें पता होगा, मैं शैतानी शहंशाह के आदेश पर ही वहाँ गया था?'

बेलाट्रिक्स ने बहुत हल्के से सिर हिलाया और अपना मुँह खोला, लेकिन स्नेप ने उसे बोलने का मौक़ा नहीं दिया।

'तुमने मुझसे पूछा है कि ज़ब वे ग़ायब हुए थे, तो मैंने उन्हें ढूँढ़ने की कोशिश क्यों नहीं की। उसी कारण से, जिस कारण से एवरी, याक्सले, कैरो दंपति, ग्रेबैक, लूसियस,' उन्होंने अपना सिर हल्के से नार्सिसा की तरफ़ हिलाया, 'और कई अन्य लोगों ने उन्हें खोजने की कोशिश नहीं की। मुझे यक़ीन था कि वे ख़त्म हो चुके हैं। मुझे इस बात पर गर्व नहीं है। मैं ग़लत समझा था, लेकिन हक़ीक़त यही थी ... अगर उन्होंने हम जैसे विश्वास खो चुके लोगों को माफ़ नहीं किया होता, तो आज उनके पास बहुत कम समर्थक बचते।'

'मैं उनके साथ थी!' बेलाट्रिक्स ने जोश से कहा। 'मैंने उनकी ख़ातिर अज़्काबान में कई साल बिताए हैं!'

'हाँ, सचमुच, बहुत प्रशंसनीय है,' स्नेप ने ऊबी हुई आवाज़ में कहा। 'ज़ाहिर है, तुम जेल में उनके लिए ज़्यादा उपयोगी नहीं थीं, लेकिन तुम्हारा प्रयास बेशक सराहनीय था –'

'प्रयास!' वह चिल्लाई। ग़ुस्से के कारण वह थोड़ी पगलाई हुई लग रही थी। 'जब मैं दमपिशाचों की यातना झेल रही थी, तब तुम हॉगवर्ट्स में डम्बलडोर के पालतू कुत्ते बनकर चैन से रह रहे थे!'

'ऐसी बात नहीं है,' स्नेप ने शांति से कहा। 'उन्होंने मुझे गुप्त कलाओं से रक्षा के टीचर का पद कभी नहीं दिया। उन्हें लगा कि शायद इससे मैं पुराने दौर में पहुँच सकता हूँ ... अपने पुराने तरीक़ों के प्रलोभन में फँस सकता हूँ।'

'तो अपने प्रिय विषय को न पढ़ा पाना ही वह त्याग था, जो तुमने शैतानी शहंशाह के लिए किया?' बेलाट्रिक्स ने व्यंग्य से पूछा। 'तुम वहाँ पूरे समय क्यों रहे, स्नेप? क्या तुम तब भी उस मालिक के लिए डम्बलडोर की जासूसी कर रहे थे, जिसे तुमने मरा हुआ मान लिया था?'

'नहीं,' स्नेप ने कहा, 'हालाँकि शैतानी शहंशाह इस बारे में ख़ुश थे कि मैंने वह जगह नहीं छोड़ी। जब वे लौटे, तो मैं उन्हें डम्बलडोर के बारे में सोलह साल की जानकारी दे सकता था, जो उनके लिए कहीं ज़्यादा अच्छा उपहार था, बजाय इन यादों के कि अज़्काबान कितनी बुरी जगह है ...'

'लेकिन तुम वहीं रुके रहे –'

'हाँ बेलाट्रिक्स, मैं वहीं रुका रहा,' स्नेप ने पहली बार अधीरता की झलक दिखाते हुए कहा। 'मेरे पास एक आरामदेह नौकरी थी, जिसे मैं अज़्काबान जाने से ज़्यादा पसंद करता था। तुम तो जानती ही हो, मंत्रालय के लोग प्राणभक्षियों को पकड़ रहे थे। डम्बलडोर के संरक्षण की वजह से मैं जेल जाने से बच गया। यह संरक्षण बहुत ही लाभदायक था और मैंने इसका इस्तेमाल किया। मैं दोहराता हूँ : शैतानी शहंशाह मेरे वहाँ रुकने से नाख़ुश नहीं हैं, इसलिए

मुझे यह समझ में नहीं आता है कि तुम नाख़ुश क्यों हो।

'मुझे लगता है, इसके बाद तुम यह जानना चाहती थीं,' उन्होंने ज़ोर से कहा, क्योंकि बेलाट्रिक्स उनकी बात काटने के मूड में दिख रही थी, 'कि मैं शैतानी शहंशाह और पारस पत्थर के बीच में क्यों आया? इसका जवाब आसानी से दिया जा सकता है। उन्हें मुझ पर भरोसा नहीं था। तुम्हारी ही तरह उन्होंने भी सोचा था कि मैं वफ़ादार प्राणभक्षी के बजाय डम्बलडोर के हाथों की कठपुतली बन गया था। वे बहुत दुखद स्थिति में थे, बहुत कमज़ोर थे और एक घटिया जादूगर के शरीर में रह रहे थे। उनमें इतनी हिम्मत नहीं थी कि वे एक पूर्व समर्थक के सामने ख़ुद को उजागर कर दें, क्योंकि हो सकता था कि वह समर्थक उन्हें डम्बलडोर या मंत्रालय के हाथों पकड़वा देता। मुझे इस बात का गहरा दुख है कि उन्होंने मुझ पर भरोसा नहीं किया, नहीं तो वे तीन साल पहले ही शक्तिशाली बन गए होते! बहरहाल, मैंने सिर्फ़ लालची और घटिया क्विरिल को पारस पत्थर चुराने की कोशिश करते देखा और मैंने उसका रास्ता रोकने की पूरी कोशिश की।'

बेलाट्रिक्स का मुँह इस तरह सिकुड़ गया, जैसे उसने कोई कड़वी दवा पी ली हो।

'लेकिन जब वे वापस लौटे, तो तुम उनके पास नहीं पहुँचे। जब तुम्हें शैतानी निशान जलता महसूस हुआ, तो तुम फ़ौरन उनके पास नहीं पहुँचे थे –'

'सही कहा। मैं दो घंटे बाद पहुँचा था। मैं डम्बलडोर के आदेश पर गया था।'

'डम्बलडोर के – ?' उसने ग़ुस्से भरे लहज़े में बोलना शुरू किया।

स्नेप ने एक बार फिर अधीरता से कहा, 'सोचो! ज़रा सोचो! दो घंटे, सिर्फ़ दो घंटे इंतज़ार करके मैंने यह सुनिश्चित कर लिया कि मैं हॉगवर्ट्स में भविष्य में भी जासूसी कर सकता था! मैंने डम्बलडोर को यह समझने दिया कि सिर्फ़ उनके आदेश के कारण ही मैं शैतानी शहंशाह के पास जा रहा हूँ। उसके बाद से मैं शैतानी शहंशाह को डम्बलडोर और मायापंछी के समूह के बारे में जानकारी दे रहा हूँ! सोचो, बेलाट्रिक्स, सोचो : शैतानी निशान महीनों से गहरा होता जा रहा था। मैं जानता था कि शैतानी शहंशाह लौटने वाले हैं। सभी प्राणभक्षी जानते थे! मेरे पास यह सोचने का काफ़ी समय था कि मैं क्या करूँ। मेरे पास अगला क़दम उठाने की योजना बनाने का पूरा मौक़ा था। मैं कारकारोफ़ की तरह भाग भी सकता था, है ना?

'मैंने शैतानी शहंशाह को बता दिया कि मैं उनका वफ़ादार था, हालाँकि डम्बलडोर मुझे अपना आदमी मानते थे। मैं तुम्हें आश्वस्त करता हूँ कि यह

सुनकर मेरे देर से आने पर शैतानी शहंशाह का शुरुआती ग़ुस्सा काफ़ूर हो गया। हाँ, उन्होंने मान लिया था कि मैं उन्हें पूरी तरह से छोड़ चुका हूँ, लेकिन वे ग़लत थे।'

बेलाट्रिक्स ने व्यंग्य से कहा, 'लेकिन तुम किस काम के हो? तुमने हमें कौन सी उपयोगी जानकारी दी है?'

'मैं जानकारी सीधे शैतानी शहंशाह को देता हूँ,' स्नेप ने कहा। 'अगर वे तुम्हें कुछ नहीं बताते हैं –'

'वे मुझे हर बात बताते हैं!' बेलाट्रिक्स ने एकाएक तैश में आते हुए कहा। 'वे मुझे अपनी सबसे वफ़ादार, सबसे निष्ठावान –'

'क्या सचमुच?' स्नेप ने कहा और उनकी आवाज़ में अविश्वास की झलक थी। 'क्या मंत्रालय में तुम्हारे असफल अभियान के बाद भी वे ऐसा करते हैं?'

बेलाट्रिक्स का चेहरा लाल हो गया। वह बोली, 'वह मेरी ग़लती नहीं थी। शैतानी शहंशाह ने अतीत में मुझे अपने सबसे महत्वपूर्ण काम सौंपे थे – अगर लूसियस गड़बड़ नहीं करता –'

नार्सिसा अपनी बहन को देखते हुए धीमी और ख़तरनाक आवाज़ में बोली, 'तुम मेरे पति को – तुम मेरे पति को दोष देने की *हिम्मत* मत करना!'

स्नेप ने रेशमी अंदाज़ में कहा, 'दोष देने से कोई फ़ायदा नहीं है! जो हो गया, वह हो गया।'

'हाँ, लेकिन तुमने कुछ नहीं किया!' बेलाट्रिक्स आवेश में बोली। 'नहीं, तुम तो एक बार फिर ग़ायब थे, जबकि हम सब लोग ख़तरों से जूझ रहे थे। है ना, स्नेप?'

'मुझे पीछे रुके रहने का आदेश दिया गया था,' स्नेप ने कहा। 'शायद तुम शैतानी शहंशाह से सहमत नहीं हो, शायद तुम्हें लगता हो कि अगर मैं प्राणभक्षियों के समूह में शामिल होकर मायापंछी के समूह से लड़ने लगता, तो डम्बलडोर का ध्यान इस तरफ़ नहीं जाता? और – मुझे माफ़ करना – तुम ख़तरों की बात कर रही हो ... तुम लोग तो सिर्फ़ छह बच्चों से मुक़ाबला कर रहे थे, है ना?'

'जैसा तुम बहुत अच्छी तरह जानते हो, कुछ समय बाद ही मायापंछी का आधा समूह उन्हें बचाने के लिए आ गया था।' बेलाट्रिक्स गुर्राई। 'और जब हम मायापंछी के समूह के बारे में बात कर ही रहे हैं, तो तुम अब भी यह दावा करते हो कि तुम इसके मुख्यालय का पता-ठिकाना नहीं बता सकते, है ना?'

'मैं गुप्त रक्षक नहीं हूँ। मैं उस जगह का नाम नहीं बता सकता। तुम तो जानती ही हो कि यह सम्मोहन किस तरह काम करता है ? मैंने शैतानी शहंशाह को मायापंछी के समूह के बारे में जो जानकारी दी है, वे उससे संतुष्ट हैं। जैसा कि शायद तुमने अंदाज़ा लगा लिया होगा, उसी जानकारी के कारण एमेलिन वैन्स को कुछ समय पहले पकड़ा और मारा गया था। उसी जानकारी की वजह से निश्चित रूप से सिरियस ब्लैक को ख़त्म करने में भी मदद मिली थी, हालाँकि उसकी मौत के लिए मैं तुम्हें पूरा श्रेय देता हूँ।'

स्नेप ने अपना सिर झुकाया और बेलाट्रिक्स के नाम का जाम उठाया। बहरहाल, बेलाट्रिक्स के चेहरे का भाव नरम नहीं हुआ।

'तुम मेरे आख़िरी सवाल से बच रहे हो, स्नेप। हैरी पॉटर। पिछले पाँच सालों में तुम उसे किसी भी समय मार सकते थे, लेकिन तुमने ऐसा नहीं किया। क्यों ?'

स्नेप ने पूछा, 'क्या तुमने यह बात शैतानी शहंशाह से पूछी थी ?'

'वे ... कुछ समय से, हम ... मैं *तुमसे* पूछ रही हूँ, स्नेप!'

'अगर मैंने हैरी पॉटर की हत्या कर दी होती, तो शैतानी शहंशाह पुनर्जीवित होने और अजेय बनने के लिए उसके ख़ून का उपयोग नहीं कर पाते –'

उसने ताना मारते हुए कहा, 'तो तुम्हारा यह दावा है कि तुमने उस लड़के की उपयोगिता का पहले से ही अनुमान लगा लिया था!'

'मैं यह दावा नहीं करता हूँ। मुझे उनकी योजनाओं की कोई जानकारी नहीं थी। मैं पहले ही स्वीकार कर चुका हूँ कि मेरी राय में शैतानी शहंशाह ख़त्म हो चुके थे। मैं तो सिर्फ़ यह स्पष्ट करने की कोशिश कर रहा हूँ कि शैतानी शहंशाह को पॉटर के बचने पर अफ़सोस क्यों नहीं हुआ था, कम से कम एक साल पहले तक ...'

'लेकिन तुमने उसे ज़िंदा क्यों रहने दिया ?'

'क्या तुम मेरी बात का मतलब नहीं समझीं ? सिर्फ़ डम्बलडोर के संरक्षण की वजह से ही मैं अज़्काबान के बाहर था! क्या तुम्हें यह नहीं लगता है कि उनके प्रिय विद्यार्थी की हत्या करने से वे मेरे ख़िलाफ़ हो जाते ? लेकिन बात इससे भी आगे तक जाती है। मैं तुम्हें याद दिलाना चाहूँगा कि जब पॉटर पहली बार हॉगवर्ट्स आया था, तो उसके बारे में कई कहानियाँ उड़ रही थीं। इस तरह की अफ़वाहें कि वह ख़ुद एक बड़ा शैतानी जादूगर है, इसीलिए वह शैतानी शहंशाह के हमले से बच गया। दरअसल शैतानी शहंशाह के कई पुराने समर्थकों ने सोचा था कि पॉटर वह धुरी बन सकता है, जिसके चारों तरफ़ हम एक बार फिर

इकट्ठे हो सकते हैं। मैं मानता हूँ कि मेरे मन में भी जिज्ञासा थी, इसीलिए मैं उसके महल में क़दम रखते ही उसे मारना नहीं चाहता था।

'ज़ाहिर है, बहुत जल्दी ही मैं जान गया कि उसमें कोई असाधारण प्रतिभा नहीं थी। वह इतने सारे जोखिमों से जूझने में सिर्फ़ इसलिए सफल हुआ है, क्योंकि उसकी क़िस्मत अच्छी थी और उसके दोस्त प्रतिभावान थे। वह निहायत ही औसत दर्जे का है, हालाँकि अपने पिता की तरह ही वह भी घमंडी और आत्म-संतुष्ट है। मैंने उसे हॉगवर्ट्स से निकलवाने की पूरी कोशिश की है, क्योंकि मैं मानता हूँ कि वहाँ उसकी कोई जगह नहीं है। लेकिन उसे मारना या उसे अपने सामने मरने देना ? यह जोखिम लेना बहुत बड़ी मूर्खता होती, क्योंकि डम्बलडोर क़रीब ही थे।'

बेलाट्रिक्स ने पूछा, 'और इस दौरान डम्बलडोर को तुम पर कभी शक नहीं हुआ ? उन्हें तुम्हारी सच्ची निष्ठा का कभी पता नहीं चला ? वे अब भी तुम पर भरोसा करते हैं ?'

'मैंने बहुत अच्छी तरह नाटक किया है,' स्नेप ने कहा। 'और तुम डम्बलडोर की सबसे बड़ी कमज़ोरी को नज़रअंदाज़ कर रही हो : वे लोगों के सर्वश्रेष्ठ स्वरूप में विश्वास करते हैं। जब मैं उनके स्टाफ़ में पहुँचा, तो मैंने गहरे पश्चाताप की कहानी गढ़ी। जब मैंने प्राणभक्षी के रूप में बिताए दिनों की दुखद यादें उन्हें बताईं, तो उन्होंने बाँहें फैलाकर मेरा स्वागत किया – हालाँकि जैसा मैंने कहा, उन्होंने मुझे गुप्त कलाओं से रक्षा का विषय कभी नहीं पढ़ाने दिया। डम्बलडोर बहुत बड़े जादूगर हैं – ओह हाँ, बहुत बड़े,' (क्योंकि बेलाट्रिक्स ने एक व्यंग्यात्मक आवाज़ निकाली) 'शैतानी शहंशाह ख़ुद यह मानते हैं। बहरहाल, मुझे यह कहते हुए ख़ुशी हो रही है कि डम्बलडोर अब बूढ़े हो चले हैं। पिछले महीने शैतानी शहंशाह के साथ हुई मुठभेड़ ने उन्हें हिला दिया है। उसके बाद उन्हें एक गंभीर चोट लग गई है, जिससे अब उनके हाथ पहले जितनी तेज़ी से नहीं चलते हैं। लेकिन इन सालों में उन्होंने सीवियरस स्नेप पर भरोसा करना कभी नहीं छोड़ा और यह शैतानी शहंशाह के लिए सबसे महत्वपूर्ण बात है।'

बेलाट्रिक्स अब भी दुखी दिख रही थी, हालाँकि उसे अब समझ में नहीं आ रहा था कि वह स्नेप पर अगला हमला किस मुद्दे पर करे। उसकी ख़ामोशी का फ़ायदा उठाकर स्नेप उसकी बहन की तरफ़ मुड़े।

'तो ... तुम मुझसे मदद माँगने आई थीं, नार्सिसा ?'

नार्सिसा ने स्नेप की तरफ़ देखा। उसका चेहरा हताशा से भरा था।

'हाँ, सीवियरस। मुझे – मुझे लगता है कि सिर्फ़ तुम ही हो, जो मेरी मदद कर सकते हो। मैं और कहीं नहीं जा सकती। लूसियस जेल में है और ...'

उसने अपनी आँखें बंद कर लीं और दो बड़े आँसू पलकों से नीचे बहने लगे।

'शैतानी शहंशाह ने मुझे यह बात किसी को भी बताने से मना किया है,' नार्सिसा ने कहा, जिसकी आँखें अब भी बंद थीं। 'वे चाहते हैं कि यह योजना किसी को भी पता न चले। यह ... बहुत गोपनीय है। लेकिन –'

'अगर उन्होंने मना किया है, तो तुम्हें इस बारे में नहीं बोलना चाहिए,' स्नेप ने तत्काल कहा। 'शैतानी शहंशाह का हर शब्द क़ानून है।'

नार्सिसा ने आह भरी, जैसे स्नेप ने उस पर ठंडा पानी डाल दिया हो। बेलाट्रिक्स वहाँ आने के बाद से पहली बार संतुष्ट दिख रही थी।

'यह लो!' उसने विजयी भाव से अपनी बहन से कहा। 'यहाँ तक कि स्नेप का भी यही कहना है : तुम्हें चुप रहना चाहिए!'

लेकिन स्नेप उठकर खड़े हो गए और छोटी खिड़की के पास पहुँच गए। वहाँ उन्होंने पर्दों के बीच से वीरान सड़क की तरफ़ देखा और फिर झटके से पर्दे लगा दिए। उन्होंने मुड़कर नार्सिसा की तरफ़ त्योरियाँ चढ़ाकर देखा।

'देखो, मुझे योजना के बारे में मालूम है,' उन्होंने धीमी आवाज़ में कहा। 'मैं उन चुनिंदा लोगों में से हूँ, जिन्हें शैतानी शहंशाह ने यह बात बताई है। बहरहाल, नार्सिसा, अगर मुझे यह रहस्य मालूम नहीं होता, तो मुझे बताने से शैतानी शहंशाह के आदेश की बहुत बड़ी अवहेलना हो जाती!'

'मुझे पूरा भरोसा था कि तुम्हें इसके बारे में ज़रूर मालूम होगा!' नार्सिसा ने राहत की साँस लेते हुए कहा। 'वे तुम पर बहुत भरोसा करते हैं, सीवियरस ...'

'तुम योजना के बारे में जानते हो?' बेलाट्रिक्स ने कहा और संतुष्टि की जगह अब उसके चेहरे पर चिढ़ का भाव आ गया। '*तुम* जानते हो?'

'निश्चित रूप से,' स्नेप ने कहा। 'लेकिन मैं तुम्हारी क्या मदद कर सकता हूँ, नार्सिसा? अगर तुम यह कल्पना कर रही हो कि मैं शैतानी शहंशाह के फ़ैसले को बदलवा सकता हूँ, तो इसकी कोई उम्मीद नहीं है, बिलकुल भी उम्मीद नहीं है।'

'सीवियरस,' उसने फुसफुसाकर कहा और उसके पीले गालों पर आँसू बहने लगे। 'मेरा बेटा ... मेरा इकलौता बेटा ...'

'ड्रेको को गर्व होना चाहिए,' बेलाट्रिक्स ने भावहीन अंदाज़ में कहा। 'शैतानी शहंशाह उसे बहुत बड़ा सम्मान दे रहे हैं। और मैं ड्रेको की तरफ़ से इतना ज़रूर कहूँगी : वह अपने कर्तव्य से ज़रा भी पीछे नहीं हट रहा है। उसे ख़ुशी है कि उसे अपनी क़ाबिलियत साबित करने का मौक़ा मिल रहा है। वह इस

संभावना से रोमांचित है –'

नार्सिसा अब रोने लगी और आग्रह भरी निगाह से स्नेप की तरफ़ देखती रही।

'ऐसा इसलिए है, क्योंकि अभी वह सोलह साल का है और उसे ज़रा भी पता नहीं है कि आगे क्या है! क्यों, सीवियरस ? मेरा बेटा ही क्यों ? यह काम बहुत ख़तरनाक है! मैं जानती हूँ, यह लूसियस की ग़लती की सज़ा है!'

स्नेप कुछ नहीं बोले। उन्होंने उसके आँसुओं से अपनी नज़र हटा ली, जैसे वे अशालीन हों। बहरहाल, वे यह नाटक नहीं कर सकते थे कि उन्होंने उसकी बात सुनी ही नहीं है।

नार्सिसा बोली, 'तो उन्होंने ड्रेको को इसीलिए चुना है, है ना ? लूसियस को सज़ा देने के लिए ?'

स्नेप ने अब भी दूसरी तरफ़ देखते हुए कहा, 'अगर ड्रेको सफल हो जाता है, तो उसे बाक़ी सबसे ज़्यादा सम्मान दिया जाएगा।'

'लेकिन वह सफल नहीं होगा!' नार्सिसा सुबकते हुए बोली। 'वह कैसे सफल हो सकता है, जबकि शैतानी शहंशाह ख़ुद – ?'

बेलाट्रिक्स ने तेज़ी से साँस खींची। नार्सिसा बाक़ी के शब्द बोलने की हिम्मत नहीं कर पाई।

'मेरे कहने का मतलब सिर्फ़ यह था कि कोई भी अब तक सफल नहीं हुआ है ... सीवियरस ... प्लीज़ ... तुम हमेशा से ड्रेको के सबसे प्रिय शिक्षक रहे हो ... तुम लूसियस के पुराने दोस्त हो ... मैं तुमसे भीख माँगती हूँ ... तुम शैतानी शहंशाह के प्रिय हो, उनके सबसे विश्वस्त सलाहकार हो ... क्या तुम उनसे बात करोगे, उन्हें राज़ी करोगे – ?'

'शैतानी शहंशाह कभी राज़ी नहीं होंगे और मैं इतना मूर्ख नहीं हूँ कि उन्हें राज़ी करने की कोशिश करूँ ?' स्नेप ने सपाट तरीक़े से कहा। 'मैं यह नाटक नहीं करूँगा कि शैतानी शहंशाह लूसियस से नाराज़ नहीं हैं। लूसियस उस अभियान का मुखिया था। उसने ख़ुद को पकड़वा दिया, दूसरों को पकड़वा दिया और भविष्यवाणी नहीं ला पाया। हाँ नार्सिसा, शैतानी शहंशाह सचमुच नाराज़ हैं, बहुत नाराज़ हैं।'

'तो मेरा अंदाज़ा सही था, उन्होंने ड्रेको को प्रतिशोध में चुना है!' नार्सिसा ने रुँधे गले से कहा। 'वे यह नहीं चाहते हैं कि वह सफल हो। वे चाहते हैं कि वह कोशिश करते हुए मारा जाए!'

जब स्नेप कुछ नहीं बोले, तो नार्सिसा का बचा-खुचा संयम भी जवाब दे

गया। वह लड़खड़ाती हुई स्नेप की तरफ़ बढ़ी और उसने उनका दुशाला पकड़ लिया। उसका चेहरा स्नेप के चेहरे के क़रीब था और उसके आँसू उनके सीने पर टपक रहे थे। उसने साँस खींचते हुए कहा, 'तुम यह काम कर सकते हो। सीवियरस, ड्रेको के बजाय *तुम* यह काम कर सकते हो। तुम कामयाब हो जाओगे, तुम ज़रूर कामयाब हो जाओगे और वे तुम्हें सबसे ज़्यादा सम्मान देंगे –'

स्नेप ने उसकी कलाइयाँ पकड़कर उसके हाथ दूर हटाए। उसके आँसू सने चेहरे को देखते हुए स्नेप धीरे से बोले, 'मुझे लगता है कि वे अंत में यह काम मुझसे ही करवाना चाहते हैं। लेकिन वे ठान चुके हैं कि पहले ड्रेको को कोशिश करनी चाहिए। देखो, अगर ड्रेको सफल हो जाता है, जिसकी बहुत कम संभावना है, तो मैं हॉगवर्ट्स में थोड़े ज़्यादा समय तक रह सकता हूँ और जासूस की अपनी उपयोगी भूमिका निभा सकता हूँ।'

'दूसरे शब्दों में, अगर ड्रेको मर जाता है, तो उन्हें इससे कोई फ़र्क़ नहीं पड़ेगा!'

'शैतानी शहंशाह बहुत नाराज़ हैं,' स्नेप ने धीरे से दोहराया। 'वे भविष्यवाणी नहीं सुन पाए। नार्सिसा, मेरी तरह तुम भी अच्छी तरह जानती हो कि वे आसानी से माफ़ नहीं करते हैं।'

नार्सिसा स्नेप के क़दमों पर गिर गई और सुबकने लगी।

'मेरा इकलौता बेटा ... मेरा इकलौता बेटा ...'

'तुम्हें गर्व होना चाहिए!' बेलाट्रिक्स ने बेरहमी से कहा। 'अगर मेरे बेटे होते, तो मैं उन सभी को ख़ुशी-ख़ुशी शैतानी शहंशाह की सेवा में लगा देती!'

नार्सिसा ने हताशा भरी चीख़ निकाली और अपने लंबे सुनहरे बाल पकड़ लिए। स्नेप ने झुककर उसे उठाया और वापस सोफ़े की तरफ़ ले गए। फिर उन्होंने उसके गिलास में शराब डालकर ज़बर्दस्ती उसके हाथ में पकड़ा दिया।

'नार्सिसा, बहुत हो गया। इसे पी लो। मेरी बात सुनो।'

वह थोड़ी शांत हो गई और अपने ऊपर शराब छलकाते हुए उसने काँपते हाथों से एक घूँट पी लिया।

'हो सकता है ... कि मैं ड्रेको की मदद कर दूँ।'

नार्सिसा का चेहरा काग़ज़ की तरह सफ़ेद हो गया और उसकी आँखें फैल गईं।

'सीवियरस – ओह सीवियरस – तुम उसकी मदद करोगे? तुम उसका ध्यान रखोगे, यह देखोगे कि उसे कोई नुक़सान न हो?'

'मैं कोशिश करूँगा।'

नार्सिसा ने अपना गिलास दूर फेंक दिया, जो टेबल पर फिसल गया। नार्सिसा सोफ़े से फिसलकर स्नेप के पैरों के पास बैठ गई और उसने अपने दोनों हाथों में स्नेप का हाथ लेकर उस पर अपने होंठ रख दिए।

'अगर तुम उसकी रक्षा करने का वादा करो ... सीवियरस, क्या तुम क़सम खाने को तैयार हो? क्या तुम अटूट क़सम खाने को तैयार हो?'

'अटूट क़सम?' स्नेप का भाव सपाट था, जिसे समझा नहीं जा सकता था। बहरहाल, बेलाट्रिक्स विजयी अंदाज़ में खिलखिलाई।

'तुमने सुना नहीं, नार्सिसा? ओह, वह *कोशिश* करेगा ... वही खोखले शब्द, वही काम से बचकर फिसल जाना ... ओह, ज़ाहिर है, शैतानी शहंशाह के आदेश पर!'

स्नेप ने बेलाट्रिक्स की तरफ़ नहीं देखा। उनकी काली आँखें नार्सिसा की आँसू से भरी नीली आँखों पर जमी हुई थीं, जिसने अब तक स्नेप का हाथ नहीं छोड़ा था।

वे धीरे से बोले, 'निश्चित रूप से नार्सिसा, मैं अटूट क़सम खाने को तैयार हूँ! शायद तुम्हारी बहन हमारी बंधनकारी बनने के लिए तैयार हो जाए।'

बेलाट्रिक्स का मुँह खुला रह गया। स्नेप नीचे झुककर नार्सिसा के सामने घुटने टेककर बैठ गए। बेलाट्रिक्स की हैरान निगाह के नीचे उन दोनों ने एक-दूसरे का दायाँ हाथ पकड़ लिया।

स्नेप ठंडे स्वर में बोले, 'तुम्हें छड़ी की ज़रूरत पड़ेगी, बेलाट्रिक्स!'

बेलाट्रिक्स ने हैरान दिखते हुए अपनी छड़ी निकाल ली।

'और तुम्हें थोड़ा पास भी आना होगा,' स्नेप ने कहा।

बेलाट्रिक्स आगे की तरफ़ आ गई, ताकि वह उनके ऊपर खड़ी रहे। उसने उनके जुड़े हाथों पर अपनी छड़ी की नोक रख दी।

नार्सिसा बोली।

'सीवियरस, मेरा बेटा ड्रेको जब शैतानी शहंशाह की इच्छाएँ पूरी करने की कोशिश करेगा, तो क्या तुम उस पर नज़र रखोगे?'

'रखूँगा,' स्नेप ने कहा।

छड़ी से एक पतली लपट निकली और लाल सुर्ख़ तार की तरह उनके हाथों के चारों तरफ़ बँध गई।

'और क्या तुम अपनी पूरी क्षमता से उसे नुक़सान से बचाओगे?'

‘बचाऊँगा,’ स्नेप ने कहा।

छड़ी से एक और लपट निकली तथा पहली लपट से जुड़ गई, जिससे एक चमकती हुई जंज़ीर बन गई।

‘और, अगर ज़रूरत पड़े ... अगर ऐसा लगे कि ड्रेको असफल हो जाएगा ...’ नार्सिसा फुसफुसाकर बोली (स्नेप का हाथ उसके हाथ के भीतर काँपा, लेकिन उन्होंने उसे दूर नहीं हटाया), ‘तो क्या तुम वह काम करोगे, जो शैतानी शहंशाह ने ड्रेको को करने का आदेश दिया है ?’

एक पल तक ख़ामोशी छाई रही। बेलाट्रिक्स आँखें फाड़कर देखने लगी। उसकी छड़ी की नोक उनके जुड़े हाथों पर थी।

‘करूँगा,’ स्नेप ने कहा।

बेलाट्रिक्स की छड़ी से निकली तीसरी लपट की रोशनी में उसका हैरान चेहरा लाल चमकने लगा। यह लपट बाक़ी लपटों के साथ मिल गई और उसने उन दोनों के जुड़े हुए हाथों को रस्सी की तरह, आग वाले साँप की तरह बाँध दिया।

अध्याय तीन

करूँगा, नहीं करूँगा

हैरी पॉटर ज़ोर-ज़ोर से खर्राटे ले रहा था। वह पिछले चार घंटे में से ज़्यादातर समय अपने बेडरूम की खिड़की के पास वाली कुर्सी पर बैठकर अँधेरी सड़क को घूरता रहा था और आख़िरकार सो गया था। उसके चेहरे का एक हिस्सा खिड़की के ठंडे काँच से सटा हुआ था। उसका चश्मा तिरछा था और मुँह खुला हुआ था। उसकी साँस की भाप खिड़की पर जम गई थी और बाहर जलते स्ट्रीटलैंप की नारंगी रोशनी में चमक रही थी। इस रोशनी ने उसके चेहरे का सारा प्राकृतिक रंग ग़ायब कर दिया था, जिससे वह बिखरे काले बालों के नीचे भुतहा नज़र आ रहा था।

कमरे में बहुत सारा सामान और अटाला फैला हुआ था। फ़र्श पर उल्लू के पंख, सेवफल के बीज और चॉकलेट की पन्नियाँ पड़ी थीं। पलंग पर मंत्रों की कई पुस्तकें दुशालों के बीच में बेतरतीब पड़ी थीं और डेस्क पर रोशनी के नीचे अख़बारों का ढेर लगा था। उनमें से एक हेडलाइन थी :

हैरी पॉटर : चुनिंदा जादूगर?

जादू मंत्रालय में हाल ही में हुए रहस्यमय हंगामे के बारे में कई अटकलें लगाई जा रही हैं, जिसमें तुम-जानते-हो-कौन को दोबारा देखा गया था।

'हमें इसके बारे में कुछ बताने की इजाज़त नहीं है, इसलिए मुझसे कुछ न पूछें,' एक परेशान विस्मृति अधिकारी ने कहा, जिसने कल रात को मंत्रालय से घर जाते समय अपना नाम बताने से इंकार कर दिया।

बहरहाल, मंत्रालय के उच्च पदस्थ सूत्रों ने पुष्टि की है कि

यह हंगामा भविष्यवाणी कक्ष में हुआ था।

हालाँकि मंत्रालय के प्रवक्ता-जादूगरों ने अब तक ऐसी किसी जगह के अस्तित्व से इंकार किया है, लेकिन बहुत से जादूगर मानते हैं कि जो प्राणभक्षी इस समय घुसपैठ और चोरी के ज़ुर्म में अज़्काबान में सज़ा काट रहे हैं, वे एक भविष्यवाणी चुराने की कोशिश कर रहे थे। उस भविष्यवाणी की प्रकृति अज्ञात है, हालाँकि ऐसा अनुमान है कि इसका हैरी पॉटर से कोई संबंध है - जो मारक शाप से बचने वाला इकलौता शख़्स है। ऐसा माना जाता है कि वह भी उस रात को मंत्रालय में था। कुछ लोग तो अब पॉटर को 'चुनिंदा जादूगर' कहने लगे हैं और उनके अनुसार भविष्यवाणी में यह कहा गया है कि वही हमें तुम-जानते-हो-कौन से मुक्ति दिला सकता है।

यदि भविष्यवाणी अब भी अस्तित्व में है, तो इसका पता-ठिकाना अज्ञात है, हालाँकि (शेष पृष्ठ 2, कॉलम 5 पर)

पहले वाले अख़बार के पास ही एक और अख़बार पड़ा था। इसमें हेडलाइन थी :

फ़ज की जगह स्क्रिमग्योर जादू मंत्री बने

पहले पन्ने की ज़्यादातर जगह एक बड़ी ब्लैक-एंड-व्हाइट फ़ोटो ने घेर रखी थी। इसमें एक आदमी के शेर के अयाल जैसे मोटे बाल और थोड़ा उजड़ा सा चेहरा दिख रहा था। तस्वीर हिल रही थी - आदमी छत की तरफ़ देखकर हाथ हिला रहा था।

जादुई क़ानून पालन विभाग में ऑरर कार्यालय के पूर्व प्रमुख र्‌यूफ़स स्क्रिमग्योर अब कॉर्नेलियस फ़ज के स्थान पर नए जादू मंत्री बन गए हैं। इस नियुक्ति का जादूगर समुदाय ने उत्साह से स्वागत किया है। बहरहाल, नए मंत्री की नियुक्ति के कुछ घंटों के भीतर ही एल्बस डम्बलडोर से उनके मतभेद होने की अफ़वाह फैल गई है, जो जादूगर न्याय-सभा के प्रमुख न्यायविद् के रूप में पुनर्स्थापित हो चुके हैं।

स्क्रिमग्योर के प्रतिनिधियों ने स्वीकार किया कि मंत्री बनने के फ़ौरन बाद ही उन्होंने डम्बलडोर से मुलाक़ात की थी,

लेकिन उन्होंने बातचीत के मुद्दों के बारे में टिप्पणी करने से इंकार कर दिया। एल्बस डम्बलडोर हमेशा से *(शेष पृष्ठ 3, कॉलम 2 पर)*

इस अख़बार के दाईं तरफ़ एक और अख़बार रखा था, जो इस तरह मुड़ा हुआ था कि उसका एक लेख दिख रहा था, जिसका शीर्षक था ***मंत्रालय ने विद्यार्थियों की सुरक्षा की गारंटी ली।***

नवनियुक्त जादू मंत्री र्‌यूफ़स स्क्रिमग्योर ने आज बताया कि मंत्रालय ने कुछ सख़्त क़दम उठाए हैं, ताकि इस सितंबर में हॉगवर्ट्स जादूगरी और तंत्र विद्यालय में पढ़ने जाने वाले विद्यार्थियों की सुरक्षा सुनिश्चित हो सके।

मंत्रीजी ने अपने बयान में कहा, 'ज़ाहिर है, सुरक्षा की दृष्टि से हम नए सुरक्षा इंतज़ामों के बारे में विस्तार से नहीं बताएँगे।' बहरहाल, एक अंदरूनी सूत्र ने पुष्टि की कि इन सुरक्षा इंतज़ामों में नए सुरक्षात्मक मंत्रों, सम्मोहनों और प्रतिकारक मंत्रों के प्रयोग के अलावा हॉगवर्ट्स स्कूल की सुरक्षा के लिए कुछ ऑरर्स को नियुक्त किया जाना भी शामिल है।

छात्रों की सुरक्षा को लेकर नए मंत्री के इस सख़्त रुख़ से ज़्यादातर लोग आश्वस्त लगते हैं। मिसेज़ ऑगस्टा लॉँगबॉटम ने कहा, 'मेरा पोता नेविल – जो हैरी पॉटर का अच्छा दोस्त है और उसके साथ जून में मंत्रालय में प्राणभक्षियों से लड़ा था और –

लेकिन लेख का बाक़ी का हिस्सा एक बड़े पिंजरे से ढँक गया था, जो इसके ऊपर रखा हुआ था। पिंजरे के भीतर एक बहुत शानदार सफ़ेद उल्लू बैठी थी। उसकी आँखें बड़ी शान से कमरे को देख रही थीं। वह कभी-कभार अपने खर्राटे लेते मालिक को देखने के लिए अपना सिर उसकी तरफ़ लहरा रही थी। एक-दो बार उसने अधीरता से अपनी चोंच कुटकुटाई, लेकिन हैरी इतनी गहरी नींद में था कि उस आवाज़ को नहीं सुन पाया।

कमरे के बीचोंबीच एक बड़ा संदूक रखा था। इसका ढक्कन खुला था और यह लगभग ख़ाली था। इसमें बस कुछ पुराने अंडरवियर, चॉकलेटें, ख़ाली दवातें और टूटी क़लमें थीं, जो बिलकुल नीचे रखी थीं। पास ही में फ़र्श पर एक बैंगनी पैंफ़लेट भी पड़ा था, जिस पर लिखा था :

जादू मंत्रालय द्वारा जारी

शैतानी शक्तियों से अपने घर-परिवार की रक्षा करें

जादूगर समुदाय को वर्तमान में उन लोगों से ख़तरा है, जो ख़ुद को प्राणभक्षी कहते हैं। नीचे दिए गए सामान्य सुरक्षा निर्देश आपको, आपके परिवार और घर को सुरक्षित रखेंगे तथा हमले से बचाएँगे।

1. *आपको सलाह दी जाती है कि आप घर से अकेले न निकलें।*
2. *अँधेरा होने के बाद बाहर निकलने में ख़ास सावधानी बरतें। जहाँ तक संभव हो, रात होने से पहले ही घर लौट आएँ।*
3. *अपने घर के आस-पास की सुरक्षा व्यवस्था का मुआयना करें और यह सुनिश्चित करें कि परिवार के सभी सदस्य आपातकालीन क़दमों के बारे में जानते हों, जैसे कवच और मोहभंग सम्मोहन तथा परिवार के नाबालिग़ सदस्यों के मामले में, साहचर्य अंतर्ध्यान।*
4. *क़रीबी मित्रों और परिवार वालों के साथ सुरक्षा-संबंधी गुप्त सवाल तय कर लें, ताकि उन प्राणभक्षियों को पहचाना जा सके, जो भेसबदल काढ़े का इस्तेमाल करके दूसरों का वेश बना लेते हैं (देखें पृष्ठ 2)।*
5. *अगर आपको महसूस होता है कि परिवार का कोई सदस्य, सहकर्मी, मित्र या पड़ोसी अजीब हरकतें कर रहा है, तो तत्काल जादुई क़ानून पालन दस्ते से संपर्क करें। हो सकता है कि वह व्यक्ति सम्मोहन शाप के वशीभूत हो (देखें पृष्ठ 4)।*
6. *अगर किसी घर या इमारत के ऊपर मौत का निशान दिखे, तो उसमें **प्रवेश न करें**, बल्कि ऑरर कार्यालय से तत्काल संपर्क करें।*
7. *अपुष्ट सूत्रों से पता चला है कि प्राणभक्षी अब सजीव-लाश (देखें पृष्ठ 10) का प्रयोग भी कर सकते हैं। किसी सजीव-लाश के दिखने पर मंत्रालय को **तत्काल** ख़बर दें।*

हैरी नींद में बड़बड़ाया और उसका चेहरा खिड़की के काँच से एकाध इंच फिसल

गया। इससे उसका चश्मा थोड़ा और तिरछा हो गया, लेकिन वह फिर भी नहीं जागा। हैरी ने जिस अलार्म घड़ी को कुछ साल पहले सुधारा था, वह खिड़की की चौखट पर ज़ोर-ज़ोर से टिक-टिक कर रही थी। ग्यारह बजने में एक मिनट था। हैरी के शिथिल हाथ में चर्मपत्र का एक टुकड़ा था, जिस पर पतली, तिरछी लिखावट थी। यह चिट्ठी जब तीन दिन पहले आई थी, तो गोल लिपटी थी, लेकिन हैरी इसे इतनी ज़्यादा बार पढ़ चुका था कि अब चर्मपत्र बिलकुल सपाट हो चुका था।

प्रिय हैरी,

अगर तुम्हें असुविधा न हो, तो मैं इस शुक्रवार की रात को ग्यारह बजे प्रिविट ड्राइव के मकान नंबर चार में आऊँगा। मैं तुम्हें रॉन के घर ले जाऊँगा, जहाँ तुम्हें स्कूल की बची छुट्टियों में रहने के लिए आमंत्रित किया गया है।

अगर तुम्हें कोई दिक्क़त न हो, तो मैं एक और काम में तुम्हारा सहयोग चाहूँगा, जो मुझे रास्ते में करना है। मिलने पर इस काम के बारे में विस्तार से बताऊँगा।

अपना जवाब इसी उल्लू से भिजवा देना। इस शुक्रवार को मिलने की आशा में,

तुम्हारा

एल्बस डम्बलडोर

हालाँकि हैरी को यह चिट्ठी अब तक याद हो चुकी थी, लेकिन शाम को सात बजे से वह हर कुछ मिनट बाद इस चिट्ठी की तरफ़ चोरी से देख रहा था। वह सात बजे से ही अपने बेडरूम की खिड़की के पास बैठा था, जहाँ से प्रिविट ड्राइव के दोनों छोर अच्छी तरह से दिखते थे। वह जानता था कि डम्बलडोर के शब्दों को दोबारा पढ़ना निरर्थक था। हैरी ने उसी उल्लू द्वारा अपनी तरफ़ से 'हाँ' का संदेश भिजवा दिया था और अब वह सिर्फ़ इंतज़ार कर सकता था : या तो डम्बलडोर आएँगे, या फिर वे नहीं आएँगे।

लेकिन हैरी ने अपना सामान पैक नहीं किया था। उसे लग रहा था कि इतनी अच्छी बात होने की संभावना ही नहीं है। डर्स्ली परिवार के साथ एक पखवाड़े के बाद ही वह यहाँ से कैसे आज़ाद हो सकता है? वह इस भावना को दिल से नहीं निकाल पाया कि कहीं न कहीं कोई गड़बड़ हो जाएगी - डम्बलडोर की चिट्ठी का उसने जो जवाब दिया था, वह किसी दूसरी जगह पहुँच सकता है; यह भी हो सकता है कि डम्बलडोर उसे लेने न आ पाएँ; यह भी हो सकता है कि डम्बलडोर ने यह चिट्ठी लिखी ही न हो, बल्कि यह कोई चाल, मज़ाक़ या धोखा हो। हैरी को लग रहा था कि अगर उसने सामान पैक कर लिया और डम्बलडोर नहीं आए, तो उसे निराश होकर अपना सारा सामान दोबारा निकालना पड़ेगा। इसीलिए उसने सामान पैक करने की कोई कोशिश नहीं की। उसने संभावित यात्रा की सिर्फ़ एक ही तैयारी की थी और वह यह थी कि उसने अपनी सफ़ेद उल्लू हेडविग को उसके पिंजरे में बंद कर दिया था।

जिस पल अलार्म घड़ी का मिनट का काँटा बारह पर पहुँचा, उसी पल खिड़की के बाहर का स्ट्रीटलैंप बुझ गया।

हैरी झटके से जाग गया, जैसे अचानक होने वाला अँधेरा अलार्म घड़ी की आवाज़ हो। उसने जल्दी से अपना चश्मा ठीक किया और अपने गाल को काँच से हटाया। फिर उसने खिड़की से अपनी नाक टिकाकर फ़ुटपाथ की तरफ़ देखा। एक लंबी आकृति चोगा लहराती हुई बगीचे के अंदर चली आ रही थी।

हैरी इस तरह उछला, जैसे उसे बिजली का झटका लगा हो। उसकी कुर्सी ठोकर लगने से गिर गई और वह फ़र्श पर दिखने वाली हर चीज़ को संदूक में फेंकने लगा। अभी वह सिर्फ़ दो दुशाले, मंत्रों की दो पुस्तकें और चिप्स का एक पैकेट ही रख पाया था कि तभी दरवाज़े की घंटी बज गई।

नीचे लिविंग रूम से वरनॉन अंकल के चिल्लाने की आवाज़ आई, 'इतनी रात को कौन कमबख़्त आ गया?'

हैरी मूर्ति की तरह स्थिर हो गया। उसके एक हाथ में पीतल का टेलीस्कोप था और दूसरे हाथ में जूते। वह डर्स्ली परिवार को यह बताना तो भूल ही गया था कि डम्बलडोर आ सकते हैं। एक तरफ़ उसे इस बात पर दहशत हो रही थी और दूसरी तरफ़ हँसी भी आ रही थी। उसने संदूक लाँघकर अपने बेडरूम का दरवाज़ा खोला। उसे एक भारी आवाज़ सुनाई दी, 'गुड ईवनिंग। आप मिस्टर डर्स्ली होंगे? शायद हैरी ने आपको बता दिया होगा कि मैं उसे लेने आ रहा हूँ?'

हैरी एक बार में दो-दो सीढ़ियाँ कूदा और नीचे से कुछ सीढ़ियाँ ऊपर ही रुक गया। लंबे अनुभव से वह सीख चुका था कि जहाँ तक संभव हो, उसे अपने

अंकल के हाथ की पहुँच से दूर रहना चाहिए। दरवाज़े की चौखट पर एक लंबा, दुबला आदमी खड़ा हुआ था, जिसके सफ़ेद बाल और दाढ़ी कमर तक आ रहे थे। उनकी मुड़ी हुई नाक पर आधे चाँद के आकार का चश्मा था। वे एक लंबा काला यात्री चोगा पहने थे और उन्होंने एक नुकीला हैट लगा रखा था। वरनॉन डर्स्ली की मूँछें भी डम्बलडोर जितनी ही घनी थीं, हालाँकि वे काली थीं। उन्होंने बैंगनी ड्रेसिंग गाउन पहन रखा था और वे आगंतुक को इस तरह घूर रहे थे, जैसे उन्हें अपनी छोटी-छोटी आँखों पर भरोसा ही नहीं हो रहा हो।

'आपकी हैरानी देखकर मुझे लगता है कि हैरी ने आपको मेरे आने की चेतावनी नहीं दी है,' डम्बलडोर ने चहकते हुए कहा। 'बहरहाल, हम यह मान लेते हैं कि आपने मुझे गर्मजोशी से अपने घर के अंदर आमंत्रित कर लिया है। इस मुश्किल समय में दरवाज़े की चौखट पर ज़्यादा देर ठहरना समझदारी नहीं है।'

वे चौखट के पार आए और अंदर आने के बाद उन्होंने सामने वाला दरवाज़ा बंद कर दिया।

डम्बलडोर ने अपनी मुड़ी हुई नाक के ऊपर से वरनॉन अंकल को घूरते हुए कहा, 'जब मैं पिछली बार यहाँ आया था, तब से काफ़ी वक़्त गुज़र चुका है। मुझे कहना होगा, आपके पौधे बहुत अच्छे दिख रहे हैं।'

वरनॉन डर्स्ली कुछ नहीं बोले। हैरी को इस बारे में कोई शक नहीं था कि उसके अंकल जल्दी ही बोलने लगेंगे, क्योंकि उनके माथे की फड़कती नस ख़तरे के निशान तक पहुँच चुकी थी। बहरहाल, डम्बलडोर में ऐसा कुछ था, जिसकी वजह से कुछ समय के लिए अंकल की बोलती बंद हो गई थी। हो सकता है, यह उनके जादूगर जैसे हुलिए के कारण हो या फिर वरनॉन अंकल यह भाँप गए हों कि इस आदमी पर रौब डालना बहुत मुश्किल होगा।

'आह, गुड ईवनिंग, हैरी,' डम्बलडोर ने कहा और अपने आधे चाँद के आकार के चश्मे से उसे बहुत संतुष्टि से देखा। 'बहुत बढ़िया, बहुत बढ़िया।'

यह सुनकर वरनॉन अंकल उत्तेजित हो गए। यह स्पष्ट था कि जो व्यक्ति हैरी को देखकर 'बहुत बढ़िया' कह सकता था, उससे उनकी पटरी नहीं बैठ सकती।

'मैं बदतमीज़ी नहीं करना चाहता -' उन्होंने एक ऐसे अंदाज़ में बोलना शुरू किया, जिसमें बदतमीज़ी कूट-कूट कर भरी हुई थी।

'- लेकिन दुखद बात यह है कि बदतमीज़ी अक्सर होती रहती है,' डम्बलडोर ने गंभीरता से वाक्य पूरा किया। 'इसलिए चुप रहना ही ज़्यादा अच्छा है। आह, और यह पेटूनिया होगी।'

किचन का दरवाज़ा खुल चुका था और वहाँ हैरी की आंटी खड़ी हुई थीं। उन्होंने रबर के ग्लव्ज़ पहन रखे थे और नाइटड्रेस के ऊपर हाउसकोट डाल रखा था। यह साफ़ दिख रहा था कि वे हमेशा की तरह सोने से पहले किचन की हर चीज़ पोंछने के अभियान पर निकली हुई थीं। उनके घोड़ी जैसे चेहरे पर सदमे के सिवाय कुछ नहीं था।

जब वरनॉन अंकल ने परिचय नहीं कराया, तो डम्बलडोर बोले, 'मैं एल्बस डम्बलडोर हूँ। मैं आपको चिट्ठी लिख चुका हूँ।' हैरी को लगा कि यह पेटूनिया आंटी को यह याद दिलाने का अजीब तरीक़ा था कि उन्होंने उन्हें एक बार ऐसी चिट्ठी लिखी थी, जिसमें विस्फोट हो गया था, लेकिन पेटूनिया आंटी ने इस बात का विरोध नहीं किया। 'और यह आपका बेटा डडली होगा?'

डडली ठीक उसी पल लिविंग रूम के दरवाज़े पर झाँकने आ गया था। उसका बड़ा, सुनहरा सिर उसके कुरते के धारीदार कॉलर में से निकल रहा था और उसका मुँह हैरानी तथा दहशत में खुला हुआ था। डम्बलडोर ने एक-दो पल इंतज़ार किया। ज़ाहिर है, वे यह देखना चाहते थे कि डर्स्ली परिवार का कोई सदस्य कुछ कहना तो नहीं चाहता है, लेकिन जब ख़ामोशी छाई रही, तो वे मुस्कराए।

'क्या हम यह मान लें कि आपने मुझे अपने लिविंग रूम में आने का आमंत्रण दे दिया है?'

डम्बलडोर के पास से गुज़रते समय डडली तेज़ी से उनके रास्ते से हट गया। हैरी अब भी अपना टेलीस्कोप और जूते पकड़े था। वह आख़िरी कुछ सीढ़ियाँ कूदा और डम्बलडोर के पीछे-पीछे चल दिया। डम्बलडोर आग के सबसे क़रीब वाली कुर्सी पर बैठकर थोड़ी दिलचस्पी के साथ आस-पास देख रहे थे। वे उस जगह पर बहुत अजीब दिख रहे थे।

हैरी ने चिंता से पूछा, 'सर, क्या - क्या हम लोग चल नहीं रहे हैं?'

'निश्चित रूप से चल रहे हैं, लेकिन इससे पहले मुझे कुछ मुद्दों पर बात करनी है,' डम्बलडोर ने कहा। 'और मैं वह बात खुली जगह पर नहीं करना चाहता। हम तुम्हारे अंकल-आंटी की मेहमाननवाज़ी का कुछ समय तक और आनंद लेंगे।'

'आप ऐसा करेंगे?'

वरनॉन डर्स्ली कमरे में दाख़िल हो गए। पेटूनिया आंटी उनके पीछे थीं और डडली दोनों के पीछे मँडरा रहा था।

'हाँ,' डम्बलडोर ने कहा। 'मैं ऐसा ही करूँगा।'

उन्होंने अपनी छड़ी इतनी तेज़ी से बाहर निकाली कि हैरी उसे मुश्किल से देख पाया। उन्होंने हल्के से छड़ी लहराई और सोफ़ा आगे सरक आया। सोफ़ा डर्स्ली परिवार के तीनों सदस्यों के घुटने के पिछले हिस्से से टकराया, जिससे वे सभी गिरकर उस पर बैठ गए। डम्बलडोर ने एक बार फिर छड़ी लहराई, जिससे सोफ़ा दोबारा अपनी पुरानी जगह पर पहुँच गया।

इसके बाद डम्बलडोर ने चहकते हुए कहा, 'अब हम आराम से बैठ लेते हैं।'

जब उन्होंने अपनी छड़ी दोबारा जेब में रखी, तो हैरी ने देखा कि उनका हाथ काला हो चुका था और सिकुड़ गया था। ऐसा लग रहा था कि उनके हाथ का मांस जल चुका था।

'सर - आपके हाथ को क्या - ?'

'बाद में, हैरी,' डम्बलडोर ने कहा। 'बैठ जाओ।'

हैरी कुर्सी पर बैठ गया। वह डर्स्ली परिवार के सदस्यों की तरफ़ नहीं देख रहा था, जो ख़ामोश और स्तब्ध थे।

'मुझे उम्मीद थी कि आप लोग मुझे चाय-नाश्ता कराएँगे,' डम्बलडोर ने वरनॉन अंकल से कहा, 'लेकिन अब तक की बातों से ऐसा लगता है कि ऐसी उम्मीद करना मूर्खता होगी।'

छड़ी तीसरी बार लहराई। एक धूल लगी बोतल और पाँच गिलास हवा में से प्रकट हो गए। बोतल हिली और उसने हर गिलास में शहद के रंग का एक द्रव डाल दिया। फिर गिलास उड़कर कमरे में मौजूद हर व्यक्ति के पास पहुँच गए।

'मैडम रोज़मर्टा की सबसे अच्छी, पुरानी शराब,' डम्बलडोर ने कहा और हैरी की तरफ़ देखकर अपना गिलास उठाया, जिसने अपना गिलास उठाकर घूँट लिया। उसने इससे पहले इतनी बढ़िया चीज़ कभी नहीं चखी थी। उसे ख़ूब मज़ा आया। बहरहाल, डर्स्ली परिवार ने एक-दूसरे की तरफ़ जल्दी से घबराकर देखा। वे अपने गिलासों को नज़रअंदाज़ करने की कोशिश करने लगे। ऐसा करना मुश्किल था, क्योंकि गिलास उनके माथे से बार-बार धीरे-धीरे टकरा रहे थे। हैरी को इस बारे में कोई संदेह नहीं था कि डम्बलडोर को इसमें मज़ा आ रहा था।

डम्बलडोर ने उसकी तरफ़ मुड़ते हुए कहा, 'देखो हैरी, एक मुश्किल आ गई है। मुझे लगता है कि तुम हमारी उस मुश्किल को सुलझा सकते हो। हम से मेरा मतलब मायापंछी के समूह से है। लेकिन सबसे पहले मैं तुम्हें बताना चाहूँगा

कि एक सप्ताह पहले सिरियस की वसीयत मिली है और उसने तुम्हें हर चीज़ का वारिस बनाया है।'

सोफ़े पर बैठे वरनॉन अंकल का सिर घूमा, लेकिन हैरी ने उनकी तरफ़ नहीं देखा, न ही वह इसके सिवाय कुछ कहने की सोच पाया, 'ओह, अच्छा।'

'यह बिलकुल स्पष्ट है,' डम्बलडोर ने आगे कहा। 'इससे ग्रिनगॉट बैंक की तुम्हारी तिजोरी में थोड़ा सोना बढ़ गया है और तुम्हें सिरियस की सारी व्यक्तिगत संपत्ति विरासत में मिली है। विरासत का समस्या वाला हिस्सा –'

'इसका गॉडफ़ादर मर गया?' वरनॉन अंकल ने ज़ोर से पूछा। डम्बलडोर और हैरी दोनों ही मुड़कर उन्हें देखने लगे। अब शराब का गिलास वरनॉन अंकल के सिर से लगातार टकरा रहा था, जिसे वे दूर हटाने की कोशिश कर रहे थे। 'वह मर चुका है? इसका गॉडफ़ादर?'

'हाँ,' डम्बलडोर ने कहा। उन्होंने हैरी से यह नहीं पूछा कि उसने यह बात डर्स्ली परिवार को क्यों नहीं बताई थी। उन्होंने हैरी से आगे कहा, जैसे कोई व्यवधान ही न हुआ हो, 'हमारी समस्या यह है कि सिरियस ग्रिमॉल्ड चौक का मकान नंबर बारह भी तुम्हारे नाम कर गया है।'

'इसे विरासत में एक मकान मिला है?' वरनॉन अंकल ने लालच से कहा और उनकी छोटी आँखें सिकुड़ गईं, लेकिन किसी ने उनकी बात का जवाब नहीं दिया।

'आप मुख्यालय के रूप में उसका इस्तेमाल आगे भी कर सकते हैं,' हैरी ने कहा। 'मुझे परवाह नहीं है। आप उसे रख सकते हैं। मैं उसे बिलकुल नहीं चाहता।' हैरी मकान नंबर बारह, ग्रिमॉल्ड चौक में दोबारा कभी क़दम नहीं रखना चाहता था। उसने सोचा कि उसे इस बात की हमेशा याद सताती रहेगी कि सिरियस अकेला अँधेरे कमरों में क़ैदी की तरह घूम रहा था, जहाँ से बाहर निकलने के लिए वह छटपटा रहा था।'

डम्बलडोर ने कहा, 'यह तुम्हारी उदारता है। बहरहाल, हमने कुछ समय के लिए इमारत ख़ाली कर दी है।'

'क्यों?'

'देखो,' डम्बलडोर ने वरनॉन अंकल की बुदबुदाहटों को नज़रअंदाज़ करते हुए कहा, जिनका गिलास अब उनके सिर से ज़ोर-ज़ोर से टकरा रहा था, 'ब्लैक ख़ानदान की परंपरा यह थी कि मकान हमेशा ख़ानदान में ही दिया जाता था, ब्लैक नाम के अगले पुरुष को। सिरियस उस ख़ानदान का आख़िरी पुरुष था, क्योंकि उसका छोटा भाई रेग्युलस उससे पहले ही मर गया था और वे दोनों

ही निःसंतान थे। हालाँकि सिरियस की वसीयत में साफ़ लिखा है कि वह तुम्हें घर का मालिक बनाना चाहता है, लेकिन यह भी संभव है कि उस मकान पर कोई ऐसा मंत्र या जादू हो, जिसकी वजह से शुद्ध ख़ून वाले जादूगर के अलावा कोई और उसका मालिक न बन पाए।'

हैरी के दिमाग़ में बारह नंबर, ग्रिमॉल्ड चौक के हॉल में सिरियस की माँ की चीख़ती, थूक उड़ाती तस्वीर की स्पष्ट छवि आ गई। उसने कहा, 'मुझे भी ऐसा ही लगता है।'

'बिलकुल,' डम्बलडोर ने कहा। 'और अगर ऐसा कोई मंत्र मौजूद है, तो उस मकान पर सिरियस के बाद उम्र में सबसे बड़े रिश्तेदार का हक़ होगा, जिसका मतलब है उसकी कज़िन, बेलाट्रिक्स लेस्ट्रेंज।'

हैरी को पता ही नहीं चला कि वह कब उछलकर खड़ा हो गया था। उसकी गोद में रखे टेलीस्कोप और जूते फ़र्श पर लुढ़क गए। सिरियस की हत्यारिन बेलाट्रिक्स लेस्ट्रेंज को उसका घर विरासत में मिलेगा?

'नहीं,' उसने कहा।

'देखो, हम सभी चाहते हैं कि यह घर उसे न मिले,' डम्बलडोर ने धीरे से कहा। 'मामला बहुत जटिल है। हम नहीं जानते हैं कि हमने इसे अदृश्य करने के लिए जो जादू किया है, वह अब क़ायम रहेगा भी या नहीं, क्योंकि अब सिरियस इस मकान का मालिक नहीं है। यह भी हो सकता है कि किसी भी पल बेलाट्रिक्स इस मकान की चौखट पर आ जाए। ज़ाहिर है, जब तक स्थिति स्पष्ट नहीं हो जाती, तब तक के लिए हमें इसे ख़ाली करना पड़ा।'

'लेकिन आप यह पता कैसे लगाएँगे कि मैं इसका मालिक हूँ या नहीं?'

'ख़ुशक़िस्मती से,' डम्बलडोर ने कहा, 'इसकी जाँच बड़ी आसानी से की जा सकती है।'

उन्होंने अपना ख़ाली गिलास अपनी कुर्सी के पास वाली छोटी टेबल पर रख दिया, लेकिन इससे पहले कि वे और कुछ कर पाते, वरनॉन अंकल चिल्लाए, '*क्या आप इन बेहूदा चीज़ों को हमारे पास से हटाएँगे!*'

हैरी ने मुड़कर देखा। डर्स्ली परिवार के तीनों सदस्य अब अपने सिर पर हाथ रखे हुए थे। उनके गिलास उनकी खोपड़ियों पर ऊपर-नीचे हो रहे थे और उनके अंदर भरा द्रव चारों तरफ़ छलक रहा था।

'ओह, मुझे अफ़सोस है,' डम्बलडोर ने विनम्रता से कहा और उन्होंने अपनी छड़ी लहराई। तीनों गिलास ग़ायब हो गए। 'लेकिन शिष्टाचार के नाते आप लोगों को इन्हें पी लेना चाहिए था।'

ऐसा लगा जैसे वरनॉन अंकल इस बात का बहुत कड़वा जवाब देने को बेताब थे, लेकिन वे पेटूनिया आंटी और डडली के साथ सोफ़े पर दुबके रहे तथा कुछ नहीं बोले। उनकी सुअर जैसी छोटी-छोटी आँखें डम्बलडोर की छड़ी पर टिकी थीं।

'देखो,' डम्बलडोर हैरी की तरफ़ मुड़ते हुए ऐसे बोलने लगे, जैसे वरनॉन अंकल ने बीच में कुछ कहा ही न हो, 'अगर तुम्हें मकान सचमुच विरासत में मिला है, तो तुम्हें विरासत में यह भी मिला है -'

उन्होंने पाँचवीं बार अपनी छड़ी लहराई। *खट्ट* की ज़ोरदार आवाज़ के साथ एक घरेलू जिन्न प्रकट हो गया। उसकी नाक की जगह पर थूथन थी। उसके कान बड़े चमगादड़ जैसे थे और उसकी बड़ी-बड़ी लाल आँखें थीं। गंदे चिथड़ों में लिपटा हुआ वह घरेलू जिन्न डर्स्ली दंपति के गलीचे पर उकड़ूँ बैठा था। पेटूनिया आंटी भयंकर तरीक़े से चीखीं। इतनी गंदी चीज़ उनके घर में पहले कभी नहीं आई थी। डडली ने अपने बड़े-बड़े गुलाबी पैर फ़र्श से उठा लिए और उन्हें सिर से ऊपर कर लिया, जैसे सोच रहा हो कि यह प्राणी उसका पायजामा उतार सकता है। वरनॉन अंकल दहाड़े, 'यह गंदी सी चीज़ *क्या है?*'

'क्रीचर,' डम्बलडोर ने कहा।

'क्रीचर नहीं करेगा, क्रीचर नहीं करेगा, क्रीचर नहीं करेगा!' अपने लंबे गाँठदार पैर पटकते हुए और कान खींचते हुए घरेलू जिन्न ने वरनॉन अंकल जितनी ही तेज़ आवाज़ में कहा। 'क्रीचर मिस बेलाट्रिक्स का आदेश मानेगा, ओह हाँ, क्रीचर ब्लैक ख़ानदान का आदेश मानेगा, क्रीचर अपनी नई मालकिन को चाहता है, क्रीचर पॉटर लड़के के पास नहीं जाएगा, क्रीचर नहीं करेगा, क्रीचर नहीं करेगा, नहीं करेगा -'

'जैसा तुम देख सकते हो, हैरी,' डम्बलडोर ने ज़ोर से कहा, ताकि क्रीचर की लगातार 'नहीं करेगा, नहीं करेगा, नहीं करेगा,' की आवाज़ें दब जाएँ, 'क्रीचर तुम्हारी मिल्कियत में नहीं आना चाहता है।'

'मुझे परवाह नहीं है,' हैरी ने काँपते और पैर पटकते घरेलू जिन्न की तरफ़ हिक़ारत से देखते हुए कहा, 'मुझे परवाह नहीं है। मैं उसे रखना भी नहीं चाहता हूँ।'

'नहीं करेगा, नहीं करेगा, नहीं करेगा, नहीं करेगा -'

'तो क्या तुम यह चाहते हो कि वह बेलाट्रिक्स लेस्ट्रेंज की मिल्कियत में चला जाए? यह ध्यान में रखते हुए कि वह पिछले साल मायापंछी के समूह के मुख्यालय में रह चुका है?'

'नहीं करेगा, नहीं करेगा, नहीं करेगा, नहीं करेगा –'

हैरी ने डम्बलडोर को घूरकर देखा। वह जानता था कि क्रीचर को बेलाट्रिक्स लेस्ट्रेंज के पास जाकर रहने की इजाज़त नहीं दी जा सकती, लेकिन उसका मालिक बनने का विचार ... सिरियस को धोखा देने वाले प्राणी की ज़िम्मेदारी लेना बहुत वितृष्णा भरा था।

'उसे एक आदेश दो,' डम्बलडोर ने कहा। 'अगर वह तुम्हारी मिल्कियत में आ गया है, तो उसे आदेश मानना पड़ेगा। अगर ऐसा नहीं हुआ, तो हमें उसकी वास्तविक मालकिन से उसे दूर रखने का कोई और तरीक़ा सोचना पड़ेगा।'

'नहीं करेगा, नहीं करेगा, नहीं करेगा, ***नहीं करेगा!'***

क्रीचर की आवाज़ ऊँची होती हुई अब चीख़ में बदल चुकी थी। हैरी इसके सिवाय कुछ और कहने की नहीं सोच पाया, 'क्रीचर, चुप हो जाओ!'

एक पल के लिए तो ऐसा लगा, जैसे क्रीचर का दम घुटने वाला हो। उसने अपना गला पकड़ लिया, उसका मुँह अब भी तेज़ी से हिल रहा था, उसकी आँखें बाहर निकल रही थीं। कुछ पल तक आवेश में थूक निगलने के बाद वह मुँह के बल गलीचे पर गिर गया (पेटूनिया आंटी ने सिसकारी भरी) और फ़र्श पर अपने हाथ-पैर पटकने लगा। इस तरह वह हिंसक, लेकिन ख़ामोश प्रतिरोध करने लगा।

'अच्छा, तो इससे समस्या आसानी से सुलझ गई,' डम्बलडोर ने ख़ुशी से कहा। 'ऐसा लगता है, सिरियस जानता था कि वह क्या कर रहा था। तुम ग्रिमॉल्ड चौक के बारह नंबर मकान ... और क्रीचर के भी क़ानूनी मालिक हो।'

'क्या मुझे – क्या मुझे उसे अपने साथ रखना पड़ेगा?' हैरी ने दहशत से पूछा, जब क्रीचर उसके पैरों के चारों तरफ़ लोट लगाने लगा।

'अगर तुम ऐसा नहीं करना चाहते, तो इसकी कोई ज़रूरत नहीं है,' डम्बलडोर ने कहा। 'मैं एक सुझाव दूँ, तुम उसे हॉगवर्ट्स के किचन में काम करने के लिए भेज दो। इस तरह से दूसरे घरेलू जिन्न उस पर नज़र रख सकते हैं।'

'हाँ,' हैरी ने राहत के साथ कहा, 'हाँ, मैं यही करता हूँ। अर – क्रीचर – मैं चाहता हूँ कि तुम हॉगवर्ट्स जाओ और वहाँ किचन में दूसरे घरेलू जिन्नों के साथ काम करो।'

क्रीचर उस वक़्त पीठ के बल लेटकर अपने हाथ-पैर हवा में उठाए हुए था। उसने हैरी को गहरी हिक़ारत से ऊपर से नीचे तक देखा और एक ज़ोरदार खट्ट के साथ ग़ायब हो गया।

'अच्छा,' डम्बलडोर ने कहा। 'बकबीक नाम के गरुड़अश्व का मामला भी है। सिरियस की मौत के बाद से हैग्रिड उसकी देखभाल कर रहा है, लेकिन बकबीक अब तुम्हारा है, इसलिए अगर तुम कोई दूसरा इंतज़ाम करना चाहो –'

'नहीं,' हैरी ने तत्काल कहा, 'वह हैग्रिड के साथ रह सकता है। मुझे लगता है कि यह बकबीक को ज़्यादा अच्छा लगेगा।'

'हैग्रिड बहुत ख़ुश होगा,' डम्बलडोर ने मुस्कराते हुए कहा। 'बकबीक से दोबारा मिलकर वह बहुत रोमांचित है। वैसे बकबीक की सुरक्षा के लिए हमने कुछ समय के लिए उसका नाम विदरविंग्स रख दिया है, हालाँकि मंत्रालय शायद यह अंदाज़ा कभी नहीं लगा पाएगा कि उसने इसी गरुड़अश्व को मौत की सज़ा दी थी। अब हैरी, क्या तुम्हारा संदूक पैक हो चुका है?'

'ओह ...'

'तुम्हें भरोसा नहीं था कि मैं आऊँगा?' डम्बलडोर ने मुस्कराते हुए पूछा।

'मैं फटाफट जाकर पैकिंग कर लेता हूँ,' हैरी ने जल्दी से कहा और गिरा हुआ टेलीस्कोप तथा जूते उठा लिए।

अपनी ज़रूरत का सारा सामान बटोरने में उसे दस मिनट से कुछ ही ज़्यादा समय लगा। आख़िरकार उसने बिस्तर के नीचे से अपना अदृश्य चोगा निकाला, रंग-परिवर्तक स्याही की दवात का ढक्कन लगाया और अपने संदूक का ढक्कन अपनी कड़ाही के ऊपर ज़बर्दस्ती लगाया। फिर एक हाथ से अपना संदूक खींचते हुए और दूसरे हाथ में हेडविग का पिंजरा थामकर वह नीचे की मंज़िल की तरफ़ चल दिया।

उसे यह देखकर निराशा हुई कि डम्बलडोर हॉल में उसका इंतज़ार नहीं कर रहे थे, जिसका यह मतलब था कि उसे दोबारा लिविंग रूम में जाना पड़ेगा।

कोई भी बातचीत नहीं कर रहा था। डम्बलडोर धीरे-धीरे गुनगुना रहे थे और बहुत शांत व सहज थे। बहरहाल, माहौल बहुत तनावग्रस्त था। डर्स्ली दंपति की तरफ़ देखने की हैरी की हिम्मत नहीं हुई। उसने कहा, 'प्रोफ़ेसर – मैं अब तैयार हूँ।'

'अच्छी बात है,' डम्बलडोर ने कहा। 'बस एक बात और कहनी है।' वे एक बार फिर डर्स्ली दंपति की तरफ़ मुड़े। 'जैसा आप लोग जानते होंगे, हैरी एक साल बाद बालिग़ हो जाएगा –'

'नहीं,' पेटूनिया आंटी बोलीं। डम्बलडोर के आने के बाद वे पहली बार बोली थीं।

'क्या?' डम्बलडोर ने विनम्रता से कहा।

'नहीं, वह बालिग़ नहीं होगा। वह डडली से एक महीने छोटा है और डडली दो साल बाद अठारह का होगा।'

डम्बलडोर ने चहकते हुए कहा, 'लेकिन जादूगरों की दुनिया में लोग सत्रह साल की उम्र में बालिग़ हो जाते हैं।'

वरनॉन अंकल बुदबुदाए, 'बेहूदा,' लेकिन डम्बलडोर ने उन्हें नज़रअंदाज़ कर दिया।

'जैसा आप जानते ही हैं, लॉर्ड वोल्डेमॉर्ट नाम का जादूगर इस देश में लौट आया है। जादूगर समुदाय में खुला युद्ध चल रहा है। लॉर्ड वोल्डेमॉर्ट हैरी को कई बार पहले भी मारने की कोशिश कर चुका है। जब मैं उसे पंद्रह साल पहले आपकी चौखट पर छोड़कर गया था, तब वह जितने ख़तरे में था, आज वह उससे भी ज़्यादा बड़े ख़तरे में है। तब मैंने एक चिट्ठी भी छोड़ी थी, जिसमें मैंने उसके माता-पिता की हत्या के बारे में बताया था और यह उम्मीद की थी कि आप लोग उसे भी अपने बच्चे की तरह ही पालेंगे।'

डम्बलडोर रुके। हालाँकि ग़ुस्से का कोई स्पष्ट चिन्ह नहीं दिख रहा था, लेकिन हैरी को उनके पास से एक तरह का ठंडापन निकलता हुआ महसूस हुआ। उसने देखा कि डर्स्ली दंपति अब थोड़े पास-पास हो गए थे। फिर डम्बलडोर ने हल्की तथा शांत आवाज़ में आगे कहा।

'आप लोगों ने मेरा कहना नहीं माना। आप लोगों ने हैरी के साथ कभी अपने बेटे जैसा व्यवहार नहीं किया। उसे आपके यहाँ सिर्फ़ उपेक्षा और अक्सर क्रूरता ही मिली है। उसके बारे में बस यही अच्छी बात कही जा सकती है कि कम से कम वह उस विनाशक नुक़सान से बच गया है, जो आप लोगों ने अपने बीच में बैठे इस बदक़िस्मत लड़के को पहुँचाया है।'

पेटूनिया आंटी और वरनॉन अंकल ने मुड़कर देखा, जैसे उन्हें अपने बीच में डडली के बजाय किसी और के बैठे होने की उम्मीद हो।

'हम - डडली का नुक़सान करेंगे ? आप यह क्या कह - ?' वरनॉन अंकल ने आवेश में कहना शुरू किया, लेकिन डम्बलडोर ने अपनी उँगली उठाकर उन्हें ख़ामोश कर दिया। ऐसा लग रहा था, जैसे उन्होंने जादू से वरनॉन अंकल को गूँगा कर दिया हो।

'मैंने पंद्रह साल पहले जो जादू किया था, उसका यह मतलब था कि जब तक हैरी इस मकान को अपना घर कह सकता है, तब तक उसे सशक्त सुरक्षा मिलेगी। वह यहाँ कितना ही दुखी रहा हो, कितना ही उपेक्षित रहा हो, उसके साथ कितना ही बुरा व्यवहार किया गया हो, कम से कम आप लोगों ने उसे मन मारकर ही सही अपने घर में रहने दिया। जब हैरी सत्रह साल का हो जाएगा, तो

यह जादू ख़त्म हो जाएगा। दूसरे शब्दों में, उसके मर्द बनने पर यह जादू काम करना बंद कर देगा। मैं आपसे सिर्फ़ यह चाहता हूँ : कि आप हैरी को उसके सत्रहवें जन्मदिन से पहले एक बार फिर इस मकान में लौटने दें, ताकि उस समय तक उसकी सुरक्षा बनी रहे।'

डर्स्ली दंपति कुछ नहीं बोले। डडली की त्योरियाँ थोड़ी चढ़ी हुई थीं, जैसे सोच रहा हो कि उसके माता-पिता ने उसे कब नुक़सान पहुँचाया था। वरनॉन अंकल को देखकर ऐसा लग रहा था, जैसे उनके गले में कोई चीज़ अटक गई हो। बहरहाल, पेटूनिया आंटी का चेहरा थोड़ा लाल पड़ गया था।

'अच्छा हैरी ... अब हमारे चलने का समय हो गया,' डम्बलडोर ने आख़िरकार कहा और खड़े होते हुए अपने लंबे काले चोगे को सीधा किया। 'फिर मिलते हैं,' उन्होंने डर्स्ली दंपति से कहा, जिन्हें देखकर ऐसा लग रहा था कि वे उनसे दोबारा कभी नहीं मिलना चाहते हैं। अपना हैट छूकर वे कमरे से बाहर निकल गए।

'अलविदा,' हैरी ने डर्स्ली दंपति से जल्दी से कहा और डम्बलडोर के पीछे चल दिया, जो हैरी के संदूक के पास रुक गए थे, जिस पर हेडविग का पिंजरा रखा था।

'हम इन चीज़ों का बोझ नहीं उठाते हैं,' उन्होंने अपनी छड़ी दोबारा बाहर निकालते हुए कहा। 'मैं इन्हें रॉन के घर भेज देता हूँ। बहरहाल, मैं चाहूँगा कि तुम अपना अदृश्य चोगा बाहर निकाल लो ... ताकि ज़रूरत पड़ने पर काम आ सके।'

हैरी ने थोड़ी मुश्किल से अपने संदूक से चोगा निकाला और यह कोशिश की कि डम्बलडोर अंदर बेतरतीब तरीक़े से रखे सामान को न देख पाएँ। जब उसने चोगे को जैकेट की अंदर वाली जेब में रखा, तो डम्बलडोर ने अपनी छड़ी लहराई। संदूक, पिंजरा तथा हेडविग ओझल हो गए। डम्बलडोर ने दोबारा अपनी छड़ी लहराई। सामने वाला दरवाज़ा खुल गया। बाहर अँधेरा और ठंडक थी।

'और अब हैरी, हम रात के अँधेरे में बाहर निकलते हैं ... और रोमांच की तलाश में चलते हैं।'

अध्याय चार

होरेस स्लगहॉर्न

हैरी पिछले कुछ दिनों से बड़ी आस लगाए था कि डम्बलडोर उसे लेने आएँगे। इसके बावजूद उसे प्रिविट ड्राइव से डम्बलडोर के साथ निकलते समय थोड़ा अजीब लग रहा था। इससे पहले वह हेडमास्टर से हॉगवर्ट्स के बाहर कम ही मिला था। आम तौर पर उनके बीच एक डेस्क रहती थी। हैरी को उनसे हुई आख़िरी मुलाक़ात बार-बार याद आती रही, जिससे उसकी उलझन और बढ़ गई। उस मौक़े पर उसने बहुत ज़्यादा चिल्ला-चोट की थी और डम्बलडोर के बहुत सारे क़ीमती सामानों को तोड़ने-फोड़ने की पूरी कोशिश की थी।

बहरहाल, डम्बलडोर बिलकुल सहज दिख रहे थे।

उन्होंने उत्साह से कहा, 'हैरी, अपनी छड़ी तैयार रखना।'

'लेकिन सर, मुझे तो स्कूल से बाहर जादू करने की इजाज़त नहीं है!'

डम्बलडोर बोले, 'अगर कोई हमला होता है, तो मैं तुम्हें इस बात की इजाज़त देता हूँ कि तुम अपने मन में आने वाले किसी भी प्रतिकारक मंत्र या शाप का प्रयोग कर सकते हो। बहरहाल, मुझे लगता है कि तुम्हें आज हमले के बारे में चिंता नहीं करनी होगी।'

'क्यों सर ?'

'तुम मेरे साथ जो हो,' डम्बलडोर ने सहजता से कहा। 'बस इतना ही काफ़ी है, हैरी।'

वे प्रिविट ड्राइव के छोर पर पहुँचकर अचानक रुक गए।

उन्होंने हैरी से पूछा, 'ज़ाहिर है, तुमने अभी तक अंतर्ध्यान परीक्षा पास नहीं की होगी ?'

हैरी बोला, 'नहीं, उसके लिए तो सत्रह साल की उम्र होनी चाहिए।'

डम्बलडोर बोले, 'तो फिर तुम्हें मेरी बाँह बहुत कसकर पकड़नी होगी। अगर दिक़्क़त न हो, तो मेरी बाईं बाँह पकड़ो। जैसा तुमने देखा ही होगा, मेरी छड़ी वाली बाँह इस वक़्त थोड़ी नाज़ुक हालत में है।'

हैरी ने डम्बलडोर की बाईं बाँह पकड़ ली।

'बहुत बढ़िया,' डम्बलडोर ने कहा। 'अच्छा, तो अब चलते हैं।'

हैरी को डम्बलडोर की बाँह खिंचती हुई महसूस हुई और उसने अपनी पकड़ दोगुनी मज़बूत कर दी। हर चीज़ तत्काल काली हो गई। उस पर सभी दिशाओं से बहुत ज़्यादा दबाव पड़ने लगा। वह साँस नहीं ले सकता था। उसके सीने पर जैसे लोहे की छड़ें कस गई थीं। उसकी आँखों की पुतलियाँ उसके सिर में धँसी जा रही थीं। उसके कान के पर्दे उसकी खोपड़ी में धँसे जा रहे थे, और फिर -

उसने रात की बहुत सारी ठंडी हवा अपने फेफड़ों में भर ली और अपनी आँसू भरी आँखें खोलीं। उसे महसूस हुआ, जैसे वह अभी-अभी रबड़ की बहुत सँकरी नली में से निकला हो। कुछ सेकंड बाद जाकर उसे एहसास हुआ कि प्रिविट ड्राइव ग़ायब हो गया था। वह और डम्बलडोर अब एक गाँव के वीरान चौक में खड़े थे, जिसके बीच में युद्ध का एक पुराना स्मारक और कुछ बेंचें थीं। उसकी इंद्रियों के साथ ही उसकी समझ भी काम करने लगी और उसे एहसास हुआ कि अभी-अभी वह ज़िंदगी में पहली बार अंतर्ध्यान हुआ था।

'ठीक हो?' डम्बलडोर ने उसकी तरफ़ ग़ौर से देखते हुए पूछा। 'इसकी आदत पड़ने में वक़्त लगता है।'

'मैं ठीक हूँ,' हैरी ने अपने कान मलते हुए कहा, जिनकी हालत ऐसी थी, जैसे उन्होंने प्रिविट ड्राइव को थोड़ी अनिच्छा से छोड़ा हो। 'लेकिन मुझे लगता है कि मैं झाड़ू की सवारी को ज़्यादा पसंद करूँगा।'

डम्बलडोर मुस्कराए और उन्होंने अपने यात्री चोगे को अपने गले पर थोड़ा कसकर लपेटते हुए कहा, 'इस तरफ़।'

वे तेज़ी से चल दिए। वे एक ख़ाली सराय और कुछ मकानों के पास से गुज़रे। पास के चर्च की घड़ी के अनुसार लगभग आधी रात हो चुकी थी।

डम्बलडोर ने कहा, 'तो मुझे बताओ, हैरी! तुम्हारा निशान ... क्या यह अब भी दुखता है?'

हैरी ने अनजाने में अपना एक हाथ माथे तक उठाया और बिजली के आकार वाले निशान को मला।

उसने कहा, 'नहीं, लेकिन मैं इस बात पर हैरान हूँ। मुझे लग रहा था कि

वोल्डेमॉर्ट के ताक़तवर बनने के बाद तो यह बहुत ज़्यादा दुखेगा।'

उसने डम्बलडोर की तरफ़ देखा, जिनके चेहरे पर संतुष्टि का भाव था।

वे बोले, 'बहरहाल, मेरा अनुमान दूसरा था। लॉर्ड वोल्डेमॉर्ट को आख़िरकार एहसास हो गया कि तुम उसके विचारों और भावनाओं को भाँप रहे हो, जो उसके लिए बहुत ख़तरनाक साबित हो सकता है। ऐसा लगता है कि वह अब तुम्हारे ख़िलाफ़ गुप्तविद्या का इस्तेमाल कर रहा है।'

हैरी ने कहा, 'अच्छी बात है। मुझे इससे कोई दिक्क़त नहीं है।' वोल्डेमॉर्ट के विचारों की सदमे भरी झलक और परेशान करने वाले सपनों से छुटकारा पाकर वह ख़ुश था।

वे एक मोड़ मुड़कर एक टेलीफ़ोन बूथ और बस स्टॉप के पास से गुज़रे। हैरी ने कनखियों से डम्बलडोर की तरफ़ दोबारा देखा।

'प्रोफ़ेसर ?'

'हैरी ?'

'अर – हम इस समय कहाँ हैं ?'

'हैरी, यह बडली बैबरटन नाम का प्यारा गाँव है।'

'और हम यहाँ क्या कर रहे हैं ?'

'ओह हाँ, ज़ाहिर है, मैं तुम्हें यह बताना ही भूल गया,' डम्बलडोर ने कहा। 'देखो, मैंने पिछले कुछ सालों में यह बात इतनी बार कही है कि मैं अब गिनती ही भूल गया हूँ, लेकिन एक बार फिर हमारे स्टाफ़ में एक सदस्य कम है। हम यहाँ मेरे एक पुराने साथी को मनाने आए हैं, ताकि वह रिटायरमेंट छोड़कर हॉगवर्ट्स आ जाए।'

'सर, मैं इस काम में कैसे मदद कर सकता हूँ ?'

'ओह, मुझे लगता है कि तुम्हारी मदद की ज़रूरत पड़ेगी,' डम्बलडोर ने अस्पष्टता से कहा। 'यहाँ बाईं तरफ़, हैरी।'

वे एक ऊँची, सँकरी सड़क पर चलने लगे, जिसके दोनों तरफ़ मकान थे। सभी खिड़कियों में अँधेरा था। पिछले दो हफ़्तों से प्रिविट ड्राइव पर छाई अजीब सी ठंडक यहाँ भी मौजूद थी। हैरी के मन में दमपिशाचों का ख़्याल आ गया। उसने पीछे पलटकर देखा और अपनी जेब में रखी छड़ी को पकड़कर आश्वस्त हो गया।

'प्रोफ़ेसर, हम अंतर्ध्यान मंत्र का प्रयोग करके सीधे आपके पुराने साथी के मकान में क्यों नहीं पहुँच गए ?'

'क्योंकि यह उतनी ही बड़ी बदतमीज़ी होती, जितनी कि सामने वाले दरवाज़े पर लात मारकर उसे तोड़ देना,' डम्बलडोर ने कहा। 'शिष्टाचार का तकाज़ा है कि हम अपने साथी जादूगरों को यह अवसर दें कि वे हमें प्रवेश करने से रोक सकें। वैसे भी इन दिनों ज़्यादातर जादूगरों के मकानों पर जादुई सुरक्षा है, ताकि अवांछित लोग अंतर्ध्यान होकर वहाँ नहीं पहुँच सकें। उदाहरण के लिए, हॉगवर्ट्स में –'

'– कोई भी इमारतों या मैदान के भीतर अंतर्ध्यान नहीं हो सकता,' हैरी ने तत्काल कहा। 'हर्माइनी ग्रेंजर ने मुझे बताया था।'

'उसने सही बताया था। हमें दोबारा बाईं तरफ़ मुड़ना है।'

उनके पीछे चर्च की घड़ी ने बारह घंटे बजाए। हैरी ने सोचा कि डम्बलडोर को यह बात बदतमीज़ी क्यों नहीं लगती कि वे रात को बारह बजे अपने पुराने साथी के यहाँ जा रहे हैं, लेकिन चूँकि बातचीत का सिलसिला अब चल पड़ा था, इसलिए वह कुछ ज़्यादा ज़रूरी सवाल पूछना चाहता था।

'सर, मैंने *दैनिक जादूगर* में पढ़ा था कि फ़ज को हटा दिया गया है ...'

'सही है,' डम्बलडोर ने कहा, जो अब एक गली में मुड़ रहे थे। 'मुझे यक़ीन है, तुमने यह भी पढ़ा होगा कि अब उनकी जगह रूफ़स स्क्रिमग्योर आ गए हैं, जो पहले ऑरर कार्यालय के प्रमुख थे।'

हैरी ने पूछा, 'क्या वे ... क्या आपको लगता है कि वे अच्छे हैं?'

'बड़ा ही दिलचस्प सवाल है,' डम्बलडोर ने कहा। 'वे निश्चित रूप से क़ाबिल हैं। उनके पास कॉर्नेलियस से ज़्यादा निर्णायक और सशक्त व्यक्तित्व है।'

'हाँ, लेकिन मेरा मतलब था –'

'मैं जानता हूँ कि तुम्हारा क्या मतलब है। रूफ़स कर्मठ हैं और चूँकि उनकी ज़्यादातर ज़िंदगी शैतानी जादूगरों से लड़ने में बीती है, इसलिए वे लॉर्ड वोल्डेमॉर्ट को कम नहीं आँकते हैं।'

हैरी ने इंतज़ार किया, लेकिन डम्बलडोर ने स्क्रिमग्योर के साथ हुए उस मतभेद के बारे में कुछ नहीं कहा, जिसके बारे में *दैनिक जादूगर* ने लिखा था। हैरी में इतनी हिम्मत नहीं थी कि वह इस विषय पर आगे कुछ पूछ सके, इसलिए उसने विषय बदल दिया।

'और ... सर ... मैंने मैडम बोन्स की ख़बर भी पढ़ी थी।'

'हाँ,' डम्बलडोर ने धीरे से कहा। 'बहुत दुखद क्षति। वे बहुत अच्छी जादूगरनी थीं। मुझे लगता है कि यहाँ ऊपर चलना होगा – आउच।'

उन्होंने अपने घायल हाथ से इशारा किया।

'प्रोफ़ेसर, आपके हाथ को क्या – ?'

डम्बलडोर ने कहा, 'मेरे पास अभी पूरी बात बताने का समय नहीं है। यह एक रोमांचक कहानी है। मैं इसके साथ न्याय करना चाहता हूँ।'

वे हैरी की तरफ़ देखकर मुस्कराए। इससे हैरी समझ गया कि उसे डाँटा नहीं जा रहा है और वह आगे भी सवाल पूछ सकता है।

'सर – एक उल्लू जादू मंत्रालय का एक पैंफ़लेट लाया था। इसमें वे सुरक्षा क़दम बताए गए हैं, जो हम सभी को प्राणभक्षियों से रक्षा के लिए उठाने चाहिए ...'

'हाँ, मुझे भी मिला था,' डम्बलडोर ने अब भी मुस्कराते हुए कहा। 'क्या तुम्हें यह उपयोगी लगा?'

'सच कहूँ तो नहीं।'

'मुझे भी ऐसा ही लगा था। उदाहरण के लिए, मैं बहुरूपिया नहीं, बल्कि प्रोफ़ेसर डम्बलडोर हूँ, यह जाँच करने के लिए तुमने मुझसे यह नहीं पूछा कि मेरा मनपसंद जैम कौन सा है।'

'मैंने नहीं पूछा ...' हैरी ने बोलना शुरू किया। उसे पता नहीं था कि डम्बलडोर यह बात मज़ाक़ में कह रहे हैं या उसे झिड़क रहे हैं।

'हैरी, भविष्य के लिए याद रखना, मेरा मनपसंद जैम रास्पबेरी है ... वैसे अगर मैं प्राणभक्षी होता, तो मैं निश्चित रूप से डम्बलडोर का वेष बनाने से पहले अपने मनपसंद जैम के बारे में जान लेता।'

'अर ... ठीक है,' हैरी ने कहा। 'देखिए, पैंफ़लेट में सजीव-लाश के बारे में कुछ लिखा था। यह क्या होती है? पैंफ़लेट में स्पष्ट नहीं बताया गया था।'

डम्बलडोर ने धीरे से कहा, 'सजीव-लाश का मतलब है ऐसा मुर्दा शरीर, जिस पर जादू करके शैतानी जादूगर उससे अपना काम करवाते हैं। सजीव-लाशें काफ़ी समय से नहीं देखी गई हैं। दरअसल वोल्डेमॉर्ट के ग़ायब होने के बाद से ही वे भी नहीं दिखी हैं ... वह इतने सारे लोगों की हत्या कर चुका है कि उनकी सेना बना सकता है। यही वह जगह है, हैरी, बस यहीं ...'

वे पत्थर के एक छोटे मकान के क़रीब आ रहे थे, जिसके चारों तरफ़ बगीचा था। हैरी सजीव-लाश के भयंकर विचार को समझने में इतना डूबा हुआ था कि उसका ध्यान किसी तरफ़ नहीं गया, लेकिन जैसे ही वे सामने वाले गेट तक पहुँचे, डम्बलडोर अचानक रुक गए। हैरी उनसे टकरा गया।

'ओह, ओह, ओह!'

हैरी ने उधर देखा, जिधर डम्बलडोर देख रहे थे। मकान की तरफ़ देखते ही उसका दिल डूब गया। सामने वाला दरवाज़ा उखड़ा हुआ था और चूलों पर लटक रहा था।

डम्बलडोर ने सड़क पर ऊपर-नीचे देखा। सड़क बिलकुल सुनसान दिख रही थी।

उन्होंने धीरे से कहा, 'हैरी, छड़ी निकालकर मेरे पीछे आओ।'

उन्होंने गेट खोला और तेज़ी से, लेकिन ख़ामोशी के साथ बगीचे में बने रास्ते पर चल दिए। हैरी उनके ठीक पीछे था। डम्बलडोर सामने वाले दरवाज़े को बहुत धीरे से धकाते हुए और अपनी छड़ी उठाते हुए बोले।

'प्रकाशित भव।'

डम्बलडोर की छड़ी के सिरे पर रोशनी हो गई और एक सँकरा हॉल दिखने लगा। बाईं तरफ़ एक और दरवाज़ा खुला था। अपनी प्रकाशित छड़ी को ऊपर उठाकर डम्बलडोर लिविंग रूम में पहुँच गए। हैरी उनके ठीक पीछे चल रहा था।

उनकी आँखों के सामने तबाही का मंज़र आ गया। एक बड़ी दीवारघड़ी उनके पैरों के पास चकनाचूर पड़ी थी, जिसका काँच टूट गया था और पेंडुलम भी गिरी हुई तलवार की तरह थोड़ी दूर पड़ा था। एक पियानो उल्टा पड़ा था और इसकी कुंजियाँ फ़र्श पर बिखरी हुई थीं। एक गिरे हुए फ़ानूस का मलबा पास में चमक रहा था। कुशन पिचके हुए थे और उनके कोनों से पंख निकल रहे थे। काँच और चीनी मिट्टी के टुकड़े पाउडर की तरह हर चीज़ के ऊपर पड़े थे। डम्बलडोर ने अपनी छड़ी और ऊपर कर ली, ताकि इसकी रोशनी दीवारों पर पड़ जाए, जहाँ कोई गहरी लाल चीज़ वॉलपेपर पर फैली हुई थी। हैरी ने धीरे से साँस अंदर खींची, जिस पर डम्बलडोर ने मुड़कर देखा।

'अच्छा संकेत नहीं है, है ना?' उन्होंने भारी स्वर में कहा। 'हाँ, यहाँ कोई भयंकर घटना हुई है।'

डम्बलडोर सावधानी से कमरे के बीच में पहुँचे और अपने पैरों के पास के मलबे की जाँच करने लगे। हैरी भी उनके पास जाकर चारों तरफ़ देखने लगा। वह इस बात से डर रहा था कि पियानो या गिरे हुए सोफ़े के मलबे के नीचे उसे किसी की लाश दिखेगी, लेकिन ऐसा नहीं हुआ।

'हो सकता है कि लड़ाई हुई हो - और वे उन्हें घसीटकर ले गए हों, प्रोफ़ेसर?' हैरी ने सुझाव दिया, हालाँकि वह यह कल्पना नहीं करने की कोशिश कर रहा था कि जिस व्यक्ति के ख़ून से दीवारें इस तरह रंगी हुई थीं, वह कितना

घायल हुआ होगा।

'मुझे नहीं लगता,' डम्बलडोर ने धीरे से कहा और एक फूली हुई कुर्सी के पीछे झाँका, जो एक तरफ़ को गिरी हुई थी।

'आपका मतलब है वे – ?'

'अब भी यहीं कहीं हैं ? हाँ।'

और बिना किसी चेतावनी के डम्बलडोर ने झटके से अपनी छड़ी की नोक फूली हुई कुर्सी में गड़ा दी, जो चिल्लाई, 'आउच!'

'गुड ईवनिंग, होरेस,' डम्बलडोर ने सीधे खड़े होते हुए कहा।

हैरी का जबड़ा लटक गया। पल भर पहले जहाँ कुर्सी थी, अब वहाँ एक बहुत मोटा तथा गंजा बूढ़ा आदमी था, जो अपना पेट मल रहा था और पानी भरी आँखों से डम्बलडोर की तरफ़ देखकर पलकें मिचमिचा रहा था।

'इतनी ज़ोर से छड़ी गड़ाने की क्या ज़रूरत थी ?' उस आदमी ने रूखेपन से कहा और खड़ा हो गया। 'बहुत कसकर लगी।'

छड़ी की रोशनी उनकी चमकदार चाँद, उभरी आँखों, बड़ी सफ़ेद मूँछ और मख़मल की मेहरून जैकेट के चमकदार बटनों पर पड़ी, जो उन्होंने अपने हल्के बैंगनी रेशमी पायजामे के ऊपर पहन रखी थी। उनके सिर का ऊपरी हिस्सा मुश्किल से डम्बलडोर की ठुड्डी तक पहुँच रहा था।

लड़खड़ाकर खड़े होते हुए उन्होंने बुदबुदाकर पूछा, 'किस बात से पता चला ?' वे अब भी अपना पेट मल रहे थे और इस बात पर ज़रा भी शर्मिंदा नहीं लग रहे थे कि उन्हें अभी-अभी कुर्सी बनने का नाटक करते हुए पकड़ा गया था।

'प्यारे होरेस,' डम्बलडोर ने प्रसन्नता भरे स्वर में कहा, 'अगर प्राणभक्षी यहाँ सचमुच आए होते, तो मकान के ऊपर मौत का निशान बना होता।'

जादूगर ने अपने चौड़े माथे पर अपना मोटा हाथ ठोंका।

'मौत का निशान,' वे बुदबुदाए। 'जानता था कि कोई न कोई चीज़ रह गई है ... कोई बात नहीं, वैसे भी मेरे पास समय नहीं था। मैं फ़र्नीचर को तितर-बितर कर ही रहा था कि तभी तुम कमरे में दाख़िल हो गए।'

उन्होंने एक गहरी आह भरी, जिससे उनकी मूँछ के कोने फड़कने लगे।

डम्बलडोर ने विनम्रता से पूछा, 'क्या तुम दोबारा सामान जमाने में मेरी मदद चाहते हो ?'

जादूगर ने कहा, 'हाँ!'

वे एक-दूसरे की तरफ़ पीठ करके खड़े हो गए। लंबे, दुबले डम्बलडोर

और नाटे, गोल-मटोल होरेस अपनी छड़ियाँ एक जैसे अंदाज़ में लहराने लगे।

फ़र्नीचर अपनी पुरानी जगह पर लौट गया। सजावटी सामान बीच हवा में दोबारा जुड़ गए। पंख दोबारा कुशन में चले गए। फटी हुई पुस्तकें जुड़ गईं और अपने-अपने शेल्फ़ पर पहुँच गईं। तेल से जलने वाली लालटेनें टेबल पर पहुँचकर फिर से जल गईं। चाँदी की टूटी हुई तस्वीरों के बहुत सारे चमकते हुए फ्रेम कमरे के पार उड़े और एक डेस्क पर सही-सलामत पहुँच गए। चटकी, टूटी, फटी और बिखरी चीज़ें ठीक हो गईं। दीवारें ख़ुदबख़ुद साफ़ हो गईं।

पुरानी दीवारघड़ी जुड़ गई और घंटे बजाने लगी। डम्बलडोर ने घड़ी के घंटों की आवाज़ के ऊपर ज़ोर से पूछा, 'वैसे यह किसका ख़ून था?'

'दीवारों पर? ड्रैगन का,' होरेस नाम के जादूगर ने चिल्लाकर कहा, जब ज़ोरदार आवाज़ के साथ फ़ानूस दोबारा छत पर लटक गया।

पियानो से आख़िरी *छन्न* हुई और फिर ख़ामोशी छा गई।

'हाँ, ड्रैगन का,' जादूगर ने बात करने के अंदाज़ में कहा। 'मेरी आख़िरी बोतल थी और इस वक़्त इसकी क़ीमतें आसमान छू रही हैं। ख़ैर, यह दोबारा काम में आ सकता है।'

वे साइडबोर्ड पर रखी काँच की एक छोटी शीशी के पास तक गए और उसे रोशनी में उठाकर अंदर भरे गाढ़े द्रव की जाँच करने लगे।

'हूँ। थोड़ी धूल है।'

उन्होंने बोतल दोबारा साइडबोर्ड पर रख दी और आह भरी। उसी वक़्त उनकी निगाह हैरी पर पड़ी।

'ओहो,' उन्होंने कहा और उनकी बड़ी गोल आँखें हैरी के माथे तथा बिजली के आकार के निशान पर पड़ीं। *'ओहो!'*

डम्बलडोर परिचय करवाने के लिए आगे आते हुए बोले, 'यह हैरी पॉटर है। और हैरी, ये मेरे पुराने दोस्त और सहकर्मी होरेस स्लगहॉर्न हैं।'

स्लगहॉर्न डम्बलडोर की तरफ़ मुड़े और उनके चेहरे पर एक चालाकी भरा भाव था।

'तो तुम्हें लगता है कि तुम मुझे इस तरह राज़ी कर लोगे, है ना? मेरा जवाब अब भी **नहीं** है, एल्बस।'

वे हैरी के पास से गुज़रे और उनका चेहरा संकल्प से तना हुआ था, जैसे वे किसी प्रलोभन से बचने की कोशिश कर रहे हों।

'मुझे लगता है कि एक-एक ड्रिंक हो जाना चाहिए?' डम्बलडोर ने कहा।

'पुराने दिनों की ख़ातिर?'

स्लगहॉर्न झिझके।

फिर उन्होंने रूखेपन से कहा, 'तो फिर ठीक है, बस एक ड्रिंक?'

डम्बलडोर हैरी की तरफ़ देखकर मुस्कराए और उन्होंने उसे उस कुर्सी पर बैठने का इशारा किया, जैसी कुर्सी बनने का स्लगहॉर्न ने नाटक किया था। यह कुर्सी अभी जली हुई आग और तेल की चमकती लालटेन के पास रखी थी। उस कुर्सी पर बैठते समय हैरी को लगा कि किसी कारण से डम्बलडोर उसे जादूगर के ठीक सामने बैठाना चाहते थे। और ऐसा ही हुआ। जब स्लगहॉर्न बोतल को गिलासों में डालने के बाद दोबारा कमरे की तरफ़ मुड़े, तो उनकी आँखें तत्काल हैरी पर पड़ीं।

'हूँ,' उन्होंने इतनी तेज़ी से पलटते हुए कहा, जैसे उन्हें डर हो कि उनकी आँखों को चोट पहुँच जाएगी। 'यह लो –' उन्होंने डम्बलडोर को एक ड्रिंक दे दिया, जो बिना आमंत्रण के बैठ गए थे। फिर स्लगहॉर्न ने ट्रे हैरी की तरफ़ बढ़ा दी और सुधरे हुए सोफ़े के कुशन पर धँसकर असंतुष्ट ख़ामोशी में बैठ गए। उनके पैर इतने छोटे थे कि फ़र्श तक नहीं पहुँच पा रहे थे।

डम्बलडोर ने पूछा, 'अच्छा तो कैसा चल रहा है, होरेस?'

'ज़्यादा अच्छा नहीं है,' स्लगहॉर्न ने तत्काल कहा। 'सीना कमज़ोर है। साँस जल्दी भर आती है। गठिया भी है। पुराने दिनों की तरह नहीं चल पाता हूँ। लेकिन यह तो होना ही था। बुढ़ापा। थकान।'

डम्बलडोर ने कहा, 'और इसके बावजूद तुमने इतने कम समय में हमारे इतने बढ़िया स्वागत की तैयारी कर ली? तुम्हें फटाफट काम करना पड़ा होगा! तुम्हें तीन मिनट से ज़्यादा की चेतावनी नहीं मिली होगी, है ना?'

स्लगहॉर्न ने आधी चिढ़ और आधे गर्व से कहा, 'दो मिनट की। मैं अपने घुसपैठिया सम्मोहन अलार्म को नहीं सुन पाया था। मैं उस वक़्त नहा रहा था। फिर भी,' उन्होंने गंभीरता से दोबारा सँभलते हुए कहा, 'सच तो यह है कि मैं बूढ़ा हो चुका हूँ, एल्बस। एक थका हुआ बूढ़ा, जो अब शांति से ज़िंदगी गुज़ारना चाहता है और आराम से रहना चाहता है।'

हैरी ने कमरे में चारों तरफ़ देखते हुए सोचा, यह निश्चित रूप से आरामदेह था। सामान भरा हुआ था, लेकिन कोई यह नहीं कह सकता था कि यह आरामदेह नहीं था। नर्म कुर्सियाँ और स्टूल थे, ड्रिंक्स और पुस्तकें थीं, चॉकलेट के बॉक्स और मोटे कुशन थे। अगर हैरी को यह पता नहीं होता कि ये जादूगर यहाँ रहते हैं, तो वह अंदाज़ा लगाता कि यह घर किसी अमीर,

आडंबरप्रिय बुढ़िया का होगा।

डम्बलडोर ने कहा, 'होरेस, तुम अभी उतने बूढ़े नहीं हो, जितना मैं हूँ।'

'शायद तुम्हें भी अपने रिटायरमेंट के बारे में सोचना चाहिए,' स्लगहॉर्न ने रूखेपन से कहा। उनकी पीली आँखें डम्बलडोर के घायल हाथ पर पड़ीं। 'मैं देख रहा हूँ कि अब तुम्हारे हाथ भी पहले जितनी तेज़ी से नहीं चल पाते हैं।'

'तुम बिलकुल ठीक कह रहे हो,' डम्बलडोर ने शांतिपूर्वक कहा और अपनी आस्तीन हिलाकर जली तथा काली उँगलियों के कोने दिखाए। उन्हें देखकर हैरी के रोंगटे खड़े हो गए। 'बेशक अब मैं पहले से ज़्यादा धीमा हो गया हूँ। लेकिन दूसरी तरफ़ ...'

उन्होंने कंधे उचका दिए और अपने हाथ चौड़े फैला लिए, जैसे कह रहे हों कि उम्र के अपने पुरस्कार होते हैं। हैरी ने देखा कि उनके सही-सलामत हाथ में एक अँगूठी थी। उसने डम्बलडोर के हाथ में यह अँगूठी पहले कभी नहीं देखी थी। अँगूठी बड़ी थी और सोने की लग रही थी। इसमें एक भारी काला पत्थर था, जो बीच से चटका हुआ था। स्लगहॉर्न की आँखें भी एक पल के लिए अँगूठी पर पड़ीं और उनके चौड़े माथे पर पल भर के लिए एक हल्की सी त्योरी दिखने लगी।

डम्बलडोर ने पूछा, 'होरेस, घुसपैठियों के ख़िलाफ़ इतने सारे सुरक्षा इंतज़ाम ... ये प्राणभक्षियों के लिए थे या मेरे लिए?'

स्लगहॉर्न ने पूछा, 'प्राणभक्षी मुझे जैसे ग़रीब बूढ़े से क्या चाहेंगे?'

डम्बलडोर बोले, 'मुझे लगता है कि वे लोगों को सताने, यातना देने और हत्या करने में तुम्हारी प्रतिभा का उपयोग करना चाहते होंगे। क्या तुम यह कहना चाहते हो कि वे अभी तक तुम्हें नियुक्त करने नहीं आए?'

स्लगहॉर्न ने एक पल के लिए डम्बलडोर को घूरकर देखा और फिर बुदबुदाए, 'मैंने उन्हें मौक़ा ही नहीं दिया। मैं एक साल से अज्ञातवास में हूँ। कभी एक हफ़्ते से ज़्यादा समय एक जगह नहीं रुका। एक मगलू घर से दूसरे मगलू घर में रह रहा हूँ – इस जगह के मालिक कैनेरी आइलैंड्स में छुट्टियाँ मनाने गए हैं। यह घर बहुत अच्छा है। इसे छोड़ते समय मुझे अफ़सोस होगा। मगलुओं के घर में रहना बहुत आसान है, अगर आप इसका तरीक़ा सीख लें। वे लोग मुख़बिर यंत्र के बजाय बर्गलर अलार्म का इस्तेमाल करते हैं। बस उस पर एक आसान सा निष्क्रियता सम्मोहन मार दो और यह ध्यान रखो कि पड़ोसी आपको पियानो लाते न देख लें।'

'बहुत बढ़िया,' डम्बलडोर ने कहा। 'लेकिन यह तो शांत जीवन की

तलाश करते बूढ़े के लिए काफ़ी थकान भरा काम है। देखो, अगर तुम हॉगवर्ट्स लौटते हो –'

'अगर तुम मुझे यह बताने जा रहे हो कि उस घटिया स्कूल में मेरी ज़िंदगी ज़्यादा अच्छी होगी, तो कोशिश मत करो, एल्बस! मैं भले ही अज्ञातवास में रह रहा हूँ, लेकिन डोलोरेस अंबरिज के जाने के बाद कुछ अजीब सी अफ़वाहें मेरे कानों तक पहुँची हैं! अगर तुम टीचर्स के साथ आजकल इस तरह का सलूक करते हो –'

'प्रोफ़ेसर अंबरिज ने सेनटॉर्स के समूह को ग़ुस्सा दिला दिया था,' डम्बलडोर ने कहा। 'मुझे लगता है कि अगर कोई जंगल में जाकर ग़ुस्सैल सेनटॉर्स से "तुम गंदे अर्ध-प्रजाति के" कहता है, तो वह समझदारी का परिचय नहीं देता है।'

'उसने ऐसा कहा?' स्लगहॉर्न ने कहा। 'मूर्ख औरत। मुझे कभी पसंद नहीं थी।'

हैरी हँसा। डम्बलडोर और स्लगहॉर्न दोनों ने ही उसे मुड़कर देखा।

'सॉरी,' हैरी ने जल्दी से कहा। 'बात यह है – मैं भी उन्हें ज़्यादा पसंद नहीं करता हूँ।'

डम्बलडोर अचानक उठकर खड़े हो गए।

'क्या तुम जा रहे हो?' स्लगहॉर्न ने तत्काल आशा भरे स्वर में पूछा।

डम्बलडोर ने कहा, 'नहीं, मैं सोच रहा था कि मैं तुम्हारे बाथरूम का इस्तेमाल कर लूँ।'

स्लगहॉर्न ने निराशा से कहा, 'ओह, बाईं तरफ़ वाला दूसरा दरवाज़ा।'

डम्बलडोर ने कमरा पार किया। जब उनके जाने के बाद दरवाज़ा बंद हो गया, तो ख़ामोशी छा गई। कुछ पल बाद स्लगहॉर्न उठकर खड़े हो गए। लगता था, उन्हें यह समझ में नहीं आ रहा था कि क्या करें। उन्होंने हैरी की तरफ़ चोरी से देखा, फिर आग के पास जाकर अपनी कमर सेंकने के लिए उसकी तरफ़ पीठ मोड़ी।

उन्होंने अचानक कहा, 'अच्छी तरह जानता हूँ कि वे तुम्हें क्यों लाए हैं?'

हैरी बस स्लगहॉर्न को देखता रहा। स्लगहॉर्न की पानीदार आँखें हैरी के निशान पर फिसलीं और इस बार उन्होंने उसके बाक़ी चेहरे को भी ढंग से देखा।

'तुम अपने डैडी जैसे दिखते हो।'

'हाँ, मुझे लोगों ने बताया है,' हैरी बोला।

'सिवाय तुम्हारी आँखों के। तुम्हारी आँखें –'

'मेरी मम्मी जैसी हैं, हाँ,' हैरी यह बात इतनी बार सुन चुका था कि अब इससे ऊब चुका था।

'हूँ। हाँ, अच्छा। टीचर को कभी ख़ास प्रिय विद्यार्थी नहीं रखने चाहिए, लेकिन वह मेरी प्रिय विद्यार्थी थी।' स्लगहॉर्न ने हैरी की सवालिया निगाह को देखते हुए जोड़ दिया। 'तुम्हारी माँ, लिली इवान्स। बहुत ही बुद्धिमान थी। जोशीली, प्यारी लड़की। मैं उससे अक्सर कहता था कि उसे तो मेरे हाउस में होना चाहिए था। वह बहुत दबंग जवाब देती थी।'

'आपका हाउस कौन सा था?'

'मैं नागशक्ति हाउस का प्रमुख था,' स्लगहॉर्न ने कहा। फिर हैरी के चेहरे का भाव देखकर वे उसकी तरफ़ उँगली हिलाते हुए ज़ोर से बोलने लगे, 'इस बात से मेरे ख़िलाफ़ मत हो जाना! मुझे लगता है, तुम भी अपनी माँ की तरह गरुड़द्वार में होगे? हाँ, आम तौर पर परिवार के सदस्य एक ही हाउस में जाते हैं। वैसे ऐसा हमेशा नहीं होता है। कभी सिरियस ब्लैक का नाम सुना है, तुमने सुना होगा – दो सालों से अख़बार में छप रहा था – वह कुछ हफ़्ते पहले मर गया है –'

ऐसा लगा, जैसे किसी अदृश्य हाथ ने हैरी की आँतों को मरोड़ दिया हो और उन्हें कसकर जकड़ लिया हो।

'देखो, वह स्कूल में तुम्हारे डैडी का बहुत अच्छा दोस्त था। पूरा ब्लैक ख़ानदान मेरे हाउस में था, लेकिन सिरियस गरुड़द्वार में चला गया! अफ़सोस – वह बहुत प्रतिभावान था। जब उसका भाई रेग्युलस हॉगवर्ट्स आया, तो वह मुझे मिल गया, लेकिन मुझे पूरा ख़ानदान इकट्ठा करना अच्छा लगता।'

ऐसा लग रहा था, जैसे नीलामी में किसी दूसरे ने ऊँची बोली लगाकर सामान ले लिया हो, जिससे उत्साही संग्राहक को निराशा हुई हो। यादों में ग़ुम स्लगहॉर्न ने सामने वाली दीवार को घूरा और उस जगह पर थोड़े से मुड़े, ताकि उनकी पूरी पीठ पर एक सी गर्मी रहे।

'ज़ाहिर है, तुम्हारी माँ मगलू थी। जब मुझे पता चला, तो मुझे तो यक़ीन ही नहीं हुआ। वह इतनी अच्छी थी कि मैंने सोचा था, वह शुद्ध ख़ून की होगी।'

'मेरे सबसे अच्छे दोस्तों में से एक लड़की मगलू है,' हैरी ने कहा, 'और वह हमारे ईयर में सर्वश्रेष्ठ विद्यार्थी है।'

स्लगहॉर्न ने कहा, 'अजीब बात है कि ऐसा कई बार होता है, है ना?'

हैरी ठंडेपन से बोला, 'इसमें कोई अजीब बात नहीं है।'

'तुम्हें यह नहीं सोचना चाहिए कि मैं पूर्वाग्रह से ग्रस्त हूँ!' उन्होंने कहा। 'नहीं, नहीं, नहीं! मैंने अभी-अभी बताया था ना कि तुम्हारी मम्मी मेरी सबसे प्रिय विद्यार्थियों में से एक थी? और उसके बाद वाले ईयर में डर्क क्रेसवेल भी था - ज़ाहिर है, अब वह पिशाच संपर्क कार्यालय का प्रमुख है - वह भी मगलू परिवार में पैदा हुआ था, बहुत ही प्रतिभाशाली था। वह आज तक मुझे ग्रिनगॉट में होने वाली गतिविधियों की बहुत बढ़िया अंदरूनी जानकारी देता है!'

वे थोड़े ऊपर-नीचे उछले और आत्म-संतुष्ट अंदाज़ में मुस्कराए। उन्होंने टेबल पर रखे कई चमकते फ्रेमों की तरफ़ इशारा किया, जिनमें लगी तस्वीरों में लोग हिल रहे थे।

'सभी पूर्व-विद्यार्थी हैं, सब पर उनके साइन हैं। वहाँ तुम्हें *दैनिक जादूगर* का संपादक बार्नाबास कफ़ दिखेगा। वह अख़बार के बारे में मेरी राय जानने में हमेशा दिलचस्पी रखता है। और हनीड्यूक्स का एम्ब्रोसियस फ़्लूम है - हर जन्मदिन पर एक गिफ़्ट हैम्पर भेजता है, सिर्फ़ इसलिए क्योंकि मैंने उसका परिचय सिरोन हार्किस से करवाया था, जिसने उसे उसकी पहली नौकरी दी थी! और पीछे की तरफ़ - अगर तुम अपनी गर्दन थोड़ी झुकाओगे, तो वह तुम्हें दिख जाएगी - वह ग्वेंग जोन्स है, होलीहेड हार्पीज़ की कप्तान ... लोग हमेशा यह सुनकर हैरान हो जाते हैं कि हार्पीज़ की टीम से मेरे घनिष्ठ संबंध हैं और मैं जब भी चाहता हूँ, मुझे मुफ़्त टिकट मिल जाते हैं!'

इस विचार से वे काफ़ी ख़ुश नज़र आ रहे थे।

'और ये सब लोग जानते हैं कि आप कहाँ हैं, ताकि वे आपको सारा सामान भेज सकें?' हैरी ने कहा, जो यह सोच रहा था कि अगर चॉकलेटों के हैम्पर, क्विडिच टिकट और सलाह माँगने के लिए उत्सुक आगंतुक स्लगहॉर्न तक पहुँच सकते हैं, तो फिर प्राणभक्षी अब तक उनके पास क्यों नहीं पहुँच पाए थे।

स्लगहॉर्न के चेहरे से मुस्कराहट उतनी ही जल्दी फिसल गई, जिस तरह ख़ून दीवार से फिसला था।

'ज़ाहिर है, नहीं,' उन्होंने हैरी को देखते हुए कहा। 'लगभग एक साल से मेरा सबसे संपर्क टूट चुका है।'

हैरी को आभास हुआ कि इन शब्दों से ख़ुद स्लगहॉर्न सदमे में आ गए थे। वे एक पल के लिए विचलित दिखने लगे। फिर उन्होंने कंधे उचका दिए।

'फिर भी ... समझदार जादूगर ऐसे वक़्त में अपना सिर झुकाकर चलता है। डम्बलडोर के लिए कहना आसान है, लेकिन हॉगवर्ट्स में नौकरी करने का मतलब मायापंछी के समूह के प्रति अपनी सार्वजनिक निष्ठा घोषित करने जैसा

है! और हालाँकि मुझे यक़ीन है कि समूह के लोग बहुत प्रशंसनीय और साहसिक काम कर रहे हैं, लेकिन मुझे उनकी मरने की दर से –'

'हॉगवर्ट्स में पढ़ाने के लिए आपको मायापंछी के समूह में शामिल होने की ज़रूरत नहीं है,' हैरी ने कहा, जो अपनी आवाज़ से हिक़ारत के पुट को दूर नहीं रख पाया। स्लगहॉर्न के आरामदेह अस्तित्व से सहानुभूति रखना मुश्किल था, जब उसे सिरियस की याद आई, जो एक गुफा में छिपा हुआ था और चूहे खाकर जी रहा था। 'ज़्यादातर टीचर्स मायापंछी के समूह में नहीं हैं और उनमें से कोई भी आज तक नहीं मरा है – जब तक कि आप क्विरिल को न गिनें और उसके साथ जो हुआ, वह उसी के क़ाबिल था, क्योंकि वह वोल्डेमॉर्ट के साथ काम कर रहा था।'

हैरी को यक़ीन था कि स्लगहॉर्न उन जादूगरों में से एक होंगे, जो वोल्डेमॉर्ट के नाम को सहन नहीं कर पाते होंगे और उसे निराशा नहीं हुई। स्लगहॉर्न काँपे और प्रतिरोध में चिहुँके, जिसे हैरी ने नज़रअंदाज़ कर दिया।

हैरी ने आगे कहा, 'मुझे लगता है कि जब तक डम्बलडोर हेडमास्टर हैं, तब तक स्टाफ़ बाक़ी जादूगरों की तुलना में ज़्यादा सुरक्षित है। वोल्डेमॉर्ट सिर्फ़ उन्हीं से डरता है, है ना?'

स्लगहॉर्न एक-दो पल के लिए हवा में ताकते रहे। वे हैरी के शब्दों पर विचार कर रहे थे।

'हाँ, हाँ, यह सच है कि तुम-जानते-हो-कौन ने कभी डम्बलडोर से उलझना नहीं चाहा,' उन्होंने कहा। 'और मुझे लगता है कि अगर मैं प्राणभक्षियों के साथ शामिल नहीं होता हूँ, तो तुम-जानते-हो-कौन मुझे अपना दोस्त नहीं मान सकता ... ऐसी स्थिति में मैं एल्बस के क़रीब रहने पर ज़्यादा सुरक्षित रहूँगा ... मैं यह नाटक नहीं करूँगा कि मैं अमेलिया बोन्स की मौत से विचलित नहीं हुआ हूँ ... अगर मंत्रालय के इतने सारे संपर्कों और संरक्षण के बाद उसके साथ ऐसा हो सकता है तो ...'

डम्बलडोर दोबारा कमरे में आ गए। स्लगहॉर्न इस तरह उछले, जैसे यह भूल ही गए हों कि डम्बलडोर भी घर में थे।

'तो एल्बस,' उन्होंने कहा। 'काफ़ी देर लगा दी। पेट गड़बड़ है?'

'नहीं, मैं तो बस मगलू पत्रिकाएँ पढ़ रहा था,' डम्बलडोर ने कहा। 'मुझे बुनाई के नमूने देखना पसंद है। अच्छा हैरी, हम होरेस का काफ़ी समय बर्बाद कर चुके हैं। मुझे लगता है कि अब हमारे चलने का समय हो गया है।'

हैरी यह आदेश मानने के लिए बेताब था। वह उछलकर खड़ा हो गया। स्लगहॉर्न हैरान दिखने लगे।

'तुम जा रहे हो ?'

'हाँ। जब मैं हार जाता हूँ, तो हार मान लेता हूँ।'

'हार ... ?'

स्लगहॉर्न विचलित दिखने लगे। उन्होंने अपने मोटे अँगूठे चटकाए और थोड़ा कसमसाए, जब उन्होंने देखा कि डम्बलडोर ने अपने यात्री चोगे को कसा और हैरी ने अपनी जैकेट की जिप लगाई।

'अच्छा, मुझे अफ़सोस है कि तुम हॉगवर्ट्स में काम नहीं करना चाहते हो, होरेस,' डम्बलडोर ने अपने सही-सलामत हाथ से सलाम करते हुए कहा। 'तुम्हारे दोबारा लौटने पर हॉगवर्ट्स ख़ुश होता। हमारी बढ़ी हुई सुरक्षा के बावजूद अगर तुम वहाँ नहीं पढ़ाना चाहते हो, तो कोई बात नहीं। वैसे तुम जब चाहो, वहाँ आ सकते हो। तुम्हारा स्वागत है!'

'हाँ ... अच्छा ... जैसा मैंने कहा ...'

'तो फिर विदा।'

'विदा,' हैरी ने कहा।

वे सामने वाले दरवाज़े पर थे, तभी पीछे से चिल्लाने की आवाज़ आई।

'ठीक है, ठीक है, मैं यह काम करने को तैयार हूँ!'

डम्बलडोर ने मुड़कर देखा कि स्लगहॉर्न लिविंग रूम के दरवाज़े की चौखट पर खड़े होकर हाँफ रहे थे।

'तुम रिटायरमेंट छोड़ दोगे ?'

'हाँ, हाँ ?' स्लगहॉर्न ने अधीरता से कहा। 'मैं पागलपन कर रहा हूँ, लेकिन हाँ।'

'बहुत बढ़िया,' डम्बलडोर ने मुस्कराते हुए कहा। 'फिर होरेस, हम एक सितंबर को मिलते हैं।'

'हाँ, ज़रूर मिलते हैं,' स्लगहॉर्न ने हुंकार भरते हुए कहा।

जब वे बगीचे के रास्ते पर चलने लगे, तो पीछे से स्लगहॉर्न की आवाज़ आई।

'मैं ज़्यादा तनख़्वाह लूँगा, डम्बलडोर!'

डम्बलडोर हँस दिए। बगीचे का गेट उनके पीछे झूलकर बंद हो गया और वे घुमड़ती धुंध के बीच अँधेरे में चल दिए।

डम्बलडोर बोले, 'बहुत बढ़िया, हैरी!'

हैरी ने हैरानी से कहा, 'लेकिन मैंने तो कुछ किया ही नहीं!'

'ओह हाँ, तुमने किया है। तुमने होरेस को बता दिया कि हॉगवर्ट्स लौटने से उसे कितना फ़ायदा होगा? क्या वह तुम्हें पसंद आया?'

'अर ...'

हैरी को पता नहीं था कि वह स्लगहॉर्न को पसंद करता है या नहीं। उसे लग रहा था कि वे एक तरह से ख़ुशनुमा थे, लेकिन दंभी भी थे और चाहे वे इसका कितना भी विरोध करते हों, लेकिन वे इस बात पर बहुत हैरान थे कि मगलू परिवार में पैदा होने वाली लड़की अच्छी जादूगरनी कैसे बन सकती है।

डम्बलडोर ने आगे कहा, जिससे हैरी आगे कुछ बोलने की ज़िम्मेदारी से मुक्त हो गया, 'होरेस आरामपसंद है। उसे मशहूर, सफल और शक्तिशाली लोगों को अपने आस-पास रखना अच्छा लगता है। उसे लोगों को प्रभावित करना अच्छा लगता है। उसने कभी सिंहासन पर बैठने की इच्छा नहीं की, वह तो हमेशा पीछे की कुर्सी पर बैठना चाहता था। देखो, वहाँ प्रगति की ज़्यादा गुंजाइश रहती है। वह हॉगवर्ट्स में अपने पसंदीदा विद्यार्थी चुनता था, कई बार उनकी महत्वाकांक्षा या दिमाग़ के कारण, कई बार उनके आकर्षण या प्रतिभा के कारण। होरेस में सही विद्यार्थियों को चुनने की अद्भुत कला थी, इसलिए उसके चुने हुए विद्यार्थी आगे चलकर कई क्षेत्रों में काफ़ी सफल हुए। होरेस ने अपने पसंदीदा विद्यार्थियों का एक तरह का क्लब बना डाला, जिसके केंद्र में वह ख़ुद था। वह परिचय कराता था, सदस्यों के बीच उपयोगी संपर्क बनाता था और हमेशा बदले में किसी न किसी तरह का लाभ प्राप्त करता था, चाहे यह उसकी प्रिय पाइनएप्पल टॉफ़ियों का मुफ़्त बक्सा हो या फिर पिशाच संपर्क कार्यालय के अगले कनिष्ठ सदस्य की अनुशंसा करने का मौक़ा।'

हैरी के दिमाग़ में अचानक एक बड़ी मकड़ी की तस्वीर आ गई, जो अपने चारों तरफ़ एक जाल बुन रही थी और यहाँ-वहाँ एक-एक धागा लहरा रही थी, ताकि बड़ी और रसदार मक्खियाँ ज़्यादा क़रीब आ जाएँ।

डम्बलडोर ने आगे कहा, 'मैं तुम्हें यह सब इसलिए नहीं बता रहा हूँ, ताकि तुम होरेस के ख़िलाफ़ हो जाओ – या, जैसा अब हमें कहना चाहिए, प्रोफ़ेसर स्लगहॉर्न के ख़िलाफ़ हो जाओ – बल्कि तुम्हें सावधान करने के लिए कह रहा हूँ, हैरी। तुम उनके संग्रह के सबसे नायाब रत्न बन सकते हो : *वह लड़का जो ज़िंदा बच गया* ... या फिर जो तुम्हें आजकल कहा जाता है, *चुनिंदा जादूगर*।'

इन शब्दों से हैरी को ठंडक का एहसास हुआ, जिसका आस-पास की धुंध से कोई लेना-देना नहीं था। उसे कुछ सप्ताह पहले सुने गए वे शब्द याद आ गए,

जिनका उसके लिए भयंकर और विशेष अर्थ था।

एक के ज़िंदा रहते दूसरा ज़िंदा नहीं रह सकता ...

डम्बलडोर ने चलना बंद कर दिया था और वे उस चर्च के पास खड़े थे, जिसके पास से वे पहले गुज़रे थे।

'काफ़ी हो गया, हैरी। अब तुम मेरी बाँह पकड़ लो।'

इस बार हैरी अंतर्ध्यान होने के लिए तैयार था, लेकिन इसके बावजूद उसे यह पसंद नहीं आया। जब दबाव ख़त्म हो गया और वह एक बार फिर साँस ले सकता था, तो उसने पाया कि वह डम्बलडोर के साथ एक देहाती सड़क पर खड़ा था और दुनिया में अपनी दूसरी सबसे प्रिय इमारत की छाया देख रहा था : रॉन का घर। उसके मन में अभी-अभी उमड़ने वाली दहशत की भावना के बावजूद इस इमारत को देखकर उसका मनोबल अपने आप बढ़ गया। वहाँ रॉन था ... और मिसेज़ वीज़्ली भी, जो इतना अच्छा खाना बनाती थीं, जितना उसने किसी और के यहाँ नहीं खाया था ...

'अगर तुम्हें आपत्ति न हो, हैरी,' डम्बलडोर ने गेट के पास से गुज़रते हुए कहा, 'तो मैं विदा लेने से पहले तुमसे कुछ कहना चाहता हूँ। अकेले में। शायद यहाँ ?'

डम्बलडोर ने पत्थर के एक उजाड़ झाड़ूघर की तरफ़ इशारा किया, जहाँ वीज़्ली परिवार अपनी उड़ने वाली झाड़ुएँ रखता था। हैरी थोड़ी हैरानी के साथ डम्बलडोर के पीछे-पीछे चूँ-चूँ करते दरवाज़े से अंदर गया और एक ऐसी जगह पहुँच गया, जो अलमारी से भी छोटी थी। डम्बलडोर ने अपनी छड़ी के सिरे पर रोशनी करके उसे टॉर्च की तरह जला लिया और हैरी की तरफ़ देखकर मुस्कराने लगे।

'मुझे उम्मीद है हैरी कि तुम इस बात का ज़िक्र करने के लिए मुझे माफ़ करोगे। बहरहाल, मंत्रालय की घटना के बाद तुम हर चीज़ को जिस तरह से झेल रहे हो, उस पर मुझे ख़ुशी और थोड़ा गर्व भी है। मुझे कहना होगा कि सिरियस को भी तुम पर गर्व होता।'

हैरी ने थूक गटका। लगता था, जैसे उसकी आवाज़ उसका साथ छोड़ चुकी थी। उसे नहीं लगा कि वह सिरियस की बात झेल सकता है। वरनॉन अंकल के मुँह से यह सुनना ही काफ़ी दर्दनाक था, 'क्या इसका गॉडफ़ादर मर गया है ?' इससे भी बुरा यह था कि स्लगहॉर्न ने सिरियस के नाम का ज़िक्र हल्के-फुल्के ढंग से किया था।

डम्बलडोर ने धीरे से कहा, 'बड़े दुख की बात है कि तुम और सिरियस बहुत कम समय तक साथ रह पाए। जो एक लंबा और सुखद संबंध हो सकता

था, उसका बेरहमी से अंत हो गया।'

हैरी ने सिर हिलाया। उसकी आँखें इस वक़्त उस मकड़ी पर जमी हुई थीं, जो अब डम्बलडोर के हैट पर चढ़ रही थी। वह जानता था कि डम्बलडोर समझते थे। वे समझ गए थे कि उनकी चिट्ठी के मिलने तक हैरी ने डर्स्ली परिवार में अपना लगभग सारा समय बिस्तर पर लेटे-लेटे बिताया था। वे जानते थे कि वह ठीक से खाना नहीं खाता था और धुंध भरी खिड़की को घूरता रहता था। यह धुंध उस ठंडे खोखेलपन से भरी थी, जिसे हैरी दमपिशाचों से जुड़ा हुआ मानता था।

हैरी ने आख़िर धीमी आवाज़ में कहा, 'यह स्वीकार करना बहुत मुश्किल है कि अब वह मुझे कभी चिट्ठी नहीं लिखेगा।'

उसकी आँखें अचानक जलने लगीं और उसने पलकें मिचमिचाईं। यह स्वीकार करना मूर्खतापूर्ण था, लेकिन अपने गॉडफ़ादर के बारे में उसे सबसे अच्छी बात यह लगती थी कि उसके कारण हैरी को यह तसल्ली थी कि हॉगवर्ट्स से बाहर कोई था, जिसे उसकी परवाह थी, लगभग अभिभावक की तरह ... और अब उल्लू की डाक उसे वह राहत का एहसास कभी नहीं दिला पाएगी ...

'सिरियस तुम्हारे लिए वह सब कुछ था, जिसे तुमने पहले कभी नहीं जाना,' डम्बलडोर ने धीरे से कहा। 'ज़ाहिर है, यह क्षति अपूरणीय है ...'

'लेकिन जब मैं डर्स्ली परिवार में था,' हैरी ने बीच में कहा और उसकी आवाज़ ज़्यादा दृढ़ हो गई, 'तो मुझे एहसास हो गया कि मैं कमरे में बंद नहीं रह सकता या - या मानसिक संतुलन नहीं खो सकता। सिरियस ऐसा कभी नहीं चाहता, है ना? और वैसे भी, ज़िंदगी बहुत छोटी होती है ... मैडम बोन्स को देखिए, एमेलिन वैन्स को देखिए ... अगला नंबर मेरा हो सकता है, है ना? लेकिन अगर ऐसा हुआ,' उसने ख़ूँख़ार अंदाज़ में कहा और डम्बलडोर की नीली आँखों में देखा, जो छड़ी की रोशनी में चमक रही थीं, 'तो मैं अपने साथ ज़्यादा से ज़्यादा प्राणभक्षियों को ले जाऊँगा, और अगर मैं यह कर सका - तो वोल्डेमॉर्ट को भी।'

'अपने मम्मी-डैडी के बेटे और सिरियस के सच्चे गॉडसन की तरह कहा!' डम्बलडोर हैरी की पीठ पर हल्के से प्रशंसा की धौल जमाते हुए बोले। 'मैं तुम्हारी बात पर अपना हैट उतारकर सलाम करता, लेकिन मुझे डर है कि ऐसा करने पर तुम पर मकड़ियों की बारिश हो जाएगी।

'और अब हैरी, इसी से जुड़े एक विषय पर आते हैं ... मुझे लगता है कि तुम पिछले दो हफ़्तों से *दैनिक जादूगर* अख़बार ले रहे हो?'

'हाँ,' हैरी ने कहा और उसका दिल थोड़ी ज़्यादा तेज़ी से धड़कने लगा।

'तो तुमने देखा ही होगा कि भविष्यवाणी के हॉल में तुम्हारे अभियान से संबंधित ख़बरों की बाढ़ सी आ गई है?'

'हाँ,' हैरी ने दोबारा कहा। 'और अब हर व्यक्ति जानता है कि मैं ही –'

'नहीं, कोई नहीं जानता है,' डम्बलडोर ने उसे बीच में रोकते हुए कहा। 'दुनिया में सिर्फ़ दो लोग ही उस भविष्यवाणी का पूरा विवरण जानते हैं, जो तुम्हारे और लॉर्ड वोल्डेमॉर्ट के बारे में की गई है, और वे दोनों ही इस वक़्त मकड़ियों से भरे बदबूदार झाड़ूघर में खड़े हुए हैं। बहरहाल, यह सच है कि कई लोगों ने सही अंदाज़ा लगा लिया है कि वोल्डेमॉर्ट ने अपने प्राणभक्षियों को एक भविष्यवाणी चुराने भेजा था, और उस भविष्यवाणी का संबंध तुमसे था।

'मुझे लगता है कि तुमने भविष्यवाणी में कही बातों के बारे में किसी को भी नहीं बताया होगा?'

'नहीं,' हैरी बोला।

'कुल मिलाकर यह समझदारी भरा निर्णय था,' डम्बलडोर ने कहा। 'हालाँकि मुझे लगता है कि तुम्हें यह बात अपने दोस्तों मिस्टर रोनाल्ड वीज़्ली और मिस हर्माइनी ग्रेंजर को बता देनी चाहिए। हाँ,' उन्होंने आगे कहा, जब हैरी भौंचक्का दिखने लगा। 'मुझे लगता है कि उन्हें यह बात पता होनी चाहिए। इतनी महत्वपूर्ण बात उन्हें नहीं बताना उनकी दोस्ती का अपमान होगा।'

'मैं यह नहीं चाहता था –'

'– कि वे परेशान हो जाएँ या डर जाएँ?' डम्बलडोर ने अपने आधे चाँद के आकार के चश्मे के ऊपर से हैरी को देखते हुए कहा। 'या शायद, तुम यह स्वीकार नहीं करना चाहते थे कि तुम ख़ुद परेशान और डरे हुए हो? हैरी, तुम्हें अपने दोस्तों की ज़रूरत है। जैसा तुमने बिलकुल ठीक कहा है, सिरियस यह कभी नहीं चाहता कि तुम ख़ुद को बंद कर लो।'

हैरी ने कोई जवाब नहीं दिया, लेकिन डम्बलडोर जवाब चाहते भी नहीं थे। वे आगे बोले, 'अब इसी से जुड़े हुए, लेकिन अलग विषय पर बात करें। मेरी इच्छा है कि इस साल तुम मुझसे अलग से सीखो।'

'अलग से – आपसे?' हैरी ने कहा और आश्चर्य के साथ अपनी चिंतित ख़ामोशी से बाहर आ गया।

'हाँ। मुझे लगता है कि अब समय आ गया है कि मैं तुम्हारी शिक्षा पर ज़्यादा ध्यान दूँ।'

'आप मुझे क्या सिखाएँगे, सर?'

'ओह, कुछ बातें इधर की, कुछ बातें उधर की,' डम्बलडोर ने हवाई अंदाज़ में कहा।

हैरी ने उम्मीद से इंतज़ार किया, लेकिन डम्बलडोर ने विस्तार से कुछ नहीं बताया, इसलिए उसने उनसे एक और चीज़ के बारे में पूछ लिया, जो उसे थोड़ा परेशान कर रही थी।

'अगर मैं आपसे पढ़ूँगा, तो मुझे स्नेप से गुप्तविद्या सीखने की ज़रूरत नहीं होगी, है ना?'

'*प्रोफ़ेसर* स्नेप, हैरी – नहीं, तुम्हें उनसे नहीं सीखना होगा।'

'अच्छी बात है,' हैरी ने राहत से कहा, 'क्योंकि वे –'

वह रुक गया, क्योंकि वह अपने दिल की बात उजागर नहीं करना चाहता था।

डम्बलडोर ने सिर झुकाते हुए कहा, 'मुझे लगता है कि यहाँ "भयंकर" अच्छा शब्द होगा।'

हैरी हँस पड़ा।

'अच्छा, इसका मतलब है कि अब प्रोफ़ेसर स्नेप से मेरा ज़्यादा पाला नहीं पड़ेगा,' उसने कहा, 'क्योंकि वे मुझे आगे जादुई काढ़े की पढ़ाई नहीं करने देंगे, जब तक कि मुझे **ओ.डब्ल्यू.एल.** में "आउटस्टैंडिंग" न मिला हो, जो मैं जानता हूँ कि मुझे नहीं मिलेगा।'

'अपने ओ.डब्ल्यू.एल. के बारे में तक तक कुछ मत कहो, जब तक कि वे तुम्हें मिल न जाएँ,' डम्बलडोर ने गंभीरता से कहा। 'अब यह बात उठ ही गई है, तो मुझे लगता है कि परीक्षा परिणाम आज सुबह ही आ जाएँगे। अब, हमारे विदा होने से पहले दो बातें और।

'पहली बात तो यह, मैं चाहता हूँ कि आगे से तुम अपना अदृश्य चोगा हर समय अपने पास रखो। हॉगवर्ट्स में भी। ताकि वक़्त-ज़रूरत काम आ सके। समझ गए?'

हैरी ने सिर हिलाया।

'और दूसरी बात, तुम्हारे यहाँ रहते समय जादू मंत्रालय ने रॉन के घर को सर्वोच्च सुरक्षा प्रदान की है। इसकी वजह से आर्थर और मॉली को थोड़ी असुविधा हो रही है – उदाहरण के लिए, उनकी सारी डाक मंत्रालय में जाँच के बाद ही उनके पास पहुँचती है। उन्हें इससे ज़रा भी दिक्क़त नहीं है, क्योंकि उन्हें तुम्हारी सुरक्षा की ही सबसे ज़्यादा चिंता है। बहरहाल, अगर तुमने उनके यहाँ रहते समय अपनी गर्दन ख़तरे में डाली, तो यह उनके त्याग का उचित प्रतिदान

नहीं होगा।'

'मैं समझ गया,' हैरी ने फ़ौरन कहा।

'तो फिर ठीक है,' डम्बलडोर ने झाड़ूघर का दरवाज़ा धकाकर खोला और अहाते में पहुँच गए। 'मुझे किचन में रोशनी दिख रही है। अब हम मॉली को मौक़ा देते हैं कि वह तुम्हें देखकर कहे कि तुम कितने दुबले हो गए हो!'

अध्याय पाँच

फ़्लर डेलाकोर

हैरी और डम्बलडोर रॉन के घर के पीछे वाले दरवाज़े के पास पहुँच गए, जिसके चारों तरफ़ पुराने वेलिंगटन जूतों और ज़ंग लगी कड़ाहियों का जाना-पहचाना अटाला पड़ा था। हैरी को दूर वाले शेड से उनींदी मुर्गियों की हल्की कुट-कुट की आवाज़ें सुनाई दे रही थीं। डम्बलडोर ने तीन बार दस्तक दी और हैरी को किचन की खिड़की के पीछे अचानक हलचल सुनाई दी।

'कौन है,' मिसेज़ वीज़्ली ने घबराई हुई आवाज़ में पूछा। 'अपना परिचय दो!'

'मैं डम्बलडोर हूँ। हैरी को लाया हूँ।'

दरवाज़ा तत्काल खुल गया। वहाँ नाटी और मोटी मिसेज़ वीज़्ली खड़ी थीं, जो हरे रंग का पुराना ड्रेसिंग गाउन पहने थीं।

'हैरी बेटा! ओह एल्बस, आपने तो मुझे डरा ही दिया था। आपने तो कहा था कि सुबह से पहले आपके आने की उम्मीद न करूँ!'

'हमारी क़िस्मत अच्छी थी,' डम्बलडोर ने हैरी को चौखट के ऊपर धकाते हुए कहा। 'स्लगहॉर्न मेरी उम्मीद से कहीं जल्दी मान गया। ज़ाहिर है, यह हैरी की वजह से हुआ। आह, हैलो निम्फ़ैडोरा!'

हैरी ने चारों तरफ़ देखा। मिसेज़ वीज़्ली इतनी रात को भी अकेली नहीं थीं। एक युवा जादूगरनी टेबल पर बैठी हुई थी, जिसका दिल के आकार का पीला चेहरा और चूहे जैसे भूरे बाल थे। उसके हाथों में एक बड़ा मग था।

'हैलो प्रोफ़ेसर,' उसने कहा। 'कैसे हो, हैरी?'

'हाय टोंक्स।'

हैरी ने सोचा कि वह थोड़ी परेशान और बीमार दिख रही थी। ऐसा लग रहा था, जैसे मुस्कराने के लिए भी उसे ज़बर्दस्ती कोशिश करनी पड़ रही

हो। निश्चित रूप से उसका हुलिया कम रंगीन था, क्योंकि उसके आम तौर पर बबलगम जैसे गुलाबी बालों का रंग बदल गया था।

'अच्छा तो अब मैं चलती हूँ,' उसने जल्दी से कहा और खड़े होकर अपने चोगे को अपने कंधों पर खींचा। 'मॉली, चाय और सहानुभूति के लिए धन्यवाद।'

'मेरे कारण जाने की ज़रूरत नहीं है,' डम्बलडोर ने शिष्टता से कहा। 'मैं रुकूँगा नहीं। मुझे र्यूफ़स स्क्रिमग्योर के साथ कुछ महत्वपूर्ण मुद्दों पर बातचीत करनी है।'

'नहीं, नहीं, मुझे वैसे भी जाना है,' टौंक्स ने डम्बलडोर से नज़रें चुराते हुए कहा। 'गुड नाइट –'

'तुम वीकएंड पर डिनर के लिए क्यों नहीं आती हो? रीमस और बावरे-नैन भी आ रहे हैं – ?'

'नहीं, मॉली ... धन्यवाद ... सभी को गुडनाइट।'

टौंक्स डम्बलडोर और हैरी के पास से तेज़ी से निकलकर अहाते में पहुँच गई। वह चौखट से कुछ दूर जाकर घूमी और अंतर्ध्यान हो गई। हैरी ने देखा कि मिसेज़ वीज़्ली परेशान दिख रही थीं।

डम्बलडोर ने कहा, 'अच्छा तो हैरी, हॉगवर्ट्स में मिलते हैं। अपना ध्यान रखना। मॉली, चलता हूँ।'

उन्होंने मिसेज़ वीज़्ली की तरफ़ देखकर अपना सिर झुकाया और टौंक्स की तरह उसी जगह पहुँचकर अंतर्ध्यान हो गए। अहाता ख़ाली होने के बाद मिसेज़ वीज़्ली ने दरवाज़ा बंद कर लिया और फिर हैरी का कंधा पकड़कर उसे टेबल पर रखी लालटेन की रोशनी में ले गईं, ताकि उसके हुलिए को ठीक से देख सकें।

उन्होंने उसे ऊपर से नीचे तक देखते हुए आह भरी और बोलीं, 'तुम भी रॉन की तरह हो। तुम दोनों को देखकर लगता है, जैसे किसी ने तुम पर खिंचाव मंत्रों का प्रयोग कर दिया हो। क़सम से, जब से मैंने रॉन को स्कूल के दुशाले दिलवाए थे, तब से वह चार इंच लंबा हो गया है। तुम्हें भूख लगी है, हैरी?'

'हाँ, लगी है,' हैरी ने कहा और उसे अचानक एहसास हुआ कि वह कितना भूखा था।

'बैठ जाओ, बेटा। मैं कुछ बना देती हूँ।'

जैसे ही हैरी बैठा, चपटे मुँह वाली एक बिल्ली उछलकर उसके घुटनों पर बैठ गई और हल्की-हल्की आवाज़ें निकालने लगी।

'तो हर्माइनी भी यहीं है,' उसने ख़ुशी से पूछा और क्रुकशैंक्स के कान के पिछले हिस्से को खुजाने लगा।

'ओह हाँ, वह परसों ही आई है,' मिसेज़ वीज़्ली ने कहा और अपनी छड़ी से स्टील के एक बड़े बर्तन को ठोंका। बर्तन तेज़ धमाके के साथ उछलकर स्टोव पर पहुँच गया और इसके अंदर की चीज़ फ़ौरन उबलने लगी। 'ज़ाहिर है, इस वक़्त सभी लोग सो रहे हैं। हमें तो अभी कई घंटों तक तुम्हारे आने की उम्मीद नहीं थी। यह लो -'

उन्होंने बर्तन को दोबारा ठोंका। यह हवा में ऊपर उठा, हैरी की तरफ़ आया और तिरछा हो गया। मिसेज़ वीज़्ली ने समय रहते उसके नीचे एक प्याला सरका दिया, ताकि प्याज़ के धुआँ उड़ाते सूप की मोटी धारा उसमें भर जाए।

'ब्रेड लोगे, बेटा?'

'धन्यवाद, मिसेज़ वीज्ली।'

उन्होंने अपनी छड़ी कंधे के पीछे की तरफ़ लहराई। ब्रेड और चाकू उड़कर टेबल पर आ गए। जब ब्रेड अपने आप कटने लगी और सूप का बर्तन वापस स्टोव पर पहुँच गया, तो मिसेज़ वीज़्ली उसके सामने बैठ गईं।

'तो तुमने होरेस स्लगहॉर्न को हॉगवर्ट्स लौटने के लिए मना लिया?'

हैरी ने सिर हिलाया। उसका मुँह गर्म सूप से इतना भरा हुआ था कि वह बोल नहीं सकता था।

मिसेज़ वीज़्ली ने कहा, 'उन्होंने आर्थर और मुझे पढ़ाया था। उन्होंने हॉगवर्ट्स में कई वर्षों तक पढ़ाया है। मुझे लगता है, वे भी डम्बलडोर जितने ही पुराने होंगे। क्या वे तुम्हें पसंद आए?'

हैरी के मुँह में ब्रेड भरी थी, इसलिए उसने कंधे उचका दिए और यूँ ही सिर झटक दिया।

'मैं तुम्हारा मतलब समझ गई,' मिसेज़ वीज़्ली ने समझदारी से सिर हिलाते हुए कहा। 'ज़ाहिर है, जब वे चाहें तो आकर्षक हो सकते हैं, लेकिन वे आर्थर को कभी ज़्यादा पसंद नहीं थे। मंत्रालय में स्लगहॉर्न के प्रिय विद्यार्थी भरे पड़े हैं। वे हमेशा विद्यार्थियों की मदद करने में आगे थे, लेकिन उनके पास आर्थर के लिए कभी ज़्यादा समय नहीं रहा - उन्हें नहीं लगता था कि आर्थर ज़्यादा ऊपर पहुँच पाएँगे। लेकिन इससे यही साबित होता है कि स्लगहॉर्न से

भी ग़लतियाँ होती हैं। मैं नहीं जानती कि रॉन ने तुम्हें किसी चिट्ठी में बताया है या नहीं - यह अभी-अभी हुआ है - आर्थर का प्रमोशन हो गया है!'

यह स्पष्ट था कि मिसेज़ वीज़्ली यह बात बताने के लिए बहुत उतावली थीं। हैरी ने ढेर सारा गर्म सूप निगल लिया। उसे लगा, उसका गला जल गया था।

उसने साँस छोड़ते हुए कहा, 'यह तो बहुत बढ़िया हुआ!'

उसकी आँखों में आए पानी को ख़ुशी के आँसू समझकर मिसेज़ वीज़्ली मुस्कराते हुए बोलीं, 'तुम बहुत अच्छे हो! हाँ, र्‍यूफ़स स्क्रिमग्योर ने वर्तमान स्थिति से निबटने के लिए कई नए पद बनाए हैं। आर्थर *नक़ली रक्षात्मक मंत्र* तथा *हानिकारक वस्तु खोज एवं ज़ब्ती कार्यालय* के प्रमुख बन गए हैं। यह काफ़ी बड़ा पद है। उनके नीचे दस कर्मचारी काम करते हैं!'

'अब वे क्या करते हैं - ?'

'देखो, तुम-जानते-हो-कौन के बारे में इतनी ज़्यादा दहशत है कि हर जगह अजीब सामान बिकने लगे हैं। ऐसे सामान, जो तुम-जानते-हो-कौन और प्राणभक्षियों से सुरक्षित रखने का दावा करते हैं। तुम कल्पना कर सकते हो - तथाकथित सुरक्षात्मक काढ़े, जो दरअसल अम्लरस मिले पानी के घोल के सिवाय कुछ नहीं हैं, या रक्षात्मक मंत्रों के निर्देश, जिनसे दरअसल कान लटक जाते हैं ... कुल मिलाकर इस समय मंडंगस फ़्लेचर जैसे बहुत से लोग सक्रिय हो गए हैं, जिन्होंने ज़िंदगी में एक दिन भी मेहनत नहीं की है और वे लोगों के डर का फ़ायदा उठा रहे हैं, लेकिन कभी-कभार कोई सचमुच ख़तरनाक चीज़ भी प्रकट हो जाती है। कुछ दिन पहले आर्थर ने शापित मुख़बिर यंत्रों के एक बक्से को ज़ब्त किया था, जिसे निश्चित रूप से किसी प्राणभक्षी ने ही रखवाया होगा। तो देखो, यह निश्चित रूप से बहुत महत्वपूर्ण पद है, और मैं तुमसे कहे देती हूँ कि स्पार्क प्लग, टोस्टर और बाक़ी मगलू सामानों की याद करना मूर्खता है।' मिसेज़ वीज़्ली ने अपनी बात सख़्त लहज़े पर ख़त्म की, जैसे हैरी ने ही यह सुझाव दिया हो कि स्पार्क प्लग की याद आना अच्छी बात है।

हैरी ने पूछा, 'क्या मिस्टर वीज़्ली अब तक ऑफ़िस में हैं ?'

'हाँ। सच तो यह है कि उन्हें थोड़ी देर हो गई है ... उन्होंने कहा था कि वे आधी रात तक लौट आएँगे ...'

मिसेज़ वीज़्ली ने मुड़कर एक बड़ी घड़ी की तरफ़ देखा, जो टेबल के सिरे पर रखी वॉशिंग बास्केट की चादरों के ढेर पर अजीब तरीक़े से रखी हुई

थी। हैरी उस घड़ी को देखते ही तत्काल पहचान गया : इसमें नौ काँटे थे, जिनमें से हर एक पर परिवार के एक सदस्य का नाम लिखा हुआ था। आम तौर पर यह घड़ी वीज़्ली परिवार के लिविंग रूम की दीवार पर टँगी रहती थी, हालाँकि इसकी वर्तमान स्थिति से हैरी को लगा कि मिसेज़ वीज़्ली आजकल इसे अपने साथ लेकर पूरे घर में घूमती थीं। इसके सभी नौ काँटे इस वक़्त *जान का ख़तरा* की तरफ़ इशारा कर रहे थे।

'कुछ समय से ऐसा ही है,' मिसेज़ वीज़्ली ने अपनी आवाज़ सामान्य रखने की कोशिश करते हुए कहा, 'तभी से, जब से तुम-जानते-हो-कौन दोबारा खुलकर सामने आया है। मुझे लगता है कि अब हर व्यक्ति को जान का ख़तरा है ... मुझे नहीं लगता कि सिर्फ़ हमारे ही परिवार को ख़तरा है ... लेकिन ऐसी घड़ी किसी और के पास नहीं है, इसलिए मैं इसकी जाँच नहीं कर सकती। ओह!'

अचानक आश्चर्य भरी आवाज़ निकालकर उन्होंने घड़ी की तरफ़ इशारा किया। मिस्टर वीज़्ली वाला काँटा अब *यात्रा* पर आ गया था।

'वे आ रहे हैं!'

एक पल बाद ही पीछे वाले दरवाज़े पर दस्तक हुई। मिसेज़ वीज़्ली उछलकर जल्दी से दरवाज़े के पास पहुँचीं। उनका एक हाथ दरवाज़े की घुंडी पर था और उनका चेहरा लकड़ी से सटा हुआ था। उन्होंने धीरे से पूछा, 'आर्थर, तुम हो ?'

'हाँ,' मिस्टर वीज़्ली की थकी हुई आवाज़ आई। 'लेकिन अगर मैं प्राणभक्षी होता, तब भी यही कहता, डार्लिंग। सवाल पूछो!'

'ओह, रहने दो ...'

'मॉली।'

'ठीक है, ठीक है ... तुम्हारी सबसे प्रिय महत्वाकांक्षा क्या है ?'

'यह पता लगाना कि हवाई जहाज़ हवा में कैसे उड़ते हैं।'

मिसेज़ वीज़्ली ने सिर हिलाया और दरवाज़े की घुंडी घुमाई, लेकिन यह स्पष्ट था कि मिस्टर वीज़्ली दूसरी तरफ़ से दरवाज़ा खींच रहे थे, क्योंकि दरवाज़ा नहीं खुला।

'मॉली! अभी मुझे तुमसे तुम्हारा सवाल तो पूछना बाक़ी है!'

'आर्थर, सचमुच यह तो बहुत मूर्खता ...'

'वह कौन सा नाम है, जो तुम अकेले में मेरे मुँह से सुनना चाहती हो ?'

लालटेन की धीमी रोशनी में भी हैरी को दिख गया कि मिसेज़ वीज़्ली का चेहरा लाल हो गया था। उसे भी अपने कान और गले पर अचानक गर्मी महसूस हुई। उसने अपने सूप को तेज़ी से गटक लिया और चम्मच को प्याले पर ज़ोर से बजाया।

'उछलती मॉली,' मिसेज़ वीज़्ली ने शर्माते हुए दरवाज़े की संद में से फुसफुसाकर कहा।

'बिलकुल ठीक,' मिस्टर वीज़्ली ने कहा। 'अब तुम मुझे अंदर आने दे सकती हो।'

मिसेज़ वीज़्ली ने दरवाज़ा खोला। बाहर उनके पति खड़े थे। वे दुबले, अधगंजे और लाल बालों वाले जादूगर थे, जो सींग के फ्रेम वाला चश्मा लगाए थे और एक लंबा, धूल भरा यात्री चोगा पहने थे।

मिसेज़ वीज़्ली का चेहरा शर्म के कारण अब भी गुलाबी था। उन्होंने चोगा उतारने में अपने पति की मदद करते हुए कहा, 'मुझे अब भी यह समझ में नहीं आता है कि तुम्हारे घर आने पर हर बार हमें यह सब क्यों करना पड़ता है? मेरा मतलब है, प्राणभक्षी तुम्हारा वेष बनाने से पहले तुमसे ज़बर्दस्ती यह जवाब उगलवा लेगा!'

'मैं जानता हूँ डार्लिंग, लेकिन यह मंत्रालय का निर्देश है और मुझे उदाहरण पेश करना है। किसी अच्छी चीज़ की ख़ुशबू आ रही है – प्याज़ का सूप?'

मिस्टर वीज़्ली ने उम्मीद भरी नज़रों से टेबल की तरफ़ देखा।

'हैरी! हमें सुबह तक तुम्हारे आने की उम्मीद नहीं थी!'

दोनों ने हाथ मिलाया और मिस्टर वीज़्ली हैरी के पास कुर्सी पर बैठ गए। मिसेज़ वीज़्ली ने उनके सामने भी सूप का प्याला रख दिया।

'धन्यवाद, मॉली। मुश्किल रात थी। कोई बेवकूफ़ भेसबदल मेडल बेचने लगा था। बस उन्हें गर्दन में लटका लो और आप अपनी इच्छा से अपना हुलिया बदल सकते हो। एक लाख तरह के भेस बदले जा सकते हैं, सिर्फ़ दस गैलियन में!'

'और उसे पहनने पर दरअसल क्या होता है?'

'ज़्यादातर मामलों में तो चेहरे बुरे से नारंगी रंग के हो जाते हैं, लेकिन कुछ लोगों के शरीर पर काँटे जैसे मस्से भी उग आए। जैसे सेंट मंगोज़ वालों के पास पहले से ही पर्याप्त काम न हो!'

'लगता है कि फ्रेड और जॉर्ज इस तरह के काम को मज़ेदार मान सकते हैं,' मिसेज़ वीज़्ली ने झिझकते हुए कहा। 'क्या तुम्हें यक़ीन है – ?'

'ज़ाहिर है, मुझे यक़ीन है!' मिस्टर वीज़्ली ने कहा। 'जब लोग सुरक्षा के लिए इतने चिंतित हैं, तो लड़के इस तरह का कोई काम नहीं करेंगे।'

'तो तुम्हें रूपबदल मेडलों के कारण ही देर हुई थी ?'

'नहीं, हमें एलीफ़ेंट एंड कैसल में एक बुरे पलटवार मंत्र की भनक लगी, लेकिन सौभाग्य से जब तक हम वहाँ पहुँचे, तब तक जादुई क़ानून पालन दस्ते ने उसे सुलझा लिया था ...'

हैरी ने अपने हाथ से जम्हाई रोक ली।

'बिस्तर,' मिसेज़ वीज़्ली ने तत्काल कहा, जिन्होंने उसे जम्हाई लेते देख लिया था। 'मैंने तुम्हारे लिए फ्रेड और जॉर्ज का कमरा तैयार कर दिया है। तुम उस कमरे में अकेले सोओगे।'

'क्यों, वे लोग कहाँ गए ?'

मिसेज़ वीज़्ली बोलीं, 'ओह, वे छूमंतर गली में रहते हैं। वे इतने व्यस्त हैं कि अपनी जोक शॉप के ऊपर वाले छोटे फ़्लैट में ही सो जाते हैं। मुझे कहना होगा, मैं पहले तो इस बात से ख़ुश नहीं थी, लेकिन ऐसा लगता है कि उनमें अच्छी-ख़ासी व्यावसायिक बुद्धि है! चलो बेटा, तुम्हारा संदूक वहाँ पहले ही पहुँच चुका है।'

'गुड नाइट, मिस्टर वीज़्ली,' हैरी ने कहा और अपनी कुर्सी पीछे धका दी। क्रुकशैंक्स उसकी गोद से हल्के से उछली और कमरे से बाहर चली गई।

'गुड नाइट, हैरी,' मिस्टर वीज़्ली ने कहा।

हैरी ने देखा कि किचन से निकलते समय मिसेज़ वीज़्ली ने वॉशिंग बास्केट में रखी घड़ी की तरफ़ मुड़कर देखा। एक बार फिर सभी काँटे *जान का ख़तरा* पर पहुँच चुके थे।

फ्रेड और जॉर्ज का बेडरूम दूसरी मंज़िल पर था। मिसेज़ वीज़्ली ने अपनी छड़ी से पलंग के पास रखे टेबल लैंप की तरफ़ इशारा किया, जो तत्काल जल गया और कमरे में सुनहरी रोशनी हो गई। हालाँकि फूलों का एक बड़ा सा गुलदस्ता छोटी सी खिड़की के सामने वाली डेस्क पर रखा था, लेकिन फूलों की ख़ुशबू भी उस तेज़ बदबू को नहीं छिपा पाई, जो हैरी को बारूद जैसी लग रही थी। कमरे में ज़्यादातर जगह कार्डबोर्ड के डिब्बों ने घेर रखी थी, जिनके बीच में हैरी के स्कूल का संदूक रखा था। ऐसा लग रहा था, जैसे हाल-फ़िलहाल उस कमरे का इस्तेमाल मालगोदाम के रूप में किया

जाता था।

हेडविग ने एक बड़ी अलमारी के ऊपर अड्डा बना लिया था और वह हैरी की तरफ़ देखकर ख़ुशी से कुटकुटाई। फिर वह खिड़की से उड़कर बाहर निकल गई। हैरी समझ गया कि वह शिकार पर जाने से पहले उसे देखने का इंतज़ार कर रही थी। हैरी ने मिसेज़ वीज़्ली से गुडनाइट की, पायजामा पहना और पलंग पर पहुँच गया। तकिए के कवर के नीचे कोई सख़्त चीज़ थी। उसने भीतर हाथ डालकर एक चिपचिपी बैंगनी-नारंगी टॉफ़ी बाहर निकाली। वह पहचान गया कि यह वमनकारी टॉफ़ी है। मुस्कराते हुए उसने करवट बदली और तत्काल सो गया।

हैरी को ऐसा लगा, जैसे कुछ पल बाद ही उसे किसी तोप के गोले ने जगा दिया हो। यह दरवाज़ा खुलने की आवाज़ थी, जो धड़ाम से खुल गया था। वह उठकर सीधा बैठ गया। उसे पर्दे के खिंचने की आवाज़ सुनाई दी। तेज़ धूप दोनों आँखों में चुभने लगी। एक हाथ से अपनी आँखों को बचाते हुए वह दूसरे हाथ से अपने चश्मे की तलाश करने लगा।

'क्यारहाहै ?'

'हमें पता नहीं था कि तुम आ चुके हो!' एक तेज़ और रोमांचित आवाज़ आई। फिर किसी ने उसके सिर पर तेज़ी से मारा।

'रॉन, उसे मत मारो!' एक लड़की की आवाज़ आई, जो रॉन को डाँट रही थी।

हैरी के हाथ को चश्मा मिल गया और उसने उसे लगा लिया, हालाँकि धूप इतनी चमकदार थी कि चश्मा लगाने के बाद भी उसे देखने में मुश्किल हो रही थी। पल भर के लिए एक लंबी छाया उसके सामने काँपी। उसने पलकें झपकाईं। उसे रॉन वीज़्ली दिखाई दिया, जो उसकी तरफ़ देखकर मुस्करा रहा था।

'ठीक हो ?'

'बहुत बढ़िया,' हैरी ने अपने सिर के ऊपरी हिस्से को मलते हुए कहा और दोबारा अपने तकिए पर लुढ़क गया। 'तुम कैसे हो ?'

'बुरा नहीं हूँ,' रॉन ने कार्डबोर्ड का डिब्बा खींचकर उस पर बैठते हुए कहा। 'तुम यहाँ कब पहुँचे ? मम्मी ने हमें बस अभी-अभी बताया है!'

'रात को एक बजे।'

'मगलू **ठीक** थे ? उन्होंने तुम्हारे साथ **अच्छा** व्यवहार किया ?'

'हमेशा जैसा ही,' हैरी ने कहा, जब हर्माइनी उसके पलंग के कोने पर बैठ गई। 'उन्होंने मुझसे ज़्यादा बातचीत नहीं की, लेकिन मुझे उनका यह तरीक़ा ज़्यादा पसंद है। तुम कैसी हो, हर्माइनी?'

'ओह, मैं ठीक हूँ,' हर्माइनी बोली, जो हैरी की तरफ़ ऐसे देख रही थी, जैसे वह बीमार हो।

हैरी इसका कारण जानता था और चूँकि वह इस समय सिरियस की मौत या किसी और दुखद विषय के बारे में बातचीत नहीं करना चाहता था, इसलिए उसने पूछा, 'कितने बज गए? क्या नाश्ते का समय बीत गया?'

रॉन ने अपनी आँखें घुमाते हुए कहा, 'उसके बारे में चिंता मत करो। मम्मी ट्रे में तुम्हारा नाश्ता लेकर आ रही हैं। उन्हें लगता है कि तुम्हें ठीक से खाने को नहीं मिला है। तो, क्या चल रहा है?'

'ज़्यादा कुछ नहीं। मैं तो अपने अंकल-आंटी के यहाँ उलझा हुआ था, है ना?'

'छोड़ो भी!' रॉन बोला। 'तुम डम्बलडोर के साथ आए हो!'

'यह उतना रोमांचक नहीं था। वे तो बस यह चाहते थे कि मैं एक पुराने टीचर को रिटायरमेंट छोड़कर हॉगवर्ट्स आने के लिए राज़ी कर लूँ। उनका नाम होरेस स्लगहॉर्न है।'

'ओह,' रॉन ने निराश दिखते हुए कहा। 'हमने सोचा था –'

हर्माइनी ने रॉन की तरफ़ चेतावनी भरी निगाह डाली, जिससे रॉन ने तत्काल आगे के शब्द बदल दिए।

'– हमने सोचा था कि ऐसी ही कोई बात होगी।'

'तुमने सोच लिया था?' हैरी ने दिलचस्पी से कहा।

'हाँ ... हाँ, अब अंबरिज जा चुकी हैं। निश्चित रूप से हमें गुप्त कलाओं से रक्षा के नए टीचर की ज़रूरत होगी, है ना? तो, अर, वे कैसे हैं?'

'वे कुछ हद तक वॉलरस की तरह दिखते हैं और वे नागशक्ति के प्रमुख थे,' हैरी ने कहा। 'कुछ गड़बड़ है, हर्माइनी?'

हर्माइनी हैरी को इस तरह देख रही थी, जैसे किसी भी पल अजीब से लक्षणों के प्रकट होने की उम्मीद कर रही हो। उसने अपने चेहरे के भाव छिपाकर जल्दी से मुस्कराहट लाने की कोशिश की।

'नहीं, ज़ाहिर है नहीं! तो, हूँ, क्या स्लगहॉर्न को देखकर लग रहा था कि वे अच्छे टीचर होंगे?'

'पता नहीं,' हैरी ने कहा। 'वे अंबरिज से बुरे तो नहीं हो सकते, है ना?'

'मैं एक और को जानती हूँ, जो अंबरिज से भी बुरी है,' दरवाज़े की तरफ़ से एक आवाज़ आई। रॉन की छोटी बहन जिनी कमरे में आ रही थी और चिड़चिड़ी दिख रही थी। 'हाय हैरी!'

रॉन ने पूछा, 'तुम्हें क्या हुआ?'

'*वही*,' जिनी ने ख़ुद को हैरी के पलंग पर फेंकते हुए कहा। 'वह मुझे पागल किए दे रही है।'

'अब उसने क्या किया?' हर्माइनी ने सहानुभूति से पूछा।

'वह मुझसे इस अंदाज़ में बात करती है - तुम सोचोगे कि मेरी उम्र तीन साल है!'

'मैं जानती हूँ,' हर्माइनी ने अपनी आवाज़ नीची करते हुए कहा। 'वह हमेशा अपने ही बारे में बोलती रहती है।'

हैरी यह सुनकर हैरान था कि हर्माइनी मिसेज़ वीज़्ली के बारे में इस तरह की बातें कर रही थी। वह रॉन को दोष नहीं दे पाया, जिसने ग़ुस्से से कहा, 'क्या तुम दोनों पाँच सेकंड तक उसकी बातें किए बिना नहीं रह सकतीं?'

'ओह, सही है, उसका बचाव करो,' जिनी बोली। 'हम जानते हैं कि तुम हमेशा उसके आस-पास रहना चाहते हो।'

रॉन की माँ के बारे में यह बड़ी अजीब टिप्पणी लग रही थी। हैरी को लगा कि उसे ग़लतफ़हमी हो रही है, इसलिए उसने पूछा, 'तुम लोग किसके - ?'

लेकिन सवाल पूरा होने से पहले ही उसे जवाब मिल गया। बेडरूम का दरवाज़ा दोबारा खुल गया और हैरी ने अचानक चादर ठुड्डी तक इतनी ज़ोर से खींची कि हर्माइनी और जिनी उसके बिस्तर से फिसलकर फ़र्श पर गिर गईं।

दरवाज़े की चौखट पर एक युवती खड़ी थी। वह इतनी सुंदर थी कि ऐसा लगा, अचानक कमरे में उजाला हो गया था। वह लंबी थी और उसके सुनहरे लंबे बाल थे, जिनमें से चाँदी जैसी हल्की चमक निकल रही थी। इस पूर्णता की छवि को पूरा करने के लिए उसने नाश्ते की ट्रे उठा रखी थी।

'हैरी,' उसने भारी आवाज़ में कहा। 'तुमसे मिले कितना अरसा हो गया!'

जब वह चौखट से उसकी तरफ़ आने लगी, तो मिसेज़ वीज़्ली प्रकट हुईं, जो उसके पीछे चली आ रही थीं और थोड़ी नाराज़ दिख रही थीं।

'उस ट्रे को लाने की कोई ज़रूरत नहीं थी। मैं ख़ुद उसे लाने वाली थी!'

'कोई दिक्क़त नहीं हुई,' फ़्लर डेलाकोर ने कहा। फिर उसने ट्रे हैरी के घुटनों पर रख दी और उसके दोनों गाल एक-एक करके चूम लिए : उसके गालों पर जिस जगह फ़्लर के होंठ लगे थे, वहाँ हैरी को गर्मी महसूस हुई। 'मैं तुमसे मिलने के लिए बेताब थी। तुम्हें मेरी बहन गैब्रील याद है? वह हमेशा हैरी पॉटर की ही बातें करती रहती है। वह तुमसे दोबारा मिलकर बहुत ख़ुश होगी।'

'ओह ... क्या वह भी यहीं है?' हैरी ने भर्राई आवाज़ में कहा।

'नहीं, नहीं, मूर्ख लड़के,' फ़्लर खिलखिलाते हुए बोली। 'मेरा मतलब है अगली गर्मी में, जब हमारी – लेकिन क्या तुम्हें कुछ नहीं मालूम?'

फ़्लर की बड़ी-बड़ी नीली आँखें चौड़ी हो गईं और उसने मिसेज़ वीज़्ली की तरफ़ सवालिया निगाह डाली, जिन्होंने कहा, 'हम अब तक उसे यह बात नहीं बता पाए हैं।'

फ़्लर हैरी की तरफ़ मुड़ी और उसने अपने लंबे बालों की चादर लहराई, जिससे वे मिसेज़ वीज़्ली के चेहरे पर पड़े।

'बिल और मेरी शादी होने वाली है!'

'ओह,' हैरी ने सूनेपन से कहा। उसका ध्यान इस तरफ़ गया कि मिसेज़ वीज़्ली, हर्माइनी और जिनी एक-दूसरे से निगाह मिलाने से बच रही थीं। 'वाह। अर – बधाइयाँ!'

फ़्लर ने तेज़ी से झुककर उसे दोबारा चूम लिया।

'बिल इन दिनों बहुत व्यस्त है, बहुत मेहनत कर रहा है। मैं अपनी अँग्रेजी सुधारने के लिए ग्रिनगॉट बैंक में पार्ट-टाइम नौकरी कर रही हूँ, इसलिए वह मुझे कुछ दिनों के लिए यहाँ ले आया है, ताकि पूरे परिवार को अच्छे से जान लूँ। मुझे यह सुनकर बहुत ख़ुशी हुई थी कि तुम आ रहे हो – यहाँ करने के लिए ज़्यादा कुछ नहीं है, जब तक कि आपको खाना बनाना और मुर्गी पालना पसंद न हो। अच्छा – अपने नाश्ते का आनंद लो, हैरी!'

इन शब्दों के साथ वह अदा से मुड़ी और जैसे तैरती हुई कमरे के बाहर चली गई। जाते समय वह धीरे से दरवाज़ा बंद कर गई।

मिसेज़ वीज़्ली ने एक आवाज़ निकाली, जो 'ततत!' जैसी लगी।

जिनी धीरे से बोली, 'मम्मी उससे चिढ़ती हैं!'

'मैं उससे चिढ़ती नहीं हूँ!' मिसेज़ वीज़्ली ने चिढ़कर फुसफुसाते हुए कहा। 'मैं तो बस सोचती हूँ कि उन्होंने जल्दबाज़ी में सगाई कर ली है, बस इतनी सी बात है!'

'वे एक-दूसरे को साल भर से जानते हैं,' रॉन बोला, जो अजीब तरीक़े से बौराया हुआ दिख रहा था और बंद हुए दरवाज़े को घूर रहा था।

'अच्छा, लेकिन इतना समय काफ़ी नहीं है! ज़ाहिर है, मैं जानती हूँ कि यह क्यों हुआ। यह सब तुम-जानते-हो-कौन के लौटने के कारण पैदा हुई अनिश्चितता के चलते हुआ है। लोग सोचने लगे हैं कि हो सकता है वे कल मर जाएँ, इसलिए जल्दबाज़ी में ऐसे बहुत से निर्णय ले रहे हैं, जिन्हें लेने से पहले वे आम तौर पर ज़्यादा समय विचार करते। पिछली बार भी यही हुआ था, जब वह शक्तिशाली था। हर तरफ़ लोग जल्दबाज़ी में शादी कर रहे थे-'

'जिनमें आप और डैडी भी शामिल थे?' जिनी ने चालाकी से कहा।

'देखो, तुम्हारे डैडी और मैं तो बने ही एक-दूसरे के लिए थे, इसलिए इंतज़ार करने से क्या फ़ायदा होता?' मिसेज़ वीज़्ली बोलीं। 'जबकि बिल और फ़्लर ... देखो ... दोनों में दरअसल क्या समानता है? वह एक मेहनती, यथार्थवादी क़िस्म का इंसान है, जबकि वह -'

'सफ़ेद भैंस है,' जिनी ने सिर हिलाते हुए कहा। 'लेकिन बिल इतना यथार्थवादी भी नहीं है। वह शाप-तोड़ने वाला है, है ना! उसे भी रोमांच और ग्लैमर पसंद है ... मुझे लगता है कि वह इसीलिए कफ का दीवाना हुआ होगा।'

'उसे इस नाम से मत पुकारा करो, जिनी,' मिसेज़ वीज़्ली ने तीखी आवाज़ में कहा, जब हैरी और हर्माइनी हँसने लगे। 'अच्छा, तो अब चलती हूँ ... हैरी, अंडे अभी गर्म हैं, उन्हें जल्दी से खा लो।'

वे परेशान दिखती हुई कमरे से चली गईं। रॉन अब भी थोड़ा बौराया हुआ दिख रहा था। वह अपना सिर इस तरह हिला रहा था, जैसे कोई कुत्ता अपने कानों से पानी निकालने की कोशिश कर रहा हो।

हैरी ने पूछा, 'अगर वह इसी घर में रह रही है, तो क्या तुम्हें अब तक उसकी आदत नहीं पड़ी?'

रॉन बोला, 'दरअसल वह अचानक उछलकर सामने आ जाती है, जैसे अभी आई थी ...'

'यह बहुत दुखद है,' हर्माइनी ने आवेश में कहा और रॉन से उतनी दूर

चली गई, जितनी वह जा सकती थी। दीवार के पास पहुँचकर वह अपनी बाँहें बाँधकर उसकी तरफ़ मुड़ गई।

जिनी ने रॉन से हैरानी से पूछा, 'तुम उसे हमेशा के लिए तो इस घर में नहीं चाहते हो?' जब रॉन ने कंधे उचका दिए, तो वह आगे बोली, 'मैं शर्त लगाने को तैयार हूँ कि मम्मी इसे रोकने की पूरी कोशिश करेंगी!'

हैरी ने पूछा, 'वे ऐसा कैसे करेंगी?'

'वे टौंक्स को डिनर पर बुलाने की कोशिश करती रहती हैं। मुझे लगता है, वे यह उम्मीद कर रही हैं कि बिल फ़्लर के बजाय टौंक्स को पसंद करने लगेगा। काश ऐसा हो जाए, मुझे अपने परिवार में टौंक्स ज़्यादा पसंद आएगी।'

'हाँ, जैसे उनका यह तरीक़ा कामयाब हो जाएगा,' रॉन ने व्यंग्यात्मक अंदाज़ में कहा। 'सुनो, जिसका भी दिमाग़ सही होगा, वह फ़्लर के आस-पास रहते समय टौंक्स का दीवाना नहीं हो सकता। मेरा मतलब है, टौंक्स जब अपने बालों और नाक के साथ मूर्खतापूर्ण काम नहीं करती है, तो वह **ठीक-ठाक** दिखती है, लेकिन -'

'वह *कफ* से बहुत अच्छी दिखती है,' जिनी बोली।

'और वह ज़्यादा बुद्धिमान भी है। वह ऑरर है!' हर्माइनी ने कोने से कहा।

हैरी बोला, 'फ़्लर मूर्ख नहीं है। वह इतनी समझदार है कि जादूगरी के त्रिकोणीय टूर्नामेंट के लिए चुनी गई थी।'

'तो तुम भी उसे पसंद करते हो!' हर्माइनी ने कटुता से कहा।

जिनी ने ताना मारते हुए कहा, 'मुझे लगता है कि वह तुम्हें जिस तरह से "हैरी" कहती है, वह तुम्हें अच्छा लगता है, है ना?'

'नहीं,' हैरी ने कहा और सोचने लगा कि काश उसने कुछ नहीं कहा होता, 'मैं तो बस कह रहा था, कफ - मेरा मतलब है, फ़्लर -'

'मैं परिवार में टौंक्स को ज़्यादा पसंद करूँगी,' जिनी ने कहा। 'कम से कम वह ख़ुशमिज़ाज तो है।'

रॉन बोला, 'कुछ समय से उसकी ख़ुशमिज़ाजी ग़ायब हो गई है। मैंने उसे जब भी देखा है, वह मायूस मीना जैसी लगी है।'

'यह ठीक नहीं है,' हर्माइनी ने सख़्ती से कहा। 'वह अभी तक सदमे से नहीं उबर पाई है ... देखो ... मेरा मतलब है, वह उसका कज़िन था!'

हैरी का दिल डूब गया। वे सिरियस के विषय पर आ चुके थे। उसने एक काँटा उठाया और अंडे को अपने मुँह में भरने लगा, ताकि बातचीत में शामिल होने से बच सके।

'टौंक्स और सिरियस एक-दूसरे को ठीक से नहीं जानते थे!' रॉन बोला। 'टौंक्स की आधी ज़िंदगी तो सिरियस अज़्काबान में था और उससे पहले उनके परिवार कभी नहीं मिले थे -'

'बात यह नहीं है,' हर्माइनी ने कहा। 'दरअसल उसे लगता है कि उसकी ग़लती की वजह से ही सिरियस की मौत हुई थी!'

न चाहते हुए भी हैरी के मुँह से निकल पड़ा, 'उसे ऐसा क्यों लगता है ?'

'देखो, वह बेलाट्रिक्स लेस्ट्रेंज से लड़ रही थी, है ना ? उसे लगता है, अगर वह उसे ख़त्म कर देती, तो बेलाट्रिक्स सिरियस को नहीं मार पाती।'

रॉन बोला, 'यह मूर्खतापूर्ण है।'

'यह बचने वाले का अपराधबोध है,' हर्माइनी बोली। 'मैं जानती हूँ! ल्यूपिन ने उसे कई बार समझाने की कोशिश की है, लेकिन वह अब भी बहुत दुखी है। दरअसल उसे तो अब अपने जादूरूपांतरण में भी दिक्क़त आ रही है!'

'किसमें - ?'

'वह अपना हुलिया उस तरह नहीं बदल पा रही है, जिस तरह पहले बदला करती थी,' हर्माइनी ने स्पष्ट किया। 'मुझे लगता है, सदमे के कारण उसकी क्षमता कम हो गई होगी।'

हैरी ने कहा, 'मुझे नहीं पता था कि ऐसा भी हो सकता है!'

'मैं भी नहीं जानती थी,' हर्माइनी ने कहा, 'लेकिन लगता है, अगर कोई सचमुच दुखी हो ...'

दरवाज़ा दोबारा खुल गया और मिसेज़ वीज़्ली ने अपना सिर अंदर डाला।

'जिनी ?' वे फुसफुसाकर बोलीं, 'नीचे आकर लंच बनाने में मेरी मदद करो।'

'मैं इन लोगों से बात कर रही हूँ!' जिनी ने तैश में आते हुए कहा।

'फ़ौरन आओ!' मिसेज़ वीज़्ली बोलीं और चली गईं।

जिनी ने चिढ़कर कहा, 'वे मुझे वहाँ सिर्फ़ इसलिए बुला रही हैं, ताकि उन्हें कफ के साथ अकेले न रहना पड़े!' उसने फ़्लर की नक़ल करते हुए अपने

लंबे लाल बाल लहराए और अपनी बाँहें किसी नर्तकी की तरह फैलाकर कमरे में फुदकती हुई चलने लगी।

जाते समय वह बोली, 'तुम लोग भी जल्दी से नीचे आ जाना।'

हैरी ने कुछ समय की ख़ामोशी का फ़ायदा उठाते हुए थोड़ा नाश्ता कर लिया। हर्माइनी फ्रेड और जॉर्ज के संदूकों में देख रही थी, हालाँकि बीच-बीच में वह हैरी की तरफ़ कनखियों से देखती जा रही थी। रॉन हैरी का टोस्ट खा रहा था, लेकिन वह अब भी सपनीले अंदाज़ में दरवाज़े को ताक रहा था।

हर्माइनी ने अंततः पूछा, 'यह क्या है?' उसके हाथ में एक छोटे टेलीस्कोप जैसी चीज़ दिख रही थी।

'क्या पता,' रॉन ने कहा, 'लेकिन अगर फ्रेड और जॉर्ज इसे यहाँ छोड़ गए हैं, तो इसका मतलब शायद यह है कि यह अभी जोक शॉप के लिए तैयार नहीं है, इसलिए सावधान रहना।'

'तुम्हारी मम्मी कहती हैं कि दुकान अच्छी चल रही है,' हैरी ने कहा। 'उन्होंने कहा था कि फ्रेड और जॉर्ज में अच्छी व्यावसायिक बुद्धि है।'

'उन्होंने कम कहा था,' रॉन ने कहा। 'वे लोग तो गैलियनों में खेल रहे हैं! मैं उनकी दुकान देखने के लिए बेताब हूँ। हम अभी तक छूमंतर गली में नहीं गए हैं, क्योंकि मम्मी कहती हैं कि सुरक्षा की दृष्टि से वे डैडी के साथ वहाँ जाना चाहती हैं और डैडी को ऑफ़िस के काम से फ़ुरसत ही नहीं मिलती है। वैसे दुकान के बारे में बहुत अच्छी बातें सुनने को मिली हैं।'

'और पर्सी?' हैरी ने पूछा। पर्सी तीसरे नंबर का वीज़्ली भाई था, जो बाक़ी परिवार से अलग हो गया था। 'क्या वह दोबारा तुम्हारे मम्मी-डैडी से बातें करने लगा है?'

'नहीं,' रॉन बोला।

'लेकिन अब तो वह जान गया है कि तुम्हारे डैडी वोल्डेमॉर्ट की वापसी के बारे में सही कह रहे थे -'

'डम्बलडोर कहते हैं कि लोग दूसरों की सही बात के बजाय ग़लत बात के लिए उन्हें ज़्यादा आसानी से माफ़ कर देते हैं,' हर्माइनी ने कहा। 'रॉन, मैंने उन्हें तुम्हारी मम्मी से यह कहते सुना था।'

रॉन बोला, 'डम्बलडोर ही इस तरह की अजीब बात कह सकते हैं!'

हैरी ने कहा, 'वे इस साल मुझे अलग से सिखाने वाले हैं।'

रॉन का टोस्ट उसके गले में अटक गया और हर्माइनी ने तेज़ी से साँस खींची।

रॉन ने पूछा, 'तुमने अब तक क्यों नहीं बताया?'

'मुझे अभी-अभी तो याद आया है,' हैरी ने सच्चाई बता दी। 'उन्होंने मुझे कल रात को तुम्हारे झाड़ूघर में यह बात बताई थी।'

'ओह ... डम्बलडोर के साथ अलग से पढ़ाई!' रॉन ने प्रभावित दिखते हुए कहा। 'क्या पता वे ऐसा क्यों ...?'

उसकी आवाज़ धीमी होती चली गई। हैरी ने देखा कि वह और हर्माइनी एक-दूसरे की तरफ़ देख रहे थे। हैरी ने अपना छुरी-काँटा नीचे रख दिया। उसका दिल तेज़ी से धड़क रहा था, हालाँकि वह बिस्तर पर बैठने के अलावा कुछ और नहीं कर रहा था। डम्बलडोर ने उसे यह बात उन्हें बताने के लिए कहा था ... तो क्यों न अभी बता दी जाए? उसने अपनी आँखें काँटे पर जमा दीं, जो उसकी गोद पर पड़ती धूप में चमक रहा था। फिर वह बोला, 'मैं यह तो नहीं जानता कि वे मुझे क्या सिखाएँगे, लेकिन मुझे लगता है कि वे भविष्यवाणी के कारण ऐसा करेंगे।'

रॉन या हर्माइनी कुछ नहीं बोले। हैरी को लगा, वे मूर्ति की तरह स्थिर हो गए थे। वह अब भी अपने काँटे की तरफ़ देखते हुए बोला, 'तुम लोग जानते ही हो, वह भविष्यवाणी, जिसे वे मंत्रालय से चुराने की कोशिश कर रहे थे।'

हर्माइनी ने जल्दी से कहा, 'कोई भी नहीं जानता कि भविष्यवाणी में क्या कहा गया था! वह तो टूट गई थी।'

'हालाँकि *दैनिक जादूगर* कहता है –' रॉन ने कहना शुरू किया, लेकिन हर्माइनी बोली, 'श्श्श!'

'*दैनिक जादूगर* सही कहता है,' हैरी ने बहुत कोशिश करके उन दोनों की तरफ़ देखते हुए कहा। हर्माइनी डरी हुई दिख रही थी और रॉन हैरान था। 'टूटने वाला काँच का गोला भविष्यवाणी का इकलौता रिकॉर्ड नहीं था। मैंने डम्बलडोर के ऑफ़िस में पूरी भविष्यवाणी सुनी थी। भविष्यवाणी उन्हीं के सामने की गई थी, इसलिए वे मुझे बता सकते थे। उसमें कहा गया था,' हैरी ने गहरी साँस ली। 'कि मुझे ही वोल्डेमॉर्ट को ख़त्म करना पड़ेगा ... कम से कम उसमें यह कहा गया था कि जब तक एक ज़िंदा है, तब तक दूसरा ज़िंदा नहीं रह सकता।'

वे तीनों एक पल के लिए ख़ामोशी में एक-दूसरे को देखते रहे। फिर एक ज़ोरदार धमाका हुआ और हर्माइनी काले धुएँ के पीछे ओझल हो गई।

'हर्माइनी!' हैरी और रॉन चिल्लाए। नाश्ते की ट्रे छन्न से फ़र्श पर फिसल गई।

हर्माइनी खाँसती हुई धुएँ से बाहर निकली। उसके हाथ में टेलीस्कोप था और उसकी आँख बैंगनी-काली हो गई थी।

उसने कहा, 'मैंने इसे दबाया – और इसने मुझे मुक्का मार दिया!'

उन्होंने देखा कि टेलीस्कोप के सिरे पर लगी लंबी स्प्रिंग पर एक छोटी मुट्ठी थी।

'चिंता मत करो,' रॉन ने कहा, जो अब स्पष्ट रूप से हँसी रोकने की पूरी कोशिश कर रहा था। 'मम्मी इसे ठीक कर देंगी। वे छुटपुट चोटों को ठीक करने में माहिर हैं –'

'ओह, इस वक़्त इसकी चिंता मत करो!' हर्माइनी ने जल्दी से कहा। 'हैरी, ओह हैरी ...'

वह एक बार फिर हैरी के पलंग के कोने पर बैठ गई।

'जब हम मंत्रालय से वापस लौटे थे, तो हम सोच रहे थे ... ज़ाहिर है, हम तुमसे कुछ नहीं कहना चाहते थे, लेकिन लूसियस मैल्फ़ॉय ने भविष्यवाणी के बारे में जो कहा था, उसके अनुसार यह तुम्हारे और वोल्डेमॉर्ट के बारे में थी, इसलिए हमने सोचा कि यह इसी तरह की बात हो सकती है ... ओह हैरी ...' हर्माइनी ने हैरी की तरफ़ घूरा, फिर फुसफुसाकर पूछा, 'क्या तुम्हें डर लग रहा है?'

'अब उतना नहीं लग रहा है, जितना पहले लग रहा था,' हैरी ने कहा। 'जब मैंने इसे पहली बार सुना था, तो बहुत डर लगा था ... लेकिन अब ऐसा लगता है, जैसे मैं हमेशा जानता था कि मुझे आख़िर में उसका सामना करना ही होगा ...'

'जब हमने सुना कि डम्बलडोर तुम्हें व्यक्तिगत रूप से लेने जा रहे हैं, तो हमने सोचा कि वे भविष्यवाणी के संबंध में तुम्हें कुछ बता या दिखा सकते हैं,' रॉन उत्सुकता से बोला। 'और हमने एक तरह से सही सोचा था, है ना? अगर उन्हें लगता कि तुम कामयाब नहीं हो सकते, तो वे तुम्हें सिखाने की योजना नहीं बनाते। वे अपना समय बर्बाद नहीं करते – उनके हिसाब से तुम सफल हो सकते हो!'

'यह सच है,' हर्माइनी बोली। 'मैं सोच रही हूँ कि वे तुम्हें जाने क्या सिखाएँगे, हैरी? सचमुच ऊँचे स्तर का रक्षात्मक जादू, शायद ... सशक्त प्रतिकारक मंत्र ... शापों के तोड़ ...'

लेकिन सच तो यह था कि हैरी कुछ नहीं सुन रहा था। उसके भीतर एक गर्मी फैल रही थी, जिसका धूप से कोई संबंध नहीं था। उसके सीने की

एक सख़्त गाँठ अब खुल रही थी। वह जानता था कि रॉन और हर्माइनी बहुत सदमे में थे। वे अपनी भावनाएँ खुलकर नहीं बता रहे थे, लेकिन इतना ही काफ़ी था कि वे अब भी उसके साथ थे। वे उससे तसल्ली के शब्द बोल रहे थे और इस तरह नहीं कतरा रहे थे, जैसे वह दूषित या ख़तरनाक हो। उसे इतना बढ़िया लग रहा था कि वह अपनी भावना शब्दों में बयान नहीं कर सकता था।

'... यानी आम तौर पर बचाव का जादू,' हर्माइनी ने बात पूरी की। 'कम से कम तुम जानते हो कि इस साल तुम एक ऐसा सबक़ पढ़ोगे, जो रॉन और मुझसे ज़्यादा होगा। मैं सोचती हूँ कि हमारे **ओ.डब्ल्यू.एल.** का परिणाम जाने कब आएगा?'

रॉन ने कहा, 'अब ज़्यादा देर नहीं होगी। एक महीना तो हो चुका है।'

'ठहरो,' हैरी ने कहा, जब पिछली रात की बातचीत का एक और हिस्सा उसे याद आया। 'मुझे लगता है, डम्बलडोर ने कहा था कि **ओ.डब्ल्यू.एल.** के परिणाम आज आने वाले हैं!'

'आज?' हर्माइनी चिल्लाई। '*आज?* लेकिन तुमने मुझे पहले क्यों नहीं – ओह हे भगवान – तुम्हें बता देना चाहिए था –'

वह उछलकर खड़ी हो गई।

'मैं देखने जा रही हूँ कि उल्लू आए हैं या नहीं ...'

पूरे कपड़े पहनने के बाद जब हैरी दस मिनट बाद अपने हाथ में नाश्ते की ख़ाली ट्रे लेकर नीचे पहुँचा, तो उसने देखा कि हर्माइनी किचन की टेबल पर बहुत परेशानहाल बैठी थी, जबकि मिसेज़ वीज़्ली उसकी चोट को ठीक कर रही थीं, ताकि वह पांडा जैसी न दिखे।

'यह हटता ही नहीं है,' मिसेज़ वीज़्ली चिंता से कह रही थीं। वे अपनी छड़ी हाथ में लेकर हर्माइनी के पास खड़ी थीं और उनके दूसरे हाथ में *उपचारकों की सहायक* पुस्तक थी, जिसमें 'चोट, घाव और निशान' अध्याय खुला था। 'इससे पहले तो यह उपाय हमेशा कारगर साबित हुआ है। मुझे कुछ समझ में नहीं आ रहा है।'

जिनी बोली, 'यह फ्रेड और जॉर्ज का मज़ाक़िया विचार होगा। उन्होंने यह सुनिश्चित किया होगा कि यह ठीक न हो सके?'

'लेकिन इसे ठीक होना पड़ेगा!' हर्माइनी चीख़ी। 'मैं ऐसा मुँह लेकर हमेशा नहीं रह सकती!'

'तुम हमेशा ऐसी नहीं रहोगी, बेटी। चिंता मत करो, हम इसका इलाज खोज लेंगे,' मिसेज़ वीज़्ली ने तसल्ली देते हुए कहा।

फ़्लर ने मुस्कराते हुए कहा, 'बिल ने मुझे बताया था कि फ्रेड और जॉर्ज बड़े मसख़रे हैं!'

'हाँ, मैं अपनी हँसी नहीं रोक पा रही हूँ,' हर्माइनी ने तेज़ आवाज़ में कहा।

वह उछलकर खड़ी हुई और किचन में चारों तरफ़ घूमती हुई अपनी उँगलियाँ मरोड़ने लगी।

'मिसेज़ वीज़्ली, आपको पूरा यक़ीन है कि आज सुबह कोई उल्लू नहीं आया है?'

'हाँ, मुझे पता चल जाता!' मिसेज़ वीज़्ली ने धैर्य से कहा। 'अभी तो नौ ही बजे हैं। अब भी काफ़ी समय है ...'

'मैं जानती हूँ कि मेरा पुरातन लिपियों का पेपर गड़बड़ हो गया था,' हर्माइनी ने आवेश में बुदबुदाते हुए कहा। 'मैंने निश्चित रूप से अनुवाद की एक गंभीर ग़लती कर दी थी। और गुप्त कलाओं से रक्षा का प्रैक्टिकल भी ज़्यादा अच्छा नहीं हुआ था। उस वक़्त मुझे लगा था कि रूपांतरण का पेपर अच्छा गया था, लेकिन अब मुझे लगता है –'

'हर्माइनी, क्या तुम चुप रहोगी? घबराहट सिर्फ़ तुम्हें ही नहीं हो रही है!' रॉन चिल्लाया। 'और जब तुम्हें ग्यारह "आउटस्टैंडिंग" **ओ.डब्ल्यू.एल.** मिल जाएँ ...'

'नहीं, नहीं, नहीं,' हर्माइनी बोली और उसने अपने हाथ तेज़ी से लहराए। 'मैं जानती हूँ कि मैं हर विषय में फ़ेल हो जाऊँगी!'

'अगर हम फ़ेल हो गए, तो क्या होगा?' हैरी ने यूँ ही पूछा, लेकिन इस बार भी जवाब हर्माइनी ने ही दिया।

'हम अपने हाउस प्रमुख के साथ अपने विकल्पों पर विचार करेंगे। मैंने पिछले टर्म के अंत में प्रोफ़ेसर मैक्गॉनेगल से पूछा था।'

हैरी के पेट में कँपकँपी छूट गई। उसने सोचा कि काश उसने कम नाश्ता किया होता।

फ़्लर ने गर्व से कहा, 'बाबैटन्स में हमारे यहाँ अलग तरीक़े से काम होता था। मुझे लगता है कि वह ज़्यादा अच्छा था। हम पाँच नहीं, बल्कि छह साल की पढ़ाई के बाद परीक्षा देते थे और फिर –'

फ़्लर के शब्द चीख़ में डूब गए। हर्माइनी किचन की खिड़की के पार इशारा कर रही थी। तीन काले बिंदु आसमान में साफ़ दिख रहे थे, जो लगातार बड़े होते जा रहे थे।

'वे निश्चित रूप से उल्लू हैं,' रॉन भर्राई आवाज़ में बोला और खिड़की पर हर्माइनी के पास जाने के लिए उछलकर खड़ा हो गया।

'और वे तीन हैं,' हैरी ने कहा और हर्माइनी की दूसरी तरफ़ पहुँच गया।

'हममें से हर एक के लिए एक,' हर्माइनी ने दहशत भरी फुसफुसाहट में कहा। 'ओह नहीं ... ओह नहीं ... ओह नहीं ...'

उसने हैरी और रॉन दोनों की कोहनियाँ कसकर पकड़ लीं।

उल्लू सीधे घर की तरफ़ उड़ रहे थे। वे तीन थे और जब वे घर की तरफ़ आने वाले रास्ते पर थोड़ा नीचे आए, तो यह स्पष्ट हो गया कि उनमें से प्रत्येक एक बड़ा चौकोर लिफ़ाफ़ा लेकर आ रहा था।

'ओह *नहीं!*' हर्माइनी चीख़ी।

मिसेज़ वीज़्ली उनके पास से जैसे-तैसे गुज़रीं और उन्होंने किचन की खिड़की खोल दी। एक, दो, तीन उल्लू इसमें से उड़ते हुए आए और टेबल पर उतर गए। उन तीनों ने अपने दाहिने पंजे आगे बढ़ा दिए।

हैरी आगे बढ़ा। उसके नाम आई चिट्ठी बीच वाले उल्लू के पैर में बँधी थी। उसने काँपती उँगलियों से इसे खोला। उसकी बाईं तरफ़ रॉन अपना परिणाम निकालने की कोशिश कर रहा था। हर्माइनी के हाथ तो इतनी ज़ोर से काँप रहे थे कि उल्लू भी काँपने लगा था।

किचन में कोई भी कुछ नहीं बोला। आख़िरकार, हैरी लिफ़ाफ़ा खोलने में कामयाब हो गया। उसने इसे फटाफट खोला और अंदर के चर्मपत्र को पढ़ने लगा।

सामान्य जादूगरी स्तर परिणाम

पास ग्रेड : *आउटस्टैंडिंग (ओ)*	***फ़ेल ग्रेड*** : *पुअर (पी)*
एक्सीड्स एक्सपेक्टेशन्स (ई)	*ड्रेडफुल (डी)*
एक्सेप्टेबल (ए)	*ट्रॉल (टी)*

हैरी जेम्स पॉटर का परिणाम

खगोल शास्त्र : *ए*

जादुई प्राणियों की देखभाल : *ई*

सम्मोहन :	*ई*
गुप्त कलाओं से रक्षा	*ओ*
ज्योतिष :	*पी*
जड़ी-बूटी विज्ञान :	*ई*
जादू का इतिहास :	*डी*
जादुई काढ़े :	*ई*
रूपांतरण :	*ई*

हैरी ने चर्मपत्र को कई बार पढ़ा और हर बार ज़्यादा राहत के साथ पढ़ा। यह बिलकुल ठीक था। उसे हमेशा से पता था कि वह ज्योतिष में फ़ेल हो जाएगा और जादू का इतिहास में उसके पास होने की क़तई संभावना नहीं थी, क्योंकि वह आधी परीक्षा में लुढ़क गया था, लेकिन वह बाक़ी सभी विषयों में पास हो गया था! उसने अपनी उँगली ग्रेड्स पर घुमाई ... वह रूपांतरण और जड़ी-बूटी विज्ञान में अच्छी तरह पास हो गया था। यहाँ तक कि जादुई काढ़े में भी उसे 'ई' मिला था! और सबसे अच्छी बात यह थी कि उसे गुप्त कलाओं से रक्षा में 'आउटस्टैंडिंग' मिला था।

उसने मुड़कर चारों तरफ़ देखा। हर्माइनी की पीठ उसकी तरफ़ थी और उसका सिर झुका हुआ था, लेकिन रॉन आनंदित दिख रहा था।

'सिर्फ़ ज्योतिष और जादू का इतिहास में फ़ेल हुआ हूँ और उनके बारे में किसे परवाह है?' उसने हैरी से ख़ुशी से कहा। 'अब हम एक-दूसरे के परिणाम देखते हैं -'

हैरी ने रॉन के ग्रेड देखे : उसे किसी भी विषय में 'आउटस्टैंडिंग' नहीं मिला था ...

'जानता था कि तुम गुप्त कलाओं से रक्षा में अव्वल रहोगे,' रॉन ने हैरी के कंधे पर मुक्का मारते हुए कहा। 'हमने बिलकुल ठीक किया है, है ना?'

'बहुत बढ़िया!' मिसेज़ वीज़्ली ने गर्व से कहा और प्यार से हाथ फेरकर रॉन के बाल बिखेर दिए। 'सात **ओ.डब्ल्यू.एल.**। फ्रेड और जॉर्ज ने मिलकर भी इतने हासिल नहीं किए थे!'

'हर्माइनी?' जिनी ने कहा, क्योंकि हर्माइनी अब तक नहीं मुड़ी थी। 'तुम्हारा परिणाम कैसा रहा?'

'मैं - बुरा नहीं है,' हर्माइनी धीमी आवाज़ में बोली।

'ओह, छोड़ो भी,' रॉन ने उसके पास जाकर उसके हाथ से परिणाम छीनते हुए कहा। 'हाँ – दस "आउटस्टैंडिंग" और एक "एक्सीड्स एक्सपेक्टेशन्स" गुप्त कलाओं से रक्षा में।' उसने उसकी तरफ़ आधी दिलचस्पी और आधी उलझन से देखा। 'सच तो यह है कि तुम्हें निराशा हुई है, है ना ?'

हर्माइनी ने इंकार में सिर हिला दिया, लेकिन हैरी हँसने लगा।

'अच्छा, तो अब हम **एन.ई.डब्ल्यू.टी.** विद्यार्थी बन गए हैं!' रॉन मुस्कराया। 'मम्मी, और क़बाब हैं क्या ?'

हैरी ने अपने परीक्षा परिणामों की तरफ़ दोबारा देखा। वे उतने ही अच्छे थे, जितनी वह उम्मीद कर सकता था। उसे बस एक ही अफ़सोस हो रहा था ... यह उसके ऑरर बनने की महत्वाकांक्षा का अंत था। उसे जादुई काढ़े में अपेक्षित ग्रेड नहीं मिला था। वह हमेशा से जानता था कि वह ऐसा नहीं कर पाएगा, लेकिन फिर भी उसे अपने पेट में खलबली का एहसास हुआ, जब उसने वहाँ पर एक छोटा सा काला '**ई**' देखा।

दरअसल यह अजीब था, क्योंकि एक प्राणभक्षी ने भेस बदलकर हैरी को पहली बार बताया था कि वह एक अच्छा ऑरर बन सकता है, लेकिन न जाने क्यों यह विचार उस पर हावी हो गया था और वह दरअसल किसी और कैरियर के बारे में नहीं सोच सकता था। यही नहीं, यह उसे तब से अपना सही भविष्य भी लग रहा था, जब से उसने एक महीने पहले भविष्यवाणी सुनी थी ... *एक के ज़िंदा रहते दूसरा ज़िंदा नहीं रह सकता* ... अगर वह उच्च प्रशिक्षित जादूगरों के दल में शामिल हो जाए, जिनका काम वोल्डेमॉर्ट को पकड़ना और मारना था, तो शायद वह भविष्यवाणी को पूरा कर पाएगा और सर्वश्रेष्ठ ढंग से आत्मरक्षा कर पाएगा!

अध्याय छह

ड्रेको का अभियान

हैरी अगले कुछ सप्ताह रॉन के घर के बगीचे की चहारदीवारी के भीतर ही रहा। दिन में ज़्यादातर समय वह वीज़्ली परिवार के बगीचे में क्विडिच खेलता था (वह और हर्माइनी एक तरफ़ हो जाते थे तथा रॉन और जिनी दूसरी तरफ़। हर्माइनी बहुत बुरी खिलाड़ी थी और जिनी अच्छी, इसलिए उन लोगों का संतुलन लगभग सही होता था)। और शाम को मिसेज़ वीज़्ली अक्सर उसे बहुत ज़्यादा खाना खिला देती थीं।

छुट्टियाँ सुखद और शांत रही होतीं, अगर *दैनिक जादूगर* में लगभग हर दिन लोगों के लापता होने, अजीब दुर्घटनाओं, यहाँ तक कि मौतों की ख़बरें नहीं छप रही होतीं। कई बार बिल और मिस्टर वीज़्ली अख़बार में छपने से पहले ही घर में ख़बर सुना देते थे। मिसेज़ वीज़्ली के चेहरे पर अप्रसन्नता साफ़ झलक रही थी, जब रीमस ल्यूपिन ने बुरी ख़बरें सुनाकर हैरी के सोलहवें जन्मदिन की पार्टी का मज़ा ख़राब कर दिया। ल्यूपिन दुबले और गंभीर दिख रहे थे। उनके भूरे बालों के बीच अब काफ़ी सफ़ेद बाल भी आ चुके थे और उनके कपड़े पहले से ज़्यादा छने तथा पैबंद वाले लग रहे थे।

जब मिसेज़ वीज़्ली ने ल्यूपिन को बर्थडे केक का एक बड़ा टुकड़ा दिया, तो वे बोले, 'दमपिशाचों ने दो और हमले किए हैं। और ईगोर कारकारोफ़ की लाश उत्तर दिशा में एक झोपड़ी में मिली है। उसके ऊपर मौत का निशान मँडरा रहा था – सच कहूँ तो मैं हैरान हूँ कि वह प्राणभक्षियों के दल को छोड़ने के एक साल बाद तक कैसे ज़िंदा रहा। जहाँ तक मुझे याद है, सिरियस का भाई रेग्युलस तो सिर्फ़ कुछ दिन ही ज़िंदा रह पाया था।'

मिसेज़ वीज़्ली ने त्योरियाँ चढ़ाकर कहा, 'देखो, शायद हम लोगों को किसी और बारे में बात करनी –'

'रीमस, क्या तुमने फ़्लोरियन फ़ोर्टेस्क्यू के बारे में सुना?' बिल ने पूछा,

जिसे फ़्लर ढेर सारी वाइन दे रही थी। 'वह आदमी, जो –'

'– छूमंतर गली में आइसक्रीम पार्लर चलाता था?' हैरी बीच में बोल पड़ा और उसे अपने पेट में अजीब से अप्रिय ख़ालीपन का एहसास हुआ। 'वह मुझे मुफ़्त आइसक्रीम देता था। उसे क्या हुआ?'

'उसके आइसक्रीम पार्लर को देखकर ऐसा लगता है, जैसे उसे ज़बर्दस्ती घसीटकर ले जाया गया हो।'

'क्यों?' रॉन ने पूछा, जबकि मिसेज़ वीज़्ली चुभती निगाहों से बिल को घूर रही थीं।

'कौन जाने? उसने उन्हें नाराज़ कर दिया होगा। फ़्लोरियन अच्छा आदमी था!'

मिस्टर वीज़्ली ने कहा, 'छूमंतर गली की बात निकली है, तो ऐसा लगता है कि ऑलिवैंडर भी चला गया है।'

'छड़ी बनाने वाला?' जिनी ने हैरानी से पूछा।

'हाँ, वही! उसकी दुकान ख़ाली थी। संघर्ष का कोई चिन्ह नहीं था। कोई नहीं जानता कि वह अपनी इच्छा से गया है या उसका अपहरण हुआ है।'

'लेकिन छड़ियाँ – अब लोग छड़ियों के लिए क्या करेंगे?'

ल्यूपिन बोले, 'उन्हें दूसरे छड़ी बनाने वालों से काम चलाना पड़ेगा। लेकिन ऑलिवैंडर सबसे अच्छा था और अगर दूसरे पक्ष ने उस पर क़ब्ज़ा कर लिया है, तो यह हमारे लिए अच्छी ख़बर नहीं है।'

इस थोड़ी उदास बर्थडे पार्टी के अगले दिन हॉगवर्ट्स से उनकी चिट्ठियाँ और पुस्तकों की सूचियाँ आ गईं। हैरी की चिट्ठी में एक आश्चर्यजनक ख़बर थी : उसे क्विडिच टीम का कप्तान बना दिया गया था।

हर्माइनी ख़ुशी से चिल्लाई, 'इससे तुम्हें प्रिफ़ेक्ट्स के बराबर दर्जा मिल गया है! तुम अब हमारे ख़ास बाथरूम और हर चीज़ का इस्तेमाल कर सकते हो!'

'वाह, मुझे याद है, चार्ली को भी ऐसा ही बैज मिला था,' रॉन ने बैज को ख़ुशी से देखते हुए कहा। 'हैरी, यह बहुत बढ़िया है, तुम मेरे कप्तान बन गए हो – तुम मुझे अपनी टीम में ले लोगे, है ना, हा हा ...'

'देखो, मुझे लगता है कि पुस्तकों की सूची आने के बाद अब हम छूमंतर गली की यात्रा को ज़्यादा नहीं टाल सकते हैं,' मिसेज़ वीज़्ली ने कहा और रॉन की पुस्तकों की सूची की तरफ़ देखते हुए आह भरी। 'हम शनिवार को चलेंगे, बशर्ते तुम्हारे डैडी को उस दिन काम करने न जाना पड़े। मैं उनके बिना वहाँ नहीं जाऊँगी।'

रॉन ने हँसते हुए कहा, 'मम्मी, क्या आपको यह लगता है कि तुम-जानते-हो-कौन फ़्लरिश एंड ब्लॉट्स में किताबों के किसी शेल्फ़ के पीछे छिपा होगा ?'

मिसेज़ वीज़्ली तत्काल तैश में आते हुए बोलीं, 'फ़ोर्टेस्क्यू और ऑलिवैंडर तो पिकनिक मनाने गए हैं, है ना ? अगर तुम सुरक्षा को हँसी-मज़ाक़ का विषय मानते हो, तो तुम यहीं रहना, मैं तुम्हारी चीज़ें ले आऊँगी -'

रॉन ने जल्दी से कहा, 'नहीं, मैं भी चलना चाहता हूँ। मैं फ़्रेड और जॉर्ज की दुकान देखना चाहता हूँ!'

'तो फिर तुम्हें अपने दिमाग़ को सही करना होगा, वरना मैं यह फ़ैसला करूँगी कि तुम इतने अपरिपक्व हो कि हमारे साथ नहीं चल सकते!' मिसेज़ वीज़्ली ने ग़ुस्से से कहा और अपनी घड़ी उठा ली, जिसके सभी नौ काँटे अब भी *जान का ख़तरा* की तरफ़ इशारा कर रहे थे। उन्होंने इसे धुले टॉवलों के ढेर पर टिकाकर रख दिया। 'और यही हॉगवर्ट्स जाने के बारे में भी है!'

जैसे ही मिसेज़ वीज़्ली अपनी लाँड्री बास्केट और घड़ी को उठाकर कमरे से बाहर निकलीं, रॉन ने हैरी की तरफ़ हैरानी से देखा।

'ओह ... अब तो इस घर में कोई मज़ाक़ भी नहीं कर सकता ...'

लेकिन अगले कुछ दिन तक रॉन सावधान रहा और उसने वोल्डेमॉर्ट के बारे में कोई मज़ाक़ नहीं किया। शनिवार तक मिसेज़ वीज़्ली दोबारा ग़ुस्सा नहीं हुईं, हालाँकि वे नाश्ते के वक़्त बहुत तनाव में दिख रही थीं। बिल फ़्लर के साथ घर पर ही रुकने वाला था (जिससे हर्माइनी और जिनी को काफ़ी ख़ुशी हुई)। बिल ने टेबल के पार हैरी को सिक्कों से भरी थैली दी।

'मेरी थैली कहाँ है,' रॉन ने तत्काल आँखें फाड़कर पूछा।

'यह हैरी का ही पैसा है, मूर्ख,' बिल ने कहा। 'हैरी, मैं इसे तुम्हारी तिजोरी में से तुम्हारे लिए निकालकर लाया हूँ, क्योंकि आजकल लोगों को अपना पैसा निकालने में औसतन पाँच घंटे का समय लग रहा है। पिशाचों ने सुरक्षा बहुत कड़ी कर दी है। दो दिन पहले अर्की फ़िलपॉट के शरीर में परीक्षण यंत्र घुसाया गया था ... मेरा यक़ीन करो, यह तरीक़ा ज़्यादा आसान है।'

हैरी ने सोने से भरी थैली जेब में रखते हुए कहा, 'धन्यवाद, बिल।'

'वह सबका इतना ध्यान रखता है,' फ़्लर ने प्रशंसा से बिल की नाक पकड़कर हिलाते हुए कहा। जिनी ने फ़्लर के पीछे अपने नाश्ते के कप में उल्टी करने का अभिनय किया। कॉर्नफ़्लेक्स खाते-खाते हैरी ने तेज़ी से साँस ली, जिससे गले में कॉर्नफ़्लेक्स अटकने से उसे ठसका लगा। रॉन ने उसकी पीठ पर

धौल जमाकर उसे दोबारा सही किया।

यह बादलों से भरा, स्याह दिन था। जब वे अपने चोगे खींचते हुए घर से बाहर निकले, तो जादू मंत्रालय की एक विशेष कार, जिसमें हैरी एक बार पहले भी बैठ चुका था, सामने वाले अहाते में उनका इंतज़ार कर रही थी।

जैसे ही कार घर से दूर हुई, रॉन उसमें पसरकर बैठ गया और ख़ुशी से बोला, 'यह अच्छा हुआ कि डैडी कार ले आए!' बिल और फ़्लर किचन की खिड़की से उनकी तरफ़ हाथ हिला रहे थे। रॉन, हैरी, हर्माइनी और जिनी पीछे वाली सीट पर आराम से बैठे हुए थे।

'इसकी आदत मत डालो, यह तो सिर्फ़ हैरी के कारण मिली है,' मिस्टर वीज़्ली ने पीछे मुड़कर कहा। वे और मिसेज़ वीज़्ली मंत्रालय के ड्राइवर के साथ आगे वाली सीट पर बैठे थे, जो टू-सीटर सोफ़े जैसी दिख रही थी। 'उसे टॉप-ग्रेड सुरक्षा दर्जा मिला है। और रिसती कड़ाही में अतिरिक्त सुरक्षाकर्मी आ जाएँगे।'

हैरी कुछ नहीं बोला। बहरहाल, उसे यह अच्छा नहीं लगा कि उसे ऑरर्स के घेरे में ख़रीदारी करनी पड़ेगी। उसने अपना अदृश्य चोगा अपनी पीठ पर टँगे बैग में ठूँस लिया था। उसे लग रहा था कि अगर यह डम्बलडोर के लिए ठीक है, तो यह मंत्रालय के लिए भी ठीक होना चाहिए। हालाँकि उसे याद आया कि मंत्रालय को तो शायद उसके चोगे के बारे में पता भी नहीं होगा।

'लीजिए, आ गए,' ड्राइवर कुछ समय बाद पहली बार कुछ बोला, जिससे सभी हैरान रह गए। उसने चेअरिंग क्रॉस रोड पर *रिसती कड़ाही* के बाहर कार धीमी करके रोक दी। 'मुझे आपका इंतज़ार करना है। आपको लगभग कितना समय लगेगा?'

'मुझे लगता है, दो घंटे,' मिस्टर वीज़्ली ने कहा। 'आह, अच्छा, वह यहीं है!'

हैरी ने मिस्टर वीज़्ली की देखादेखी खिड़की से बाहर झाँका और उसका दिल बल्लियों उछलने लगा। सराय के बाहर उसका इंतज़ार ऑरर्स नहीं कर रहे थे। उसका इंतज़ार तो दैत्याकार और काली दाढ़ी वाला हॉगवर्ट्स का गेमकीपर रूबियस हैग्रिड कर रहा था, जो ऊदबिलाव की खाल से बना लंबा कोट पहने था। आस-पास से गुज़रते मगलू उसे हैरानी से देख रहे थे, लेकिन हैग्रिड उनकी तरफ़ ध्यान नहीं दे रहा था। वह तो हैरी को देखकर मुस्कराए जा रहा था।

'हैरी!' हैग्रिड ने गूँजती हुई आवाज़ में कहा और हैरी के कार से उतरते ही उसे इतनी ज़ोर से गले लगाया कि हैरी को लगा उसकी हड्डियाँ टूट जाएँगी। 'बकबीक - हमारा मतलब है विदरविंग्स - तुम्हें उसे देखना चाहिए हैरी, वह

खुली हवा में दोबारा आकर बहुत ख़ुश है –'

'मुझे यह सुनकर अच्छा लगा कि वह ख़ुश है,' हैरी ने कहा और उसने मुस्कराते हुए अपनी पसलियाँ मलीं। 'हम नहीं जानते थे कि "सुरक्षा" का मतलब तुम थे!'

'हम जानते हैं, पुराने समय जैसा ही है, है ना! देखो, मंत्रालय ऑरर्स को भेजना चाहता था, लेकिन डम्बलडोर ने कहा कि हमसे काम चल जाएगा,' हैग्रिड ने गर्व से कहा और अपना सीना फुलाकर अपने अँगूठे जेब में डाले। 'चलो, अब चलते हैं – पहले मॉली, आर्थर, आप लोग चलें –'

हैरी की याददाश्त में यह पहली बार था, जब *रिसती कड़ाही* नामक शराबख़ाना पूरी तरह ख़ाली था। सिर्फ़ उसका मालिक टॉम ही वहाँ था, जो बूढ़ा और पोपले मुँह का था। उनके दाख़िल होते समय उसने उम्मीद से ऊपर देखा, लेकिन उसके कुछ बोलने से पहले ही हैग्रिड ने महत्वपूर्ण अंदाज़ में कहा, 'टॉम, आज बस निकल रहे हैं। उम्मीद है, तुम समझ जाओगे। हॉगवर्ट्स का काम है।'

टॉम ने उदासी से सिर हिला दिया और गिलास पोंछने के काम में दोबारा जुट गया। हैरी, हर्माइनी, हैग्रिड और वीज़्ली परिवार बार से होते हुए पीछे वाले ठंडे छोटे अहाते में पहुँच गए, जहाँ कूड़ेदान थे। हैग्रिड ने अपनी गुलाबी छतरी उठाई और दीवार पर एक निश्चित ईंट को ठोंका। ईंट तत्काल खुल गई और एक मेहराबदार रास्ता बन गया, जिसमें आगे पैबंद लगी मुड़ी हुई सड़क दिखती थी। वे प्रवेशद्वार में से निकले और रुककर चारों तरफ़ देखने लगे।

छूमंतर गली बदल गई थी। अब दुकानों में मंत्रों की पुस्तकों, काढ़े के सामानों और कड़ाहियों के सजावटी, रंगीन, चमकदार विंडो डिस्प्ले नहीं थे। अब वे जादू मंत्रालय के बड़े-बड़े पोस्टरों के पीछे छिप गए थे। ज़्यादातर पोस्टर बैंगनी थे। इनमें वही सुरक्षात्मक सलाह दी गई थी, जो मंत्रालय ने गर्मियों में पैंफ़लेट में बाँटी थी। बहरहाल, कुछ पोस्टरों में उन प्राणभक्षियों के हिलते हुए ब्लैक-एंड-व्हाइट फ़ोटो लगे थे, जो अब भी आज़ाद घूम रहे थे। सबसे क़रीब वाली औषधि की दुकान के सामने बेलाट्रिक्स लेस्ट्रेंज का चेहरा व्यंग्य से मुस्करा रहा था। कुछ दुकानें बंद थीं, जिनमें फ़्लोरियन फ़ोर्टेस्क्यू का आइसक्रीम पार्लर भी शामिल था। लेकिन दूसरी ओर, सड़क किनारे कुछ गंदे से स्टॉल लग गए थे। ऐसा ही एक स्टॉल फ़्लरिश एंड ब्लॉट्स के बाहर था। दाग़दार टेंट में बने इस स्टॉल के सामने एक साइनबोर्ड लगा था :

तावीज़ : नरभेड़ियों, दमपिशाचों और सजीव-लाशों के ख़िलाफ़ असरदार

फटीचर सा दिखने वाला एक नाटा जादूगर चाँदी जैसी दिखने वाली चीज़ें बजाकर पास से गुज़रते लोगों को लुभाने की कोशिश कर रहा था।

जब वे उसके पास से गुज़रे, तो उसने जिनी को बुरी नज़र से देखा और मिसेज़ वीज़्ली से बोला, 'मैडम, एक आपकी छोटी लड़की के लिए? उसकी सुंदर गर्दन को बचाने के लिए?'

मिस्टर वीज़्ली ने ग़ुस्से से तावीज़ बेचने वाले को घूरते हुए कहा, 'अगर मैं ड्यूटी पर होता ...'

'हाँ, लेकिन इस वक़्त किसी को गिरफ़्तार मत करने लगना। हम थोड़ी जल्दी में हैं,' मिसेज़ वीज़्ली ने घबराकर सूची की तरफ़ देखते हुए कहा। 'मुझे लगता है कि हमें सबसे पहले मैडम मैल्किन के यहाँ चलना चाहिए। हर्माइनी को नए ड्रेस दुशाले चाहिए और रॉन के स्कूल के दुशालों में टखने बहुत ज़्यादा दिखने लगे हैं! और हैरी, तुम्हें भी नए दुशालों की ज़रूरत है, तुम भी बहुत लंबे हो गए हो - चलो, सभी लोग -'

मिस्टर वीज़्ली ने कहा, 'मॉली, मैडम मैल्किन के यहाँ एक साथ चलने में समझदारी नहीं है। ऐसा करते हैं, इन तीनों को हैग्रिड के साथ वहाँ जाने देते हैं। तब तक हम लोग फ़्लरिश एंड ब्लॉट्स चलते हैं और सबकी स्कूल की किताबें ले आते हैं, ठीक है ना?'

'मैं नहीं जानती,' मिसेज़ वीज़्ली ने चिंता से कहा। उनके मन में दो इच्छाओं में संघर्ष हो रहा था। एक इच्छा तो यह थी कि ख़रीदारी जल्दी से ख़त्म करने के लिए मिस्टर वीज़्ली का सुझाव मान लें, जबकि दूसरी इच्छा यह थी कि सुरक्षा की दृष्टि से सभी लोग साथ-साथ रहें। उन्होंने कहा, 'हैग्रिड, तुम्हें क्या लगता है - ?'

'चिंता मत करो, मॉली, वे हमारे साथ बिलकुल सुरक्षित रहेंगे,' हैग्रिड ने आश्वस्त करते हुए कहा और कूड़ेदान जितना बड़ा हाथ हवा में लहराया। मिसेज़ वीज़्ली के चेहरे से ऐसा लग रहा था, जैसे वे पूरी तरह आश्वस्त नहीं हुई थीं। बहरहाल, वे अलग-अलग जाने की बात पर तैयार हो गईं। वे अपने पति और जिनी के साथ फ़्लरिश एंड ब्लॉट्स की ओर चल दीं, जबकि हैरी, रॉन, हर्माइनी और हैग्रिड मैडम मैल्किन की दुकान की तरफ़ जाने लगे।

हैरी ने देखा कि उनके पास से गुज़रने वाले लोगों के चेहरे पर परेशानी और चिंता का वही भाव था, जो मिसेज़ वीज़्ली के चेहरे पर था। कोई भी अब किसी से बातचीत करने के लिए रुक नहीं रहा था। ख़रीदारी करने वाले लोग अपने-अपने समूह में साथ-साथ रह रहे थे और सिर्फ़ अपने काम पर पूरा ध्यान दे रहे थे। कोई भी अकेला ख़रीदारी करता नहीं दिख रहा था।

हैग्रिड मैडम मैल्किन की दुकान के बाहर रुकते हुए बोला, 'हमारे अंदर जाने से जगह भर जाएगी। इसलिए हम यहीं बाहर पहरा देते हैं, ठीक है?'

हैरी, रॉन और हर्माइनी उस छोटी दुकान में दाख़िल हुए। पहली नज़र में यह ख़ाली नज़र आई, लेकिन जैसे ही उनके पीछे दरवाज़ा बंद हुआ, उन्हें हरे और नीले ड्रेस दुशालों के एक रैक के पीछे से एक जानी-पहचानी आवाज़ सुनाई दी।

'... बच्चा नहीं हूँ, शायद आपका ध्यान नहीं गया है, मम्मी। मैं *अकेला* ही अपनी पूरी ख़रीदारी करने में सक्षम हूँ।'

फिर मैडम मैल्किन की आवाज़ आई, जिसे हैरी पहचान गया, 'बेटा, तुम्हारी मम्मी बिलकुल सही कहती हैं। आजकल किसी को भी अकेले नहीं घूमना चाहिए। इसका बच्चे होने से कोई लेना-देना नहीं है -'

'यह तो ध्यान दो कि आप उस पिन को कहाँ लगा रही हैं?'

रैक के पीछे से एक किशोर निकला। उसका चेहरा पीला और नुकीला था तथा बाल सफ़ेद-सुनहरे थे। उसने गहरे हरे रंग के सुंदर दुशाले पहन रखे थे। उनमें आस्तीनों और किनारों पर पिनें चमक रही थीं। किशोर ने आईने के पास जाकर ख़ुद को ग़ौर से देखा। आईने में देखते वक़्त कुछ पल बाद उसका ध्यान हैरी, रॉन और हर्माइनी की तरफ़ गया। उसकी हल्की भूरी आँखें सिकुड़ गईं।

ड्रेको मैल्फ़ॉय ने कहा, 'मम्मी, अगर आप इस बात पर हैरान हो रही हों कि बदबू कहाँ से आ रही है, तो मैं बता देता हूँ कि एक बदज़ात अभी-अभी अंदर आई है!'

'मुझे नहीं लगता कि यहाँ इस तरह की भाषा के इस्तेमाल की ज़रूरत है!' मैडम मैल्किन ने कहा, जो कपड़ों के रैक के पीछे से एक नापने वाला टेप और छड़ी लेकर निकलीं। 'और मुझे यह भी नहीं लगता कि मेरी दुकान में छड़ियाँ तानने की भी ज़रूरत है!' उन्होंने जल्दी से जोड़ दिया, क्योंकि उन्होंने देख लिया था कि दरवाज़े के पास खड़े हैरी और रॉन ने अपनी छड़ियाँ निकालकर मैल्फ़ॉय की तरफ़ तान दी थीं।

उनके थोड़े पीछे खड़ी हर्माइनी फुसफुसाकर बोली, 'नहीं, नहीं, सच्ची, कोई फ़ायदा नहीं है ...'

'अच्छा, जैसे तुम लोग स्कूल से बाहर जादू करने की हिम्मत कर सकते हो!' मैल्फ़ॉय ने व्यंग्य से मुस्कराते हुए कहा। 'तुम्हारी आँख किसने काली की, ग्रेंजर? मैं उसे ग़ुलदस्ता भेजना चाहता हूँ।'

'बस बहुत हो गया!' मैडम मैल्किन तीखी आवाज़ में बोलीं और सहारे के

लिए पीछे देखने लगीं। 'मैडम – प्लीज़ –'

नार्सिसा मैल्फ़ॉय कपड़ों के रैक के पीछे से बाहर निकली।

'छड़ियाँ अंदर रख लो,' उसने हैरी और रॉन से ठंडेपन से कहा। 'अगर तुम मेरे बेटे पर हमला करते हो, तो मैं यह सुनिश्चित करूँगी कि यह तुम्हारी ज़िंदगी का आख़िरी काम हो।'

'सचमुच ?' हैरी ने कहा, जो एक क़दम आगे आ गया था और उस घमंडी चेहरे को देख रहा था, जो पीलेपन के बावजूद उसकी बहन के चेहरे से मेल खाता था। वह अब उस महिला जितना लंबा हो चुका था। 'अपने प्राणभक्षी दोस्तों से हमें मज़ा चखवाओगी, है ना ?'

मैडम मैल्किन ने चीख़ते हुए अपने दिल पर हाथ रख लिया।

'सचमुच, देखो, तुम्हें ऐसा आरोप नहीं लगाना चाहिए – कितनी ख़तरनाक बात कही है – छड़ियाँ नीचे कर लो, प्लीज़!'

लेकिन हैरी ने अपनी छड़ी नीचे नहीं की। नार्सिसा मैल्फ़ॉय अप्रिय तरीक़े से मुस्कराई।

'मैं देख रही हूँ कि डम्बलडोर के प्रिय विद्यार्थी होने के कारण तुम्हें सुरक्षा का झूठा एहसास हो गया है, हैरी पॉटर। लेकिन डम्बलडोर तुम्हारी सुरक्षा करने के लिए हमेशा नहीं रहेंगे।'

हैरी ने व्यंग्य भरी मुस्कान के साथ दुकान में चारों तरफ़ देखा।

'अच्छा ... देखो ... वे इस वक़्त तो यहाँ नहीं हैं! तो क्यों न इसी समय कोशिश कर लो ? हो सकता है, तुम भी अपने हारे हुए पति की जेल की कालकोठरी में पहुँच जाओ!'

मैल्फ़ॉय ने ग़ुस्से से हैरी की तरफ़ क़दम बढ़ाया, लेकिन वह अपने ज़्यादा लंबे दुशाले में उलझकर लड़खड़ा गया। रॉन ज़ोर से हँस दिया।

मैल्फ़ॉय गुर्राया, 'मेरी माँ से इस तरह बात करने की ज़ुर्रत मत करना, पॉटर!'

'ठीक है, ड्रेको,' नार्सिसा ने उसके कंधे पर अपनी पतली सफ़ेद उँगलियाँ रखकर उसे रोका। 'मुझे उम्मीद है कि मेरे लूसियस के पास पहुँचने से पहले ही पॉटर सिरियस के पास पहुँच जाएगा।'

हैरी ने अपनी छड़ी और ऊपर उठा ली।

'हैरी, नहीं!' हर्माइनी ने कहा और उसकी बाँह पकड़कर उसे नीचे करने की कोशिश की। 'सोचो ... तुम्हें यह नहीं करना ... तुम मुश्किल में फँस जाओगे ...'

मैडम मैल्किन एक पल के लिए उसी जगह पर काँपने लगीं। फिर उन्होंने इस तरह का व्यवहार करने का फ़ैसला किया, जैसे कुछ भी नहीं हो रहा हो। वे उम्मीद कर रही थीं कि कुछ हो भी नहीं। वे मैल्फ़ॉय के पास आकर झुकीं, जो अब भी हैरी को ग़ुस्से से घूर रहा था।

'मुझे लगता है कि यह बाईं आस्तीन थोड़ी ज़्यादा ऊपर आनी चाहिए, बेटा, मैं इसे थोड़ी ऊपर –'

'आउच!' मैल्फ़ॉय गरजा और उसने उनके हाथ पर अपना हाथ मार दिया, 'औरत, ज़रा ध्यान से पिन लगाओ! मम्मी – मुझे नहीं लगता कि मुझे अब ये दुशाले चाहिए –'

उसने अपने सिर से दुशाले निकाले और उन्हें फ़र्श पर मैडम मैल्किन के पैरों के पास फेंक दिया।

'तुम ठीक कह रहे हो, ड्रेको,' नार्सिसा ने हर्माइनी पर हिक़ारत भरी नज़र डालकर कहा, 'अब मैं जान गई हूँ कि यहाँ कितने घटिया लोग ख़रीदारी करते हैं ... हम चलकर ट्विलफ़िट एंड टैटिंग के यहाँ से दुशाले ख़रीद लेते हैं।'

इसी के साथ वे दोनों दुकान के बाहर चले गए। मैल्फ़ॉय ने बाहर निकलते समय रॉन को ज़ोर से धक्का मारने की कोशिश की।

'अरे, *अरे!*' मैडम मैल्किन ने गिरे हुए दुशालों को उठाया और उनकी धूल साफ़ करने के लिए उनके ऊपर अपनी छड़ी की नोक वैक्यूम क्लीनर की तरह घुमाई।

रॉन और हैरी के नए दुशालों की फ़िटिंग करते समय मैडम मैल्किन का ध्यान कहीं और था। उन्होंने हर्माइनी को जादूगरनी के बजाय जादूगर के ड्रेस दुशाले पहनाने की कोशिश की। आख़िरकार, जब उन्होंने उन सभी को दुकान से बाहर जाते देखा, तो वे ख़ुश दिख रही थीं।

उनके पास पहुँचते ही हैग्रिड ने उत्साह से पूछा, 'सब कुछ मिल गया ?'

'लगभग,' हैरी ने कहा। 'क्या तुमने मैल्फ़ॉय और उसकी माँ को देखा ?'

'हाँ,' हैग्रिड ने बिना किसी चिंता के कहा। 'लेकिन वे लोग छूमंतर गली में हंगामा करने की हिम्मत नहीं करेंगे, हैरी, उनके बारे में चिंता मत करो।'

हैरी, रॉन और हर्माइनी ने एक-दूसरे की तरफ़ देखा, लेकिन वे हैग्रिड की ग़लतफ़हमी को दूर कर पाते, इससे पहले ही मिस्टर और मिसेज़ वीज़्ली तथा जिनी पुस्तकों के भारी पैकेट लेकर वहाँ आ गए।

'सब ठीक हैं ?' मिसेज़ वीज़्ली ने पूछा। 'दुशाले मिल गए ? तो फिर ठीक है। हम औषधियों की दुकान और ईलॉप्स में चलते हैं, फिर हम फ़्रेड और जॉर्ज

की दुकान में चलेंगे – अब सब साथ-साथ चलो ...'

हैरी और रॉन ने औषधियों की दुकान में कुछ नहीं ख़रीदा। वे लोग अब काढ़ों का अध्ययन नहीं कर रहे थे, लेकिन उन्होंने ईलॉप्स आउल एंपोरियम में हेडविग और पिगविजियन के लिए आउल नट्स के बड़े बॉक्स ख़रीदे। मिसेज़ वीज़्ली हर मिनट अपनी घड़ी देखती जा रही थीं। फिर वे सड़क पर वीज़्ली जादूगरी दुकान की तलाश में चल दिए, जो फ्रेड और जॉर्ज की जोक शॉप का नाम था।

'हमारे पास ज़्यादा समय नहीं है,' मिसेज़ वीज़्ली बोलीं। 'इसलिए जल्दी से एक नज़र डालकर कार में बैठ जाएँगे। दुकान पास में ही होगी, यह बानवे नंबर है ... चौरानवे ...'

'*वाह,*' रॉन ने रुकते हुए कहा।

चारों तरफ़ पोस्टरों से ढँकी दुकान की तुलना में फ्रेड और जॉर्ज की दुकान पटाख़ों की प्रदर्शनी की तरह थी। आस-पास से गुज़रने वाले लोग मुड़-मुड़कर उसी तरफ़ देख रहे थे। कुछ लोग तो स्तब्ध होकर रुक गए थे। बाईं तरफ़ की विंडो में बहुत सा सामान चमक रहा था, जो घूम रहा था, चमक रहा था, उछल रहा था और चीख़ रहा था। इसकी तरफ़ देखते ही हैरी की आँखों में पानी आने लगा। दाईं तरफ़ की विंडो में एक दैत्याकार पोस्टर लगा था, जो मंत्रालय वाले पोस्टर की तरह ही बैंगनी था, लेकिन इस पर चमकते हुए पीले अक्षरों में लिखा था :

तुम-जानते-हो-कौन के बारे में चिंता क्यों कर रहे हैं?
*आपको तो **नहीं-आते-हो-कौन** के बारे में*
*चिंता करनी **चाहिए** –*
क़ब्ज़ की बीमारी, जो पूरे देश को जकड़े हुए है!

हैरी हँसने लगा। उसे अपने पीछे किसी के कराहने की आवाज़ सुनाई दी। उसने मुड़कर देखा। मिसेज़ वीज़्ली अवाक् होकर पोस्टर को देख रही थीं। वे अपने होंठ हिलाकर ख़ामोशी से '**नहीं**-आते-हो-कौन' बोल रही थीं।

वे फुसफुसाकर बोलीं, 'किसी दिन उनकी हत्या हो जाएगी!'

'नहीं होगी!' रॉन बोला, जो हैरी की तरह ही हँस रहा था। 'यह बहुत बढ़िया है!'

वह और हैरी सबसे पहले दुकान में गए। यह ग्राहकों से भरी थी। हैरी

शेल्फ़ों के पास नहीं पहुँच पाया। उसने चारों तरफ़ घूरकर देखा। बॉक्स छत तक लगे हुए थे। यहाँ गोताखोर टॉफ़ियाँ थीं, जिन्हें जुड़वाँ भाइयों ने हॉगवर्ट्स के अपने आख़िरी, अधूरे साल में बनाया था। हैरी का ध्यान गया कि नासिका रक्तप्रवाह टॉफ़ी सबसे लोकप्रिय थी। शेल्फ़ पर अब इसका एक ही बॉक्स बचा था। नक़ली छड़ियों के डिब्बे भरे हुए थे। सबसे सस्ती वाली छड़ी को हिलाए जाने पर यह रबड़ के मुर्गे या पैंट में बदल जाती थी। सबसे महँगी वाली छड़ी असावधान व्यक्ति के सिर और गले पर प्रहार करने लगती थी। क़लमों के बक्से थे, जिनमें स्याहीविहीन, वर्तनी-जाँच और त्वरित-जवाब क़लमें भी थीं। भीड़ में एक जगह ख़ाली हुई और हैरी काउंटर की तरफ़ बढ़ा, जहाँ दस साल के ख़ुश बच्चे लकड़ी के एक नाटे आदमी को फाँसी के तख़्ते पर धीरे-धीरे चढ़ते देख रहे थे। आदमी और फाँसी का तख़्ता एक ही बॉक्स पर थे, जिस पर लिखा था : फाँसी का तख़्ता - स्पेलिंग सही लिखो, वरना वह फाँसी पर लटक जाएगा!

'दिवास्वप्न सम्मोहन ...'

हर्माइनी काउंटर के क़रीब पहुँचने में कामयाब हो गई थी। वह अब उस बॉक्स के पीछे लिखे शब्द पढ़ रही थी, जिसके सामने समुद्री जहाज़ के डेक पर खड़े एक आकर्षक युवक और मूर्च्छित लड़की की रंगीन तस्वीर थी।

'एक आसान मंत्र, जिससे आप तीस मिनट के बहुत शानदार, बहुत असली दिवास्वप्न में पहुँच जाएँगे। इसे स्कूल की क्लास में आसानी से आज़माया जा सकता है। इसे पकड़ना लगभग असंभव है (साइड इफ़ेक्ट सूनी आँखें और हल्की लार बहना हैं)। सोलह साल से कम उम्र के लोगों को नहीं बेचा जाएगा।' हर्माइनी ने हैरी की तरफ़ देखते हुए कहा, 'तुम जानते हो, यह सचमुच असाधारण जादू है!'

उनके पीछे से एक आवाज़ आई, 'इस तारीफ़ के लिए तुम एक मुफ़्त ले जा सकती हो, हर्माइनी।'

उनके सामने मुस्कराता हुआ फ्रेड खड़ा था। वह गुलाबी दुशाले पहने था, जो उसके लाल बालों के साथ अजीब दिख रहे थे।

'तुम कैसे हो, हैरी ?' उन्होंने हाथ मिलाए। 'और तुम्हारी आँख को क्या हुआ, हर्माइनी ?'

उसने दुखी होकर कहा, 'तुम्हारा मुक्कामार टेलीस्कोप!'

फ्रेड बोला, 'ओह, मैं तो उसके बारे में भूल ही गया था। यह लो -'

उसने अपनी जेब से एक ट्यूब निकालकर उसे दे दी। हर्माइनी ने धीरे से इसका ढक्कन खोला। अंदर पीला पेस्ट था।

'इसे लगा लो, निशान एक घंटे में चला जाएगा,' फ्रेड ने कहा। 'हम चोट के निशान को हटाने का कारगर तरीक़ा खोजना चाहते थे। देखो, हम अपने ज़्यादातर प्रॉडक्ट्स ख़ुद पर आज़माकर देखते हैं।'

हर्माइनी ने घबराकर पूछा, 'यह *सुरक्षित* तो है, है ना?'

'ज़ाहिर है,' फ्रेड ने उत्साह बढ़ाते हुए कहा। 'चलो हैरी। मैं तुम्हें दुकान दिखाता हूँ।'

हर्माइनी आँख के दाग़ पर पेस्ट लगाने लगी। हैरी फ्रेड के पीछे-पीछे दुकान के पिछले हिस्से की तरफ़ चला गया, जहाँ उसने ताश के पत्ते और रस्सी के खेलों का एक स्टैंड देखा।

'मगलू जादुई कारनामे!' फ्रेड ने ख़ुशी से उस तरफ़ इशारा करते हुए कहा। 'डैडी जैसे अजीब लोगों के लिए, जो मगलू सामान को पसंद करते हैं। इससे ज़्यादा कमाई तो नहीं होती है, लेकिन यह थोड़ी-थोड़ी मात्रा में हमेशा बिकता रहता है। यह बहुत नया है ... ओह, यह लो, जॉर्ज भी आ गया ...'

फ्रेड के जुड़वाँ भाई ने हैरी से जोश से हाथ मिलाया।

'दुकान दिखा रहे हो? पीछे चलो, हैरी, वहाँ वह सामान है, जिससे हमारी असली कमाई होती है - *अगर तुमने जेब में कुछ रखा, तो तुम्हें उसके दाम सिर्फ़ गैलियन में ही नहीं चुकाने पड़ेंगे!*' उसने एक छोटे लड़के को चेतावनी दी, जिसने जल्दी से अपना हाथ उस टब से निकाल लिया, जिस पर लेबल लगा था : खाने वाले मौत के निशान - वे किसी को भी बीमार कर देंगे!

जॉर्ज ने मगलू कारनामों के पास वाला पर्दा हटाया। हैरी को कम भीड़ भरा कमरा दिखा, जहाँ ज़्यादा अँधेरा था। इन शेल्फ़ों पर रखा सामान सामान्य ढंग से पैक था।

फ्रेड ने कहा, 'हम अभी-अभी ज़्यादा गंभीर क्षेत्र में उतरे हैं! अजीब बात है, यह जाने कैसे हो गया ...'

'तुम यक़ीन नहीं करोगे कि कितने सारे लोग, जिनमें मंत्रालय में काम करने वाले भी शामिल हैं, अच्छी तरह कवच सम्मोहन नहीं कर सकते,' जॉर्ज ने कहा। 'ज़ाहिर है हैरी, उन्होंने तुमसे नहीं सीखा है।'

'सही कहा ... हमने सोचा कि कवच हैट बहुत मज़ेदार रहेंगे। देखो, इसे पहनकर अपने दोस्त से मंत्र मारने को कहो और जब मंत्र पलटकर उस पर पड़ जाए, तो उसका चेहरा देखो। मंत्रालय ने अपने स्टाफ़ के लिए पाँच सौ कवच हैट ख़रीदे हैं! हमें अब भी बड़े-बड़े ऑर्डर मिल रहे हैं!'

'इसलिए हम कवच चोगों, कवच ग्लव्ज़ जैसी चीज़ों के क्षेत्र में भी उतर

गए हैं ...'

'... मेरा मतलब है, वे अक्षम्य शापों से तो नहीं बचा पाएँगे, लेकिन हल्के-फुल्के मंत्रों या शापों के लिए वे ठीक हैं ...'

'और फिर हमने सोचा कि हम गुप्त कलाओं से रक्षा के पूरे क्षेत्र में उतर जाएँ, क्योंकि इसमें पैसा बहुत है,' जॉर्ज ने जोश से कहा। 'यह बहुत बढ़िया है। देखो, तत्काल अंधकार पाउडर, हम पेरू से इसका आयात कर रहे हैं। अगर जल्दी बचना हो, तो यह बहुत काम आता है।'

'और हमारे विस्फोटक-ध्यानभंग तो शेल्फ़ों से ग़ायब हो रहे हैं, देखो,' फ्रेड ने कहा और काले हूटर जैसी अजीब सी दिखने वाली चीज़ों की तरफ़ इशारा किया, जो ओझल होने की कोशिश कर रही थीं। 'एक को चोरी से गिरा दो। यह दौड़ने लगेगा और ओझल होकर अच्छी तेज़ आवाज़ करेगा। अगर किसी का ध्यान भंग करना हो, तो इससे काम अच्छी तरह बन जाता है।'

हैरी ने प्रभावित होते हुए कहा, 'बहुत बढ़िया!'

'यह लो,' जॉर्ज ने दो विस्फोटक-ध्यानभंग उठाकर हैरी की तरफ़ उछाल दिए।

छोटे सुनहरे बालों वाली एक युवा जादूगरनी ने पर्दे में अपना सिर डाला। हैरी ने देखा कि वह भी गुलाबी रंग के स्टाफ़ दुशाले पहने थी।

उसने कहा, 'एक ग्राहक *मज़ाक़ कड़ाही* के बारे में पूछ रहा है, मिस्टर वीज़्ली!'

हैरी को यह अजीब लगा कि फ्रेड और जॉर्ज को 'मिस्टर वीज़्ली' कहा जा रहा था, लेकिन उन्होंने इस पर सामान्य प्रतिक्रिया की।

'ठीक है वेरिटी, मैं आ रहा हूँ,' जॉर्ज ने तत्काल कहा। 'हैरी, तुम जो चाहो, ले लेना, ठीक है? किसी चीज़ के पैसे देने की ज़रूरत नहीं है!'

'मैं ऐसा नहीं कर सकता!' हैरी ने कहा, जो विस्फोटक ध्यानभंग के पैसे देने के लिए अपना पर्स निकाल चुका था।

'हम तुमसे पैसे नहीं लेंगे,' फ्रेड ने दृढ़ता से कहा और हैरी के दिए सिक्कों को दूर हटा दिया।

'लेकिन -'

'हम यह बात नहीं भूले हैं कि तुमने हमें शुरुआती पूँजी दी थी,' जॉर्ज ने सख़्ती से कहा। 'जो चाहे ले लो। बस लोगों के पूछने पर उन्हें बता देना कि तुमने यह सामान कहाँ से लिया है।'

जॉर्ज ग्राहकों की मदद करने के लिए पर्दे से होता हुआ चला गया और फ़्रेड हैरी को दुकान के मुख्य हिस्से तक ले आया, जहाँ हर्माइनी और जिनी अब भी दिवास्वप्न सम्मोहन पर झुकी हुई थीं।

'क्या तुम लड़कियों को अब तक हमारे ख़ास अद्भुत-जादूगरनी प्रॉडक्ट्स नहीं दिखे हैं?' फ़्रेड ने कहा। 'मेरे पीछे आओ, लड़कियो ...'

खिड़की के पास बहुत सारे गुलाबी रंग के प्रॉडक्ट्स का ढेर लगा था, जिसके चारों तरफ़ रोमांचित लड़कियाँ ज़ोर-ज़ोर से खी-खी कर रही थीं। हर्माइनी और जिनी सावधानी से थोड़ी पीछे रुक गईं।

'यह देखो,' फ़्रेड ने गर्व से कहा। 'दुनिया के सबसे अच्छे प्रेम काढ़े। ऐसे कहीं नहीं मिलेंगे।'

जिनी ने संदेह में एक भौंह उठाई। 'क्या ये असर करते हैं?'

'निश्चित रूप से करते हैं! इनका असर चौबीस घंटे तक रहता है, जो उस लड़के के वज़न पर निर्भर करता है, जिसे पिलाया जाना है -'

'- और पिलाने वाली लड़की की सुंदरता पर भी,' जॉर्ज ने कहा, जो अचानक उनके पास आ गया था। 'लेकिन हम अपनी बहन को प्रेम काढ़े नहीं बेचेंगे,' उसने अचानक गंभीर स्वर में कहा, 'तब बिलकुल नहीं, जब वह पाँच लड़कों के साथ घूम रही हो, जैसा कि हमने सुना है -'

'तुमने रॉन से जो भी सुना है, वह सरासर झूठ है,' जिनी ने शांत स्वर में कहा और आगे की तरफ़ झुकते हुए शेल्फ़ से एक छोटी गुलाबी शीशी उठा ली। 'यह क्या है?'

'दस सेकंड में गारंटीड मुँहासे-ग़ायब,' फ़्रेड ने कहा। 'फोड़ों से लेकर मस्सों तक हर चीज़ के लिए बहुत उपयोगी है, लेकिन विषय मत बदलो। तुम इस वक़्त डीन थॉमस नाम के लड़के के साथ घूम रही हो या नहीं?'

'हाँ, घूम रही हूँ,' जिनी बोली। 'लेकिन आख़िरी बार जब मैंने उसे देखा था, तो वह निश्चित रूप से एक ही लड़का था, पाँच नहीं। ये क्या हैं?'

वह गोल रोएँदार गेंदों की तरफ़ इशारा कर रही थी, जो गुलाबी और बैंगनी रंग की थीं। वे सभी एक पिंजरे में चारों तरफ़ लुढ़कती हुई तीखी आवाज़ें निकाल रही थीं।

जॉर्ज ने कहा, 'पिग्मी पफ़! ये इतनी तेज़ी से बिक रहे हैं कि हम उन्हें उतनी तेज़ी से ला नहीं पा रहे हैं। तो माइकल कॉर्नर के बारे में क्या हुआ?'

जिनी बोली, 'मैंने उसे छोड़ दिया। वह हार सहन नहीं कर पाता है।' उसने पिंजरे की छड़ों के बीच से एक उँगली डाली। पिग्मी पफ़्स तत्काल उसके

चारों तरफ़ जमा हो गए। वह बोली, 'वे सचमुच सुंदर हैं!'

'हाँ, गले लगाने लायक़ हैं,' फ्रेड बोला। 'लेकिन तुम बॉयफ्रेंड्स बड़ी तेज़ी से बदल रही हो, है ना?'

जिनी अपने पुट्ठों पर हाथ रखकर उसकी तरफ़ मुड़ी। उसके चेहरे पर मिसेज़ वीज़्ली जैसा भाव था और हैरी इस बात पर हैरान था कि फ्रेड पीछे क्यों नहीं हटा।

'इससे तुम्हारा कोई लेना-देना नहीं है। और मैं *तुम्हें* धन्यवाद दूँगी,' उसने ग़ुस्से से रॉन से कहा, जो अभी-अभी बहुत सारा सामान लेकर जॉर्ज की कोहनी के पास आ गया था, 'अगर तुम इन दोनों को मेरे बारे में झूठी कहानियाँ न सुनाओ!'

'इनकी क़ीमत तीन गैलियन, नौ सिकल और एक नट है,' फ्रेड ने रॉन के हाथ के सामान की जाँच करते हुए कहा। 'पैसे निकालो।'

'मैं तुम्हारा भाई हूँ!'

'तुम हमारा सामान ले जा रहे हो। तीन गैलियन, नौ सिकल। मैं नट छोड़ देता हूँ।'

'लेकिन मेरे पास तीन गैलियन, नौ सिकल नहीं हैं!'

'तो फिर सारा सामान वापस रख दो। देखना, सही शेल्फ़ पर रखना।'

रॉन ने कई बॉक्स गिरा दिए और फ्रेड की तरफ़ उँगलियों से एक बेहूदा इशारा किया, जिसे दुर्भाग्य से मिसेज़ वीज़्ली ने देख लिया, जो उसी पल वहाँ आ गई थीं।

वे तीखे स्वर में बोलीं, 'अगर मैंने तुम्हें दोबारा ऐसा करते देखा, तो मैं तुम्हारी उँगलियाँ चिपका दूँगी!'

जिनी ने तत्काल कहा, 'मम्मी, क्या मैं एक पिग्मी पफ़ ले सकती हूँ?'

'क्या?' मिसेज़ वीज़्ली ने सावधानी से पूछा।

'देखो तो सही, कितने प्यारे हैं ...'

मिसेज़ वीज़्ली पिग्मी पफ़्स को देखने के लिए एक तरफ़ हटीं। इससे हैरी, रॉन और हर्माइनी को एक पल के लिए खिड़की से बाहर देखने का मौक़ा मिल गया। ड्रेको मैल्फ़ॉय सड़क पर तेज़ी से अकेला चला जा रहा था। वीज़्ली जादूगरी दुकान के पास से गुज़रते समय उसने पीछे मुड़कर देखा। कुछ पल बाद वह खिड़की से दिखने वाले दायरे के बाहर पहुँच गया और दिखाई देना बंद हो गया।

हैरी ने त्योरियाँ चढ़ाकर कहा, 'क्या पता उसकी मम्मी कहाँ रह गईं?'

रॉन बोला, 'लगता है, अपनी मम्मी को चकमा देकर आया है! उसे देखकर तो ऐसा ही लगता है!'

'लेकिन क्यों ?' हर्माइनी ने कहा।

हैरी कुछ नहीं बोला; वह तेज़ी से सोच रहा था। नार्सिसा मैल्फ़ॉय स्वेच्छा से अपने लाड़ले बेटे को अपनी नज़रों से ओझल नहीं होने देगी। मैल्फ़ॉय ने अपनी माँ की पकड़ से आज़ाद होने के लिए सचमुच काफ़ी अच्छी कोशिश की होगी। हैरी मैल्फ़ॉय को अच्छी तरह जानता था। वह उससे नफ़रत करता था और उसे यक़ीन था कि इसका कारण मासूम नहीं हो सकता।

उसने चारों तरफ़ देखा। मिसेज़ वीज़्ली और जिनी पिग्मी पफ़्स के ऊपर झुकी हुई थीं। मिस्टर वीज़्ली ख़ुशी-ख़ुशी मगलुओं के निशान वाले ताश के पत्तों की गड्ढी को देख रहे थे। फ़्रेड और जॉर्ज ग्राहकों की मदद कर रहे थे। काँच की दूसरी तरफ़ हैग्रिड उनकी तरफ़ पीठ करके खड़ा था और सड़क के दोनों तरफ़ देख रहा था।

हैरी अपने बैग में से अदृश्य चोगा निकालते हुए बोला, 'जल्दी से इसके नीचे आ जाओ।'

'ओह - मैं नहीं जानती, हैरी,' हर्माइनी ने मिसेज़ वीज़्ली की तरफ़ अनिश्चितता से देखते हुए कहा।

'चलो *भी*!' रॉन बोला।

एक पल झिझकने के बाद हर्माइनी भी हैरी और रॉन के साथ चोगे के नीचे आ गई। किसी ने भी उन्हें ओझल होते हुए नहीं देखा। सभी लोग फ़्रेड और जॉर्ज के प्रॉडक्ट्स में दिलचस्पी ले रहे थे। हैरी, रॉन और हर्माइनी फटाफट दरवाज़े तक पहुँचे, लेकिन जब तक वे सड़क पर पहुँचे, मैल्फ़ॉय भी उतनी ही सफलता से ग़ायब हो चुका था, जितनी सफलता से वे ग़ायब हुए थे।

'वह उस दिशा में जा रहा था,' हैरी ने बुदबुदाकर कहा, ताकि गुनगुनाता हैग्रिड उनकी बात न सुन पाए। 'चलो।'

वे दाएँ-बाएँ की दुकानों की खिड़कियों और दरवाज़ों के बीच झाँकते हुए तेज़ी से चल दिए, जब तक कि हर्माइनी ने आगे की तरफ़ इशारा नहीं किया।

'वह रहा, है ना ?' उसने फुसफुसाकर कहा। 'बाईं तरफ़ मुड़ रहा है!'

'बड़ी हैरानी है,' रॉन फुसफुसाकर बोला।

चारों तरफ़ देखने के बाद मैल्फ़ॉय शूमंतर गली में मुड़कर ओझल हो गया।

'जल्दी चलो, वरना हम उसे नहीं देख पाएँगे,' हैरी ने गति बढ़ाते हुए

कहा।

'कोई हमारे पैर न देख ले!' हर्माइनी ने चिंता से कहा, जब चोगा उनके टखनों के पास थोड़ा फड़फड़ाया। अब उन तीनों को चोगे के नीचे एक साथ छिपने में काफ़ी मुश्किल आने लगी थी।

'इससे कोई फ़र्क़ नहीं पड़ता है,' हैरी ने अधीरता से कहा, 'बस जल्दी चलो!'

शूमंतर गली बिलकुल वीरान दिख रही थी। यहाँ सिर्फ़ गुप्त कलाओं का सामान ही मिलता था। उन्होंने गुज़रते समय खिड़कियों में झाँका, लेकिन किसी दुकान में एक भी ग्राहक नज़र नहीं आया। हैरी को लगा कि इस वक़्त शैतानी शक्तियों वाले सामान खुलेआम ख़रीदना ख़तरनाक था, क्योंकि इससे लोगों को शक हो जाता और पता चल जाता – या कम से कम उन्हें ख़रीदते दिखना तो ख़तरनाक था ही।

हर्माइनी ने उसकी बाँह पर चिमटी काट ली।

'आउच!'

'श्श्श! देखो! वह वहाँ है!' उसने हैरी के कान में कहा।

वे लोग शूमंतर गली की उस दुकान के सामने पहुँच गए थे, जिसमें हैरी एक बार पहले भी जा चुका था। इसका नाम था बोर्गिन एंड बर्क्स, जिसमें बहुत सारा दुष्ट शैतानी सामान बिकता था। खोपड़ियों और पुरानी बोतलों से भरे केसों के बीच ड्रेको मैल्फ़ॉय उनकी तरफ़ पीठ करके खड़ा था। वह उस बड़ी काली अलमारी के पीछे मुश्किल से दिख रहा था, जिसमें हैरी एक बार मैल्फ़ॉय और उसके डैडी से बचने के लिए छिपा था। मैल्फ़ॉय के हाथ हिलाने से पता चल रहा था कि वह जोश में बातें कर रहा था। दुकान के मालिक मिस्टर बोर्गिन के बाल चिपचिपे थे और कमर झुकी थी। वह मैल्फ़ॉय के सामने खड़ा था और उसके चेहरे पर वितृष्णा तथा डर का मिला-जुला भाव था।

हर्माइनी बोली, 'काश हम उनकी बातें सुन पाते!'

'हम ऐसा कर सकते हैं!' रॉन ने रोमांचित होकर कहा। 'ज़रा रुको – ओह –'

उसने अपने हाथ से दो बॉक्स गिरा दिए और सबसे बड़े बॉक्स में हाथ डाला।

'विस्तारित कान, देखो!'

'बहुत बढ़िया!' हर्माइनी ने कहा, जब रॉन ने मांस के रंग वाली लंबी डोरियों को सुलझाया और उन्हें दरवाज़े के नीचे की तरफ़ डालने लगा। हर्माइनी

बोली, 'ओह, मुझे उम्मीद है कि दरवाज़ा अभेद्य नहीं होगा –'

'नहीं है!' रॉन ने ख़ुशी से कहा। 'सुनो!'

उन्होंने अपने सिर पास-पास सटाए और डोरियों के सिरे से आती आवाज़ सुनने लगे। मैल्फ़ॉय की आवाज़ उतनी ही ज़ोर से और स्पष्टता से आ रही थी, जैसे कोई रेडियो चल रहा हो।

'... तुम जानते हो कि उसे कैसे सुधारना है?'

'शायद,' बोर्गिन ने एक ऐसे अंदाज़ में कहा, जिससे पता चलता था कि वह वादा नहीं करना चाहता था। 'पहले मुझे उसे देखना होगा। तुम उसे दुकान में क्यों नहीं ले आते?'

'मैं नहीं ला सकता,' मैल्फ़ॉय ने कहा। 'वह चीज़ वहीं रहेगी। मुझे तो बस तुमसे यह पूछना है कि यह काम कैसे करना है।'

हैरी ने देखा कि बोर्गिन घबराहट में अपने होंठ पर ज़ुबान फिरा रहा था।

'देखो, बिना उसे देखे यह बताना बहुत मुश्किल होगा, शायद असंभव होगा। मैं किसी चीज़ की गारंटी नहीं दे सकता।'

'नहीं?' मैल्फ़ॉय ने कहा और हैरी उसके अंदाज़ से जान गया कि मैल्फ़ॉय व्यंग्य कर रहा था। 'शायद इससे तुममें ज़्यादा आत्मविश्वास आ जाएगा।'

वह बोर्गिन की तरफ़ बढ़ा और अलमारी के कारण ओझल हो गया। हैरी, रॉन और हर्माइनी मैल्फ़ॉय को देखने के लिए एक तरफ़ को खिसके, लेकिन उन्हें सिर्फ़ बोर्गिन ही दिख पाया, जो बहुत भयभीत नज़र आ रहा था।

मैल्फ़ॉय बोला, 'किसी को बताया, तो बदला लिया जाएगा। तुम फ़ेनरिर ग्रेबैक को जानते हो? वह हमारे परिवार का दोस्त है। वह समय-समय पर यह सुनिश्चित करने के लिए आता रहेगा कि तुम इस समस्या पर पूरा ध्यान दे रहे हो।'

'उसकी कोई ज़रूरत नहीं है –'

'उसका फ़ैसला मैं करूँगा,' मैल्फ़ॉय ने कहा। 'अच्छा तो अब मैं चलता हूँ। और *उस* चीज़ को सुरक्षित रखना मत भूलना! मुझे उसकी ज़रूरत पड़ेगी।'

'आप उसे अभी क्यों नहीं ले जा सकते?'

'नहीं, मैं नहीं ले जा सकता, मूर्ख आदमी! मैं उसे सड़क पर ले जाते हुए कैसा दिखूँगा? बस उसे बेचना मत।'

'बिलकुल नहीं बेचूँगा ... सर।'

बोर्गिन ने बहुत झुककर सलाम किया, उतना ही झुककर जितना हैरी ने

उसे लूसियस मैल्फ़ॉय को करते हुए देखा था।

'बोर्गिन, किसी से भी एक शब्द भी मत कहना। मेरी मम्मी से भी नहीं। समझ गए?'

'बिलकुल, बिलकुल,' बोर्गिन ने बुदबुदाते हुए एक बार फिर सिर झुका दिया।

अगले ही पल दरवाज़े की घंटी ज़ोर से बजी, जब मैल्फ़ॉय बड़ा ख़ुश दिखता हुआ दुकान से बाहर निकला। वह हैरी, रॉन और हर्माइनी के इतने क़रीब से गुज़रा कि उन्हें एक बार फिर चोगा अपने घुटनों के पास फड़फड़ाता महसूस हुआ। दुकान के अंदर बोर्गिन स्तब्ध खड़ा था। उसकी चिकनी-चुपड़ी मुस्कान ग़ायब हो गई थी। वह परेशान दिख रहा था।

'किस बारे में बातें हो रही थीं?' रॉन विस्तारित कानों को खींचते हुए फुसफुसाया।

'क्या पता?' हैरी ने जमकर सोचते हुए कहा। 'वह किसी चीज़ को सुधरवाना चाहता है ... और वह किसी चीज़ को यहाँ सुरक्षित रखवाना चाहता है ... क्या तुम्हें दिखा कि "उस वाली" कहते समय उसने किस चीज़ की तरफ़ इशारा किया था?'

'नहीं, वह उस अलमारी के पीछे था -'

'तुम दोनों यहीं रुको,' हर्माइनी फुसफुसाकर बोली।

'तुम क्या करने - ?'

लेकिन तब तक हर्माइनी चोगे से बाहर निकल चुकी थी। उसने काँच में अपने बाल देखे और दुकान में घुस गई। एक बार फिर घंटियाँ बजने लगीं। रॉन ने जल्दी से एक बार फिर विस्तारित कान दरवाज़े के नीचे से डाले और एक डोरी हैरी की तरफ़ बढ़ा दी।

'हैलो, कितनी भयंकर सुबह है, है ना?' हर्माइनी ने उत्साह से बोर्गिन से कहा, जिसने कोई जवाब नहीं दिया। वह उसकी तरफ़ शक से देख रहा था। ख़ुशी से गुनगुनाती हुई हर्माइनी सामने रखी चीज़ों को देखती रही।

'क्या यह हार बिकाऊ है?' उसने एक काँच के केस के पास रुकते हुए पूछा।

'अगर तुम्हारे पास डेढ़ हज़ार गैलियन हों,' बोर्गिन ने ठंडेपन से कहा।

'ओह - अर - नहीं, मेरे पास इतने नहीं हैं,' हर्माइनी आगे चल दी। 'और ... यह प्यारी सी - अह - खोपड़ी?'

'सोलह गैलियन।'

'तो यह बिकाऊ है ? यह किसी के लिए ... रिज़र्व नहीं है ?'

बोर्गिन ने उसकी तरफ़ घूरकर देखा। हैरी को भयंकर एहसास हुआ कि बोर्गिन हर्माइनी के इरादे समझ चुका था। ज़ाहिर है, हर्माइनी को भी ऐसा ही लगा, क्योंकि उसने अचानक सारी सावधानी हवा में उड़ा दी।

'बात यह है कि वह लड़का जो अभी-अभी यहाँ आया था, ड्रेको मैल्फ़ॉय, वह मेरा दोस्त है और मैं उसे जन्मदिन पर तोहफ़ा देना चाहती हूँ, लेकिन अगर उसने पहले से ही यहाँ कोई चीज़ रिज़र्व करवा रखी हो, तो स्पष्ट रूप से मैं उसे वही चीज़ नहीं देना चाहूँगी, इसलिए ... देखिए ...'

हैरी की राय में यह बहुत ही लचर कहानी थी और स्पष्ट रूप से बोर्गिन को भी ऐसा ही लगा।

'बाहर!' उसने तेज़ी से कहा, 'बाहर निकल जाओ!'

हर्माइनी को दोबारा कहे जाने की ज़रूरत नहीं थी। वह तेज़ी से दरवाज़े तक पहुँची। बोर्गिन उसके ठीक पीछे था। जब घंटी दोबारा बजी, तो बोर्गिन ने हर्माइनी के पीछे दरवाज़ा धड़ाम से बंद कर दिया और 'बंद' का साइनबोर्ड लटका दिया।

'ओह,' रॉन ने हर्माइनी पर चोगा डालते हुए कहा। 'कोशिश अच्छी थी, लेकिन तुम्हारे इरादे साफ़ नज़र आ गए –'

'ठीक है, जासूसों के शहंशाह! तो अगली बार तुम मुझे करके दिखा देना कि यह काम कैसे किया जाता है!' हर्माइनी ने सख़्ती से कहा।

वीज़्ली जादूगरी दुकान तक पूरे रास्ते रॉन और हर्माइनी झगड़ते हुए गए, जहाँ उन्हें रुकने के लिए विवश होना पड़ा, ताकि वे बहुत परेशान दिख रहे मिसेज़ वीज़्ली और हैग्रिड के बीच से छिपकर निकल सकें, जिन्हें उनके ग़ायब होने का पता चल चुका था। दुकान में पहुँचने के बाद हैरी ने अदृश्य चोगा उतारकर अपने बैग में छिपा दिया और बाक़ी दोनों के पास पहुँच गया। रॉन और हर्माइनी मिसेज़ वीज़्ली के आरोपों का जवाब दे रहे थे, हालाँकि वे यह कह रहे थे कि वे पूरे समय पीछे वाले कमरे में ही थे और मिसेज़ वीज़्ली ने ठीक से नहीं देखा होगा।

अध्याय सात

स्लग क्लब

छुट्टियों के आख़िरी सप्ताह में हैरी ज़्यादातर समय यही सोचता रहा कि शूमंतर गली में मैल्फ़ॉय के व्यवहार का क्या मतलब हो सकता है। उसे सबसे ज़्यादा दिक़्क़त इस बात से थी कि मैल्फ़ॉय दुकान से बाहर निकलते समय बहुत ख़ुश दिख रहा था। अगर मैल्फ़ॉय किसी बात पर ख़ुश था, तो यह अच्छी बात नहीं हो सकती। बहरहाल, उसे इससे थोड़ी चिढ़ हो रही थी कि रॉन और हर्माइनी मैल्फ़ॉय की गतिविधियों के बारे में उतने चिंतित नहीं थे, जितना कि वह था। ऐसा लगता था जैसे इसके बारे में बात करते-करते वे कुछ दिनों बाद ऊब चुके हों।

'हाँ हैरी, मैं पहले ही मान चुकी हूँ कि मामला गड़बड़ है,' हर्माइनी ने थोड़ी अधीरता से कहा। वह फ़्रेड और जॉर्ज के कमरे में खिड़की की चौखट पर बैठी थी और उसके पैर एक कार्डबोर्ड बॉक्स पर थे। उसने अभी-अभी अपनी नई पुस्तक *पुरातन लिपियों का उच्च-स्तरीय अनुवाद* के ऊपर से मुश्किल से देखा था। 'लेकिन क्या हम इस बात पर सहमत नहीं हुए थे कि इसके बहुत से कारण हो सकते हैं!'

रॉन अपनी झाड़ू की पूँछ की टहनियों को सीधा करने की कोशिश करते हुए बोला, 'शायद उसका वह-हाथ-जो-संपत्ति-दिलाए टूट गया हो। याद है वह मुरझाया हुआ हाथ, जो मैल्फ़ॉय के पास था?'

'लेकिन याद है, उसने तो कहा था "*उस* वाली चीज़ को सुरक्षित रखना मत भूलना?"' हैरी ने पचासवीं बार कहा। 'इससे मुझे लगता है कि बोर्गिन के पास एक और टूटी हुई चीज़ है तथा मैल्फ़ॉय दोनों चाहता है।'

'अच्छा?' रॉन ने कहा, जो अब अपनी झाड़ू के हैंडल पर से थोड़ी धूल हटाने की कोशिश कर रहा था।

'हाँ,' हैरी ने कहा। जब रॉन या हर्माइनी ने कोई जवाब नहीं दिया, तो वह बोला, 'मैल्फ़ॉय का पिता अज़्काबान में है। क्या तुम्हें नहीं लगता कि मैल्फ़ॉय बदला लेना चाहता होगा?'

रॉन ने पलकें झपकाते हुए ऊपर देखा।

'मैल्फ़ॉय, बदला? वह कर क्या सकता है?'

'यही तो मैं जानना चाहता हूँ!' हैरी ने कुंठा से कहा। 'लेकिन वह कुछ न कुछ तो कर रहा है और मुझे लगता है कि हमें इस बात को गंभीरता से लेना चाहिए। उसका पिता एक प्राणभक्षी है और –'

हैरी बीच में ही रुक गया, उसकी आँखें हर्माइनी के पीछे वाली खिड़की पर जमी हुई थीं और उसका मुँह खुल चुका था। उसके मन में एक आश्चर्यजनक विचार आया था।

'हैरी?' हर्माइनी ने चिंतित स्वर में पूछा। 'क्या हुआ?'

रॉन ने घबराकर पूछा, 'कहीं तुम्हारा निशान दोबारा तो नहीं दुख रहा है?'

'वह प्राणभक्षी बन गया है,' हैरी ने धीरे से कहा। 'वह अपने पिता की जगह प्राणभक्षी बन गया है!'

थोड़ी देर ख़ामोशी छाई रही, फिर रॉन हँस पड़ा।

'*मैल्फ़ॉय?* वह सोलह साल का है, हैरी! तुम्हें लगता है, तुम-जानते-हो-कौन *मैल्फ़ॉय* को प्राणभक्षी बना लेगा?'

'इस बात की बहुत कम संभावना है, हैरी,' हर्माइनी दबी आवाज़ में बोली। 'तुम्हें किस बात से ऐसा लगता है?'

'मैडम मैल्किन की दुकान में देखा था! उनके छूने से पहले ही वह चिल्ला पड़ा था और जब वे उसकी आस्तीन ऊपर कर रही थीं, तो उसने अपना हाथ झटककर दूर हटा लिया था। यह उसका बायाँ हाथ था। उसकी बाईं बाँह पर मौत का निशान गुदा होगा।'

रॉन और हर्माइनी ने एक-दूसरे की तरफ़ देखा।

'अच्छा ...' रॉन ने कहा, हालाँकि उसे देखकर लग रहा था कि उसे बिलकुल भी भरोसा नहीं था।

हर्माइनी बोली, 'हैरी, मुझे लगता है कि वह बस वहाँ से जाना चाहता था।'

'उसने बोर्गिन को कुछ दिखाया था, जिसे हम नहीं देख पाए,' हैरी ने

अपनी बात को आगे बढ़ाते हुए कहा। 'कोई ऐसी चीज़, जिससे बोर्गिन बुरी तरह दहल गया था। मैं जानता हूँ कि वह निशान ही दिखा रहा था। वह बोर्गिन को बता रहा था कि वह किससे बात कर रहा है। तुमने देखा, बोर्गिन ने उसकी बात कितनी गंभीरता से ली थी!'

रॉन और हर्माइनी ने एक-दूसरे से नज़रें मिलाईं।

'मुझे यक़ीन नहीं है, हैरी ...'

'हाँ, मुझे अब भी नहीं लगता है कि तुम-जानते-हो-कौन मैल्फ़ॉय को शामिल करेगा ...'

हैरी चिढ़ गया, लेकिन उसे पूरा भरोसा था कि उसका अंदाज़ा सही है। वह अपने गंदे क्विडिच दुशालों का ढेर उठाकर कमरे से बाहर निकल गया। मिसेज़ वीज़्ली उनसे कई दिनों से कह रही थीं कि वे अपने कपड़ों की धुलाई और पैकिंग आख़िरी समय के लिए न छोड़ें। सीढ़ी के नीचे वाली जगह पर वह जिनी से टकराया, जो अभी-अभी प्रेस किए हुए कपड़े लेकर अपने कमरे में जा रही थी।

'इस वक़्त किचन में जाना ख़तरे से ख़ाली नहीं है,' उसने हैरी को चेतावनी दी। 'वहाँ पर काफ़ी कफ है।'

'मैं सावधान रहूँगा कि उस पर फिसल न जाऊँ,' हैरी ने मुस्कराते हुए कहा।

जब वह किचन में दाख़िल हुआ, तो फ़्लर किचन की टेबल पर अपनी शादी की योजनाएँ पूरे जोश से बता रही थी, जबकि मिसेज़ वीज़्ली बहुत चिड़चिड़ी दिखती हुईं अपने आप खुलने वाले स्प्राउट्स के ढेर को देख रही थीं।

'... बिल और मैंने फ़ैसला कर लिया है कि दुल्हन की दो सखियाँ कौन होंगी। जिनी और गैब्रील एक साथ बहुत सुंदर दिखेंगी। मैं उन्हें सुनहरे पीले कपड़े पहनाने के बारे में सोच रही हूँ। ज़ाहिर है, गुलाबी रंग जिनी के बालों के रंग के साथ भयंकर दिखेगा -'

'आह हैरी!' मिसेज़ वीज़्ली फ़्लर की बात काटते हुए ज़ोर से बोलीं। 'अच्छा, मैं कल हॉगवर्ट्स जाने के लिए किए गए सुरक्षा इंतज़ाम के बारे में बताना चाहती हूँ। हमें मंत्रालय की कारें दोबारा मिल गई हैं और स्टेशन पर ऑरर्स हमारा इंतज़ार करेंगे -'

'क्या टौंक्स भी वहाँ होगी?' हैरी ने उन्हें अपने क्विडिच के दुशाले देते हुए कहा।

'नहीं, मुझे नहीं लगता। आर्थर ने मुझे बताया है कि उसे किसी दूसरी

जगह नियुक्त कर दिया गया है।'

'टौंक्स ने तो अब अपनी परवाह करनी ही छोड़ दी है,' फ़्लर ने सोचते हुए कहा और चाय की चम्मच के पीछे अपना शानदार प्रतिबिंब निहारा। 'अगर मुझसे पूछा जाए, तो यह बहुत बड़ी ग़लती है -'

'हाँ, *धन्यवाद*,' मिसेज़ वीज़्ली ने रूखेपन से कहा और एक बार फिर फ़्लर की बात बीच में काट दी। 'चलो हैरी, तैयार हो जाओ। अगर हो सके, तो मैं आज रात को ही सबके संदूक तैयार चाहती हूँ, ताकि हम आख़िरी मिनट की हड़बड़ी से बच सकें, जो आम तौर पर होती है।'

और सचमुच, अगली सुबह उनकी रवानगी सामान्य से ज़्यादा आरामदेह थी। मंत्रालय की कारें घर के सामने उनका इंतज़ार कर रही थीं। सारे संदूक पैक हो चुके थे, हर्माइनी की बिल्ली क्रुकशैंक्स अपनी बास्केट में सुरक्षित बंद थी और हेडविग, रॉन का उल्लू पिगविजियन तथा जिनी का नया बैंगनी पिग्मी पफ़ अरनॉल्ड पिंजरों में बंद हो चुके थे।

'मिलते हैं, हैरी,' फ़्लर ने उसे चूमकर विदा करते हुए भारी आवाज़ में कहा। रॉन जल्दी से आगे बढ़ गया। उसके चेहरे पर उम्मीद की झलक साफ़ दिख रही थी, लेकिन तभी जिनी ने अपना पैर अड़ा दिया, जिससे रॉन गिर गया और फ़्लर के पैरों के पास की धूल चाटने लगा। लाल चेहरे वाला रॉन धूल में लथपथ हो गया और ग़ुस्से में बिना अलविदा कहे जल्दी से कार में बैठ गया।

किंग्स क्रॉस स्टेशन पर ख़ुशनुमा हैग्रिड उनका इंतज़ार नहीं कर रहा था। इसके बजाय कारों के रुकते ही गंभीर चेहरे और दाढ़ी वाले दो जादूगर गहरे रंगों के मगलू सूटों में आगे बढ़े तथा समूह के दोनों तरफ़ चलने लगे।

'जल्दी, जल्दी, बैरियर के पार,' मिसेज़ वीज़्ली ने कहा, जो इस संजीदा कार्यकुशलता से थोड़ी परेशान दिख रही थीं। 'अच्छा रहेगा कि हैरी सबसे पहले जाए -'

उन्होंने एक ऑरर की तरफ़ पूछने के अंदाज़ में देखा, जिसने धीरे से सिर हिलाया और हैरी की ऊपरी बाँह पकड़कर उसे प्लेटफ़ॉर्म नंबर नौ और दस के बीच के बैरियर की तरफ़ धकेलने की कोशिश की।

'मैं अपने आप चल सकता हूँ, धन्यवाद,' हैरी ने चिढ़कर कहा और झटका देकर अपनी बाँह ऑरर की पकड़ से छुड़ा ली। उसने अपनी ट्रॉली सीधे ठोस बैरियर की तरफ़ धकाई, अपने ख़ामोश ऑरर साथी को नज़रअंदाज़ किया और एक सेकंड बाद ख़ुद को प्लेटफ़ॉर्म नंबर पौने दस पर खड़ा पाया, जहाँ लाल हॉगवर्ट्स एक्सप्रेस भीड़ पर धुआँ उड़ा रही थी।

हर्माइनी और वीज़्ली परिवार कुछ ही पलों में उसके पास आ गए। उदास

चेहरे वाले ऑरर से सलाह लिए बिना हैरी ने रॉन और हर्माइनी को इशारा किया कि वे ख़ाली कम्पार्टमेंट की तलाश करने के लिए प्लेटफ़ॉर्म पर उसके पीछे आएँ।

'हम ऐसा नहीं कर सकते, हैरी,' हर्माइनी ने माफ़ी माँगने वाले अंदाज़ में कहा। 'रॉन और मुझे पहले प्रिफ़ेक्ट वाले डिब्बे में जाना है और फिर गलियारों की थोड़ी पहरेदारी करनी है।'

'ओह हाँ, मैं तो भूल ही गया था,' हैरी ने कहा।

'तुम सभी जल्दी से ट्रेन में चढ़ जाओ। ट्रेन छूटने में अब बस कुछ मिनट ही बचे हैं,' मिसेज़ वीज़्ली ने अपनी घड़ी देखते हुए कहा। 'अच्छा, टर्म अच्छा रहे, रॉन ...'

हैरी ने तत्काल फ़ैसला करते हुए कहा, 'मिस्टर वीज़्ली, क्या मैं आपसे जल्दी से कुछ कह सकता हूँ?'

'हाँ, हाँ, क्यों नहीं?' मिस्टर वीज़्ली ने कहा, जो थोड़े हैरान दिख रहे थे। बहरहाल, वे हैरी के पीछे-पीछे चल दिए, ताकि बाक़ी लोगों को उनकी बातचीत सुनाई न दे।

काफ़ी सोचने के बाद हैरी इस नतीजे पर पहुँचा था कि अगर उसे किसी को बताना ही हो, तो मिस्टर वीज़्ली ही सबसे सही व्यक्ति रहेंगे। पहली बात तो यह थी कि वे मंत्रालय में काम करते थे, इसलिए वे जाँच करने की सबसे अच्छी स्थिति में थे। और दूसरी बात, उसे इस बात की बहुत कम आशंका लगी कि मिस्टर वीज़्ली ग़ुस्से से भड़क उठेंगे।

दूर जाते समय उसने देखा कि मिसेज़ वीज़्ली और गंभीर चेहरे वाला ऑरर उन दोनों को संदेह भरी नज़रों से देख रहे थे।

'जब हम छूमंतर गली में थे -' हैरी ने बोलना शुरू किया, लेकिन मिस्टर वीज़्ली ने मुस्कराकर उसे बीच में ही रोक दिया।

'क्या मुझे यह पता चलने वाला है कि तुम, रॉन और हर्माइनी कहाँ ग़ायब हो गए थे, जबकि तुम्हें फ्रेड और जॉर्ज की दुकान के पीछे वाले कमरे में होना चाहिए था?'

'आपको कैसे पता - ?'

'हैरी। तुम उस आदमी से बात कर रहे हो, जिसने फ्रेड और जॉर्ज को पाल-पोसकर बड़ा किया है।'

'अर ... हाँ, ठीक है, हम पीछे वाले कमरे में नहीं थे।'

'बहुत बढ़िया, तो अब हम बुरी ख़बर भी सुन लेते हैं।'

'देखिए, हम ड्रेको मैल्फ़ॉय का पीछा करने गए थे। हमने अदृश्य चोगे का इस्तेमाल किया था।'

'क्या तुम्हारे पास ऐसा करने का कोई ख़ास कारण था या फिर तुमने यूँ ही किया था?'

'क्योंकि मुझे लगा था कि मैल्फ़ॉय कुछ करने की फिराक में है,' हैरी ने कहा। उसका ध्यान मिस्टर वीज़्ली के चेहरे पर आए चिढ़ और दिलचस्पी के मिले-जुले भाव पर नहीं गया था। 'वह अपनी मम्मी को चकमा देकर आया था और मैं इसकी वजह जानना चाहता था।'

'ज़ाहिर है, तुम जानना चाहते थे,' मिस्टर वीज़्ली ने साँस छोड़ते हुए कहा। 'अच्छा? तो फिर क्या तुम्हें इसका कारण पता चल पाया?'

हैरी ने कहा, 'वह बोर्गिन एंड बर्क्स दुकान में गया और बोर्गिन को धमकाने लगा कि वह किसी चीज़ को सुधारने में उसकी मदद करे। और उसने बोर्गिन से अपने लिए कोई चीज़ सुरक्षित रखने को भी कहा। उसकी बात से ऐसा लग रहा था कि यह ठीक उसी जैसी कोई दूसरी चीज़ थी, जिसकी मरम्मत होनी थी। ऐसा लग रहा था, जैसे उनकी जोड़ी हो। और ...'

हैरी ने एक गहरी साँस ली।

'एक बात और है। हमने यह भी देखा था कि जब मैडम मैल्किन ने मैल्फ़ॉय की बाईं बाँह छूने की कोशिश की, तो मैल्फ़ॉय लगभग एक मील ऊपर उछला था। मुझे लगता है कि उसके हाथ पर मौत का निशान गुदा हुआ है। मुझे लगता है कि वह अपने पिता की जगह प्राणभक्षी बन गया है।'

मिस्टर वीज़्ली हैरान दिखने लगे। एक पल बाद उन्होंने कहा, 'हैरी, मुझे शक है कि क्या तुम-जानते-हो-कौन सोलह साल के लड़के को -'

'क्या कोई यह बात सचमुच जानता है कि तुम-जानते-हो-कौन क्या कर सकता है और क्या नहीं?' हैरी ने ग़ुस्से से पूछा। 'मिस्टर वीज़्ली, मुझे अफ़सोस है, लेकिन क्या यह जाँच करने लायक़ नहीं है? अगर मैल्फ़ॉय किसी चीज़ की मरम्मत करवाना चाहता है और वह इस काम को करने के लिए बोर्गिन को धमकी देता है, तो शायद यह कोई शैतानी या ख़तरनाक चीज़ ही होगी, है ना?'

'सच कहूँ, तो मुझे इसमें संदेह है,' मिस्टर वीज़्ली ने धीरे से कहा। 'देखो, जब लूसियस मैल्फ़ॉय गिरफ़्तार हुआ था, तो हमने उसके घर की तलाशी ली थी। हमने हर ख़तरनाक चीज़ ज़ब्त कर ली थी।'

हैरी ने अड़ते हुए कहा, 'मुझे लगता है कि आपसे कोई चीज़ छूट गई होगी!'

'हाँ, हो सकता है,' मिस्टर वीज़्ली ने कहा, लेकिन हैरी जानता था कि वे उसका दिल रखने के लिए ऐसा कह रहे हैं।

उनके पीछे सीटी बजी। लगभग सभी लोग ट्रेन में चढ़ चुके थे और दरवाज़े बंद हो रहे थे।

'जल्दी करो,' मिस्टर वीज़्ली ने कहा, जब मिसेज़ वीज़्ली चिल्लाईं, 'हैरी, जल्दी!'

वह जल्दी से आगे बढ़ा तथा मिस्टर और मिसेज़ वीज़्ली ने ट्रेन में संदूक चढ़ाने में उसकी मदद की।

'देखो बेटा, क्रिसमस पर हमारे यहाँ आना। डम्बलडोर के साथ सब तय हो गया है, इसलिए हम तुमसे जल्दी ही मिलेंगे,' मिसेज़ वीज़्ली ने खिड़की में से कहा, जब हैरी ने अपने पीछे दरवाज़ा लगाया और ट्रेन चलने लगी। 'तुम अपना पूरा ध्यान रखना और -'

ट्रेन तेज़ होने लगी।

'- अच्छे से रहना और -'

अब मिसेज़ वीज़्ली को थोड़ा भागना पड़ रहा था।

'- सुरक्षित रहना!'

हैरी तब तक हाथ हिलाता रहा, जब तक कि ट्रेन मोड़ पर मुड़ नहीं गई और मिस्टर तथा मिसेज़ वीज़्ली ओझल नहीं हो गए। फिर उसने मुड़कर देखा कि बाक़ी लोग कहाँ हैं। उसने सोचा कि रॉन और हर्माइनी तो प्रिफ़ेक्ट वाले डिब्बे में होंगे, लेकिन तभी उसे जिनी गलियारे में थोड़ी आगे कुछ सहेलियों से बातें करती दिखी। वह रास्ता बनाकर संदूक खींचते हुए उसकी तरफ़ गया।

लोग उसे बिना संकोच के घूरते रहे। वे अपने कंपार्टमेंट की खिड़कियों से चेहरे सटाकर उसे देख रहे थे। *दैनिक जादूगर* में 'चुनिंदा जादूगर' की अफ़वाहों के बाद उसे आशंका थी कि इस टर्म में लोग उसे घूरेंगे, लेकिन उसे मंच के बीचोबीच स्पॉट लाइट में खड़े रहने की अनुभूति में आनंद नहीं आया। उसने जिनी का कंधा थपथपाया।

'कंपार्टमेंट खोजें?'

जिनी चहकते हुए बोली, 'हैरी, मैं तुम्हारे साथ नहीं चल सकती। मैंने डीन से मिलने का वादा किया था। बाद में मिलते हैं।'

'ठीक है,' हैरी ने कहा। जब जिनी अपने लंबे लाल बाल पीछे उछालती हुई चली गई, तो हैरी को अजीब सी चिढ़ का एहसास हुआ। गर्मियों में वह उसके आस-पास रहने का इतना आदी हो चुका था कि यह भूल ही गया था कि स्कूल

में जिनी उसके, रॉन और हर्माइनी के साथ नहीं रहती थी। फिर उसने पलकें झपकाईं और चारों तरफ़ देखने लगा : उसे मंत्रमुग्ध लड़कियों ने घेर लिया था।

'हाय हैरी!' उसे अपने पीछे से एक जानी-पहचानी आवाज़ सुनाई दी।

'नेविल!' हैरी ने राहत से कहा और मुड़कर देखा कि एक गोल चेहरे वाला लड़का उसकी तरफ़ आने के लिए संघर्ष कर रहा था।

'हैलो हैरी,' लंबे बालों और बड़ी-बड़ी आँखों वाली एक लड़की ने कहा, जो नेविल के ठीक पीछे थी।

'हाय लूना, कैसी हो ?'

'बहुत बढ़िया, धन्यवाद,' लूना ने कहा। उसने एक मैग्ज़ीन पकड़कर अपने सीने से चिपका रखी थी। सामने बड़े अक्षरों में यह घोषणा थी कि अंदर मुफ़्त भूत-चश्मा है।

'*द क्विबलर* अब भी तरक्की पर है ?' हैरी ने पूछा। उसे उस मैग्ज़ीन से थोड़ा प्रेम था, क्योंकि पिछले साल उसी में उसका इंटरव्यू छपा था।

'ओह हाँ, ग्राहक बढ़ रहे हैं,' लूना ने ख़ुशी से कहा।

'चलो, ख़ाली जगह खोजते हैं,' हैरी ने कहा और वे तीनों घूर रहे विद्यार्थियों के बीच से आगे बढ़ने लगे। आख़िरकार उन्हें एक ख़ाली कम्पार्टमेंट मिल गया और हैरी कृतज्ञता से उसके भीतर चला गया।

'वे लोग *हमें* भी घूर रहे हैं,' नेविल ने अपनी और लूना की तरफ़ इशारा करते हुए कहा, 'क्योंकि हम तुम्हारे साथ हैं!'

अपना संदूक लगेज रैक पर रखते हुए हैरी बोला, 'वे लोग तुम्हें इसलिए घूर रहे हैं, क्योंकि तुम भी मंत्रालय में लड़े थे। तुमने देखा होगा, हमारे अभियान के बारे में *दैनिक जादूगर* में छपा था।'

'हाँ, मुझे लगा था कि दादी इतने प्रचार से नाराज़ होंगी,' नेविल बोला, 'लेकिन वे बहुत ख़ुश हुईं। कहती हैं कि आख़िरकार मैं अपने डैडी के पदचिन्हों पर चलने लगा हूँ। उन्होंने मुझे एक नई छड़ी भी ख़रीद दी है, देखो!'

उसने छड़ी निकालकर हैरी को दिखाई।

'चेरी और यूनिकॉर्न का बाल,' उसने गर्व से कहा। 'लगता है कि यह ऑलिवेंडर द्वारा बेची गई आख़िरी छड़ियों में से एक होगी। वह अगले दिन ही ग़ायब हो गया था - ओए, वापस आओ, ट्रेवर!'

उसने सीट के नीचे गोता लगाकर अपने मेंढक को पकड़ा, जो अक्सर आज़ाद होने की कोशिश करता रहता था।

'क्या इस साल भी **डीए** की मीटिंग्स होंगी, हैरी ?' लूना ने पूछा, जो अब *द क्विबलर* के बीच से भूत-चश्मा निकाल रही थी।

'अंबरिज के जाने के बाद क्या फ़ायदा है ?' हैरी ने बैठते हुए कहा। नीचे से निकलते समय नेविल का सिर सीट से टकरा गया। वह बहुत निराश दिख रहा था।

'मुझे **डीए** पसंद था! मैंने तुमसे बहुत कुछ सीखा!'

'मुझे भी मीटिंग्स पसंद थीं!' लूना ने शांति से कहा। 'यह दोस्तों के साथ रहने जैसा था।'

लूना अक्सर इसी तरह की अटपटी, लेकिन सच बात कहती थी। इससे हैरी को करुणा और शर्म का मिला-जुला एहसास हुआ। बहरहाल, इससे पहले कि वह कुछ कह पाए, उनके कम्पार्टमेंट के दरवाज़े के बाहर व्यवधान होने लगा। काँच की दूसरी तरफ़ फ़ोर्थ ईयर की लड़कियों के फुसफुसाने और हँसने की आवाज़ें आ रही थीं।

'तुम उससे पूछो!'

'नहीं, तुम!'

'मैं यह कर देती हूँ!'

बड़ी-बड़ी आँखों, उभरी ठुड्डी और लंबे काले बालों वाली एक हिम्मती लड़की दरवाज़े से अंदर आ गई।

'हाय हैरी, मैं रोमिल्डा, रोमिल्डा वेन,' उसने ज़ोर से और आत्मविश्वास से कहा। 'तुम हमारे कम्पार्टमेंट में आकर हमारे साथ क्यों नहीं बैठते हो ? तुम्हें उनके साथ बैठने की ज़रूरत नहीं है,' उसने फुसफुसाकर नीचे झुके नेविल की तरफ़ इशारा किया, क्योंकि नेविल ट्रेवर की तलाश में दोबारा सीट के नीचे झुक गया था। फिर उसने लूना की तरफ़ इशारा किया, जो मुफ़्त भूत-चश्मा पहनकर किसी पागल, कई रंगों वाले उल्लू जैसी दिख रही थी।

'वे मेरे दोस्त हैं,' हैरी ने ठंडेपन से कहा।

'ओह,' लड़की ने बहुत हैरान दिखते हुए कहा। 'ओह। **ठीक है।**'

वह जाते समय अपने पीछे दरवाज़ा बंद कर गई।

'लोग उम्मीद करते हैं कि तुम हमसे ज़्यादा अच्छे लोगों से दोस्ती करो,' लूना ने एक बार फिर सच्ची बात कह दी।

'तुम अच्छे हो,' हैरी ने तुरंत कहा। 'उनमें से कोई भी मंत्रालय में मेरे साथ नहीं लड़ा था।'

'यह बहुत अच्छी बात कही,' लूना मुस्कराई और अपना भूत-चश्मा नाक पर चढ़ाकर *द क्विबलर* पढ़ने लगी।

नेविल सीट के नीचे से निकला। उसके बालों पर धूल जमी थी और उसके हाथ में ट्रेवर था, जो अब हार मान चुका था। वह बोला, 'हमने *उसका* सामना नहीं किया, उसका सामना तो तुमने किया था। तुम्हें मेरी दादी की बातें सुननी चाहिए थीं, जो उन्होंने तुम्हारे बारे में कही थीं। *"हैरी पॉटर में पूरे जादू मंत्रालय से ज़्यादा हिम्मत है!"* तुम जैसा पोता पाने के लिए वे कुछ भी दे सकती थीं ...'

हैरी शरमाकर हँसा और विषय बदलकर **ओ.डब्ल्यू.एल.** के परिणामों के बारे में बात करने लगा। जब नेविल अपने ग्रेड बता रहा था और कह रहा था कि क्या उसे सिर्फ़ 'एक्सेप्टेबल' के बावजूद **एन.ई.डब्ल्यू.टी.** की रूपांतरण की क्लास में दाख़िला मिल पाएगा, तो हैरी उसकी बात सुने बिना उसे देखता रहा।

वोल्डेमॉर्ट के कारण नेविल का बचपन भी उतना ही ख़राब हुआ था, जितना कि हैरी का, लेकिन नेविल को ज़रा भी पता नहीं था कि वह हैरी जैसा बनने के कितना क़रीब था। भविष्यवाणी उन दोनों में से किसी एक की तरफ़ इशारा कर रही थी, लेकिन वोल्डेमॉर्ट को जाने क्यों यह यक़ीन था कि इसका इशारा हैरी की तरफ़ ही था।

अगर वोल्डेमॉर्ट ने नेविल को चुन लिया होता, तो नेविल हैरी के सामने बिजली गिरने जैसे निशान के साथ बैठा होता और भविष्यवाणी का बोझ उस पर होता ... लेकिन क्या सचमुच ऐसा होता? क्या नेविल की माँ उसे बचाने के लिए अपनी जान देतीं, जैसे लिली ने हैरी के लिए दी थी? निश्चित रूप से वे दे देतीं ... लेकिन क्या होता, अगर वे अपने बेटे और वोल्डेमॉर्ट के बीच में ढाल बनकर खड़ी नहीं हो पातीं? तब क्या कोई 'चुनिंदा जादूगर' नहीं होता? जहाँ नेविल इस वक़्त बैठा था, क्या वह जगह ख़ाली रहती? शायद वहाँ हैरी बैठा होता, जिसके माथे पर निशान नहीं होता और जिसे रॉन की नहीं, बल्कि उसकी अपनी माँ चूमकर विदा करतीं!

नेविल ने कहा, 'तुम ठीक तो हो, हैरी? तुम अजीब से दिख रहे हो!'

हैरी चौंक गया।

'माफ़ करना – मैं –'

'तुम पर चकरघिन्नी कीट ने हमला कर दिया है?' लूना ने सहानुभूति से कहा और अपने बड़े रंगीन चश्मे से हैरी को देखा।

'मैं – क्या?'

वह बोली, 'चकरघिन्नी कीट ... वे अदृश्य होते हैं। वे कान के अंदर घुस जाते हैं और दिमाग़ घुमा देते हैं। मुझे लगता है कि मैंने अभी-अभी यहाँ किसी चकरघिन्नी कीट के मँडराने की आवाज़ सुनी थी।'

उसने अपने हाथ हवा में फड़फड़ाए, जैसे किसी बड़े अदृश्य दीमक को हटा रही हो। हैरी और नेविल की नज़रें मिलीं और वे जल्दी से क्विडिच के बारे में बातें करने लगे।

ट्रेन की खिड़कियों के पार मौसम उतना ही बुरा था, जितना गर्मियों में था। वे ठंडी धुंध की लंबी चादर से निकलकर हल्की खिली धूप में पहुँच गए। जब सूरज लगभग उनके सिर के ऊपर पहुँच गया, तब कहीं रॉन और हर्माइनी कम्पार्टमेंट में दाख़िल हुए।

'काश लंच ट्रॉली जल्दी से आ जाए! मैं भूख से मरा जा रहा हूँ,' रॉन ने हसरत से कहा और हैरी के पास वाली सीट पर लुढ़ककर अपना पेट मलने लगा। 'हाय नेविल, हाय लूना। पता है?' उसने हैरी की तरफ़ मुड़ते हुए आगे कहा। 'मैल्फ़ॉय प्रिफ़ेक्ट की ड्यूटी नहीं कर रहा है। वह तो बस नागशक्ति के विद्यार्थियों के साथ कम्पार्टमेंट में बैठा है। हमने वहाँ से गुज़रते समय देखा था।'

हैरी की दिलचस्पी जाग गई और वह सीधा बैठ गया। मैल्फ़ॉय की यह आदत तो नहीं थी कि वह प्रिफ़ेक्ट के रूप में अपनी शक्ति प्रदर्शित करने का मौक़ा छोड़ दे, जैसा उसने पिछले साल किया था।

'तुम्हें देखकर उसने क्या किया?'

'वही हमेशा जैसा व्यवहार,' रॉन ने उदासीनता से कहा और हाथ से एक भद्दी मुद्रा बनाई। 'हालाँकि वह सामान्य हरकतें नहीं कर रहा था, है ना? सामान्य तो *यह होता* –' उसने एक बार फिर हाथ से ज़्यादा भद्दी मुद्रा बनाई, 'लेकिन वह फ़र्स्ट ईयर के विद्यार्थियों को सता क्यों नहीं रहा है?'

'क्या पता,' हैरी बोला, लेकिन उसका दिमाग़ सरपट भाग रहा था। उसे लग रहा था कि मैल्फ़ॉय के मन में इस वक़्त छोटे विद्यार्थियों को सताने से ज़्यादा महत्वपूर्ण बातें थीं!

'हो सकता है, उसे प्रशासकीय दस्ता ज़्यादा पसंद हो?' हर्माइनी ने कहा। 'शायद इसके बाद उसे प्रिफ़ेक्ट बनने में अपमान महसूस हो रहा हो!'

'मुझे ऐसा नहीं लगता,' हैरी ने कहा, 'मुझे लगता है कि वह –'

लेकिन इससे पहले कि वह अपनी राय विस्तार से बता पाता, कम्पार्टमेंट का दरवाज़ा दोबारा खुल गया और थर्ड ईयर की एक लड़की हाँफती हुई अंदर आ गई।

'मुझे ये चिट्ठियाँ नेविल लाँगबॉटम और हैरी प-पॉटर को देनी हैं,' वह पॉटर नाम पर अटक गई, जब उसकी नज़रें हैरी से मिलीं। लड़की का चेहरा लाल सुर्ख़ हो गया। वह दो चर्मपत्र लाई थी, जो बैंगनी रिबन से बँधे थे। परेशान दिखते हुए हैरी और नेविल ने अपने नाम के चर्मपत्र ले लिए; लड़की लड़खड़ाती हुई कम्पार्टमेंट से बाहर निकल गई।

'क्या है ?' रॉन ने पूछा, जब हैरी ने अपने चर्मपत्र को खोला।

'आमंत्रण,' हैरी ने कहा।

'हैरी,

अगर तुम मेरे साथ सी कम्पार्टमेंट में लंच करोगे, तो मुझे ख़ुशी होगी।

प्रोफ़ेसर एच.ई.एफ़. स्लगहॉर्न'

'प्रोफ़ेसर स्लगहॉर्न कौन हैं ?' नेविल ने पूछा और आमंत्रण को उलझन से देखने लगा।

'नए टीचर हैं,' हैरी ने कहा। 'देखो, मुझे लगता है कि हमें जाना होगा, है ना ?'

'लेकिन उन्होंने मुझे क्यों बुलाया है,' नेविल ने घबराते हुए पूछा, जैसे सज़ा मिलने की उम्मीद कर रहा हो।

'पता नहीं,' हैरी ने कहा, जो पूरी तरह सच नहीं था, हालाँकि उसके पास इस बात का सबूत नहीं था कि उसका अनुमान सही था। उसके मन में अचानक एक विचार आया और उसने कहा, 'सुनो, हम अदृश्य चोगे के नीचे चलते हैं। इससे हम रास्ते में मैल्फ़ॉय को अच्छे से देख सकते हैं। हमें पता चल जाएगा कि उसके इरादे क्या हैं।'

बहरहाल, यह विचार बेकार साबित हुआ। गलियारों में लंच ट्रॉली के पास विद्यार्थी खचाखच भरे थे, इसलिए चोगा पहनकर चलना लगभग असंभव था। हैरी ने अफ़सोस के साथ उसे दोबारा अपने बैग में ठूँस लिया। वह सोचने लगा कि अगर वह उसे पहन लेता, तो लोगों के घूरे जाने से बच सकता था, जिसकी तीव्रता अब बढ़ गई थी। विद्यार्थी उसे अच्छी तरह से देखने के लिए बार-बार अपने कम्पार्टमेंट से निकलकर आ रहे थे। सिर्फ़ चो चैंग ही इसका अपवाद थी, जो हैरी को आते देखकर अपने कम्पार्टमेंट में घुस गई थी। जब हैरी

खिड़की के पास से निकला, तो उसने देखा कि वह अपनी सहेली मैरीटा के साथ जबरन बातचीत कर रही थी। मैरीटा के चेहरे पर मेकअप की बहुत मोटी परत थी, लेकिन इसके बावजूद उसके मुँहासों का अजीब आकार पूरी तरह नहीं छिप रहा था। हैरी हल्के से मुस्कराते हुए आगे बढ़ गया।

जब वे *सी* कम्पार्टमेंट में पहुँचे, तो उन्हें तत्काल दिख गया कि स्लगहॉर्न ने सिर्फ़ उन्हें ही आमंत्रित नहीं किया था। वैसे स्लगहॉर्न ने जितनी गर्मजोशी से हैरी का स्वागत किया, उससे यह स्पष्ट हो गया कि हैरी का ही सबसे ज़्यादा इंतज़ार हो रहा था।

'हैरी, मेरे बच्चे!' स्लगहॉर्न ने कहा और उसे देखकर उछल पड़े, जिससे मख़मली दुशाले से ढँकी उनकी तोंद कम्पार्टमेंट की बाक़ी जगह को घेरती हुई लगने लगी। उनका चमकदार गंजा सिर और बड़ी सफ़ेद मूँछ धूप में चमक रही थी और उनके वेस्टकोट के सुनहरे बटन भी। 'तुम्हें देखकर अच्छा लगा, तुम्हें देखकर अच्छा लगा! और तुम मिस्टर लॉंगबॉटम हो, है ना!'

नेविल ने डरते-डरते सिर हिलाया। स्लगहॉर्न के इशारे पर वे दरवाज़े के पास वाली दो ख़ाली सीटों पर एक-दूसरे के सामने बैठ गए। हैरी ने अपने साथियों की तरफ़ देखा। उसने देखा कि उनके ही ईयर का नागशक्ति का एक लंबा काला लड़का था, जिसके गाल क़ी हड्डियाँ उभरी हुई थीं और जिसकी लंबी तिरछी आँखें थीं। सेवन्थ ईयर के दो लड़के भी थे, जिनके नाम हैरी को मालूम नहीं थे। स्लगहॉर्न के पास एक कोने में जिनी बैठी थी, जिसे पूरी तरह विश्वास नहीं हो रहा था कि वह वहाँ कैसे पहुँची।

'अब, क्या तुम सब लोगों को जानते हो?' स्लगहॉर्न ने हैरी और नेविल से पूछा। 'देखो, ब्लेज़ ज़ैबिनी तो तुम्हारे ही ईयर में है –'

ज़ैबिनी ने पहचान या स्वागत का कोई भाव चेहरे पर नहीं दिखाया। हैरी या नेविल ने भी नहीं दिखाया। गरुड़द्वार और नागशक्ति के विद्यार्थी सिद्धांततः एक-दूसरे से नफ़रत करते थे।

'यह कॉरमैक मैकलेगन है, शायद तुम एक-दूसरे से मिल चुके हो – ? नहीं ?'

मैकलेगन तार जैसे बालों वाला एक बड़ा किशोर था। उसने एक हाथ उठाया और हैरी तथा नेविल ने उसकी तरफ़ देखकर सिर झुकाया।

'– और यह मार्कस बेलबी है, मुझे नहीं लगता कि – ?'

दुबला और घबराया सा दिख रहा बेलबी हल्के से मुस्कराया।

'– और *इस* आकर्षक लड़की ने मुझे बताया है कि वह तुम्हें जानती है!'

स्लगहॉर्न ने अपनी बात पूरी की।

स्लगहॉर्न के पीछे से जिनी हैरी तथा नेविल की ओर देखकर मुस्कराई।

'तो, यह बहुत अच्छा रहा,' स्लगहॉर्न ने आराम से कहा। 'तुम सभी को ज़्यादा अच्छी तरह से जानने का बढ़िया मौक़ा है। यह लो, नैपकिन लो। मैंने अपना लंच ख़ुद पैक किया है। जहाँ तक मुझे याद है, ट्रॉली में लिकोरिस वैंड्स जैसी चीज़ें भरी रहती हैं और एक बूढ़े आदमी का हाज़मा ऐसी चीज़ों को नहीं पचा सकता है ... बेलबी, चिकन लोगे?'

बेलबी चौंक गया और उसने ठंडा चिकन ले लिया।

'मैं मार्कस को बता रहा था कि मुझे उसके अंकल डेमोक्लीज़ को पढ़ाने का सौभाग्य मिल चुका है,' स्लगहॉर्न ने हैरी तथा नेविल से कहा और अब रोल्स की प्लेट बढ़ाई। 'बेहतरीन जादूगर, बेहतरीन। और वह उस ऑर्डर ऑफ़ मर्लिन का हक़दार था, जो उसे मिला था। मार्कस, क्या तुम अपने अंकल से अक्सर मिलते हो?'

दुर्भाग्य से, उसी समय बेलबी ने चिकन का एक बड़ा टुकड़ा मुँह में भरा था। स्लगहॉर्न की बात का जवाब देने की जल्दी में उसने जल्दबाज़ी में चिकन निगल लिया। उसका चेहरा बैंगनी हो गया और उसका दम घुटने लगा।

'*स्वच्छमार्गो,*' स्लगहॉर्न ने बेलबी की तरफ़ छड़ी करते हुए धीरे से कहा, जिससे उसकी साँस की नली एकदम साफ़ हो गई।

'नहीं ... ज़्यादा नहीं मिल पाता, नहीं,' बेलबी ने हाँफते हुए कहा और उसकी आँखों में पानी भर आया।

'ज़ाहिर है, वे काफ़ी व्यस्त रहते होंगे,' स्लगहॉर्न ने बेलबी की तरफ़ सवालिया निगाह डालते हुए कहा। 'मुझे लगता है कि कड़ी मेहनत के बिना वे नरभेड़िया-राहत काढ़े का आविष्कार नहीं कर पाए होते!'

'मुझे लगता है ...' बेलबी ने कहा, जो अब तब तक चिकन नहीं खाना चाहता था, जब तक कि स्लगहॉर्न से बातचीत पूरी न हो जाए। 'अर ... देखिए, उनकी और मेरे डैडी की ज़्यादा पटती नहीं है, इसलिए मैं दरअसल उनके बारे में ज़्यादा कुछ नहीं जानता हूँ ...'

उसकी आवाज़ धीमी हो गई, जब स्लगहॉर्न ठंडेपन से मुस्कराकर मैकलेगन की तरफ़ मुड़ गए।

'और *तुम,* कॉरमैक,' स्लगहॉर्न ने कहा, 'मैं जानता हूँ कि तुम अपने अंकल टाइबेरियस से काफ़ी मिलते रहते हो। मैंने उनके पास तुम दोनों की नॉगटेल्स के शिकार की बेहतरीन तस्वीर देखी है, शायद नॉरफ़ोक में?'

'ओह हाँ, वह शिकार मज़ेदार था,' मैकलैगन ने कहा। 'हम बर्टी हिग्स और र्‌यूफ़स स्क्रिमग्योर के साथ गए थे – यह तब की बात थी, जब वे मंत्री नहीं बने थे –'

'आह, तुम बर्टी और र्‌यूफ़स को भी जानते हो?' स्लगहॉर्न ने मुस्कराकर कहा, जो अब पाई की छोटी ट्रे घुमा रहे थे। न जाने क्यों, बेलबी की तरफ़ पाई की ट्रे नहीं बढ़ाई गई। 'अब मुझे बताओ ...'

हैरी को यही लगा था। यहाँ सभी को इसलिए आमंत्रित किया गया था, क्योंकि वे किसी मशहूर या प्रभावी व्यक्ति से जुड़े थे – सिवाय जिनी के। मैकलैगन के बाद ज़ैबिनी से सवाल पूछे गए। उसकी माँ अपनी सुंदरता के लिए मशहूर थीं (हैरी को यह पता चला कि उन्होंने सात बार शादी की थी, उनका हर पति रहस्यमय ढंग से मर गया था और उनके नाम ढेर सारा सोना छोड़ गया था)। फिर नेविल की बारी आई। यह दस मिनट का समय बहुत मुश्किल से बीता, क्योंकि नेविल के माता-पिता को (जो मशहूर ऑरर थे) बेला लेस्ट्रेंज और उसके दो प्राणभक्षी साथियों ने यातना देकर पागल कर दिया था। नेविल से हुई बातचीत के अंत में हैरी को आभास हुआ कि स्लगहॉर्न नेविल के मूल्यांकन में समय लेना चाहते थे और देखना चाहते थे कि उसमें अपने माता-पिता की प्रतिभा है या नहीं।

'और अब,' स्लगहॉर्न ने अपनी सीट से खिसकते हुए कहा, जैसे किसी कार्यक्रम का आयोजक अपने सबसे बड़े सितारे की घोषणा कर रहा हो। 'हैरी पॉटर! *कहाँ से* शुरू करूँ? मुझे लगता है कि जब हम गर्मियों में मिले थे, तो मैंने सिर्फ़ सतह को ही देखा था!'

उन्होंने एक पल के लिए हैरी को इस तरह देखा, जैसे वह कोई बड़ा और ज़ायक़ेदार चिकन हो, फिर बोले, 'लोग-बाग आजकल तुम्हें "चुनिंदा जादूगर" कहते हैं!'

हैरी कुछ नहीं बोला। बेलबी, मैकलेगन और ज़ैबिनी उसी को घूर रहे थे।

स्लगहॉर्न ने हैरी को ग़ौर से देखते हुए कहा, 'ज़ाहिर है, बरसों से अफ़वाहें फैली हुई हैं ... मुझे याद है जब – देखो – उस *भयंकर* रात के बाद जब – लिली – जेम्स – तुम बच गए थे – और यह अफ़वाह फैली थी कि तुममें सामान्य से ज़्यादा शक्तियाँ हैं –'

ज़ैबिनी हल्के से खाँसा, जिसमें उसका संदेह साफ़ झलक रहा था। स्लगहॉर्न के पीछे से एक ग़ुस्से भरी आवाज़ आई।

'हाँ ज़ैबिनी, *तुममें* भी शक्तियाँ हैं ... नाटक करने की ...'

'ओहो!' स्लगहॉर्न ने हँसकर जिनी की तरफ़ देखा, जो स्लगहॉर्न की तोंद की बग़ल से ज़ैबिनी को ग़ुस्से से घूर रही थी। 'तुम्हें सावधान रहना चाहिए, ब्लेज़! मैंने इस सुंदर लड़की को बहुत शानदार बैट बोगी मंत्र मारते देखा था। उस वक़्त मैं उसके डिब्बे के पास से गुज़र रहा था! उसे ग़ुस्सा मत दिलाना!'

ज़ैबिनी फिर भी हिक़ारत से देखता रहा।

'ख़ैर,' स्लगहॉर्न ने हैरी की तरफ़ दोबारा मुड़ते हुए कहा, 'इस बार गर्मियों में बहुत सी अफ़वाहें उड़ रही थीं। ज़ाहिर है, किसी को पता नहीं है कि किस बात पर भरोसा करे। *दैनिक जादूगर* ग़लत चीज़ें छापने के लिए मशहूर है – लेकिन गवाहों की संख्या को देखते हुए इस बात में कोई संदेह नहीं है कि मंत्रालय में *काफ़ी* हंगामा हुआ था और तुम उसके बीच में थे!'

हैरी को समझ में नहीं आया कि वह बिना झूठ बोले इससे कैसे इंकार कर सकता है। उसने अपना सिर हिला दिया, लेकिन कुछ नहीं बोला। स्लगहॉर्न ने उसे मुस्कराकर देखा।

'इतना विनम्र, इतना विनम्र! कोई हैरानी नहीं कि डम्बलडोर तुम्हें इतना पसंद करते हैं – तो तुम वहाँ थे? लेकिन बाक़ी कहानियाँ – इतनी सनसनीख़ेज़, ज़ाहिर है, कोई नहीं जानता कि किस बात पर यक़ीन करें – उदाहरण के तौर पर, वह भविष्यवाणी –'

नेविल का चेहरा गुलाबी हो गया और वह बोला, 'हम भविष्यवाणी नहीं सुन पाए!'

'यह सही है,' जिनी ने दृढ़ता से कहा। 'नेविल और मैं भी वहाँ थे और यह "चुनिंदा जादूगर" वाली अफ़वाह सिर्फ़ *दैनिक जादूगर* ने फैलाई है।'

'तुम दोनों भी वहाँ पर थे?' स्लगहॉर्न ने बड़ी दिलचस्पी से कहा और जिनी तथा नेविल की तरफ़ देखा, जो उनकी उत्साहवर्धक मुस्कराहट के सामने ख़ामोश हो गए थे। 'हाँ ... देखो ... यह सच है कि *दैनिक जादूगर* अक्सर बढ़ा-चढ़ाकर लिखता है, ज़ाहिर है ...' स्लगहॉर्न ने आगे कहा और थोड़े निराश दिखने लगे। 'मुझे याद है, ग्वेनॉग ने मुझे बताया था – मेरा मतलब है हॉलीहेड हार्पीज़ की कप्तान ग्वेनॉग जोन्स –'

वे एक पुरानी याद के लंबे वर्णन में खो गए, लेकिन हैरी जानता था कि स्लगहॉर्न की बात अभी पूरी नहीं हुई है और उन्होंने नेविल तथा जिनी की बात पर भरोसा नहीं किया था।

इसके बाद स्लगहॉर्न ने उन मशहूर जादूगरों के और क़िस्से सुनाए, जिन्हें उन्होंने पढ़ाया था। वे सभी हॉगवर्ट्स में 'स्लग क्लब' में ख़ुशी-ख़ुशी शामिल हो

गए थे। हैरी वहाँ से जाने के लिए बेताब था, लेकिन वह यह नहीं जानता था कि विनम्रता से ऐसा कैसे कर सकता था। आख़िरकार ट्रेन धुंध भरे लंबे मैदान से होती हुई लाल सूर्यास्त में पहुँची और स्लगहॉर्न ने चारों ओर छा रहे धुँधलके की तरफ़ देखकर पलकें झपकाईं।

'हे भगवान, अभी से अँधेरा हो गया! मेरा तो ध्यान ही नहीं गया था कि लैंप जल गए हैं! बेहतर होगा कि तुम सभी लोग जाकर अपने दुशाले पहन लो। मैकलेगन, तुम आना और नॉगटेल्स वाली पुस्तक ले जाना। हैरी, ब्लेज़ - जब भी तुम्हें फ़ुरसत मिले, तब आ जाना। यही मैं तुमसे भी कहना चाहता हूँ, लड़की,' उन्होंने जिनी की तरफ़ मुस्कराकर देखते हुए कहा। 'अच्छा, तो अब चल दो, अच्छा तो अब चल दो!'

ज़ैबिनी अँधेरे होते गलियारे में हैरी को धकाता हुआ गुज़रा और उसने हैरी पर दुष्ट दृष्टि डाली, जिसे हैरी ने ब्याज सहित लौटा दिया। वह, जिनी और नेविल ज़ैबिनी के पीछे-पीछे चल दिए।

'मुझे ख़ुशी है कि यह मीटिंग ख़त्म हो गई,' नेविल ने बुदबुदाकर कहा। 'अजीब आदमी हैं, है ना?'

'हाँ, थोड़े अजीब तो हैं,' हैरी ने जैबिनी पर आँखें गड़ाकर कहा। 'जिनी, तुम वहाँ कैसे पहुँच गईं?'

'उन्होंने मुझे ज़कारियस स्मिथ पर मंत्र मारते देख लिया था,' जिनी ने कहा, 'तुम्हें याद है, मेहनतकश का वह मूर्ख, जो **डीए** में था? वह मुझसे बार-बार पूछ रहा था कि मंत्रालय में क्या हुआ था। आख़िर मुझे इतना ग़ुस्सा आ गया कि मैंने उस पर मंत्र मार दिया - उसी समय स्लगहॉर्न वहाँ आ गए। मैंने सोचा कि वे मुझे सज़ा देंगे, लेकिन वे मंत्र से प्रभावित हो गए और उन्होंने मुझे लंच का आमंत्रण दे दिया! सनकी हैं, है ना?'

'किसी को आमंत्रित करने का यह ज़्यादा अच्छा कारण है, बजाय इसके कि उसकी माँ मशहूर थी,' हैरी ने ज़ैबिनी के सिर की तरफ़ देखकर त्योरियाँ चढ़ाते हुए कहा, 'या उसके अंकल के कारण -'

लेकिन उसने अपने वाक्य को अधूरा छोड़ दिया। एक साहसिक, लेकिन अद्‌भुत विचार ... एक मिनट में ज़ैबिनी नागशक्ति के सिक्स्थ ईयर के कम्पार्टमेंट में दाख़िल होने वाला है। मैल्फ़ॉय वहाँ बैठा होगा और सोच रहा होगा कि नागशक्ति के साथी विद्यार्थियों के अलावा कोई उसकी बात नहीं सुन रहा होगा ... अगर हैरी बिना किसी को दिखे जैबिनी के पीछे घुस सके, तो उसे देखने और सुनने को बहुत कुछ मिल सकता है! यह सच है कि यात्रा बहुत कम बची थी - हॉग्समीड स्टेशन मुश्किल से आधा घंटे दूर होगा, क्योंकि अब खिड़कियों के

पास से जंगली दृश्य गुज़र रहे थे – लेकिन कोई दूसरा हैरी की शंकाओं को गंभीरता से लेने को तैयार नहीं था, इसलिए अब इन शंकाओं को सही साबित करने की ज़िम्मेदारी उसी पर थी।

'मैं तुम दोनों से बाद में मिलता हूँ,' हैरी ने धीरे से कहा और अदृश्य चोगा ओढ़ लिया।

'लेकिन तुम क्या – ?' नेविल ने पूछा।

'बाद में बताऊँगा!' हैरी ने फुसफुसाकर कहा और अधिकतम सावधानी बरतते हुए ज़ैबिनी के पीछे-पीछे चल दिया, हालाँकि ट्रेन की खड़खड़ के कारण इतनी सावधानी की कोई ज़रूरत नहीं थी।

गलियारे अब लगभग ख़ाली थे। ज़्यादातर विद्यार्थी अपने स्कूल के दुशाले पहनने और सामान पैक करने के लिए अपने डिब्बों में चले गए थे। हालाँकि हैरी ज़ैबिनी के बहुत क़रीब चल रहा था, लेकिन ज़ैबिनी के दरवाज़ा खोलने पर वह फ़ुर्ती से कम्पार्टमेंट में नहीं घुस पाया। ज़ैबिनी कम्पार्टमेंट को खिसकाकर बंद करने लगा, मगर हैरी ने उसे रोकने के लिए अपना पैर अड़ा दिया।

'इसे क्या हुआ ?' ज़ैबिनी ने ग़ुस्से से कहा, जब फिसलने वाला दरवाज़ा बार-बार हैरी के पैर से टकराकर अटकता रहा।

हैरी ने दरवाज़ा पकड़ा और उसे कसकर खोल दिया। ज़ैबिनी के हाथ में अब भी हैंडल था, इसलिए इस झटके से वह एक तरफ़ बैठे ग्रेगरी गॉइल की गोद में गिर गया। इस दौरान मचे हड़कंप में हैरी तेज़ी से कम्पार्टमेंट में पहुँच गया, ज़ैबिनी की ख़ाली सीट पर उछला और लगेज रैक पर चढ़कर बैठ गया। क़िस्मत अच्छी थी कि गॉइल और ज़ैबिनी एक-दूसरे की तरफ़ देखकर गुर्रा रहे थे और सबका ध्यान उनकी तरफ़ था, क्योंकि हैरी को लग रहा था कि चोगा लहराने पर उसके पैर और टखने दिखाई देने लगे थे। एक भयंकर पल के लिए तो उसे लगा था कि मैल्फ़ॉय की आँखें उसके जूतों का पीछा कर रही थीं, जब तक कि वह ऊपर लगेज रैक पर नहीं पहुँच गया। लेकिन फिर गॉइल ने दरवाज़ा धड़ाम से बंद कर दिया और ज़ैबिनी को अपने से दूर उछाल दिया। ज़ैबिनी विचलित दिखता हुआ अपनी सीट पर लुढ़क गया। विन्सेंट क्रैब अपनी कॉमिक्स पढ़ने लगा। मैल्फ़ॉय मुस्कराता हुआ दो सीट पार लेटा था और उसका सिर पैन्सी पार्किन्सन की गोद में था। हैरी चोगे के नीचे सिकुड़ा बैठा था, ताकि उसका पूरा शरीर छिपा रहे। उसने देखा कि पैन्सी मैल्फ़ॉय के माथे पर आए चिकने सुनहरे बालों को थपथपा रही थी और मुस्करा रही थी, जैसे कोई भी यह काम करना पसंद करता। लालटेनें ट्रेन की छतों से लटक रही थीं और चमकदार रोशनी फेंक

रही थीं। उनकी रोशनी में हैरी अपने नीचे बैठे क्रैब के कॉमिक्स का हर शब्द पढ़ सकता था।

मैल्फ़ॉय ने पूछा, 'तो ज़ैबिनी, स्लगहॉर्न क्या चाहते थे?'

'बस अच्छे संबंध वाले लोगों को जोड़ने की कोशिश कर रहे थे,' ज़ैबिनी ने कहा, जो अब भी गॉइल को ग़ुस्से से देख रहा था। 'वैसे वे ज़्यादा लोगों को खोजने में कामयाब नहीं हुए।'

इस जानकारी से मैल्फ़ॉय ख़ुश नहीं हुआ।

उसने पूछा, 'उन्होंने और किसे बुलाया था?'

'गरुड़द्वार से मैकलेगन को,' जैबिनी ने कहा।

'ओह हाँ, उसके अंकल मंत्रालय में ऊँचे पद पर हैं,' मैल्फ़ॉय ने कहा।

'– कोई बेलबी नाम का विद्यार्थी भी था, चीलघात से –'

'अरे नहीं, वह तो बड़बोला है!' पैन्सी बोली।

'– और लॉंगबॉटम, पॉटर तथा वीज़्ली लड़की को,' जैबिनी ने अपनी बात पूरी की।

मैल्फ़ॉय अचानक उठकर खड़ा हो गया और उसने पैन्सी का हाथ दूर झटक दिया।

'उन्होंने *लॉंगबॉटम* को बुलाया?'

ज़ैबिनी ने उदासीनता से कहा, 'हाँ, ऐसा ही लगता है, क्योंकि लॉंगबॉटम वहाँ पर था!'

'लॉंगबॉटम में ऐसा क्या है, जिसमें स्लगहॉर्न की दिलचस्पी है?'

ज़ैबिनी ने कंधे उचका दिए।

'पॉटर, अनमोल पॉटर, ज़ाहिर है वे *चुनिंदा जादूगर* को देखना चाहते थे,' मैल्फ़ॉय ने व्यंग्य से कहा, 'लेकिन वीज़्ली लड़की! *उसमें* ऐसी क्या ख़ासियत है?'

'बहुत से लड़के उसे पसंद करते हैं,' पैन्सी ने कहा और मैल्फ़ॉय की प्रतिक्रिया को कनखियों से देखने लगी। 'ब्लेज़, तुम भी तो उसे आकर्षक मानते हो और हम सभी जानते हैं कि तुम्हें ख़ुश करना कितना मुश्किल है!'

'वह चाहे जितनी भी अच्छी दिखे, मैं उसके जैसी गंदी, ख़ून की गद्दार को छूने भी नहीं वाला,' ज़ैबिनी ने ठंडे लहज़े में कहा, जिससे पैन्सी ख़ुश दिखने लगी। मैल्फ़ॉय उसकी गोद में दोबारा लेट गया और वह फिर से उसके बाल थपथपाने लगी।

'देखो, मुझे स्लगहॉर्न की पसंद पर तरस आ रहा है। शायद वे थोड़े सठिया रहे हैं। अफ़सोस, मेरे डैडी हमेशा कहते थे कि अपने ज़माने में वे अच्छे जादूगर थे। मेरे डैडी उनके प्रिय विद्यार्थी थे। स्लगहॉर्न ने शायद सुना नहीं होगा कि मैं ट्रेन में हूँ, वरना –'

'नहीं, तुम्हें तब भी आमंत्रण नहीं मिलता,' ज़ैबिनी ने कहा। 'जब मैं पहले वहाँ पहुँचा था, तो उन्होंने नॉट के डैडी के बारे में पूछा था। वे पुराने दोस्त थे, लेकिन जब उन्होंने सुना कि वे मंत्रालय में पकड़ा गए हैं, तो वे ख़ुश नहीं हुए और उन्होंने नॉट को आमंत्रण नहीं दिया। मुझे नहीं लगता कि प्राणभक्षियों में स्लगहॉर्न की दिलचस्पी है।'

मैल्फ़ॉय ग़ुस्सा दिखने लगा, लेकिन उसने आनंदरहित हँसी निकाली।

मैल्फ़ॉय ने जम्हाई लेते हुए कहा, 'देखो, किसे परवाह है कि उनकी दिलचस्पी किसमें है? अगर तुम उनकी तरफ़ देखो, तो वे क्या हैं? बस एक मूर्ख टीचर! मेरा मतलब है, हो सकता है कि अगले साल मैं हॉगवर्ट्स में ही न रहूँ। इससे मुझे क्या फ़र्क़ पड़ता है कि कोई मोटा बूढ़ा मुझे पसंद करता है या नहीं?'

'तुम्हारा मतलब है कि अगले साल तुम हॉगवर्ट्स में नहीं रहोगे?' पैन्सी ने आवेश में आते हुए कहा और मैल्फ़ॉय के बाल सहलाना बंद कर दिया।

'कौन जाने?' मैल्फ़ॉय ने हल्की सी मुस्कान के साथ कहा। 'हो सकता है कि मैं ज़्यादा बड़े और अच्छे काम करने लगूँ।'

लगेज रैक में अपने चोगे में सिकुड़े हुए हैरी का दिल सरपट भागने लगा। रॉन और हर्माइनी इसे सुनकर क्या कहेंगे? क्रैब और गॉइल मैल्फ़ॉय की तरफ़ मुँह फाड़कर देख रहे थे। ज़ाहिर है कि उन्हें बड़े और बेहतर कामों की उसकी भावी योजनाओं की ज़रा भी भनक नहीं थी। यहाँ तक कि ज़ैबिनी के दंभी चेहरे पर भी उत्सुकता का भाव आ गया। पैन्सी स्तब्ध दिखती हुई दोबारा मैल्फ़ॉय के बाल धीरे-धीरे सहलाने लगी।

'तुम्हारा मतलब है – *तुम-जानते-हो-कौन?*'

मैल्फ़ॉय ने कंधे उचका दिए।

'मम्मी चाहती हैं कि मैं अपनी पढ़ाई पूरी कर लूँ, लेकिन व्यक्तिगत रूप से मैं यह मानता हूँ कि इन दिनों पढ़ाई का कोई महत्त्व नहीं है। मेरा मतलब है, ज़रा सोचो ... जब शैतानी शहंशाह सिंहासन पर बैठ जाएँगे, तो क्या उन्हें यह परवाह होगी कि किसे कितने **ओ.डब्ल्यू.एल.** या **एन.ई.डब्ल्यू.टी.** मिले हैं? ज़ाहिर है, उन्हें परवाह नहीं होगी ... असली पैमाना तो यह होगा कि उन्हें किस तरह की सेवा मिली, किस तरह की निष्ठा मिली।'

'और तुम्हें लगता है कि *तुम* उनके लिए कुछ कर पाओगे?' ज़ैबिनी ने सख़्ती से पूछा। 'तुम्हारी उम्र सोलह साल है और तुम अभी बालिग़ भी नहीं हुए हो?'

मैल्फ़ॉय ने धीरे से कहा, 'मैंने अभी-अभी क्या कहा? शायद उन्हें यह परवाह नहीं होगी कि मैं बालिग़ नहीं हूँ। शायद वे मुझसे ऐसा काम करवाना चाहते होंगे, जिसके लिए उन्हें बालिग़ जादूगर की ज़रूरत ही न हो!'

क्रैब और गॉइल दोनों अब गारगॉइल्स की तरह मुँह खोले बैठे थे। पैन्सी मैल्फ़ॉय को इस तरह निहार रही थी, जैसे उसने उससे बढ़िया शख़्स न देखा हो।

'हॉगवर्ट्स दिखने लगा है,' मैल्फ़ॉय ने अपने प्रभाव का आनंद लेते हुए काली होती खिड़की के बाहर इशारा किया। 'अच्छा होगा कि हम अपने कपड़े पहन लें।'

हैरी मैल्फ़ॉय को घूरने में इतना व्यस्त था कि उसका ध्यान इस तरफ़ नहीं गया कि गॉइल अपना संदूक उठा रहा था। जब उसने संदूक उठाया, तो यह हैरी के माथे पर कसकर लगा। उसके मुँह से दर्द भरी आह निकल गई और मैल्फ़ॉय ने त्योरियाँ चढ़ाकर लगेज रैक की तरफ़ देखा।

हैरी मैल्फ़ॉय से डरता नहीं था, लेकिन इसके बावजूद उसे दुश्मन नागशक्ति वालों द्वारा अदृश्य चोगे के नीचे पकड़े जाना पसंद नहीं था। उसकी आँखों में पानी आ रहा था और उसका सिर दुखने लगा था। उसने अपनी छड़ी निकाली, इतनी सावधानी से ताकि चोगा न उठ जाए, और साँस रोककर इंतज़ार करने लगा। उसे यह देखकर राहत मिली कि मैल्फ़ॉय को वह आवाज़ वहम लगी थी। मैल्फ़ॉय ने भी बाक़ी सबकी तरह अपने दुशाले निकाले, अपना संदूक बंद किया और जब ट्रेन धीरे होने लगी, तो उसने अपनी गर्दन पर एक नया मोटा यात्री चोगा बाँध लिया।

हैरी देख सकता था कि गलियारे दोबारा भरने लगे थे। उसने उम्मीद की कि हर्माइनी और रॉन प्लेटफ़ॉर्म पर उसका सामान उतार लेंगे। वह जहाँ था, उसे तब तक वहीं रहना होगा, जब तक कि कम्पार्टमेंट पूरी तरह ख़ाली नहीं हो जाता। आख़िरकार, एक झटके के साथ ट्रेन पूरी तरह रुक गई। गॉइल ने दरवाज़ा खोल दिया और मुक्का मारते हुए सेकंड ईयर की भीड़ के बीच से रास्ता बनाने लगा। क्रैब और ज़ैबिनी उसके पीछे थे।

'तुम चलो,' मैल्फ़ॉय ने पैन्सी से कहा, जो अपना हाथ आगे बढ़ाकर उसका इंतज़ार कर रही थी और यह उम्मीद कर रही थी कि वह उसे पकड़ ले। 'मैं किसी चीज़ की जाँच करना चाहता हूँ।'

पैन्सी चली गई। अब हैरी और मैल्फ़ॉय कम्पार्टमेंट में अकेले थे। लोग

पास से गुज़र रहे थे और अँधेरे प्लेटफ़ॉर्म पर उतर रहे थे। मैल्फ़ॉय कम्पार्टमेंट के दरवाज़े के पास गया और उसने ब्लाइंड्स नीचे गिरा दिए, ताकि बाहर गलियारे में खड़े लोग अंदर न झाँक सकें। फिर वह अपने संदूक पर झुका और उसे दोबारा खोला।

हैरी लगेज रैक के किनारे से नीचे झाँकने लगा। उसका दिल थोड़ी तेज़ी से धड़क रहा था। मैल्फ़ॉय पैन्सी से क्या छिपाना चाहता था? क्या अब वह उस रहस्यमयी टूटी हुई चीज़ को देखेगा, जिसे सुधरवाना इतना महत्वपूर्ण था?

'पूर्ण शरीरबंधन!'

बिना किसी चेतावनी के मैल्फ़ॉय ने अपनी छड़ी हैरी की तरफ़ कर दी थी, जो तत्काल स्थिर हो गया। धीमी गति में वह लगेज रैक से नीचे गिर गया। उसे दर्द हो रहा था और उसके गिरने से फ़र्श काँप गया था। वह मैल्फ़ॉय के पैरों पर पड़ा था और अदृश्य चोगा उसके नीचे था। उसका पूरा शरीर दिख रहा था और उसके पैर अब भी उसी मुड़ी हुई स्थिति में थे। वह एक भी मांसपेशी नहीं हिला सकता था। वह सिर्फ़ मैल्फ़ॉय की तरफ़ देख सकता था, जो खुलकर मुस्करा रहा था।

'मैंने यही सोचा था,' उसने बहुत ख़ुशी से कहा। 'जब गॉइल का संदूक तुम्हें लगा था, तो मैंने आवाज़ सुन ली थी। इसके अलावा, जब ज़ैबिनी अंदर आया था, तो मुझे किसी सफ़ेद चीज़ की झलक भी दिखाई दी थी ...' उसकी नज़रें एक पल के लिए हैरी के जूतों पर पड़ीं। 'तो जैबिनी के अंदर आते समय तुम दरवाज़े पर खड़े थे, है ना?'

उसने हैरी की तरफ़ देखकर एक पल के लिए तौला।

'तुमने ऐसा कुछ नहीं सुना, जिसकी मुझे परवाह हो, पॉटर। लेकिन अब चूँकि तुम फँस ही चुके हो ...'

उसने कसकर हैरी के चेहरे पर लात मार दी। हैरी को लगा, जैसे उसकी नाक टूट गई हो। हर तरफ़ ख़ून बहने लगा।

'यह मेरे डैडी की तरफ़ से। अब, यह लो ...'

मैल्फ़ॉय ने हैरी के स्थिर शरीर के नीचे से चोगा खींचा और उसके ऊपर डाल दिया।

'मुझे लगता है कि ट्रेन के लंदन पहुँचने तक वे तुम्हें नहीं खोज पाएँगे,' उसने धीरे से कहा। 'मिलते हैं, पॉटर ... या नहीं मिलते हैं।'

और जान-बूझकर हैरी की उँगलियों पर पैर रखकर मैल्फ़ॉय कम्पार्टमेंट से बाहर निकल गया।

अध्याय आठ

विजेता स्नेप

हैरी एक भी मांसपेशी नहीं हिला सकता था। वह अदृश्य चोगे के नीचे वहीं पड़ा रहा। उसे एहसास हो रहा था कि उसकी नाक से गर्म और गीला ख़ून निकलकर चेहरे पर बह रहा था। उसे ब्लाइंड्स के पार वाले गलियारे में आवाज़ें और पदचापें सुनाई दे रही थीं। उसने तत्काल सोचा कि कोई न कोई तो ट्रेन के दोबारा जाने से पहले कम्पार्टमेंट्स की जाँच करेगा! लेकिन फिर उसके मन में यह हताशा भरा विचार आया कि अगर किसी ने उसके कम्पार्टमेंट में झाँका, तब भी वह उसे न तो देख पाएगा, न ही उसकी आवाज़ सुन पाएगा। सबसे अच्छी उम्मीद यही हो सकती थी कि कोई चलकर अंदर आए और उसके ऊपर पैर रख दे।

इस वक़्त वहाँ पड़े-पड़े हैरी मैल्फ़ॉय से जितनी नफ़रत कर रहा था, उतनी उसे पहले कभी नहीं हुई थी। वह किसी मूर्ख कछुए की तरह पीठ के बल पड़ा हुआ था और उसके खुले मुँह से ख़ून रिस रहा था। उसने ख़ुद को कितनी मूर्खतापूर्ण स्थिति में डाल दिया था ... और अब अंतिम पदचापें भी ख़त्म हो रही थीं। अब बाहर अँधेरे प्लेटफ़ॉर्म पर लोगों के चलने की आवाज़ें आ रही थीं। उसे बातचीत का शोर और संदूक खींचने की आवाज़ें सुनाई दे रही थीं।

रॉन और हर्माइनी सोचेंगे कि वह उनके बिना ही ट्रेन से उतरकर चला गया है। हॉगवर्ट्स आने और बड़े हॉल में अपनी जगह पर पहुँचने के बाद गरुड़द्वार टेबल पर इधर-उधर देखने के बाद ही उन्हें यह एहसास होगा कि हैरी वहाँ नहीं था, लेकिन तब तक तो वह लंदन की तरफ़ आधी दूर तक पहुँच जाएगा।

उसने आवाज़ या हुंकार निकालने की कोशिश की, लेकिन यह संभव नहीं था। फिर उसे याद आया कि डम्बलडोर जैसे कुछ जादूगर बिना बोले मंत्र पढ़ सकते थे, इसलिए उसने अपनी छड़ी का आह्वान करने की कोशिश की, जो उसके

हाथ से छूटकर गिर गई थी। उसने मन ही मन *आगमनो छड़ी!* बोलने की कोशिश की, लेकिन कुछ नहीं हुआ।

उसे झील के पास के पेड़ों के सरसराने की आवाज़ सुनाई दे रही थी और दूर कहीं पर किसी उल्लू के बोलने की भी, लेकिन किसी तरह की तलाशी का कोई नामोनिशान नहीं था या फिर (यह उम्मीद करते समय वह ख़ुद से थोड़ी नफ़रत कर रहा था) चिंतित आवाज़ें यह सोच रही होंगी कि हैरी पॉटर जाने कहाँ चला गया। निराशा का भाव उस पर हावी हो गया, जब उसने कल्पना की कि थेस्ट्रॉल्स द्वारा खींची जाने वाली गाड़ियों का क़ाफ़िला स्कूल तक जा रहा है और मैल्फ़ॉय वाली गाड़ी से हँसी की दबी हुई आवाज़ें निकल रही हैं, जब वह अपने नागशक्ति वाले साथियों को बता रहा है कि उसने हैरी को किस तरह लात मारी थी।

तभी ट्रेन को एक झटका लगा, जिससे हैरी एक तरफ़ को लुढ़क गया। अब वह छत के बजाय सीटों के धूल भरे निचले हिस्से की तरफ़ घूर रहा था। इंजन के दोबारा चालू होने से छत काँपने लगी। हॉगवर्ट्स एक्सप्रेस वापस जा रही थी और किसी को पता ही नहीं था कि वह अब भी उसी में था ...

फिर उसे महसूस हुआ कि किसी ने उसके अदृश्य चोगे को उसके ऊपर से हटाया और एक आवाज़ आई, 'अरे हैरी!'

लाल रोशनी की एक झलक दिखी और हैरी का शरीर सामान्य हो गया। वह बैठने की अधिक सम्मानजनक स्थिति में आ गया। उसने जल्दी से हाथ के पिछले हिस्से से अपने घायल चेहरे का ख़ून पोंछा और सिर उठाकर टौंक्स को देखा। टौंक्स उस अदृश्य चोगे को पकड़े खड़ी थी, जिसे उसने अभी-अभी खींचा था।

'बेहतर होगा कि हम यहाँ से जल्दी से निकल चलें,' टौंक्स ने कहा, जब ट्रेन की खिड़कियाँ धुएँ के कारण धुँधली होने लगीं और ट्रेन स्टेशन से बाहर जाने लगी। 'चलो, कूदते हैं।'

हैरी तेज़ी से गलियारे में उसके पीछे चल दिया। टौंक्स ने ट्रेन का दरवाज़ा खोला और प्लेटफ़ॉर्म पर छलाँग लगा दी, जो ट्रेन की रफ़्तार बढ़ने के कारण नीचे फिसलता दिख रहा था। हैरी ने भी उसके पीछे छलाँग लगा दी। जब उसके पैर प्लेटफ़ॉर्म से टकराए, तो वह थोड़ा लड़खड़ाया, लेकिन जल्दी ही सीधा खड़ा हो गया और चमकते हुए लाल इंजन को गति पकड़ते, मोड़ मुड़ते और ओझल होते हुए देखता रहा।

रात की ठंडी हवा उसकी दुखती हुई नाक को राहत दे रही थी। टौंक्स उसे देख रही थी। हैरी को इस बात पर ग़ुस्सा और शर्म आ रही थी कि टौंक्स ने

उसे इतनी मूर्खतापूर्ण स्थिति में देखा था। टौंक्स ने चुपचाप उसे अदृश्य चोगा थमा दिया।

'यह किसने किया?'

'ड्रेको मैल्फ़ॉय ने?' हैरी ने कटुता से कहा। 'धन्यवाद ...'

'कोई बात नहीं,' टौंक्स ने बिना मुस्कराए कहा। अँधेरे में भी हैरी को दिख गया कि अब भी उसके बाल चूहे जैसे रंग के थे और अब भी वह उतनी ही दुखी दिख रही थी, जितनी कि रॉन के घर पर हुई पिछली मुलाक़ात के समय दिख रही थी। 'अगर तुम स्थिर खड़े रहो, तो मैं तुम्हारी नाक ठीक कर सकती हूँ।'

हैरी को यह विचार ज़्यादा आकर्षक नहीं लगा। वह मैडम पॉमफ्री के पास जाना चाहता था, जिनके उपचारक मंत्रों पर उसे ज़्यादा भरोसा था, लेकिन इस वक़्त ऐसा कहना बदतमीज़ी होती, इसलिए वह बिलकुल स्थिर खड़ा रहा और उसने अपनी आँखें बंद कर लीं।

'अंगपूर्ववत्,' टौंक्स ने कहा।

हैरी की नाक पहले बहुत गर्म, फिर बहुत ठंडी लगने लगी। उसने एक हाथ उठाया और इसे हल्के से छूकर देखा। यह ठीक हो गई थी।

'बहुत-बहुत धन्यवाद!'

'बेहतर होगा कि तुम दोबारा चोगा पहन लो। हम स्कूल तक पैदल चलते हैं,' टौंक्स ने कहा। वह अब भी मुस्करा नहीं रही थी। जैसे ही हैरी ने ख़ुद पर चोगा डाला, टौंक्स ने अपनी छड़ी लहराई। चाँदी जैसे रंग का एक बड़ा सा चार पैरों वाला प्राणी इससे निकला और अँधेरे में उड़ने लगा।

'क्या यह पितृदेव था?' हैरी ने पूछा, जिसने डम्बलडोर को इस तरह संदेश भेजते देखा था।

'हाँ, मैं महल तक संदेश भेज रही हूँ कि तुम मेरे साथ हो, वरना वे चिंता करने लगेंगे। चलो, बेहतर होगा कि हम समय बर्बाद न करें।'

वे उस सड़क की तरफ़ चल दिए, जो स्कूल तक जाती थी।

'तुमने मुझे कैसे खोजा?'

'मैंने देखा कि तुम ट्रेन से नहीं उतरे हो और मैं जानती थी कि तुम्हारे पास चोगा है। मैंने सोचा कि तुम किसी कारण से छिपे हुए होगे। जब मैंने देखा कि उस कम्पार्टमेंट के ब्लाइंड्स नीचे गिरे हैं, तो मैंने उसी में जाँच करने के बारे में सोचा।'

हैरी ने पूछा, 'वैसे तुम यहाँ कर क्या रही हो?'

टौंक्स बोली, 'अब मुझे स्कूल की अतिरिक्त सुरक्षा के लिए हॉग्समीड में तैनात किया गया है।'

'क्या सिर्फ़ तुम्हें ही यहाँ तैनात किया गया है, या – ?'

'नहीं, प्राउडफ़ुट, सैवेज और डॉलिश भी यहीं हैं।'

'डॉलिश, वह ऑरर जिस पर डम्बलडोर ने पिछले साल हमला किया था?'

'हाँ, वही।'

वे अँधेरी, वीरान सड़क पर चलते रहे, जिस पर गाड़ियों ने अभी-अभी निशान बनाए थे। हैरी ने अपने चोगे के नीचे से टौंक्स को कनखियों से देखा। पिछली बार वह बहुत उत्सुक थी (इतनी ज़्यादा कि कई बार तो वह चिढ़ भी गया था), वह खुलकर हँसती थी और हँसी-मज़ाक़ करती थी। अब वह ज़्यादा बड़ी, गंभीर और उद्देश्यपूर्ण लग रही थी। क्या यह सब मंत्रालय में हुई घटना का असर था? उसे हर्माइनी की कही बात याद आ गई कि वह ख़ुद को सिरियस की मौत का ज़िम्मेदार मानती है। उसे लगा कि उसे किसी तरह से टौंक्स को तसल्ली देनी चाहिए कि इसमें उसकी कोई ग़लती नहीं थी, लेकिन वह कुछ नहीं कह पाया। वह सिरियस की मौत के लिए उसे क़तई दोष नहीं देता था। यह किसी की ग़लती नहीं थी (अगर किसी की ग़लती थी, तो हैरी की थी), लेकिन वह सिरियस के बारे में बात नहीं करना चाहता था। इसलिए वे ठंडी रात में ख़ामोशी से चलते रहे। टौंक्स का लंबा चोगा उसके पीछे-पीछे ज़मीन पर घिसटता रहा।

हमेशा गाड़ी से वहाँ तक यात्रा करने के कारण हैरी को पहले कभी इस बात का एहसास नहीं हुआ था कि हॉगवर्ट्स हॉग्समीड स्टेशन से कितनी दूर था। बड़ी राहत के साथ उसने आख़िरकार देखा कि गेट के दोनों सिरों पर ऊँचे खंभे लगे थे, जिनके ऊपर पंखदार वराह लगे थे। उसे ठंड लग रही थी, भूख लग रही थी और वह इस नई उदास टौंक्स से दूर पहुँचने के लिए बेताब था। लेकिन जब उसने गेट खोलने के लिए हाथ बढ़ाया, तो पाया कि गेट जंज़ीर से बँधा और बंद था।

'अलोहोमोरा!' उसने आत्मविश्वास से कहा और अपनी छड़ी ताले की तरफ़ की, लेकिन कुछ नहीं हुआ।

'यह मंत्र इस पर काम नहीं करेगा,' टौंक्स ने कहा। 'डम्बलडोर ने ख़ुद इस पर जादू किया है।'

हैरी ने चारों तरफ़ देखा।

उसने सुझाव दिया, 'मैं दीवार पर चढ़ जाता हूँ।'

'नहीं, तुम ऐसा नहीं कर सकते,' टौंक्स ने सपाट स्वर में कहा। 'सभी दीवारों पर घुसपैठ-विरोधी मंत्र हैं। इस गर्मियों में सुरक्षा सौ गुनी बढ़ा दी गई है।'

'तो फिर,' हैरी अब इस बात पर चिढ़ने लगा था कि वह बिलकुल भी मदद नहीं कर रही थी, 'मुझे लगता है कि मुझे यहीं सोना पड़ेगा और सुबह होने का इंतज़ार करना पड़ेगा।'

'कोई तुम्हें लेने आ रहा है,' टौंक्स ने कहा। 'देखो।'

महल के पास एक लालटेन लहरा रही थी। हैरी यह देखकर ख़ुश हुआ। उसे लगा कि देर से आने पर वह फ़िल्च की आलोचना को भी झेल लेगा, जिसमें फ़िल्च यह कहेगा कि नियमित रूप से सज़ा देने पर ही वह समय पर आना सीख पाएगा। जब चमकती पीली रोशनी उनसे दस फ़ुट दूर रह गई और हैरी ने अपना अदृश्य चोगा उतार दिया, तब जाकर उसने शुद्ध नफ़रत के एहसास के साथ देखा कि आने वाला व्यक्ति और कोई नहीं, बल्कि चमकती हुई मुड़ी नाक और लंबे, काले, चिपचिपे बालों वाले सीवियरस स्नेप थे।

'ओह, ओह, ओह,' स्नेप ने व्यंग्य से कहा। उन्होंने अपनी छड़ी निकालकर ताले पर एक बार ठोंकी, जिससे जंज़ीरें हट गईं और दरवाज़ा चर्र की आवाज़ करते हुए खुल गया। 'अच्छा हुआ तुम आ गए, पॉटर, हालाँकि लगता है, तुमने स्पष्ट रूप से यह फ़ैसला कर लिया है कि स्कूल के दुशाले पहनने से लोगों का ध्यान तुम्हारी तरफ़ से हट जाएगा।'

'मैं दुशाले इसलिए नहीं पहन पाया, क्योंकि मैं -' हैरी ने बोलना शुरू किया, लेकिन स्नेप ने उसकी बात बीच में ही काट दी।

'निम्फ़ैडोरा, इंतज़ार करने की ज़रूरत नहीं है। पॉटर मेरे हाथों में - अह - बिलकुल सुरक्षित है।'

टौंक्स ने त्योरियाँ चढ़ाकर कहा, 'मैं अपना संदेश हैग्रिड तक पहुँचाना चाहती थी।'

'पॉटर की ही तरह हैग्रिड को भी टर्म के शुरुआती जश्न में पहुँचने में देर हो गई थी, इसलिए वह संदेश मैंने ले लिया,' स्नेप हैरी को निकलने की जगह देने के लिए पीछे हटकर खड़े हो गए, 'वैसे मुझे तुम्हारे नए पितृदेव को देखकर काफ़ी हैरानी हुई।'

उन्होंने ज़ोरदार धमाके के साथ गेट टौंक्स के मुँह पर बंद कर दिया और

जंज़ीरों को अपनी छड़ी से दोबारा ठोंक दिया, जिससे वे फिर से अपनी जगह पर आ गईं।

'मुझे लगता है कि तुम्हारा पुराना वाला पितृदेव ज़्यादा अच्छा था,' स्नेप ने कहा और उनकी आवाज़ में दुर्भावना साफ़ झलक रही थी। 'नया वाला कमज़ोर लगता है।'

जब स्नेप ने हैरी की तरफ़ लालटेन लहराई, तो हैरी ने एक नज़र में देख लिया कि टौंक्स के चेहरे पर सदमे और ग़ुस्से का भाव था। फिर वह अँधेरे में खो गई।

'गुड नाइट,' हैरी ने टौंक्स से कहा, जब वह स्नेप के साथ स्कूल की तरफ़ जाने लगा। 'धन्यवाद ... हर चीज़ के लिए।'

'मिलते हैं, हैरी।'

स्नेप एक मिनट तक कुछ नहीं बोले। हैरी को ऐसा लगा, जैसे उसके शरीर से नफ़रत की ज़ोरदार लहरें निकल रही थीं। यह अविश्वसनीय था कि स्नेप को जलने का एहसास नहीं हो रहा था। पहली मुलाक़ात से ही वह स्नेप से नफ़रत करता था। स्नेप को वह कभी माफ़ नहीं कर सकता था, क्योंकि सिरियस के प्रति उनका नज़रिया बहुत ख़राब था। डम्बलडोर चाहे जो कहें, हैरी पूरी गर्मियों में सोच-विचार करने के बाद इस नतीजे पर पहुँचा था कि स्नेप के तानों की वजह से ही सिरियस उस रात को मंत्रालय गया था, जहाँ उसकी मौत हो गई थी। हैरी के सामने ही स्नेप ने सिरियस से कहा था कि वह घर में सुरक्षित छिपा बैठा है, जबकि मायापंछी के समूह के बाक़ी सदस्य वोल्डेमॉर्ट से लड़ रहे थे। हैरी ने अपनी इस राय को पुख़्ता कर लिया, क्योंकि इससे वह स्नेप को दोष दे सकता था, जो संतुष्टिदायक था। इसलिए भी, क्योंकि वह जानता था कि अगर किसी को सिरियस की मौत का अफ़सोस नहीं है, तो वह यही आदमी है, जो अँधेरे में उसके साथ चल रहा था।

'देर से आने के लिए गरुड़द्वार के पचास पॉइंट कम,' स्नेप ने कहा। 'और बीस पॉइंट तुम्हारी मगलू पोशाक के लिए। देखो, मुझे याद नहीं है कि किसी हाउस ने टर्म की शुरुआत ही नकारात्मक स्कोर से की हो - अभी तो पुडिंग भी शुरू नहीं हुई है। पॉटर, तुमने तो रिकॉर्ड बना दिया है।'

हैरी के भीतर नफ़रत का जो लावा उमड़ रहा था, अब वह दहकने लगा था। बहरहाल वह स्नेप को यह क़तई नहीं बताना चाहता था कि उसे देर क्यों हो गई। इसके बजाय तो वह लंदन तक पूरे रास्ते स्थिर रहकर लौटना ज़्यादा पसंद करता।

'मुझे लगता है कि तुम धमाकेदार तरीक़े से दाख़िल होना चाहते थे, है

ना ?' स्नेप ने आगे कहा। 'और चूँकि कोई उड़ने वाली कार नहीं मिली, इसलिए तुमने फ़ैसला किया कि बड़े हॉल में आधे जश्न के दौरान दाख़िल होने से नाटकीय प्रभाव पड़ेगा।'

हैरी अब भी ख़ामोश रहा, हालाँकि उसे लग रहा था कि उसका सीना फटने वाला है। वह जानता था कि स्नेप उसे इसीलिए लेने आए थे, ताकि कुछ मिनट तक वे सबकी नज़रों से दूर उसे सता सकें, यातना दे सकें।

वे दोनों आख़िरकार महल की सीढ़ियों तक पहुँच गए और बलूत की लकड़ी का सामने वाला बड़ा दरवाज़ा खुल गया। प्रवेश हॉल में बातों और हँसी का शोर सुनाई दे रहा था, जो बड़े हॉल के खुले दरवाज़े से बाहर आ रहा था। प्लेटों और गिलासों के खनकने की आवाज़ें भी सुनाई दे रही थीं। हैरी ने सोचा कि क्या उसे अपना अदृश्य चोगा दोबारा पहन लेना चाहिए, ताकि वह किसी का ध्यान आकर्षित किए बिना गरुड़द्वार की लंबी टेबल तक पहुँच जाए (मुश्किल यह थी कि गरुड़द्वार की टेबल प्रवेश हॉल से सबसे दूरी पर थी)।

बहरहाल, ऐसा लगा जैसे स्नेप ने हैरी के मन की बात समझ ली हो। वे बोले, 'कोई चोगा नहीं। तुम ऐसे ही जाओ, ताकि सब तुम्हें देख सकें, जो मेरे ख़्याल से तुम चाहते भी हो।'

हैरी मुड़ा और सीधे खुले दरवाज़े की तरफ़ चल दिया। वह स्नेप से दूर होने के लिए कुछ भी कर सकता था। बड़े हॉल में चार लंबी हाउस टेबलें लगी थीं और ऊपर की तरफ़ स्टाफ़ टेबल थी। बड़ा हॉल हमेशा की तरह तैरती हुई मोमबत्तियों से सज़ा था, जिससे नीचे की प्लेटें चमक रही थीं। बहरहाल, हैरी के लिए यह एक धुँधली झलक थी, क्योंकि वह इतनी तेज़ी से चला कि विद्यार्थियों को घूरने का मौक़ा मिलने से पहले ही वह मेहनतकश हाउस की टेबल के पास से गुज़र चुका था और जब तक विद्यार्थी उसे अच्छी तरह से देखने के लिए खड़े हुए, तब तक उसने रॉन और हर्माइनी को देख लिया था। वह बेंचों के बीच से तेज़ी से उनकी तरफ़ गया और उनके बीच जगह बनाकर बैठ गया।

'तुम कहाँ – ओह, तुम्हारे चेहरे को क्या हुआ ?' रॉन ने उसे देखते हुए कहा। आस-पास के सब लोग भी उसी की तरफ़ देख रहे थे।

'क्यों, इसमें क्या गड़बड़ है ?' हैरी ने एक चम्मच उठाकर उसमें अपना विकृत प्रतिबिंब देखा।

'तुम ख़ून में लथपथ हो!' हर्माइनी बोली। 'यहाँ आओ –'

उसने अपनी छड़ी उठाई और बोली, *'लुप्तो!'* सूखा हुआ ख़ून फ़ौरन ग़ायब हो गया।

'धन्यवाद,' हैरी ने अब अपने साफ़ हो चुके चेहरे को छूते हुए कहा। 'मेरी नाक कैसी दिख रही है?'

'सामान्य है,' हर्माइनी ने चिंता से कहा। 'वैसे कैसी दिखनी चाहिए थी? हैरी, क्या हुआ था? हम तो चिंता में पड़ गए थे!'

'मैं तुम्हें बाद में बताऊँगा,' हैरी ने रूखे स्वर में कहा। उसे पता था कि जिनी, नेविल, डीन और सीमस सुन रहे थे। यहाँ तक कि गरुड़द्वार का भूत लगभग सिरकटा निक भी चोरी से बात सुनने के लिए उड़कर बेंच पर आगे आ गया था।

'लेकिन –' हर्माइनी ने कहा।

'अभी नहीं, हर्माइनी,' हैरी ने ज़ोर देकर कहा। उसे पूरी उम्मीद थी कि वे सब सोच रहे होंगे कि वह कोई बहादुरी का काम करके आ रहा है, जिसमें प्राणभक्षी और दमपिशाच शामिल होंगे। ज़ाहिर है, मैल्फ़ॉय इस कहानी का ख़ूब प्रचार करेगा, लेकिन इस बात की काफ़ी संभावना थी कि यह गरुड़द्वार के ज़्यादातर विद्यार्थियों तक नहीं पहुँच पाएगी।

उसने रॉन के पार हाथ बढ़ाकर चिकन की टाँग और मुट्ठी भर चिप्स उठाने की कोशिश की, लेकिन इससे पहले कि वह उन्हें ले पाता, वे ग़ायब हो गईं और उनकी जगह पर पुडिंग आ गई।

'तुम चुनने की रस्म नहीं देख पाए,' हर्माइनी ने कहा, जब रॉन ने एक बड़े चॉकलेट गेटियू की तरफ़ झपट्टा मारा।

'टोपी ने कोई दिलचस्प बात कही?' हैरी ने ट्रिकल टार्ट का एक टुकड़ा उठाते हुए पूछा।

'वही पुरानी बातें ... हमें दुश्मनों के सामने एकता से रहने की सलाह दी।'

'डम्बलडोर ने वोल्डेमॉर्ट का कोई ज़िक्र किया?'

'अभी तक तो नहीं, लेकिन वे अपना महत्वपूर्ण भाषण हमेशा डिनर के बाद के लिए बचाकर रखते हैं, है ना? वे अब बोलने ही वाले होंगे।'

'स्नेप ने कहा था कि हैग्रिड को जश्न में देर हो गई थी –'

'तुमने स्नेप को देखा था? कैसे?' रॉन ने अपने मुँह में चॉकलेट गेटियू को भरते हुए कहा।

'उनसे टकरा गया था,' हैरी ने बचते हुए कहा।

'हैग्रिड को बस कुछ ही मिनट की देर हुई थी,' हर्माइनी ने कहा। 'देखो हैरी, वह तुम्हारी तरफ़ हाथ हिला रहा है।'

हैरी ने स्टाफ़ टेबल की तरफ़ देखा और हैग्रिड को देखकर मुस्कराया, जो सचमुच उसे देखकर हाथ हिला रहा था। हैग्रिड कभी भी गरुड़द्वार हाउस की प्रमुख प्रोफ़ेसर मैक्गॉनेगल जितना गरिमापूर्ण दिखने में कामयाब नहीं हो पाया था, जिनके सिर का ऊपरी हिस्सा हैग्रिड की कोहनी और कंधे के बीच तक ही आता था। प्रोफ़ेसर मैक्गॉनेगल हैग्रिड के पास ही बैठी थीं और इस उत्साहपूर्ण अभिवादन को नापसंदगी से देख रही थीं। हैरी को यह देखकर हैरानी हुई कि ज्योतिष की टीचर प्रोफ़ेसर ट्रिलोनी भी वहाँ पर थीं, जो हैग्रिड की दूसरी तरफ़ बैठी थीं। वे अपने टॉवर रूम से बहुत कम बाहर निकलती थीं और उसने उन्हें टर्म के शुरुआती जश्न में पहले कभी नहीं देखा था। वह हमेशा जितनी ही अजीब दिख रही थीं, मनकों से चमक रही थीं, उनकी शॉल पीछे लहरा रही थी और चश्मे के कारण उनकी आँखें बहुत बड़ी-बड़ी लग रही थीं। उन्हें हमेशा धोखेबाज़ मानने वाले हैरी को पिछले टर्म के अंत में यह जानकर सदमा लगा था कि उन्हीं ने वह भविष्यवाणी की थी, जिसकी वजह से लॉर्ड वोल्डेमॉर्ट ने हैरी के माता-पिता की हत्या और हैरी पर हमला किया था। इस जानकारी के बाद वह उनके साथ कम से कम रहना चाहता था, लेकिन अच्छी बात यह थी कि इस साल वह ज्योतिष छोड़ देगा। उनकी आकाशदीप जैसी आँखें उसकी दिशा में घूमीं। वह जल्दी से नागशक्ति की टेबल की तरफ़ देखने लगा। ड्रेको मैल्फ़ॉय नाक तोड़ने की घटना की नक़ल करके बता रहा था, जिस पर आस-पास बैठे सभी लोग हँस रहे थे। हैरी ने अपनी निगाह झुकाकर अपने ट्रिकल टार्ट पर जमा ली और उसके अंदर गर्मी का एहसास होने लगा। वह मैल्फ़ॉय से आमने-सामने की लड़ाई करने के लिए बेताब था ...

'तो प्रोफ़ेसर स्लगहॉर्न क्या चाहते थे?' हर्माइनी ने पूछा।

हैरी बोला, 'वे जानना चाहते थे कि मंत्रालय में दरअसल क्या हुआ था?'

'बाक़ी लोग भी यही जानना चाहते थे,' हर्माइनी साँस खींचते हुए बोली। 'लोग हमसे इस बारे में ट्रेन में पूछ रहे थे, है ना रॉन?'

'हाँ,' रॉन ने कहा। 'सभी यह जानना चाहते थे कि क्या तुम सचमुच *चुनिंदा जादूगर* हो -'

'इस विषय पर भूतों में भी काफ़ी बातचीत हुई है,' लगभग सिरकटे निक ने बीच में दख़ल देते हुए कहा और अपना सिर हैरी की तरफ़ झुकाया। इस वजह से उसका सिर उसके गुलूबंद पर ख़तरनाक तरीक़े से लटकने लगा। 'मुझे पॉटर का विशेषज्ञ माना जाता है। सभी जानते हैं कि हममें दोस्ती है। बहरहाल, मैंने भूत समुदाय को आश्वस्त किया है कि मैं जानकारी हासिल करने के लिए तुम्हें तंग नहीं करूँगा। मैंने उनसे कहा, "हैरी पॉटर जानता है कि वह मुझ पर पूरा

भरोसा कर सकता है और गोपनीय बातें बता सकता है। मैं उसके साथ विश्वासघात करने के बजाय मरना ज़्यादा पसंद करूँगा।"'

'यह कोई बड़ी बात नहीं है, क्योंकि तुम तो पहले ही मर चुके हो,' रॉन ने कहा।

'एक बार फिर तुमने भोंथरी कुल्हाड़ी जितनी संवेदनशीलता दिखाई है,' लगभग सिरकटे निक ने आहत स्वर में कहा और वह हवा में उड़कर गरुड़द्वार की टेबल के दूर वाले सिरे पर पहुँच गया। तभी डम्बलडोर स्टाफ़ टेबल पर उठकर खड़े हो गए। हॉल में चारों तरफ़ गूँजती हँसी और बातचीत की आवाज़ें लगभग तत्काल ख़त्म हो गईं।

'गुड ईवनिंग!' उन्होंने चौड़ी मुस्कान के साथ कहा और अपनी बाँहें इस तरह फैला दीं, मानो पूरे हॉल को गले लगाना चाहते हों।

'उनके हाथ को क्या हुआ?' हर्माइनी ने आह भरते हुए पूछा।

इस तरफ़ सिर्फ़ हर्माइनी का ही नहीं, बल्कि बहुत सारे विद्यार्थियों का ध्यान चला गया था। डम्बलडोर का दायाँ हाथ उतना ही काला और मुर्दा दिख रहा था, जितना कि उस रात को था, जब वे हैरी को डर्स्ली परिवार के यहाँ से लेकर आए थे। पूरे हॉल में कानाफूसी होने लगी। डम्बलडोर सही अनुमान लगाते हुए मुस्करा दिए और अपनी बैंगनी-सुनहरी आस्तीन हिलाकर अपनी चोट ढँक ली।

उन्होंने हवाई अंदाज़ में कहा, 'चिंता करने की कोई बात नहीं है। अब ... हमारे नए विद्यार्थियों का स्वागत है। हमारे पुराने विद्यार्थियों का पुनः स्वागत है! जादुई शिक्षा का एक और साल आपका इंतज़ार कर रहा है ...'

'जब मैं गर्मी में उनसे मिला था, तब भी उनका हाथ ऐसा ही था,' हैरी ने हर्माइनी से फुसफुसाकर कहा। 'मुझे लग रहा था कि अब तक उन्होंने इसे ठीक कर लिया होगा ... या मैडम पॉमफ़्री ने ठीक कर दिया होगा।'

'ऐसा लगता है, जैसे यह बेजान हो गया है,' हर्माइनी ने अपने चेहरे पर बुरा भाव लाते हुए कहा। 'कुछ घाव कभी ठीक नहीं हो सकते ... पुराने शाप ... और कुछ ज़हरों का कोई तोड़ नहीं होता है ...'

'... और हमारे चौकीदार मिस्टर फ़िल्च ने मुझसे कहा है कि वीज़्ली जादूगरी दुकान से ख़रीदे गए सभी सामानों पर पूर्ण प्रतिबंध है।

'जो लोग अपने हाउस की क्विडिच टीम में खेलना चाहते हों, वे हमेशा की तरह अपने हाउस प्रमुख को अपने नाम दे दें। हम लोग नए क्विडिच कमेंटेटर की तलाश भी कर रहे हैं। जो लोग कमेंटेटर बनना चाहें, वे भी अपने हाउस

प्रमुख को अपने नाम दे दें।

'हमें इस साल स्टाफ़ के एक नए सदस्य का स्वागत करते हुए ख़ुशी हो रही है। प्रोफ़ेसर स्लगहॉर्न,' स्लगहॉर्न खड़े हो गए और उनका गंजा सिर मोमबत्ती की रोशनी में चमकने लगा। बड़े वेस्टकोट वाली तोंद के कारण नीचे की टेबल अँधेरे में दिख रही थी, 'मेरे पूर्व सहयोगी हैं, जो जादुई काढ़े के टीचर के अपने पुराने पद पर दोबारा काम करने के लिए तैयार हो गए हैं।'

'जादुई काढ़े ?'

'जादुई काढ़े ?'

ये शब्द पूरे हॉल में गूँजने लगे, जैसे विद्यार्थियों को यक़ीन नहीं हुआ हो कि उन्होंने सही सुना है।

'जादुई काढ़े ?' रॉन और हर्माइनी ने एक साथ हैरी को घूरते हुए कहा। 'लेकिन तुमने तो कहा था –'

'इस दौरान प्रोफ़ेसर स्नेप,' डम्बलडोर ने अपनी आवाज़ ऊँची कर ली, ताकि बुदबुदाहटों के ऊपर स्पष्ट सुनाई दे सके, 'गुप्त कलाओं से रक्षा के टीचर का कार्यभार सँभालेंगे।'

'नहीं!' हैरी इतनी ज़ोर से बोला कि कई सिर उसकी दिशा में घूम गए। उसे परवाह नहीं थी। वह ग़ुस्से से स्टाफ़ टेबल की तरफ़ घूर रहा था। इतने समय बाद आख़िर स्नेप को गुप्त कलाओं से रक्षा का टीचर बनाने की क्या ज़रूरत थी ? क्या बरसों से सबको पता नहीं था कि इस काम के लिए डम्बलडोर को उन पर भरोसा नहीं था ?

हर्माइनी ने कहा, 'लेकिन हैरी, तुमने तो कहा था कि स्लगहॉर्न गुप्त कलाओं से रक्षा विषय पढ़ाएँगे!'

'मुझे ऐसा ही लगा था!' हैरी ने कहा और उसने डम्बलडोर की बातें याद करने के लिए अपने दिमाग़ पर ज़ोर डाला। उसे याद आया कि डम्बलडोर ने उसे यह कभी नहीं बताया था कि स्लगहॉर्न कौन सा विषय पढ़ाएँगे।

डम्बलडोर के दाईं तरफ़ बैठे स्नेप अपने नाम के ज़िक्र पर खड़े नहीं हुए। उन्होंने बस एक हाथ उठाकर नागशक्ति की टेबल पर बजती तालियों को स्वीकार किया। बहरहाल, हैरी को यक़ीन था कि उसे उनके चेहरे पर विजय का भाव दिख रहा था, जिससे वह नफ़रत करता था।

'एक अच्छी चीज़ है,' उसने भयंकर ग़ुस्से से कहा। 'स्नेप इस साल के बाद यहाँ से चले जाएँगे।'

'तुम्हारा क्या मतलब है ?' रॉन ने पूछा।

'यह पद शापित है। कोई भी एक साल से ज़्यादा नहीं रुक पाया है ... क्विरिल इसी पद पर रहते-रहते मर गया था। मैं तो यही चाहता हूँ कि अब इस विषय का एक और टीचर मर जाए ...'

'हैरी!' हर्माइनी ने सदमे और हिक़ारत से कहा।

'हो सकता है, इस साल के बाद वे दोबारा जादुई काढ़े का विषय पढ़ाने लगें,' रॉन ने तर्कपूर्ण ढंग कहा। 'हो सकता है, स्लगहॉर्न ज़्यादा समय न पढ़ाना चाहें, जैसे मूडी नहीं चाहते थे।'

डम्बलडोर ने अपना गला साफ़ किया। सिर्फ़ हैरी, रॉन और हर्माइनी ही बातें नहीं कर रहे थे। स्नेप की दिली हसरत आख़िरकार पूरी हो गई थी, यह ख़बर सुनकर पूरे हॉल में बातचीत की भनभन होने लगी थी। उधर डम्बलडोर को जैसे यह पता ही नहीं था कि उन्होंने कितनी सनसनीख़ेज़ ख़बर सुनाई थी। वे स्टाफ़ की नियुक्तियों के बारे में आगे कुछ नहीं बोले, लेकिन उन्होंने कुछ सेकंड इंतज़ार किया, ताकि उनके बोलने से पहले ख़ामोशी छा जाए।

'अब, जैसा कि हॉल में बैठा हर व्यक्ति जानता है, लॉर्ड वोल्डेमॉर्ट और उसके साथी एक बार फिर स्वतंत्र हैं तथा शक्तिशाली होते जा रहे हैं।'

डम्बलडोर के शब्दों को सुनकर हॉल में छाई ख़ामोशी तनावग्रस्त हो गई। हैरी ने मैल्फ़ॉय की तरफ़ देखा। मैल्फ़ॉय डम्बलडोर की तरफ़ नहीं देख रहा था, बल्कि अपनी छड़ी से अपने काँटे को हवा में उठा रहा था, जैसे उसकी नज़रों में हेडमास्टर के शब्द महत्वहीन हों।

'मैं इस बात पर ज़ोर देना चाहता हूँ कि वर्तमान स्थिति बहुत ख़तरनाक है और हॉगवर्ट्स में हम सभी को सुरक्षा का ख़ास ध्यान रखना चाहिए। गर्मियों में महल की जादुई सुरक्षा बढ़ा दी गई है। नए और ज़्यादा सशक्त सुरक्षात्मक इंतज़ाम किए गए हैं, लेकिन हमें इसके बावजूद किसी विद्यार्थी या टीचर की लापरवाही से होने वाले ख़तरों से सावधान रहना चाहिए। इसलिए मैं आपसे आग्रह करता हूँ कि आपके टीचर्स आपको जो भी सुरक्षात्मक सलाह दें, उसका पालन करें, चाहे उससे आपको कितनी ही दिक़्क़त हो - ख़ासकर यह नियम कि आपको रात को अपने कमरे से बाहर नहीं निकलना है। मैं आपसे आग्रह करता हूँ, अगर आपका ध्यान महल के भीतर या बाहर किसी अजीब या संदिग्ध चीज़ की तरफ़ जाए, तो स्टाफ़ के किसी सदस्य को तत्काल बताएँ। मुझे भरोसा है कि आप अपनी और सबकी सुरक्षा की ख़ातिर हमेशा सही आचरण करेंगे।'

डम्बलडोर की नीली आँखें विद्यार्थियों पर घूमीं और वे एक बार फिर मुस्करा दिए।

'लेकिन अब, आपके पलंग इंतज़ार कर रहे हैं और वे उतने ही गर्म तथा

आरामदेह हैं, जितनी आप उम्मीद कर रहे होंगे। मैं जानता हूँ कि आप सभी कल की क्लासों में पहुँचने से पहले अच्छी तरह आराम करना चाहते होंगे। इसलिए अब गुडनाइट कहने का समय आ गया है। पिप पिप!'

हमेशा की तरह कानफोड़ू शोर हुआ, बेंचें पीछे खिसकीं और सैकड़ों विद्यार्थी बड़े हॉल से निकलकर अपने हाउस के हॉल की तरफ़ जाने लगे। हैरी आँखें फाड़कर देखती भीड़ के साथ जाने की जल्दी में नहीं था। इसके अलावा वह मैल्फ़ॉय के ज़्यादा क़रीब भी नहीं रहना चाहता था, ताकि उसे नाक पर लात मारने की कहानी सुनाने का मौक़ा मिल सके। इसलिए वह पीछे रुककर अपने जूते के लैस बाँधने का नाटक करता रहा। उसने ज़्यादातर गरुड़द्वार वालों को अपने आगे निकल जाने दिया। हर्माइनी आगे बढ़कर प्रिफ़ेक्ट का कर्तव्य निभा रही थी और फ़र्स्ट ईयर के विद्यार्थियों को ले जा रही थी, लेकिन रॉन हैरी के पास ही रुका रहा।

'तुम्हारी नाक को क्या हुआ था?' उसने पूछा, जब वे हॉल से बाहर जाती भीड़ के बाद निकले। वे बाक़ी सबसे इतनी दूर थे कि कोई उनकी बात नहीं सुन सकता था।

हैरी ने उसे बता दिया। यह उनकी दोस्ती की मज़बूती का सबूत था कि रॉन यह सुनकर नहीं हँसा।

रॉन कटु स्वर में बोला, 'मैंने मैल्फ़ॉय को नाक के बारे में कोई नाटक करते देखा था!'

'हाँ, देखो, उसकी परवाह मत करो,' हैरी ने कटुता से कहा। 'ज़रा सुनो तो सही, वहाँ मेरे होने का पता चलने से पहले वह क्या कह रहा था ...'

हैरी को उम्मीद थी कि मैल्फ़ॉय की बातें सुनकर रॉन स्तब्ध रह जाएगा। हैरी को यह मंदबुद्धि की निशानी लगी, लेकिन रॉन ज़रा भी प्रभावित नहीं हुआ।

'छोड़ो भी हैरी, वह तो सिर्फ़ पार्किन्सन के सामने शान झाड़ रहा था ... तुम-जानते-हो-कौन उसे कौन सा काम दे सकता है?'

'तुम्हें कैसे पता कि वोल्डेमॉर्ट को हॉगवर्ट्स में किस काम के लिए किसकी ज़रूरत है? यह पहली बार नहीं होगा -'

'हमें लगता है कि तुम्हें यह नाम नहीं लेना चाहिए, हैरी,' उन्हें पीछे से एक झिड़की सुनाई दी। हैरी ने मुड़कर देखा। हैग्रिड अपना सिर हिला रहा था।

हैरी ने ज़िद से कहा, 'डम्बलडोर भी तो यह नाम लेते हैं।'

'देखो, वे डम्बलडोर हैं, है ना?' हैग्रिड ने रहस्यमय अंदाज़ में कहा। 'तो तुम्हें देर कैसे हो गई, हैरी? हम चिंता कर रहे थे।'

'ट्रेन में रुका रह गया था,' हैरी ने कहा। '*तुम्हें* देर कैसे हो गई?'

'हम ग्रॉप के साथ थे,' हैग्रिड ने चहकते हुए कहा। 'वक़्त का ख़्याल ही नहीं रहा। उसे अब पहाड़ों में नया घर मिल गया है। डम्बलडोर ने इसे तय कर दिया था - अच्छी बड़ी गुफ़ा है। वह वहाँ जंगल से ज़्यादा ख़ुश है। हम बढ़िया बातचीत कर रहे थे।'

'सचमुच?' हैरी ने कहा, जिसने रॉन की तरफ़ नहीं देखने की कोशिश की। जब वह हैग्रिड के सौतेले भाई से आख़िरी बार मिला था, तो वह एक दुष्ट दानव था, जो पेड़ों को जड़ से उखाड़ने में माहिर था, जिसकी शब्दावली पाँच शब्दों की थी, जिनमें से दो का वह सही उच्चारण नहीं कर सकता था।

'ओह हाँ, वह सचमुच सुधर चुका है,' हैग्रिड ने गर्व से कहा। 'तुम लोगों को हैरानी होगी। हम सोच रहे हैं कि उसे अपना असिस्टेंट बनने का प्रशिक्षण दें।'

रॉन ने ज़ोर से साँस खींची, लेकिन उसने ऐसा नाटक किया, जैसे उसे छींक आई हो। वे लोग अब बलूत की लकड़ी के सामने वाले दरवाज़े के पास खड़े थे।

'ख़ैर, तुमसे कल मिलते हैं। लंच के ठीक बाद पहली क्लास है। जल्दी आ जाओगे, तो बक - मेरा मतलब है विदरविंग्स - से हैलो कह सकते हो!'

अलविदा करने के लिए ख़ुशनुमा अंदाज़ में अपना हाथ उठाते हुए वह दरवाज़े से बाहर निकलकर अँधेरे में खो गया।

हैरी और रॉन ने एक-दूसरे की तरफ़ देखा। हैरी समझ गया कि रॉन के दिल में भी वही डूबता एहसास हो रहा था, जो उसके दिल में था।

'तुम जादुई प्राणियों की देखभाल विषय ले रहे हो?'

रॉन ने अपना सिर इंकार में हिलाया।

'और तुम?'

हैरी ने भी अपना सिर इंकार में हिला दिया।

'और हर्माइनी भी नहीं?' रॉन ने पूछा।

हैरी ने अपना सिर इंकार में एक बार फिर हिला दिया। उसे यह सोचना अच्छा नहीं लगा कि जब हैग्रिड को यह पता चलेगा कि उसके तीन प्रिय विद्यार्थियों ने उसका विषय छोड़ दिया है, तो वह क्या कहेगा।

अध्याय नौ

हाफ़-ब्लड प्रिंस

अगली सुबह नाश्ते से पहले हैरी और रॉन गरुड़द्वार के हॉल में हर्माइनी से मिले। हैरी हर्माइनी से अपनी बात मनवाना चाहता था, इसलिए उसने हर्माइनी को तत्काल बता दिया कि मैल्फ़ॉय हॉगवर्ट्स एक्सप्रेस में क्या कह रहा था।

हर्माइनी के जवाब देने से पहले ही रॉन जल्दी से बीच में बोल पड़ा, 'लेकिन वह तो पार्किन्सन के सामने शान झाड़ने की कोशिश कर रहा होगा, है ना ?'

'देखो,' हर्माइनी ने अनिश्चितता से कहा, 'मुझे नहीं पता ... मैल्फ़ॉय की यह आदत तो है कि वह ख़ुद को ज़रूरत से ज़्यादा महत्वपूर्ण बताने की कोशिश करता है ... लेकिन वह इतना बड़ा झूठ कैसे बोल सकता है ...'

'बिलकुल,' हैरी ने कहा, लेकिन वह आगे कुछ नहीं कह पाया, क्योंकि बहुत सारे लोग अब उसकी बातचीत सुनने की कोशिश कर रहे थे। यही नहीं, वे उसे घूर रहे थे और मुँह पर हाथ रखकर फुसफुसा भी रहे थे।

'उँगली दिखाना बुरी बात है,' रॉन ने फ़र्स्ट ईयर के एक बहुत छोटे लड़के को डाँटा, जब वे तस्वीर के छेद से बाहर निकलने के लिए पहुँचे। वह लड़का मुँह पर हाथ रखकर अपने दोस्त से हैरी के बारे में कुछ बुदबुदा रहा था। उसका चेहरा तत्काल लाल हो गया और वह दहशत के मारे छेद में उलझकर गिर गया। रॉन हँस पड़ा।

'मुझे सिक्स्थ ईयर में होना अच्छा लगता है। *और हमें* इस साल ख़ाली पीरियड भी मिलेंगे। हम उनमें यहाँ आराम से बैठ सकते हैं।'

जब वे गलियारे में पहुँच गए, तो हर्माइनी बोली, 'हमें उस समय पढ़ाई करनी होगी, रॉन!'

'हाँ, लेकिन आज नहीं,' रॉन बोला। 'मुझे लगता है, आज तो सचमुच

आराम का दिन है!'

'ज़रा ठहरो!' हर्माइनी बोली और उसने हाथ फैलाकर पास से गुज़रते फ़ोर्थ ईयर के एक विद्यार्थी को रोक दिया, जो एक पीली-हरी डिस्क ले जाने की कोशिश कर रहा था। वह डिस्क उसके हाथ में कसकर बंद थी। हर्माइनी ने उससे गंभीरता से कहा, 'फ़ैंग्ड फ्रिज़बी पर प्रतिबंध है, उसे इधर दो।' त्योरियाँ चढ़ाकर लड़के ने उसे गुर्राता हुआ फ्रिज़बी दे दिया और हर्माइनी की बाँह के नीचे से निकलकर अपने दोस्तों के पीछे चला गया। रॉन ने उसके ग़ायब होने का इंतज़ार किया, फिर हर्माइनी के हाथ से फ्रिज़बी छीन लिया।

'बहुत बढ़िया, मुझे हमेशा से यह चाहिए था।'

हर्माइनी उसे फटकारने वाली थी, लेकिन उसके शब्द एक तेज़ हँसी में खो गए। पास से गुज़रती लैवेंडर ब्राउन को रॉन की बात बड़ी मज़ेदार लगी थी। वह उनके पास से गुज़रते समय लगातार हँसती रही और मुड़-मुड़कर रॉन को देखती रही। रॉन बड़ा ख़ुश लग रहा था।

बड़े हॉल की छत शांत नीली थी और उसमें वैसे ही हल्के से बादल दिख रहे थे, जैसे पर्दे लगी ऊँची खिड़कियों के बाहर दिख रहे थे। दलिया, अंडे और बेकन का नाश्ता करते समय हैरी और रॉन ने हर्माइनी को बता दिया कि पिछली रात को हैग्रिड से उनकी क्या बातचीत हुई थी।

'लेकिन वह कैसे सोच सकता है कि हम आगे भी जादुई प्राणियों की देखभाल विषय पढ़ेंगे!' उसने दुखी दिखते हुए कहा। 'मेरा मतलब है, हममें से किसी ने भी ... कभी उत्साह नहीं दिखाया था?'

'यही बात है, *है ना?*' रॉन ने एक तले हुए अंडे को पूरा निगलते हुए कहा। 'हम लोग हैग्रिड की क्लासों में सबसे ज़्यादा कोशिश इसलिए करते थे, क्योंकि हम उसे पसंद करते थे। लेकिन वह सोचता है कि हम उसे नहीं, उसके मूर्खतापूर्ण *विषय* को पसंद करते हैं। क्या तुम्हें लगता है कि कोई **एन.ई.डब्ल्यू.टी.** में यह विषय ले रहा है?'

हैरी और हर्माइनी ने कोई जवाब नहीं दिया। उसकी कोई ज़रूरत भी नहीं थी। वे अच्छी तरह जानते थे कि उनके ईयर में कोई भी जादुई प्राणियों की देखभाल विषय नहीं लेना चाहेगा। जब हैग्रिड दस मिनट बाद स्टाफ़ टेबल से उठकर गया, तो वे उससे नज़रें चुराते रहे और उसके ख़ुशी से हाथ हिलाने पर उन्होंने आधे-अधूरे मन से हाथ हिलाया।

नाश्ता ख़त्म करने के बाद वे अपनी जगह पर बैठकर इंतज़ार करने लगे कि प्रोफ़ेसर मैक्गॉनेगल स्टाफ़ टेबल से उतरकर उन्हें टाइमटेबल दें। इस साल टाइमटेबल बाँटने का काम ज़्यादा जटिल था, क्योंकि प्रोफ़ेसर मैक्गॉनेगल को

पहले यह देखना था कि विद्यार्थियों को अपने चुने हुए **एन.ई.डब्ल्यू.टी.** में जाने लायक **ओ.डब्ल्यू.एल.** मिले भी हैं या नहीं।

हर्माइनी को सम्मोहन, गुप्त कलाओं से रक्षा, रूपांतरण, जड़ी-बूटी विज्ञान, अंकों के जादुई महत्व का ऐतिहासिक अध्ययन, पुरातन लिपियों का अध्ययन और जादुई काढ़े विषय पढ़ने की फ़ौरन अनुमति मिल गई और वह लपककर पुरातन लिपियों की पहली क्लास की तरफ़ चल दी। नेविल को ज़्यादा समय लग गया। उसका गोल चेहरा चिंताग्रस्त था, जब प्रोफ़ेसर मैक्गॉनेगल ने उसके आवेदन की तरफ़ देखा और फिर उसके **ओ.डब्ल्यू.एल.** के परिणाम देखे।

'जड़ी-बूटी विज्ञान, अच्छा है,' उन्होंने कहा। 'प्रोफ़ेसर स्प्राउट तुम्हें "आउटस्टैंडिंग" **ओ.डब्ल्यू.एल.** के साथ देखकर बहुत ख़ुश होंगी और तुमने गुप्त कलाओं से रक्षा विषय में भी "एक्सीड्स एक्सपेक्टेशन्स" लाकर आवश्यक योग्यता हासिल कर ली है। लेकिन समस्या रूपांतरण है। मुझे अफ़सोस है लॉँगबॉटम, लेकिन **एन.ई.डब्ल्यू.टी.** के लिए "एक्सेप्टेबल" से काम नहीं चलेगा। मुझे नहीं लगता कि तुम इसकी पढ़ाई कर पाओगे।'

नेविल का मुँह लटक गया। प्रोफ़ेसर मैक्गॉनेगल ने अपने चौकोर चश्मे के पीछे से उसे घूरा।

'तुम रूपांतरण क्यों पढ़ना चाहते हो? मुझे कभी नहीं लगा कि तुम्हें इसमें ख़ास मज़ा आता है।'

नेविल दुखी दिखने लगा और बुदबुदाकर ऐसा कुछ बोला, 'मेरी दादी चाहती हैं।'

'अच्छा,' प्रोफ़ेसर मैक्गॉनेगल हँसीं। 'अब समय आ गया है कि तुम्हारी दादी आदर्श पोते के बजाय उस पोते पर गर्व करना सीख लें, जो उन्हें मिला है - ख़ास तौर पर मंत्रालय में हुई घटना के बाद।'

नेविल का चेहरा एकदम गुलाबी हो गया और वह दुविधा में पलकें झपकाने लगा। प्रोफ़ेसर मैक्गॉनेगल ने इससे पहले कभी उसकी तारीफ़ नहीं की थी।

'मुझे अफ़सोस है लॉँगबॉटम, लेकिन मैं तुम्हें अपनी **एन.ई.डब्ल्यू.टी.** क्लास में नहीं ले सकती। मैं देख रही हूँ, तुम्हें सम्मोहन में "एक्सीड्स एक्सपेक्टेशन्स" मिला है - तुम सम्मोहन में **एन.ई.डब्ल्यू.टी.** क्यों नहीं करते हो?'

नेविल बुदबुदाया, 'मेरी दादी सोचती हैं कि सम्मोहन कमज़ोर विषय है!'

प्रोफ़ेसर मैक्गॉनेगल ने कहा, 'तुम सम्मोहन ले लो। मैं ऑगस्टा को

चिट्ठी लिखकर याद दिला दूँगी कि *वे* अपने सम्मोहन के **ओ.डब्ल्यू.एल.** में फ़ेल हो गई थीं, इसका यह मतलब नहीं है कि वह विषय ही बेकार है।' नेविल के चेहरे पर ख़ुशी और अविश्वास के भाव देखकर प्रोफ़ेसर मैक्गॉनेगल थोड़ी मुस्कराईं। फिर उन्होंने ख़ाली टाइमटेबल को अपनी छड़ी की नोक से ठोंककर उसे दे दिया, जिसमें अब नेविल की नई क्लासें लिखी थीं।

इसके बाद प्रोफ़ेसर मैक्गॉनेगल पार्वती पाटिल की ओर मुड़ीं, जिसका पहला सवाल यह था कि क्या सुंदर सेनटॉर फ़िरेंज अब भी ज्योतिष पढ़ा रहा है।

'इस साल वह और प्रोफ़ेसर ट्रिलोनी मिलकर क्लासें ले रहे हैं,' प्रोफ़ेसर मैक्गॉनेगल ने अपनी आवाज़ में नापसंदगी का पुट लाते हुए कहा। सभी जानते थे कि वे ज्योतिष विषय से चिढ़ती थीं। फिर वे आगे बोलीं, 'सिक्स्थ ईयर में प्रोफ़ेसर ट्रिलोनी पढ़ा रही हैं।'

पाँच मिनट बाद पार्वती थोड़ी निराशा से ज्योतिष की क्लास की तरफ़ बढ़ने लगी।

'तो, पॉटर, पॉटर ...' प्रोफ़ेसर मैक्गॉनेगल ने कहा और अपने नोट्स देखे, जब वे हैरी की तरफ़ मुड़ीं। 'सम्मोहन, गुप्त कलाओं से रक्षा, जड़ी-बूटी विज्ञान, रूपांतरण ... सभी बढ़िया हैं। मुझे कहना होगा कि मैं तुम्हारे रूपांतरण के ग्रेड से ख़ुश हूँ, पॉटर, बहुत खुश। लेकिन तुमने जादुई काढ़े के लिए आवेदन क्यों नहीं दिया? तुम तो ऑरर बनना चाहते थे?'

'बनना तो चाहता था प्रोफ़ेसर, लेकिन आपने मुझे बताया था कि मुझे यह विषय तभी मिलेगा, जब मुझे **ओ.डब्ल्यू.एल.** में "आउटस्टैंडिंग" मिलेगा।'

'ऐसा मैंने तब कहा था, जब प्रोफ़ेसर स्नेप यह विषय पढ़ा रहे थे। बहरहाल, प्रोफ़ेसर स्लगहॉर्न उन विद्यार्थियों को भी अपने **एन.ई.डब्ल्यू.टी.** में ख़ुशी-ख़ुशी लेते हैं, जिन्हें **ओ.डब्ल्यू.एल.** में "एक्सीड्स एक्सपेक्टेशन्स" मिला हो। क्या तुम जादुई काढ़े लेना चाहते हो?'

'हाँ,' हैरी ने कहा, 'लेकिन मैंने किताबें या कोई सामान नहीं ख़रीदा है-'

'मुझे यक़ीन है कि प्रोफ़ेसर स्लगहॉर्न तुम्हें कुछ समय के लिए सारा सामान दे देंगे,' प्रोफ़ेसर मैक्गॉनेगल ने कहा। 'बहुत बढ़िया, पॉटर। यह रहा तुम्हारा टाइमटेबल। ओह, एक बात और - पच्चीस विद्यार्थियों ने गरुड़द्वार की क्विडिच टीम के लिए अपने नाम दिए हैं। मैं समय आने पर तुम्हें सूची दे दूँगी और तुम अपनी सुविधा से ट्रायल्स रख लेना।'

कुछ मिनट बाद रॉन को भी वही विषय मिल गए, जो हैरी को मिले थे। दोनों एक साथ टेबल से उठकर चल दिए।

'देखो,' रॉन ने ख़ुशी से अपने टाइमटेबल की तरफ़ देखते हुए कहा, 'हमारे पास अभी एक ख़ाली पीरियड है ... और एक ख़ाली पीरियड ब्रेक के बाद है ... और एक लंच के बाद ... *बहुत बढ़िया!*'

वे गरुड़द्वार के हॉल में लौट आए, जो अब ख़ाली था। वहाँ सिर्फ़ सेवन्थ ईयर के छह विद्यार्थी बैठे थे, जिनमें केटी बेल भी शामिल थी। वह गरुड़द्वार की उस मूल क्विडिच टीम की इकलौती बची सदस्य थी, जिसमें हैरी अपने फ़र्स्ट ईयर में खेला था।

'मुझे लगा था कि यह तुम्हें ही मिलेगा, बहुत बढ़िया,' उसने हैरी के सीने पर लगे कप्तान के बैज की तरफ़ इशारा करते हुए कहा। 'जब तुम ट्रायल्स लो, तो मुझे बता देना!'

'बेवक़ूफ़ों जैसी बातें मत करो,' हैरी बोला। 'तुम्हें ट्रायल्स देने की क्या ज़रूरत है? मैं तुम्हें पाँच साल से खेलते हुए देख रहा हूँ ...'

'तुम्हें अपनी कप्तानी की शुरुआत इस तरह नहीं करनी चाहिए,' उसने चेतावनी भरे स्वर में कहा। 'तुम्हें क्या पता, हो सकता है, वहाँ कोई मुझसे ज़्यादा अच्छा खिलाड़ी मिल जाए? कई अच्छी टीमें सिर्फ़ इसलिए बर्बाद हो गई हैं, क्योंकि कप्तान ने टीम में पुराने चेहरों को खिलाया है या अपने दोस्तों को शामिल किया है ...'

रॉन थोड़ा परेशान हो गया और उस फ़ैंग्ड फ़्रिज़बी से खेलने लगा, जिसे हर्माइनी ने फ़ोर्थ ईयर के विद्यार्थी से ज़ब्त किया था। फ़्रिज़बी हॉल में चारों तरफ़ उड़ता रहा और गुर्राकर दीवारदरी के टुकड़े काटने की कोशिश करता रहा। क्रुकशैंक्स की पीली आँखें इसी पर जमी थीं और जब भी यह ज़्यादा क़रीब आता था, तो वह गुर्राने लगती थी।

एक घंटे बाद वे अनिच्छा से धूप भरे हॉल से निकलकर चार मंज़िल नीचे गुप्त कलाओं से रक्षा के क्लासरूम की तरफ़ जाने लगे। हर्माइनी पहले से क़तार में खड़ी थी। उसके हाथ में बहुत सी भारी पुस्तकें थीं और वह थकी हुई लग रही थी।

जब हैरी और रॉन उसके पास पहुँचे, तो वह चिंता से बोली, 'हमें पुरातन लिपियों में ढेर सारा होमवर्क मिला है। पंद्रह इंच लंबा निबंध है, दो अनुवाद हैं और इन किताबों को मुझे बुधवार तक पढ़ना है!'

'शर्म की बात है,' रॉन ने जम्हाई लेते हुए कहा।

'ज़रा ठहरो तो सही!' हर्माइनी ने ग़ुस्से से कहा। 'मैं शर्त लगाती हूँ कि स्नेप भी हमें ढेर सारा होमवर्क देंगे।'

तभी क्लासरूम का दरवाज़ा खुला और स्नेप गलियारे में आ गए। उनका पीला चेहरा हमेशा की तरह चिपचिपे काले बालों के दो पर्दों के बीच था। सभी विद्यार्थी तत्काल ख़ामोश हो गए।

उन्होंने कहा, 'अंदर।'

हैरी ने अंदर घुसते समय चारों तरफ़ देखा। स्नेप अभी से कमरे पर अपने व्यक्तित्व की छाप डाल चुके थे। अब यहाँ पहले से ज़्यादा अँधेरा था, क्योंकि खिड़कियों पर पर्दे लगा दिए गए थे और मोमबत्तियों की रोशनी हो रही थी। दीवारों पर नई तस्वीरें लगी थीं। इनमें कुछ लोग पीड़ा, बुरे घाव या अजीब से विकृत अंग दिखा रहे थे। बैठते समय सभी विद्यार्थी उन वीभत्स तस्वीरों को देखते रहे और कोई कुछ नहीं बोला।

'मैंने तुम लोगों से पुस्तकें निकालने को नहीं कहा है,' स्नेप ने दरवाज़ा बंद करके क्लास के सामने अपनी डेस्क पर पहुँचते हुए कहा। हर्माइनी ने जल्दी से *अनजान से मुक़ाबला* पुस्तक अपने बैग में दोबारा रखी और बैग अपनी कुर्सी के नीचे रख लिया। 'मैं तुम लोगों से कुछ महत्वपूर्ण बात करना चाहता हूँ और मुझे तुम्हारा पूरा ध्यान चाहिए।'

उनकी काली आँखें ऊपर उठे चेहरों पर पड़ीं। बाक़ी सबके बजाय वे हैरी पर एक सेकंड ज़्यादा रुकीं।

'मुझे लगता है कि अब तक तुम लोगों को यह विषय पाँच टीचर्स पढ़ा चुके हैं।'

हैरी ने व्यंग्य से सोचा, *आपको लगता है ... स्नेप, आपने जैसे उन सभी को आते-जाते न देखा हो और यह उम्मीद न की हो कि अगले टीचर आप बनेंगे!*

'ज़ाहिर है, उन टीचर्स के अपने-अपने तरीक़े और लक्ष्य थे। इस दुविधा को देखते हुए मुझे हैरानी है कि तुममें से इतने सारे लोगों को इस विषय में **ओ.डब्ल्यू.एल.** मिल गए हैं। मुझे और भी हैरानी होगी, अगर तुम सभी **एन.ई.डब्ल्यू.टी.** की पढ़ाई पूरी कर लोगे, जो और भी ज़्यादा कठिन होगी।'

स्नेप कमरे के कोने की तरफ़ चल दिए। वे अब धीमी आवाज़ में बोल रहे थे। सभी विद्यार्थियों ने उनकी तरफ़ देखने के लिए अपनी गर्दन मोड़ ली।

'गुप्त कलाएँ,' स्नेप ने कहा, 'बहुत सी, विविध, हर पल बदलने वाली और शाश्वत हैं। उनसे लड़ना कई सिर वाले दैत्य से लड़ने की तरह है, जिसका सिर कटते ही पहले से भी ज़्यादा ख़ूँख़ार और चालाक दूसरा सिर निकल आता है। तुम उस चीज़ से लड़ रहे हो, जो अस्थिर, विभाजक और अविनाशी है।'

हैरी स्नेप को घूरने लगा। निश्चित रूप से ख़तरनाक शत्रु की तरह गुप्त कलाओं का सम्मान करना एक बात थी, लेकिन स्नेप की आवाज़ में तो प्यार और हसरत झलक रही थी!

स्नेप ने थोड़ी ज़्यादा तेज़ी से कहा, 'इसलिए तुम्हारी रक्षा भी उतनी ही लचीली और उपायकुशल होनी चाहिए, जितनी कि वे कलाएँ हैं, जिनसे तुम मुक़ाबला करना चाहते हो। ये तस्वीरें,' उन्होंने पास से गुज़रते समय कुछ तस्वीरों की तरफ़ इशारा किया, 'बताती हैं कि उन लोगों का क्या हाल होता है, जिन्हें पीड़ीकृत शाप भोगना पड़ता है' (उन्होंने एक जादूगरनी की तरफ़ हाथ हिलाया, जो स्पष्ट रूप से दर्द के मारे चीख़ रही थी) 'दमपिशाच का चुंबन महसूस होता है' (सूनी आँखों वाला एक जादूगर दीवार से टिका और लुढ़का हुआ था) 'या सजीव-लाश का आक्रमण झेलना पड़ता है' (मैदान में ख़ून का ढेर था)।

'क्या कोई सजीव-लाश दिखी है,' पार्वती पाटिल ने तीखी आवाज़ में कहा। 'क्या सचमुच ? क्या वह उनका इस्तेमाल कर रहा है ?'

'शैतानी शहंशाह अतीत में सजीव-लाश का प्रयोग कर चुके हैं,' स्नेप ने कहा, 'वे उनका दोबारा प्रयोग कर सकते हैं। अब ...'

वे क्लासरूम के दूसरी तरफ़ से घूमकर अपनी डेस्क की ओर चल दिए। एक बार फिर सभी विद्यार्थी उन्हें देखने लगे, जब वे अपने गहरे रंग के दुशाले अपने पीछे लहराते हुए आए।

'... मेरा मानना है कि तुम लोग अशाब्दिक मंत्रों के मामले में बिलकुल नौसिखिए हो। अशाब्दिक मंत्र का क्या लाभ है ?'

हर्माइनी का हाथ हवा में उठ गया। स्नेप ने चारों तरफ़ देखा कि कोई और विद्यार्थी तो हाथ नहीं उठा रहा है। बहरहाल, जब उन्हें कोई विकल्प नहीं दिखा, तो उन्होंने रूखेपन से कहा, 'बहुत बढ़िया - मिस ग्रेंजर ?'

'आपके शत्रु को कोई चेतावनी नहीं मिलती है कि आप किस तरह का जादू करने वाले हैं,' हर्माइनी ने कहा, 'जिससे आपको पल भर का लाभ मिल जाता है।'

'यह जवाब *मंत्रों की मानक पुस्तक, ग्रेड 6* से रटा गया है,' स्नेप ने नकारते हुए कहा (कोने में मैल्फ़ॉय ने खी-खी की), 'लेकिन बात मूल रूप से सही है। हाँ, जो लोग मंत्र चिल्लाकर बोले बिना जादू करते हैं, उनके मंत्र पढ़ने पर शत्रु आश्चर्यचकित हो जाता है। ज़ाहिर है, सभी जादूगर यह काम नहीं कर सकते। यह एकाग्रता और मस्तिष्क की शक्ति का सवाल है, जो कुछ लोगों में,' उनकी निगाह दुष्टता से एक बार फिर हैरी पर ठहर गई, 'नहीं होती है।'

हैरी जानता था कि स्नेप पिछले साल की गुप्तविद्या की विनाशकारी क्लासों के बारे में सोच रहे थे। उसने अपनी नज़र नहीं झुकाई, बल्कि स्नेप को ग़ुस्से से घूरता रहा, जब तक कि स्नेप दूसरी तरफ़ नहीं देखने लगे।

'अब तुम लोग जोड़ियाँ बना लो,' स्नेप ने आगे कहा। 'एक पार्टनर *बिना बोले* दूसरे पर मंत्र पढ़ने की कोशिश करेगा। दूसरा मंत्र *बोले बिना* प्रतिकार करने की कोशिश करेगा। चलो।'

हालाँकि स्नेप यह बात नहीं जानते थे, लेकिन हैरी ने पिछले साल कम से कम आधी क्लास (यानी **डीए** के हर सदस्य) को कवच सम्मोहन करने का तरीक़ा सिखा दिया था। बहरहाल, अब तक किसी ने भी बिना बोले उस सम्मोहन का प्रयोग नहीं किया था। कुछ धोखाधड़ी भी हुई। कई लोग ज़ोर से बोलने के बजाय मंत्र फुसफुसाने लगे। दस मिनट बाद हर्माइनी ने नेविल के बुदबुदाए हुए पैर-बंधन शाप को बिना शब्द बोले रोक दिया। हैरी ने कटुता से सोचा, कोई और टीचर होता, तो इस काम के लिए गरुड़द्वार को बीस पॉइंट दे देता, लेकिन स्नेप ने इसे नज़रअंदाज़ कर दिया। विद्यार्थियों के प्रैक्टिस करते समय स्नेप किसी बड़े चमगादड़ की तरह उनके बीच मँडराते रहे। वे हैरी और रॉन को देखते रहे, जो स्पष्ट रूप से संघर्ष कर रहे थे।

रॉन चुपचाप हैरी पर मंत्र पढ़ना चाहता था, लेकिन उसका चेहरा बैंगनी हो रहा था, क्योंकि उसने अपने होंठ कसकर बंद कर लिए थे, ताकि मंत्र बुदबुदाने के प्रलोभन से बच सके। हैरी ने अपनी छड़ी उठा रखी थी और तनाव में उस मंत्र का प्रतिकार करने की राह देख रहा था, जो आ ही नहीं रहा था।

'बहुत ख़राब प्रदर्शन है, वीज़्ली,' स्नेप ने कुछ समय बाद कहा। 'देखो – मैं तुम्हें दिखाता हूँ –'

उन्होंने अपनी छड़ी हैरी की तरफ़ इतनी ज़ोर से घुमाई कि हैरी ने तत्काल प्रतिक्रिया की : अशाब्दिक मंत्रों के सारे विचारों को भूलते हुए वह चिल्लाया, *'रक्षाकवच!'*

उसका रक्षा कवच इतना प्रबल था कि स्नेप लड़खड़ा गए और एक डेस्क से टकरा गए। पूरी क्लास ने मुड़कर देखा कि स्नेप त्योरियाँ चढ़ाकर ख़ुद को सँभाल रहे थे।

'तुम्हें याद है पॉटर, मैंने कहा था, हम *अशाब्दिक* मंत्रों का अभ्यास कर रहे हैं ?'

'हाँ,' हैरी ने दृढ़ता से कहा।

'हाँ *सर*।'

'मुझे "सर" कहने की कोई ज़रूरत नहीं है, प्रोफ़ेसर।'

हैरी ने ये शब्द बिना सोचे-समझे बोल दिए थे। कई विद्यार्थियों ने ज़ोर से साँस खींची, जिनमें हर्माइनी भी थी। बहरहाल, स्नेप के पीछे रॉन, डीन और सीमस प्रशंसा में मुस्कराने लगे।

'सज़ा, शनिवार रात, मेरे ऑफ़िस में,' स्नेप ने कहा। 'मैं किसी की भी बदतमीज़ी सहन नहीं करता हूँ, पॉटर ... *चुनिंदा जादूगर* की भी नहीं।'

'यह बहुत बढ़िया था, हैरी!' रॉन ने चहकते हुए कहा, जब वे लोग कुछ समय बाद ब्रेक में बाहर जा रहे थे।

हर्माइनी ने रॉन की तरफ़ त्योरियाँ चढ़ाते हुए हैरी से कहा, 'तुम्हें ऐसा नहीं कहना चाहिए था! तुमने ऐसा किस कारण किया?'

'तुमने देखा नहीं, उन्होंने मुझे मंत्र मारने की कोशिश की थी,' हैरी ग़ुस्से से बोला। 'गुप्तविद्या के अभ्यासों में मैंने उन्हें बहुत झेला है। वे किसी दूसरे को अपना शिकार क्यों नहीं बनाते हैं? वैसे डम्बलडोर ने उन्हें गुप्त कलाओं का विषय दिया ही क्यों है? तुमने गुप्त कलाओं के बारे में उनकी बातें सुनीं? उन्हें गुप्त कलाओं से प्रेम है! वह *अचल, अविनाशी* वाली बात –'

'देखो,' हर्माइनी ने कहा, 'मुझे तो लगा था कि वे तुम्हारे जैसी बातें कह रहे हैं।'

'*मेरे* जैसी?'

'हाँ, जब तुम हमें बता रहे थे कि वोल्डेमॉर्ट का सामना करना कैसा होता है, तो तुमने कहा था कि मंत्रों को याद करना ही काफ़ी नहीं होता। तुमने कहा था कि उस वक़्त आपके साथ सिर्फ़ आपका दिमाग़ और हिम्मत होती है – वही तो स्नेप कह रहे थे! कि आख़िरकार बहादुरी और तीव्र चिंतन ही काम आता है?'

हैरी इस बात से पस्त हो गया कि हर्माइनी ने उसकी बात को *मंत्रों की मानक पुस्तक* की तरह याद करने लायक़ समझा था, इसलिए उसने बहस नहीं की।

'हैरी! सुनो हैरी!'

हैरी ने घूमकर देखा। पिछले साल की गरुड़द्वार क्विडिच टीम का एक मारक जैक स्लोपर चर्मपत्र का रोल लेकर उनकी तरफ़ आ रहा था।

'तुम्हारे लिए है,' स्लोपर ने हाँफते हुए कहा। 'सुनो, मैंने सुना है कि तुम कप्तान बन गए हो। तुम ट्रायल कब रख रहे हो?'

'मैंने अभी तय नहीं किया है,' हैरी ने कहा और मन में सोचा कि स्लोपर बहुत ख़ुशक़िस्मत होगा, जो टीम में दोबारा चुना जाएगा। 'मैं तुम्हें बता दूँगा।'

'ओह, ठीक है। मैं उम्मीद कर रहा था कि ट्रायल इस वीकएंड में हो जाएगा –'

लेकिन हैरी सुन नहीं रहा था। उसने अभी-अभी चर्मपत्र की पतली, तिरछी लिखाई को पहचान लिया था। स्लोपर के वाक्य के बीच में ही वह जल्दी से रॉन और हर्माइनी के साथ चल दिया। उसने चलते-चलते चर्मपत्र खोल लिया।

प्रिय हैरी,

मैं इस शनिवार को हमारी प्राइवेट क्लासें शुरू करना चाहूँगा। मेरे आफ़िस में आठ बजे शाम को आ जाना। मुझे उम्मीद है कि तुम स्कूल में अपने पहले दिन का आनंद ले रहे होगे।

तुम्हारा

एल्बस डम्बलडोर

पुनःश्चः मुझे एसिड पॉप्स पसंद है।

'उन्हें एसिड पॉप्स पसंद है ?' रॉन ने कहा, जिसने हैरी के कंधे के ऊपर से झुककर संदेश पढ़ लिया था और थोड़ी उलझन में दिख रहा था।

'यह उनकी स्टडी के बाहर खड़े गारगॉइल के पार जाने का पासवर्ड है,' हैरी ने धीमी आवाज़ में कहा। 'हा! स्नेप इस बात से ख़ुश नहीं होंगे ... मैं उनकी सज़ा पूरी नहीं कर पाऊँगा!'

हैरी, रॉन और हर्माइनी ने ब्रेक के दौरान यह अनुमान लगाया कि डम्बलडोर हैरी को क्या सिखाएँगे। रॉन के हिसाब से इस बात की काफ़ी संभावना थी कि वे हैरी को ऐसे अद्‌भुत मंत्र और शैतानी जादू सिखाएँगे, जो प्राणभक्षी भी नहीं जानते होंगे। हर्माइनी ने कहा कि इस तरह की चीज़ें ग़ैर-क़ानूनी हैं और उसके हिसाब से डम्बलडोर हैरी को उच्च-स्तरीय रक्षात्मक जादू सिखाएँगे। ब्रेक के बाद हर्माइनी अंकों के जादुई महत्व का अध्ययन की क्लास में चली गई, जबकि हैरी और रॉन गरुड़द्वार के हॉल में लौट आए, जहाँ उन्होंने मन मारकर स्नेप का होमवर्क शुरू कर दिया। यह इतना जटिल साबित हुआ कि जब हर्माइनी लंच के बाद ख़ाली पीरियड में उनके पास आई, तब तक उनका काम पूरा नहीं हुआ था (हालाँकि उसके आने के बाद उनकी रफ़्तार बढ़

गई)। उन्होंने अभी काम पूरा किया ही था कि जादुई काढ़े की क्लास की घंटी बजी और वे तहख़ाने के जाने-पहचाने रास्ते पर चल दिए, जो इतने लंबे समय से स्नेप की क्लास थी।

जब वे गलियारे में पहुँचे, तो उन्होंने देखा कि सिर्फ़ दर्जन भर लोग ही **एन.ई.डब्ल्यू.टी.** स्तर तक आ पाए थे। क्रैब और गॉइल स्पष्ट रूप से अपेक्षित **ओ.डब्ल्यू.एल.** ग्रेड नहीं ला पाए थे, लेकिन नागशक्ति के चार विद्यार्थी ऐसा करने में कामयाब हो गए थे, जिनमें मैल्फ़ॉय भी शामिल था। चीलघात के चार विद्यार्थी भी वहाँ थे और मेहनतकश का अर्नी मैकमिलन भी था, जिसे हैरी उसके बड़बोले अंदाज़ के बावजूद पसंद करता था।

'हैरी,' अर्नी ने औपचारिकता से कहा और अपना हाथ बढ़ाया, 'आज सुबह गुप्त कलाओं से रक्षा की क्लास में बात करने का मौक़ा नहीं मिला। मुझे लगा, अच्छा सबक़ था, लेकिन कवच सम्मोहन तो **डीए** के पुराने सदस्यों के लिए बाएँ हाथ का खेल है ... और तुम कैसे हो, रॉन - हर्माइनी ?'

इससे पहले कि वे 'अच्छे,' से ज़्यादा कुछ बोल पाएँ, तहख़ाने का दरवाज़ा खुल गया और स्लगहॉर्न की तोंद उनसे पहले दरवाज़े के बाहर दिखने लगी। जैसे ही वे लाइन बनाकर कमरे में जाने लगे, स्लगहॉर्न की बड़ी-बड़ी मूँछें उनके मुस्कराते चेहरे के ऊपर आ गईं। उन्होंने हैरी तथा जैबिनी का ख़ास उत्साह से स्वागत किया।

तहख़ाने में अजीब सा धुआँ और गंध भरी थी। बड़ी-बड़ी कड़ाहियों के पास से गुज़रते समय हैरी, रॉन और हर्माइनी ने दिलचस्पी से सूँघा। नागशक्ति के चारों विद्यार्थी एक टेबल पर पहुँच गए। चीलघात के चारों विद्यार्थियों ने भी ऐसा ही किया। अब हैरी, रॉन और हर्माइनी बचे थे, जो अर्नी के साथ एक टेबल पर पहुँच गए। उनकी टेबल एक सुनहरी कड़ाही के क़रीब थी, जिसमें से बहुत ही अच्छी गंध निकल रही थी। हैरी ने आज तक इतनी अच्छी गंध नहीं सूँघी थी। न जाने क्यों उसे ट्रिकल टार्ट, झाड़ू के हैंडल की लकड़ी की ख़ुशबू और किसी फूलदार चीज़ की याद आ रही थी, जो उसने रॉन के घर सूँघी थी। उसे पता था कि वह बहुत धीरे-धीरे और गहरी साँसें ले रहा था तथा काढ़े का धुआँ किसी पेय पदार्थ की तरह उसके अंदर जा रहा था। उसके चेहरे पर गहरे संतोष का भाव छा गया। वह रॉन की तरफ़ देखकर मुस्कराया। वह भी आलस से मुस्कराया।

'अब, अब, अब,' स्लगहॉर्न ने कहा, जिनकी विशाल आकृति धुएँ के बीच हिल रही थी। 'सभी लोग तराजू निकाल लो और जादुई काढ़े का सामान तथा *उच्च-स्तरीय काढ़ा-निर्माण* की किताब निकालना भी मत भूलना ...'

'सर ?' हैरी ने हाथ उठाकर कहा।

'हैरी, मेरे बच्चे ?'

'मेरे पास पुस्तक या तराजू या कोई भी सामान नहीं है - रॉन के पास भी नहीं है - देखिए, हमें पता नहीं था कि हम **एन.ई.डब्ल्यू.टी.** में यह विषय ले पाएँगे -'

'ओह हाँ, प्रोफ़ेसर मैक्गॉनेगल ने बताया था ... चिंता मत करो, मेरे प्यारे बच्चे, बिलकुल चिंता मत करो। तुम स्टोर की अलमारी के सामान का इस्तेमाल कर सकते हो। मुझे यक़ीन है कि हम तुम्हें तराजू भी उधार दे सकते हैं। इसके अलावा हमारे पास कुछ पुरानी पुस्तकें भी रखी हैं, जिनका इस्तेमाल तुम तब तक कर सकते हो, जब तक कि तुम फ़्लरिश एंड ब्लॉट्स को लिखकर अपनी नई पुस्तकें न मँगवा लो ...'

स्लगहॉर्न कोने वाली अलमारी तक गए और एक पल तक टटोलने के बाद दो बहुत पुरानी किताबें लेकर आए। लाइबेशियस बोराज की *उच्च-स्तरीय काढ़ा-निर्माण* की एक-एक प्रति उन्होंने हैरी और रॉन को दे दी। साथ ही भदरंगे तराजू भी दे दिए।

'तो अब,' स्लगहॉर्न क्लास के सामने लौटे और पहले से ही बाहर निकलते सीने को और फुला लिया, जिससे उनके वेस्टकोट के बटन टूटने का ख़तरा पैदा हो गया, 'मैंने तुम लोगों को दिखाने के लिए कुछ काढ़े तैयार किए हैं, सिर्फ़ दिलचस्पी के लिए। जब तुम **एन.ई.डब्ल्यू.टी.** की पढ़ाई पूरी कर लोगे, तो तुम इस तरह की चीज़ बना सकोगे। तुम्हें उनके बारे में पता होना चाहिए, भले ही तुमने उन्हें अभी तक न बनाया हो। कोई मुझे बता सकता है कि यह कौन सा काढ़ा है ?'

उन्होंने नागशक्ति के विद्यार्थियों के पास वाली कड़ाही की तरफ़ इशारा किया। हैरी ने अपनी सीट से थोड़ा सा उठकर देखा कि उसके अंदर सादे पानी जैसी कोई चीज़ उबल रही थी।

हमेशा की तरह हर्माइनी का हाथ किसी और से पहले ही हवा में पहुँच गया। स्लगहॉर्न ने उसकी तरफ़ इशारा किया।

हर्माइनी बोली, 'यह सत्यद्रव है; एक रंगहीन, गंधहीन काढ़ा, जो पीने वाले को सच्चाई बताने के लिए मजबूर कर देता है।'

'बहुत बढ़िया, बहुत बढ़िया!' स्लगहॉर्न ने ख़ुशी से कहा। फिर उन्होंने चीलघात की टेबल के सबसे क़रीब वाली कड़ाही की तरफ़ इशारा करते हुए कहा, 'वहाँ पर जो काढ़ा है, वह मशहूर है ... हाल ही में मंत्रालय के कुछ पैंफ़लेटों

में भी इसका ज़िक्र आया है ... कौन बता सकता – ?'

हर्माइनी का हाथ एक बार फिर सबसे जल्दी हवा में पहुँच गया।

उसने कहा, 'यह भेसबदल काढ़ा है, सर।'

हैरी ने भी दूसरी कड़ाही में धीरे-धीरे खदकते, कीचड़ जैसे काढ़े को पहचान लिया था। बहरहाल, उसे इस बात से कोई दिक्क़त नहीं हुई कि जवाब देने का श्रेय हर्माइनी ने ले लिया था। जब वे सेकंड ईयर में पढ़ते थे, तब यह काढ़ा हर्माइनी ने ही बनाया था।

'बहुत बढ़िया, बहुत बढ़िया! अब, यह वाला ... हाँ,' स्लगहॉर्न ने कहा और वे अब थोड़े आनंदित दिखने लगे, जब हर्माइनी का हाथ एक बार फिर हवा में उठ गया।

'यह प्रेमपाश काढ़ा है!'

'बिलकुल है। यह पूछना लगभग मूर्खतापूर्ण है,' स्लगहॉर्न ने कहा, जो बहुत प्रभावित दिख रहे थे, 'लेकिन मुझे लगता है, तुम जानती हो कि यह क्या करता है!'

हर्माइनी बोली, 'यह दुनिया का सबसे सशक्त प्रेम काढ़ा है!'

'बिलकुल सही कहा! मुझे लगता है, तुमने इसकी मोती जैसी साफ़ चमक से इसे पहचान लिया होगा?'

'और छल्लों में उठते धुएँ से,' हर्माइनी ने जोश से कहा, 'और यह हममें से हर एक को अलग-अलग गंध देता है। जिस वस्तु से हम आकर्षित होते हैं, हमें इसकी ख़ुशबू वैसी ही आती है। मुझे ताज़ी कटी घास और नए चर्मपत्र की ख़ुशबू –'

लेकिन उसका चेहरा थोड़ा गुलाबी हो गया और उसने वाक्य अधूरा छोड़ दिया।

'क्या मैं तुम्हारा नाम पूछ सकता हूँ?' स्लगहॉर्न ने हर्माइनी के शर्माने को नज़रअंदाज़ करते हुए कहा।

'हर्माइनी ग्रेंजर, सर।'

'ग्रेंजर? ग्रेंजर? कहीं तुम हेक्टर डैगवर्थ-ग्रेंजर की रिश्तेदार तो नहीं हो, जिन्होंने काढ़ा-निर्माताओं की सबसे असाधारण संस्था बनाई थी?'

'नहीं, सर। मैं मगलू परिवार में पैदा हुई हूँ।'

हैरी ने देखा कि मैल्फ़ॉय नॉट के क़रीब झुका और फुसफुसाकर कुछ बोला। दोनों ही खी-खी करने लगे, लेकिन स्लगहॉर्न ने कोई निराशा नहीं

दिखाई। इसके विपरीत वे मुस्कराए और उन्होंने हैरी की तरफ़ देखा, जो हर्माइनी के पास बैठा हुआ था।

'ओहो! *"मेरी एक दोस्त मगलू परिवार की है और वह हमारे ईयर में सबसे अच्छी विद्यार्थी है!"* मुझे लगता है हैरी, यही वह दोस्त है, जिसके बारे में तुमने यह बात कही थी?'

'हाँ सर,' हैरी ने कहा।

स्लगहॉर्न ने उदारता से कहा, 'अच्छा, तो मिस ग्रेंजर, गरुड़द्वार के लिए बीस पॉइंट लो, जिनकी तुम हक़दार हो!'

मैल्फ़ॉय वैसा ही दिख रहा था, जैसा उस समय दिखा था, जब हर्माइनी ने उसके चेहरे पर मुक्का मारा था। हर्माइनी ख़ुशी से हैरी की तरफ़ मुड़ी और फुसफुसाकर बोली, 'क्या तुमने सचमुच उन्हें बताया था कि मैं अपने ईयर में सबसे अच्छी हूँ? ओह हैरी!'

'देखो, इसमें इतना प्रभावित होने की क्या बात है,' रॉन ने फुसफुसाकर कहा, जो किसी कारण थोड़ा चिढ़ा हुआ लग रहा था। 'तुम सिक्स्थ ईयर में सबसे अच्छी हो – अगर उन्होंने मुझसे पूछा होता, तो मैं भी यही कहता!'

हर्माइनी मुस्करा दी, लेकिन उसने 'श्श्श' किया, ताकि वे स्लगहॉर्न की बात सुन सकें। रॉन थोड़ा असंतुष्ट लग रहा था।

'ज़ाहिर है, प्रेमपाश काढ़ा दरअसल *प्रेम* उत्पन्न नहीं करता है। प्रेम उत्पन्न करना असंभव है। नहीं, यह तो सिर्फ़ सशक्त मोह या दीवानगी उत्पन्न करता है। यह शायद इस कमरे में मौजूद सबसे ख़तरनाक और शक्तिशाली काढ़ा है – ओह हाँ,' उन्होंने मैल्फ़ॉय और नॉट की तरफ़ गंभीरता से देखते हुए कहा, जो संदेह से मुस्करा रहे थे। 'जब तुम मेरी उम्र तक पहुँच जाओगे, तो तुम दीवानगी भरे प्रेम की शक्ति को नज़रअंदाज़ नहीं करोगे ...'

'और अब,' स्लगहॉर्न ने कहा, 'समय आ गया है कि हम काम शुरू कर दें।'

'सर, आपने हमें यह तो बताया ही नहीं कि उस वाली कड़ाही में क्या है,' अर्नी मैकमिलन ने एक छोटी काली कड़ाही की तरफ़ इशारा करते हुए कहा, जो स्लगहॉर्न की डेस्क पर रखी थी। उसके भीतर का काढ़ा आराम से खदक रहा था। यह पिघले हुए सोने के रंग का था और सतह के ऊपर गोल्डफ़िश जैसी बड़ी बूँदें उछल रही थीं, हालाँकि एक भी बूँद छलक नहीं रही थी।

'ओहो,' स्लगहॉर्न ने एक बार फिर कहा। हैरी को यक़ीन था कि स्लगहॉर्न उस काढ़े को बिलकुल नहीं भूले थे, बल्कि नाटकीय प्रभाव डालने के लिए किसी

के पूछने का इंतज़ार कर रहे थे। 'हाँ। *यह*। देवियो और सज्जनो, *यह* बहुत विचित्र काढ़ा है, जिसे ख़ुशक़िस्मती काढ़ा कहते हैं। मुझे लगता है,' उन्होंने मुस्कराते हुए हर्माइनी की तरफ़ देखा, जिसके मुँह से निकली सिसकारी स्लगहॉर्न ने सुन ली थी, 'मिस ग्रेंजर, तुम जानती हो कि ख़ुशक़िस्मती काढ़ा क्या करता है?'

'यह क़िस्मत बुलंद कर देता है,' हर्माइनी ने रोमांचित होकर कहा। 'इससे आप ख़ुशक़िस्मत बन जाते हैं!'

पूरी क्लास अब थोड़ी तनकर बैठ गई। हैरी को मैल्फ़ॉय के चिकने सुनहरे सिर का सिर्फ़ पिछला हिस्सा ही दिख रहा था, क्योंकि अब वह स्लगहॉर्न की तरफ़ पूरा ध्यान दे रहा था।

'बिलकुल ठीक कहा, गरुड़द्वार को दस पॉइंट और। हाँ, ख़ुशक़िस्मती काढ़ा बहुत विचित्र है,' स्लगहॉर्न ने कहा। 'इसे बनाना बहुत मुश्किल है और ज़रा सी भी ग़लती विनाशकारी साबित हो सकती है। बहरहाल, अगर इसे सही तरीक़े से बना लिया जाए, जैसा इस वाले को बनाया गया है, तो आपकी हर कोशिश कामयाब हो जाएगी ... जब तक कि इसका प्रभाव ख़त्म नहीं हो जाता।'

टेरी बूट ने उत्सुकता से पूछा, 'फिर लोग इसे हर समय क्यों नहीं पीते हैं, सर?'

'क्योंकि ज़्यादा पीने पर इससे भारीपन, दुस्साहस और घातक अति आत्मविश्वास उत्पन्न हो जाता है,' स्लगहॉर्न ने कहा। 'तुम्हें पता ही होगा, अच्छी चीज़ की अति भी नुक़सान करती है ... ज़्यादा मात्रा में ज़हरीला हो जाता है। लेकिन कम मात्रा में और कभी-कभार ...'

माइकल कॉर्नर ने बड़ी दिलचस्पी से पूछा, 'सर, आपने कभी इसे पिया है?'

'ज़िंदगी में दो बार,' स्लगहॉर्न ने कहा। 'एक बार चौबीस साल की उम्र में, दूसरी बार सत्तावन साल की उम्र में। नाश्ते के साथ दो चम्मच। दो आदर्श दिन।'

वे सपनीले अंदाज़ में दूर निहारते रहे। वे नाटक कर रहे थे या नहीं, यह तो हैरी को पता नहीं था, लेकिन प्रभाव अच्छा पड़ा।

स्लगहॉर्न ने जैसे दोबारा धरती पर लौटते हुए कहा, 'और मैं यह काढ़ा इस क्लास के किसी विद्यार्थी को इनाम में देने वाला हूँ।'

ख़ामोशी छा गई, जिसमें आस-पास के काढ़ों की बुदबुदाहट और बुलबुलों की आवाज़ दस गुना बढ़ गई।

'ख़ुशक़िस्मती काढ़े की एक छोटी सी शीशी,' स्लगहॉर्न ने एक बहुत छोटी

काँच की शीशी अपनी जेब से निकालकर उन्हें दिखाई। 'बारह घंटे की क़िस्मत के लिए काफ़ी है। सुबह से शाम तक, तुम जो भी कोशिश करोगे, उसमें ख़ुशक़िस्मत रहोगे।

'लेकिन मैं तुम लोगों को चेतावनी दे दूँ कि प्रतियोगिताओं में ख़ुशक़िस्मती काढ़े पर प्रतिबंध है ... उदाहरण के लिए खेलों, परीक्षाओं या चुनावों में। इसलिए विजेता को इसका इस्तेमाल सिर्फ़ सामान्य दिन ही करना चाहिए ... इससे उसका साधारण दिन असाधारण बन जाएगा!

'तो,' स्लगहॉर्न ने अचानक तेज़ी से कहा, 'तुम मेरा यह शानदार इनाम कैसे जीत सकते हो? *उच्च-स्तरीय काढ़ा-निर्माण* के पृष्ठ दस को खोलो। हमारे पास एक घंटे से थोड़ा ज़्यादा समय बचा है, जिसमें तुम लोग जीवित मृत्यु का घूँट काढ़ा बनाने की कोशिश करोगे। मैं जानता हूँ कि अब तक तुमने इतना जटिल काढ़ा नहीं बनाया है और मैं किसी से आदर्श काढ़े की उम्मीद भी नहीं करता हूँ। बहरहाल, जिसका काढ़ा सबसे अच्छा होगा, उसे ख़ुशक़िस्मती काढ़े की यह छोटी शीशी इनाम में मिलेगी। शुरू हो जाओ!'

हड़बड़ी मच गई। सभी ने अपनी कड़ाहियाँ तेज़ी से अपने पास खींचीं। जब विद्यार्थी तराजू खिसकाने लगे, तो टकराने की आवाज़ें आईं, लेकिन कोई कुछ नहीं बोल रहा था। कमरे के भीतर पूर्ण एकाग्रता का माहौल था। हैरी ने देखा कि मैल्फ़ॉय *उच्च-स्तरीय काढ़ा-निर्माण* किताब में तेज़ी से कुछ खोज रहा था। साफ़ दिख रहा था कि मैल्फ़ॉय अपने दिन को ख़ुशक़िस्मत बनाना चाहता था। हैरी तत्काल स्लगहॉर्न की दी हुई पुरानी किताब पर झुका।

उसे यह देखकर चिढ़ हुई कि पुराने मालिक ने इसके सभी पन्नों पर लिख रखा था, जिस कारण पुस्तक के हाशिए भी छपे हुए हिस्से जितने काले दिख रहे थे। पदार्थों की सूची पढ़ने के लिए नीचे झुकते हुए (यहाँ भी पुराने मालिक ने नोट्स लिखे थे और कुछ चीज़ें काटी थीं) हैरी जल्दी से स्टोर की अलमारी की तरफ़ चल दिया, ताकि अपनी ज़रूरत का सामान निकाल सके। अपनी कड़ाही तक वापस आते समय उसने देखा कि मैल्फ़ॉय पूरी तेज़ी से वैलेरियन जड़ें काटने में जुटा था।

हर विद्यार्थी पलटकर यह देख रहा था कि बाक़ी विद्यार्थी क्या कर रहे हैं। यह काढ़े की क्लास का फ़ायदा और नुक़सान दोनों था कि अपने काम को गोपनीय रखना मुश्किल था। दस मिनट में पूरी जगह नीले धुएँ से भर गई। ज़ाहिर है, हर्माइनी ने सबसे ज़्यादा प्रगति की थी। उसका काढ़ा 'चिकना, जामुनी' था, जिसका ज़िक्र आधी दूर की आदर्श स्थिति में दिया गया था।

जड़ें काट चुकने के बाद हैरी दोबारा अपनी पुस्तक पर झुका। यह सचमुच

बहुत चिढ़ाने वाला था कि पुराने मालिक की मूर्खतापूर्ण लिखाई के बीच में उसे निर्देश समझने की कोशिश करनी पड़ रही थी। पुराने मालिक ने सोपोफ़ोरस बीन काटने के तरीक़े पर लेखक से मतभेद व्यक्त किया था और वैकल्पिक निर्देश लिखा था :

चाकू से काटने के बजाय चाँदी के खंजर की मूठ से कुचलने पर रस ज़्यादा निकलता है।

'सर, मुझे लगता है आप मेरे दादाजी अब्राक्सेस मैल्फ़ॉय को जानते होंगे?'

हैरी ने सिर ऊपर उठाया। स्लगहॉर्न नागशक्ति की टेबल के पास से गुज़र रहे थे।

'हाँ,' स्लगहॉर्न ने मैल्फ़ॉय की तरफ़ देखे बिना कहा। 'मुझे यह सुनकर अफ़सोस हुआ कि उनकी मृत्यु हो गई, हालाँकि ज़ाहिर है, यह अप्रत्याशित नहीं था। उनकी उम्र में ड्रैगन पॉक्स ...'

और वे दूर चले गए। हैरी मुस्कराता हुआ अपनी कड़ाही पर दोबारा झुक गया। वह जानता था कि मैल्फ़ॉय भी उनसे हैरी या ज़ैबिनी की तरह के ख़ास व्यवहार की उम्मीद कर रहा था, जो उसे स्नेप से मिलता था। बहरहाल, ऐसा लग रहा था कि ख़ुशक़िस्मती काढ़े की शीशी जीतने के लिए मैल्फ़ॉय प्रतिभा के अलावा किसी चीज़ पर भरोसा नहीं कर सकता था।

सोपोफ़ोरस बीन को काटना बहुत मुश्किल साबित हो रहा था। हैरी हर्माइनी की तरफ़ मुड़ा।

'क्या मैं तुम्हारा चाँदी का खंजर ले सकता हूँ?'

उसने अधीरता से सिर हिला दिया, लेकिन अपनी आँखें अपने काढ़े पर से नहीं हटाईं, जो अब गहरा बैंगनी हो गया था, हालाँकि पुस्तक के अनुसार इसे अब तक हल्के जामुनी रंग का हो जाना चाहिए था।

हैरी ने खंजर के भोंथरे हिस्से से फली को कुचला। उसे आश्चर्य हुआ, जब उससे ढेर सारा रस तत्काल बाहर निकल आया। वह हैरान था कि इस सूखी हुई फली में इतना रस भरा था। जल्दी से उसने सारे रस को कड़ाही में डाला और उसे यह देखकर आश्चर्य हुआ कि काढ़ा फ़ौरन ठीक वैसे ही हल्के जामुनी रंग का हो गया, जैसा पाठ्यपुस्तक में बताया गया था।

पुस्तक के पुराने मालिक से उसकी चिढ़ तत्काल ख़त्म हो गई और हैरी ने निर्देश की अगली पंक्ति देखी। पुस्तक के अनुसार उसे काढ़े को तब तक घड़ी के चलने की विपरीत दिशा में घुमाना था, जब तक कि वह पानी की तरह साफ़ न

हो जाए। पुराने मालिक ने इसमें जोड़ दिया था कि घड़ी के चलने की विपरीत दिशा में सात बार घुमाने के बाद एक बार घड़ी के चलने की दिशा में हिलाना चाहिए। क्या पुराना मालिक एक बार फिर सही साबित होगा?

हैरी ने काढ़े को घड़ी की विपरीत दिशा में घुमाया, अपनी साँस रोकी और फिर सीधी दिशा में हिलाया। प्रभाव तत्काल हुआ। काढ़ा बहुत हल्का गुलाबी हो गया।

'तुम यह कैसे कर रहे हो?' हर्माइनी ने पूछा, जिसका चेहरा अब लाल हो गया था और जिसके बाल अब कड़ाही से उठते धुएँ के कारण रूखे होते जा रहे थे। उसका काढ़ा अब तक बैंगनी ही था।

'एक बार घड़ी के चलने की दिशा में घुमाओ –'

हर्माइनी ने सख़्ती से कहा, 'नहीं, नहीं, पुस्तक में लिखा है, घड़ी की विपरीत दिशा!'

हैरी ने कंधे उचकाए और अपना काम करता रहा। सात बार घड़ी की विपरीत दिशा में घुमाओ, एक बार सीधी दिशा में घुमाओ, ठहरो ... सात बार घड़ी की विपरीत दिशा में घुमाओ, एक बार सीधी दिशा में घुमाओ ...

टेबल के पार रॉन अपनी साँस के नीचे लगातार गाली बक रहा था। उसका काढ़ा तरल मुलैठी जैसा दिख रहा था। हैरी ने चारों तरफ़ देखा। जहाँ तक वह देख सकता था, किसी का भी काढ़ा उसके जितने हल्के रंग का नहीं था। वह बहुत ख़ुश था, इस तहख़ाने में वह पहले कभी इतना ख़ुश नहीं हुआ था।

'और अब समय ... ख़त्म हो गया!' स्लगहॉर्न ने कहा। 'अब काढ़े को हिलाना बंद कर दो!'

स्लगहॉर्न टेबलों के बीच धीरे-धीरे चलने लगे और कड़ाहियों में देखने लगे। उन्होंने कोई टिप्पणी नहीं की, बल्कि कभी-कभार काढ़ों को थोड़ा हिलाया या सूँघा। आख़िर में वे उस टेबल पर पहुँचे, जहाँ हैरी, रॉन, हर्माइनी और अर्नी बैठे थे। उन्होंने रॉन की कड़ाही में पड़े डामर जैसे पदार्थ को अफ़सोस के साथ देखा। फिर वे अर्नी के गहरे नीले काढ़े के पास से गुजरे। हर्माइनी के काढ़े को उन्होंने थोड़े अच्छे भाव से देखा। फिर उन्होंने हैरी के काढ़े की तरफ़ देखा और उनके चेहरे पर अविश्वसनीय आनंद का भाव तैरने लगा।

'स्पष्ट रूप से विजेता!' वे तहख़ाने से चिल्लाए। 'बहुत बढ़िया, बहुत बढ़िया, हैरी! हे भगवान, यह स्पष्ट है कि तुम्हें अपनी माँ की प्रतिभा विरासत में मिली है। लिली बहुत बढ़िया काढ़े बनाती थी! यह लो, यह लो – ख़ुशक़िस्मती काढ़े की एक शीशी, जैसा कि वादा किया गया था। इसका अच्छा इस्तेमाल करना!'

हैरी ने सुनहरे द्रव की छोटी शीशी अपनी अंदर की जेब में रख ली। उसे अजीब अनुभूति हो रही थी; एक तरफ़ तो नागशक्ति के विद्यार्थियों के चेहरों के नाराज़गी के भाव देखकर उसे आनंद आ रहा था, लेकिन दूसरी तरफ़ हर्माइनी के निराश भाव से उसे अपराधबोध भी हो रहा था। रॉन तो अवाक् था।

जब वे तहख़ाने से बाहर निकले, तो रॉन ने हैरी से फुसफुसाकर पूछा, 'तुमने यह कैसे किया ?'

'मुझे लगता है, क़िस्मत अच्छी थी,' हैरी ने कहा, क्योंकि मैल्फ़ॉय उसकी बात सुन सकता था।

बहरहाल, जब वे खाने के लिए गरुड़द्वार की टेबल पर जाकर सुरक्षित रूप से बैठ गए, तो उसने उन्हें सच्चाई बता दी। उसके हर शब्द पर हर्माइनी का चेहरा सख़्त होता गया।

हैरी ने उसके भाव से परेशान होकर कहा, 'तुम्हें लगता है, मैंने धोखा दिया है ?'

उसने सख़्ती से कहा, 'देखो, तुमने उसे अपनी बुद्धि से तो बनाया नहीं था, है ना ?'

'उसने सिर्फ़ हमसे अलग निर्देशों का पालन किया था,' रॉन ने कहा। 'यह विनाशकारी हो सकता था, है ना? लेकिन उसने जोखिम लिया और वह कायमाब हो गया।' उसने आह भरी। 'स्लगहॉर्न मुझे वह पुस्तक दे सकते थे, लेकिन नहीं, मुझे तो वह पुस्तक मिली, जिसमें किसी ने एक शब्द भी नहीं लिखा था। अलबत्ता पृष्ठ बावन पर किसी की उल्टी का निशान है –'

'ठहरो,' हैरी के बाएँ कान के पास से एक आवाज़ आई और उसे वही फूलों वाली गंध आई, जो उसे स्लगहॉर्न के तहख़ाने में आई थी। उसने मुड़कर देखा कि जिनी पास आ गई थी। 'क्या मैंने सही सुना है, हैरी ? क्या तुम उन निर्देशों का पालन कर रहे हो, जो किसी ने पुस्तक में लिखे हैं ?'

वह दहशत में और नाराज़ लग रही थी। हैरी जानता था कि उसके दिमाग़ में क्या होगा।

'ऐसा कुछ नहीं है,' उसने आश्वस्त करते हुए कहा और अपनी आवाज़ धीमी कर ली। 'यह रिडल की डायरी जैसा नहीं है। यह तो एक पुरानी पुस्तक है, जिसमें किसी ने कुछ लिख दिया है।'

'लेकिन इसमें जो लिखा है, वह तुम कर रहे हो ?'

'मैंने तो बस हाशिए में लिखे कुछ तरीक़े आज़माए थे, जिनी। इसमें कोई ग़लत बात नहीं है –'

'जिनी की बात में दम है,' हर्माइनी ने तत्काल जोश में आते हुए कहा। 'हमें यह जाँच करनी चाहिए कि इसमें कोई गड़बड़ तो नहीं है। मेरा मतलब है, ये अजीब से निर्देश, कौन जाने?'

'अरे!' हैरी ने ग़ुस्से से कहा, जब हर्माइनी ने उसकी *उच्च-स्तरीय काढ़ा-निर्माण* पुस्तक उसके बैग से निकाली और अपनी छड़ी उठा ली।

'प्रकटो!' हर्माइनी ने सामने वाले कवर पर अपनी छड़ी ठोंकते हुए कहा।

कुछ भी नहीं हुआ। पुरानी, गंदी पुस्तक वैसी ही पड़ी रही।

'हो गया?' हैरी ने चिढ़कर कहा। 'या तुम इंतज़ार कर रही हो कि यह गुलाँटियाँ खाने लगेगी?'

'यह बिलकुल ठीक दिखती है,' हर्माइनी ने कहा, जो अब भी पुस्तक को शक से घूर रही थी। 'मेरा मतलब है, यह सचमुच सिर्फ़ पुस्तक दिखती है।'

'अच्छा। तो फिर मैं इसे वापस ले लेता हूँ,' हैरी ने कहा और उसे टेबल से झपटकर उठाया, लेकिन वह उसके हाथ से फिसलकर फ़र्श पर गिर गई।

कोई भी नहीं देख रहा था। हैरी पुस्तक उठाने के लिए नीचे झुका और ऐसा करते समय उसने देखा कि पुस्तक के पीछे के कवर के नीचे कुछ लिखा हुआ था। यह लिखावट भी वैसी ही छोटी और सँकरी थी, जैसी पुस्तक के निर्देशों की थी, जिनकी बदौलत उसने ख़ुशक़िस्मती काढ़े की शीशी जीती थी, जो अब ऊपर की मंज़िल पर उसके संदूक में मोज़े में बंद थी।

यह पुस्तक हाफ़-ब्लड प्रिंस की है।

अध्याय दस

पुराना मकान

उस सप्ताह काढ़ों की क्लासों में जहाँ भी हाफ़-ब्लड प्रिंस के निर्देश पुस्तक से अलग होते थे, वहाँ हैरी प्रिंस के निर्देशों का पालन करता रहा। परिणाम यह हुआ कि चौथे दिन तक स्लगहॉर्न हैरी की क़ाबिलियत का बखान करने लगे। वे कहने लगे कि उन्होंने आज तक इतने प्रतिभाशाली विद्यार्थी को नहीं पढ़ाया है। रॉन और हर्माइनी दोनों ही यह सुनकर ख़ुश नहीं हुए। हालाँकि हैरी ने उन दोनों के सामने यह प्रस्ताव रखा था कि वे भी उसकी पुस्तक में से देख लें, लेकिन रॉन को लिखाई समझने में बहुत मुश्किल आ रही थी। वह हैरी से इसे ज़ोर से पढ़ने को भी नहीं कह सकता था, वरना स्लगहॉर्न को शक हो जाता। उधर हर्माइनी संकल्प के साथ 'आधिकारिक' निर्देशों का पालन कर रही थी और जब उनके कारण उसे हैरी से कमज़ोर परिणाम मिल रहे थे, तो वह ज़्यादा चिड़चिड़ी होती जा रही थी।

हैरी ने अजीब तरीक़े से सोचा कि हाफ़-ब्लड प्रिंस कौन हो सकता है। उन्हें इतना सारा होमवर्क दिया जा रहा था कि वह पूरी *उच्च-स्तरीय काढ़ा-निर्माण* नहीं पढ़ सकता था, फिर भी उसने इसे उलट-पुलटकर यह देख लिया था कि प्रिंस ने इसमें हर पेज पर अतिरिक्त नोट्स लिखे थे। यह अलग बात थी कि कई निर्देश काढ़े बनाने से संबंधित नहीं थे। यहाँ-वहाँ लिखे कुछ निर्देश मंत्रों की तरह लग रहे थे, जिन्हें प्रिंस ने ख़ुद ईजाद किया था।

शनिवार की शाम को जब हैरी रॉन को गरुड़द्वार के हॉल में ये निर्देश दिखा रहा था, तो हर्माइनी चिढ़कर बोली, 'यह प्रिंस लड़की भी तो हो सकती है। मुझे लगता है कि उसकी लिखाई लड़के के बजाय किसी लड़की की दिखती है।'

हैरी ने कहा, 'हाफ़-ब्लड *प्रिंस* लिखा है। कोई लड़की प्रिंस कैसे हो सकती है?'

लगता था, हर्माइनी के पास इस बात का कोई जवाब नहीं था। उसने बस

त्योरियाँ चढ़ाईं और अपने निबंध 'भौतिकीकरण के सिद्धांत' को रॉन से दूर खींच लिया, जो इसे उल्टा करके पढ़ने की कोशिश कर रहा था।

हैरी ने अपनी घड़ी देखी और जल्दी से *उच्च-स्तरीय काढ़ा-निर्माण* पुस्तक अपने बैग में डाल ली।

'आठ बजने में पाँच मिनट हैं। अब मुझे चलना चाहिए, वरना डम्बलडोर के पास पहुँचने में देर हो जाएगी।'

'ऊऊऊह!' हर्माइनी ने तत्काल ऊपर देखते हुए कहा। 'गुड लक! हम लोग इंतज़ार करेंगे। हम यह जानना चाहते हैं कि वे तुम्हें क्या सिखाते हैं!'

रॉन ने कहा, 'उम्मीद है, सब **ठीक** रहेगा!' फिर वे दोनों तस्वीर के छेद में से हैरी को बाहर जाते हुए देखते रहे।

हैरी वीरान गलियारों में से गुज़रा, हालाँकि जब एक मोड़ पर प्रोफ़ेसर ट्रिलोनी सामने आ गईं, तो वह जल्दी से एक मूर्ति के पीछे छिप गया। प्रोफ़ेसर ट्रिलोनी चलते समय ताश के गंदे पत्तों की गड्ढी में से पत्ते निकाल रही थीं और बुदबुदा रही थीं।

'हुकुम की दुक्की : संघर्ष,' उन्होंने बुदबुदाकर कहा, जब वे दुबके हुए हैरी के पास से गुज़रीं। 'हुकुम का सत्ता : अपशकुन। हुकुम का दहला : हिंसा। हुकुम का ग़ुलाम : एक साँवला युवक, शायद थोड़ा परेशान, जो सवाल पूछने वाले को नापसंद करता है –'

वह उस मूर्ति के पास रुक गईं, जिसके दूसरी ओर हैरी छिपा था।

उन्होंने चिढ़कर कहा, 'यह सही नहीं हो सकता।' फिर हैरी को उनके दोबारा चलने की आवाज़ आई, हालाँकि वे अपने पीछे कुकिंग शेरी की बदबू छोड़ गई थीं। हैरी ने तब तक इंतज़ार किया, जब तक उसे यह यक़ीन नहीं हो गया कि वे चली गई हैं। फिर वह जल्दी-जल्दी चलकर सातवीं मंज़िल के गलियारे में उस जगह पहुँच गया, जहाँ एक गारगॉइल दीवार से टिका खड़ा था।

'एसिड पॉप्स,' हैरी ने कहा। गारगॉइल उछलकर एक तरफ़ हो गया। उसके पीछे की दीवार एक ओर सरक गई और घुमावदार पत्थर की स्वचलित सीढ़ी प्रकट हो गई, जिस पर हैरी खड़ा हो गया। सीढ़ी ने हैरी को डम्बलडोर के ऑफ़िस के दरवाज़े तक पहुँचा दिया, जिस पर पीतल की कुंडी लगी थी।

हैरी ने दरवाज़ा खटखटाया।

डम्बलडोर की आवाज़ आई, 'अंदर आ जाओ!'

'गुड ईवनिंग, सर,' हैरी ने कहा और हेडमास्टर के ऑफ़िस में चला गया।

'ओह, गुड ईवनिंग, हैरी। बैठ जाओ,' डम्बलडोर ने मुस्कराते हुए कहा।

'मुझे लगता है कि स्कूल में पहला सप्ताह मज़ेदार रहा होगा?'

'हाँ सर,' हैरी ने कहा।

'तुम्हारी व्यस्तता इसी बात से पता चलती है कि तुम्हें अब तक एक सज़ा भी मिल चुकी है!'

'अर ...' हैरी ने अजीब तरीक़े से कहा, लेकिन डम्बलडोर ज़्यादा सख़्त नहीं दिख रहे थे।

'मैंने प्रोफ़ेसर स्नेप से कह दिया है कि तुम आज के बदले अगले शनिवार को उनकी सज़ा काट लोगे।'

'ठीक है,' हैरी ने कहा, जिसके दिमाग़ में स्नेप की सज़ा से भी ज़्यादा ज़रूरी मामले थे। उसने चोरी से चारों तरफ़ देखा, ताकि अंदाज़ा लगा सके कि डम्बलडोर उस शाम को उसके साथ क्या करने की योजना बना रहे हैं। गोलाकार ऑफ़िस हमेशा जैसा ही दिख रहा था : चाँदी के नाज़ुक यंत्र जर्जर पायों वाली टेबलों पर खड़े-खड़े धुआँ उड़ा रहे थे और घर्र-घर्र आवाज़ कर रहे थे। पुराने हेडमास्टर और हेडमिस्ट्रेसेस अपनी तस्वीरों के फ़्रेम में ऊँघ रहे थे। डम्बलडोर का शानदार मायापंछी ज्वाला दरवाज़े के पास अपने अड्डे पर बैठकर हैरी को बड़ी दिलचस्पी से देख रहा था। ऐसा नहीं लग रहा था, जैसे डम्बलडोर ने द्वंद्वयुद्ध के लिए जगह ख़ाली की हो।

डम्बलडोर ने काम की बात करते हुए कहा, 'तो हैरी, मैं जानता हूँ, तुम यह सोच रहे होगे कि मैंने तुम्हें क्या पढ़ाने की योजना बनाई है?'

'हाँ, सर।'

'देखो, अब तुम जान चुके हो कि लॉर्ड वोल्डेमॉर्ट ने तुम्हें पंद्रह साल पहले मारने की कोशिश क्यों की थी, इसलिए मैंने यह फ़ैसला किया है कि अब तुम्हें कुछ जानकारी देना ज़रूरी हो गया है।'

एक ख़ामोशी छा गई।

'आपने पिछले टर्म के अंत में कहा था कि आप मुझे सब कुछ बताने वाले थे,' हैरी ने कहा। अपनी आवाज़ से दोषारोपण के पुट को दूर रखना मुश्किल था। बहरहाल, उसने आगे जोड़ दिया, 'सर।'

डम्बलडोर ने शांति से कहा, 'हाँ, मैंने यह किया भी है। मैंने तुम्हें वह सब कुछ बता दिया है, जो मैं जानता था। इसके आगे हम तथ्यों की ठोस नींव को छोड़कर अजीबोग़रीब अंदाज़ों की भूलभुलैया में चलेंगे, जो यादों के अस्पष्ट दलदल से निकलती है। हैरी, यहाँ मैं भी उतना ही ग़लत हो सकता हूँ, जितना कि हम्फ़्री बेल्चर था, जिसे यक़ीन था कि चीज़ कड़ाहियों के इस्तेमाल का वक़्त

आ चुका था।'

हैरी ने कहा, 'लेकिन आपको लगता है कि आप सही हैं?'

'निश्चित रूप से मुझे ऐसा ही लगता है। लेकिन जैसा कि मैं पहले ही तुम्हारे सामने साबित कर चुका हूँ, हर आदमी की तरह मैं भी ग़लतियाँ करता हूँ। सच तो यह है, मुझे यह कहने के लिए माफ़ करना, कि अधिकांश लोगों से ज़्यादा बुद्धिमान होने के कारण मेरी ग़लतियाँ ज़्यादा बड़ी होती हैं।'

'सर,' हैरी ने यूँ ही कहा, 'आप मुझे जो बताने जा रहे हैं, क्या वह भविष्यवाणी के बारे में है? क्या इससे ... मुझे ज़िंदा बचने में मदद मिलेगी?'

'इसका भविष्यवाणी से बहुत लेना-देना है,' डम्बलडोर ने इतने ही आराम से कहा, जैसे हैरी ने अगले दिन के मौसम के बारे में सवाल पूछा हो, 'और मुझे निश्चित रूप से आशा है कि इससे तुम्हें ज़िंदा बचने में मदद मिलेगी।'

डम्बलडोर उठकर खड़े हो गए और डेस्क के कोने से निकलकर हैरी के पास से गुज़रे। हैरी ने उत्सुकता से अपनी कुर्सी पर मुड़कर देखा कि डम्बलडोर दरवाज़े के पास वाली अलमारी पर झुक रहे थे। जब डम्बलडोर सीधे खड़े हुए, तो वे पत्थर का एक जाना-पहचाना खोखला पात्र पकड़े थे, जिस पर अजीब से निशान उकेरे हुए थे। उन्होंने स्मृति पात्र को डेस्क पर हैरी के सामने रख दिया।

'तुम चिंतित दिख रहे हो।'

हैरी सचमुच स्मृति पात्र को थोड़े डर से देख रहा था। यह अजीब पात्र विचारों और यादों के संग्रह को दिखाता था। इसके साथ हैरी के पुराने अनुभव ज्ञानवर्धक, लेकिन असहज थे। जब उसने आख़िरी बार इसके पदार्थ को कुरेदा था, तो वह जितना देखना चाहता था, उससे कहीं ज़्यादा देख लिया था। लेकिन डम्बलडोर मुस्करा रहे थे।

'इस बार तुम मेरे साथ स्मृति पात्र में जा रहे हो ... और इससे भी असामान्य बात यह है कि हम अनुमति से जा रहे हैं।'

'हम कहाँ जा रहे हैं, सर?'

'हम बॉब ऑग्डेन की याद के भीतर जा रहे हैं,' डम्बलडोर ने अपनी जेब से काँच की एक शीशी निकालते हुए कहा, जिसमें चाँदी जैसा सफ़ेद पदार्थ घुमड़ रहा था।

'बॉब ऑग्डेन कौन था?'

'वह जादुई क़ानून पालन विभाग में था,' डम्बलडोर ने कहा। 'कुछ समय पहले उसकी मृत्यु हो गई, लेकिन इससे पहले मैंने उसका पता लगाकर उसे यह याद देने के लिए राज़ी कर लिया था। हम उसके साथ एक यात्रा करने जा रहे हैं,

जो उसने अपने काम के सिलसिले में की थी। अब तुम खड़े हो जाओ, हैरी ...'

लेकिन डम्बलडोर को काँच की शीशी का ढक्कन खोलने में मुश्किल आ रही थी : उनका घायल हाथ सख़्त और दर्द में लग रहा था।

'क्या यह काम मैं करूँ, सर ?'

'कोई बात नहीं, हैरी –'

डम्बलडोर ने अपनी छड़ी शीशी की तरफ़ की और उसका कॉर्क बाहर उड़ गया।

'सर – आपके हाथ में यह चोट कैसे लगी ?' हैरी ने दोबारा पूछा और काली हो चुकी उँगलियों को वितृष्णा तथा करुणा के मिले-जुले भाव से देखा।

'अभी उस कहानी को सुनाने का वक़्त नहीं आया है, हैरी। अभी नहीं। अभी हमारा बॉब ऑग्डेन के साथ अपॉइंटमेंट है।'

डम्बलडोर ने शीशी के चाँदी जैसे पदार्थ को स्मृति पात्र में उड़ेल दिया, जहाँ यह घुमड़ने और चमकने लगा। यह न तो द्रव था, न ही गैस।

'पहले तुम,' डम्बलडोर ने पात्र की ओर इशारा करते हुए कहा।

हैरी आगे की तरफ़ झुक गया। उसने गहरी साँस ली और अपना चेहरा चाँदी जैसे पदार्थ में डाल दिया। उसे लगा कि उसके पैर ऑफ़िस के फ़र्श को छोड़ चुके हैं। वह घुमड़ते अँधेरे के बीच गिर रहा था और फिर अचानक तेज़ धूप में पलकें मिचमिचा रहा था। उसकी आँखें धूप की अभ्यस्त हो पातीं, इससे पहले ही डम्बलडोर भी उसके पास आ गए।

वे एक गाँव की गली में खड़े थे, जिसके दोनों तरफ़ ऊँची और बेतरतीब बागड़ थी। गर्मी का मौसम था और आसमान नीला था। उनके लगभग दस फ़ुट आगे एक नाटा और मोटा आदमी खड़ा था, जो बहुत मोटा चश्मा पहने था। चश्मे की वजह से उसकी आँखें किसी बिंदु जितनी छोटी दिख रही थीं। वह लकड़ी के एक साइनबोर्ड को पढ़ रहा था, जो सड़क की बाईं तरफ़ की झाड़ियों से बाहर निकल रहा था। हैरी जानता था कि यही आदमी ऑग्डेन होगा, क्योंकि वही अकेला दिख रहा था और वह उस तरह के अजीब कपड़े पहने था, जो अक्सर अनुभवहीन जादूगर मगलू दिखने की कोशिश में पहनते हैं। उसने एक धारीदार वन-पीस स्विमिंग कॉस्ट्यूम के ऊपर एक फ्रॉक कोट और स्पैट्स पहन रखे थे। इससे पहले कि हैरी उसके अजीबोग़रीब हुलिए को ठीक से देख पाता, ऑग्डेन तेज़ी से सड़क पर आगे चलने लगा।

डम्बलडोर और हैरी भी उसके पीछे-पीछे चलने लगे। जब वे लकड़ी के साइनबोर्ड के पास पहुँचे, तो हैरी ने देखा कि उसमें दो दिशाएँ बताई गई थीं।

जिस दिशा से वे आए थे, उसकी तरफ़ इशारा कर रहे निशान पर लिखा था : 'ग्रेट हैंगलटन, 5 मील।' जिस दिशा में ऑग्डेन गया था, उस दिशा में इशारा कर रहे निशान पर लिखा था : 'लिटिल हैंगलटन, 1 मील।'

कुछ दूर तक चलने पर उन्हें बागड़, नीले आसमान और लहराते फ़्रॉक कोट वाली आकृति के अलावा कुछ नज़र नहीं आया। फिर गली बाईं तरफ़ घूम गई और एक पहाड़ी की ढलान पर उतरने लगी, जिससे उन्हें अचानक अपने सामने पूरी घाटी का अप्रत्याशित नज़ारा दिखने लगा। हैरी को एक गाँव दिखा, जो निश्चित रूप से लिटिल हैंगलटन ही होगा। यह गाँव दो ऊँची पहाड़ियों के बीच बना था। इसका चर्च और क़ब्रिस्तान साफ़ दिख रहा था। घाटी के पार, दूसरी तरफ़ की पहाड़ी पर एक आकर्षक मकान बना था, जिसके चारों तरफ़ मख़मली हरियाली थी।

तीखी ढलान के कारण ऑग्डेन थोड़ी तेज़ी से उतरने लगा था। डम्बलडोर ने भी अपने क़दम तेज़ कर दिए और उनके साथ चलने के लिए हैरी भागने लगा। उसने सोचा कि शायद उन्हें लिटिल हैंगलटन तक जाना होगा। जब वे स्लगहॉर्न से मिलने गए थे, उसी रात की तरह उसने आज भी सोचा, वे इतनी दूर से वहाँ क्यों जा रहे हैं। जल्दी ही उसे पता चल गया कि उसने ग़लत अनुमान लगा लिया था कि वे लिटिल हैंगलटन तक जा रहे हैं। गली दाहिनी तरफ़ घूमी और जब वे मोड़ पर मुड़े, तो उन्होंने देखा कि ऑग्डेन के फ़्रॉक कोट का कोना बागड़ के एक बड़े से छेद से ग़ायब हो रहा है।

डम्बलडोर और हैरी उसके पीछे एक सँकरी कच्ची पगडंडी पर चलने लगे, जिसके दोनों तरफ़ ज़्यादा ऊँची और जंगली बागड़ लगी थी। घुमावदार रास्ता पत्थरों और गड्ढों से भरा था। पहले की ही तरह यहाँ भी ढलान थी। रास्ता नीचे के अँधेरे पेड़ों के झुरमुट की तरफ़ जाता लग रहा था। निश्चित रूप से, रास्ता जल्दी ही झुरमुट के पास आकर खुल गया। डम्बलडोर और हैरी ऑग्डेन के पीछे-पीछे रुक गए, क्योंकि वह ठहर गया था और उसने अपनी छड़ी निकाल ली थी।

बादलविहीन आसमान के बावजूद सामने के पुराने पेड़ ठंडी छाया दे रहे थे और कुछ पल बाद ही हैरी को एक इमारत दिखी, जो पेड़ों के बीच में आधी छिपी हुई थी। उसे यह जगह घर बनाने के हिसाब से बहुत अजीब लगी, या फिर यह निर्णय अजीब लगा कि पेड़ों को इतने क़रीब लगने दिया जाए, जिससे सारी रोशनी छिप जाए और नीचे की घाटी का सुंदर नज़ारा न दिखे। उसने सोचा कि क्या इसमें लोग रहते होंगे। इसकी दीवारें काईदार थीं और छत के इतने सारे कवेलू गिर गए थे कि कई जगहों पर लट्ठे दिखने लगे थे। इसके चारों तरफ़ बिच्छूबूटी उग आई थी, जिसके कोने उन छोटी खिड़कियों तक पहुँच रहे थे, जो

धूल की मोटी परत से ढँकी थीं। जैसे ही वह इस नतीजे पर पहुँचा कि यहाँ कोई नहीं रह सकता, एक खिड़की धाड़ से खुली और उसमें से हल्का सा धुआँ निकला, जैसे कोई खाना बना रहा हो।

ऑग्डेन धीरे से, और हैरी को ऐसा लगा कि सावधानी से, आगे चला। जैसे ही पेड़ों की गहरी छाया उस पर पड़ी, वह दोबारा ठहरकर सामने वाले दरवाज़े को घूरने लगा, जिस पर किसी ने एक मरे हुए साँप को कील से ठोंक दिया था।

एक सरसराहट हुई और सबसे पास वाले पेड़ से एक फटेहाल आदमी कूद गया। वह ऑग्डेन के ठीक सामने कूदा था, जो इतनी तेज़ी से पीछे उछला कि अपने फ्रॉक कोट के सिरे पर खड़ा हो गया और लड़खड़ा गया।

'यहाँ तुम्हारा स्वागत नहीं है।'

उनके सामने खड़े आदमी के बाल इतने मोटे थे और उन पर इतनी धूल जमी थी कि उनके असली रंग का अंदाज़ा लगाना मुश्किल था। उसके कई दाँत ग़ायब थे। उसकी आँखें छोटी और काली थीं तथा वे विपरीत दिशाओं में घूर रही थीं। बहरहाल, वह हास्यास्पद नहीं, डरावना दिख रहा था। हैरी ऑग्डेन को दोष नहीं दे सकता था कि बोलने से पहले वह कई क़दम पीछे हट गया।

'अर – गुड मॉर्निंग, मैं जादू मंत्रालय से आया हूँ –'

'यहाँ तुम्हारा स्वागत नहीं है।'

ऑग्डेन ने घबराकर कहा, 'अर – मुझे अफ़सोस है – मैं आपकी बात नहीं समझ पाया!'

हैरी को ऑग्डेन बहुत मंदबुद्धि लगा। हैरी की राय में अजनबी अपनी बात बहुत स्पष्टता से कह रहा था, ख़ास तौर पर जब वह अपने एक हाथ में छड़ी लहरा रहा था और दूसरे हाथ में छोटा तथा ख़ून से लथपथ चाकू घुमा रहा था।

डम्बलडोर ने धीरे से कहा, 'मुझे यक़ीन है कि तुम उसकी बात समझ गए होगे, हैरी?'

हैरी ने थोड़ी हैरानी से कहा, 'हाँ! ऑग्डेन क्यों नहीं समझ – ?'

लेकिन जैसे ही उसकी आँखें दरवाज़े पर लटके मरे हुए साँप पर पड़ीं, वह अचानक समझ गया।

'वह सर्पभाषा बोल रहा है?'

'बहुत बढ़िया,' डम्बलडोर ने सिर हिलाते हुए और मुस्कराते हुए कहा।

फटेहाल आदमी अब एक हाथ में छड़ी और दूसरे हाथ में चाकू लेकर

ऑग्डेन की तरफ़ बढ़ रहा था।

'अब, देखो –' ऑग्डेन ने कहना शुरू किया, लेकिन तब तक बहुत देर हो चुकी थी। एक धमाका हुआ और ऑग्डेन ज़मीन पर गिर गया। उसके हाथ उसकी नाक पर थे और उसकी उँगलियों के बीच से एक बदबूदार पीला पदार्थ निकल रहा था।

'मॉर्फ़िन!' एक तेज़ आवाज़ आई।

एक बूढ़ा आदमी मकान से तेज़ी से बाहर निकला और उसने निकलने के बाद दरवाज़ा धड़ाम से बंद कर दिया, जिससे मरा हुआ साँप लहराने लगा। यह आदमी पहले वाले से ज़्यादा नाटा था और उसका डील-डौल अजीब था। उसके कंधे बहुत चौड़े थे और हाथ बहुत ज़्यादा लंबे। उसकी आँखें चमकीली भूरी, बाल छोटे और उलझे हुए तथा चेहरा झुर्रियों से भरा था। कुल मिलाकर वह किसी ताक़तवर, बूढ़े बंदर जैसा लग रहा था। बूढ़ा आदमी चाकू वाले आदमी के पास आकर रुक गया, जो ज़मीन पर पड़े ऑग्डेन को देखकर हँस रहा था।

बूढ़े आदमी ने ऑग्डेन को देखते हुए कहा, 'मंत्रालय, है ना?'

'सही है!' ऑग्डेन ने ग़ुस्से से अपना चेहरा पोंछते हुए कहा। 'और आप, मुझे लगता है, मिस्टर गॉन्ट होंगे?'

'हाँ,' गॉन्ट ने कहा। 'उसने आपके चेहरे पर मार दिया, है ना?'

'हाँ,' ऑग्डेन ने तेज़ी से कहा।

'आपको यहाँ अपने आने की सूचना पहले दे देनी चाहिए थी, है ना?' गॉन्ट ने आक्रामक अंदाज़ में कहा। 'यह निजी जायदाद है। अगर यहाँ पर कोई भी जबरन घुस आता है, तो मेरे बेटे को ख़ुद को बचाने का पूरा अधिकार है।'

'वह ख़ुद को किससे बचा रहा था?' ऑग्डेन ने दोबारा खड़े होते हुए कहा।

'घुसपैठियों से। आवारा लोगों से। मगलुओं और गंदगी से।'

ऑग्डेन ने अपनी छड़ी अपनी नाक की तरफ़ की, जिसमें से अब भी पीले पस जैसी चीज़ निकल रही थी। उसका प्रवाह तत्काल रुक गया। मिस्टर गॉन्ट ने अपने मुँह के कोने से मॉर्फ़िन से कहा।

'घर के अंदर जाओ। बहस मत करो।'

इस बार हैरी सर्पभाषा के लिए तैयार था और हालाँकि वह कहे गए शब्द समझ सकता था, लेकिन वह जानता था कि ऑग्डेन को सिर्फ़ हिस्स की आवाज़ ही सुनाई दी होगी। ऐसा लग रहा था कि मॉर्फ़िन यह बात नहीं मानना चाहता था, लेकिन जब उसके पिता ने उसे ख़तरनाक अंदाज़ में घूरा, तो उसने अपना

इरादा बदल दिया। वह अजीब चाल चलकर आराम से उस मकान तक गया और अंदर जाने के बाद दरवाज़ा धड़ाम से बंद कर दिया, जिससे साँप एक बार फिर झूलने लगा।

'मिस्टर गॉन्ट, मैं यहाँ आपके बेटे से मिलने आया हूँ,' ऑग्डेन ने कहा, जब उसने अपने कोट के सामने लगे पस के आख़िरी अवशेष को देखा। 'वह मॉर्फ़िन था, है ना?'

'हाँ, वह मॉर्फ़िन था,' बूढ़े आदमी ने उदासीनता से कहा। फिर उसने अचानक आक्रामक अंदाज़ में पूछा, 'क्या तुम्हारा ख़ानदान शुद्ध ख़ून वाला है?'

ऑग्डेन ने ठंडेपन से कहा, 'उससे कोई फ़र्क़ नहीं पड़ता है!' ऑग्डेन के प्रति हैरी का सम्मान बढ़ने लगा।

यह स्पष्ट था कि इस बारे में गॉन्ट की भावनाएँ अलग थीं। उसने ऑग्डेन के चेहरे को घूरा और निश्चित रूप से आहत करने वाले अंदाज़ में बुदबुदाया, 'अब मैं समझा, मैंने तुम्हारे जैसे थोबड़े गाँव में देखे हैं।'

ऑग्डेन ने कहा, 'अगर आपने अपने बेटे को गाँव वालों पर छोड़ दिया है, तो आपने ज़रूर देखे होंगे। शायद हमें अंदर चलकर बातचीत करनी चाहिए?'

'अंदर?'

'हाँ, मिस्टर गॉन्ट। मैं आपको पहले ही बता चुका हूँ। मैं यहाँ मॉर्फ़िन के बारे में बात करने आया हूँ। हमने एक उल्लू भेजा था –'

गॉन्ट बोला, 'उल्लुओं का मेरे यहाँ कोई काम नहीं है! मैं चिट्ठियाँ खोलता ही नहीं हूँ।'

'तब तो फिर आप यह शिकायत नहीं कर सकते कि आपको मेरे आने की जानकारी नहीं मिली,' ऑग्डेन ने खीजते हुए कहा। 'मैं यहाँ पर जादुई क़ानून की एक गंभीर अवहेलना के कारण आया हूँ, जो आज सुबह मुँह अँधेरे हुई थी –'

'ठीक है, ठीक है, ठीक है!' गॉन्ट गरजा। 'तो फिर उस नरक में चलो और इससे तुम्हारा बेड़ा गर्क हो!'

घर में तीन छोटे कमरे दिख रहे थे। दो दरवाज़े मुख्य कमरे से जाते थे। मुख्य कमरा किचन और लिविंग रूम का मिला-जुला रूप था। मॉर्फ़िन धुआँ निकालती आग के पास एक गंदी कुर्सी पर बैठा हुआ था और एक ज़िंदा साँप को अपनी मोटी उँगलियों के बीच मरोड़ते हुए सर्पभाषा में उससे धीरे-धीरे कह रहा था :

'प्यारे प्यारे, छोटे साँप,

फ़र्श पर फिसलो,
मॉर्फ़िन के साथ अच्छे से रहना
वरना वह तुम्हें दरवाज़े पर कील से टाँग देगा।'

खुली खिड़की के पास वाले कोने से खड़खड़ की आवाज़ आई, जिससे हैरी को एहसास हुआ कि कमरे में कोई और भी था। यह एक लड़की थी, जिसकी छनी हुई भूरी पोशाक उसके पीछे वाली गंदी दीवार के ही रंग की थी। वह एक गंदे काले स्टोव पर धुआँ उड़ाते बर्तन के पास खड़ी थी और इसके ऊपर के गंदे दिख रहे बर्तनों तथा तश्तरियों के शेल्फ़ में इधर-उधर हाथ डाल रही थी। उसके बाल रूखे और बेजान थे। उसका चेहरा सामान्य, पीला और थोड़ा भारी था। उसकी आँखें उसके भाई की तरह ही विपरीत दिशाओं में देख रही थीं। वह दोनों पुरुषों से थोड़ी ज़्यादा साफ़ दिख रही थी, लेकिन हैरी ने सोचा कि उसने इतना पराजित इंसान पहले कभी नहीं देखा था।

'मेरी बेटी मेरोपी है,' गॉन्ट ने थोड़े संकोच से कहा, जब ऑग्डेन ने उसकी तरफ़ सवालिया निगाह डाली।

'गुड मॉर्निंग,' ऑग्डेन ने कहा।

मेरोपी ने कोई जवाब नहीं दिया, बल्कि अपने पिता पर एक डरी हुई दृष्टि डालकर कमरे की तरफ़ पीठ घुमा ली और शेल्फ़ पर बर्तन जमाती रही।

'अच्छा, मिस्टर गॉन्ट,' ऑग्डेन ने कहा, 'हम सीधे मुद्दे पर आते हैं। हमारे पास यह यक़ीन करने का कारण है कि आपके बेटे मॉर्फ़िन ने कल देर रात को एक मगलू के सामने जादू किया था।'

एक कानफोड़ू धमाका हुआ। मेरोपी के हाथ से एक बर्तन गिर गया था।

'*उसे उठाओ!*' गॉन्ट उस पर चिल्लाया। 'इस तरह उठा रही हो? किसी गंदे मगलू की तरह फ़र्श से उठा रही हो? तुम्हारी छड़ी किसलिए है, वाहियात गंदी लड़की?'

'मिस्टर गॉन्ट, प्लीज़!' ऑग्डेन ने सदमे भरी आवाज़ में कहा, जब बर्तन उठाने के बाद मेरोपी का चेहरा शर्म के मारे लाल हो गया और उसके हाथ से दोबारा बर्तन छूट गया। उसने काँपते हुए जेब से छड़ी निकाली, बर्तन की तरफ़ इशारा किया और जल्दी से एक मंत्र बुदबुदाया, जिससे बर्तन फ़र्श के पार जाकर सामने वाली दीवार से टकराया और दो हिस्सों में टूट गया।

मॉर्फ़िन पागलों की तरह खिलखिलाया। गॉन्ट चिल्लाया, 'इसे ठीक करो, बेकार लड़की, इसे ठीक करो!'

मेरोपी लड़खड़ाती हुई कमरे के पार गई, लेकिन उसे अपनी छड़ी उठाने का समय मिल पाता, इससे पहले ही ऑग्डेन ने अपनी छड़ी उठाकर दृढ़ता से कहा, *'मरम्मतो।'* बर्तन तत्काल जुड़ गया।

गॉन्ट को देखकर एक पल के लिए तो लगा, जैसे वह ऑग्डेन पर चिल्लाने वाला हो, लेकिन बाद में उसने अपना इरादा बदल लिया। इसके बजाय वह अपनी बेटी पर व्यंग्य करते हुए बोला, 'तुम्हारी क़िस्मत अच्छी थी कि मंत्रालय का यह भला आदमी यहाँ पर मौजूद था, है ना, शायद वह तुम्हें मुझसे दूर ले जाए, शायद उसे घटिया नाकारा लोगों से दिक्क़त न होती हो ...'

किसी की तरफ़ देखे बिना और ऑग्डेन को धन्यवाद दिए बिना मेरोपी ने बर्तन उठाया और उसे काँपते हुए हाथों से शेल्फ़ पर रख दिया। फिर वह बिलकुल स्थिर खड़ी रही। उसकी पीठ गंदी खिड़की और स्टोव के बीच की दीवार से टिकी हुई थी, जैसे वह पत्थर में धँसकर ओझल होना चाहती हो।

'मिस्टर गॉन्ट,' ऑग्डेन ने दोबारा शुरू किया, 'जैसा मैंने कहा है : मेरे आने का कारण –'

'मैंने पहली बार में ही तुम्हारी बात सुन ली थी!' गॉन्ट ने तेज़ी से कहा। 'तो उससे क्या? मॉर्फ़िन ने उस मगलू को मज़ा चखा दिया – उससे क्या?'

ऑग्डेन ने गंभीरता से कहा, 'मॉर्फ़िन ने जादूगरों का क़ानून तोड़ा है!'

'मॉर्फ़िन ने जादूगरों का क़ानून तोड़ा है।' गॉन्ट ने गाते हुए ऑग्डेन की आवाज़ की नक़ल की। मॉर्फ़िन दोबारा खिलखिलाया। 'उसने एक गंदे मगलू को सबक़ सिखाया है। अब यह भी ग़ैर-क़ानूनी हो गया, है ना?'

'हाँ,' ऑग्डेन बोला। 'हाँ, यह ग़ैर-क़ानूनी है।'

उसने अपने भीतर की जेब से एक छोटा चर्मपत्र निकाला और उसे खोला।

'यह क्या है, उसकी सज़ा?' गॉन्ट ने कहा, जिसकी आवाज़ अब ग़ुस्से के कारण ऊँची हो गई थी।

'यह मंत्रालय में होने वाली सुनवाई का समन है –'

'समन! *समन*? तुम कौन होते हो, जो मेरे बेटे को सुनवाई के लिए कहीं भी बुला लोगे?'

'मैं जादुई क़ानून पालन दस्ते का प्रमुख हूँ,' ऑग्डेन ने कहा।

'और तुमने हमें गंदी नाली का कीड़ा समझा है?' गॉन्ट चिल्लाया और अपने सीने की तरफ़ एक गंदे पीले नाख़ून वाली उँगली से इशारा करते हुए ऑग्डेन की तरफ़ बढ़ा। 'हम कीड़े हैं, जो मंत्रालय के बुलाने पर भागते हुए पहुँच

जाएँगे? घटिया बदज़ात, तुम्हें पता है, तुम किससे बात कर रहे हो?'

'मुझे लग रहा था कि मैं मिस्टर गॉन्ट से बात कर रहा हूँ,' ऑग्डेन ने सावधानी से कहा, लेकिन वह अब भी अपनी बात पर डटा रहा।

'यह सही है!' गॉन्ट गरजा। एक पल के लिए तो हैरी को लगा कि गॉन्ट हाथ से कोई भद्दी मुद्रा बना रहा है, लेकिन फिर उसे एहसास हुआ कि वह ऑग्डेन को काले पत्थर वाली भद्दी अँगूठी दिखा रहा था, जो उसने अपनी बीच वाली उँगली में पहन रखी थी। वह इसे ऑग्डेन की आँखों के सामने लहरा रहा था। 'इसे देख रहे हो? इसे देख रहे हो? जानते हो यह क्या है? जानते हो यह कहाँ से आई है? सदियों से यह हमारे परिवार में है, हमारा ख़ानदान सदियों पुराना है और शुद्ध ख़ून वाला है! पता है, मुझे इसके लिए कितनी रक़म देने का प्रस्ताव रखा गया था, साथ ही पत्थर पर मढ़ा पेवरेल कोट ऑफ़ आर्म्स भी?'

'मुझे पता नहीं है,' ऑग्डेन ने पलकें झपकाते हुए कहा, जब अँगूठी उसकी नाक के एक इंच पास से निकली, 'और यह बात मुद्दे से हटकर है, मिस्टर गॉन्ट। आपके बेटे ने –'

ग़ुस्से भरी चीख़ के साथ गॉन्ट अपनी बेटी की तरफ़ भागा। एक पल के लिए तो हैरी ने सोचा कि वह उसका गला दबाने वाला है, क्योंकि उसका हाथ उसके गले की तरफ़ बढ़ रहा था। अगले पल वह गर्दन की सोने की चेन से खींचकर उसे ऑग्डेन की तरफ़ ला रहा था।

'इसे देख रहे हो?' उसने ऑग्डेन से गरजते हुए पूछा और उसकी तरफ़ सोने का एक भारी लॉकेट हिलाया, जबकि मेरोपी गला दबने के कारण साँस लेने के लिए छटपटाने लगी।

'मैं देख रहा हूँ, मैं देख रहा हूँ!' ऑग्डेन ने जल्दी से कहा।

'नागशक्ति का है!' गॉन्ट ने चिल्लाकर कहा। 'नागेश नागशक्ति का! हम उनके आख़िरी जीवित वारिस हैं। तुम्हें इस बारे में क्या कहना है, बोलो?'

'मिस्टर गॉन्ट, आपकी बेटी!' ऑग्डेन ने दहशत में कहा, लेकिन तब तक गॉन्ट मेरोपी को छोड़ चुका था। वह लड़खड़ाती हुई दूर चली गई। उसने कमरे के कोने की तरफ़ पीठ करके अपनी गर्दन सहलाई और तेज़ी से साँस खींची।

'तो!' गॉन्ट ने विजयी अंदाज़ में कहा, जैसे उसने अभी-अभी एक जटिल बात को साबित कर दिया हो और अब इस पर कोई विवाद नहीं हो सकता। 'हमसे इस तरह बातें मत करो, जैसे हम तुम्हारे जूते की धूल हों! शुद्ध ख़ून की कई पीढ़ियाँ, सभी जादूगर – मुझे यक़ीन है कि तुम अपने बारे में ऐसा नहीं कह सकते!'

फिर उसने ऑग्डेन के पास फ़र्श पर थूक दिया। मॉर्फ़िन एक बार फिर खिलखिलाया। मेरोपी खिड़की के पास दुबकी हुई थी, उसका सिर झुका हुआ था और उसका चेहरा उसके रूखे बालों में छिपा हुआ था। वह कुछ नहीं बोली।

'मिस्टर गॉन्ट,' ऑग्डेन ने संकल्प के साथ कहा, 'मुझे लगता है कि इस मामले से आपके या मेरे पूर्वजों का कोई लेना-देना नहीं है। मैं यहाँ पर मॉर्फ़िन के कारण आया हूँ। मॉर्फ़िन और उस मगलू के कारण, जिसे मॉर्फ़िन ने कल रात को परेशान किया था। हमारी जानकारी के अनुसार,' उसने चर्मपत्र की तरफ़ देखते हुए कहा, 'मॉर्फ़िन ने उस मगलू पर मंत्र मारा था, जिससे उसे बेहद दर्दनाक फोड़े हो गए थे।'

मॉर्फ़िन ने किलकारी भरी।

'चुप रहो, लड़के,' गॉन्ट ने सर्पभाषा में गुर्राते हुए कहा और मॉर्फ़िन ख़ामोश हो गया।

'और अगर उसने ऐसा किया, तो इससे क्या?' गॉन्ट ने ऑग्डेन से आवेश में कहा। 'मुझे उम्मीद है कि तुमने उस मगलू का गंदा चेहरा साफ़ कर दिया होगा और उसकी याददाश्त सुधार दी होगी –'

'असली बात यह नहीं है, मिस्टर गॉन्ट,' ऑग्डेन ने कहा। 'यह एक निहत्थे निर्दोष मगलू पर किया गया अनावश्यक हमला था –'

'ओह, तुम्हें देखते ही मैं समझ गया था कि तुम मगलू-प्रेमी हो,' गॉन्ट ने व्यंग्य से कहा और फ़र्श पर दोबारा थूक दिया।

'इस तरह की बातों का इस मुद्‌दे से कोई लेना-देना नहीं है,' ऑग्डेन ने दृढ़ता से कहा। 'आपके बेटे के नज़रिए से यह स्पष्ट है कि उसे अपनी ग़लती पर ज़रा भी अफ़सोस नहीं है।' उसने अपने चर्मपत्र की तरफ़ दोबारा देखा। 'मॉर्फ़िन चौदह सितंबर को सुनवाई के लिए आएगा। उस सुनवाई में वह इस आरोप का जवाब देगा कि उसने एक मगलू के सामने जादू का इस्तेमाल किया और उसे कष्ट पहुँचाया –'

ऑग्डेन बीच में ही रुक गया। घोड़ों की टापों और तेज़ हँसी की आवाज़ें खुली खिड़की में से तैरती हुई अंदर आ रही थीं। स्पष्ट रूप से गाँव तक जाने वाली गली उस झुरमुट के बहुत क़रीब से गुज़रती होगी, जहाँ यह मकान बना था। गॉन्ट मूर्ति की तरह स्थिर हो गया और अपनी आँखें फाड़कर आवाज़ें सुनता रहा। मॉर्फ़िन ने फुफकारते हुए अपना मुँह उन आवाज़ों की तरफ़ घुमाया। उसके चेहरे पर भूखा भाव था। मेरोपी ने अपना सिर उठाया। हैरी ने देखा कि उसका चेहरा बिलकुल सफ़ेद हो गया था।

'हे भगवान, कितना बुरा मकान है!' एक लड़की की आवाज़ खुली खिड़की से इतनी साफ़ सुनाई दी, जैसे वह कमरे में उनके पास ही खड़ी हो। 'तुम्हारे डैडी इस खंडहर को गिरवाते क्यों नहीं हैं, टॉम ?'

'यह हमारा नहीं है,' एक युवक की आवाज़ आई। 'घाटी के दूसरी तरफ़ की हर चीज़ हमारी है, लेकिन यह मकान बूढ़े गॉन्ट और उसकी संतानों का है। लड़का पागल है और तुम्हें वे कहानियाँ सुननी चाहिए, जो गाँव वाले उसके बारे में सुनाते हैं –'

लड़की हँसने लगी। टापों की आवाज़ अब तेज़ होती जा रही थी। मॉर्फ़िन ने अपनी कुर्सी से उठने की कोशिश की।

उसके पिता ने सर्पभाषा में चेतावनी देते हुए कहा, *'अपनी जगह पर बैठे रहो।'*

'टॉम,' लड़की की आवाज़ दोबारा आई और यह स्पष्ट था कि अब वे लोग मकान के बहुत क़रीब आ चुके थे, 'हो सकता है मैं ग़लत हूँ – लेकिन क्या किसी ने उस दरवाज़े पर कील से साँप लटका दिया है ?'

'हे भगवान, तुम सही कह रही हो!' आदमी की आवाज़ आई। 'यह उसके लड़के का काम होगा। मैंने तुम्हें बताया था ना, उसका दिमाग़ ठीक नहीं है। उधर मत देखो, सेसिलिया डार्लिंग।'

हँसी की खनखनाहट और टापों की आवाज़ अब दूर होती जा रही थी।

'डार्लिंग,' मॉर्फ़िन सर्पभाषा में बुदबुदाया और अपनी बहन की तरफ़ देखने लगा। 'उसने उसे *"डार्लिंग"* कहा। *तो अब वह तुम्हें पसंद नहीं करेगा।'*

मेरोपी का चेहरा अब इतना सफ़ेद पड़ गया था कि हैरी को लगा, वह बेहोश होने वाली थी।

'यह क्या है ?' गॉन्ट ने तीखी आवाज़ में सर्पभाषा में पूछा और अपनी बेटी की तरफ़ देखा। *'तुमने क्या कहा, मॉर्फ़िन ?'*

'वह उस मगलू को पसंद करती है,' मॉर्फ़िन ने दुष्टता से अपनी बहन की तरफ़ घूरते हुए कहा, जो अब दहशत में लग रही थी। *'उसके गुज़रते समय वह हमेशा बगीचे में रहती है और बागड़ में से झाँककर उसे देखती रहती है। और कल रात को –'*

मेरोपी ने विनती के अंदाज़ में अपना सिर झटके से हिलाया, लेकिन मॉर्फ़िन बेरहमी से आगे बोलता रहा, *'वह खिड़की से बाहर झाँक रही थी और उसके घर लौटने का इंतज़ार कर रही थी।'*

गॉन्ट ने धीरे से कहा, *'एक मगलू को देखने के लिए खिड़की से बाहर*

झाँक रही थी ?'

लगता था, गॉन्ट परिवार के तीनों सदस्य ऑग्डेन को भूल गए थे, जो फुफकारने की आवाज़ों से कुछ नहीं समझ पाया था और चकराने के अलावा चिढ़ भी रहा था।

'क्या यह सच है ?' गॉन्ट ने ज़हर बुझी आवाज़ में कहा और आतंकित लड़की की तरफ़ एक क़दम बढ़ाया। *'मेरी बेटी - नागेश नागशक्ति के शुद्ध ख़ानदान की वारिस - गंदे, घटिया ख़ून वाले मगलू की दीवानी है ?'*

मेरोपी ने अपना सिर तेज़ी से हिलाया और दीवार पर दबाव डाला, लेकिन कुछ बोल नहीं पाई।

'लेकिन मैंने उसे मज़ा चखा दिया, डैडी!' मॉर्फ़िन खिलखिलाता हुआ बोला। *'जब वह क़रीब से गया, तो मैंने उसे मज़ा चखा दिया। उसके चेहरे पर बहुत सारे फोड़े हो गए थे। उसके बाद वह उतना सुंदर नहीं दिख रहा था, है ना, मेरोपी ?'*

'गंदी नाकारा, ख़ून की गद्दार!' गॉन्ट गरजा और अपना संयम खो बैठा। उसके हाथ उसकी बेटी के गले पर कस गए।

हैरी और ऑग्डेन दोनों ही एक साथ चीख़े, 'नहीं!' ऑग्डेन अपनी छड़ी उठाकर चिल्लाया, *'रेलेशियो!'* गॉन्ट अपनी बेटी से दूर फिंका गया। वह एक कुर्सी से टकराकर पीठ के बल गिर पड़ा। ग़ुस्से से गरजता हुआ मॉर्फ़िन अपनी कुर्सी से उछला और ऑग्डेन की तरफ़ दौड़ पड़ा। वह ख़ून से सना चाकू लहरा रहा था और अपनी छड़ी से हर तरफ़ मंत्र मारता जा रहा था।

ऑग्डेन जान बचाकर भागा। डम्बलडोर ने इशारा किया कि उन्हें भी उसके पीछे चल देना चाहिए। हैरी ने आदेश का पालन किया। मेरोपी की चीख़ें उसके कानों में गूँजती रहीं।

ऑग्डेन सिर पर हाथ रखकर रास्ते पर तेज़ी से भागा और मुख्य गली में पहुँच गया। वहाँ वह अखरोट जैसे रंग वाले एक चमकदार घोड़े से टकरा गया, जिस पर काले बालों वाला एक बहुत आकर्षक युवक बैठा था। वह और उसके पास भूरे घोड़े पर सवारी कर रही सुंदर लड़की ऑग्डेन को देखकर जमकर हँसे, जो घोड़े से टकराकर दूर उछल गया और दोबारा चल पड़ा। उसका फ़्रॉक-कोट उड़ रहा था, वह सिर से पैर तक धूल में ढँका हुआ था तथा गली में जान छुड़ाकर भाग रहा था।

'मुझे लगता है, इतना काफ़ी है, हैरी,' डम्बलडोर ने कहा। उन्होंने हैरी की कोहनी पकड़कर उसे खींचा। अगले ही पल वे दोनों अँधेरे में उड़ने लगे और फिर

वे डम्बलडोर के ऑफ़िस में पहुँच गए, जहाँ अब धुँधलका हो चुका था।

'उस लड़की का क्या हुआ?' हैरी ने तत्काल पूछा, जब डम्बलडोर ने अपनी छड़ी लहराकर कुछ और लैंप जलाए। 'मेरोपी या उसका जो भी नाम था?'

'ओह, वह बच गई,' डम्बलडोर ने कहा और अपनी डेस्क पर बैठकर हैरी को भी बैठने का इशारा किया। 'ऑग्डेन अंतर्ध्यान होकर मंत्रालय पहुँच गया और पंद्रह मिनट में दल-बल के साथ लौटा। मॉर्फ़िन और उसके पिता ने लड़ने की कोशिश की, लेकिन वे हार गए। उन्हें मकान से ले जाया गया और बाद में उन्हें न्यायसभा ने सज़ा दी। मॉर्फ़िन पहले भी कई मगलुओं पर हमले कर चुका था। उसे तीन साल के लिए अज़्काबान भेज दिया गया। मारवोलो को छह महीने की सज़ा मिली, क्योंकि उसने ऑग्डेन के अलावा मंत्रालय के कई कर्मचारियों को भी घायल किया था।'

'मारवोलो?' हैरी ने हैरानी से दोहराया।

'सही कहा,' डम्बलडोर ने मुस्कराते हुए कहा। 'मुझे यह देखकर ख़ुशी हुई कि तुम समझ गए।'

'वह बूढ़ा आदमी – ?'

'वोल्डेमॉर्ट का नाना था, हाँ,' डम्बलडोर ने कहा। 'मारवोलो, उसका बेटा मॉर्फ़िन और उसकी बेटी मेरोपी गॉन्ट ख़ानदान के आख़िरी वारिस थे। गॉन्ट ख़ानदान एक बहुत प्राचीन जादूगर ख़ानदान था। इस ख़ानदान में कई पीढ़ियों से अस्थिरता और हिंसा का इतिहास चला आ रहा था, क्योंकि वे अपने ही कज़िन्स में विवाह करते थे। समझदारी की कमी और शाही ठाठ-बाट के मोह का मिला-जुला परिणाम यह हुआ कि मारवोलो के पैदा होने से कई पीढ़ी पहले ही परिवार की तिजोरी ख़ाली हो गई थी। जैसा तुमने देखा, वह गंदगी और ग़रीबी में रह रहा था, उसका स्वभाव बहुत बुरा था, उसे बहुत घमंड था और उसके पास दो पारिवारिक निशानियाँ बची थीं, जिन्हें वह अपने बेटे जितना और अपनी बेटी से ज़्यादा चाहता था।'

'तो मेरोपी,' हैरी ने अपनी कुर्सी पर आगे झुकते हुए और डम्बलडोर की तरफ़ घूरते हुए कहा, 'तो मेरोपी ... सर, क्या इसका मतलब है कि वह ... *वोल्डेमॉर्ट की माँ* थी?'

'हाँ,' डम्बलडोर ने कहा। 'और इसके अलावा हमने वोल्डेमॉर्ट के पिता की झलक भी देखी थी। क्या तुम्हारा ध्यान उस तरफ़ गया था?'

'वह मगलू, जिस पर मॉर्फ़िन ने हमला किया था? घोड़े पर बैठा आदमी?'

'बहुत बढ़िया,' डम्बलडोर ने मुस्कराते हुए कहा। 'हाँ, वह टॉम रिडल सीनियर था – वह सुंदर मगलू, जो घोड़े पर बैठकर गॉन्ट के मकान के पास से निकलता था और जिससे मेरोपी गॉन्ट मन ही मन बहुत प्यार करती थी।'

'और आख़िर में उनकी शादी हो गई?' हैरी ने अविश्वास के साथ कहा, क्योंकि वह यह कल्पना नहीं कर पा रहा था कि उन दोनों में प्रेम कैसे हो सकता था।

डम्बलडोर ने कहा, 'मुझे लगता है, तुम यह भूल रहे हो कि मेरोपी एक जादूगरनी थी। मुझे लगता है कि पिता की दहशत के कारण उसकी जादुई शक्तियाँ कमज़ोर पड़ गई होंगी। जब मारवोलो और मॉर्फ़िन अज़्काबान पहुँच गए, तो वह ज़िंदगी में पहली बार अकेली और स्वतंत्र हो गई। मेरे ख़्याल से तब वह अपनी योग्यताओं के साथ पूरा न्याय कर पाई होगी और उसने उस हताश ज़िंदगी से मुक्ति पाने की योजना बनाई होगी, जो वह पिछले अठारह सालों से जी रही थी।

'क्या तुम सोच सकते हो कि मेरोपी ने कौन सा क़दम उठाया होगा, जिसकी वजह से टॉम रिडल अपनी मगलू प्रेमिका को भूलकर मेरोपी के प्यार में पागल हो गया हो?'

'सम्मोहन शाप?' हैरी ने सुझाव दिया। 'या फिर प्रेम काढ़ा?'

'बहुत बढ़िया। व्यक्तिगत रूप से मुझे लगता है कि उसने प्रेम काढ़े का इस्तेमाल किया होगा। मुझे यक़ीन है कि इसका इस्तेमाल उसे ज़्यादा रोमांटिक लगा होगा और मुझे नहीं लगता कि उसे इसके इस्तेमाल में कोई ख़ास मुश्किल आई होगी। जब किसी गर्म दिन रिडल अकेला घोड़े पर निकल रहा होगा, तो उसे एक गिलास पानी के लिए रोकना मुश्किल नहीं रहा होगा। चाहे जो हो, हमने जो दृश्य देखा था, उसके कुछ महीने बाद लिटिल हैंगलटन गाँव में एक बहुत ज़बर्दस्त स्कैंडल हो गया। तुम उस गपशप की कल्पना कर सकते हो, जब जमींदार का बेटा ग़रीब की बेटी मेरोपी के साथ भाग गया।

'लेकिन गाँव वालों का सदमा मारवोलो के सदमे के आगे कुछ नहीं था। जब वह अज़्काबान से लौटा, तो उसे उम्मीद थी कि उसकी बेटी डाइनिंग टेबल पर गर्म खाना तैयार करके उसका इंतज़ार कर रही होगी। इसके बजाय उसे पूरे घर में एक इंच धूल और उसकी अलविदा की चिट्ठी मिली, जिसमें उसने बता दिया था कि उसने क्या किया है।

'जहाँ तक पता चला है, उसके बाद मारवोलो ने अपनी बेटी के नाम या अस्तित्व का ज़िक्र तक नहीं किया। हो सकता है, बेटी के भाग जाने के सदमे की वजह से उसकी मौत जल्दी हुई हो – या फिर वह खाना बनाना नहीं सीख पाया

होगा। अज़्काबान ने मारवोलो को बहुत कमज़ोर कर दिया था और वह मॉर्फ़िन को लौटता देखने के लिए ज़िंदा नहीं रह पाया।'

'और मेरोपी? वह ... वह मर गई, है ना? वोल्डेमॉर्ट अनाथालय में बड़ा हुआ था, है ना?'

'हाँ सचमुच,' डम्बलडोर ने कहा। 'हमें यहाँ थोड़ा अंदाज़ा लगाना होगा, हालाँकि मुझे नहीं लगता कि घटनाओं का अंदाज़ा लगाना मुश्किल होगा। देखो, भागकर शादी करने के कुछ महीने बाद टॉम रिडल लिटिल हैंगलटन की अपनी जागीर में लौट आया, लेकिन उसकी पत्नी उसके साथ नहीं थी। आस-पड़ोस में यह अफ़वाह फैल गई कि वह "धोखा देने" और "फँसाने" की बात कर रहा था। मुझे लगता है, उसका मतलब यह था कि उस पर जादू किया गया था, जो अब उठ चुका था। हालाँकि मुझे लगता है कि उसने इन शब्दों का प्रयोग करने की हिम्मत इसलिए नहीं की होगी, ताकि लोग उसे पागल न समझें। गाँव वालों ने उसकी बातें सुनकर सोचा कि मेरोपी ने टॉम रिडल से झूठ बोलकर यह नाटक किया था कि वह उसके बच्चे की माँ बनने वाली है और इसीलिए रिडल ने उससे शादी की थी।'

'लेकिन उसे बच्चा तो *हुआ था*।'

'हाँ, लेकिन शादी के एक साल बाद। टॉम रिडल उसे गर्भवती छोड़कर लौट आया था।'

'क्या गड़बड़ हो गई?' हैरी ने पूछा। 'प्रेम काढ़े ने काम करना क्यों बंद कर दिया?'

डम्बलडोर ने कहा, 'एक बार फिर इसका अंदाज़ा ही लगाया जा सकता है, लेकिन मेरा मानना है कि मेरोपी अपने पति से बेइंतहा प्यार करती थी, इसलिए उससे यह बर्दाश्त नहीं हुआ होगा कि वह उसे जादू से अपना ग़ुलाम बनाकर रखे। मुझे लगता है, उसने यह फ़ैसला किया होगा कि वह उसे काढ़ा देना बंद कर दे। शायद ख़ुद दीवानी होने के कारण उसे यह लगा होगा कि उसका पति भी अब तक उससे प्रेम करने लगा होगा। शायद उसने सोचा होगा कि वह होने वाले बच्चे की ख़ातिर रुक जाएगा। अगर ऐसा था, तो उसके ये दोनों ही अंदाज़े ग़लत थे। टॉम रिडल उसे छोड़कर आ गया, दोबारा उसे देखने तक नहीं गया और उसने कभी यह पता लगाने का कष्ट तक नहीं किया कि उसके बेटे का क्या हुआ।'

बाहर का आसमान स्याही जितना काला हो चुका था और डम्बलडोर के ऑफ़िस के लैंप अब पहले से ज़्यादा तेज़ी से चमकते दिख रहे थे।

'हैरी, मुझे लगता है कि आज रात के लिए इतना ही काफ़ी है,'

डम्बलडोर ने एक-दो पल बाद कहा।

'हाँ, सर,' हैरी ने कहा।

वह उठकर खड़ा हो गया, लेकिन उसने चलना शुरू नहीं किया।

'सर ... क्या वोल्डेमॉर्ट के अतीत के बारे में यह सब जानना महत्वपूर्ण है?'

'मुझे लगता है, बहुत ही महत्वपूर्ण है,' डम्बलडोर ने कहा।

'और क्या ... क्या इसका भविष्यवाणी से कोई संबंध है?'

'इसका भविष्यवाणी से पूरा संबंध है।'

'ठीक है,' हैरी ने कहा। वह थोड़ी दुविधा में था, लेकिन फिर भी उसे तसल्ली मिल गई।

वह जाने के लिए मुड़ा, लेकिन तभी उसके मन में एक और सवाल आया और वह दोबारा मुड़ा, 'सर, आपने मुझे जितना कुछ बताया है, क्या वह मैं रॉन और हर्माइनी को बता सकता हूँ?'

डम्बलडोर एक पल तक उसकी तरफ़ देखकर सोचने के बाद बोले, 'हाँ, मुझे लगता है कि मिस्टर वीज़्ली और मिस ग्रेंजर ख़ुद को विश्वसनीय साबित कर चुके हैं। लेकिन हैरी, तुम उन्हें यह चेतावनी दे देना कि वे यह बात किसी को भी न बताएँ। अगर यह बात चारों तरफ़ फैल जाए कि मैं लॉर्ड वोल्डेमॉर्ट के रहस्यों के बारे में कितना कुछ जानता हूँ या शक करता हूँ, तो यह अच्छा नहीं रहेगा!'

'नहीं सर, मैं सिर्फ़ रॉन और हर्माइनी को ही बताऊँगा। गुड नाइट।'

वह दोबारा मुड़ा और दरवाज़े तक पहुँच गया। तभी उसने एक चीज़ देखी। जर्जर पायों की एक छोटी टेबल पर चाँदी के बहुत से यंत्रों के बीच सोने की एक भद्दी अँगूठी रखी थी, जिसमें एक बड़ा, चटका हुआ काला पत्थर जड़ा था।

'सर,' हैरी ने इसकी तरफ़ घूरते हुए कहा। 'यह अँगूठी –'

'हाँ?' डम्बलडोर ने पूछा।

'जब हम उस रात को प्रोफ़ेसर स्लगहॉर्न से मिलने गए थे, तो आप इसे पहने हुए थे –

'हाँ, मैं पहने हुए था,' डम्बलडोर सहमत हो गए।

'लेकिन क्या यह ... सर, क्या यह अँगूठी वही नहीं है, जो मारवोलो गॉन्ट ने ऑग्डेन को दिखाई थी?'

डम्बलडोर ने अपना सिर झुकाया।

'वही है।'

'लेकिन कैसे - ? क्या यह आपके पास हमेशा से है ?'

'नहीं, यह मुझे हाल में ही मिली है,' डम्बलडोर ने कहा। 'दरअसल जब मैं तुम्हारे अंकल-आंटी के यहाँ से तुम्हें लेने गया था, उससे कुछ दिन पहले ही यह मुझे मिली थी।'

'यानी उस समय के आस-पास, जब आपके हाथ में चोट लगी थी, सर ?'

'हाँ हैरी, उसी समय के आस-पास।'

हैरी झिझका। डम्बलडोर मुस्करा रहे थे।

'सर आपको चोट कैसे - ?'

'अब बहुत देर हो चुकी है, हैरी! मैं तुम्हें वह कहानी किसी और दिन सुनाऊँगा। गुड नाइट।'

'गुड नाइट, सर।'

अध्याय ग्यारह

हर्माइनी की मदद

हर्माइनी की भविष्यवाणी सच निकली। सिक्स्थ ईयर के विद्यार्थियों को जो ख़ाली पीरियड दिए गए थे, वे मौज-मस्ती और आराम करने के लिए नहीं दिए गए थे, जैसा रॉन को लग रहा था। उनमें उन्हें बहुत सारा होमवर्क करना पड़ता था। उन्हें इस तरह पढ़ाई करनी पड़ती थी, जैसे उनकी हर दिन परीक्षा हो रही हो। यही नहीं, क्लासें भी पहले से ज़्यादा मुश्किल हो गई थीं। इन दिनों प्रोफ़ेसर मैक्गॉनेगल क्लास में जो बातें बताती थीं, हैरी को उनमें से बमुश्किल आधी ही समझ में आती थीं। यहाँ तक कि हर्माइनी को भी उनसे एक-दो बार निर्देश दोहराने का आग्रह करना पड़ा था। बहरहाल, हाफ़-ब्लड प्रिंस की मेहरबानी से अचानक जादुई काढ़ा हैरी का सबसे पसंदीदा विषय हो गया। यह अलग बात थी कि इस वजह से हर्माइनी की चिढ़ दिनोदिन बढ़ती गई।

अब सिर्फ़ गुप्त कलाओं से रक्षा की क्लास में ही अशाब्दिक मंत्रों की उम्मीद नहीं की जाती थी, बल्कि सम्मोहन और रूपांतरण की क्लासों में भी अशाब्दिक मंत्रों की उम्मीद की जाती थी। हैरी अक्सर अपने सहपाठियों को हॉल या डिनर टेबल पर तनावग्रस्त देखता था। उनके बैंगनी चेहरे को देखकर ऐसा लगता था, जैसे उन्होंने नहीं-आते-हो-कौन की ज़्यादा ख़ुराक ले ली हो, हालाँकि वह जानता था कि वे बिना बोले मंत्र पढ़ने की भरसक कोशिश कर रहे थे। बाहर ग्रीनहाउसों में जाना राहत की बात थी। वे जड़ी-बूटी विज्ञान में पहले से ज़्यादा ख़तरनाक पौधों का सामना कर रहे थे, लेकिन अगर ज़हरीला टेंटाकुला उन्हें अप्रत्याशित रूप से पीछे से पकड़ लेता था, तो वहाँ उन्हें कम से कम ज़ोर से चिल्लाने या छुटपुट गाली देने की छूट तो थी।

होमवर्क के पहाड़ और अशाब्दिक मंत्रों के घंटों तक के अभ्यास के कारण हैरी, रॉन और हर्माइनी को अब तक हैग्रिड से मिलने जाने का मौक़ा नहीं मिल पाया था। उसने स्टाफ़ टेबल पर भोजन करने आना छोड़ दिया था। यह ख़तरे

की निशानी थी। जब वे कुछ मौक़ों पर गलियारों या मैदान में उसके पास से गुज़रे, तो उसने रहस्यमय तरीक़े से उनकी तरफ़ ध्यान नहीं दिया और उनका अभिवादन नहीं सुना।

अगले शनिवार को नाश्ते के समय स्टाफ़ टेबल पर हैग्रिड की विशाल ख़ाली कुर्सी पर नज़र डालते हुए हर्माइनी बोली, 'हमें चलकर सारी बात साफ़ कर देनी चाहिए।'

'आज सुबह क्विडिच का ट्रायल्स है!' रॉन ने कहा। 'और हमें फ़्लिटविक के दिए *जलधारा* सम्मोहन का अभ्यास भी तो करना है! वैसे, बात साफ़ क्या करनी है? हम उसे यह कैसे बताएँगे कि हम उसके मूर्खतापूर्ण विषय से नफ़रत करते थे।'

हर्माइनी बोली, 'हम उसके विषय से नफ़रत नहीं करते थे!'

'तुम अपने बारे में बोलो। मैं तो अग्निडंकों को अब तक नहीं भूल पाया हूँ,' रॉन ने कहा। 'और मैं तुम्हें बता दूँ, हम बाल-बाल बचे थे। तुमने उसके मूर्ख भाई के बारे में उसकी बातें नहीं सुनीं - अगर हम उसके क़रीब रहते, तो इस वक़्त हम ग्रॉप को यह सिखा रहे होते कि जूते के लैस कैसे बाँधे जाते हैं।'

हर्माइनी ने विचलित होते हुए कहा, 'हैग्रिड से बातचीत बंद होना मुझे अच्छा नहीं लगता है।'

'हम क्विडिच के बाद चलेंगे,' हैरी ने उसे आश्वस्त किया। उसे भी हैग्रिड की याद आ रही थी, हालाँकि रॉन की तरह वह भी सोचता था कि उनकी ज़िंदगी ग्रॉप के बिना ही ज़्यादा अच्छी थी। 'लेकिन ट्रायल्स में संभवतः पूरी सुबह लग सकती है! देखो तो सही, कितने सारे विद्यार्थियों ने नाम दिए हैं?' अपनी कप्तानी की पहली बाधा का सामना करते समय वह थोड़ी घबराहट महसूस कर रहा था। 'मुझे नहीं पता कि टीम अचानक इतनी लोकप्रिय क्यों हो गई?'

'ओह, छोड़ो भी हैरी,' हर्माइनी अचानक अधीरता से बोली। 'टीम इतनी लोकप्रिय नहीं हुई है, लोकप्रिय तो तुम हो गए हो! तुम पहले कभी इतने दिलचस्प नहीं रहे और इतने आकर्षक भी नहीं रहे।'

रॉन के गले में हिलसा मछली का एक बड़ा टुकड़ा अटक गया। हर्माइनी ने हैरी की तरफ़ मुड़ने से पहले रॉन को हिक़ारत से देखा।

'अब सभी लोग जान चुके हैं कि तुम सच बोल रहे थे, है ना? सारे जादूगर समुदाय को मानना पड़ा कि वोल्डेमॉर्ट के लौटने के बारे में तुमने सही कहा था। यही नहीं, तुम पिछले दो सालों में उससे दो बार लड़ चुके हो और दोनों बार बच चुके हो। और अब लोग तुम्हें "चुनिंदा जादूगर" कह रहे हैं - छोड़ो भी,

क्या तुम यह नहीं देख सकते कि लोग तुम्हारे दीवाने क्यों हैं ?'

हालाँकि छत अब भी ठंडी और बारिश भरी दिख रही थी, लेकिन हैरी को अचानक बड़े हॉल में बहुत गर्मी लगने लगी।

'*और* तुम्हें मंत्रालय ने कितना सताया था! वे तुम्हें अस्थिर और झूठा साबित करने की कोशिश कर रहे थे। तुम अब भी वे निशान देख सकते हो, जहाँ उस औरत ने तुमसे तुम्हारे ही ख़ून से लिखवाया था, लेकिन तुम इसके बाद भी अपनी बात पर अड़े रहे ...'

'तुम अब भी देख सकती हो कि मंत्रालय में उस मस्तिष्क ने मुझे कहाँ पकड़ा था, देखो,' रॉन ने अपनी आस्तीन हिलाते हुए कहा।

'और गर्मियों में तुम्हारी लंबाई भी एक फ़ुट बढ़ गई है, यह भी एक कारण है,' हर्माइनी ने अपनी बात पूरी की और रॉन को नज़रअंदाज़ कर दिया।

'मैं भी तो लंबा हो गया हूँ,' रॉन ने कहा, लेकिन उसकी बात किसी ने नहीं सुनी।

उल्लू डाक लेकर आ गए। बाहर हो रही बारिश के कारण अंदर आते समय वे सब पर पानी की बौछार करते जा रहे थे। आजकल ज़्यादातर विद्यार्थियों के पास सामान्य से ज़्यादा चिट्ठियाँ आ रही थीं। चिंतित माता-पिता अपने बच्चों के हाल-चाल जानने के लिए उतावले थे और बदले में उन्हें यह तसल्ली देना चाहते थे कि घर पर सब कुछ ठीक-ठाक चल रहा था। टर्म शुरू होने के बाद से हैरी को अब तक कोई चिट्ठी नहीं मिली थी। जो आदमी उसे नियमित रूप से चिट्ठियाँ लिखता था, वह मर चुका था। हालाँकि उसे उम्मीद थी कि ल्यूपिन कभी-कभार चिट्ठी लिख सकते हैं, लेकिन अब तक उसे इस मामले में निराशा ही हाथ लगी थी। इसलिए वह भूरे उल्लुओं के बीच बर्फ़ की तरह सफ़ेद हेडविग को चक्कर काटते देखकर बहुत हैरान हुआ। वह एक बड़ा, चौकोर पैकेट लेकर उसके सामने उतरी। एक पल बाद उसी तरह का एक पैकेट रॉन के सामने आ गया, हालाँकि उसका छोटा और थका हुआ उल्लू पैकेट के बोझ तले दबता दिख रहा था।

'हा!' हैरी ने अपना पार्सल खोला और उसमें से *उच्च-स्तरीय काढ़ा-निर्माण* की नई पुस्तक निकाली, जो फ़्लरिश एंड ब्लॉट्स से आई थी।

'ओह अच्छा हुआ,' हर्माइनी ने ख़ुश होते हुए कहा। 'अब तुम पुरानी पुस्तक लौटा सकते हो।'

'क्या तुम पागल हो गई हो ?' हैरी ने कहा। 'मैं उसे रख रहा हूँ! देखो, मैंने इस बारे में सोच लिया है -'

उसने अपने बैग में से *उच्च-स्तरीय काढ़ा-निर्माण* की पुरानी पुस्तक निकाली और अपनी छड़ी से उसके कवर को ठोंकते हुए बुदबुदाया, '*विभक्तो!*' कवर अलग हो गया। उसने नई पुस्तक के साथ भी यही किया, जिससे हर्माइनी दहशत में आ गई। फिर हैरी ने कवर बदल दिए और दोनों पुस्तकों को ठोंककर बुदबुदाया, '*मरम्मतो!*'

नए कवर के कारण प्रिंस की पुस्तक नई लगने लगी थी और फ़्लरिश एंड ब्लॉट्स से आई नई पुस्तक अब सेकंड-हैंड दिखने लगी थी।

'मैं स्लगहॉर्न को नई वाली पुस्तक दे दूँगा। वे शिकायत नहीं कर सकते; यह नौ गैलियन में आई है।'

हर्माइनी ने अपने होंठ चिपका लिए। वह नाराज़ दिख रही थी, लेकिन तभी तीसरा उल्लू *दैनिक जादूगर* लेकर उसके सामने आ गया, जिससे उसका ध्यान हट गया। उसने इसे जल्दी से खोलकर पहले पन्ने पर नज़र दौड़ाई।

'कोई परिचित मरा?' रॉन ने धीरे से पूछा। जब भी हर्माइनी अख़बार खोलती थी, रॉन हर बार यही सवाल पूछता था।

'नहीं, लेकिन दमपिशाचों के और हमले हुए हैं,' हर्माइनी ने कहा। 'और एक गिरफ़्तारी भी।'

'बहुत बढ़िया, कौन गिरफ़्तार हुआ?' हैरी ने बेलाट्रिक्स लेस्ट्रेंज के बारे में सोचते हुए पूछा।

'स्टैन शनपाइक,' हर्माइनी ने कहा।

हैरी हैरानी से बोला, 'क्या?'

'लोकप्रिय जादूगर वाहन नाइट बस के कंडक्टर स्टैनले शनपाइक को प्राणभक्षी गतिविधि के संदेह में गिरफ़्तार कर लिया गया है। 21 वर्षीय मिस्टर शनपाइक को कल देर रात उनके क्लैपहैम स्थित घर पर छापा मारकर बंदी बनाया गया ...'

'स्टैन शनपाइक और प्राणभक्षी?' हैरी ने कहा और उस मुँहासे वाले युवक को याद किया, जिससे वह तीन साल पहले मिला था। 'हो ही नहीं सकता!'

'हो सकता है, उसे सम्मोहन शाप दिया गया हो,' रॉन ने तर्क देते हुए कहा। 'कौन जाने!'

'ऐसा नहीं लगता है,' हर्माइनी ने कहा, जो अब भी पढ़ रही थी। 'इसमें लिखा है कि वह एक शराबख़ाने में बैठकर प्राणभक्षियों की गोपनीय योजनाओं के बारे में बातें कर रहा था।' अपने चेहरे पर उलझन के भाव लाकर उसने ऊपर देखा और आगे कहा, 'अगर उसे सम्मोहन शाप दिया गया होता, तो वह उनकी

योजनाओं के बारे में चिल्ला-चिल्लाकर नहीं बोलता, है ना?'

'लगता है, जैसे वह यह जताने की कोशिश कर रहा था कि वह बहुत कुछ जानता है,' रॉन ने कहा। 'यह वही युवक तो नहीं है, जो मोहिनियों के सामने जादू मंत्री बनने का दावा कर रहा था?'

'हाँ, वही है,' हैरी ने कहा। 'क्या पता मंत्रालय वाले स्टैन की बात को गंभीरता से क्यों ले रहे हैं?'

'शायद वे यह दिखाना चाहते हैं कि वे कुछ कर रहे हैं,' हर्माइनी ने त्योरियाँ चढ़ाते हुए कहा। 'लोग-बाग दहशत में हैं - तुम्हें पता है, पाटिल बहनों के मम्मी-डैडी उन्हें घर ले जाना चाहते थे? और एलोइस मिजियन तो पहले ही घर चली गई है। उसके डैडी उसे कल रात को ले गए।'

'क्या?' रॉन ने हर्माइनी को घूरते हुए कहा। 'लेकिन हॉगवर्ट्स उनके घरों से ज़्यादा सुरक्षित है। यही सच है! हमारे पास ऑरर्स हैं, सभी अतिरिक्त सुरक्षात्मक मंत्र हैं और डम्बलडोर हैं!'

'मुझे नहीं लगता कि डम्बलडोर यहाँ ज़्यादा समय रहते हैं,' हर्माइनी ने *दैनिक जादूगर* के ऊपर से स्टाफ़ टेबल की तरफ़ देखते हुए बहुत धीरे से कहा। 'क्या तुमने नहीं देखा कि पिछले हफ़्ते उनकी कुर्सी भी उतनी ही बार ख़ाली रही है, जितनी बार हैग्रिड की रही है।'

हैरी और रॉन ने स्टाफ़ टेबल की तरफ़ देखा। हेडमास्टर की कुर्सी सचमुच ख़ाली थी। हैरी ने सोचा कि सचमुच उसने एक सप्ताह पहले के अतिरिक्त सबक़ के बाद से डम्बलडोर को नहीं देखा था।

हर्माइनी ने धीमी आवाज़ में कहा, 'मुझे लगता है कि वे स्कूल से बाहर जाकर मायापंछी के समूह का कुछ काम कर रहे होंगे। मेरा मतलब है ... मामला बहुत गंभीर दिखता है, है ना?'

हैरी और रॉन ने जवाब नहीं दिया, लेकिन हैरी जानता था कि वे सभी एक ही बात सोच रहे थे। कल एक भयंकर घटना हुई थी, जब हान्ना एबॉट को जड़ी-बूटी विज्ञान की क्लास से बाहर बुलाकर यह बताया गया था कि उसकी माँ की मौत हो गई है। हान्ना तब से नज़र नहीं आई थी।

जब वे पाँच मिनट बाद गरुड़द्वार की टेबल छोड़कर क्विडिच पिच की तरफ़ बढ़े, तो वे लैवेंडर ब्राउन और पार्वती पाटिल के पास से गुज़रे। हैरी को हर्माइनी की बात याद आई कि पाटिल बहनों के मम्मी-डैडी उन्हें हॉगवर्ट्स से ले जाना चाहते हैं। इसलिए उसे यह देखकर हैरानी नहीं हुई कि दोनों अच्छी सहेलियाँ दुखी मन से गहरी बातचीत में डूबी थीं। उसे तो यह देखकर हैरानी हुई

कि जब रॉन उनके पास पहुँचा, तो पार्वती ने अचानक लैवेंडर को कोहनी मारी और लैवेंडर रॉन की तरफ़ देखकर ज़ोरदार ढंग से मुस्कराई। रॉन ने उसकी तरफ़ देखकर पलकें झपकाईं, फिर वह भी अनिश्चितता से मुस्करा दिया। उसकी चाल अचानक मतवाली हो गई। हैरी का हँसने का मन हो रहा था, लेकिन उसने अपनी इस इच्छा को दबा लिया। उसे याद था कि जब मैल्फ़ॉय ने हैरी की नाक तोड़ी थी, तो रॉन भी नहीं हँसा था। बहरहाल, इसके बाद हर्माइनी का व्यवहार ठंडा हो गया और वह ठंडी, धुंध भरी बूँदा-बाँदी में स्टेडियम तक दूर-दूर ही रही। वह रॉन को गुड लक कहे बिना दर्शकदीर्घा की तरफ़ चली गई।

जैसी हैरी को उम्मीद थी, ट्रायल्स में ज़्यादातर सुबह लग गई। लगभग आधा गरुड़द्वार हाउस वहाँ आ गया था। उनमें फ़र्स्ट ईयर के विद्यार्थी थे, जो स्कूल की पुरानी झाड़ुओं को घबराकर पकड़े हुए थे। सेवन्थ ईयर के विद्यार्थी भी थे, जो बाक़ी विद्यार्थियों से लंबे और डरावने दिख रहे थे। सेवन्थ ईयर के विद्यार्थियों में तार जैसे बालों वाला वह बड़ा लड़का भी था, जिसे हैरी ने हॉगवर्ट्स एक्सप्रेस में देखा था।

'हम लोग ट्रेन में मिल चुके हैं, स्लगहॉर्न के कम्पार्टमेंट में,' उसने आत्मविश्वास से कहा और हैरी से हाथ मिलाने के लिए भीड़ से बाहर आया। 'कॉरमैक मैकलेगन, कीपर।'

हैरी ने पूछा, 'तुमने पिछले साल ट्रायल्स नहीं दिया था, है ना ?' मैकलैगन की चौड़ाई को देखते हुए हैरी सोच रहा था कि वह बिना हिले ही गोल के तीनों रिंगों को ढँक सकता है।

'मैं ट्रायल्स के समय अस्पताल में था,' मैकलेगन ने थोड़ी शेखी बघारते हुए कहा। 'मैंने एक शर्त जीतने के लिए नन्हे पिशाचों के एक पौंड अंडे खा लिए थे।'

'अच्छा,' हैरी ने कहा। 'देखो ... अब तुम वहाँ इंतज़ार करो ...'

उसने पिच के कोने की तरफ़ इशारा किया, जिसके पास हर्माइनी बैठी थी। मैकलेगन के चेहरे पर चिढ़ का भाव आ गया। हैरी को लगा कि स्लगहॉर्न क्लब में शामिल होने के कारण शायद मैकलेगन उससे विशिष्ट व्यवहार की उम्मीद कर रहा होगा।

हैरी ने एक प्राथमिक परीक्षण से शुरुआत करने का फ़ैसला किया। उसने सभी इच्छुक खिलाड़ियों से कहा कि वे दस-दस के समूह में पिच के चारों तरफ़ उड़ें। यह अच्छा निर्णय था। पहले दस विद्यार्थी फ़र्स्ट ईयर के थे और तत्काल ही यह स्पष्ट हो गया कि वे शायद पहले कभी झाड़ुओं पर उड़े ही नहीं थे। सिर्फ़ एक ही लड़का थोड़ी ज़्यादा देर तक हवा में रह पाया और वह इस बात से इतना

हैरान हुआ कि तत्काल एक गोलपोस्ट से टकरा गया।

दूसरे समूह में दस मूर्ख लड़कियाँ थीं। हैरी ने आज तक उनसे ज़्यादा मूर्ख लड़कियाँ नहीं देखी थीं। उसके सीटी बजाते ही वे एक-दूसरे का हाथ पकड़कर खी-खी करने लगीं। उनमें रोमिल्डा वेन भी थी। जब हैरी ने उनसे पिच से जाने को कहा, तो वे ख़ुशी-ख़ुशी जाकर दर्शकदीर्घा में बैठ गईं और बाक़ी सबकी हँसी उड़ाने लगीं।

तीसरा समूह पिच पर आधी दूर तक जाकर आपस में टकरा गया। चौथे समूह के ज़्यादातर लोग बिना झाड़ुओं के आए थे। पाँचवाँ समूह मेहनतकश के विद्यार्थियों का था।

'अगर गरुड़द्वार के अलावा दूसरे हाउस का कोई और खिलाड़ी हो,' हैरी गरजा, जिसे अब सचमुच ग़ुस्सा आने लगा था, 'तो वह मेहरबानी करके यहाँ से चला जाए!'

एक पल के लिए ख़ामोशी छा गई और फिर चीलघात की दो लड़कियाँ ज़ोर-ज़ोर से हँसती हुईं पिच से भागती हुई चली गईं।

काफ़ी शिकायतें हुईं और विद्यार्थी झल्लाते रहे। कॉमेट सिक्स्टी टू की टक्कर हुई और कई दाँत टूटे। बहरहाल, दो घंटे बाद हैरी तीन धावकों को चुनने में कामयाब हो गया : केटी बेल, जो उत्कृष्ट ट्रायल देने के बाद टीम में दोबारा लौट आई थी; नई खोज डिमेल्ज़ा रॉबिन्स, जो पहलवानों से बचने में ख़ास तौर पर माहिर थी; और जिनी वीज़्ली, जो बाक़ी सबसे ज़्यादा आगे तक उड़ी थी और उसने सत्रह गोल किए थे। हालाँकि हैरी अपने चुनाव से ख़ुश था, लेकिन उसे कई शिकायत करने वालों पर ज़ोर-ज़ोर से चिल्लाना पड़ा। बाद में उसे अस्वीकृत मारकों के साथ भी इसी तरह का संघर्ष करना पड़ा।

उसने गरजते हुए कहा, 'यह मेरा आख़िरी फ़ैसला है और अगर तुम लोग कीपर्स का ट्रायल नहीं होने देते हो, तो मैं तुम पर मंत्र मार दूँगा।'

उसके चुने हुए दोनों मारकों में से कोई भी फ्रेड और जॉर्ज जितना माहिर नहीं था, लेकिन वह उनसे संतुष्ट था। जिमी पीक्स नाटा, लेकिन चौड़े सीने वाला थर्ड ईयर का विद्यार्थी था। उसने तेज़ी से एक पहलवान मारकर हैरी के सिर के पिछले हिस्से में अंडे के आकार का गूमड़ उठा दिया था। रिची कूट गंदा दिखता था, लेकिन उसका निशाना अच्छा था। अब चुने हुए खिलाड़ी दर्शकदीर्घा में जाकर केटी, डिमेल्ज़ा और जिनी के पास खड़े हो गए तथा टीम के आख़िरी सदस्य का चुनाव देखने लगे।

हैरी ने जान-बूझकर कीपर्स का ट्रायल आख़िर में रखा था। वह सोच रहा था कि तब तक स्टेडियम ख़ाली हो जाएगा और तनाव कम रहेगा। बहरहाल,

दुर्भाग्य से सभी नाकामयाब खिलाड़ी स्टेडियम में ही बैठे रहे। इसके अलावा, देर से नाश्ता करके आने वाले विद्यार्थियों के कारण दर्शकों की भीड़ भी अब पहले से ज़्यादा हो चुकी थी। जब कीपर का कोई भी उम्मीदवार उड़कर रिंग के पास जाता था, तो भीड़ शोर मचाने के साथ ही हूटिंग भी करने लगती थी। हैरी ने रॉन की तरफ़ देखा, जो ऐसे मौक़ों पर घबरा जाता था। हैरी को उम्मीद थी कि पिछले टर्म में आख़िरी मैच जीतने से उसकी हालत सुधर गई होगी, लेकिन ऐसा नहीं हुआ था : रॉन का चेहरा अब भी हरा था।

पहले पाँच विद्यार्थी दो से ज़्यादा गोल नहीं बचा पाए। हैरी को बड़ी निराशा हुई, जब कॉरमैक मैकलेगन ने पाँच में से चार पेनल्टी बचा लीं। बहरहाल, आख़िरी पेनल्टी में उसने एकदम ग़लत दिशा में छलाँग लगा दी। भीड़ हँसने लगी और हूटिंग करने लगी। मैकलेगन दाँत किटकिटाता हुआ ज़मीन पर लौट आया।

जब रॉन अपनी क्लीनस्वीप इलेवन झाड़ू पर चढ़ा, तो ऐसा लग रहा था, जैसे वह बेहोश होकर गिरने वाला हो।

'गुड लक!' दर्शकदीर्घा से एक आवाज़ आई। हैरी ने मुड़कर देखा। उसे उम्मीद थी कि यह आवाज़ हर्माइनी की होगी, लेकिन यह तो लैवेंडर ब्राउन की थी। हैरी अपने हाथों में अपना चेहरा छिपाना चाहता था, जैसा लैवेंडर ने एक पल बाद किया, लेकिन उसने सोचा कि कप्तान होने के नाते उसे थोड़ी ज़्यादा हिम्मत दिखानी चाहिए, इसलिए वह रॉन का ट्रायल देखने के लिए मुड़ गया।

लेकिन उसे चिंता करने की कोई ज़रूरत नहीं थी। रॉन ने लगातार एक, दो, तीन, चार, पाँच पेनल्टी बचा लीं। हैरी बहुत ख़ुश हुआ और भीड़ की तरह तालियाँ बजाने से ख़ुद को मुश्किल से रोक पाया। फिर वह मैकलेगन को यह बताने के लिए मुड़ा कि दुर्भाग्य से रॉन ने उसे हरा दिया था। उसने पाया कि मैकलेगन का लाल चेहरा उसके चेहरे से बस कुछ इंच ही दूर था। हैरी जल्दी से पीछे हट गया।

'उसकी बहन ने दरअसल कोशिश ही नहीं की,' मैकलेगन ने ख़तरनाक अंदाज़ में कहा। उसके माथे की एक नस उसी तरह फड़क रही थी, जिस तरह हैरी ने वरनॉन अंकल के माथे की नस को अक्सर फड़कते देखा था। 'उसने उसे आसानी से बचा लेने दिया।'

'बकवास,' हैरी ने ठंडेपन से कहा। 'उसे रोकने में ही उसे सबसे ज़्यादा मुश्किल आई थी।'

मैकलेगन हैरी के एक क़दम पास गया, जो इस बार अपनी ही जगह पर खड़ा रहा।

'मुझे एक मौक़ा और दो।'

'नहीं,' हैरी ने कहा। 'तुम्हें मौक़ा मिल चुका है। तुमने चार पेनल्टी बचाईं। रॉन ने पाँच बचाईं। रॉन कीपर है। वह साफ़-साफ़ जीता है। अब तुम मेरे सामने से हट जाओ।'

एक पल के लिए उसे लगा कि मैकलेगन उसे मुक्का मार सकता है, लेकिन वह भद्दे ढंग से मुस्कराकर वहाँ से धड़धड़ाता हुआ चला गया। वह बड़बड़ाता जा रहा था और धमकियाँ देता जा रहा था।

हैरी ने मुड़कर देखा कि उसकी नई टीम उसकी तरफ़ देखकर मुस्करा रही थी।

'बहुत बढ़िया,' उसने कहा। 'तुम लोग सचमुच अच्छा खेले -'

'तुमने बहुत बढ़िया किया, रॉन!'

इस बार सचमुच हर्माइनी दर्शकदीर्घा से भागती हुई उनकी तरफ़ आ रही थी। हैरी ने देखा कि लैवेंडर थोड़ी उदासी से पार्वती के हाथ में हाथ डालकर पिच से दूर जा रही थी। रॉन ख़ुद से बहुत ख़ुश दिख रहा था और सामान्य से ज़्यादा लंबा लग रहा था, जब उसने मुस्कराकर टीम के सदस्यों और हर्माइनी की तरफ़ देखा।

अगले गुरुवार को टीम की पहली प्रैक्टिस तय करने के बाद हैरी, रॉन और हर्माइनी ने टीम के बाक़ी खिलाड़ियों से विदा ली और हैग्रिड के केबिन की तरफ़ चल दिए। सूरज बादलों के बीच से निकलने की कोशिश कर रहा था और अब आख़िरकार बारिश रुक चुकी थी। हैरी को बहुत भूख लग रही थी। वह आस लगाए था कि हैग्रिड के घर कुछ खाने को मिल जाए।

'मुझे लग रहा था कि मुझसे चौथी पेनल्टी छूट जाएगी,' रॉन ख़ुशी से कह रहा था। 'तुमने देखा था, डिमेल्ज़ा ने बहुत चकमे वाला शॉट मारा था, बॉल घूम रही थी -'

'हाँ, हाँ, तुम बहुत बढ़िया खेले,' हर्माइनी ने थोड़ी दिलचस्पी से कहा।

'वैसे भी मैं मैकलेगन से ज़्यादा अच्छा था,' रॉन ने बहुत संतुष्ट आवाज़ में कहा। 'क्या तुमने देखा था कि पाँचवीं पेनल्टी के समय वह किस तरह ग़लत दिशा में उछला था? ऐसा लग रहा था, जैसे किसी ने उसे चकरघिन्नी कर दिया हो ...'

हैरी को यह देखकर हैरानी हुई कि यह सुनकर हर्माइनी का चेहरा गुलाबी हो गया। रॉन का ध्यान इस तरफ़ नहीं गया। वह बड़े प्यार से अपने सभी बचावों का विस्तृत वर्णन सुनाने में जुटा था।

हैग्रिड के केबिन के सामने बड़ा, भूरा गरुड़अश्व बकबीक बँधा था। उनके पास पहुँचने पर उसने अपनी ब्लेड जैसी पैनी चोंच कुटकुटाई और उनकी तरफ़ अपना विशाल सिर घुमाया।

'ओह,' हर्माइनी ने घबराकर कहा। 'वह अब भी थोड़ा डरावना है, है ना?'

'छोड़ो भी, तुम उस पर सवारी कर चुकी हो,' रॉन बोला।

हैरी आगे बढ़ा और उसने आँख मिलाकर पलकें झपकाए बिना गरुड़अश्व के सामने सिर झुकाया। कुछ पल बाद बकबीक भी झुक गया।

'तुम कैसे हो?' हैरी ने धीमी आवाज़ में पूछा और आगे बढ़कर उसके पंखदार सिर को सहलाने लगा। 'सिरियस की याद आ रही है? लेकिन तुम हैग्रिड के साथ यहाँ **ठीक हो**, है ना?'

'ओए!' एक ज़ोरदार आवाज़ आई।

हैग्रिड अपने केबिन के कोने से डग भरता हुआ आ रहा था। वह एक बड़ा फूलदार एप्रन पहने था और आलुओं का बोरा उठाए था। उसका कुत्ता फ़ैंग उसके पीछे-पीछे चल रहा था। फ़ैंग ज़ोर से भौंका और उछलकर आगे आ गया।

'उससे दूर हटो! वह तुम्हारी उँगलियाँ काट लेगा – ओह। तो तुम लोग हो!'

फ़ैंग उछलकर हर्माइनी और रॉन के कान चाटने की कोशिश करने लगा। हैग्रिड खड़ा हुआ और उनकी तरफ़ एक पल तक देखने के बाद मुड़कर अपने केबिन में चला गया। उसने दरवाज़ा धड़ाम से बंद कर दिया।

'ओह!' हर्माइनी ने स्तब्ध दिखते हुए कहा।

'चिंता मत करो,' हैरी ने कहा। वह चलकर दरवाज़े तक गया और उसे ज़ोर से खटखटाया।

'हैग्रिड! दरवाज़ा खोलो, हम तुमसे बात करना चाहते हैं!'

भीतर से कोई आवाज़ नहीं आई।

हैरी ने अपनी छड़ी निकालते हुए कहा, 'अगर तुम दरवाज़ा नहीं खोलोगे, तो हम इसे तोड़ देंगे!'

'हैरी!' हर्माइनी ने सदमे में आते हुए कहा। 'तुम ऐसा नहीं कर सकते –'

'मैं कर सकता हूँ!' हैरी ने कहा। 'पीछे हट जाओ –'

लेकिन इससे पहले कि वह और कुछ कह पाता, दरवाज़ा खुल गया,

जैसी हैरी को उम्मीद थी। वहाँ पर हैग्रिड खड़ा था और ग़ुस्से से उनकी तरफ़ देख रहा था। फूलदार एप्रन के बावजूद वह डरावना लग रहा था।

'हम टीचर हैं!' वह हैरी की तरफ़ गरजा। 'टीचर हैं, पॉटर! तुमने हमारा दरवाज़ा तोड़ने की धमकी देने की जुर्रत कैसे की!'

'मुझे अफ़सोस है, सर,' हैरी ने आख़िरी शब्द पर ज़ोर दिया और अपनी छड़ी दुशाले के भीतर रख ली।

हैग्रिड स्तब्ध दिखने लगा।

'*तुम* हमें कब से "सर" कहने लगे?'

'तुम मुझे कब से "पॉटर" कहने लगे?'

'ओह, तुम बड़े चालाक हो,' हैग्रिड गुर्राया। 'बड़ी दिलचस्प बात है। हमसे ज़्यादा चतुर निकले। ठीक है, तो अंदर आ जाओ, कृतघ्न कहीं के ...'

दरवाज़े से पीछे हटकर उसने बड़बड़ाते हुए उन्हें अंदर जाने दिया। हर्माइनी हैरी के पीछे तेज़ी से अंदर गई। वह थोड़ी डरी हुई दिख रही थी।

'तो?' हैग्रिड ने चिढ़ते हुए कहा, जब हैरी, रॉन और हर्माइनी लकड़ी की बड़ी टेबल के चारों तरफ़ बैठ गए। फ़ैंग ने तत्काल अपना सिर हैरी के घुटने पर रख दिया और उसके दुशालों पर लार टपकाने लगा। 'क्यों आए हो? हमारे लिए अफ़सोस करने? या फिर इसलिए कि हम अकेलापन महसूस कर रहे होंगे?'

'नहीं,' हैरी ने तत्काल कहा। 'हम तुमसे मिलना चाहते थे।'

हर्माइनी ने काँपती हुई आवाज़ में कहा, 'हमें तुम्हारी याद आ रही थी!'

'हमारी याद आ रही थी?' हैग्रिड व्यंग्य से हँसा। 'अच्छा!'

वह उठ गया। उसने ताँबे की विशाल केतली में चाय उबाली और पूरे समय बड़बड़ाता रहा। आख़िरकार उसने उनके सामने चाय से भरे बाल्टी के आकार के तीन मग पटक दिए और रॉक केक की प्लेट भी। हैरी इस वक़्त इतना भूखा था कि हैग्रिड के बनाए केक भी खा सकता था। उसने तत्काल एक केक उठा लिया।

'हैग्रिड,' हर्माइनी ने कातरता से कहा, जब वह टेबल पर उनके पास बैठ गया और इतनी क्रूरता से आलू छीलने लगा, जैसे हर आलू ने उसे कोई गंभीर नुक़सान पहुँचाया हो, 'हम सचमुच जादुई प्राणियों की देखभाल विषय पढ़ना चाहते थे।'

हैग्रिड एक बार फिर व्यंग्यात्मक ढंग से हँस दिया। हैरी को लगा कि

उसकी नाक से कुछ मलीदा निकलकर आलुओं पर गिर गया था। उसने मन ही मन ख़ैर मनाई कि वह डिनर के लिए नहीं रुक रहा है।

'हम सचमुच चाहते थे!' हर्माइनी बोली। 'लेकिन हममें से कोई भी उसे अपने टाइमटेबल में फ़िट नहीं कर सकता था!'

'हाँ, ठीक है,' हैग्रिड ने एक बार फिर कहा।

एक अजीब सी फच-फच की आवाज़ आई और उन सभी ने चारों तरफ़ देखा। हर्माइनी धीरे से चीख़ी और रॉन कुर्सी से उछल गया। वह जल्दी से टेबल से उठकर कोने में रखे उस बड़े पीपे के पास पहुँच गया, जो उसे अभी-अभी दिखा था। उसमें एक फ़ुट लंबे चिपचिपे, सफ़ेद कीड़े भरे थे, जो कसमसा रहे थे।

'वे क्या हैं, हैग्रिड?' हैरी ने पूछा और अपनी आवाज़ में वितृष्णा के बजाय दिलचस्पी का पुट लाने की कोशिश की। बहरहाल, उसने अपना रॉक केक नीचे रख दिया।

'दैत्याकार लार्वा हैं,' हैग्रिड ने कहा।

'और वे बड़े होकर क्या बनेंगे ...?' रॉन ने भयभीत दिखते हुए पूछा।

'वे बड़े होकर कुछ नहीं बनेंगे,' हैग्रिड ने कहा। 'हम उन्हें अरागॉग को खिलाने के लिए लाए हैं।'

और बिना चेतावनी के वह फूट-फूटकर रोने लगा।

'हैग्रिड!' हर्माइनी चिल्लाई और उछलकर खड़ी हो गई। लार्वा के पीपे से ज़्यादा से ज़्यादा दूरी बनाने के लिए वह टेबल की दूसरी ओर से निकली। उसने हैग्रिड के हिलते कंधों पर बाँह डालते हुए पूछा, 'क्या हुआ?'

'वह ...' हैग्रिड ने थूक गटका और उसकी बीटल जैसी काली आँखें आँसुओं से भरी थीं, जब उसने एप्रन से अपना चेहरा पोंछा। 'हमें लगता है कि ... अरागॉग मर रहा है ... वह पूरी गर्मी भर बीमार रहा है और ठीक नहीं हो रहा है ... हम नहीं जानते कि हम क्या करेंगे, अगर वह ... अगर वह ... हम इतने लंबे समय से साथ हैं ...'

हर्माइनी ने हैग्रिड का कंधा थपथपाया। ऐसा लग रहा था, जैसे उसे समझ में नहीं आ रहा था कि क्या कहे। हैरी जानता था कि वह कैसा महसूस कर रही होगी। वह जानता था कि हैग्रिड ने एक छोटे दुष्ट ड्रैगन को टेडी बियर का तोहफ़ा दिया था, हैरी ने उसे दैत्याकार डंक वाले बिच्छुओं से लाड़ करते देखा था, उसने उसके दुष्ट, सौतेले दानव भाई के मामले में उससे तर्क करने की कोशिश की थी, लेकिन यह सबसे अबूझ दैत्याकार शौक था : बोलने वाला दैत्याकार मकड़ा अरागॉग, जो अँधेरे जंगल की गहराई में रहता था और जिससे हैरी तथा

रॉन चार साल पहले बाल-बाल बचे थे।

'क्या - क्या हम कुछ कर सकते हैं?' हर्माइनी ने रॉन के इशारे को नज़रअंदाज़ करते हुए पूछा।

'तुम कुछ नहीं कर सकतीं, हर्माइनी,' हैग्रिड ने अपने आँसुओं की बाढ़ को रोकने की कोशिश करते हुए कहा। 'देखो, बाक़ी की प्रजाति ... अरागॉग का परिवार ... उसके बीमार होने के बाद वे थोड़े अजीब हो रहे हैं ... थोड़े हिंसक हो रहे हैं ...'

'हाँ, मुझे लगता है कि हमने उनका वह रूप देखा था,' रॉन ने दबी आवाज़ में कहा।

'... हमें नहीं लगता कि हमारे अलावा किसी का वहाँ जाना सुरक्षित रहेगा,' हैग्रिड ने बात पूरी की और अपनी नाक एप्रन पर सुड़ककर ऊपर देखा। 'लेकिन मदद का प्रस्ताव रखने के लिए धन्यवाद, हर्माइनी। हमारे लिए यह बहुत मायने रखता है ...'

उसके बाद माहौल काफ़ी कुछ हल्का हो गया। हालाँकि हैरी या रॉन ने एक हत्यारे, दैत्याकार मकड़े को विशाल लार्वा खिलाने की कोई इच्छा ज़ाहिर नहीं की थी, लेकिन हैग्रिड ने यह मान लिया कि वे ऐसा करना चाहते होंगे। इसके बाद वह फिर हमेशा जैसा व्यवहार करने लगा।

'अर, हम हमेशा जानते थे कि तुम्हें अपने टाइमटेबल में हमारा विषय रखने में मुश्किल आएगी,' उसने रूखेपन से कहा और उनके मग में दोबारा चाय भरी। 'भले ही तुम लोग काल परिवर्तक के लिए आवेदन देते -'

'हम ऐसा नहीं कर सकते थे,' हर्माइनी ने कहा। 'जब हम गर्मियों में मंत्रालय गए थे, तो हमने वहाँ के सारे काल परिवर्तक तोड़ डाले थे। इसकी ख़बर *दैनिक जादूगर* में छपी थी।'

हैग्रिड बोला, 'तब तो तुम यह काम किसी तरीक़े से नहीं कर सकते थे ... हमें अफ़सोस है कि हमने ऐसा - तुम जानते हो - हमें अरागॉग की चिंता थी ... और हम सोच रहे थे कि अगर प्रोफ़ेसर ग्रबली-प्लैंक तुम लोगों को पढ़ा रही होतीं, तो तुम शायद -'

इस पर तीनों ने कई चीज़ें गिनाते हुए साफ़ झूठ बोल दिया कि हैग्रिड की जगह कई बार पढ़ाने वाली प्रोफ़ेसर ग्रबली-प्लैंक बहुत बुरी टीचर थीं। इसका परिणाम यह हुआ कि जब हैग्रिड ने शाम के धुँधलके में उन्हें हाथ हिलाकर विदा किया, तो वह बहुत ख़ुश नज़र आ रहा था।

'मैं भूख से मरा जा रहा हूँ,' हैरी ने कहा, जब वे हैग्रिड के घर से

निकलकर तेज़ी से अँधेरे और वीरान मैदान में चलने लगे। उसने रॉक केक को खाने की कोशिश तब छोड़ दी थी, जब उसके पीछे वाले एक दाँत से ख़तरनाक कट्ट की आवाज़ आई थी। 'और मुझे आज रात को स्नेप के पास जाकर सज़ा भी काटनी है। मेरे पास डिनर के लिए ज़्यादा समय नहीं बचा है ...'

जैसे ही वे महल में पहुँचे, उन्हें कॉरमैक मैकलेगन बड़े हॉल में दाख़िल होता दिखा। वह दूसरी कोशिश में दरवाज़े से अंदर घुस पाया। पहली बार तो वह फ्रेम से टकरा गया था। रॉन संतुष्टि के साथ हँसकर हॉल में उसके पीछे-पीछे चला गया, लेकिन हैरी ने हर्माइनी का हाथ पकड़कर उसे रोक लिया।

'क्या ?' हर्माइनी ने रक्षात्मक तरीक़े से कहा।

हैरी ने धीरे से कहा, 'देखो, मैकलेगन को देखकर लगता है कि किसी ने उस पर चकरघिन्नी शाप मारा है। और स्टेडियम में जहाँ तुम बैठी थीं, वह तुम्हारे ठीक सामने खड़ा था।'

हर्माइनी का चेहरा लाल हो गया।

'ओह, ठीक है, यह मैंने ही किया था,' उसने फुसफुसाकर कहा। 'लेकिन तुमने सुना नहीं, वह पूरे रास्ते रॉन और जिनी के बारे में क्या बोल रहा था! वैसे भी उसका ग़ुस्सा बहुत तेज़ है! तुमने देखा था, जब उसे टीम में नहीं लिया गया, तो उसने कैसी प्रतिक्रिया की थी - तुम ऐसे व्यक्ति को टीम में कैसे ले सकते थे ?'

'नहीं, मैं नहीं लेता,' हैरी ने कहा। 'मुझे लगता है कि तुम्हारी बात सच है। लेकिन क्या यह बेईमानी नहीं थी, हर्माइनी ? मेरा मतलब है, तुम प्रिफ़ेक्ट हो, है ना ?'

जब हैरी मुस्कराने लगा, तो हर्माइनी ने उसे झिड़क दिया, 'ओह, चुप रहो।'

'तुम दोनों क्या कर रहे हो ?' रॉन ने पूछा, जो बड़े हॉल से वापस लौटकर दरवाज़े पर खड़ा हो गया था और उन्हें शक भरी निगाहों से देख रहा था।

'कुछ नहीं,' हैरी और हर्माइनी ने एक साथ कहा और जल्दी से रॉन के पीछे चले गए। भुने हुए मीट की ख़ुशबू से हैरी के पेट में भूख की मरोड़ उठने लगी, लेकिन वे अभी गरुड़द्वार की टेबल की तरफ़ मुश्किल से तीन क़दम ही चले होंगे कि तभी प्रोफ़ेसर स्लगहॉर्न उनके सामने आ गए और उनका रास्ता रोककर खड़े हो गए।

'हैरी, हैरी, मैं तुम्हीं को खोज रहा था!' उन्होंने ख़ुशी से कहा और अपनी मूँछ के सिरे उमेठते हुए अपनी विशाल तोंद फुलाई। 'मैं डिनर से पहले तुम्हें

पकड़ना चाहता था! तुम डिनर के बजाय आज रात को मेरे कमरे में चाय-नाश्ता क्यों नहीं करते ? हम एक छोटी सी पार्टी कर रहे हैं, जिसमें कुछ उभरते सितारे आएँगे। मैंने मैकलेगन को बुला लिया है और ज़ैबिनी को भी और प्यारी मेलिंडा बॉबिन को भी - मुझे नहीं पता, तुम उसे जानते हो या नहीं ? उसके परिवार की एक बड़ी औषधि विक्रय चेन है - और ज़ाहिर है, मुझे उम्मीद है कि मिस ग्रेंजर भी मेहरबानी करके उस पार्टी में आएँगी!'

स्लगहॉर्न ने अपनी बात ख़त्म करते समय हर्माइनी की तरफ़ देखकर हल्के से सिर झुकाया। ऐसा लग रहा था, जैसे उनके लिए रॉन वहाँ था ही नहीं। स्लगहॉर्न ने उसकी तरफ़ देखना भी ज़रूरी नहीं समझा।

'मैं नहीं आ सकता, प्रोफ़ेसर,' हैरी ने तत्काल कहा। 'मुझे प्रोफ़ेसर स्नेप के साथ सज़ा काटनी है।'

'ओह!' स्लगहॉर्न ने कहा और उनका चेहरा मज़ाक़िया ढंग से लटक गया। 'ओह हैरी, मुझे तो तुम्हारे आने पर पूरा भरोसा था! अच्छा, तो मैं सीवियरस से बात करके उसे स्थिति समझा देता हूँ। मुझे यक़ीन है कि वह तुम्हारी सज़ा किसी और दिन रखने के लिए तैयार हो जाएगा। हाँ, मैं तुम दोनों से बाद में मिलता हूँ।'

वे हॉल से तेज़ी से निकल गए।

जिस पल स्लगहॉर्न दूर पहुँचे, हैरी बोला, 'स्नेप के तैयार होने का सवाल ही नहीं उठता! उनकी सज़ा एक बार पहले ही टल चुकी है। उन्होंने डम्बलडोर के लिए यह कर दिया था, लेकिन वे किसी और के लिए ऐसा हर्गिज़ नहीं करेंगे।'

हर्माइनी ने चिंता से कहा, 'ओह, काश तुम साथ चलते! मैं अकेली नहीं जाना चाहती!' हैरी जानता था कि वह मैकलेगन के बारे में सोच रही थी।

'मुझे नहीं लगता कि तुम अकेली रहोगी, शायद जिनी को भी आमंत्रित किया गया होगा,' रॉन ने ताना मारते हुए कहा, जिसे इस बात का बुरा लगा था कि स्लगहॉर्न ने उसे नज़रअंदाज़ कर दिया था।

डिनर के बाद वे गरुड़द्वार टॉवर की तरफ़ चल दिए। गरुड़द्वार का हॉल काफ़ी भरा हुआ था, क्योंकि ज़्यादातर विद्यार्थी डिनर ख़त्म करके आ चुके थे। बहरहाल, उन्हें एक ख़ाली टेबल मिल गई और वे उस पर बैठ गए। रॉन स्लगहॉर्न के साथ हुई मुठभेड़ के बाद से ही बुरे मूड में था। वह अपने हाथ बाँधकर और त्योरियाँ चढ़ाकर छत की तरफ़ देखता रहा। हर्माइनी ने *सांध्यकालीन जादूगर* की प्रति उठा ली, जो कोई कुर्सी पर छोड़ गया था।

'कोई नई ख़बर ?' हैरी ने कहा।

'नहीं तो ...' हर्माइनी ने अख़बार खोला और उसके अंदर के पन्नों पर सरसरी निगाह डाली। 'ओह हाँ, देखो, तुम्हारे डैडी के बारे में ख़बर है, रॉन – वे बिलकुल ठीक हैं!' उसने जल्दी से जोड़ दिया, क्योंकि रॉन दहशत में उसकी तरफ़ घूम गया था। 'इसमें तो बस यही लिखा है कि उन्होंने मैल्फ़ॉय के घर पर छापा मारा था। *"प्राणभक्षी के निवास पर मारे गए दूसरे छापे में कुछ नहीं मिला। नक़ली रक्षात्मक मंत्र और हानिकारक वस्तु खोज एवं ज़ब्ती कार्यालय के प्रमुख आर्थर वीज़्ली का कहना है कि उनके दल ने एक विश्वसनीय सुराग़ के आधार पर छापा मारा था।"'*

'हाँ, वह सुराग़ मैंने ही दिया था!' हैरी ने कहा। 'मैंने उन्हें किंग्स क्रॉस स्टेशन पर मैल्फ़ॉय और उस चीज़ के बारे में बताया था, जो मैल्फ़ॉय बोर्गिन से सुधरवाना चाहता था! देखो, अगर यह उसके घर पर नहीं है, तो वह ज़रूर उस चीज़ को अपने साथ हॉगवर्ट्स ले आया होगा –'

'लेकिन वह ऐसा कैसे कर सकता है, हैरी?' हर्माइनी ने कहा और हैरानी के साथ अख़बार नीचे रख दिया। 'जब हम आए थे, तो हम सबकी तलाशी हुई थी, है ना?'

'अच्छा?' हैरी ने हैरानी से कहा। 'मेरी तो नहीं हुई थी!'

'ओह नहीं, ज़ाहिर है तुम्हारी नहीं हुई थी। मैं भूल गई थी कि तुम देर से आए थे ... जब हम प्रवेश हॉल में दाख़िल हुए थे, तो फ़िल्च ने हम सबके शरीर पर ख़ुफ़िया संवेदनसूचक घुमाए थे। कोई भी शैतानी वस्तु होती, तो पकड़ में आ जाती। मुझे पता है कि क्रैब के पास सिकुड़ा हुआ हाथ था, जिसे ज़ब्त कर लिया गया था। ऐसे में मैल्फ़ॉय कोई भी ख़तरनाक चीज़ नहीं ला सकता था!'

हैरी एक पल के लिए अवाक् होकर जिनी वीज़्ली को अरनॉल्ड नाम के पिग्मी पफ़ से खेलते देखता रहा, फिर उसने इस आपत्ति के बावजूद एक रास्ता खोज ही लिया।

'तो, किसी ने उसे उल्लू से भेजा होगा,' उसने कहा। 'उसकी माँ या किसी और ने।'

'सभी उल्लुओं की भी जाँच हो रही है,' हर्माइनी बोली। 'जब फ़िल्च हमारे शरीर पर ख़ुफ़िया संवेदनसूचक फेर रहा था, तो उसने हमें बताया था।'

इस बार हैरी सचमुच कुछ नहीं कह पाया। उसे समझ में नहीं आया कि वह आगे क्या कह सकता है। ऐसा कोई तरीक़ा नहीं दिख रहा था, जिससे मैल्फ़ॉय स्कूल में किसी ख़तरनाक या शैतानी वस्तु को ला सकता था। उसने आशा से रॉन की तरफ़ देखा, जो अपनी बाँहें बाँधकर बैठा था और लैवेंडर ब्राउन को घूर रहा था।

'क्या तुम कोई ऐसा तरीक़ा सोच सकते हो, जिससे मैल्फ़ॉय - ?'

'ओह, छोड़ो भी, हैरी,' रॉन ने कहा।

हैरी ने आवेश में आते हुए कहा, 'सुनो, यह मेरी ग़लती नहीं है कि स्लगहॉर्न ने अपनी मूर्खतापूर्ण पार्टी में हर्माइनी और मुझे आमंत्रित किया है। तुम जानते हो, हम दोनों ही वहाँ नहीं जाना चाहते हैं!'

रॉन खड़े होते हुए बोला, 'देखो, चूँकि मुझे पार्टी में नहीं बुलाया गया है, इसलिए मुझे लगता है कि मुझे सोने जाना चाहिए।'

वह पैर पटकते हुए लड़कों के कमरों की तरफ़ जाने वाले दरवाज़े तक गया। हैरी और हर्माइनी उसे जाते हुए देखते रहे।

'हैरी ?' नई धावक डिमेल्ज़ा रॉबिन्स ने अचानक पीछे से आते हुए कहा। 'मैं तुम्हारे लिए एक संदेश लाई हूँ।'

'प्रोफ़ेसर स्लगहॉर्न का ?' हैरी ने उम्मीद से बैठते हुए कहा।

'नहीं ... प्रोफ़ेसर स्नेप का,' डिमेल्ज़ा ने कहा। हैरी का दिल डूब गया। 'वे कहते हैं कि तुम्हें अपनी सज़ा काटने के लिए आज रात को साढ़े आठ बजे उनके ऑफ़िस में आना है - अर - चाहे तुम्हें कितनी ही पार्टियों के आमंत्रण मिले हों। और उन्होंने कहा है कि तुम्हें सड़े हुए फ़्लॉबरवर्म्स को अच्छे फ़्लॉबरवर्म्स से अलग करना होगा, ताकि काढ़ों में उनका उपयोग किया जा सके और - और उन्होंने कहा है कि सुरक्षा दस्ताने लाने की कोई ज़रूरत नहीं है।'

'ठीक है,' हैरी ने गंभीरता से कहा। 'बहुत-बहुत धन्यवाद, डिमेल्ज़ा।'

अध्याय बारह

चाँदी और मोती

डम्बलडोर कहाँ थे और क्या कर रहे थे? हैरी को अगले कुछ हफ़्तों में हेडमास्टर सिर्फ़ दो बार ही दिखाई दिए। वे अब खाने के वक़्त भी कभी-कभार ही नज़र आते थे। हैरी को हर्माइनी की यह बात सही लगी कि वे शायद कई-कई दिनों तक स्कूल से बाहर रहते हैं। क्या डम्बलडोर उन अतिरिक्त सबक़ों के बारे में भूल गए, जो वे हैरी को पढ़ाने वाले थे? डम्बलडोर ने कहा था कि इनका भविष्यवाणी से संबंध था। इस बात से हैरी का मनोबल बढ़ा था और उसे राहत मिली थी, लेकिन अब वह थोड़ा उपेक्षित महसूस कर रहा था।

अक्टूबर के मध्य में इस टर्म की पहली हॉग्समीड यात्रा हुई। हैरी सोच रहा था कि स्कूल के कठोर सुरक्षा उपायों के कारण शायद अब इस यात्रा को स्थगित कर दिया जाएगा। बहरहाल, उसे यह जानकर ख़ुशी हुई कि यात्रा हो रही थी। कुछ घंटों के लिए महल से बाहर निकलना हमेशा अच्छा लगता था।

हॉग्समीड यात्रा की सुबह हैरी जल्दी ही जाग गया। सुबह तूफ़ानी लग रही थी और उसने नाश्ते तक का समय *उच्च-स्तरीय काढ़ा-निर्माण* की पुस्तक को पढ़कर काटा। वह आम तौर पर बिस्तर पर लेटकर नहीं पढ़ता था। जैसा रॉन ने कहा था, इस तरह का व्यवहार हर्माइनी के अलावा किसी को शोभा नहीं देता था, जो इस मामले में पहले से ही सिरफिरी थी। बहरहाल, हैरी ने महसूस किया कि हाफ़-ब्लड प्रिंस की *उच्च-स्तरीय काढ़ा-निर्माण* की पुस्तक पाठ्यपुस्तक नहीं, बल्कि उससे बहुत बढ़कर थी। हैरी उसे जितना पढ़ता था, उसे उतना ही ज़्यादा एहसास होता था कि उसमें कितना कुछ था। उसमें न सिर्फ़ काढ़ों के बारे में आसान नुस्ख़े और शॉर्टकट लिखे थे, जिनकी वजह से स्लगहॉर्न के सामने उसकी प्रतिष्ठा बढ़ रही थी, बल्कि हाशिए पर कई कल्पनाशील मंत्र भी घसीटकर लिखे हुए थे। उन मंत्रों को इतनी बार काटा और दोबारा लिखा गया था कि हैरी को यक़ीन था, प्रिंस ने ही इन मंत्रों को ईजाद किया होगा।

हैरी पहले ही प्रिंस द्वारा ईजाद किए गए कुछ मंत्रों को आज़मा चुका था। एक मंत्र पैर के नाख़ूनों को बहुत ज़्यादा तेज़ी से बढ़ा देता था (उसने इसे गलियारे में क्रैब पर आज़माया था, जिसके बहुत मनोरंजक परिणाम मिले थे)। एक मंत्र जीभ को तालू से चिपका देता था (जिसे उसने दो बार आर्गस फ़िल्च पर चुपके से आज़माया था, जिसके लिए उसे सभी लोगों ने बधाई दी थी)। और शायद सबसे उपयोगी था *ध्वनिदमन मंत्र*। इस मंत्र को पढ़ने के बाद क्लास में लंबी बातचीत की जा सकती थी, जो किसी को भी सुनाई नहीं दे सकती थी, क्योंकि इसके प्रभाव के कारण आस-पास के व्यक्तियों के कानों में गुनगुन होती रहती थी। सिर्फ़ हर्माइनी ही एकमात्र शख़्स थी, जिसे ये मंत्र मज़ेदार नहीं लगे थे। अगर हैरी आस-पास के किसी व्यक्ति पर *ध्वनिदमन मंत्र* का इस्तेमाल करता था, तो वह नाक-भौं सिकोड़ लेती थी और हैरी से बिलकुल बात नहीं करती थी।

बिस्तर पर बैठते हुए हैरी ने पुस्तक तिरछी की, ताकि घसीटाछाप लिखाई में लिखे उन निर्देशों को ज़्यादा अच्छी तरह देख सके, जिनमें प्रिंस को थोड़ी मुश्किल आई थी। वहाँ पर कई बार काटने-पीटने के बाद पेज के एक कोने में लिखा था :

आकाशगामी (अशा)

जब हवा और बर्फ़ की बारिश खिड़कियों पर बेरहमी से वार कर रही थी और नेविल ज़ोर से खर्राटे ले रहा था, तो हैरी ने ब्रेकेट में लिखे अक्षरों की तरफ़ घूरा। *अशा* .... इसका मतलब अशाब्दिक होगा। हैरी को यक़ीन नहीं था कि वह इस विशेष मंत्र का सफलतापूर्वक प्रयोग कर पाएगा। उसे अब भी अशाब्दिक मंत्रों में मुश्किल आ रही थी, जिसके बारे में स्नेप **गुप्त कलाओं से रक्षा** की हर क्लास में टिप्पणी करते थे। दूसरी तरफ़, प्रिंस स्नेप से बहुत ज़्यादा प्रभावी टीचर साबित हुआ था।

हैरी ने अपनी छड़ी यूँ ही हवा में उठाई, बिना किसी पर निशाना साधे लहराई और मन ही मन *आकाशगामी* कह दिया।

'आआआआआह!'

एक रोशनी चमकी और कमरे में आवाज़ें आने लगीं। रॉन की चीख़ निकल गई, जिससे बाक़ी सभी लोग जाग गए। दहशत में हैरी के हाथ से *उच्च-स्तरीय काढ़ा-निर्माण* पुस्तक छूट गई। रॉन हवा में उलटा लटक रहा था, जैसे कोई अदृश्य हुक उसे टखने से पकड़कर लटका रहा हो।

'सॉरी! ज़रा ठहरो - मैं तुम्हें उतारता हूँ -' हैरी चिल्लाया, जब डीन और सीमस जमकर हँसने लगे। उधर नेविल अब फ़र्श से उठ रहा था, क्योंकि वह

पलंग से नीचे गिर गया था।

हैरी पुस्तक उठाकर दहशत में उसे पलटने लगा और सही पन्ना खोजने की कोशिश करने लगा। आख़िर उसे यह मिल गया और उसने मंत्र के नीचे लिखे शब्द को खोज लिया। उसने प्रार्थना की कि यह पहले वाले मंत्र का प्रतिकारक मंत्र हो। हैरी ने अपनी पूरी ताक़त से सोचा, *धरागामी!*

रोशनी की एक और चमक हुई, जिससे रॉन अपने पलंग पर गिर गया।

'सॉरी,' हैरी ने एक बार फिर कमज़ोर आवाज़ में कहा, जबकि डीन और सीमस हँसते रहे।

रॉन दबी आवाज़ में बोला, 'कल मैं चाहूँगा कि अलार्म क्लॉक का काम तुम करो।'

जब तक वे कपड़े पहनकर, मिसेज़ वीज़्ली के हाथ के बुने कई स्वेटरों से लैस होकर और चोगे, स्कार्फ़ तथा ग्लव्ज़ लेकर चले, तब तक रॉन का सदमा थोड़ा कम हो गया और वह सोचने लगा कि हैरी का नया मंत्र बहुत मज़ेदार था। वास्तव में यह उसे इतना मज़ेदार लगा कि जब वे नाश्ता करने के लिए बैठे, तो उसने हर्माइनी को भी इसकी मज़ेदार कहानी सुना डाली।

'... फिर रोशनी चमकी और मैं बिस्तर पर गिर गया!' रॉन ने मुस्कराते हुए कहा और क़बाब उठा लिए।

हर्माइनी इस पूरे प्रसंग में ज़रा भी नहीं मुस्कराई थी और अब वह चेहरे पर नापसंदगी के भाव लेकर हैरी की तरफ़ मुड़ी।

उसने पूछा, 'क्या यह मंत्र भी तुम्हारी उसी काढ़े की पुस्तक का था?'

हैरी ने उसकी तरफ़ त्योरियाँ चढ़ाकर देखा।

'हमेशा सबसे बुरी बात सोचने लगती हो, है ना?'

'क्या यह था?'

'देखो हाँ ... यह था, लेकिन उससे क्या?'

'तो तुमने किसी अनजान व्यक्ति के हाथ से लिखे मंत्र को आज़माकर देखने का फ़ैसला कर लिया कि देखें, इससे क्या होता है?'

'इससे क्या फ़र्क़ पड़ता है कि यह हाथ से लिखा हुआ था?' हैरी ने कहा और बाक़ी के सवाल का जवाब न देने का फ़ैसला किया।

'क्योंकि यह जादू मंत्रालय द्वारा अनुमोदित नहीं है,' हर्माइनी ने कहा। जब हैरी और रॉन ने अपनी आँखें गोल-गोल घुमाईं, तो वह आगे बोली, 'और इसलिए भी, क्योंकि अब मैं सोचने लगी हूँ कि प्रिंस नाम का यह व्यक्ति थोड़ा

ख़तरनाक है।'

हैरी और रॉन दोनों ने ही एकदम चिल्लाकर उसे चुप कर दिया।

'यह तो हँसी की बात थी!' रॉन ने कहा और अपने क़बाब पर केचप की बोतल उलट डाली। 'यह तो बस हँसी की बात थी, हर्माइनी, उससे क्या ?'

'लोगों को टखने के बल उल्टा लटकाना ?' हर्माइनी ने कहा। 'इस तरह के मंत्र बनाने में अपना समय और ऊर्जा कौन लगाएगा ?'

'फ्रेड और जॉर्ज,' रॉन ने कंधे उचकाते हुए कहा, 'यह उनके जैसा काम है। और, अर –'

'मेरे डैडी,' हैरी ने कहा। उसे बस अभी-अभी यह याद आया था।

'क्या ?' रॉन और हर्माइनी ने एक साथ कहा।

'मेरे डैडी इस मंत्र का इस्तेमाल करते थे,' हैरी बोला। 'मैंने – ल्यूपिन ने मुझे बताया था।'

आख़िरी बात सच नहीं थी। दरअसल, हैरी ने अपने डैडी को स्नेप पर इस मंत्र का प्रयोग करते देखा था। लेकिन उसने रॉन और हर्माइनी को स्मृति पात्र में देखी घटना के बारे में कभी नहीं बताया था। बहरहाल, अब उसके मन में एक अद्‌भुत संभावना आ गई। कहीं ऐसा तो नहीं कि उसके डैडी ही हाफ़-ब्लड प्रिंस हों ?

हर्माइनी बोली, 'हैरी, शायद तुम्हारे डैडी इसका इस्तेमाल करते हों, लेकिन ऐसा करने वाले वे अकेले नहीं थे। लगता है, तुम भूल गए हो, हमने बहुत सारे लोगों को इसका इस्तेमाल करते देखा है। लोगों को हवा में उल्टा लटकाना। उन्हें नींद में, असहाय अवस्था में हवा में उड़ाना।'

हैरी ने उसे घूरकर देखा। डूबते दिल से उसे भी क्विडिच वर्ल्ड कप में प्राणभक्षियों का व्यवहार याद आ गया। रॉन उसकी मदद के लिए आगे आया।

'वह अलग बात थी,' उसने जोश से कहा। 'वे लोग इसका ग़लत इस्तेमाल कर रहे थे। हैरी और उसके डैडी तो सिर्फ़ हँसी-मज़ाक़ के लिए इसका इस्तेमाल कर रहे थे। हर्माइनी, तुम प्रिंस को इसलिए पसंद नहीं करती हो,' फिर उसने क़बाब की प्लेट खींचते हुए गंभीरता से कहा, 'क्योंकि वह काढ़ों में तुमसे ज़्यादा निपुण है –'

'इसका उससे कोई लेना-देना नहीं है!' हर्माइनी ने कहा, हालाँकि उसके गाल लाल होने लगे थे। 'मैं तो बस सोचती हूँ कि ऐसे मंत्र पढ़ना बहुत ग़ैर-ज़िम्मेदाराना हरकत है, जिनके बारे में यह पता ही न हो कि उनसे क्या होता है। और इस तरह से "प्रिंस, प्रिंस" की माला मत जपो, जैसे वह कोई सचमुच का

राजकुमार हो। यह तो सिर्फ़ एक मूर्खतापूर्ण गढ़ा हुआ नाम है और मुझे नहीं लगता कि वह कोई बहुत भला इंसान होगा!'

'क्या पता तुम यह कैसे सोच रही हो,' हैरी ने तैश में कहा, 'अगर वह प्राणभक्षी बनना चाहता, तो वह "हाफ़ ब्लड" होने के बारे में इतनी डींगें नहीं हाँकता, है ना?'

यह कहते ही हैरी को याद आ गया कि उसके डैडी तो शुद्ध ख़ून के थे, लेकिन उसने इस विचार को अपने दिमाग़ से निकाल दिया। वह इसके बारे में बाद में चिंता करेगा ...

हर्माइनी ने वही राग अलापते हुए कहा, 'सभी प्राणभक्षी शुद्ध ख़ून के नहीं हो सकते। दुनिया में शुद्ध ख़ून वाले ज़्यादा जादूगर बचे ही नहीं हैं। मेरा अनुमान है कि उनमें से ज़्यादातर हाफ़-ब्लड हैं, जो शुद्ध ख़ून वाले होने का नाटक करते हैं। वे सिर्फ़ मगलू परिवार में पैदा होने वाले लोगों से नफ़रत करते हैं। वे तुम्हें और रॉन को ख़ुशी से अपने दल में शामिल कर सकते हैं।'

रॉन ग़ुस्से से बोला, 'वे मुझे किसी क़ीमत पर प्राणभक्षी नहीं बनाएँगे!' जिस क़बाब के टुकड़े को उसने हर्माइनी की तरफ़ लहराया था, वह उसके काँटे से उड़कर अर्नी मैकमिलन के सिर से जा टकराया। 'मेरा पूरा परिवार ख़ून का गद्दार है! प्राणभक्षियों के लिए यह उतना ही बुरा है, जितना कि मगलू परिवार में पैदा होना!'

'और वे मुझे अपने दल में बड़े शौक से शामिल करेंगे,' हैरी ने व्यंग्य से कहा। 'हम जिगरी दोस्त बन जाएँगे, बशर्ते वे मेरी जान लेने की कोशिश न करें।'

इस पर रॉन हँसने लगा। हर्माइनी भी हल्के से मुस्कराई। तभी जिनी के आने से बातों का सिलसिला टूट गया।

'सुनो हैरी, मुझे तुम्हें यह देना है।'

यह एक चर्मपत्र था, जिसके ऊपर जानी-पहचानी पतली, तिरछी लिखाई में हैरी का नाम लिखा था।

'धन्यवाद, जिनी ... यह डम्बलडोर के अगले अतिरिक्त सबक़ के बारे में होगा!' हैरी ने रॉन और हर्माइनी को बताते हुए चर्मपत्र खोला और उसमें लिखे शब्द पढ़े। 'सोमवार की शाम!' वह अचानक हल्का और ख़ुश महसूस करने लगा। 'हॉग्समीड में हमारे साथ चलोगी, जिनी?' उसने पूछा।

'मैं डीन के साथ जा रही हूँ - हो सकता है, तुम्हें वहाँ पर मिलूँ,' उसने जवाब दिया और जाते समय उनकी तरफ़ हाथ हिलाया।

फ़िल्च हमेशा की तरह बलूत की लकड़ी के सामने वाले दरवाज़े के पास खड़ा था और उन लोगों के नामों की जाँच कर रहा था, जिन्हें हॉग्समीड जाने की इजाज़त थी। इस प्रक्रिया में सामान्य से ज़्यादा समय लग गया, क्योंकि फ़िल्च अपने ख़ुफ़िया संवेदनसूचक से सभी की तीन-तीन बार जाँच कर रहा था।

रॉन ने लंबे, पतले ख़ुफ़िया संवेदनसूचक को डरकर देखते हुए पूछा, 'अगर हम काले जादू वाली चीज़ों को **बाहर** ले जा रहे हैं, तो इससे क्या फ़र्क़ पड़ता है? तुम्हें तो यह जाँच करनी चाहिए कि हम कौन सी चीज़ **अंदर** लाते हैं?'

इसका परिणाम यह हुआ कि संवेदनसूचक उसके गाल पर कई बार अनावश्यक रूप से पड़ा। हवा और बर्फ़ में बाहर निकलते समय रॉन मुँह बना रहा था।

हॉग्समीड में घूमना मज़ेदार नहीं था। हैरी ने अपने चेहरे के निचले हिस्से पर स्कार्फ़ बाँध लिया था। खुले हिस्से जल्दी ही ठंड के कारण सुन्न पड़ गए थे। गाँव की सड़क विद्यार्थियों से भरी थी, जो सिर झुकाकर तेज़ हवा से मुक़ाबला कर रहे थे। हैरी के मन में कई बार ख़्याल आया कि इस वक़्त हॉल की गर्मी में रहना ज़्यादा अच्छा होता। जब वे आख़िरकार हॉग्समीड पहुँचे और उन्होंने ज़ोन्को की जोक शॉप पर ताला लगा देखा, तो हैरी को यक़ीन हो गया कि यह यात्रा मज़ेदार नहीं हो सकती। रॉन ने मोटे ग्लव्ज़ वाले हाथ से हनीड्यूक्स की तरफ़ इशारा किया, जो सौभाग्य से खुली थी। हैरी और हर्माइनी उसके पीछे-पीछे भीड़ भरी दुकान में पहुँच गए।

जब वे टॉफ़ी की ख़ुशबू वाली गर्म हवा में बैठे, तो रॉन काँपते हुए बोला, 'भगवान का शुक्र है! हम पूरी दोपहर यहीं रुकते हैं।'

'हैरी, मेरे बच्चे!' उनके पीछे से एक गरजती हुई आवाज़ आई।

'ओह नहीं,' हैरी बुदबुदाया। उन तीनों ने मुड़कर देखा। वहाँ प्रोफ़ेसर स्लगहॉर्न खड़े थे, जो फ़र का विशाल हैट और फ़र के कॉलर वाला ओवरकोट पहने थे। उनके हाथ में पाइनएप्पल टॉफ़ियों का एक बड़ा बॉक्स था और उन्होंने दुकान की एक चौथाई जगह घेर रखी थी।

'हैरी, तुम अब तक मेरी तीन पार्टियों में नहीं आए हो!' स्लगहॉर्न ने प्यार से उसके सीने में उँगली घुसाते हुए कहा। 'यह नहीं चलेगा, मेरे बच्चे! मैं ठान चुका हूँ कि तुम्हें बुलवाकर ही मानूँगा! मिस ग्रेंजर को वहाँ बहुत अच्छा लगता है, है ना?'

'हाँ,' हर्माइनी ने असहायता से कहा, 'वे सचमुच -'

स्लगहॉर्न ने पूछा, 'तुम मेरी पार्टियों में क्यों नहीं आते हो, हैरी?'

हैरी बोला, 'सर, उस समय मेरी क्विडिच प्रैक्टिस थी।' सच तो यह था कि जब स्लगहॉर्न उसे बैंगनी रिबन में लिपटा आमंत्रण-पत्र भेजते थे, तो हैरी जान-बूझकर उसी समय प्रैक्टिस रख देता था। इस रणनीति से यह फ़ायदा भी होता था कि रॉन उपेक्षित महसूस नहीं करता था। आम तौर पर वे जिनी के साथ मिलकर इस बात पर हँसी-मज़ाक़ करते थे कि हर्माइनी मैकलेगन और ज़ैबिनी के साथ कमरे में बंद होगी।

'देखो, तुम इतनी कड़ी मेहनत कर रहे हो, इसके बाद तो मुझे तुम्हारे पहला मैच जीतने की उम्मीद है!' स्लगहॉर्न ने कहा। 'लेकिन थोड़ी सी मौज-मस्ती से आज तक किसी को कोई नुक़सान नहीं हुआ है। अब देखो, इस तरह के मौसम में तुम सोमवार की रात को तो प्रैक्टिस नहीं कर सकते ...'

'मैं नहीं आ सकता, प्रोफ़ेसर, मेरा उस शाम को प्रोफ़ेसर डम्बलडोर से ... अपॉइंटमेंट है।'

'एक बार फिर बदक़िस्मती!' स्लगहॉर्न नाटकीय अंदाज़ में चिल्लाए। 'ओह, अच्छा है ... लेकिन हैरी, तुम मुझसे हमेशा नहीं बच सकते! कभी न कभी तो मेरी पकड़ में आओगे!'

फिर वे शाही ढंग से हाथ लहराकर दुकान से बाहर की तरफ़ चल दिए। उन्होंने रॉन को इस तरह नज़रअंदाज़ कर दिया, जैसे वह कॉकरोच टॉफ़ी का डिब्बा हो।

'मुझे यक़ीन नहीं हो रहा है कि तुम एक और पार्टी से बच निकले हो,' हर्माइनी ने अपना सिर हिलाते हुए कहा। 'वे *इतनी* भी बुरी नहीं होतीं। तुम जानते हो ... कई बार तो वे मज़ेदार भी होती हैं ...' लेकिन तभी उसने रॉन के चेहरे का भाव देख लिया। 'ओह, देखो – यहाँ पर बेहतरीन शर्करा क़लमें भी हैं – ये घंटों तक चलती हैं!'

हैरी को इस बात की ख़ुशी हुई कि हर्माइनी ने विषय बदल दिया था। उसने एक बहुत बड़ी शर्करा क़लम में सामान्य से ज़्यादा रुचि ली, लेकिन इसके बावजूद रॉन की उदासी कम नहीं हुई। जब हर्माइनी ने उससे पूछा कि वह कहाँ चलना चाहता है, तो उसने बस कंधे उचका दिए।

हैरी बोला, 'चलो, थ्री ब्रूमस्टिक्स में चलते हैं। वहाँ थोड़ा गर्म माहौल होगा।'

वे अपने चेहरे पर स्कार्फ़ ढँककर मिठाई की दुकान से बाहर निकल गए। हनीड्यूक्स के गर्म माहौल के बाद बाहर की ठंडी हवा उनके चेहरे पर चाबुक की

तरह पड़ रही थी। सड़क पर ज़्यादा भीड़ नहीं थी। कोई भी बातचीत करने के लिए नहीं रुक रहा था। सभी तेज़ी से अपने गंतव्य स्थल की तरफ़ जा रहे थे। सिर्फ़ दो लोग ही इसके अपवाद थे, जो थोड़े आगे थ्री ब्रूमस्टिक्स के ठीक बाहर खड़े थे। उनमें से एक बहुत लंबा और दुबला-पतला था। हैरी ने अपने पानी से नहाए चश्मे से उन्हें देखा। वह उस बारमैन को पहचान गया, जो हॉग्समीड के दूसरे शराबख़ाने हॉग्स हेड में काम करता था। जब हैरी, रॉन और हर्माइनी उनके पास पहुँचे, तो बारमैन ने अपना चोगा अपने गले पर कसकर खींचा और दूर चल दिया। नाटा आदमी अपने हाथ में थामी किसी चीज़ को ठीक से पकड़ने की कोशिश करने लगा। उसके बिलकुल क़रीब पहुँचने के बाद ही हैरी को यह एहसास हुआ कि वह कौन था।

'मंडंगस!'

लंबे उलझे बालों वाला आदमी उछल पड़ा और उसके हाथ से एक पुराना सूटकेस गिरकर खुल गया। उसमें से बहुत सारा सामान बिखर गया, जिससे किसी भी अटाले की दुकान की खिड़की सजाई जा सकती थी।

'ओह हैलो, हैरी,' मंडंगस फ़्लेचर ने हवाई अंदाज़ का असफल नाटक करते हुए कहा। 'देखो, मेरे कारण रुकने की ज़रूरत नहीं है।'

फिर वह ज़मीन पर बैठकर सूटकेस से फैले सामान को जल्दी-जल्दी बटोरने लगा। उसे देखकर लग रहा था कि उसे जाने की बहुत जल्दी थी।

मंडंगस को ज़मीन से गंदी दिखने वाली चीज़ें उठाते देखकर हैरी ने पूछा, 'क्या तुम यह सामान बेच रहे हो ?'

'क्या करूँ ? रोज़ी-रोटी तो चलानी ही पड़ेगी,' मंडंगस ने कहा। 'वह मुझे दे दो!'

रॉन ने झुककर चाँदी की कोई चीज़ उठा ली थी।

'ज़रा रुको,' रॉन धीरे से बोला। 'यह तो जानी-पहचानी लगती है -'

'धन्यवाद!' मंडंगस ने कहा और उसने रॉन के हाथ से प्याला लेकर उसे सूटकेस में भर लिया। 'अच्छा, तो फिर मिलते हैं - **आउच!**'

लेकिन तब तक हैरी ने मंडंगस का गला पकड़कर उसे थ्री ब्रूमस्टिक्स की दीवार से टिका दिया था। उसे एक हाथ से पकड़कर उसने दूसरे हाथ से छड़ी निकाल ली।

'हैरी!' हर्माइनी चीख़ी।

'तुमने वह सामान सिरियस के घर से चुराया,' हैरी ने कहा, जिसकी नाक अब मंडंगस की नाक के इतनी पास थी कि उसे पुरानी तंबाकू और शराब की

बदबू आ रही थी। 'उस पर ब्लैक ख़ानदान की मोहर लगी है।'

'मैं - नहीं - क्या - ?' मंडंगस ने हाँफते हुए कहा, जिसका चेहरा अब थोड़ा बैंगनी हो गया था।

हैरी ने गुर्राते हुए पूछा, 'तुमने क्या किया ? जिस रात को वह मरा, उसी रात को उसके घर में घुसकर सारा सामान उड़ा लिया ?'

'मैं - नहीं -'

'वह सामान मुझे दो!'

जब मंडंगस का चेहरा नीला पड़ने लगा, तो हर्माइनी चीख़ी, 'हैरी, छोड़ दो!'

एक धमाका हुआ और हैरी के हाथ मंडंगस की गर्दन से दूर छिटक गए। हाँफते और थूक उड़ाते मंडंगस ने अपना गिरा हुआ सूटकेस उठाया और फिर - **खट्ट** - वह अंतर्ध्यान हो गया।

हैरी ने गाली दी और मुड़कर देखने लगा कि मंडंगस कहाँ गया।

'वापस आओ, चोर कहीं के -!'

'कोई फ़ायदा नहीं है, हैरी।'

टौंक्स जाने कहाँ से वहाँ आ गई थी। उसके चूहे जैसे बाल बर्फ़ के कारण गीले थे।

'मंडंगस अब तक शायद लंदन में होगा। चिल्लाने का कोई मतलब नहीं है।'

'उसने सिरियस का सामान चुराया! उसने चोरी की!'

'हाँ, लेकिन फिर भी,' टौंक्स ने कहा, जो इस जानकारी से ज़रा भी विचलित नहीं दिख रही थी, 'तुम्हें ठंड से दूर रहना चाहिए।'

वह उन्हें थ्री ब्रूमस्टिक्स के दरवाज़े से अंदर जाते हुए देखती रही। अंदर पहुँचकर हैरी ग़ुस्से से बोला, *'वह सिरियस का सामान चुरा रहा था!'*

'मैं जानती हूँ हैरी, लेकिन मेहरबानी करके चिल्ला-चोट मत करो। लोग घूर रहे हैं,' हर्माइनी ने फुसफुसाकर कहा। 'तुम जाकर बैठ जाओ। मैं तुम्हारे लिए ड्रिंक ले आती हूँ।'

जब हर्माइनी कुछ मिनट बाद उनकी टेबल पर बटरबियर की तीन बोतलें लेकर लौटी, तब भी हैरी बिफर रहा था।

'क्या मायापंछी के समूह के लोग मंडंगस को क़ाबू में नहीं रख सकते,' हैरी ने आवेशपूर्ण फुसफुसाहट में पूछा। 'क्या वे लोग उसे सामान चुराने से नहीं रोक

सकते ?'

'श्श्श!' हर्माइनी ने हताशा में कहा और चारों तरफ़ देखा कि कहीं कोई सुन तो नहीं रहा है। दो जादूगर पास ही खड़े थे और हैरी को बड़ी दिलचस्पी से देख रहे थे। ज़ैबिनी भी पास में ही एक खंभे से टिका हुआ था। 'हैरी, अगर मैं होती, तो मुझे भी ग़ुस्सा आ जाता। मैं जानती हूँ कि वह तुम्हारा सामान चुरा रहा है –'

हैरी के गले में बटरबियर अटक गई। वह तो भूल ही गया था कि वह बारह नंबर, ग्रिमॉल्ड चौक का मालिक था।

'हाँ, वह मेरा सामान था!' उसने कहा। 'इसलिए कोई आश्चर्य नहीं कि वह मुझे देखकर ख़ुश नहीं हुआ था! ठीक है, मैं डम्बलडोर को सारी बात बता दूँगा कि क्या चल रहा है। मंडंगस सिर्फ़ उन्हीं से डरता है।'

'यह अच्छा रहेगा,' हर्माइनी फुसफुसाकर बोली और वह इस बात पर ख़ुश थी कि हैरी शांत हो रहा था। 'रॉन, तुम किसे घूर रहे हो ?'

'यूँ ही,' रॉन ने कहा और जल्दी से बार से दूर देखने लगा। लेकिन हैरी जानता था कि वह दुकान की सुडौल और आकर्षक मालकिन मैडम रोज़मर्टा से नज़रें मिलाने की कोशिश कर रहा था, जिनके लिए उसके दिल में काफ़ी समय से एक ख़ास जगह थी।

'मुझे लगता है कि "यूँ ही" इस वक़्त फ़ायरव्हिस्की लाने के लिए अंदर गई है,' हर्माइनी ने व्यंग्य से कहा।

रॉन ने उसके ताने को नज़रअंदाज़ कर दिया और गरिमापूर्ण ख़ामोशी में अपना ड्रिंक ख़त्म किया। हैरी सिरियस के बारे में सोच रहा था। वह यह भी सोच रहा था कि सिरियस चाँदी के उन प्यालों से कितनी नफ़रत करता था। हर्माइनी ने टेबल पर अपनी उँगलियाँ बजाईं और उसकी आँखें बार-बार रॉन तथा बार के बीच घूमती रहीं।

जैसे ही हैरी ने अपनी बोतल की आख़िरी बूँदें ख़त्म कीं, वह बोला, 'अब हम स्कूल लौट चलें ?'

बाक़ी दोनों ने सिर हिलाकर हाँ कर दी। यह यात्रा मज़ेदार साबित नहीं हुई थी। मौसम लगातार ख़राब होता जा रहा था। एक बार फिर उन्होंने अपने चोगे कसकर लपेटे, स्काफ़ ठीक किए और ग्लव्ज़ पहने। इसके बाद वे केटी बेल और उसकी एक सहेली के पीछे-पीछे शराबख़ाने से बाहर निकले तथा हाई स्ट्रीट पर चलने लगे। हॉगवर्ट्स तक जाने वाली सड़क पर जमी बर्फ़ पर चलते समय हैरी जिनी के बारे में सोचने लगा। हैरी ने सोचा कि वह उन्हें इसलिए नहीं मिली होगी, क्योंकि वह और डीन मैडम पडीफ़ुट की टीशॉप में आराम से बैठे होंगे, जहाँ

ख़ुशनुमा जोड़े सुकून से बैठने जाते थे। त्योरियाँ चढ़ाकर उसने घुमड़ती हुई बर्फ़ से बचने के लिए अपना सिर झुकाया और आगे बढ़ने लगा।

थोड़ी देर बाद हैरी को एहसास हुआ कि केटी बेल और उसकी सहेली की हवा में उड़ती हुई आवाज़ें ज़्यादा तीखी और तेज़ होती जा रही थीं। हैरी ने उनकी अस्पष्ट आकृतियों की तरफ़ देखा। ऐसा लग रहा था, वे दोनों उस चीज़ के बारे में बहस कर रही थीं, जो केटी अपने हाथ में पकड़े थी।

हैरी को केटी की आवाज़ सुनाई दी, 'इसका तुमसे कोई संबंध नहीं है, लीन!'

वे सड़क के मोड़ पर मुड़े। अब बर्फ़ तेज़ी से गिरने लगी थी और हैरी का चश्मा धुँधला हो गया था। जब हैरी ने अपना चश्मा साफ़ करने के लिए हाथ उठाया, तभी लीन ने उस पैकेट को छीनने की कोशिश की, जो केटी के हाथ में था। केटी ने उसे वापस खींचा और उनकी छीना-झपटी में पैकेट ज़मीन पर गिर गया।

केटी फ़ौरन हवा में उठ गई। रॉन की तरह नहीं, जो हास्यास्पद रूप से टखने के बल झूलने लगा था, बल्कि शालीनता से। उसकी बाँहें इस तरह फैली हुई थीं, जैसे वह उड़ने वाली हो। बहरहाल, कोई चीज़ गड़बड़ थी, कोई चीज़ डरावनी थी ... तेज़ हवा के कारण केटी के बाल चारों तरफ़ उड़ रहे थे, लेकिन उसकी आँखें बंद थीं और चेहरे पर कोई भाव नहीं था। हैरी, रॉन, हर्माइनी और लीन मूर्ति की तरह खड़े होकर देखते रहे।

फिर ज़मीन से छह फ़ुट ऊपर केटी बुरी तरह चीख़ी। उसकी आँखें खुल गईं, लेकिन वह जो भी देख रही थी, वह जो भी महसूस कर रही थी, उससे उसे भयंकर कष्ट हो रहा था। वह लगातार चीख़ती रही। लीन भी चीख़ने लगी। उसने केटी के टखने पकड़कर उसे दोबारा ज़मीन पर खींचने की कोशिश की। हैरी, रॉन और हर्माइनी भी मदद करने के लिए भागे। जैसे ही उन्होंने केटी के पैर पकड़े, वह उनके ऊपर गिर गई। हैरी और रॉन ने उसे पकड़ लिया, लेकिन वह इतनी बुरी तरह छटपटा रही थी कि वे उसे पकड़े नहीं रख सकते थे। उन्होंने उसे ज़मीन पर उतार दिया, जहाँ वह छटपटाती और चीख़ती रही। यह स्पष्ट था कि वह उनमें से किसी को भी नहीं पहचान पा रही थी।

हैरी ने मुड़कर चारों तरफ़ देखा। आस-पास कोई नहीं दिख रहा था।

उसने तेज़ हवा की आवाज़ के ऊपर बाक़ी लोगों से चिल्लाकर कहा, 'यहीं रुकना! मैं मदद लेकर आता हूँ!'

वह स्कूल की तरफ़ दौड़ने लगा। उसने कभी किसी की ऐसी हालत नहीं देखी थी, जैसी इस वक़्त केटी की थी। वह सोच नहीं पा रहा था कि ऐसा किस

कारण हुआ होगा। वह तेज़ी से एक मोड़ पर मुड़ा और किसी ऐसी चीज़ से टकरा गया, जो पिछले पैरों पर चलने वाले बड़े भालू की तरह दिख रही थी।

'हैग्रिड!' उसने हाँफते हुए कहा और ख़ुद को उस बागड़ से उठाया, जिसमें वह गिर गया था।

'हैरी!' हैग्रिड ने कहा। उसकी भौंहों और दाढ़ी में बर्फ़ के टुकड़े फँसे हुए थे। वह ऊदबिलाव की खाल वाला बड़ा झबरीला कोट पहने था। हैग्रिड आगे बोला, 'बस ग्रॉप से मिलने गए थे। वह इतना ज़्यादा सीख चुका है कि तुम्हें तो –'

'हैग्रिड, वहाँ कोई घायल हो गया है! किसी ने उसे शाप दिया है या ऐसा ही कुछ हुआ है –'

'क्या ?' हैग्रिड गरजती हवा के ऊपर हैरी की आवाज़ सुनने के लिए नीचे झुका।

'किसी को शाप दिया गया है!' हैरी गरजा।

'शाप ? किसे – रॉन को ? हर्माइनी को ?'

'नहीं, उन्हें नहीं, केटी बेल को – इस तरफ़ ...'

वे दोनों एक साथ सड़क पर दौड़ने लगे। उन्हें केटी के पास पहुँचने में ज़्यादा समय नहीं लगा, जो अब भी ज़मीन पर पड़ी-पड़ी छटपटा और चीख़ रही थी। रॉन, हर्माइनी और लीन उसे शांत करने की कोशिश कर रहे थे।

'पीछे हटो!' हैग्रिड चिल्लाया। 'हमें देखने दो!'

'उसे कुछ हो गया है!' लीन सुबकती हुई बोली। 'मैं नहीं जानती कि क्या –'

हैग्रिड ने एक पल के लिए केटी को घूरकर देखा। फिर बिना कुछ कहे वह नीचे झुका और उसे अपनी बाँहों में उठाकर महल की तरफ़ भागने लगा। कुछ ही सेकंड में केटी की तेज़ चीख़ें सुनाई देना बंद हो गईं। अब सिर्फ़ हवा के गरजने की आवाज़ ही सुनाई दे रही थी।

हर्माइनी जल्दी से केटी की रुआँसी सहेली के पास गई और उसकी कमर में हाथ डाल दिया।

'तुम्हारा नाम लीन है, है ना ?'

लड़की ने सिर हिला दिया।

'यह अचानक हुआ या – ?'

'यह पैकेट फटने पर हुआ था,' लीन सुबकते हुए बोली। वह ज़मीन पर पड़े भूरे काग़ज़ के पैकेट की तरफ़ इशारा कर रही थी, जो भीगा हुआ था। यह

फटकर खुल गया था और इसमें से एक हरी चमक निकलती दिख रही थी। रॉन ने नीचे झुककर हाथ बढ़ाया, लेकिन हैरी ने उसका हाथ पकड़कर पीछे खींच लिया।

'उसे मत छूना!'

वह नीचे झुका। पैकेट में से दूधिया मोतियों का हार बाहर झाँक रहा था।

हैरी ने उसे घूरते हुए कहा, 'मैंने इसे पहले भी देखा है! यह बरसों पहले बोर्गिन एंड बर्क्स दुकान में रखा था। इसके लेबल पर लिखा था कि यह शापित है। केटी ने इसे ज़रूर छू लिया होगा।' उसने लीन की तरफ़ देखा, जो बेक़ाबू होकर काँपने लगी थी। 'केटी को यह कहाँ मिला?'

'उसी के बारे में तो हम बहस कर रहे थे। जब वह थ्री ब्रूमस्टिक्स के बाथरूम से लौटी थी, तो उसके हाथ में यह पैकेट था। उसने कहा कि इसमें हॉगवर्ट्स में किसी के लिए तोहफ़ा है। उसने सिर्फ़ इतना बताया कि उसे यह किसी को देना है। यह कहते समय वह थोड़ी अजीब लग रही थी ... ओह नहीं, ओह नहीं, शायद उस पर सम्मोहन शाप किया गया था, लेकिन मैं तब यह बात नहीं समझ पाई!'

लीन दोबारा सुबकने और काँपने लगी। हर्माइनी ने उसका कंधा हौले-हौले थपथपाया।

'लीन, उसने यह नहीं बताया कि यह पैकेट उसे किसने दिया था?'

'नहीं ... वह मुझे बताने को तैयार नहीं थी ... मैंने कहा कि वह मूर्ख है और उसे वह चीज़ स्कूल तक नहीं ले जानी चाहिए, लेकिन वह सुनने को ही तैयार नहीं थी और ... और फिर मैंने इसे उससे छीनने की कोशिश की ... और – और –' लीन ने हताशा भरी चीख़ निकाली।

हर्माइनी ने लीन की कमर में हाथ डालते हुए कहा, 'अब अच्छा यही रहेगा कि स्कूल की तरफ़ चलें। हमें पता चल जाएगा कि अब वह कैसी है। चलो ...'

हैरी एक पल के लिए झिझका। फिर उसने अपने चेहरे पर ढँका स्कार्फ़ खींचा और रॉन की आह को नज़रअंदाज़ करते हुए हार पर स्कार्फ़ डालकर उसे उठा लिया।

उसने कहा, 'हमें यह मैडम पॉमफ़्री को दिखाना पड़ेगा!'

हर्माइनी और लीन के पीछे-पीछे सड़क पर चलते समय हैरी का दिमाग़ तेज़ी से सोच रहा था। जब वे मैदान में दाख़िल हुए, तो हैरी अपने विचारों को मन में नहीं रोक पाया और बरबस बोल पड़ा।

'मैल्फ़ॉय इस हार के बारे में जानता था। यह चार साल पहले बोर्गिन एंड बर्क्स में एक केस में रखा हुआ था। जब मैं वहाँ उससे और उसके डैडी से छिपा था, तो मैंने उसे इसे अच्छी तरह देखते हुए देखा था। जिस दिन हमने उसका पीछा किया था, उस दिन वह इसी को ख़रीद रहा होगा! उसे इसकी याद आ गई होगी और वह इसे ख़रीदने चला गया होगा!'

'मुझे – मुझे नहीं लगता, हैरी,' रॉन ने झिझकते हुए कहा। 'बोर्गिन एंड बर्क्स दुकान में हज़ारों लोग जाते हैं ... और क्या उस लड़की ने यह नहीं कहा था कि केटी को यह लड़कियों के बाथरूम में मिला था ?'

'उसने कहा था कि बाथरूम से आते समय यह केटी के पास था। इसका यह मतलब नहीं है कि यह चीज़ उसे बाथरूम में ही मिली थी –'

'मैक्गॉनेगल!' रॉन ने चेतावनी देते हुए कहा।

हैरी ने ऊपर देखा। प्रोफ़ेसर मैक्गॉनेगल घुमड़ती हुई बर्फ़ के बीच पत्थर की सीढ़ियाँ उतरकर तेज़ी से उनकी तरफ़ आ रही थीं।

'हैग्रिड कहता है कि केटी बेल के साथ जो हुआ है, उसे तुम चारों ने देखा है – तत्काल मेरे ऑफ़िस में चलो! तुम्हारे हाथ में क्या है, पॉटर ?'

हैरी बोला, 'केटी ने इसी चीज़ को छुआ था।'

हैरी से हार लेते समय प्रोफ़ेसर मैक्गॉनेगल दहशत में बोलीं, 'हे भगवान! नहीं, नहीं, फ़िल्च, ये मेरे साथ हैं!' उन्होंने जल्दी से आगे कहा, जब फ़िल्च अपने ख़ुफ़िया संवेदनसूचक को ऊपर उठाकर उत्साह से प्रवेश हॉल के पार आया। 'फ़िल्च, तुम इस हार को प्रोफ़ेसर स्नेप के पास तत्काल ले जाओ, लेकिन ध्यान रखना, इसे छूना मत, इसे स्कार्फ़ में लपेटकर रखना!'

हैरी सहित बाक़ी सभी विद्यार्थी प्रोफ़ेसर मैक्गॉनेगल के पीछे-पीछे ऊपर की मंज़िल तक गए और उनके ऑफिस में पहुँच गए। बर्फ़ से ढँकी खिड़कियाँ खड़खड़ कर रही थीं और अँगीठी में आग दहकने के बावजूद कमरा ठंडा था। प्रोफ़ेसर मैक्गॉनेगल ने दरवाज़ा बंद कर दिया और घूमकर अपनी डेस्क पर बैठ गईं। उनके सामने हैरी, रॉन, हर्माइनी और सुबकती हुई लीन बैठे थे।

'तो ?' उन्होंने तीखी आवाज़ में पूछा। 'क्या हुआ था ?'

लीन ने अपने रोने पर क़ाबू करने की कोशिश की और फिर प्रोफ़ेसर मैक्गॉनेगल को बताया कि केटी थ्री ब्रूमस्टिक्स के बाथरूम में गई थी और वहाँ से लौटने पर उसके हाथ में यह पैकेट था। लीन ने बताया कि लौटने के बाद केटी थोड़ी अजीब लग रही थी और उन दोनों में इस बात पर बहस हुई थी कि किसी तक अनजान सामान नहीं पहुँचाना चाहिए। फिर लीन ने सुबकते हुए बताया कि

बहस के दौरान उनमें पैकेट को लेने के लिए छीना-झपटी होने लगी थी, जिससे यह फट गया। यह कहते-कहते लीन इतनी बेक़ाबू हो गई कि वह आगे एक शब्द भी नहीं बोल पाई।

प्रोफ़ेसर मैक्गॉनेगल ने नरमी से कहा, 'ठीक है लीन, तुम अस्पताल जाकर मैडम पॉमफ़्री से सदमे की दवा ले लो।'

उसके कमरे से जाने के बाद प्रोफ़ेसर मैक्गॉनेगल हैरी, रॉन और हर्माइनी की तरफ़ मुड़ीं।

'जब केटी ने हार को छुआ, तो उसके बाद क्या हुआ?'

रॉन या हर्माइनी के कुछ बोल पाने से पहले ही हैरी बोल पड़ा, 'वह हवा में ऊपर उठ गई। फिर वह चीख़ने लगी और गिर गई। प्रोफ़ेसर, क्या मैं प्रोफ़ेसर डम्बलडोर से मिल सकता हूँ?'

प्रोफ़ेसर मैक्गॉनेगल ने हैरानी से कहा, 'पॉटर, हेडमास्टर सोमवार तक बाहर गए हैं।'

'बाहर?' हैरी ने ग़ुस्से से कहा।

'हाँ, पॉटर, बाहर!' प्रोफ़ेसर मैक्गॉनेगल ने सख़्त लहज़े में कहा। 'लेकिन तुम्हें इस भयंकर घटना के बारे में जो भी कहना हो, मुझसे कह सकते हो!'

एक पल के लिए हैरी झिझका। प्रोफ़ेसर मैक्गॉनेगल आसानी से विश्वास नहीं करती थीं। हालाँकि डम्बलडोर कई मायनों में ज़्यादा डरावने थे, लेकिन वे किसी भी अवधारणा को, चाहे वह कितनी ही अजीब हो, एकदम से अस्वीकार नहीं करते थे। यह ज़िंदगी और मौत का सवाल था, इसलिए इस पल उसे अपनी हँसी उड़ने की चिंता नहीं करनी चाहिए।

'प्रोफ़ेसर, मुझे लगता है कि केटी को वह हार ड्रेको मैल्फ़ॉय ने दिया है।'

उसके एक तरफ़ बैठा रॉन अपनी उलझन छिपाने के लिए नाक मलने लगा। दूसरी तरफ़ हर्माइनी ने अपने पैर इधर-उधर किए, ताकि वह हैरी से थोड़ी दूर हो जाए।

'यह बहुत गंभीर आरोप है, पॉटर,' प्रोफ़ेसर मैक्गॉनेगल ने सदमे भरी ख़ामोशी के बाद कहा। 'क्या तुम्हारे पास इसका कोई सबूत है?'

'नहीं,' हैरी ने कहा, 'लेकिन ...' फिर उसने उन्हें बता दिया कि बोर्गिन एंड बर्क्स दुकान में वह मैल्फ़ॉय के पीछे-पीछे गया था और वहाँ उसने उनके बीच में क्या-क्या बातें सुनी थीं।

जब उसने बोलना ख़त्म किया, तो प्रोफ़ेसर मैक्गॉनेगल थोड़ी दुविधा में नज़र आईं।

'मैल्फ़ॉय मरम्मत करवाने के लिए कोई चीज़ बोर्गिन एंड बर्क्स में ले गया ?'

'नहीं, प्रोफ़ेसर। वह तो बोर्गिन से उस चीज़ को सुधारने का तरीक़ा जानना चाहता था। वह चीज़ उस वक़्त उसके पास नहीं थी। लेकिन मुद्दे की बात यह नहीं है। मुद्दे की बात तो यह है कि उसने उसी समय कोई चीज़ ख़रीदी थी और मुझे लगता है कि वह यही हार था -'

'क्या तुमने मैल्फ़ॉय को इसी तरह के पैकेट के साथ दुकान से निकलते देखा था ?'

'नहीं प्रोफ़ेसर, उसने बोर्गिन से इसे अपने लिए रिज़र्व रखने को कहा था -'

हर्माइनी बीच में ही बोल पड़ी, 'लेकिन हैरी, बोर्गिन ने उससे पूछा था कि क्या वह उसे अपने साथ ले जाना चाहता है, तब मैल्फ़ॉय ने "नहीं" कहा था -'

हैरी ने ग़ुस्से से कहा, 'साफ़ ज़ाहिर है, वह उसे छूना नहीं चाहता था!'

हर्माइनी बोली, 'उसने दरअसल यह कहा था, "मैं इसे सड़क पर ले जाते समय कैसा दिखूँगा ?"'

रॉन ने कहा, 'उस हार को ले जाते समय वह सचमुच मूर्ख दिखता!'

हर्माइनी हताशा में बोली, 'ओह रॉन, हार तो लिपटा होता, इसलिए मैल्फ़ॉय को उसे छूने की कोई ज़रूरत नहीं थी। इसके अलावा वह उसे आसानी से चोगे के नीचे छिपा सकता था! मुझे लगता है कि उसने बोर्गिन एंड बर्क्स के यहाँ जो भी चीज़ रिज़र्व करवाई थी, वह या तो आवाज़ करने वाली है या भारी है। वह कोई ऐसी चीज़ होगी, जिसे वहाँ से ले जाने पर लोगों का ध्यान उसकी तरफ़ चला जाएगा - और वैसे भी,' उसने हैरी के बीच में बोलने से पहले ही तेज़ी से आगे कहा, 'क्या तुम्हें याद नहीं है, मैंने बोर्गिन से उस हार के बारे में पूछा था ? जब मैं यह पता लगाने गई थी कि मैल्फ़ॉय ने उससे कौन सी चीज़ रिज़र्व करवाई है, तो मैंने इस हार को वहाँ रखा देखा था। बोर्गिन ने मुझे इसकी क़ीमत बता दी थी। उसने यह नहीं कहा था कि यह बिक चुका है -'

'देखो, वह तुम्हारी असलियत समझ चुका था। वह पाँच सेकंड में ही तुम्हारे इरादे भाँप चुका था कि तुम दुकान में क्यों गई थीं। ज़ाहिर है, वह तुम्हें कुछ नहीं बताने वाला था - वैसे भी, मैल्फ़ॉय इसे बाद में भी तो मँगवा सकता था -'

जब हर्माइनी ने आवेश में जवाब देने के लिए अपना मुँह खोला, तो प्रोफ़ेसर मैक्गॉनेगल बोलीं, 'बहुत हो गया! पॉटर, तुमने अच्छा किया, जो मुझे

बता दिया, लेकिन हम मिस्टर मैल्फ़ॉय की तरफ़ शक की उँगली सिर्फ़ इसलिए नहीं उठा सकते, क्योंकि वह उस दुकान में गया था, जहाँ से यह हार ख़रीदा जा सकता था। यह तो सैकड़ों लोगों के बारे में कहा जा सकता है –'

'– यही तो मैंने कहा था –' रॉन बुदबुदाया।

'– और वैसे भी, हमने इस साल सुरक्षा इंतज़ाम कड़े कर दिए हैं। मुझे नहीं लगता कि हमारी जानकारी के बिना हार इस स्कूल में आ सकता था –'

'– लेकिन –'

'– और इससे भी बड़ी बात यह है,' प्रोफ़ेसर मैक्गॉनेगल ने निर्णायक आवाज़ में कहा, 'कि मैल्फ़ॉय आज हॉग्समीड गया ही नहीं था!'

हैरी ने आँखें और मुँह फाड़कर उनकी तरफ़ देखा।

'आप यह बात कैसे जानती हैं, प्रोफ़ेसर ?'

'क्योंकि वह मेरे साथ सज़ा काट रहा था; उसने लगातार दो दिन से रूपांतरण का होमवर्क नहीं किया था। इसलिए उस पर शक करने की कोई ज़रूरत नहीं है। पॉटर, अपना शक मुझे बताने के लिए धन्यवाद,' उन्होंने उन लोगों के पास से निकलते हुए कहा, 'अब मुझे केटी बेल को देखने के लिए अस्पताल जाना है। तुम सभी का दिन अच्छा गुज़रे।'

प्रोफ़ेसर मैक्गॉनेगल ने अपने ऑफ़िस का दरवाज़ा खोल दिया। अब उन लोगों के पास बाहर जाने के अलावा कोई चारा नहीं था।

हैरी उन दोनों से नाराज़ था, क्योंकि वे मैक्गॉनेगल की तरफ़ हो गए थे, लेकिन फिर भी जब वे उस घटना के बारे में विचार-विमर्श करने लगे, तो वह बातचीत में शामिल होने के लिए मजबूर हो गया।

सीढ़ियाँ चढ़कर बड़े हॉल की तरफ़ जाते समय रॉन ने पूछा, 'तुम्हें क्या लगता है, केटी वह हार किसे देने वाली होगी ?'

'भगवान जाने,' हर्माइनी ने कहा। 'लेकिन वह जिसे भी देने वाली होगी, वह बाल-बाल बचा है। कोई भी हार को छुए बिना वह पैकेट नहीं खोल सकता था।'

'यह बहुत से लोगों के लिए हो सकता था,' हैरी ने कहा। 'डम्बलडोर के लिए – प्राणभक्षी उनसे छुटकारा पाने के लिए बेताब हैं। वे उनकी हिट लिस्ट में सबसे ऊपर हैं। या स्लगहॉर्न के लिए – डम्बलडोर मानते हैं कि वोल्डेमॉर्ट सचमुच उन्हें अपनी तरफ़ मिलाना चाहता है और वह इस बात पर ख़ुश नहीं हो सकता कि वे डम्बलडोर की तरफ़ हो गए हैं। या –'

'या तुम्हारे लिए,' हर्माइनी ने परेशान दिखते हुए कहा।

'हो ही नहीं सकता,' हैरी ने कहा, 'वरना केटी सड़क पर बस पीछे मुड़कर वह पैकेट मुझे दे देती, है ना ? थ्री ब्रूमस्टिक्स से बाहर निकलने के बाद मैं पूरे रास्ते उसके पीछे ही तो चल रहा था। हॉगवर्ट्स के बाहर पैकेट देने में ज़्यादा समझदारी होती, क्योंकि फ़िल्च अंदर आने वाले हर व्यक्ति की तलाशी ले रहा था। मुझे आश्चर्य है कि मैल्फ़ॉय ने उसे वह पैकेट महल में ले जाने के लिए क्यों कहा होगा ?'

'हैरी, मैल्फ़ॉय हॉग्समीड में नहीं था!' हर्माइनी ने कुंठा में पैर पटकते हुए कहा।

'तब तो उसने किसी साथी का इस्तेमाल किया होगा,' हैरी ने कहा। 'क्रैब या गॉइल - या, हो सकता है, एक और प्राणभक्षी। प्राणभक्षी बनने के बाद उसके क्रैब और गॉइल से ज़्यादा अच्छे दोस्त बन चुके होंगे -'

रॉन और हर्माइनी ने एक-दूसरे की तरफ़ इस अंदाज़ में देखा, जैसे कह रहे हों, 'इससे बहस करने से कोई फ़ायदा नहीं है।'

जब वे मोटी औरत के पास पहुँचे, तो हर्माइनी दृढ़ता से बोली, 'डिलिग्राउट।'

तस्वीर आगे की तरफ़ झूल गई, ताकि वे गरुड़द्वार के हॉल में पहुँच सकें। हॉल काफ़ी भरा था और वहाँ गीले कपड़ों की ख़ुशबू आ रही थी। ख़राब मौसम के कारण बहुत से विद्यार्थी हॉग्समीड से जल्दी ही लौट आए थे। डर या चिंता का कोई माहौल नहीं था। साफ़ समझ में आ रहा था कि केटी की बदक़िस्मती की ख़बर अब तक नहीं फैली थी।

'सोचा जाए तो यह कोई बहुत चतुराई भरा हमला नहीं था,' रॉन ने कहा और फ़र्स्ट ईयर के एक विद्यार्थी को आग के पास वाली अच्छी कुर्सी से हटाकर ख़ुद उस पर बैठ गया। 'शापित चीज़ महल के भीतर नहीं आ पाई। इसे बेहतरीन योजना नहीं कहा जा सकता।'

'तुमने सही कहा,' हर्माइनी ने रॉन को कुर्सी से हटाकर फ़र्स्ट ईयर के विद्यार्थी को उस पर दोबारा बैठाते हुए कहा। 'यह बहुत सोच-विचार कर नहीं किया गया था।'

हैरी ने पूछा, 'लेकिन मैल्फ़ॉय में सोचने-विचारने की बुद्धि है ही कहाँ ?'

रॉन और हर्माइनी दोनों ने ही उसकी बात का कोई जवाब नहीं दिया।

अध्याय तेरह

रहस्यमय रिडल

केटी को अगले दिन सेंट मंगोज़ जादुई रोग एवं दुर्घटना अस्पताल भेज दिया गया। इस दौरान उसके शापग्रस्त होने की ख़बर पूरे स्कूल में फैल चुकी थी। हालाँकि इस बारे में बहुत सी अफ़वाहें थीं, लेकिन हैरी, रॉन, हर्माइनी और लीन के अलावा कोई नहीं जानता था कि केटी हमले का निशाना नहीं थी।

'ओह, और ज़ाहिर है, मैल्फ़ॉय भी जानता है,' हैरी ने रॉन और हर्माइनी से कहा, जो बहरेपन का नाटक करने की नई नीति पर चल रहे थे। जब भी हैरी मैल्फ़ॉय-प्राणभक्षी-है की अवधारणा का ज़िक्र करता था, तो वे यही नाटक करने लगते थे।

हैरी ने सोचा कि डम्बलडोर चाहे जहाँ गए हों, क्या वे सोमवार रात के सबक़ के लिए समय से लौटकर आ गए होंगे? लेकिन चूँकि उसे नहीं आने का कोई संदेश नहीं मिला था, इसलिए वह आठ बजे डम्बलडोर के ऑफ़िस के बाहर पहुँच गया। उसने दरवाज़ा खटखटाया और उसे अंदर बुला लिया गया। वहाँ पर डम्बलडोर बैठे थे, जो बहुत थके हुए दिख रहे थे। उनका हाथ पहले जितना ही काला और जला हुआ था, लेकिन हैरी को बैठने का इशारा करते समय वे मुस्कराए। एक बार फिर स्मृति पात्र डेस्क पर रखा हुआ था और छत पर रोशनी की सफ़ेद लहरें बना रहा था।

डम्बलडोर बोले, 'मेरे बाहर रहते समय तुम काफ़ी व्यस्त रहे हो। मुझे पता चला है कि तुमने केटी की दुर्घटना देखी थी।'

'हाँ, सर। वह कैसी है?'

'उसकी हालत अब भी काफ़ी ख़राब है, हालाँकि एक तरह से वह ख़ुशक़िस्मत रही। ऐसा लगता है कि हार उसकी त्वचा से बिलकुल ज़रा सा छुआ था। उसके ग्लव्ज़ में छोटा सा छेद था। अगर वह हार पहन लेती या उसे बिना ग्लव्ज़ के उठा लेती, तो शायद तत्काल मर जाती। सौभाग्य से प्रोफ़ेसर स्नेप ने

शाप को फैलने से रोकने के लिए तत्काल क़दम उठा लिए –'

'वे ही क्यों?' हैरी ने जल्दी से कहा। 'मैडम पॉमफ्री क्यों नहीं?'

'असभ्यता,' दीवार पर लगी एक तस्वीर में से एक धीमी आवाज़ आई और सिरियस के पर-परदादा फ़िनीज़ नाइजेलस ब्लैक ने सोने का नाटक छोड़ते हुए अपना सिर अपनी बाँहों से हटाया। 'मैं अपने ज़माने में हॉगवर्ट्स के किसी विद्यार्थी को इस तरह का सवाल पूछने की इजाज़त नहीं देता।'

'धन्यवाद फ़िनीज़,' डम्बलडोर ने झिड़कने वाली आवाज़ में कहा। 'हैरी, प्रोफ़ेसर स्नेप गुप्त कलाओं के बारे में मैडम पॉमफ्री से बहुत ज़्यादा जानते हैं। वैसे सेंट मंगोज़ वाले हर घंटे मुझे रिपोर्ट भेज रहे हैं और उम्मीद है कि कुछ समय बाद केटी बिलकुल ठीक हो जाएगी।'

'आप वीकएंड में कहाँ गए थे, सर?' उसने पूछ लिया, हालाँकि उसे एहसास था कि वह अपनी क़िस्मत कुछ ज़्यादा ही आज़मा रहा है। शायद यही फ़िनीज़ नाइजेलस को भी लगा था, क्योंकि उसने धीरे से आह भरी।

'मैं इस वक़्त नहीं बताना चाहूँगा,' डम्बलडोर ने कहा। 'बहरहाल, मैं तुम्हें समय आने पर बताऊँगा।'

हैरी ने हैरानी से पूछा, 'आप मुझे बताएँगे?'

'हाँ, मुझे उम्मीद है,' डम्बलडोर ने कहा और अपने दुशाले के भीतर से चाँदी जैसी यादों की एक नई शीशी निकाली और अपनी छड़ी से कुरेदकर उसका कॉर्क खोला।

'सर,' हैरी ने कहा, 'हॉग्समीड में मुझे मंडंगस मिला था।'

'ओह हाँ, मुझे पता चल चुका है कि मंडंगस तुम्हारी विरासत के साथ बड़ी दरियादिली से पेश आ रहा है,' डम्बलडोर ने हल्की सी त्योरियाँ चढ़ाकर कहा। 'थ्री ब्रूमस्टिक्स के बाहर तुमसे मिलने के बाद वह छिप गया है। मुझे लगता है कि वह मेरे सामने आने की हिम्मत नहीं जुटा पा रहा है। बहरहाल, विश्वास रखो कि भविष्य में वह सिरियस के सामान को हाथ भी नहीं लगा पाएगा।'

'वह घटिया आदमी ब्लैक ख़ानदान का सामान चुरा रहा है?' फ़िनीज़ नाइजेलस ने ग़ुस्से में आते हुए कहा और अपने फ्रेम से निकलकर चला गया। हैरी को यक़ीन था कि वह निश्चित रूप से बारह नंबर, ग्रिमॉल्ड चौक में अपनी तस्वीर में जाकर देखने गया होगा।

'प्रोफ़ेसर,' हैरी ने थोड़ी देर बाद कहा, 'क्या प्रोफ़ेसर मैक्गॉनेगल ने आपको वह बात बताई, जो मैंने उनसे केटी के घायल होने के बाद कही थी? ड्रेको मैल्फ़ॉय के बारे में?'

डम्बलडोर बोले, 'हाँ, उन्होंने मुझे तुम्हारे संदेह के बारे में बताया था।'

'और क्या आप – ?'

डम्बलडोर ने कहा, 'मैं हर उस व्यक्ति की जाँच करने के सभी उचित क़दम उठाऊँगा, जिसका केटी की दुर्घटना में हाथ हो सकता है! लेकिन हैरी, इस वक़्त मुझे अपने सबक़ की चिंता है।'

हैरी को यह पसंद नहीं आया : अगर ये सबक़ इतने महत्वपूर्ण थे, तो फिर पहले और दूसरे सबक़ के बीच में इतना फ़ासला क्यों था ? बहरहाल, उसने ड्रेको मैल्फ़ॉय के बारे में और कुछ नहीं कहा, बल्कि देखता रहा कि डम्बलडोर ने स्मृति पात्र में नई यादें डालीं और लंबी उँगलियों वाले हाथ से पत्थर के पात्र को हिलाने लगे।

'मुझे लगता है कि हमने लॉर्ड वोल्डेमॉर्ट की कहानी उस मोड़ पर छोड़ी थी, जहाँ आकर्षक मगलू टॉम रिडल अपनी जादूगरनी पत्नी मेरोपी को छोड़कर अपने परिवार के पास लिटिल हैंगलटन लौट गया था। मेरोपी लंदन में अकेली रह गई। उसे बच्चा होने वाला था, जो आगे चलकर लॉर्ड वोल्डेमॉर्ट बनने वाला था।'

'आप यह बात कैसे जानते हैं कि वह लंदन में थी, सर ?'

'कैरेक्टेकस बर्क की गवाही के कारण,' डम्बलडोर ने कहा। 'अजीब संयोग यह है कि बर्क ने वही दुकान खोली थी, जिससे वह शापित हार ख़रीदा गया था, जिसके बारे में हम अभी बातचीत कर रहे थे।'

उन्होंने स्मृति पात्र के पदार्थ को हिलाया, जैसा हैरी ने उन्हें पहले भी करते देखा था। वे उसे इस तरह हिला रहे थे, जैसे सोना खोजने वाला सोने की तलाश कर रहा हो। स्मृति पात्र के सफ़ेद पदार्थ में से एक बूढ़ा आदमी उभरा। वह स्मृति पात्र में धीरे-धीरे घूम रहा था। वह भूत जैसा सफ़ेद था, लेकिन उससे ज़्यादा ठोस था। उसके बाल बड़े-बड़े थे, जिससे उसकी आँखें लगभग पूरी ढँक गई थीं।

'हाँ, वह लॉकेट हमारे पास अजीब परिस्थिति में आया था। ओह, बहुत साल पहले की बात है, क्रिसमस से पहले एक युवा जादूगरनी उस लॉकेट को लाई थी। उसने कहा था कि उसे पैसों की बहुत ज़रूरत है, जो साफ़ दिख भी रहा था। उसके कपड़े चिथड़ों जैसे थे और उसकी हालत ख़राब लग रही थी ... उसे बच्चा भी होने वाला था। उसने कहा कि लॉकेट नागेश नागशक्ति का है। देखिए, हम इस तरह की कहानी हर समय सुनते रहते हैं, "ओह, यह टीपॉट मर्लिन का है। यह उनका सबसे प्रिय टीपॉट था!" लेकिन जब मैंने लॉकेट देखा, तो उस पर नागेश नागशक्ति का निशान बना था और कुछ आसान मंत्रों ने मुझे

सच्चाई बता दी। ज़ाहिर है, यह लगभग अनमोल था। शायद उसे तो यह पता भी नहीं था कि यह कितना बेशक़ीमती था। वह तो इसके बदले में दस गैलियन लेकर ही संतुष्ट हो गई। हमने आज तक इससे अच्छा सौदा नहीं किया!'

डम्बलडोर ने स्मृति पात्र को एक तेज़ झटका दिया और कैरेक्टेकस बर्क यादों के उसी घुमड़ते पदार्थ में नीचे चला गया, जिसमें से वह निकला था।

हैरी ने ग़ुस्से से कहा, 'उसने उसे सिर्फ़ दस गैलियन दिए ?'

'कैरेक्टेकस बर्क अपनी उदारता के लिए मशहूर नहीं था,' डम्बलडोर ने कहा। 'तो हम यह बात जानते हैं कि अपनी गर्भावस्था के आख़िरी दौर में मेरोपी लंदन में थी और उसे पैसों की सख़्त ज़रूरत थी, इतनी कि वह अपना एकमात्र क़ीमती सामान यानी वह लॉकेट बेचने को तैयार थी, जो मारवोलो परिवार की दो बेशक़ीमती निशानियों में से एक था।'

'लेकिन वह जादू कर सकती थी!' हैरी ने अधीरता से कहा। 'वह जादू से अपने लिए खाना और बाक़ी चीज़ें जुटा सकती थी, है ना ?'

डम्बलडोर ने कहा, 'शायद वह ऐसा कर सकती थी। लेकिन मेरा ऐसा मानना है – और मैं एक बार फिर अनुमान लगा रहा हूँ, हालाँकि मुझे यक़ीन है कि मेरा अनुमान सही है – कि जब मेरोपी के पति ने उसे छोड़ दिया, तो इसके बाद उसने जादू करना बंद कर दिया। मुझे नहीं लगता कि वह अब जादूगरनी बनी रहना चाहती थी। ज़ाहिर है, यह भी संभव है कि प्रेम के टूटने की निराशा ने उसकी शक्तियों को छीन लिया हो! चाहे जो हो, जैसा तुम देख सकते हो, मेरोपी ने अपनी ज़िंदगी बचाने के लिए भी अपनी छड़ी उठाने से इंकार कर दिया।'

'वह अपने बेटे के लिए भी ज़िंदा नहीं रहना चाहती थी ?'

डम्बलडोर ने अपनी भौंहें उठाईं।

डम्बलडोर ने धीरे से पूछा, 'क्या तुम्हें लॉर्ड वोल्डेमॉर्ट के लिए अफ़सोस हो रहा है ?'

'नहीं,' हैरी ने जल्दी से कहा, 'लेकिन उसकी माँ के पास विकल्प था, है ना, मेरी मम्मी जैसी स्थिति नहीं थी –'

'तुम्हारी मम्मी के पास भी एक विकल्प था,' डम्बलडोर ने धीरे से कहा। 'हाँ, मेरोपी रिडल ने मौत को चुना, हालाँकि उसका एक बेटा था, जिसे उसकी ज़रूरत थी, लेकिन उसका मूल्यांकन कठोरता से मत करो, हैरी। वह काफ़ी समय तक कष्ट उठाने के कारण बहुत कमज़ोर हो चुकी थी और उसके पास तुम्हारी माँ जितनी हिम्मत नहीं थी। और अब तुम खड़े हो जाओ ...'

'हम लोग कहाँ जा रहे हैं,' हैरी ने पूछा, जब डम्बलडोर डेस्क के सामने उसके पास आ गए।

'इस बार,' डम्बलडोर ने कहा, 'हम मेरी याद में जा रहे हैं। मुझे लगता है कि तुम्हें यह काफ़ी विस्तृत और सटीक लगेगी। हैरी, पहले तुम जाओ ...'

हैरी स्मृति पात्र के भीतर झुका। उसका चेहरा याद की ठंडी सतह से टकराया और वह एक बार फिर अँधेरे में गिरने लगा ... कुछ सेकंड बाद उसके पैर ठोस ज़मीन से टकराए। आँखें खोलने पर उसने पाया कि वह और डम्बलडोर लंदन की पुराने ज़माने की सड़क पर खड़े थे।

'वह मैं हूँ,' डम्बलडोर ने उत्साह से सामने जा रही एक लंबी आकृति की तरफ़ इशारा किया, जो दूध ले जा रही घोड़ागाड़ी के सामने सड़क पार कर रही थी।

ज़्यादा युवा एल्बस डम्बलडोर की लंबी दाढ़ी और बाल सुनहरे थे। सड़क पार करने के बाद वे फ़ुटपाथ पर चलने लगे। बहुत से लोग युवा डम्बलडोर को अजीब निगाहों से देख रहे थे, क्योंकि वे किशमिश के रंग का भड़कीला मख़मली सूट पहने थे।

'बढ़िया सूट है, सर,' हैरी के मुँह से बरबस निकल गया, लेकिन डम्बलडोर बस हँस दिए, जब वे अधिक युवा डम्बलडोर के पीछे थोड़ी दूरी पर चले। आख़िरकार वे लोहे के गेट को पार करते हुए एक ख़ाली अहाते में पहुँच गए, जो एक थोड़ी डरावनी चौकोर इमारत के सामने था। इस इमारत के चारों तरफ़ ऊँची रेलिंग लगी थीं। वे सामने वाले दरवाज़े तक पहुँचने के लिए कुछ सीढ़ियाँ चढ़े और फिर उन्होंने दरवाज़ा खटखटाया। एक-दो पल बाद एक गंदी लड़की ने दरवाज़ा खोला, जो एप्रन पहने हुए थी।

'गुड आफ़्टरनून। मेरा मिसेज़ कोल के साथ अपॉइंटमेंट है, जो शायद यहाँ की मैट्रन हैं?'

'ओह,' उस लड़की ने कहा, जो डम्बलडोर के अजीब हुलिए को देखकर घबरा सी गई। 'हूँ ... एक मिनट ... **मिसेज़ कोल!**' वह पीछे मुड़कर चिल्लाई।

हैरी को जवाब में दूर से एक आवाज़ सुनाई दी। लड़की डम्बलडोर की तरफ़ वापस मुड़ी।

'अंदर आ जाइए। वे आ रही हैं।'

डम्बलडोर हॉल तक जाने वाले रास्ते पर चल दिए, जहाँ काले-सफ़ेद टाइल्स लगे थे। पूरी जगह पुरानी, लेकिन बेदाग़ और साफ़-सुथरी थी। हैरी और बूढ़े डम्बलडोर भी पीछे-पीछे पहुँच गए। सामने वाला दरवाज़ा उनके पीछे

बंद हो पाता, इससे पहले ही एक दुबली-पतली औरत उनकी तरफ़ आ गई। उस औरत के नैन-नक़्श तीखे थे और वे बेरहम दिखने के बजाय परेशान दिख रही थीं। डम्बलडोर की तरफ़ आते समय वे अपने पीछे एप्रन वाली लड़की से बात करती जा रही थीं।

'... और ऊपर की मंज़िल पर मार्था के पास आयोडीन ले जाना, बिली स्टब्स अपने फोड़े फोड़ रहा है और एरिक व्हैली अपनी चादर पर उल्टी कर रहा है - चिकन पॉक्स की ही कमी थी,' उन्होंने कहा, लेकिन तभी डम्बलडोर पर निगाह पड़ते ही वे रुक गईं। वे उतनी ही हैरान दिख रही थीं, जैसे कोई जिराफ़ उनकी चौखट के पार आ गया हो।

'गुड आफ़्टरनून,' डम्बलडोर ने अपना हाथ बढ़ाते हुए कहा।

मिसेज़ कोल मुँह खोलकर देखती रहीं।

'मेरा नाम एल्बस डम्बलडोर है। मैंने चिट्ठी लिखकर आपसे अपॉइंटमेंट लिया था और आपने बहुत कृपापूर्वक मुझे आज मिलने का समय दिया था।'

मिसेज़ कोल ने पलकें झपकाईं। स्पष्ट रूप से यह फ़ैसला करते हुए कि डम्बलडोर उनकी आँखों का भ्रम नहीं थे, उन्होंने कमज़ोरी से कहा, 'ओह हाँ। अच्छा - अच्छा, तो - बेहतर होगा, आप मेरे कमरे में चलें। हाँ।'

वे डम्बलडोर को एक छोटे कमरे में ले गईं, जो सिटिंग रूम और ऑफ़िस का मिला-जुला रूप लगता था। यह भी हॉल के रास्ते जितना ही पुराना सा था। फ़र्नीचर पुराना और बेढब था। उन्होंने डम्बलडोर को एक जर्जर कुर्सी पर बैठने का इशारा किया और ख़ुद एक काफ़ी भरी हुई डेस्क के पीछे बैठकर उन्हें घबराकर देखने लगीं।

डम्बलडोर बोले, 'जैसा मैंने आपको अपनी चिट्ठी में बताया था, मैं टॉम रिडल के बारे में बातचीत करने और उसके भविष्य का इंतज़ाम करने के लिए यहाँ आया हूँ।'

मिसेज़ कोल ने पूछा, 'क्या आप उसके रिश्तेदार हैं?'

'नहीं, मैं टीचर हूँ,' डम्बलडोर ने कहा। 'मैं टॉम को अपने स्कूल में दाख़िला देने का प्रस्ताव लेकर आया हूँ।'

'यह कौन सा स्कूल है?'

'इसका नाम हॉगवर्ट्स है,' डम्बलडोर ने कहा।

'और आपकी टॉम में दिलचस्पी क्यों है?'

'हमारा मानना है कि उसमें वे गुण हैं, जिनकी हमें तलाश है।'

'आपका मतलब है, उसने स्कॉलरशिप जीत ली है? वह ऐसा कैसे कर सकता है? उसने आज तक स्कॉलरशिप की कोई परीक्षा तो दी ही नहीं है।'

'देखिए, उसका नाम हमारे स्कूल में उसके जन्म के समय से लिखा है–'

'उसका नाम किसने लिखवाया? उसके माता-पिता ने?'

इसमें कोई शक नहीं था कि मिसेज़ कोल बहुत तेज़ थीं। स्पष्ट रूप से डम्बलडोर को भी यही लग रहा था, क्योंकि हैरी ने अब उन्हें मख़मल के सूट की जेब से छड़ी निकालते देखा। उसी समय उन्होंने मिसेज़ कोल की डेस्क से बिलकुल कोरा काग़ज़ उठा लिया।

'यहाँ देखिए,' डम्बलडोर ने कहा और उन्होंने मिसेज़ कोल की तरफ़ काग़ज़ बढ़ाते हुए अपनी छड़ी एक बार हिलाई, 'मुझे लगता है कि इसे पढ़ने के बाद आपके सामने हर चीज़ स्पष्ट हो जाएगी।'

एक पल के लिए ख़ाली काग़ज़ को ग़ौर से देखने के बाद मिसेज़ कोल की आँखें अजीब सी हो गईं।

'यह बिलकुल सही दिखता है,' उन्होंने शांति से कहा और काग़ज़ वापस लौटा दिया। फिर उनकी आँखें जिन की बोतल और दो गिलासों पर पड़ीं, जो निश्चित रूप से कुछ पल पहले वहाँ नहीं थे।

मिसेज़ कोल ने बहुत परिष्कृत आवाज़ में पूछा, 'अर – क्या आप जिन पीना पसंद करेंगे?'

डम्बलडोर मुस्कराकर बोले, 'बहुत-बहुत धन्यवाद!'

जल्दी ही यह स्पष्ट हो गया कि मिसेज़ कोल जिन पीने के मामले में नौसिखिया नहीं थीं। उन्होंने उदारता से दोनों गिलास भरे और अपना गिलास एक ही घूँट में ख़ाली कर दिया। अपने होंठ चाटते हुए वे पहली बार डम्बलडोर की तरफ़ देखकर मुस्कराईं और डम्बलडोर इसका फ़ायदा उठाने में नहीं हिचके।

'मैं सोच रहा था कि क्या आप मुझे टॉम रिडल के बारे में कुछ बता सकती हैं? मुझे लगता है कि वह यहीं अनाथालय में पैदा हुआ था।'

'आपने सही कहा,' मिसेज़ कोल ने और ज़्यादा जिन पीते हुए कहा। 'मुझे यह बहुत स्पष्टता से याद है, क्योंकि मैंने यहाँ उसी समय काम शुरू किया था। नए साल से पहले की आख़िरी रात थी और मौसम बहुत ठंडा था। बर्फ़ गिर रही थी। बहुत बुरी रात थी। और यह लड़की, जिसकी उम्र उस वक़्त मेरे बराबर की ही होगी, लड़खड़ाती हुई सामने वाली सीढ़ियों से ऊपर आई। इस तरह आने वाली वह पहली लड़की नहीं थी। हमने उसे अंदर ले लिया और एक घंटे में उसे बच्चा हो गया। और उसके एक घंटे बाद वह मर गई।'

मिसेज़ कोल ने सिर झुकाया और जिन का एक बड़ा घूँट लिया।

'क्या उसने मरने से पहले कुछ कहा ?' डम्बलडोर ने पूछा। 'जैसे, लड़के के पिता के बारे में कोई बात ?'

'हाँ, उसने ऐसा किया था,' मिसेज़ कोल ने कहा, जिन्हें अब बोलने में मज़ा आने लगा था, क्योंकि उनके हाथ में जिन थी और सामने बैठा व्यक्ति उनकी कहानी सुनने के लिए उत्सुक था।

'मुझे याद है, उसने मुझसे कहा था, "मुझे उम्मीद है कि वह अपने पापा जैसा दिखेगा।" और मैं झूठ नहीं बोलूँगी, उसकी यह उम्मीद ठीक भी थी, क्योंकि वह लड़की बिलकुल भी सुंदर नहीं थी - फिर उसने मुझे बताया कि उस लड़के का नाम उसके पिता के नाम पर टॉम और नाना के नाम पर मारवोलो रखना था - हाँ, मैं जानती हूँ, अजीब नाम है, है ना ? हमने सोचा कि कहीं वह सर्कस से तो नहीं आई थी - फिर उसने कहा कि लड़के का सरनेम रिडल रखना था। और वह इसके बाद एक शब्द बोले भी बिना जल्दी ही मर गई।

'तो हमने लड़के का नाम वही रख दिया, जो वह चाहती थी। बेचारी लड़की को यह बहुत महत्वपूर्ण लग रहा था, लेकिन लड़के की तलाश में कोई टॉम, मारवोलो या रिडल यहाँ कभी नहीं आया। परिवार का कोई सदस्य कभी नहीं आया, इसलिए वह पैदा होने के बाद से अनाथालय में ही रह रहा है।'

मिसेज़ कोल ने अनजाने में जिन का एक और गिलास पी लिया। उनके गालों पर ऊपर की तरफ़ दो गुलाबी उभार निकल आए थे। फिर वे बोलीं, 'वह लड़का अजीब है।'

'हाँ,' डम्बलडोर ने कहा। 'मुझे लगता था कि वह अजीब होगा।'

'वह बचपन में भी अजीब था। जानते हैं, वह कभी रोता नहीं था। और फिर, जब वह थोड़ा बड़ा हुआ, तो वह ... और अजीब हो गया!'

'अजीब, किस तरह से ?' डम्बलडोर ने धीरे से पूछा।

'देखिए, वह -'

लेकिन मिसेज़ कोल थोड़ा रुक गईं और उनकी उस सवालिया निगाह में कुछ भी अस्पष्ट या धुंधला नहीं था, जो उन्होंने जिन के गिलास के ऊपर से डम्बलडोर पर डाली।

'आप कहते हैं, आपके स्कूल में उसकी जगह पक्की है ?'

'निश्चित रूप से,' डम्बलडोर ने कहा।

'और मेरी कही किसी भी बात से कोई फ़र्क़ तो नहीं पड़ेगा ?'

'बिलकुल नहीं पड़ेगा,' डम्बलडोर ने कहा।

'चाहे जो हो, आप उसे यहाँ से ले जाएँगे ?'

'चाहे जो हो,' डम्बलडोर गंभीरता से बोले।

उन्होंने डम्बलडोर को घूरकर देखा, जैसे यह फ़ैसला कर रही हों कि वे उन पर भरोसा कर सकती हैं या नहीं। आख़िर ऐसा लगा, जैसे उन्होंने उन पर भरोसा कर लिया था, क्योंकि वे जल्दी से बोलीं, 'वह दूसरे बच्चों को डराता है।'

'आपका मतलब है, धौंस देता है ?' डम्बलडोर ने कहा।

'मुझे लगता है कि वह देता होगा,' मिसेज़ कोल ने थोड़ी त्योरियाँ चढ़ाकर कहा, 'लेकिन उसे पकड़ पाना बहुत मुश्किल है। ऐसी घटनाएँ हुई हैं ... बुरी चीज़ें ...'

डम्बलडोर ने उन पर दबाव नहीं डाला, हालाँकि हैरी जानता था कि उनकी गहरी दिलचस्पी थी। मिसेज़ कोल ने जिन का एक और घूँट पिया और उनके गुलाबी गाल पहले से ज़्यादा गुलाबी हो गए।

'बिली स्टब्स का ख़रगोश ... वैसे, टॉम का *कहना था* कि उसने कुछ नहीं किया और मैं भी सोचती हूँ कि वह यह काम भला कैसे कर सकता था ? लेकिन फिर भी ख़रगोश अपने आप तो छत से लटककर मर नहीं सकता, है ना ?'

'मैं भी ऐसा ही सोचता हूँ,' डम्बलडोर ने धीरे से कहा।

'लेकिन मैं आज तक हैरान हूँ कि वह यह काम करने के लिए वहाँ तक पहुँचा कैसे होगा। मैं तो बस इतना जानती हूँ कि एक दिन पहले टॉम का बिली से झगड़ा हुआ था। इसके अलावा एक घटना और है –' मिसेज़ कोल ने जिन का एक और घूँट लिया और इस बार थोड़ी सी जिन उनकी ठुड्डी पर छलक गई, 'हम लोग बच्चों को गर्मी में सैर-सपाटे के लिए ले गए थे – हम साल में एक बार उन्हें जंगल या समुद्र किनारे घुमाने ले जाते हैं। एमी बेन्सन और डेनिस बिशप उस यात्रा के बाद कभी ठीक नहीं रहे और हम उनसे बस इतना उगलवा पाए कि वे टॉम रिडल के साथ एक गुफा में गए थे। उसने क़सम खाई कि वे बस वहाँ घूमने गए थे, लेकिन मुझे यक़ीन है कि वहाँ *कुछ न कुछ तो* हुआ था। और इसके अलावा भी बहुत सी अजीब चीज़ें हुई हैं ...'

उन्होंने दोबारा डम्बलडोर की तरफ़ देखा। हालाँकि उनके गाल बहुत लाल हो चुके थे, लेकिन उनकी नज़र स्थिर थी।

'मुझे नहीं लगता कि उसके जाने से बहुत लोग दुखी होंगे।'

'आप यह तो जानती होंगी कि हम उसे हमेशा नहीं रखेंगे ?' डम्बलडोर ने कहा। 'उसे यहाँ कम से कम हर गर्मी में लौटना होगा।'

'ओह, अच्छा, कोई बात नहीं, यह साल भर रखने से तो ज़्यादा अच्छा है,' मिसेज़ कोल ने हल्की हिचकी लेते हुए कहा। वे उठकर खड़ी हो गईं और हैरी यह देखकर प्रभावित हुआ कि वे बिलकुल स्थिर थीं, हालाँकि दो-तिहाई जिन अब ग़ायब हो चुकी थी। 'मुझे लगता है कि आप उससे मिलना चाहेंगे?'

'बहुत ज़्यादा,' डम्बलडोर ने भी उठते हुए कहा।

मिसेज़ कोल ऑफ़िस से बाहर निकलकर उन्हें पत्थर की सीढ़ियों के ऊपर ले गईं। गुज़रते वक़्त वे सहायकों और बच्चों को निर्देश देती और फटकारती जा रही थीं। हैरी ने देखा कि सभी अनाथ एक जैसा भूरा कुर्ता पहने थे। उन्हें देखकर लग रहा था कि उनकी ठीक तरह से देखभाल हो रही थी, लेकिन इस बात से इंकार नहीं किया जा सकता था कि यह बड़े होने के लिए थोड़ी मनहूस जगह थी।

'यह लीजिए,' मिसेज़ कोल ने कहा, जब वे दोनों दूसरी मंज़िल पर पहुँचे और एक लंबे गलियारे के पहले दरवाज़े के बाहर रुक गए। उन्होंने दो बार खटखटाया और दाख़िल हो गईं।

'टॉम? तुमसे कोई मिलने आया है। यह मिस्टर डम्बरटन हैं - माफ़ करना, डंडरबोर हैं। वे तुम्हें यह बताने आए हैं - अच्छा, मैं आगे की बात उन्हें ही बताने देती हूँ।'

हैरी और दोनों डम्बलडोर कमरे में दाख़िल हो गए और मिसेज़ कोल ने बाहर निकलकर दरवाज़ा बंद कर दिया। यह एक छोटा सा पुराना कमरा था। इसमें एक पुरानी अलमारी, लकड़ी की कुर्सी और लोहे के एक पलंग के सिवाय कुछ नहीं था। एक लड़का भूरे कंबलों के ऊपर बैठा था, उसके पैर सामने फैले हुए थे और उसके हाथ में एक किताब थी।

टॉम रिडल के चेहरे पर गॉन्ट परिवार की कोई झलक नहीं थी। मेरोपी की आख़िरी इच्छा पूरी हो गई थी : वह अपने आकर्षक पिता का ही छोटा रूप था और ग्यारह साल के हिसाब से उसकी लंबाई अच्छी थी। उसके बाल काले थे और चेहरा पीला था। डम्बलडोर के अजीब हुलिए को देखकर उसकी आँखें थोड़ी सिकुड़ गईं। एक पल ख़ामोशी छाई रही।

'कैसे हो, टॉम?' डम्बलडोर ने आगे पहुँचकर अपना हाथ बढ़ाते हुए कहा।

लड़का झिझका, फिर उसने भी हाथ बढ़ा दिया। दोनों ने हाथ मिलाए। डम्बलडोर ने लकड़ी की सख़्त कुर्सी रिडल के पास खिसका ली, जिससे वे दोनों अस्पताल के मरीज़ और मरीज़ से मिलने आने वाले की तरह लगने लगे।

'मैं प्रोफ़ेसर डम्बलडोर हूँ।'

'प्रोफ़ेसर?' रिडल ने कहा। अब वह थोड़ा चौकन्ना दिखने लगा। 'क्या आप "डॉक्टर" हैं? आप यहाँ क्यों आए हैं? क्या *उन्होंने* आपसे मेरी जाँच करने को कहा है?'

वह उस दरवाज़े की तरफ़ इशारा कर रहा था, जिसमें से मिसेज़ कोल अभी-अभी बाहर गई थीं।

'नहीं, नहीं,' डम्बलडोर ने मुस्कराते हुए कहा।

'मुझे आपकी बात पर यक़ीन नहीं है,' रिडल ने कहा। 'वे चाहती हैं कि कोई मेरी जाँच करे, है ना? **मुझे सच-सच बताओ!**'

उसने आख़िरी के शब्द इतनी ताक़त से बोले कि वे दहशत भरे थे। यह एक आदेश था और ऐसा लग रहा था, जैसे वह यह आदेश पहले भी कई बार दे चुका था। उसकी आँखें फैल गईं और वह डम्बलडोर की तरफ़ ग़ुस्से से घूरने लगा। लगातार मुस्कराने के अलावा डम्बलडोर ने कोई प्रतिक्रिया नहीं की। कुछ पल बाद रिडल ने ग़ुस्से से घूरना बंद कर दिया, हालाँकि वह अब भी चौकन्ना दिख रहा था।

'आप कौन हैं?'

'मैं तुम्हें बता चुका हूँ। मेरा नाम प्रोफ़ेसर डम्बलडोर है और मैं हॉगवर्ट्स नाम के एक स्कूल में पढ़ाता हूँ। मैं तुम्हें अपने स्कूल में दाख़िल करने का प्रस्ताव लेकर आया हूँ - तुम्हारा नया स्कूल, अगर तुम आना चाहो।'

इस पर रिडल की प्रतिक्रिया बहुत आश्चर्यजनक थी। वह बिस्तर से उछला और नाराज़ दिखता हुआ डम्बलडोर से दूर हट गया।

'आप मुझे धोखा नहीं दे सकते! आप पागलख़ाने से आए हैं, है ना? "प्रोफ़ेसर," हाँ, ज़ाहिर है - देखिए, मैं नहीं जाऊँगा, ठीक है? पागलख़ाने में तो उस बूढ़ी बिल्ली को होना चाहिए। मैंने कभी एमी बेन्सन या डेनिस बिशप के साथ कुछ नहीं किया। आप ख़ुद उनसे पूछ सकते हैं। वे आपको बता देंगे!'

'मैं पागलख़ाने से नहीं आया हूँ,' डम्बलडोर ने धैर्य के साथ कहा। 'मैं एक टीचर हूँ और अगर तुम शांति से बैठ जाओ, तो मैं तुम्हें हॉगवर्ट्स के बारे में सब कुछ बता दूँगा। ज़ाहिर है, अगर तुम स्कूल नहीं आना चाहोगे, तो कोई तुम्हें मजबूर नहीं करेगा -'

'कोई कोशिश करके तो देखे,' रिडल व्यंग्य से बोला।

'हॉगवर्ट्स,' डम्बलडोर ने कहा, जैसे उन्होंने रिडल के आख़िरी शब्द सुने ही न हों, 'ख़ास योग्यताओं वाले लोगों का स्कूल है -'

'मैं पागल नहीं हूँ!'

'मैं जानता हूँ कि तुम पागल नहीं हो। हॉगवर्ट्स पागल लोगों का स्कूल नहीं है। यह जादू का स्कूल है।'

ख़ामोशी छा गई। रिडल मूर्ति की तरह स्थिर हो गया। उसका चेहरा भावहीन था, लेकिन उसकी आँखें डम्बलडोर की आँखों पर इधर से उधर जा रही थीं, जैसे वह झूठ पकड़ने की कोशिश कर रहा हो।

'जादू ?' उसने फुसफुसाकर पूछा।

'हाँ,' डम्बलडोर ने कहा।

'तो मैं जो कर सकता हूँ, वह ... वह जादू है ?'

'तुम क्या-क्या कर सकते हो ?'

'सभी तरह का जादू,' रिडल ने तेज़ी से साँस लेते हुए कहा। उसके खोखले गालों पर रोमांच की चमक साफ़ दिख रही थी। ऐसा लग रहा था, जैसे उसे बुखार हो। 'मैं बिना छुए सामान हिला सकता हूँ। मैं बिना प्रशिक्षण दिए जानवरों से जो चाहूँ, करवा सकता हूँ। मैं अपने को चिढ़ाने वाले लोगों के साथ बुरी घटनाएँ करवा सकता हूँ। अगर मैं चाहूँ, तो उन्हें चोट भी पहुँचा सकता हूँ।'

उसके पैर काँप रहे थे। वह आगे की तरफ़ लड़खड़ाया और दोबारा बिस्तर पर बैठ गया। वह अपने हाथों को घूर रहा था और उसका सिर जैसे प्रार्थना की मुद्रा में झुका हुआ था।

'मैं जानता था कि मैं अलग हूँ,' उसने अपनी काँपती उँगलियों के बीच से फुसफुसाकर कहा। 'मैं जानता था कि मैं ख़ास हूँ। हमेशा से जानता था कि मुझमें कोई ख़ास बात है।'

'देखो, तुम सही थे,' डम्बलडोर ने कहा, जो अब मुस्करा नहीं रहे थे, बल्कि रिडल को ग़ौर से देख रहे थे। 'तुम एक जादूगर हो।'

रिडल ने अपना सिर उठाया। उसके चेहरे का कायापलट हो चुका था। उस पर एक जंगली ख़ुशी थी, लेकिन इसके कारण वह ज़्यादा आकर्षक नहीं दिख रहा था। इसके विपरीत, उसके अच्छी तरह तराशे हुए नैन-नक़्श थोड़े सख़्त हो गए थे और उसका भाव जानवरों जैसा हो गया था।

'क्या आप भी जादूगर हैं ?'

'हाँ, मैं हूँ।'

'साबित करके दिखाओ,' रिडल ने तत्काल उसी आदेशात्मक अंदाज़ में कहा, जिसका इस्तेमाल उसने 'मुझे सच-सच बताओ' कहते समय किया था।

डम्बलडोर ने अपनी भौंहें उठाईं।

'अगर तुम हॉगवर्ट्स में दाख़िल होना चाहते हो –'

'ज़ाहिर है, मैं दाख़िल होना चाहता हूँ!'

'तो फिर तुम्हें मुझे "प्रोफ़ेसर" या "सर" कहना पड़ेगा।'

रिडल का भाव एक पल के लिए सख़्त हो गया, फिर उसने अपनी आवाज़ को विनम्र बनाते हुए कहा, 'मुझे अफ़सोस है, सर। मेरा मतलब था, प्रोफ़ेसर, क्या आप मुझे जादू दिखा सकते हैं – ?'

हैरी को यक़ीन था कि डम्बलडोर इंकार कर देंगे। वे रिडल से कहेंगे कि हॉगवर्ट्स में उसे जादू देखने का बहुत समय मिलेगा। वे उससे कहेंगे कि इस वक़्त वे मगलुओं से भरी इमारत में हैं, इसलिए उन्हें सावधान रहना होगा। बहरहाल, उसे बहुत हैरानी हुई, जब डम्बलडोर ने अपने सूट के जैकेट की अंदरूनी जेब से अपनी छड़ी निकाली और कोने में रखी गंदी अलमारी की तरफ़ इशारा करके उसे हल्के से लहरा दिया।

अलमारी में से लपटें उठने लगीं।

रिडल उछलकर खड़ा हो गया। वह सदमे और ग़ुस्से में चिल्ला रहा था। हैरी इसके लिए उसे दोष नहीं दे सकता था, क्योंकि उसकी सारी सांसारिक संपत्ति उसी अलमारी में थी। लेकिन रिडल डम्बलडोर की तरफ़ मुड़ पाता, इससे पहले ही लपटें ओझल हो गईं और अलमारी बिना किसी नुक़सान के पहले जैसी हो गई।

रिडल ने पहले अलमारी को, फिर डम्बलडोर को घूरा। फिर चेहरे पर लालच का भाव लेकर उसने छड़ी की तरफ़ इशारा किया।

'यह मुझे कहाँ मिल सकती है?'

'समय आने पर मिल जाएगी,' डम्बलडोर ने कहा। 'मुझे लगता है कि कोई चीज़ तुम्हारी अलमारी से बाहर निकलने की कोशिश कर रही है।'

निश्चित रूप से अलमारी के अंदर हल्की खड़खड़ की आवाज़ सुनाई दे रही थी। पहली बार रिडल के चेहरे पर डर दिख रहा था।

डम्बलडोर ने कहा, 'दरवाज़ा खोलो।'

रिडल झिझका, लेकिन फिर उसने कमरे के पार जाकर अलमारी का दरवाज़ा खोल दिया। सबसे ऊपर की शेल्फ़ पर, कपड़ों के ऊपर कार्डबोर्ड का एक छोटा बॉक्स इस तरह हिल रहा था और खड़खड़ कर रहा था, जैसे उसके भीतर कई बेचैन चूहे बंद हों।

'उसे बाहर निकालो,' डम्बलडोर ने कहा।

रिडल ने हिलते बक्से को उतार दिया। वह घबराया हुआ दिख रहा था।

डम्बलडोर ने पूछा, 'क्या उस बॉक्स में ऐसा कुछ है, जो तुम्हारे पास नहीं होना चाहिए?'

रिडल ने डम्बलडोर पर लंबी, स्पष्ट, तौलती हुई निगाह डाली।

आख़िरकार वह भावहीन आवाज़ में बोला, 'हाँ, मुझे ऐसा ही लगता है, सर।'

डम्बलडोर ने कहा, 'इसे खोलो।'

रिडल ने ढक्कन खोला और उनकी तरफ़ देखे बिना अंदर का सामान अपने बिस्तर पर पलट दिया। हैरी किसी ज़्यादा रोमांचक सामान की उम्मीद कर रहा था, लेकिन उसने देखा कि बॉक्स में रोज़मर्रा की छोटी-छोटी चीज़ें रखी थीं : वहाँ एक खिलौना, एक चाँदी की अँगूठी और एक बदरंग माउथ-ऑर्गन था। बॉक्स से बाहर आ जाने के बाद उन्होंने हिलना बंद कर दिया था और वे पतले कंबलों पर स्थिर पड़े थे।

'तुम माफ़ी माँगते हुए हर सामान उसके सही मालिक को लौटा देना,' डम्बलडोर अपनी छड़ी दोबारा जैकेट में रखते हुए धीरे से बोले। 'मुझे पता चल जाएगा कि तुमने यह काम किया है या नहीं। और सावधान रहना : हॉगवर्ट्स में चोरी बर्दाश्त नहीं की जाती है।'

रिडल ज़रा भी शर्मिंदा नहीं दिख रहा था। वह अब भी डम्बलडोर की तरफ़ ठंडेपन से देख रहा था और उनका मूल्यांकन कर रहा था। आख़िर उसने ठंडी आवाज़ में कहा, 'ठीक है, सर।'

डम्बलडोर ने आगे कहा, 'हॉगवर्ट्स में हम तुम्हें सिर्फ जादू करना ही नहीं सिखाएँगे, बल्कि उसे क़ाबू में रखना भी सिखाएँगे। मुझे यक़ीन है कि तुम अनजाने में अपनी शक्तियों का ऐसा इस्तेमाल कर रहे हो, जिसे हमारे स्कूल में न तो सिखाया जाता है, न ही बर्दाश्त किया जाता है। तुम पहले व्यक्ति नहीं हो, न ही आख़िरी हो, जो अपने जादू को हद से आगे बढ़ जाने देते हो। लेकिन तुम्हें मालूम होना चाहिए कि हॉगवर्ट्स विद्यार्थियों को स्कूल से बाहर निकाल सकता है और जादू मंत्रालय - हाँ, एक मंत्रालय भी है - क़ानून तोड़ने वालों को गंभीर सज़ा देता है। हमारी दुनिया में दाख़िल होते समय सभी नए जादूगरों को हमारे नियमों का पालन करने की शपथ लेनी पड़ती है।'

'ठीक है, सर,' रिडल ने दोबारा कहा।

यह बताना असंभव था कि वह क्या सोच रहा था। उसका चेहरा

बिलकुल सपाट था, जब उसने चोरी के सामान को कार्डबोर्ड के बॉक्स में दोबारा भरा। यह काम पूरा करने के बाद वह डम्बलडोर की तरफ़ मुड़कर बोला, 'मेरे पास पैसे नहीं हैं।'

'इस समस्या को आसानी से हल किया जा सकता है,' डम्बलडोर ने अपनी जेब से चमड़े का पर्स निकालते हुए कहा। 'हॉगवर्ट्स में उन विद्यार्थियों के लिए एक फ़ंड है, जिन्हें पुस्तकें और दुशाले ख़रीदने के लिए मदद की ज़रूरत होती है। हालाँकि हो सकता है, तुम्हें मंत्रों की कुछ पुस्तकें और कुछ चीज़ें सेकंड हैंड ख़रीदनी पड़ें, लेकिन -'

'मंत्रों की पुस्तकें कहाँ मिलती हैं,' रिडल ने बीच में ही पूछ लिया और बिना धन्यवाद दिए भारी-भरकम पर्स ले लिया। वह अब सोने के एक मोटे गैलियन की जाँच कर रहा था।

'छूमंतर गली में,' डम्बलडोर ने कहा। 'मेरे पास तुम्हारी किताबों और स्कूल के सामान की सूची है। मैं हर चीज़ खोजने में तुम्हारी मदद कर सकता हूँ -'

'आप भी मेरे साथ चलेंगे?' रिडल ने ऊपर देखते हुए पूछा।

'अगर तुम चाहो -'

'मुझे आपकी ज़रूरत नहीं है,' रिडल ने कहा। 'मुझे अकेले काम करने की आदत है। मैं अकेले ही लंदन जाऊँगा। इस छूमंतर गली में कैसे जाते हैं - सर?' उसने डम्बलडोर से निगाह मिलाते हुए पूछा।

हैरी ने सोचा कि डम्बलडोर रिडल के साथ जाने की ज़िद करेंगे, लेकिन एक बार फिर उनकी प्रतिक्रिया से उसे हैरानी हुई। डम्बलडोर ने रिडल को वह लिफ़ाफ़ा दे दिया, जिसमें आवश्यक सामान तथा पुस्तकों की सूची थी। फिर उन्होंने रिडल को यह बता दिया कि अनाथालय से *रिसती कड़ाही* तक कैसे पहुँचना है। इसके बाद वे बोले, 'यह तुम्हें दिख जाएगी, हालाँकि तुम्हारे चारों तरफ़ के मगलू - यानी ग़ैर-जादूगर लोग - इसे नहीं देख पाएँगे। बारमैन टॉम के पास जाना - उसका नाम याद रखना आसान है, क्योंकि उसका और तुम्हारा नाम एक ही है -'

रिडल ने चिढ़कर त्योरी चढ़ाई, जैसे किसी चिड़चिड़ी मक्खी को दूर भगाने की कोशिश कर रहा हो।

'तुम्हें "टॉम" नाम पसंद नहीं है?'

'दुनिया में बहुत सारे टॉम हैं,' रिडल बुदबुदाया। फिर वह एक सवाल पूछने से ख़ुद को रोक नहीं पाया। ऐसा लगा, जैसे यह न चाहते हुए भी उसके मुँह से निकल गया हो। उसने पूछा, 'क्या मेरे पिता जादूगर थे? इन लोगों ने मुझे

बताया है, उनका नाम भी टॉम रिडल था!'

'मुझे नहीं मालूम,' डम्बलडोर ने नरमी से कहा।

'मेरी माँ जादूगरनी नहीं हो सकतीं, वरना वे नहीं मरतीं,' रिडल ने डम्बलडोर से कम और ख़ुद से ज़्यादा कहा। 'मेरे पिता ही जादूगर होंगे। तो – जब मैं यह सारा सामान ले लूँगा – तो मैं हॉगवर्ट्स कब आऊँगा?'

'सारी बातें विस्तार से तुम्हारे लिफ़ाफ़े में रखे दूसरे चर्मपत्र में लिखी हैं,' डम्बलडोर ने कहा। 'तुम पहली सितंबर को किंग्स क्रॉस स्टेशन से वहाँ के लिए चलोगे। उसमें ट्रेन का टिकट भी है।'

रिडल ने सिर हिला दिया। डम्बलडोर उठकर खड़े हो गए और अपना हाथ दोबारा बढ़ाया। हाथ मिलाते हुए रिडल बोला, 'मैं साँपों से बात कर सकता हूँ। जब हम जंगल में घूमने गए थे, तब मुझे इस बात का एहसास हुआ – वे मुझे खोज लेते हैं, वे मुझसे बातें करते हैं। क्या जादूगरों में यह सामान्य बात है?'

हैरी समझ गया कि उसने अपनी सबसे अजीब शक्ति का ज़िक्र उस पल तक इसलिए रोका था, क्योंकि वह सबसे ज़्यादा प्रभाव छोड़ना चाहता था।

'यह असामान्य है,' डम्बलडोर ने एक पल झिझकने के बाद कहा, 'लेकिन ऐसा पहले भी हो चुका है।'

डम्बलडोर का अंदाज़ सामान्य था, लेकिन उनकी उत्सुक नज़रें रिडल के चेहरे पर पड़ीं। वे एक पल के लिए एक-दूसरे की तरफ़ देखते हुए खड़े रहे। फिर दोनों के हाथ अलग-अलग हो गए। डम्बलडोर दरवाज़े पर पहुँच गए।

'गुड बाई, टॉम। मैं तुमसे हॉगवर्ट्स में मिलूँगा।'

'मुझे लगता है, इतना ही काफ़ी है,' हैरी की बग़ल में खड़े सफ़ेद बालों वाले डम्बलडोर ने कहा और कुछ पल बाद वे एक बार फिर अँधेरे में उड़ते हुए डम्बलडोर के ऑफ़िस में आ गए।

'बैठ जाओ,' डम्बलडोर ने हैरी के पास उतरते हुए कहा।

हैरी ने आदेश का पालन किया, लेकिन उसका दिमाग़ अब भी देखी हुई घटना के बारे में ही सोच रहा था।

'उसने इस बात पर मुझसे जल्दी यक़ीन कर लिया – मेरा मतलब है, जब आपने उसे बताया कि वह जादूगर था,' हैरी ने कहा। 'जब हैग्रिड ने मुझे यह पहली बार बताया था, तो मुझे तो यक़ीन ही नहीं हुआ था।'

डम्बलडोर ने कहा, 'हाँ, रिडल यह मानने के लिए पूरी तरह तैयार था कि वह – उसके शब्दों में कहें तो – "ख़ास" था!'

हैरी ने पूछा, 'क्या आप तब जानते थे?'

'क्या मैं जानता था कि मैं दुनिया के सबसे ख़तरनाक शैतानी जादूगर से मिल रहा हूँ?' डम्बलडोर ने कहा। 'नहीं, मुझे ज़रा भी पता नहीं था कि वह बड़ा होकर ऐसा बनेगा। बहरहाल, मैं निश्चित रूप से उसे देखकर चकरा गया था। मैं इस इरादे के साथ हॉगवर्ट्स लौटा कि मैं उस पर नज़र रखूँगा, जो मैं वैसे भी रखता, क्योंकि वह अकेला और मित्रविहीन था, लेकिन मैंने महसूस किया कि उसके साथ-साथ मुझे दूसरों की ख़ातिर भी ऐसा करना चाहिए।

'जैसा कि तुम सुन ही चुके हो, इतनी कम उम्र के जादूगर के लिहाज़ से उसकी शक्तियाँ बहुत आश्चर्यजनक रूप से विकसित थीं और – बहुत दिलचस्प तथा ख़तरनाक बात यह थी – उसे पहले ही पता चल चुका था कि वह अपनी शक्तियों का प्रयोग कर सकता है और वह ऐसा जानते-बूझते हुए करने भी लगा था। जैसा कि तुमने देखा, उसने यूँ ही उनका इस्तेमाल नहीं किया, जैसा कम उम्र के जादूगर करते हैं। वह जादू का इस्तेमाल दूसरों के ख़िलाफ़ कर रहा था : डराने, सज़ा देने, नियंत्रण करने के लिए। ख़रगोश का गला दबाने और छोटे लड़के तथा लड़की को गुफा में ललचाकर ले जाने की कहानियाँ हमें बहुत महत्वपूर्ण जानकारी देती हैं ... *अगर मैं चाहूँ, तो उन्हें चोट भी पहुँचा सकता हूँ* ...'

'और वह सर्पभाषी है,' हैरी बीच में बोल पड़ा।

'हाँ, निश्चित रूप से एक दुर्लभ योग्यता, जिसे गुप्त कलाओं से जुड़ा हुआ माना जाता है। हालाँकि जैसा कि हम जानते हैं, महान और अच्छे लोग भी सर्पभाषी हो सकते हैं। दरअसल, साँपों के साथ बातचीत करने की उसकी क्षमता ने मुझे उतना परेशान नहीं किया, जितना कि क्रूरता, गोपनीयता और आधिपत्य में उसकी स्पष्ट रुचि ने किया।

'एक बार फिर समय हमें मजबूर कर रहा है,' डम्बलडोर ने खिड़कियों के पार अँधेरे आसमान की तरफ़ इशारा करते हुए कहा। 'लेकिन विदा लेने से पहले मैं तुम्हारा ध्यान उस दृश्य की कुछ बातों की तरफ़ दिलाना चाहूँगा, जो हमने अभी-अभी देखा था, क्योंकि इन बातों का उन मामलों से गहरा संबंध है, जिन पर हम भावी मुलाक़ातों में बातचीत करेंगे।

'पहली बात, मुझे उम्मीद है तुमने रिडल की प्रतिक्रिया पर ध्यान दिया होगा, जब मैंने ज़िक्र किया था कि किसी दूसरे का नाम भी टॉम है?'

हैरी ने सिर हिलाया।

'तब उसने हर उस चीज़ के प्रति हिक़ारत दिखाई थी, जो उसे दूसरे लोगों से जोड़ती हो या उसे सामान्य बनाती हो। उस समय भी वह अलग-थलग और

कुख्यात होना चाहता था। जैसा तुम जानते हो, इसके कुछ साल बाद ही उसने अपने पुराने नाम का चोला उतार फेंका और "लॉर्ड वोल्डेमॉर्ट" का मुखौटा पहन लिया, जिसके पीछे वह इतने लंबे समय से छिपा हुआ है।

'मुझे यक़ीन है, तुमने यह भी देखा होगा कि टॉम रिडल उस समय भी बहुत आत्मनिर्भर, गोपनीय और स्पष्ट रूप से मित्रविहीन था? वह छूमंतर गली की यात्रा करने में किसी की मदद या साथ नहीं चाहता था। वह अकेले काम करना ज़्यादा पसंद करता था। वयस्क वोल्डेमॉर्ट भी ऐसा ही है। तुमने सुना होगा कि बहुत से प्राणभक्षी यह दावा करते फिरते हैं कि वे उसके राज़दार हैं, सिर्फ़ वे ही उसके क़रीब हैं या उसे समझते हैं। दरअसल वे मुग़ालते में हैं। लॉर्ड वोल्डेमॉर्ट का ज़िंदगी में एक भी दोस्त नहीं रहा और मुझे यक़ीन है उसने कभी किसी को दोस्त बनाना भी नहीं चाहा।

'और आख़िरी बात - हैरी, मुझे उम्मीद है कि तुम्हें इतनी नींद नहीं आ रही होगी कि इस बात को नज़रअंदाज़ कर दो - टॉम रिडल को स्मृतिचिह्न इकट्ठे करने का शौक़ था। तुमने चोरी के सामान का वह बॉक्स देखा, जिसे उसने अपने कमरे में छिपा रखा था। उसने अपने शिकारों की कोई निशानी रख ली थी। अगर तुम चाहो, तो उन्हें जादू के अप्रिय प्रयोगों की निशानियाँ मान सकते हो। उसकी इस आदत को ख़ास तौर पर मत भूलना, क्योंकि बाद में यह बहुत महत्वपूर्ण साबित होगी।

'और अब, सोने का समय हो गया है।'

हैरी उठकर खड़ा हो गया। जब वह कमरे के पार गया, तो उसकी आँखें उस छोटी टेबल पर पड़ीं, जिस पर पिछली बार मारवोलो गॉन्ट की अँगूठी रखी थी, लेकिन वह अँगूठी अब वहाँ नहीं थी।

'हाँ, हैरी?' डम्बलडोर ने पूछा, क्योंकि हैरी अब रुक गया था।

'अँगूठी चली गई है,' हैरी ने मुड़ते हुए कहा। 'लेकिन मैंने सोचा था कि आपके पास माउथ-ऑर्गन या ऐसी ही कोई चीज़ होगी।'

डम्बलडोर उसकी तरफ़ देखकर मुस्कराए और फिर अपने आधे चाँद के आकार के चश्मे के ऊपर से देखने लगे।

'बहुत बढ़िया हैरी, लेकिन माउथ ऑर्गन सिर्फ़ माउथ-ऑर्गन ही था।'

और इस रहस्यमयी बात के साथ उन्होंने हैरी की तरफ़ हाथ हिलाया। वह समझ गया कि यह जाने का इशारा था।

अध्याय चौदह

ख़ुशक़िस्मती काढ़ा

अगली सुबह हैरी की जड़ी-बूटी विज्ञान की पहली क्लास थी। वह नाश्ते के समय रॉन और हर्माइनी को डम्बलडोर की क्लास के बारे में कुछ नहीं बता पाया था, क्योंकि उसे डर था कि आस-पास बैठे लोग उसकी बात सुन लेंगे। बहरहाल, सब्ज़ियों की क्यारी के बीच से ग्रीनहाउस की तरफ़ जाते समय उसने उन्हें सारी बातें बता दीं। वीकएंड की बेरहम हवा आख़िर ख़त्म हो गई थी। अजीब सी धुंध लौट आई थी, जिस वजह से उन्हें सही ग्रीनहाउस खोजने में सामान्य से ज़्यादा समय लगा।

'तुम-जानते-हो-कौन बचपन में भी डरावना था,' रॉन ने धीरे से अपने सुरक्षात्मक ग्लव्ज़ पहनते हुए कहा, जब वे एक गाँठदार स्नार्गलफ़ के ठूँठ के चारों तरफ़ बैठे, जो उनके टर्म के प्रोजेक्ट का हिस्सा था। 'लेकिन मैं अब भी यह नहीं समझ पा रहा हूँ कि डम्बलडोर तुम्हें यह सब क्यों दिखा रहे हैं। मेरा मतलब है, यह सचमुच दिलचस्प है, लेकिन इसका महत्त्व क्या है?'

हैरी ने एक टॉफ़ी मुँह में डालते हुए कहा, 'पता नहीं, लेकिन वे कहते हैं कि यह बहुत महत्वपूर्ण है और इससे मुझे बचने में मदद मिलेगी।'

'मुझे लगता है कि यह बहुत अच्छा है,' हर्माइनी ने गंभीरता से कहा। 'वोल्डेमॉर्ट के बारे में ज़्यादा से ज़्यादा जानना समझदारी की बात है। वरना तुम्हें उसकी कमज़ोरियाँ कैसे पता चलेंगी?'

'तो, स्लगहॉर्न की पार्टी कैसी रही?' हैरी ने टॉफ़ी भरे मुँह से पूछा।

'ओह, यह सचमुच मज़ेदार थी,' हर्माइनी ने रक्षात्मक चश्मा पहनते हुए कहा। 'मेरा मतलब है, वे अपने मशहूर पूर्व-विद्यार्थियों के बारे में बातें करते हैं और वे मैकलेगन के तो *दीवाने* हैं, क्योंकि उसके बहुत ऊँचे संपर्क हैं, लेकिन उन्होंने हमें बेहतरीन खाना खिलवाया और ग्वेनॉग जोन्स से हमारा परिचय भी करवाया।'

'ग्वेनॉग जोन्स?' रॉन ने कहा, जिसकी आँखें उसके चश्मे के नीचे फैल गई थीं। 'ग्वेनॉग जोन्स? हॉलीहेड हार्पीज़ की कप्तान?'

'वही?' हर्माइनी ने कहा। 'मुझे तो लगा कि वह अपने बारे में कुछ ज़्यादा ही बकबक करती है, लेकिन –'

'*ज़्यादा* बात मत करो!' प्रोफ़ेसर स्प्राउट ने वहाँ आते हुए और सख़्त दिखते हुए कहा। 'तुम लोग पिछड़ रहे हो। बाक़ी सभी काम शुरू कर चुके हैं और नेविल को तो पहली फली भी मिल गई है!'

उन्होंने मुड़कर देखा। निश्चित रूप से नेविल के होंठ ख़ून से सने थे और उसके चेहरे के बग़ल में कई बुरी खरोंचें थीं, लेकिन वह ग्रेपफ़्रूट के आकार की एक हरी चीज़ पकड़े था, जो बुरी दिख रही थी।

'**ठीक है** प्रोफ़ेसर, हम अभी शुरू कर रहे हैं!' रॉन ने कहा और जब वे दोबारा मुड़ीं, तो उसने आगे जोड़ दिया, '*ध्वनिदमन मंत्र* का इस्तेमाल करना चाहिए था, हैरी।'

'नहीं, नहीं करना चाहिए था!' हर्माइनी ने तत्काल चिढ़कर कहा, जैसा वह हाफ़-ब्लड प्रिंस और उसके मंत्रों का ज़िक्र होने पर हमेशा करती थी। 'चलो ... बेहतर होगा कि काम शुरू कर दें ...'

उसने बाक़ी दोनों की तरफ़ डरते-डरते देखा। उन्होंने गहरी साँसें लीं और अपने बीच वाले गाँठदार ठूँठ पर झपट पड़े।

ठूँठ तत्काल सजीव हो उठा। इसकी लंबी, काँटेदार, झाड़ी जैसी बेलें ऊपर उड़ने लगीं और हवा में कोड़ों की तरह लहराने लगीं। एक हर्माइनी के बालों में उलझ गई, लेकिन रॉन ने उसे दूर हटा दिया। हैरी दो बेलों को एक साथ बाँधने में सफल हो गया। तंतुओं जैसी शाखाओं के बीच में एक छेद खुल गया। हर्माइनी ने बहादुरी से अपना हाथ इस छेद में डाल दिया, लेकिन यह उसकी कोहनी के चारों तरफ़ दरवाज़े की तरह बंद हो गया। हैरी और रॉन ने बेलों को खींचकर दरवाज़े के छेद को दोबारा खुलने के लिए विवश कर दिया। हर्माइनी ने अपना हाथ बाहर निकाला। अब उसकी उँगलियों में भी नेविल जैसी ही एक फली थी। तत्काल कँटीली बेलें अंदर चली गईं और ठूँठ लकड़ी के मासूम टुकड़े जैसा दिखने लगा।

रॉन बोला, 'मुझे नहीं लगता कि अपना मकान बनाते समय मैं इन्हें अपने बगीचे में लगाऊँगा।' उसने अपने रक्षात्मक चश्मे को अपने माथे के ऊपर धकेलकर चेहरे का पसीना पोंछा।

'मुझे एक प्याला दो,' हर्माइनी ने कहा और धड़कती फली को थोड़ी दूर

पकड़े रखा। हैरी ने उसे प्याला थमा दिया और हर्माइनी ने हिक़ारत के साथ उसमें फली डाल दी।

प्रोफ़ेसर स्प्राउट ने कहा, 'ज़्यादा मुँह मत बनाओ, उसे फ़ौरन निचोड़ दो। ताज़ी फली का रस सबसे अच्छा निकलता है!'

'ख़ैर,' हर्माइनी ने अपनी पुरानी बातचीत को दोबारा शुरू करते हुए कहा, जैसे उस ठूँठ ने उन पर हमला ही न किया हो, 'हैरी, स्लगहॉर्न एक क्रिसमस पार्टी दे रहे हैं और तुम उससे किसी तरह नहीं बच सकते, क्योंकि उन्होंने मुझसे कहा है कि मैं तुम्हारी ख़ाली शामों की जाँच करूँ, जिससे वे अपनी पार्टी उस रात को रख सकें, जब तुम आ सको।'

हैरी दर्द से कराहने लगा। इस दौरान रॉन फली को अपने दोनों हाथों से प्याले में फोड़ने की कोशिश कर रहा था। वह उठकर खड़ा हुआ और अपनी पूरी ताक़त से इसे दबाते हुए ग़ुस्से से बोला, 'और यह पार्टी भी सिर्फ़ स्लगहॉर्न के प्रिय विद्यार्थियों के लिए होगी, है ना?'

'हाँ, सिर्फ़ स्लग क्लब के लिए,' हर्माइनी ने कहा।

फली रॉन की उँगलियों से छूटकर उड़ गई और ग्रीनहाउस के काँच पर पड़ी। वहाँ से यह उछलकर प्रोफ़ेसर स्प्राउट के सिर पर पड़ी, जिससे उनका पुराना हैट गिर गया। हैरी फली लेने गया। जब वह लौटा, तो हर्माइनी कह रही थी, 'देखो, मैंने "स्लग क्लब" नाम ईजाद नहीं किया है –'

'स्लग क्लब,' रॉन ने मैल्फ़ॉय जितनी व्यंग्यात्मक मुस्कान से कहा। 'यह बहुत मूर्खतापूर्ण नाम है। अच्छा, मुझे उम्मीद है, तुम पार्टी में मज़े करोगी! तुम मैकलेगन के साथ जोड़ी क्यों नहीं बना लेती हो? फिर स्लगहॉर्न तुम्हें किंग और क्वीन स्लग बना सकते हैं –'

'हमें मेहमान लाने की इजाज़त है,' हर्माइनी बोली, जिसका चेहरा न जाने क्यों अचानक लाल हो गया था, 'और मैं तुम्हें साथ ले जाना *चाहती थी*, लेकिन अगर तुम्हें पार्टी मूर्खतापूर्ण लगती है, तो मैं तुम्हें परेशान नहीं करूँगी!'

हैरी अचानक सोच रहा था कि काश फली थोड़ी ज़्यादा दूर उड़ी होती, ताकि उसे उस वक़्त उन दोनों के पास वहाँ बैठने की ज़रूरत नहीं होती। उन दोनों का ही ध्यान उसकी तरफ़ नहीं गया था। बहरहाल, हैरी ने फली वाले प्याले को पकड़ा और आवाज़ें करते हुए फली खोलने की कोशिश करने लगा। दुर्भाग्य से, उसे अब भी उनकी बातचीत का एक-एक शब्द सुनाई दे रहा था।

'तुम मुझे साथ ले जाना चाहती थीं?' रॉन ने बिलकुल अलग आवाज़ में पूछा।

'हाँ,' हर्माइनी ने ग़ुस्से से कहा। 'लेकिन अगर तुम चाहते हो कि *मैं मैकलेगन के साथ जोड़ी बना लूँ ...'*

एक पल का विराम हुआ, जिस दौरान हैरी लचीली फली पर खुरपी मारने लगा।

'नहीं, मैं ऐसा नहीं चाहता,' रॉन ने बहुत धीरे से कहा।

हैरी का निशाना फली के बजाय प्याले पर लग गया, जिससे यह टूट गया।

'मरम्मतो,' उसने जल्दी से कहा और अपनी छड़ी से टुकड़ों को कुरेदा। प्याला फिर से जुड़ गया। बहरहाल, प्याला टूटने से रॉन और हर्माइनी को हैरी की उपस्थिति का एहसास हो गया। हर्माइनी परेशान दिखने लगी और तत्काल *संसार के मांसाहारी वृक्ष* पुस्तक के पन्ने पलटने लगी, ताकि स्नार्गलफ़ की फलियों का रस निकालने का सही तरीक़ा खोज सके। दूसरी तरफ़ रॉन थोड़ा शरमा रहा था, लेकिन ख़ुश भी दिख रहा था।

हर्माइनी ने जल्दी से कहा, 'हैरी, फली इधर दो! इसमें लिखा है कि हमें किसी नुकीली चीज़ से इसमें छेद करना है ...'

हैरी ने उसे प्याले में रखी फली दे दी। चश्मे लगाकर वह और रॉन एक बार फिर ठूँठ पर झपट पड़े।

हैरी को हैरानी नहीं हुई, जब एक कँटीली बेल उसका गला दबाने पर उतारू हो गई और उसे उसके साथ कुश्ती लड़नी पड़ी। वह जानता था कि देर-सबेर रॉन और हर्माइनी के बीच इस तरह की चीज़ हो सकती थी। लेकिन उसे पता नहीं था कि उसे हर्माइनी और रॉन के बारे में कैसा महसूस हो रहा था ... वह और चो अब इतने शर्मिंदा थे कि बात करने की तो रहने ही दें, एक-दूसरे की तरफ़ देखते भी नहीं थे। अगर रॉन और हर्माइनी एक साथ घूमने लगें और फिर अलग-अलग हो जाएँ, तो क्या होगा? क्या उनकी दोस्ती इसके बाद भी बच पाएगी? हैरी को याद आया कि कुछ हफ़्तों तक थर्ड ईयर में हर्माइनी और रॉन ने एक-दूसरे से बात नहीं की थी। उसे उन दोनों के बीच की दूरी पाटने और पुल बनाने के काम में मज़ा नहीं आया था। और अगर वे अलग नहीं हुए, तो क्या होगा? अगर वे बिल और फ़्लर जैसे बन गए, तो क्या होगा? उनके साथ रहना बहुत मुश्किल हो जाएगा और वह अलग-थलग रह जाएगा।

'पकड़ लिया!' रॉन चिल्लाया और उसने ठूँठ से दूसरी फली खींच ली। तब तक हर्माइनी पहली वाली फली को खोलने में कामयाब हो गई। प्याले में रेशे पीले हरे कीड़ों की तरह रेंग रहे थे।

बाक़ी की क्लास में स्लगहॉर्न की पार्टी का कोई ज़िक्र नहीं हुआ। हालाँकि हैरी ने अगले कुछ दिनों तक अपने दोनों दोस्तों को ज़्यादा ग़ौर से देखा, लेकिन रॉन और हर्माइनी के व्यवहार में कोई ख़ास अंतर नज़र नहीं आया, सिवाय इसके कि वे एक-दूसरे के साथ कुछ ज़्यादा ही विनम्रता से पेश आ रहे थे। हैरी को लगा, उसे यह देखना होगा कि पार्टी वाली रात को स्लगहॉर्न के धीमी रोशनी वाले कमरे में बटरबियर के प्रभाव के बाद क्या होता है। बहरहाल, इस दौरान उसके पास और भी महत्वपूर्ण चिंताएँ थीं।

केटी बेल अब भी सेंट मंगोज़ अस्पताल में थी और उसकी वापसी की कोई उम्मीद नहीं थी। इसका मतलब था कि गरुड़द्वार की टीम, जिसे हैरी सितंबर से गहन प्रशिक्षण दे रहा था, में एक धावक कम था। उसने केटी की जगह पर किसी और को इसलिए नहीं रखा था, क्योंकि उसे केटी के लौटने की उम्मीद थी। बहरहाल, नागशक्ति के साथ उनका शुरुआती मैच अब क़रीब आ रहा था और उसे आख़िरकार यह स्वीकार करना पड़ा कि केटी समय रहते नहीं लौट पाएगी।

हैरी को नहीं लगा कि वह दोबारा ट्रायल्स को झेल पाएगा। डूबते हुए एहसास के साथ, जिसका क्विडिच से कोई लेना-देना नहीं था, उसने एक दिन रूपांतरण के बाद डीन थॉमस को पकड़ लिया। क्लास के ज़्यादातर विद्यार्थी पहले ही निकल चुके थे, हालाँकि कई चहचहाते पीले पक्षी अब भी कमरे में मँडरा रहे थे, जिन्हें हर्माइनी ने उत्पन्न किया था। बाक़ी विद्यार्थियों में से कोई भी हवा से एक पंख भी उत्पन्न नहीं कर पाया था।

'क्या तुम अब भी धावक बनने में दिलचस्पी रखते हो?'

'क्या – ? हाँ, ज़ाहिर है!' डीन ने रोमांचित होकर कहा। हैरी ने देखा कि डीन के पीछे खड़ा सीमस फ़िनिगन अपनी पुस्तकें ग़ुस्से से अपने बैग में ठूँसने लगा। हैरी ने डीन से अब तक खेलने को इसलिए नहीं पूछा था, क्योंकि वह जानता था कि सीमस को यह बात पसंद नहीं आएगी। दूसरी तरफ़, उसे वही करना था, जो टीम के लिए सबसे अच्छा हो और डीन ट्रायल्स में सीमस से ज़्यादा तेज़ी से उड़ा था।

'तो ठीक है, तुम अब टीम में खेल रहे हो,' हैरी ने कहा। 'आज रात को सात बजे प्रैक्टिस है।'

'बहुत बढ़िया,' डीन ने कहा। 'चियर्स, हैरी! हे भगवान, मैं जिनी को यह बात बताने के लिए बेताब हूँ!'

वह कमरे से बाहर भागा और हैरी तथा सीमस को एक साथ अकेला छोड़ गया। इस परेशानी भरे पल में सीमस के सिर पर एक पक्षी की बीट गिर गई।

हर्माइनी के उत्पन्न किए हुए पक्षी अब भी उनके ऊपर मँडरा रहे थे।

सीमस अकेला ही नहीं था, जो केटी की जगह डीन के चुनाव से असंतुष्ट था। गरुड़द्वार के हॉल में काफ़ी बुदबुदाहट थी कि हैरी ने टीम में अपने दो सहपाठियों को चुन लिया था। चूँकि हैरी स्कूल में इससे ज़्यादा बुरी बुदबुदाहटें सुन चुका था, इसलिए उसे कोई ख़ास दिक़्क़त नहीं हुई, लेकिन फिर भी उस पर दबाव बढ़ रहा था कि वह नागशक्ति के ख़िलाफ़ होने वाले मैच में जीत हासिल करे। हैरी जानता था कि अगर गरुड़द्वार जीत गया, तो पूरा हाउस भूल जाएगा कि उसने हैरी की आलोचना की थी और यही कहेगा कि वे पहले से ही जानते थे कि उनकी टीम बहुत बढ़िया थी। लेकिन अगर गरुड़द्वार हार गया ... तो, हैरी ने दुखी मन से सोचा, उसने इससे भी बुरी बुदबुदाहटें सहन की थीं ...

जब हैरी ने डीन को उस शाम को उड़ते देखा, तो उसे अपने चुनाव पर ज़रा भी अफ़सोस नहीं हुआ। डीन जिनी और डिमेल्ज़ा के साथ अच्छे तालमेल से खेल रहा था। मारक पीक्स और कूट का खेल भी दिनोदिन सुधरता जा रहा था। समस्या सिर्फ़ रॉन की थी।

हैरी जानता था कि रॉन घबराहट और आत्मविश्वास की कमी का शिकार था, जिसके कारण कभी वह बहुत अच्छा खेलता था, तो कभी बहुत ख़राब। दुर्भाग्य से टर्म के पहले मैच की संभावना से उसकी असुरक्षा की भावना लौट आई थी। जब उस पर आधा दर्जन गोल हो गए, जिनमें से ज़्यादातर जिनी ने किए थे, तो उसके बाद उसकी तकनीक ज़्यादा ख़राब होती गई और आख़िरकार उसने सामने से आ रही डिमेल्ज़ा रॉबिन्स के मुँह पर मुक्का मार दिया।

'यह ग़लती से हो गया। मुझे अफ़सोस है, डिमेल्ज़ा, सचमुच अफ़सोस है!' रॉन उसके पीछे चिल्लाया, जब वह ज़मीन पर गोते खाते हुए उतरी और हर तरफ़ ख़ून टपकाती रही। 'मैं तो बस –'

'बौखला गया था,' जिनी ने ग़ुस्से से कहा और डिमेल्ज़ा के पास उतरकर उसके सूजे होंठ की जाँच करने लगी। 'तुम मूर्ख हो रॉन, ज़रा उसकी हालत तो देखो!'

हैरी ने दोनों लड़कियों के पास उतरते हुए कहा, 'मैं उसे ठीक कर सकता हूँ।' फिर वह अपनी छड़ी डिमेल्ज़ा के मुँह की तरफ़ करके बोला, *'अंगपूर्ववत्।'* इसके बाद वह जिनी से बोला, 'और जिनी, तुम्हें रॉन को मूर्ख कहने की कोई ज़रूरत नहीं है, तुम टीम की कप्तान नहीं हो –'

'देखो, तुम इतने व्यस्त दिख रहे थे कि तुम्हारे पास उसे मूर्ख कहने का समय नहीं था। मैंने सोचा कि किसी न किसी को तो यह ज़रूर कहना चाहिए –'

हैरी मुश्किल से अपनी हँसी रोक पाया।

'सभी लोग, हवा में पहुँचो, चलो ...'

कुल मिलाकर यह पूरे टर्म की सबसे ख़राब प्रैक्टिस रही, हालाँकि हैरी को यह महसूस नहीं हुआ कि मैच इतने क़रीब होने पर ईमानदारी सबसे अच्छी नीति है।

उसने सबकी हिम्मत बढ़ाते हुए कहा, 'सभी लोग अच्छा खेले! मुझे लगता है कि हम नागशक्ति को पछाड़ देंगे!' चेंजिंग रूम से निकलते समय धावक तथा मारक अपने प्रदर्शन से ख़ुश लग रहे थे।

'मैं ड्रैगन के गोबर जितना ख़राब खेला था,' रॉन ने खोखली आवाज़ में कहा, जब दरवाज़ा जिनी के पीछे झूलकर बंद हो गया।

'नहीं, तुम इतना ख़राब नहीं खेले थे,' हैरी ने दृढ़ता से कहा। 'रॉन, ट्रायल्स में तुम सबसे अच्छे कीपर थे। तुम सिर्फ़ घबरा जाते हो, यही तुम्हारी इकलौती समस्या है।'

वह महल आते समय पूरे रास्ते रॉन को लगातार प्रोत्साहित करता रहा। जब वे दूसरी मंज़िल पर पहुँचे, तो रॉन थोड़ा ज़्यादा ख़ुश नज़र आ रहा था। गरुड़द्वार टॉवर के शॉर्टकट से जाने के लिए जब हैरी ने दीवारदरी खोली, तो वहाँ पर उन्हें डीन और जिनी लिपटे हुए मिले, जो एक-दूसरे को बेतहाशा चूम रहे थे।

ऐसा लगा, जैसे हैरी के पेट में कोई बड़ा भयंकर जानवर जाग गया हो और उसके भीतर के अंगों को जकड़ने लगा हो। गर्म ख़ून उसके दिमाग़ में बाढ़ की तरह बहने लगा, जिससे सभी विचार ख़त्म हो गए। अब उसके मन में डीन को मंत्र मारकर जेली में बदलने की इच्छा हो रही थी। इस पागलपन से जूझते समय उसे रॉन की आवाज़ जैसे बहुत दूर से आती सुनाई दी।

'ओए!'

डीन और जिनी एक-दूसरे से अलग होकर मुड़कर देखने लगे।

'क्या ?'

'मैं नहीं चाहता कि मेरी बहन लोगों को खुलेआम चूमती फिरे!'

जिनी बोली, 'यह गलियारा ख़ाली था, जब तक कि तुम यहाँ जबरन नहीं घुस आए थे!'

डीन थोड़ा शर्मिंदा दिख रहा था। उसने हैरी की तरफ़ मुस्कराकर देखा, लेकिन हैरी बदले में नहीं मुस्कराया, क्योंकि उसके भीतर नवजात राक्षस गरजकर कह रहा था कि उसे डीन को फ़ौरन टीम से निकाल देना चाहिए।

'अर ... चलें, जिनी,' डीन बोला, 'हम वापस गरुड़द्वार के हॉल में चलते हैं ...'

'तुम जाओ!' जिनी बोली। 'मैं अपने प्यारे भाई से थोड़ी बात करना चाहती हूँ!'

डीन चला गया, हालाँकि उसे देखकर लग रहा था कि वहाँ से जाते समय उसे अफ़सोस नहीं हो रहा था।

'अच्छा,' जिनी ने अपने लंबे लाल बाल चेहरे से हटाते हुए कहा और रॉन को ग़ुस्से से घूरकर देखा, 'अब हम इस बात का हमेशा के लिए फ़ैसला कर लेते हैं। रॉन, इससे तुम्हारा कोई लेना-देना नहीं है कि मैं किसके साथ घूमती हूँ या किसके साथ क्या करती हूँ -'

'हाँ, लेना-देना है!' रॉन ने उतने ही ग़ुस्से से कहा। 'तुम्हें क्या लगता है, मैं चाहता हूँ कि लोग यह कहें कि मेरी बहन एक -'

'एक क्या?' जिनी ने छड़ी निकालते हुए चिल्लाई। 'एक *क्या*?'

'उसका कोई मतलब नहीं है, जिनी -' हैरी ने यूँ ही कह दिया, हालाँकि उसके भीतर का राक्षस रॉन के शब्दों से सहमत था।

'ओह हाँ, उसका मतलब है!' जिनी हैरी से बोली। 'सिर्फ़ इसलिए क्योंकि *उसने* ज़िंदगी में किसी को नहीं चूमा है, सिर्फ़ इसलिए क्योंकि *उसे* ज़िंदगी में सबसे अच्छा चुंबन हमारी मुरियल आंटी ने दिया है -'

'अपना मुँह बंद रखो!' रॉन गरजा और उसका चेहरा लाल से बैंगनी हो गया।

'नहीं, मैं मुँह बंद नहीं रखूँगी!' जिनी आवेश में चिल्लाई। 'मैंने तुम्हें कफ के साथ देखा है! जब भी तुम उसे देखते हो, तो यह उम्मीद करने लगते हो कि वह तुम्हारा गाल चूम ले। यह बहुत ही बचकाना है! अगर तुम थोड़ी-बहुत चूमाचाटी ख़ुद करो, तो तुम्हें इस बात से इतना ज़्यादा फ़र्क़ नहीं पड़ेगा कि दूसरे लोग यह करते हैं!'

रॉन ने भी अपनी छड़ी बाहर निकाल ली। हैरी तेज़ी से दोनों के बीच आ गया।

'तुम नहीं जानतीं कि तुम क्या बोल रही हो!' रॉन गरजा और हैरी के पास से जिनी की तरफ़ देखने की कोशिश की, जो अब हाथ फैलाकर जिनी के सामने खड़ा था। 'सिर्फ़ इसलिए, क्योंकि मैं यह काम सबके सामने नहीं करता -!'

जिनी उपहासपूर्ण हँसी हँसने लगी और हैरी को धक्का देकर रास्ते से दूर हटाने की कोशिश की।

'पिगविजियन को चूमते हो, है ना? या तुमने अपने तकिए के नीचे मुरियल आंटी की तस्वीर छिपा रखी है?'

'तुम –'

नारंगी रोशनी की एक फुहार हैरी की बाईं बाँह के नीचे से निकली और जिनी के कुछ इंच दूर से निकल गई। हैरी ने रॉन को धकाकर दीवार से टिका दिया।

'मूर्खता मत करो –'

'हैरी ने चो चैंग को चूमा है!' जिनी चिल्लाई, जो अब आँसुओं के क़रीब दिख रही थी। 'और हर्माइनी ने विक्टर क्रम को चूमा है। रॉन, सिर्फ़ तुम ही ऐसा नाटक करते हो, जैसे यह कोई बहुत बुरी बात हो और ऐसा इसलिए है, क्योंकि तुम्हारे पास इसका उतना ही अनुभव है, जितना बारह साल के लड़के को होता है!'

और इतना कहने के बाद वह धड़धड़ाती हुई चली गई। हैरी ने जल्दी से रॉन को छोड़ दिया, जिसके चेहरे पर ऐसा ख़ूँख़ार भाव था, जैसे वह हत्या करना चाहता हो। वे दोनों वहीं खड़े-खड़े गहरी साँसें लेते रहे, जब तक कि फ़िल्च की बिल्ली मिसेज़ नॉरिस मोड़ पर प्रकट नहीं हुई, जिससे तनाव ख़त्म हो गया।

'चलो,' हैरी ने कहा, जब फ़िल्च के घिसटते पैरों की आवाज़ उनके कानों तक पहुँची।

वे जल्दी से सीढ़ियाँ चढ़कर सातवीं मंज़िल के गलियारे में चलने लगे। 'ओए, रास्ते से हटो!' रॉन ने एक छोटी लड़की से चिल्लाकर कहा, जो डर गई और उसने मेंढक के अंडों की बोतल गिरा दी।

टूटते काँच की आवाज़ की तरफ़ हैरी का ध्यान ही नहीं गया। वह असंतुलित और चकराया हुआ था। ऐसा लग रहा था, जैसे उस पर बिजली गिर गई हो! उसने खुद से कहा, *ऐसा इसलिए है क्योंकि वह रॉन की बहन है। उसका डीन को चूमना तुम्हें सिर्फ़ इसलिए पसंद नहीं है, क्योंकि वह रॉन की बहन है ...*

लेकिन अनचाहे ही उसके मस्तिष्क में एक काल्पनिक तस्वीर आ गई, जिसमें उसी वीरान गलियारे में वह ख़ुद जिनी को चूम रहा था ... उसके सीने के अंदर का राक्षस ख़ुश होने लगा ... लेकिन फिर उसने देखा कि रॉन दीवारदरी के पर्दे को फाड़ रहा था और हैरी पर छड़ी तानते हुए 'विश्वासघात' जैसी बातें चिल्ला रहा था ... 'तुम तो मेरे दोस्त थे ...'

मोटी औरत के पास पहुँचने पर रॉन ने अचानक पूछा, 'क्या तुम्हें लगता है कि हर्माइनी ने क्रम को चूमा होगा?' हैरी अपराधी भाव से चौंक गया। उसने

ख़ुद को कल्पना के गलियारे से दूर खींचा, जिसमें अब वह और जिनी बिलकुल अकेले थे –

'क्या ?' उसने दुविधा से कहा। 'ओह ... अर ...'

सच्चा जवाब था 'हाँ,' लेकिन वह यह कहना नहीं चाहता था। बहरहाल, रॉन ने हैरी के चेहरे के भाव देखकर अनुमान लगा लिया।

'डिलिग्राउट,' उसने मोटी औरत से तल्ख़ स्वर में कहा और वे तस्वीर के छेद से होते हुए हॉल में पहुँच गए।

दोनों में से किसी ने भी इसके बाद जिनी या हर्माइनी का ज़िक्र नहीं किया। दरअसल वे दोनों उस रात ज़्यादा नहीं बोले और ख़ामोशी में अपने-अपने बिस्तर पर चले गए। दोनों ही अपने विचारों में खोए हुए थे।

हैरी काफ़ी समय तक जागकर अपने मसहरीदार पलंग के ऊपर की झालर को देखता रहा और ख़ुद को यक़ीन दिलाता रहा कि जिनी के प्रति उसकी भावनाएँ पूरी तरह से बड़े भाई जैसी हैं। वे गर्मियों भर भाई-बहन जैसे ही तो रहे थे – क्विडिच खेलते थे, रॉन को चिढ़ाते थे और बिल तथा कफ के बारे में हँसी-मज़ाक़ करते थे ? वह बरसों से जिनी को जानता था ... यह स्वाभाविक था कि वह उसकी सुरक्षा की चिंता करे ... यह स्वाभाविक था कि वह उस पर नज़र रखे ... यह स्वाभाविक था कि उसे चूमने के लिए वह डीन को सिर से पैर तक चीर देना चाहे ... नहीं ... उसे अपनी भाई जैसी इस भावना पर ख़ास तौर पर क़ाबू रखना होगा।

रॉन ने ज़ोर से हुंकार भरा खर्राटा लिया।

हैरी ने ख़ुद को दृढ़ता से बताया, *वह रॉन की बहन है। रॉन की बहन। वह मेरे दायरे से बाहर है।* वह रॉन के साथ अपनी दोस्ती किसी क़ीमत पर नहीं तोड़ेगा। उसने अपने तकिए का आकार ज़्यादा आरामदेह बनाया और नींद आने का इंतज़ार करता रहा। वह पूरी कोशिश कर रहा था कि उसके विचार जिनी के आस-पास भी न फटकें।

अगली सुबह जागने पर हैरी का सिर थोड़ा चकरा रहा था। उसने रात को इस तरह के सपने देखे थे, जिनमें रॉन मारक का मुद्‌गर लेकर उसके पीछे भाग रहा था। लेकिन दोपहर तक उसे असली रॉन के बजाय सपने वाला रॉन ज़्यादा अच्छा लगता। रॉन जिनी और डीन से बातचीत नहीं कर रहा था। इसके अलावा, वह आहत और चकराई हुई हर्माइनी के प्रति भी बर्फ़ीली, व्यंग्यात्मक उदासीनता से पेश आ रहा था। यही नहीं, लगता था रॉन रातोरात उतना ही चिड़चिड़ा और कटखना हो गया था, जितने विस्फोटक अग्निडंक थे। हैरी ने पूरे दिन रॉन और हर्माइनी के बीच सुलह कराने की कोशिश की, लेकिन उसे कोई

सफलता नहीं मिली। आख़िरकार, काफ़ी नाराज़ हर्माइनी सोने चली गई और रॉन भी लड़कों के गलियारे की तरफ़ चल दिया। चलते-चलते उसने अपनी तरफ़ देख रहे फ़र्स्ट ईयर के कई लड़कों को जमकर फटकार दिया।

हैरी को यह देखकर निराशा हुई कि रॉन का नया आक्रामक व्यवहार अगले कुछ दिनों में ख़त्म नहीं हुआ। इससे भी बुरी बात यह थी कि इससे उसकी गोलकीपिंग की योग्यता में भी काफ़ी गिरावट आई और वह पहले से भी ज़्यादा आक्रामक हो गया। परिणाम यह हुआ कि शनिवार के मैच से पहले वाली आख़िरी क्विडिच प्रैक्टिस में वह धावकों के मारे एक भी गोल को नहीं बचा पाया और हर एक को बुरी तरह डाँटता रहा, जिससे डिमेल्ज़ा रॉबिन्स तो रोने लगी।

'तुम चुप रहो और उसे अकेला छोड़ दो!' पीक्स ने कहा, जो रॉन से लंबाई में दो-तिहाई था, लेकिन उसके हाथ में एक भारी बल्ला था।

'**बहुत हो गया!**' हैरी गरजा, जिसने जिनी को रॉन की दिशा में ग़ुस्से से घूरते देख लिया था और बैट बोगी हेक्स में जिनी की कुशलता को याद करते हुए वह तत्काल हस्तक्षेप करने के लिए वहाँ पहुँच गया, ताकि स्थिति हाथ से न निकल जाए। 'पीक्स, जाकर पहलवानों को अंदर रख दो। डिमेल्ज़ा, ख़ुद को सँभालो, तुम आज सचमुच अच्छा खेली हो। रॉन ...' उसने इंतज़ार किया, जब तक कि बाक़ी की टीम दूर नहीं चली गई। इसके बाद हैरी बोला, 'तुम मेरे सबसे अच्छे दोस्त हो, लेकिन अगर तुम सबके साथ इसी तरह का सलूक करोगे, तो मैं तुम्हें टीम से बाहर निकाल दूँगा।'

एक पल के लिए तो उसे ऐसा लगा, जैसे रॉन उसे मुक्का मार देगा, लेकिन फिर इससे भी बुरी चीज़ हुई। रॉन अपनी झाड़ू पर लुढ़क सा गया। उसके भीतर का सारा ग़ुस्सा ठंडा हो गया और वह बोला, 'मैं इस्तीफ़ा देता हूँ। मैं बहुत बुरा खिलाड़ी हूँ।'

'तुम बुरे खिलाड़ी नहीं हो और तुम इस्तीफ़ा नहीं दे रहे हो!' हैरी ने आवेश में कहा और सामने से रॉन का दुशाला पकड़ लिया। 'जब तुम फ़ॉर्म में रहते हो, तो हर गोल बचा सकते हो। तुम्हारे साथ तो सिर्फ़ दिमाग़ी समस्या है!'

'तुम यह कह रहे हो कि मेरा दिमाग़ ख़राब है ?'

'हाँ, मैं यही कह रहा हूँ!'

उन्होंने एक पल के लिए एक-दूसरे को ग़ुस्से से घूरकर देखा, फिर रॉन ने अपना सिर थके हुए अंदाज़ में हिलाया।

'मैं जानता हूँ कि तुम इतने कम समय में दूसरा कीपर नहीं खोज पाओगे, इसलिए कल के मैच में तो मैं खेलूँगा, लेकिन अगर हम हार गए, जैसा कि तय

है, तो मैं टीम से बाहर निकल जाऊँगा।'

हैरी के लाख समझाने से भी कोई फ़र्क़ नहीं पड़ा। डिनर के दौरान हैरी ने रॉन का आत्मविश्वास बढ़ाने की कोशिश की, लेकिन रॉन हर्माइनी से इतना ज़्यादा चिढ़ा हुआ था कि उसने हैरी की बातों की तरफ़ ध्यान नहीं दिया। हैरी उस रात को गरुड़द्वार के हॉल में भी कोशिश करता रहा। उसने यह भी कहा कि रॉन के जाने से पूरी टीम का मनोबल कम हो जाएगा। बहरहाल, उसका यह दावा खोखला लग रहा था, क्योंकि बाक़ी की टीम दूर वाले एक कोने में बैठी हुई थी। साफ़ लग रहा था कि टीम के बाक़ी सदस्य रॉन के बारे में ही बातें कर रहे थे, क्योंकि वे उसे बुरी नज़रों से देख रहे थे। आख़िरकार, हैरी ने दोबारा ग़ुस्से का नाटक किया, ताकि रॉन उत्तेजित होकर गोलकीपर के रूप में श्रेष्ठ प्रदर्शन का संकल्प कर ले। प्रोत्साहन की रणनीति की तरह ही यह रणनीति भी कारगर नहीं हुई। रॉन पहले जितनी ही दुखी और उत्साहहीन मानसिकता से अपने पलंग पर सोने चला गया।

हैरी अँधेरे में बहुत लंबे समय तक जागता रहा। वह यह मैच हारना नहीं चाहता था। यह कप्तान के रूप में उसका पहला मैच तो था ही, इसके अलावा वह क्विडिच में ड्रेको मैल्फ़ॉय को हराने के बारे में संकल्पवान था, भले ही वह अपनी शंकाओं को साबित नहीं कर सकता हो। बहरहाल, अगर रॉन पिछली कुछ प्रैक्टिसों की तरह खेला, तो उनके जीतने की संभावना बहुत कम थी ...

अगर कोई रास्ता हो, जिससे रॉन ख़ुद को सँभाल ले ... जिससे वह अपने पूरे फ़ॉर्म में खेल सके ... जिससे यह सुनिश्चित हो जाए कि रॉन की क़िस्मत अच्छी थी ...

और हैरी के मन में अचानक जवाब आ गया।

अगली सुबह नाश्ता हमेशा जितना ही रोमांचक था। जब गरुड़द्वार टीम के सदस्य बड़े हॉल में पहुँचे, तो नागशक्ति के विद्यार्थियों ने ज़ोर से ऊह-आह की और व्यंग्यात्मक आवाज़ें निकालीं। हैरी ने छत की तरफ़ देखा। वहाँ साफ़ नीला आसमान दिख रहा था : जो शुभ संकेत था।

गरुड़द्वार की टेबल लाल और सुनहरे रंगों से भरी हुई थी। हैरी और रॉन के क़रीब पहुँचने पर गरुड़द्वार के विद्यार्थी तालियाँ बजाने लगे। हैरी ने मुस्कराकर हाथ हिलाया। रॉन ने मुँह बनाते हुए अपना सिर हिलाया।

'हौसला रखो, रॉन!' लैवेंडर चिल्लाई। 'मैं जानती हूँ कि तुम अच्छा खेलोगे!'

रॉन ने उसकी बात अनसुनी कर दी।

'चाय ?' हैरी ने उससे पूछा। 'कॉफ़ी ? कद्दू का जूस ?'

'कुछ भी,' रॉन ने उदासी से कहा और बिना सोचे-समझे टोस्ट का एक टुकड़ा खाने लगा।

हर्माइनी रॉन के पिछले कुछ समय के अप्रिय व्यवहार से इतनी तंग आ चुकी थी कि वह उनके साथ नाश्ता करने नहीं आई थी। वह कुछ मिनट बाद टेबल पर उनके पास आकर रुकी।

उसने रॉन के सिर के पीछे वाले हिस्से को देखते हुए पूछा, 'तुम दोनों कैसा महसूस कर रहे हो ?'

'अच्छा,' हैरी ने कहा, जो रॉन को कद्दू के जूस का गिलास देने पर ध्यान केंद्रित कर रहा था। 'यह लो, रॉन। इसे पी जाओ।'

रॉन ने गिलास उठाकर अपने होंठों से लगाया ही था कि तभी हर्माइनी तीखी आवाज़ में बोली।

'उसे मत पीना, रॉन!'

हैरी और रॉन उसकी तरफ़ देखने लगे।

'क्यों नहीं ?' रॉन ने पूछा।

हर्माइनी हैरी की तरफ़ ऐसे घूर रही थी, जैसे उसे उस पर यक़ीन ही नहीं हो रहा हो।

'तुमने अभी-अभी उस गिलास में कुछ मिलाया है।'

'क्या कहा ?' हैरी बोला।

'तुमने मेरी बात सुन ली है। मैंने तुम्हें देख लिया था। तुमने रॉन के गिलास में अभी-अभी कुछ मिलाया है। तुम्हारे हाथ में अभी भी वह शीशी है!'

'मुझे नहीं पता कि तुम किस बारे में बोल रही हो,' हैरी ने कहा और जल्दी से छोटी शीशी अपनी जेब में रख ली।

'रॉन, मैं तुम्हें चेतावनी देती हूँ, उसे मत पीना!' हर्माइनी ने दहशत में आते हुए कहा, लेकिन रॉन ने गिलास उठाकर एक साँस में पी लिया और बोला, 'हर्माइनी, मुझ पर हुक्म चलाना बंद करो।'

हर्माइनी बहुत परेशान हो गई। वह इतनी नीचे झुकी कि सिर्फ़ हैरी ही उसकी बात सुन सके, फिर वह फुसफुसाकर बोली, 'तुम्हें इसके लिए स्कूल से निकाल दिया जाएगा। हैरी, मुझे यक़ीन नहीं होता कि तुम ऐसा कर सकते हो!'

'देखो तो सही कौन बोल रहा है,' हैरी ने भी फुसफुसाकर कहा। 'किसी को हाल ही में चकरघिन्नी किया है ?'

वह तेज़ी से उनसे दूर चली गई। हैरी बिना अफ़सोस के उसे जाते देखता रहा। हर्माइनी दरअसल कभी समझ ही नहीं पाई थी कि क्विडिच कितना गंभीर मामला होता है। फिर हैरी ने रॉन की तरफ़ देखा, जो अपने होंठ चाट रहा था।

'चलो समय हो गया,' हैरी ने ख़ुशी से कहा।

जब वे स्टेडियम की तरफ़ गए, तो सर्दी के पाले भरी घास उनके पैरों के नीचे चटकने लगी।

हैरी ने रॉन से कहा, 'हम बहुत ख़ुशक़िस्मत हैं कि मौसम इतना अच्छा है, है ना?'

'हाँ,' रॉन ने कहा, जो पीला और बीमार दिख रहा था।

जिनी और डिमेल्ज़ा पहले ही चेंजिंग रूम में अपने क्विडिच दुशाले पहनकर इंतज़ार कर रही थीं।

'परिस्थितियाँ आदर्श नज़र आती हैं,' जिनी ने रॉन को नज़रअंदाज़ करते हुए कहा। 'और सोचो तो सही? कल की प्रैक्टिस में नागशक्ति के धावक वासी के सिर में एक पहलवान लग गया था और वह खेलने की हालत में नहीं है! और इससे भी अच्छी ख़बर यह है – मैल्फ़ॉय बीमार हो गया है!'

'क्या?' हैरी उसकी तरफ़ घूरने के लिए पलटा। 'वह बीमार है? उसे क्या हो गया?'

'क्या पता, लेकिन यह हमारे लिए अच्छा है,' जिनी ने उत्साह से कहा। 'वे लोग उसके बजाय हार्पर को खिला रहे हैं। वह मेरे ही ईयर में पढ़ता है और महामूर्ख है।'

हैरी अजीब तरीक़े से पलटकर मुस्कराया, लेकिन जब उसने अपने लाल दुशालों को पहना, तो उसका दिमाग़ क्विडिच पर नहीं था। मैल्फ़ॉय ने एक बार पहले भी यह दावा किया था कि वह चोट लगने के कारण नहीं खेल सकता, लेकिन उस वक़्त उसने यह सुनिश्चित किया था कि पूरा मैच दोबारा उस समय हो, जब परिस्थितियाँ नागशक्ति के ज़्यादा अनुकूल हों। तो फिर अब वह अपनी जगह पर किसी दूसरे को ख़ुशी-ख़ुशी क्यों खेलने दे रहा है? वह सचमुच बीमार है या फिर बीमारी का नाटक कर रहा है?

'अजीब है, है ना?' हैरी ने धीरे से रॉन से कहा। 'मैल्फ़ॉय का नहीं खेलना?'

'मैं तो इसे ख़ुशक़िस्मती कहूँगा,' रॉन ने थोड़े ज़्यादा उत्साह से कहा। 'और वासी भी नहीं खेल रहा है। वही उनकी तरफ़ से सबसे ज़्यादा गोल करता है। मुझे नहीं लगता था – ऐ!' उसने अपने कीपर के दस्ताने पहनते समय

अचानक हैरी की तरफ़ घूरा।

'क्या?'

'मैं ... तुमने ...' रॉन ने अपनी आवाज़ धीमी कर ली। वह घबराया हुआ, लेकिन रोमांचित दिख रहा था। 'मेरा जूस ... मेरा कद्दू का जूस ... तुमने कहीं ...?'

हैरी ने अपनी भौंहें उठाईं, लेकिन बस इतना ही बोला, 'पाँच मिनट में मैच शुरू होने वाला है। बेहतर होगा कि जल्दी से अपने जूते पहन लो।'

वे लोग ज़ोरदार तालियों और तानों के बीच पिच पर पहुँचे। स्टेडियम का एक हिस्सा लाल-सुनहरा था। दूसरा हिस्सा हरे-चाँदी जैसे रंग का था। मेहनतकश और चीलघात के ज़्यादातर विद्यार्थी भी दोनों में से किसी टीम का समर्थन कर रहे थे। इतने शोर-शराबे और तालियों के बीच हैरी को लूना लवगुड के शेर वाले मशहूर हैट की गर्जना सुनाई दी।

हैरी रेफ़री मैडम हूच के पास पहुँचा, जो बक्से से गेंदें छोड़ने के लिए तैयार खड़ी थीं।

'कप्तानो, हाथ मिलाओ,' उन्होंने कहा और नागशक्ति के नए कप्तान अर्कहार्ट ने हैरी का हाथ दबा दिया। 'अपनी झाड़ुओं पर चढ़ जाओ। सीटी बजने पर ... तीन ... दो ... एक ...'

सीटी बजते ही हैरी और बाक़ी खिलाड़ियों ने ठंड के पाले के कारण जमी हुई ज़मीन पर कसकर लात मारी और उड़ने लगे।

हैरी मैदान में चारों तरफ़ सुनहरी गेंद की तलाश में उड़ता रहा। वह हार्पर पर भी एक नज़र रख रहा था, जो उसके बहुत नीचे इधर-उधर हो रहा था। फिर एक आवाज़ आई, जो कमेंटेटर की आम आवाज़ से बहुत अलग थी।

'तो, खेल शुरू हो गया और मुझे लगता है कि हम सब उस टीम को देखकर हैरान हैं, जो पॉटर ने इस साल बनाई है। कइयों को लग रहा था कि पिछले साल कीपर के रूप में रोनाल्ड वीज़्ली के असमान प्रदर्शन को देखते हुए उसे टीम से निकाल दिया जाएगा, लेकिन ज़ाहिर है, कप्तान के साथ गहरी दोस्ती का फ़ायदा तो मिलता ही है ...'

इन शब्दों पर पिच के नागशक्ति वाले कोने से तानों और तालियों की आवाज़ आई। हैरी ने कमेंटेटर बॉक्स की तरफ़ मुड़कर देखा। वहाँ पर एक लंबा, दुबला, सुनहरे बालों वाला लड़का खड़ा था, जिसकी नाक ऊपर की तरफ़ थी। वह जादुई मेगाफ़ोन में बोल रहा था, जो कभी ली जॉर्डन का हुआ करता था। हैरी ने मेहनतकश के खिलाड़ी ज़कारियस स्मिथ को पहचान लिया, जिससे वह

दिली नफ़रत करता था।

'ओह, और नागशक्ति गोल करने की पहली कोशिश कर रहा है। अर्कहार्ट पिच पर लपका जा रहा है और –'

हैरी का पेट हिचकोले खाने लगा।

'– वीज़्ली ने बचा लिया। ख़ैर, मुझे लगता है, कभी-कभार क़िस्मत भी साथ दे जाती है ...'

'सही कहा स्मिथ, आज वह ख़ुशक़िस्मत है,' हैरी बुदबुदाया और मन ही मन मुस्कराया, जब उसने धावकों के बीच गोता लगाते हुए सुनहरी गेंद की झलक देखने की कोशिश की।

मैच शुरू होने के आधा घंटे बाद गरुड़द्वार की टीम साठ-शून्य से आगे थी। रॉन ने कुछ बहुत अद्भुत बचाव किए थे, कुछ को तो उसने अपने दस्तानों की नोक से बचाया था। उधर जिनी ने गरुड़द्वार के छह में से चार गोल किए थे। इसके बाद ज़कारियस ने यह बोलना छोड़ दिया कि वीज़्ली भाई-बहन टीम में सिर्फ़ इसलिए थे, क्योंकि हैरी उन्हें पसंद करता था। इसके बजाय वह पीक्स और कूट पर शुरू हो गया।

'ज़ाहिर है, कूट दरअसल मारक जैसा नहीं दिखता है,' ज़कारियस ने ज़ोर से कहा, 'आम तौर पर मारक ज़्यादा तगड़े होते हैं –'

'उस पर पहलवान मार दो!' हैरी ने कूट से चिल्लाकर कहा, जब वह पास से निकला, लेकिन कूट ने मुस्कराते हुए अगला पहलवान हार्पर पर मार दिया, जो हैरी की विपरीत दिशा में जा रहा था। हैरी को ठक्क की आवाज़ सुनकर ख़ुशी हुई, जिसका मतलब था कि पहलवान निशाने पर लगा था।

ऐसा लग रहा था कि गरुड़द्वार की टीम से कोई ग़लती नहीं हो सकती थी। उन्होंने बार-बार स्कोर किया और पिच की दूसरी तरफ़ रॉन ने बार-बार आसानी से गोल बचाए। वह अब दरअसल मुस्करा रहा था और जब भीड़ पुराने गाने *वीज़्ली हमारा राजा है* को ज़ोर-ज़ोर से गाती थी, तो वह ऊपर से उन्हें निर्देशित कर रहा था।

'लगता है कि आज वह कुछ ख़ास है, है ना?' एक व्यंग्यात्मक आवाज़ आई और हैरी अपनी झाड़ू से गिरते-गिरते बचा, क्योंकि हार्पर उससे जान-बूझकर तेज़ी से टकराया था। 'तुम्हारा ख़ून-का-गद्दार दोस्त ...'

मैडम हूच की पीठ उसकी तरफ़ थी और हालाँकि गरुड़द्वार के दर्शक नीचे से ग़ुस्से में चिल्लाए, लेकिन जब तक वे मुड़ीं, हार्पर भाग चुका था। दुखते कंधे के साथ हैरी उसके पीछे भागा और वह उसे टक्कर मारने पर आमादा था ...

'मुझे लगता है कि नागशक्ति के हार्पर ने सुनहरी गेंद देख ली है!' ज़कारियस स्मिथ ने मेगाफ़ोन में कहा। 'हाँ, निश्चित रूप से उसने ऐसी कोई चीज़ देख ली है, जो पॉटर नहीं देख पाया है!'

हैरी ने सोचा, स्मिथ सचमुच मूर्ख था! क्या उसने उन्हें टकराते हुए नहीं देखा था? लेकिन अगले ही पल उसे उसका पेट आसमान से टपकता हुआ लग रहा था – स्मिथ सही था और हैरी ग़लत था। हार्पर यूँ ही ऊपर की तरफ़ नहीं लपका था। उसे वह चीज़ दिख गई थी, जो हैरी को नहीं दिखी थी। सुनहरी गेंद उनके ऊपर तेज़ी से जा रही थी और साफ़ नीले आसमान में अच्छी तरह चमक रही थी।

हैरी ने अपनी गति बढ़ा दी। हवा उसके कानों में सीटी बजा रही थी, इसलिए इससे स्मिथ की कमेंट्री और भीड़ की आवाज़ें सुनाई देना बंद हो गईं, लेकिन हार्पर अब भी उससे आगे था और गरुड़द्वार सिर्फ़ सौ पॉइंट से आगे था। अगर हार्पर पहले गेंद पकड़ लेगा, तो गरुड़द्वार हार जाएगा ... और अब हार्पर सुनहरी गेंद से बस कुछ फ़ुट की दूरी पर था और अपना हाथ फैला रहा था ...

हैरी हताशा में चिल्लाया, 'ओए हार्पर! तुम्हें मैल्फ़ॉय ने अपने बदले में खेलने के कितने पैसे दिए?'

वह नहीं जानता था कि उसके मुँह से यह बात क्यों निकली, लेकिन यह सुनकर हार्पर पीछे मुड़ गया। उसके हाथ से सुनहरी गेंद फिसल गई और हैरी ने तेज़ी से झपटकर छोटी, फड़फड़ाती गेंद को पकड़ लिया।

'**यह देखो!**' हैरी चिल्लाया, तेज़ी से घूमा और ज़मीन की तरफ़ लपका। सुनहरी गेंद उसके हाथ में ऊँची उठी हुई थी। जब भीड़ को एहसास हुआ कि क्या हुआ था, तो इतना तेज़ शोर हुआ कि उस सीटी की आवाज़ उसमें डूब गई, जो मैच ख़त्म होने का संकेत थी।

'जिनी, तुम कहाँ जा रही हो?' हैरी चिल्लाया, जब उसने पाया कि बाक़ी की टीम उसे गले लगाने के लिए हवा में आ गई थी, लेकिन जिनी उनके पास से तेज़ी से गुज़री और फिर तेज़ धमाके के साथ कमेंटेटर बॉक्स से टकरा गई। जब भीड़ चिल्लाने और हँसने लगी, तो गरुड़द्वार की टीम उस लकड़ी के विनाश के पास उतरी, जिसके नीचे ज़कारियस हल्के से हिल रहा था। हैरी ने सुना कि जिनी चहकते हुए नाराज़ प्रोफ़ेसर मैक्गॉनेगल से कह रही थी, 'ब्रेक लगाना भूल गई, प्रोफ़ेसर, सॉरी।'

हँसते हुए हैरी बाक़ी की टीम से अलग हुआ और उसने जिनी को गले लगा लिया, लेकिन जल्दी ही छोड़ दिया। जिनी से निगाह न मिलाते हुए उसने रॉन की पीठ पर धौल जमाया। सारी दुश्मनी भूलकर गरुड़द्वार की पूरी टीम

हाथ में हाथ डालकर, हवा में मुक्के मारती हुई और अपने समर्थकों की तरफ़ हाथ लहराती हुई पिच से गई।

चेंजिंग रूम में माहौल ख़ुशी से भरा था।

'हॉल में पार्टी है, सीमस ने कहा है!' डीन ख़ुशी से चिल्लाया। 'चलो, जिनी, डिमेल्ज़ा!'

अंत में चेंजिंग रूम में सिर्फ़ रॉन और हैरी ही बचे थे। वे निकलने ही वाले थे, तभी हर्माइनी दाख़िल हुई। वह अपना गरुड़द्वार का स्कार्फ़ अपने हाथों में मरोड़ रही थी और विचलित, लेकिन संकल्पवान नज़र आ रही थी।

'मुझे तुमसे कुछ कहना है, हैरी।' उसने गहरी साँस लेते हुए कहा। 'तुम्हें यह नहीं करना चाहिए था। तुमने स्लगहॉर्न की बात सुनी थी, यह ग़ैर-क़ानूनी है।'

'तुम क्या करोगी, हमारी चुगली कर दोगी?' रॉन ने पूछा।

'तुम दोनों किस बारे में बोल रहे हो?' हैरी ने पूछा और अपने दुशाले टाँगने के लिए मुड़ा, ताकि वे उसकी मुस्कराहट न देख पाएँ।

'तुम अच्छी तरह जानते हो कि मैं किस बारे में बोल रही हूँ!' हर्माइनी ने तीखी आवाज़ में कहा। 'तुमने नाश्ते के वक़्त रॉन के जूस में ख़ुशक़िस्मती का काढ़ा मिला दिया था! ख़ुशक़िस्मती काढ़ा!'

'नहीं, मैंने नहीं मिलाया था,' हैरी ने उनकी तरफ़ मुड़ते हुए कहा।

'हाँ हैरी, तुमने यही किया था, और इसीलिए सब कुछ ठीक हुआ। नागशक्ति के खिलाड़ियों का निशाना हर बार चूक गया और रॉन ने हर गोल बचा लिया!'

'मैंने उसमें कुछ नहीं डाला था!' हैरी ने अब खुलकर मुस्कराते हुए कहा। उसने अपना हाथ जैकेट की जेब में डालकर वह छोटी शीशी निकाली, जो हर्माइनी ने उस सुबह उसके हाथ में देखी थी। यह सुनहरे काढ़े से भरी थी और इसका कॉर्क अब भी मोम से सीलबंद था। 'मैं तो बस चाहता था कि रॉन यह सोचे कि मैंने यह काम किया था, इसीलिए मैंने तुम्हारे देखते समय यह नाटक किया था।' उसने रॉन की तरफ़ देखा। 'तुमने हर गोल इसलिए बचाया था, क्योंकि तुम ख़ुद को ख़ुशक़िस्मत समझ रहे थे। तुमने हर गोल ख़ुद बचाया था।'

उसने काढ़े की शीशी दोबारा अपनी जेब में रख ली।

'तो मेरे कद्दू के जूस में सचमुच कुछ नहीं था?' रॉन ने हैरानी से कहा। 'लेकिन मौसम अच्छा था ... और वासी खेल नहीं पाया ... मुझे तुमने ख़ुशक़िस्मती काढ़ा सचमुच नहीं पिलाया था?'

हैरी ने अपना सिर इंकार में हिलाया। रॉन एक पल के लिए उसकी तरफ़ मुँह फाड़कर देखता रहा, फिर वह हर्माइनी की तरफ़ मुड़ा और उसकी आवाज़ की नक़ल की।

'तुमने आज सुबह रॉन के जूस में ख़ुशक़िस्मती काढ़ा मिलाया था, इसीलिए उसने हर गोल बचा लिया! देखा! मैं बिना मदद के भी गोल बचा सकता हूँ, हर्माइनी!'

'मैंने कभी नहीं कहा कि तुम गोल नहीं बचा सकते – रॉन, *तुमने* भी तो सोचा था कि तुमने काढ़ा पिया था!'

लेकिन तब तक रॉन उसके पास से होता हुआ दरवाज़े से बाहर निकल चुका था और उसकी झाड़ू उसके कंधे पर थी।

'अर,' हैरी ने अचानक ख़ामोशी में कहा। उसे अपनी योजना के इस कदर बिगड़ने की उम्मीद नहीं थी, 'क्या ... क्या हम पार्टी में चलें?'

'तुम जाओ!' हर्माइनी ने अपने आँसुओं को रोकते हुए कहा। 'मैं तो इस वक़्त रॉन से *तंग* आ चुकी हूँ। मुझे नहीं पता कि मैंने किया क्या है ...'

और वह भी धड़धड़ाती हुई चेंजिंग रूम से बाहर निकल गई।

हैरी धीरे-धीरे भीड़ के बीच से महल की तरफ़ चल दिया। कई लोग उसे बधाइयाँ दे रहे थे, लेकिन उसे पराजय का एहसास हो रहा था। उसे यक़ीन था कि अगर रॉन मैच जीत गया, तो उसमें और हर्माइनी में एक बार फिर दोस्ती हो जाएगी। हैरी को समझ में नहीं आ रहा था कि वह हर्माइनी को यह बात कैसे समझाए कि रॉन उससे इसलिए नाराज़ था, क्योंकि उसने विक्टर क्रम को चूमा था। वह भी तब, जब हर्माइनी ने यह ग़लती बहुत पहले की थी।

हैरी को गरुड़द्वार के जश्न की पार्टी में हर्माइनी नहीं दिखी, हालाँकि जब वह पहुँचा, तो पार्टी पूरे शबाब पर थी। उसके आने पर नए सिरे से ख़ुशी की आवाज़ें और पीठ पर धौलों का सिलसिला शुरू हो गया। जल्दी ही विद्यार्थियों की भीड़ उसे बधाइयाँ देने लगी। क्रीवी बंधु हर पल का विस्तार से वर्णन करते हुए मैच का विश्लेषण करना चाहते थे। बहुत सारी लड़कियों ने हैरी को घेर लिया। वे उसके सामान्य वाक्यों पर भी हँस रही थीं और अपनी पलकें झपका रही थीं। उसे रॉन को खोजने में थोड़ा समय लग गया। आख़िरकार उसने ख़ुद को रोमिल्डा वेन से अलग किया, जो संकेत कर रही थी कि वह स्लगहॉर्न की क्रिसमस पार्टी में उसके साथ जाना चाहेगी। जब वह ड्रिंक्स टेबल की तरफ़ गोता लगाते हुए जा रहा था, तो जिनी से टकरा गया। अरनॉल्ड नाम का पिग्मी पफ़ जिनी के कंधे पर सवारी कर रहा था और क्रुकशैंक्स बड़ी उम्मीद से उसके पीछे-पीछे म्याऊँ कर रही थी।

'रॉन को देख रहे हो?' जिनी हँसते हुए बोली। 'वह वहाँ है, पाखंडी कहीं का!'

हैरी ने उस कोने में देखा, जिधर वह इशारा कर रही थी। वहाँ पूरे कमरे की निगाह के सामने रॉन लैवेंडर ब्राउन से इतना चिपका हुआ था कि यह समझ में ही नहीं आ रहा था कि किसके हाथ कौन से थे।

'ऐसा लगता है, वह उसका चेहरा खा रहा है, है ना?' जिनी ने भावहीन अंदाज़ में कहा। 'मुझे लगता है कि उसे अपनी तकनीक सुधारनी होगी। अच्छा खेले, हैरी।'

उसने हैरी की बाँह थपथपाई। हैरी के पेट में हलचल होने लगी, लेकिन फिर जिनी बटरबियर लेने चली गई। क्रुकशैंक्स अब भी उसके पीछे-पीछे थी और उसकी पीली आँखें अरनॉल्ड पर जमी थीं।

हैरी रॉन से दूर हो गया। रॉन को देखकर ऐसा नहीं लग रहा था कि वह जल्दी ही वहाँ से निकलेगा। हैरी ने समय रहते देख लिया कि तस्वीर का छेद बंद हो रहा था। उसे उलझे हुए भूरे बालों वाला गुच्छा वहाँ से ओझल होते दिखा, जिससे उसका दिल डूब गया।

वह एक बार फिर रोमिल्डा वेन को एक तरफ़ करके आगे लपका। उसने मोटी औरत की तस्वीर को धकाकर खोला। बाहर का गलियारा वीरान दिख रहा था।

'हर्माइनी?'

उसने पहले क्लासरूम में झाँका और वहाँ वह मिल गई। वह टीचर की डेस्क पर अकेली बैठी थी। उसके सिर के ऊपर कुछ पीले पक्षी चहचहा रहे थे, जिन्हें उसने हाल ही में हवा से उत्पन्न किया था। ऐसे वक़्त में भी वह जादू में इतनी माहिर थी, हैरी इसका कायल होने से ख़ुद को नहीं रोक पाया।

'ओह, हैलो हैरी,' उसने चटकी हुई आवाज़ में कहा। 'मैं तो बस प्रैक्टिस कर रही थी।'

हैरी ने कहा, 'हाँ ... वे - अर - सचमुच अच्छे हैं ...'

उसे समझ में नहीं आ रहा था कि वह हर्माइनी से क्या कहे। वह सोच रहा था कि शायद हर्माइनी ने रॉन को देखा ही न हो। शायद वह कमरे से सिर्फ़ इसलिए चली आई हो, क्योंकि उसे पार्टी थोड़ी ज़्यादा शोर-शराबे वाली लगी हो। लेकिन तभी हर्माइनी ने अस्वाभाविक रूप से ऊँची आवाज़ में कहा, 'लगता है, रॉन जश्न का कुछ ज़्यादा ही आनंद ले रहा है।'

'अर ... ऐसा क्या?' हैरी ने कहा।

'ऐसा नाटक मत करो, जैसे तुमने उसे देखा ही नहीं है,' हर्माइनी ने कहा। 'वह इस चीज़ को छिपा तो नहीं रहा है –'

उनके पीछे का दरवाज़ा खुल गया। हैरी को दहशत हुई, जब रॉन हँसता हुआ अंदर आया और लैवेंडर का हाथ पकड़कर उसे अंदर खींचने लगा।

'ओह,' हैरी और हर्माइनी को देखकर वह रुक गया।

'ऊप्स!' लैवेंडर बोली और हँसती हुई कमरे से बाहर भाग गई। दरवाज़ा उसके पीछे झूलता हुआ बंद हो गया।

एक भयंकर ख़ामोशी छा गई। हर्माइनी रॉन की तरफ़ घूर रही थी, जिसने उसकी तरफ़ देखने से इंकार कर दिया, लेकिन बहादुरी से अजीब तरीक़े से बोला, 'हाय हैरी! सोच रहा था कि तुम न जाने कहाँ चले गए!'

हर्माइनी डेस्क से फिसली। पीले पक्षियों का छोटा सा समूह अब भी उसके सिर के चारों तरफ़ मँडरा रहा था, जिसकी वजह से वह सौरमंडल का पंखों वाला मॉडल लग रही थी।

'तुम्हें लैवेंडर को बाहर इंतज़ार नहीं करवाना चाहिए,' उसने धीरे से कहा। 'वह सोचेगी कि तुम जाने कहाँ चले गए हो।'

वह बहुत धीरे-धीरे तनकर दरवाज़े की तरफ़ गई। हैरी ने रॉन की तरफ़ देखा, जो इस बात पर राहत में दिख रहा था कि इससे बुरी कोई चीज़ नहीं हुई।

'समूहवार!' दरवाज़े से एक चीख़ सुनाई दी।

हैरी ने घूमकर देखा। हर्माइनी की छड़ी रॉन की तरफ़ थी और उसके चेहरे पर अजीब सा भाव था। पक्षी मोटी पीली गोलियों की तरह तेज़ी से रॉन की तरफ़ जा रहे थे। रॉन ने चीख़ते हुए हाथों से चेहरा ढँक लिया, लेकिन इसके बावजूद पक्षियों ने उस पर हमला कर दिया और जहाँ तक वे पहुँच सकते थे, उन्होंने वहाँ का मांस नोंच और कुतर लिया।

'दूरहटोमुझसे!' रॉन चिल्लाया, लेकिन प्रतिशोध की आख़िरी झलक देखने के बाद हर्माइनी ने तेज़ी से दरवाज़ा खोला और बाहर निकल गई। हैरी को दरवाज़ा बंद होने से पहले उसके सुबकने की आवाज़ सुनाई दी।

अध्याय पंद्रह

अटूट क़सम

एक बार फिर खिड़कियों पर बर्फ़ घुमड़ रही थी। क्रिसमस तेज़ी से क़रीब आ रहा था। हैग्रिड अकेले ही बड़े हॉल के लिए बारह क्रिसमस ट्री ला चुका था। शूलपर्णी और रंगीन पन्नियों के हार सीढ़ियों के हत्थों पर लग चुके थे। सूट ऑफ़ आर्मर के हेलमेट के भीतर न बुझने वाली मोमबत्तियाँ जल रही थीं और गलियारों में थोड़ी-थोड़ी दूर पर मिसलटो के बड़े गुच्छे टँगे हुए थे। हैरी के पास से गुज़रते समय बहुत सी लड़कियाँ मिसलटो के गुच्छों के नीचे खड़ी हो जाती थीं, जिस वजह से गलियारों में रास्ता रुक जाता था। बहरहाल, रातों को अक्सर घूमते रहने के कारण हैरी को महल के ख़ुफ़िया गलियारों का बहुत अच्छा ज्ञान था और वह आसानी से उन रास्तों से क्लासों तक पहुँच जाता था, जहाँ मिसलटो नहीं लगे थे।

लड़कियों के बीच हैरी की इतनी लोकप्रियता से रॉन को ईर्ष्या हो सकती थी, लेकिन अब वह इसके बारे में हँसता था। हालाँकि हैरी को पिछले कुछ सप्ताहों के मूडी, आक्रामक रॉन के बजाय यह हँसने वाला रॉन ज़्यादा पसंद था, लेकिन रॉन के इस सुधार की बहुत बड़ी क़ीमत थी। पहली बात तो यह थी कि हैरी को लैवेंडर ब्राउन को लगातार झेलना पड़ता था। लैवेंडर को ऐसा लगता था कि जिस पल वह रॉन को चूमती नहीं है, वह हर पल बेकार है। दूसरी बात यह थी कि हैरी के दो सबसे अच्छे दोस्त एक-दूसरे से कभी बात नहीं करना चाहते थे।

रॉन के हाथों पर अब भी हर्माइनी के पक्षियों के हमले के निशान और खरोंचें थीं। उसका अंदाज़ अब रक्षात्मक और आक्रोश भरा था।

उसने हैरी से कहा, 'वह शिकायत नहीं कर सकती। उसने क्रम को चूमा है। अब उसे पता चल गया है कि कोई मुझे भी चूमना चाहता है। देखो, यह आज़ाद देश है। मैंने कोई ग़लत काम नहीं किया है।'

हैरी ने कोई जवाब नहीं दिया, बल्कि उस पुस्तक को पढ़ने का नाटक करता रहा, जो उन्हें अगली सुबह सम्मोहन की क्लास से पहले पूरी पढ़नी थी। इस पुस्तक का शीर्षक था – *सारतत्व : एक खोज*। चूँकि वह रॉन और हर्माइनी दोनों के साथ दोस्ती बनाए रखना चाहता था, इसलिए उसे ज़्यादातर समय अपना मुँह बंद रखना पड़ता था।

'मैंने हर्माइनी से कभी किसी चीज़ का वादा नहीं किया,' रॉन बुदबुदाया। 'मेरा मतलब है, ठीक है, मैं स्लगहॉर्न की क्रिसमस पार्टी में उसके साथ जाना चाहता था, लेकिन उसने कभी नहीं कहा ... बस दोस्तों की तरह ... मैं आज़ाद हूँ ...'

हैरी ने *सारतत्व : एक खोज* का एक पन्ना पलटा। वह जानता था कि रॉन उसे देख रहा था। रॉन की आवाज़ धीमी होकर बुदबुदाहट में बदल गई और आग की लकड़ियों के ज़ोर से चटकने के कारण यह सुनाई नहीं दे रही थी, लेकिन हैरी को 'क्रम' और 'शिकायत नहीं कर सकती' जैसे शब्द सुनाई दे गए।

हर्माइनी का टाइमटेबल इतना भरा हुआ था कि हैरी को सिर्फ़ शाम को ही उससे ठीक से बात करने का मौक़ा मिल पाता था, जब रॉन लैवेंडर में इतना खोया रहता था कि उसका ध्यान हैरी की तरफ़ नहीं जाता था। गरुड़द्वार हॉल में रॉन के रहते समय हर्माइनी वहाँ बैठने से इंकार कर देती थी, इसलिए हैरी को आम तौर पर उसके साथ लाइब्रेरी में बैठना पड़ता था, जिसका मतलब था कि उन्हें फुसफुसाकर बातचीत करनी पड़ती थी।

'वह जिसे चाहे, उसे चूमने के लिए आज़ाद है,' हर्माइनी ने कहा, जब लाइब्रेरियन मैडम पिन्स उनके पीछे की शेल्फ़ों पर मँडराने लगीं। 'मुझे परवाह नहीं है।'

उसने अपनी क़लम उठाई और 'आई' पर इतनी ज़ोर से बिंदु लगाए कि चर्मपत्र में छेद हो गए। हैरी कुछ नहीं बोला। उसे लग रहा था कि चुप रहने के कारण कहीं उसकी बोलने की आदत न छूट जाए। वह *उच्च-स्तरीय काढ़ा-निर्माण* पुस्तक के ऊपर थोड़ा सा झुका और *शाश्वत अमृत* के बारे में नोट्स लिखता रहा, हालाँकि वह बीच-बीच में लाइबेशियस बोराज की कही बातों के अलावा प्रिंस के उपयोगी सुझावों को देखने के लिए रुकता जा रहा था।

हर्माइनी ने कुछ पल बाद कहा, 'और तुम्हें सावधान हो जाना चाहिए।'

हैरी ने पौन घंटे की ख़ामोशी के बाद हल्की सी भर्राई फुसफुसाहट में कहा, 'मैं तुमसे आख़िरी बार कह रहा हूँ कि मैं यह पुस्तक नहीं लौटाऊँगा। मैंने हाफ़-ब्लड प्रिंस से जितना सीखा है, उतना स्नेप या स्लगहॉर्न से नहीं सीखा –'

'मैं तुम्हारे उस मूर्ख प्रिंस के बारे में नहीं बोल रही हूँ,' हर्माइनी ने कहा

और उसकी पुस्तक को इतनी बुरी नज़र से देखा, जैसे उसने उसके साथ कोई बदतमीज़ी कर दी हो। 'मैं दूसरी बात कह रही हूँ। मैं यहाँ आने से ठीक पहले लड़कियों के बाथरूम में गई थी। वहाँ पर लगभग एक दर्जन लड़कियाँ थीं, जिनमें रोमिल्डा वेन भी थी। वे यह फ़ैसला करने की कोशिश कर रही थीं कि तुम्हें प्रेम काढ़ा कैसे पिलाया जाए। वे सभी उम्मीद कर रही हैं कि तुम उन्हें स्लगहॉर्न की पार्टी में ले जाओगे। उन सभी ने फ्रेड और जॉर्ज के प्रेम काढ़े ख़रीद लिए हैं, और मुझे डर है कि उनसे काम हो जाएगा –'

'तो फिर तुमने उन्हें ज़ब्त क्यों नहीं किया?' हैरी ने पूछा। उसे यह बात असाधारण लगी कि नियमों का सख़्ती से पालन करने वाली हर्माइनी ने इतने महत्वपूर्ण मौक़े पर यह आदत क्यों छोड़ दी।

'वे बाथरूम में काढ़े लेकर नहीं आई थीं,' हर्माइनी ने हिक़ारत से कहा। 'वे तो बस योजना बना रही थीं। और मुझे लगता है कि *हाफ़-ब्लड प्रिंस* भी,' उसने पुस्तक की तरफ़ एक और बुरी नज़र डाली, 'एक साथ एक दर्जन अलग-अलग प्रेम काढ़ों का इलाज नहीं बता पाएगा। तुम कहो तो मैं किसी को तुम्हारे साथ जाने के लिए आमंत्रित कर लूँ – इससे बाक़ी लड़कियाँ यह सोचना बंद कर देंगी कि उनके पास अब भी मौक़ा है। पार्टी कल रात को ही है, इसलिए वे उतावली हो रही हैं।'

'ऐसी कोई नहीं है, जिसे मैं आमंत्रित करना चाहूँ,' हैरी बुदबुदाया, जो जिनी के बारे में नहीं सोचने की कोशिश कर रहा था, हालाँकि इन दिनों वह बार-बार उसके सपनों में आ जाती थी। उसे इस बात की ख़ुशी थी कि रॉन गुप्त-घुसपैठ का इस्तेमाल नहीं कर सकता था।

'अच्छा, तो कुछ पीते समय सावधान रहना, क्योंकि रोमिल्डा वेन के इरादे बुलंद लगते हैं,' हर्माइनी ने गंभीरता से कहा।

उसने उस लंबे चर्मपत्र को लपेटा, जिस पर वह अंकों का जादुई महत्त्व का निबंध लिख रही थी और उस पर अपनी क़लम चलाती रही। हैरी उसे यह करते हुए देखता रहा, हालाँकि उसका दिमाग़ कोसों दूर था।

'एक मिनट ठहरो,' उसने धीरे से कहा। 'मैंने सोचा था कि फ़िल्च ने वीज़्ली जादूगरी दुकान की हर चीज़ पर प्रतिबंध लगा दिया है?'

'किसे परवाह है कि फ़िल्च ने किस-किस चीज़ पर प्रतिबंध लगाया है?' हर्माइनी ने कहा, जो अब भी अपने निबंध पर ध्यान केंद्रित कर रही थी।

'लेकिन मुझे लगता था कि सभी उल्लुओं की जाँच हो रही होगी? फिर ये लड़कियाँ स्कूल में प्रेम काढ़े मँगवाने में कैसे कामयाब हो गईं?'

'फ़्रेड और जॉर्ज ने उन्हें खाँसी के काढ़ों और सेंट के रूप में छिपाकर भेजा है,' हर्माइनी ने कहा। 'यह उनकी उल्लू आदेश सेवा का हिस्सा है।'

'तुम इस बारे में बहुत जानती हो।'

हर्माइनी ने हैरी को भी उतनी ही बुरी तरह से देखा, जितनी बुरी तरह उसने थोड़ी देर पहले उसकी *उच्च-स्तरीय काढ़ा-निर्माण* पुस्तक को देखा था।

'यह सब उन बोतलों के पीछे लिखा था, जो उन्होंने गर्मियों में मुझे और जिनी को दिखाई थीं,' उसने ठंडेपन से कहा। 'मैं लोगों के ड्रिंक में काढ़े नहीं डालती हूँ ... या डालने का नाटक भी नहीं करती हूँ, जो उतना ही बुरा है ...'

'उसे छोड़ो,' हैरी ने जल्दी से कहा। 'मुद्दे की बात यह है कि फ़िल्च मूर्ख बन गया, है ना? ये लड़कियाँ स्कूल में कोई चीज़ किसी दूसरी चीज़ की तरह छिपाकर मँगा रही हैं! तो मैल्फ़ॉय उस हार को स्कूल में क्यों नहीं ला सकता था – ?'

'ओह हैरी ... दोबारा वही बात शुरू मत करो ...'

'बताओ तो सही, ऐसा क्यों नहीं हो सकता?' हैरी ने पूछा।

'देखो,' हर्माइनी ने आह भरते हुए कहा। 'ख़ुफ़िया संवेदनसूचक मंत्रों, शापों और छिपे हुए सम्मोहनों को पकड़ लेते हैं, है ना? वे गुप्त जादू और गुप्त वस्तुओं को खोजने के लिए इस्तेमाल होते हैं। वे किसी सशक्त शाप को कुछ सेकंडों में पकड़ लेते, जैसा उस हार पर था। लेकिन वे ग़लत बोतल में रखी चीज़ों को नहीं पकड़ पाते – और वैसे भी, प्रेम काढ़े न तो शैतानी हैं, न ही ख़तरनाक हैं –'

'तुम्हारे लिए यह कहना आसान है,' हैरी रोमिल्डा वेन के बारे में सोचते हुए बुदबुदाया।

'– तो यह पहचानना फ़िल्च का काम है कि जो काढ़ा भेजा गया है, वह खाँसी का काढ़ा है या नहीं। वह बहुत अच्छा जादूगर नहीं है, इसलिए मुझे शक है कि वह काढ़ों को पहचान सकता है –'

हर्माइनी रुक गई। हैरी ने भी एक आवाज़ सुन ली थी। कोई अँधेरे में डूबे बुकशेल्फ़ों के बीच से उनके पीछे आ गया था। उन्होंने इंतज़ार किया और एक पल बाद गिद्ध जैसे चेहरे वाली मैडम पिन्स कोने पर प्रकट हो गईं। उनके धँसे हुए गालों, चर्मपत्र जैसी चमड़ी तथा लंबी मुड़ी हुई नाक पर उस लैंप से रोशनी हो रही थी, जो उनके हाथ में था।

'लाइब्रेरी अब बंद हो चुकी है,' उन्होंने कहा। 'तुमने जो पुस्तक जहाँ से उठाई हो, उसे वहीं – *तुमने उस पुस्तक में क्यों लिखा, गंदे लड़के?*'

'यह लाइब्रेरी की नहीं, मेरी है!' हैरी ने जल्दी से कहा और अपनी *उच्च-स्तरीय काढ़ा-निर्माण* पुस्तक टेबल से उठा ली, जब मैडम पिन्स ने अपना चील जैसा हाथ तेज़ी से उसकी तरफ़ बढ़ाया।

'बर्बाद कर दी!' वे चिल्लाईं। 'ख़राब कर दी! बिगाड़ दी!'

'यह तो बस एक पुस्तक है, जिसमें कुछ लिखा है!' हैरी ने उसे उनकी पकड़ से खींचते हुए कहा।

मैडम पिन्स को देखकर लग रहा था, जैसे उन्हें लक़वा मार गया हो। हर्माइनी ने जल्दी से अपना सामान पैक किया और हैरी का हाथ पकड़कर उसे बाहर ले गई।

'अगर तुम सावधान नहीं रहे, तो वे तुम्हारे लाइब्रेरी में आने पर पाबंदी लगा देंगी। तुम उस मूर्खतापूर्ण पुस्तक को यहाँ लाए ही क्यों?'

'हर्माइनी, इसमें मेरी कोई ग़लती नहीं है कि वे पागल हैं। तुम्हें क्या लगता है, उन्होंने तुम्हें फ़िल्च की बुराई करते सुन लिया था? मुझे हमेशा से लगता है कि उन दोनों के बीच कुछ चल रहा है ...'

'ओह, हा, हा ...'

अब वे दोनों सामान्य तरीक़े से बातें कर सकते थे, इस बात पर ख़ुश होते हुए वे लैंप से रोशन वीरान गलियारों से होकर गरुड़द्वार के हॉल की तरफ़ जाने लगे। वे इस बारे में बहस कर रहे थे कि फ़िल्च और मैडम पिन्स गोपनीय रूप से एक-दूसरे से प्रेम करते थे या नहीं।

'बधाइयाँ,' हैरी ने मोटी औरत से कहा, क्योंकि यह क्रिसमस का नया पासवर्ड था।

'तुम्हें भी,' मोटी औरत ने शैतानी मुस्कराहट के साथ कहा और वह उन्हें अंदर जाने देने के लिए आगे की तरफ़ झूल गई।

जैसे ही वह तस्वीर के छेद से अंदर घुसा, रोमिल्डा वेन बोली, 'हाय, हैरी! जिलीवाटर पियोगे?'

हर्माइनी ने पीछे मुड़कर उसकी तरफ़ ऐसे देखा, जैसे कह रही हो, 'मैंने-तुम्हें-क्या-बताया-था?'

'नहीं धन्यवाद,' हैरी ने तत्काल कहा। 'मुझे यह ज़्यादा पसंद नहीं है।'

'तो इन्हें ले लो,' रोमिल्डा ने कहा और उसके हाथ में एक बॉक्स दे दिया। 'चॉकलेट कड़ाहियाँ! उनमें फ़ायरव्हिस्की है। मेरी दादी ने मुझे भेजी हैं, लेकिन वे मुझे पसंद नहीं हैं।'

'ओह - ठीक है - बहुत-बहुत धन्यवाद,' हैरी ने कहा, जो इसके अलावा कोई और जवाब नहीं सोच पाया। 'अर - मैं तो बस यूँ ही जा रहा ...'

वह जल्दी से हर्माइनी के पीछे चल दिया और उसकी आवाज़ कमज़ोर हो गई।

'मैंने तुम्हें बताया था ना,' हर्माइनी ने कहा। 'जल्दी ही तुम किसी से बात कर लो, ताकि वे तुम्हें अकेला छोड़ दें और तुम -'

लेकिन उसका चेहरा अचानक सपाट हो गया। उसने अभी-अभी रॉन और लैवेंडर को देख लिया था, जो एक ही कुर्सी पर आपस में लिपटे बैठे थे।

'अच्छा, गुडनाइट हैरी,' हर्माइनी ने कहा, हालाँकि अभी शाम के सात ही बजे थे। वह आगे कुछ कहे बिना लड़कियों के कमरों की तरफ़ चली गई।

हैरी इस विचार के साथ सोने गया कि उसे बस एक और दिन की क्लासों से जूझना है तथा स्लगहॉर्न की पार्टी से भी, इसके बाद वह रॉन के साथ उसके घर जा सकेगा। उसे यह असंभव लग रहा था कि छुट्टियों से पहले रॉन और हर्माइनी में सुलह हो जाएगी, लेकिन शायद अलग-अलग रहने से उन्हें अपने व्यवहार के बारे में शांति से अच्छी तरह सोचने का मौक़ा मिलेगा ...

लेकिन उसे ज़्यादा उम्मीद नहीं थी। उसकी उम्मीद अगले दिन की रूपांतरण की क्लास में और भी कम हो गई। वे मानवीय रूपांतरण के बहुत ही मुश्किल विषय का अध्ययन कर रहे थे। आईनों के सामने खड़े होकर उन्हें अपनी भौंहों का रंग बदलना था। रॉन की पहली कोशिश बहुत बुरी रही, जिसमें उसने अपने चेहरे पर हैंडल जैसी मूँछ बना दी। हर्माइनी उसकी खिल्ली उड़ाते हुए हँस दी। रॉन ने भी उसकी क्रूर, लेकिन सटीक नक़ल की कि प्रोफ़ेसर मैक्गॉनेगल के सवाल पूछने पर हर्माइनी किस तरह अपनी सीट से उछलती थी। यह बात लैवेंडर और पार्वती को बड़ी मज़ेदार लगी, जिससे हर्माइनी एक बार फिर आँसुओं के क़रीब आ गई। वह घंटी बजते ही क्लासरूम से दौड़कर बाहर निकली और अपना आधा सामान पीछे छोड़ गई। हैरी ने फ़ैसला किया कि इस वक़्त हर्माइनी की ज़रूरत रॉन से ज़्यादा है, इसलिए उसने हर्माइनी की छूटी हुई चीज़ें समेटीं और उसकी तलाश में चल दिया।

आख़िर हैरी को हर्माइनी नीचे वाली मंज़िल पर लड़कियों के बाथरूम से बाहर आती दिखी। उसके साथ लूना लवगुड थी, जो धीरे-धीरे हर्माइनी की पीठ थपथपा रही थी।

'ओह, हैलो हैरी,' लूना ने कहा। 'क्या तुम्हें पता है कि तुम्हारी एक भौंह चमकीली पीली है?'

'हाय लूना। हर्माइनी, तुम अपना सामान छोड़ आई थीं ...'

हैरी ने उसकी पुस्तकें बढ़ा दीं।

'ओह हाँ,' हर्माइनी ने रुँधी आवाज़ में कहा और अपना सामान ले लिया। वह इस तथ्य को छिपाने के लिए जल्दी से मुड़ गई कि वह पेंसिल केस पर अपनी आँखें पोंछ रही थी। 'धन्यवाद हैरी। अच्छा, तो अब मैं चलती हूँ ...'

और वह जल्दी से चली गई। उसने हैरी को राहत के शब्द कहने का मौक़ा ही नहीं दिया, हालाँकि वह ऐसे शब्द सोच भी नहीं पाया था।

'वह थोड़ी परेशान है,' लूना ने कहा। 'पहले तो मुझे लगा था कि अंदर मायूस मीना है, लेकिन बाद में यह हर्माइनी निकली। उसने रॉन वीज़्ली के बारे में कुछ कहा था ...'

'हाँ, उनमें झगड़ा हो गया है,' हैरी ने कहा।

'वह कई बार बड़ी अजीब बातें कह देता है, है ना?' लूना ने कहा, जब वे गलियारों में साथ-साथ चलने लगे। 'लेकिन मैंने पिछले साल देखा था, वह कई बार थोड़ा बेरहम हो जाता है।'

'मुझे भी ऐसा ही लगता है,' हैरी ने कहा। लूना हमेशा की तरह आज भी अजीब सच्चाई बोल रही थी। वह आज तक ऐसी लड़की से नहीं मिला था। 'तो तुम्हारा टर्म अच्छा रहा?'

'ओह, ठीक ही रहा,' लूना बोली। '**डीए** के बिना थोड़ा सूनापन लगता है। हालाँकि जिनी अच्छी है, उसने कुछ समय पहले रूपांतरण की क्लास में दो लड़कों को मुझे "पागल" कहने से रोक दिया -'

'क्या तुम आज रात को स्लगहॉर्न की पार्टी में मेरे साथ चलोगी?'

हैरी के मुँह से ये शब्द बरबस ही निकल गए थे। उसने इन शब्दों को इस तरह सुना, जैसे उन्हें किसी अजनबी ने बोला हो।

लूना ने अपनी बाहर निकलती आँखों से उसे हैरानी से देखा।

'स्लगहॉर्न की पार्टी में? तुम्हारे साथ?'

'हाँ,' हैरी ने कहा। 'हमें मेहमानों को लाने की इजाज़त है, इसलिए मैंने सोचा कि क्या तुम ... मेरा मतलब है ...' वह अपने इरादे बिलकुल स्पष्ट कर देना चाहता था। 'मेरा मतलब है, सिर्फ़ दोस्तों की तरह। लेकिन अगर तुम नहीं चलना चाहो तो ...'

उसे आधी उम्मीद थी कि वह मना कर देगी।

'ओह नहीं, मैं तुम्हारे साथ दोस्त की तरह चलना पसंद करूँगी!' लूना ने

इस तरह मुस्कराते हुए कहा, जिस तरह वह आज तक नहीं मुस्कराई थी। 'किसी ने मुझे पार्टी में दोस्त की तरह चलने को कभी नहीं कहा। क्या इसीलिए तुमने अपनी भौंह पर रंग लगाया है, पार्टी के लिए? क्या मैं भी अपनी भौंह रंग लूँ?'

'नहीं,' हैरी ने दृढ़ता से कहा, 'यह एक ग़लती थी। मैं इसे हर्माइनी से ठीक करवा लूँगा। तो मैं आठ बजे प्रवेश हॉल में तुमसे मिलता हूँ।'

'**आहा!**' ऊपर किसी के चिल्लाने की आवाज़ आई, जिसे सुनकर वे दोनों उछल पड़े। उनमें से किसी का भी ध्यान नहीं गया था, लेकिन वे अभी-अभी पीव्ज़ के नीचे से गुज़रे थे, जो एक फ़ानूस से उल्टा लटक रहा था और उनकी तरफ़ देखकर दुष्टता से मुस्करा रहा था।

'पॉटी लूनी के साथ पार्टी में जा रहा है। पॉटी लूनी से प्यार करता है! पॉटर लूलूलूनी से प्यायायायार करता है!'

और वह तेज़ी से खिलखिलाता तथा चिल्लाता हुआ चल पड़ा, 'पॉटर लूनी से प्यार करता है!'

'इन चीज़ों को गोपनीय रखना अच्छा लगता है,' हैरी ने कहा। और निश्चित रूप से कुछ ही समय में पूरे स्कूल को पता चल गया कि हैरी पॉटर पागल लवगुड को स्लगहॉर्न की पार्टी में ले जा रहा है।

'तुम *किसी को भी* ले जा सकते थे!' रॉन ने डिनर के वक़्त हैरानी से कहा। *'किसी को भी!* लेकिन तुमने पागल लवगुड को चुना?'

'उसे इस नाम से मत पुकारो, रॉन,' जिनी ने सख़्ती से कहा और दोस्तों के पास जाते समय हैरी के पीछे ठहर गई। 'हैरी, मुझे सचमुच ख़ुशी है कि तुम उसे ले जा रहे हो। वह बहुत रोमांचित है।'

फिर वह डीन के साथ बैठने के लिए टेबल पर आगे चली गई। हैरी ने इस बात पर ख़ुश होने की कोशिश की कि लूना को पार्टी में ले जाने से जिनी ख़ुश थी, लेकिन वह कामयाब नहीं हुआ। टेबल पर काफ़ी दूर हर्माइनी अकेली बैठी थी और अपने सूप से खेल रही थी। हैरी ने देखा कि रॉन उसकी तरफ़ चुपके से देख रहा था।

'तुम माफ़ी माँग सकते हो,' हैरी ने साफ़-साफ़ शब्दों में सुझाव दिया।

'और अगर उसने पक्षियों से एक बार फिर हमला करवा दिया, तो क्या होगा?' रॉन ने बुदबुदाकर पूछा।

'तुमने उसकी नक़ल क्यों की?'

'वह मेरी मूँछ पर हँसी थी!'

'मैं भी तो हँसा था! मैंने आज तक इससे ज़्यादा मूर्खतापूर्ण चीज़ नहीं

देखी।'

लेकिन ऐसा लगा कि रॉन ने कुछ नहीं सुना। लैवेंडर उसी समय पार्वती के साथ आ गई थी। हैरी और रॉन के बीच में ठँसते हुए लैवेंडर ने अपनी बाँहें रॉन के गले में डाल दीं।

'हाय हैरी,' पार्वती ने कहा, जो उसी की तरह थोड़ी शर्मिंदा और अपनी सहेली के व्यवहार से ऊबी हुई लग रही थी।

'हाय,' हैरी ने कहा। 'तुम कैसी हो ? तो तुम हॉगवर्ट्स में रुक रही हो ? मैंने तो सुना था कि तुम्हारे मम्मी-डैडी तुम्हें यहाँ से ले जाना चाहते थे।'

'मैंने उन्हें कुछ समय यहाँ रहने के लिए मना लिया है,' पार्वती ने कहा। 'केटी वाली घटना से वे सचमुच बहुत डर गए थे, लेकिन चूँकि उसके बाद से कुछ नहीं हुआ है ... ओह हाय, हर्माइनी!'

पार्वती खुलकर मुस्करा रही थी। हैरी जानता था कि वह रूपांतरण की क्लास में हर्माइनी पर हँसने के कारण अपराधी महसूस कर रही होगी। उसने मुड़कर देखा कि हर्माइनी भी पलटकर मुस्करा रही थी। लड़कियाँ भी बड़ी अजीब होती हैं!

'हाय पार्वती!' हर्माइनी ने कहा और रॉन तथा लैवेंडर को पूरी तरह नज़रअंदाज़ कर दिया। 'क्या तुम आज रात को स्लगहॉर्न की पार्टी में जा रही हो ?'

'आमंत्रण नहीं मिला,' पार्वती ने उदासी से कहा। 'वैसे मैं जाना ज़रूर चाहती थी। ऐसा लगता है कि पार्टी सचमुच अच्छी होगी ... तुम भी जा रही हो, है ना ?'

'हाँ, मैं आठ बजे कॉरमैक से मिल रही हूँ और हम दोनों –'

इस तरह की आवाज़ हुई, जैसे किसी स्टॉपर को किसी बंद सिंक से निकाल दिया गया हो और रॉन प्रकट हो गया। हर्माइनी ने इस तरह जताया, जैसे उसने कुछ देखा या सुना ही न हो।

'– हम दोनों पार्टी में एक साथ जा रहे हैं।'

'कॉरमैक ?' पार्वती ने कहा। 'तुम्हारा मतलब है, कॉरमैक मैकलेगन ?'

'सही है,' हर्माइनी ने मीठे अंदाज़ में कहा। 'जो *लगभग*,' उसने इस शब्द पर बहुत ज़ोर डाला, 'गरुड़द्वार का कीपर बन गया था।'

'तो क्या तुम उसके साथ घूम रही हो ?' पार्वती ने आँखें फाड़कर पूछा।

'ओह – हाँ, क्या तुम्हें नहीं मालूम ?' हर्माइनी ने कहा और खिलखिलाने

लगी।

'नहीं!' पार्वती ने कहा, जो इस सनसनीख़ेज़ ख़बर से बहुत हैरान दिख रही थी। 'तुम क्विडिच खिलाड़ियों को पसंद करती हो, है ना? पहले क्रम, फिर मैकलेगन ...'

'मैं *सचमुच अच्छे* क्विडिच खिलाड़ियों को पसंद करती हूँ,' हर्माइनी ने मुस्कराते हुए उसकी बात को थोड़ा सा सुधारा। 'अच्छा तो मिलते हैं ... जाकर पार्टी के लिए तैयार होना है ...'

वह चली गई। लैवेंडर और पार्वती तत्काल अपने सिर सटाकर इस नई ख़बर पर बातचीत करने लगीं। उन्होंने मैकलेगन के बारे में जो सुन रखा था और हर्माइनी के बारे में उन्होंने जो अंदाज़ा लगाया था, उसके आधार पर वे अटकलें लगाने लगीं। रॉन का चेहरा अजीब ढंग से सपाट दिख रहा था और वह कुछ नहीं बोला। हैरी ख़ामोशी में सोचता रहा कि लड़कियाँ भी प्रतिशोध लेने के लिए कहाँ तक गिर सकती हैं।

जब वह रात को आठ बजे प्रवेश हॉल में पहुँचा, तो उसने देखा कि वहाँ बहुत सारी लड़कियाँ मँडरा रही थीं। जब वह लूना की तरफ़ बढ़ा, तो वे सभी उसे ग़ुस्से से घूरने लगीं। लूना चाँदी जैसे रंग के दुशाले पहने थी। देखने वाले हँस रहे थे, लेकिन वह अच्छी दिख रही थी। हैरी को ख़ुशी थी कि उसने अपने गाजर वाले ईयररिंग, बटरबियर-कॉर्क के हार और भूत-चश्मे को नहीं पहना था।

'हाय,' उसने कहा। 'तो चलें?'

'ओह हाँ,' लूना ने ख़ुशी से कहा। 'पार्टी कहाँ है?'

हैरी बोला, 'स्लगहॉर्न के ऑफ़िस में!' फिर वह लोगों के घूरने और बुदबुदाने से उसे दूर ले जाते हुए संगमरमर की सीढ़ियाँ चढ़ने लगा। 'क्या तुमने सुना है, एक ख़ूनी पिशाच भी आने वाला है?'

'र्‌यूफ़स स्क्रिमग्योर?' लूना ने पूछा।

'मैं - क्या?' हैरी ने विचलित होते हुए पूछा। 'तुम्हारा मतलब है, जादू मंत्री?'

'हाँ, वह ख़ूनी पिशाच है,' लूना ने यथार्थवादी अंदाज़ में कहा। 'जब स्क्रिमग्योर कॉर्नेलियस फ़ज की जगह जादू मंत्री बने थे, तभी डैडी ने इसके बारे में एक बहुत लंबा लेख लिखा था, लेकिन मंत्रालय के एक व्यक्ति ने उन्हें उसे न छापने पर मजबूर कर दिया। ज़ाहिर है, मंत्रालय वाले यह नहीं चाहते कि लोगों को सच्चाई पता चल जाए!'

हैरी को यह संभव नहीं लगा कि र्‌यूफ़स स्क्रिमग्योर ख़ूनी पिशाच हो

सकते हैं। बहरहाल, वह यह जानता था कि लूना अपने पिता के अजीबोग़रीब विचारों को इस तरह दोहराती थी, मानो वे सच हों। इसलिए उसने जवाब नहीं दिया। वे दोनों स्लगहॉर्न के ऑफ़िस के पास पहुँच गए थे और हर क़दम पर अंदर से हँसी, संगीत तथा बातचीत की आवाज़ें ज़्यादा तेज़ी से सुनाई दे रही थीं।

क्या पता यह सचमुच ऐसा था या स्लगहॉर्न ने इसे जादू से बड़ा बना दिया था, लेकिन स्लगहॉर्न का ऑफ़िस बाक़ी टीचर्स के ऑफ़िसों से ज़्यादा बड़ा दिख रहा था। छत और दीवारें हरे, लाल तथा सुनहरे पर्दों से सजी थीं, जिस वजह से ऐसा लग रहा था, जैसे वे किसी विशाल तंबू के भीतर हों। कमरे में भीड़ थी और एक सजे हुए सुनहरे लैंप से लाल रोशनी आ रही थी, जो छत के बीच में लटका हुआ था। उसमें असली परियाँ मँडरा रही थीं, जो रोशनी के चमकते बिंदुओं की तरह दिख रही थीं। दूर वाले कोने से मैंडोलिन के संगीत के साथ ज़ोरदार गाना हो रहा था। कुछ बड़े जादूगर बातचीत करने के साथ-साथ पाइप का धुआँ भी उड़ा रहे थे। कुछ घरेलू जिन्न घुटनों के जंगल के बीच से चिंचियाते हुए जगह बना रहे थे। वे भोजन भरी चाँदी की भारी प्लेटों के बोझ से दबे जा रहे थे और ऐसा लग रहा था, जैसे प्लेटें अपने आप हवा में इधर से उधर आ-जा रही हों।

हैरी और लूना जैसे ही दरवाज़े से अंदर घुसे, स्लगहॉर्न गरजे, 'हैरी, मेरे बच्चे! अंदर आओ, अंदर आओ, मैं तुम्हें बहुत से लोगों से मिलवाना चाहता हूँ!'

स्लगहॉर्न मख़मल का एक सजावटी हैट पहने थे, जो उनकी स्मोकिंग जैकेट से मेल खा रहा था। उन्होंने हैरी की बाँह इतनी ज़ोर से पकड़ी, जैसे वे उसके साथ अंतर्ध्यान होना चाहते हों। स्लगहॉर्न उसे पार्टी के बीचोबीच ले जा रहे थे। हैरी ने लूना का हाथ पकड़ लिया और उसे भी अपने साथ घसीटकर ले गया।

'हैरी, मैं तुम्हें अपने एक पुराने विद्यार्थी एल्ड्रेड वॉर्पल से मिलवाना चाहता हूँ, जिसने *ब्लड ब्रदर्स : माई लाइफ़ एमंग्स्ट द वैम्पायर्स* लिखी है – और ज़ाहिर है उसके दोस्त सैंग्विनी से भी।'

वॉर्पल नामक नाटे और चश्मे वाले जादूगर ने हैरी से गर्मजोशी से हाथ मिलाया। उसका ख़ूनी पिशाच दोस्त सैंग्विनी लंबा था और उसकी आँखों के नीचे काली झाइयाँ थीं। उसने हैरी की तरफ़ सिर्फ़ सिर हिला दिया। ऐसा लग रहा था, जैसे वह बोर हो रहा हो। लड़कियों का एक समूह उसके क़रीब खड़ा था और सभी लड़कियाँ उत्सुक तथा रोमांचित नज़र आ रही थीं।

'हैरी पॉटर, मुझे बहुत ख़ुशी हुई!' वॉर्पल ने हैरी के चेहरे पर नज़र डालते हुए कहा। 'जैसा मैं प्रोफ़ेसर स्लगहॉर्न से कुछ समय पहले कह रहा था, *हैरी पॉटर*

की वह जीवनी कहाँ है, जिसका हम सभी को इंतज़ार है?'

'अर, अच्छा,' हैरी ने कहा।

'उतने ही विनम्र हो, जितना होरेस ने बताया था!' वॉर्पल ने कहा। 'लेकिन गंभीरता से कहूँ तो –' उसका अंदाज़ अचानक बदलकर बिज़नेसमैन जैसा हो गया, 'मुझे तुम्हारी जीवनी लिखने में बहुत ख़ुशी होगी – लोग तुम्हारे बारे में ज़्यादा जानने के लिए बेताब हैं, हाँ बेताब हैं! अगर तुम मुझे कुछ इंटरव्यू दे दो, बस चार-पाँच घंटे के, तो हम कुछ ही महीनों में पुस्तक तैयार कर सकते हैं। और मैं तुम्हें आश्वस्त करता हूँ, तुम्हें बहुत कम मेहनत करनी होगी – सैंग्विनी से पूछ लो कि यह कितना आसान – *सैंग्विनी, यहीं रहो!'* वॉर्पल ने अचानक सख़्ती से कहा, क्योंकि ख़ूनी पिशाच अपनी आँखों में बहुत भूखा भाव लेकर पास खड़ी लड़कियों के समूह की तरफ़ सरक रहा था। 'यहाँ आओ, एक पेस्टी लो,' वॉर्पल ने पास से गुज़रते एक घरेलू जिन्न की प्लेट से पेस्टी उठाकर सैंग्विनी के हाथ में पकड़ा दी। इसके बाद उसने हैरी की तरफ़ नज़रें घुमाईं।

'मेरे प्यारे बच्चे, तुम्हें ज़रा भी अंदाज़ा नहीं है कि तुम कितने सारे गैलियन कमा सकते हो –'

'आपके प्रस्ताव में मेरी ज़रा भी रुचि नहीं है,' हैरी ने दृढ़ता से कहा, 'और माफ़ कीजिए, मुझे अभी-अभी मेरी एक दोस्त दिख गई है।'

उसने लूना को अपने पीछे भीड़ में खींचा। सचमुच उसी समय उसे वीयर्ड सिस्टर्स की दो सदस्यों के बीच में भूरे बालों का लंबा गुच्छा दिख गया था।

'हर्माइनी! *हर्माइनी!'*

'हैरी! तुम हो! भगवान का शुक्र है! हाय लूना!'

'तुम्हें क्या हुआ?' हैरी ने पूछा, क्योंकि हर्माइनी का हुलिया इतना अस्त-व्यस्त लग रहा था, जैसे वह लड़ाकू पेड़ से जूझकर आ रही हो।

'ओह, मैं अभी-अभी बची हूँ – मेरा मतलब है, मैं अभी-अभी कॉरमैक को छोड़कर आ रही हूँ,' उसने कहा। 'मिसलटो के नीचे,' उसने सफ़ाई देते हुए आगे जोड़ा, जब हैरी ने उसकी तरफ़ सवालिया निगाह से देखा।

'उसके साथ आने का अच्छा फल मिला,' हैरी ने गंभीरता से कहा।

'मुझे लगा था कि उससे रॉन सबसे ज़्यादा चिढ़ेगा,' हर्माइनी ने भावहीन तरीक़े से कहा। 'मैंने कुछ समय के लिए ज़कारियस स्मिथ के बारे में सोचा था, लेकिन फिर मैंने सोचा कि कुल मिलाकर –'

'तुमने स्मिथ के बारे में सोचा था?' हैरी ने हिक़ारत से कहा।

'हाँ, मैंने सोचा था और अब मैं सोच रही हूँ कि काश मैंने उसे ही चुना

होता। मैकलेगन के सामने तो ग्रॉप बहुत शरीफ़ लगता है। इस तरफ़ से चलो, हम उसे आते देख लेंगे, वह इतना लंबा है ...'

वे तीनों कमरे की दूसरी तरफ़ जाने के लिए रास्ता बनाने लगे। वे रास्ते में शराब के प्याले उठाते गए और उन्हें काफ़ी देर बाद एहसास हुआ कि वे जहाँ पहुँचना चाहते थे, वहाँ प्रोफ़ेसर ट्रिलोनी अकेली खड़ी थीं।

'हैलो,' लूना ने विनम्रता से प्रोफ़ेसर ट्रिलोनी से कहा।

'गुड ईवनिंग, बेटा,' प्रोफ़ेसर ट्रिलोनी ने लूना को थोड़ी मुश्किल से देखते हुए कहा। हैरी को एक बार फिर शेरी की ख़ुशबू आई, 'मैंने तुम्हें कुछ समय से अपनी क्लास में नहीं देखा है ...'

लूना बोली, 'नहीं, मुझे इस साल फ़िरेंज पढ़ा रहे हैं।'

'ओह, ज़ाहिर है,' प्रोफ़ेसर ट्रिलोनी ने ग़ुस्से भरी, मदहोश आवाज़ में कहा। 'या डॉबिन, जैसा मैं उसे कहती हूँ। तुम लोग सोचते होगे कि जब मैं स्कूल में लौट आई हूँ, तो प्रोफ़ेसर डम्बलडोर को उस घोड़े को निकाल देना चाहिए, है ना? लेकिन नहीं ... हमें क्लासें बाँटनी पड़ती हैं ... साफ़ कहूँ, तो यह मेरा अपमान है, अपमान। तुम जानती हो ...'

प्रोफ़ेसर ट्रिलोनी इतनी ज़्यादा मदहोश थीं कि वे हैरी को पहचान नहीं पाई थीं। उनके द्वारा की जा रही फ़िरेंज की आवेशपूर्ण आलोचना से बचने के लिए हैरी हर्माइनी के ज़्यादा क़रीब पहुँच गया और बोला, 'हम बात साफ़ कर लेते हैं। क्या तुम रॉन को यह बताने की सोच रही हो कि तुमने कीपर के ट्रायल्स में छेड़छाड़ की थी?'

हर्माइनी ने अपनी त्योरियाँ चढ़ा लीं।

'क्या तुम्हें लगता है कि मैं इतनी नीचे गिर सकती हूँ?'

हैरी ने उसकी तरफ़ चालाकी से देखा।

'हर्माइनी, अगर तुम मैक्लेगन के साथ आ सकती हो –'

'दोनों में फ़र्क़ है,' हर्माइनी ने गरिमापूर्ण अंदाज़ में कहा। 'मेरी रॉन को यह बताने की कोई योजना नहीं है कि कीपर के ट्रायल्स के दौरान क्या हुआ है या नहीं हुआ है।'

'अच्छी बात है,' हैरी ने उत्साह से कहा। 'क्योंकि उसका आत्मविश्वास दोबारा चला जाएगा और हम अगला मैच हार जाएँगे –'

'क्विडिच!' हर्माइनी ग़ुस्से से बोली। 'क्या सभी लड़कों को सिर्फ़ क्विडिच की ही परवाह होती है? कॉरमैक ने मुझसे मेरे बारे में एक भी सवाल नहीं पूछा, नहीं, इसके बजाय वह मुझे बिना रुके बताता रहा कि उसने एक सौ एक महान

गोल कैसे बचाए थे – ओह नहीं, वह आ रहा है!'

वह इतनी तेज़ी से गई, जैसे अंतर्ध्यान हो गई हो। एक पल को वह वहाँ थी और अगले ही पल वह दो हँसती हुई जादूगरनियों के बीच से निकलकर ओझल हो गई थी।

'हर्माइनी को देखा?' मैकलेगन ने एक मिनट बाद भीड़ में से जगह बनाकर आते हुए पूछा।

'नहीं,' हैरी ने कहा और तत्काल लूना से बातचीत करने लगा। वह एक पल के लिए भूल ही गया था कि लूना किससे बातें कर रही थी।

'हैरी पॉटर!' प्रोफ़ेसर ट्रिलोनी ने गहरी, काँपती आवाज़ में कहा और उनका ध्यान पहली बार उसकी तरफ़ गया।

'ओह हैलो,' हैरी ने बिना उत्साह के कहा।

'मेरे प्यारे बच्चे!' उन्होंने एक तेज़ फुसफुसाहट में कहा। 'अफ़वाहें! लेख! चुनिंदा जादूगर! ज़ाहिर है, मैं बहुत लंबे समय से जानती हूँ ... तुम्हारे भविष्य के संकेत कभी बहुत अच्छे नहीं थे, हैरी ... लेकिन तुमने ज्योतिष क्यों नहीं लिया? तुम्हारे लिए तो यह विषय बाक़ी लोगों से ज़्यादा महत्वपूर्ण था!'

'ओह सिबिल, हम सभी सोचते हैं कि हमारा विषय ही सबसे महत्वपूर्ण है!' एक तेज़ आवाज़ आई और स्लगहॉर्न प्रोफ़ेसर ट्रिलोनी के दूसरी तरफ़ प्रकट हो गए। उनका चेहरा थोड़ा लाल था और उनका मख़मली हैट थोड़ा तिरछा हो गया था। उनके एक हाथ में शराब का गिलास और दूसरे में एक बड़ी मिन्स पाई थी। 'लेकिन मुझे नहीं लगता कि मैंने काढ़े की क्लास में कभी इतना प्रतिभाशाली विद्यार्थी देखा है!' स्लगहॉर्न ने हैरी को बड़े प्यार से देखते हुए कहा। 'कुशाग्र बुद्धि – अपनी माँ की तरह! सिबिल, मैं तुम्हें बता दूँ कि मैंने सिर्फ़ कुछ ही लोगों को पढ़ाया है, जिनमें इतनी प्रतिभा है – यहाँ तक कि सीवियरस भी –'

और हैरी दहशत में आ गया, जब स्लगहॉर्न ने एक बाँह फैलाकर स्नेप को रोक लिया।

'– चोरी से जाने का इरादा छोड़ दो और हमारे साथ शामिल हो जाओ, सीवियरस!' स्लगहॉर्न ने ख़ुशी से हिचकी लेते हुए कहा। 'मैं अभी हैरी की काढ़ा बनाने की असाधारण प्रतिभा के बारे में बात कर रहा था! ज़ाहिर है, कुछ श्रेय तो तुम्हें भी मिलना चाहिए। आख़िर तुमने उसे पाँच साल पढ़ाया है!'

स्नेप फँस चुके थे, क्योंकि स्लगहॉर्न की बाँह उनके कंधों पर थी। उन्होंने अपनी मुड़ी हुई नाक के नीचे से हैरी को देखा और उनकी काली आँखें सिकुड़ गईं।

'अजीब बात है, लेकिन मुझे तो कभी नहीं लगा कि मैं पॉटर को कुछ सिखा पाया हूँ।'

'तब तो फिर यह उसकी जन्मजात योग्यता होगी,' स्लगहॉर्न थोड़े तेज़ स्वर में बोले। 'तुम्हें देखना चाहिए था कि उसने मेरी पहली क्लास में जीवित मृत्यु का घूँट काढ़ा कितना अच्छा बनाया था – कभी किसी विद्यार्थी ने पहली कोशिश में इतना अच्छा काढ़ा नहीं बनाया। मुझे लगता है कि तुमने भी नहीं बनाया होगा, सीवियरस –'

'सचमुच ?' स्नेप ने धीरे से कहा। उनकी आँखें अभी भी हैरी पर टिकी थीं, जो थोड़ी परेशानी महसूस करने लगा था। वह यह क़तई नहीं चाहता था कि स्नेप काढ़े बनाने की उसकी इस नई प्रतिभा के स्रोत की जाँच करने लगें।

स्लगहॉर्न ने पूछा, 'हैरी, मुझे बताओ कि तुमने और कौन-कौन से विषय लिए हैं ?'

'गुप्त कलाओं से रक्षा, सम्मोहन, रूपांतरण, जड़ी-बूटी विज्ञान ...'

'संक्षेप में, ऑरर बनने के लिए आवश्यक सभी विषय,' स्नेप ने हल्के व्यंग्य के साथ कहा।

'हाँ, मैं ऑरर बनना चाहता हूँ,' हैरी ने आवेश में कहा।

'और तुम बहुत महान ऑरर बनोगे!' स्लगहॉर्न ने गरजती आवाज़ में कहा।

'मुझे नहीं लगता कि तुम्हें ऑरर बनना चाहिए, हैरी,' लूना ने अप्रत्याशित ढंग से कहा। सभी उसकी तरफ़ देखने लगे। 'ऑरर्स तो रॉटफ़ैंग षड्यंत्र में शामिल थे। मुझे लगता था कि हर कोई यह बात जानता होगा। वे तो अंदरूनी तौर पर काले जादू और मसूड़ों की बीमारी का इस्तेमाल करके जादू मंत्रालय को गिराने की कोशिश कर रहे हैं।'

हैरी की आधी शराब उसकी नाक के ऊपर चली गई, क्योंकि वह अचानक हँसने लगा था। उसे लग रहा था कि सिर्फ़ इसी बात के लिए लूना को लाना सफल हो गया था। उसका चेहरा गीला हो गया और वह खाँसने लगा। लेकिन जब उसने मुस्कराते हुए अपने प्याले से सिर उठाया, तो उसने ऐसा दृश्य देखा, जिससे उसका मनोबल और बढ़ गया : आर्गस फ़िल्च ड्रेको मैल्फ़ॉय का कान पकड़कर उसे उनकी तरफ़ ला रहा था।

'प्रोफ़ेसर स्लगहॉर्न,' फ़िल्च ने घुरघुराकर कहा, उसके जबड़े काँप रहे थे और उसकी फूली आँखों में शरारत पकड़ने की दीवानगी भरी चमक थी, 'मैंने इस लड़के को ऊपर के गलियारे में मँडराते हुए पाया। इसका दावा है कि आपने

इसे पार्टी में आने का आमंत्रण दिया था, लेकिन इसे आने में देर हो गई। क्या आपने इसे आमंत्रण दिया था?'

मैल्फ़ॉय ने ख़ुद को फ़िल्च की पकड़ से छुड़ाया। वह नाराज़ दिख रहा था।

'ठीक है, मुझे आमंत्रण नहीं मिला था!' उसने ग़ुस्से से कहा। 'मैं बिना बुलाए आने की कोशिश कर रहा था, अब तो ख़ुश?'

'नहीं, मैं ख़ुश नहीं हूँ!' फ़िल्च ने कहा, हालाँकि उसके चेहरे पर ख़ुशी साफ़ झलक रही थी। 'मैं तुम्हें बताए देता हूँ, तुम मुश्किल में हो! हेडमास्टर ने कहा था कि बिना इजाज़त के रात को घूमना सख़्त मना है, है ना?'

'ठीक है, आर्गस, ठीक है?' स्लगहॉर्न ने हाथ लहराते हुए कहा। 'क्रिसमस का समय है और पार्टी में आने की इच्छा कोई अपराध नहीं है। इस बार हम सज़ा के बारे में भूल जाते हैं! तुम रुक सकते हो, ड्रेको।'

फ़िल्च के चेहरे पर ग़ुस्से और निराशा का भाव आ गया, जो पूरी तरह अपेक्षित था। लेकिन हैरी ने सोचा कि मैल्फ़ॉय भी उतना ही नाख़ुश क्यों दिख रहा था? और स्नेप मैल्फ़ॉय को ऐसे क्यों देख रहे थे, जैसे वे नाराज़ और ... क्या यह संभव है? ... थोड़े डरे हुए हों?

लेकिन इससे पहले कि हैरी इस बात का विश्लेषण कर पाए, फ़िल्च मुड़ा और पैर घसीटते तथा बड़बड़ाते हुए दूर चला गया। मैल्फ़ॉय ने अपने चेहरे पर मुस्कान लाते हुए स्लगहॉर्न की उदारता के लिए उन्हें धन्यवाद दिया और स्नेप का चेहरा एक बार फिर सपाट हो गया।

'कोई बात नहीं, कोई बात नहीं,' स्लगहॉर्न ने मैल्फ़ॉय के धन्यवाद को दरकिनार करते हुए कहा। 'आख़िर मैं तुम्हारे दादाजी को जानता था ...'

'वे हमेशा आपकी बहुत तारीफ़ करते थे, सर,' मैल्फ़ॉय ने जल्दी से कहा। 'कहते थे कि उन्होंने ज़िंदगी में आपसे अच्छा काढ़ा बनाने वाला नहीं देखा ...'

हैरी ने मैल्फ़ॉय की तरफ़ घूरा। हैरी को उसकी चापलूसी से कोई उलझन नहीं हुई। वह काफ़ी समय से मैल्फ़ॉय को स्नेप की चापलूसी करते देख रहा था। उसे उलझन तो इस बात से हुई कि मैल्फ़ॉय थोड़ा बीमार दिख रहा था। काफ़ी समय बाद उसने मैल्फ़ॉय को इतने क़रीब से देखा था। अब उसने देखा कि मैल्फ़ॉय की आँखों के नीचे काले निशान थे और उसकी चमड़ी की रंगत स्पष्ट रूप से हल्की थी।

स्नेप ने अचानक कहा, 'मैं तुमसे कुछ कहना चाहता हूँ, ड्रेको!'

'ओह, सीवियरस,' स्लगहॉर्न ने एक बार फिर हिचकी लेते हुए कहा, 'क्रिसमस है, ज़्यादा सख़्ती मत करना -'

'मैं उसका हाउस प्रमुख हूँ और मैं ही यह फ़ैसला करूँगा कि कितनी सख़्ती करनी है या नहीं करनी है,' स्नेप ने कहा। 'मेरे पीछे आओ, ड्रेको।'

वे चल दिए। स्नेप आगे-आगे जा रहे थे और मैल्फ़ॉय भुनभुनाता हुआ उनके पीछे-पीछे चल रहा था। हैरी एक पल के लिए वहीं खड़ा रहा, फिर वह बोला, 'लूना, मैं एक मिनट में आता हूँ - अर - बाथरूम से।'

'ठीक है,' लूना ने कहा और जब वह लपककर भीड़ के बीच से निकला, तो उसने पीछे से सुना कि लूना प्रोफ़ेसर ट्रिलोनी के साथ रॉटफ़ैंग षड्यंत्र के बारे में फिर से बातचीत करने लगी थी, जो इसमें बहुत दिलचस्पी ले रही थीं।

पार्टी से बाहर निकलने के बाद अपनी जेब में रखे अदृश्य चोगे को निकालना और अपने ऊपर डालना आसान था, क्योंकि गलियारा बिलकुल ख़ाली था। मुश्किल तो स्नेप और मैल्फ़ॉय को खोजना था। हैरी गलियारे में भागा। उसके क़दमों की आवाज़ संगीत और बातचीत की तेज़ आवाज़ों के कारण सुनाई नहीं दे रही थी, जो स्लगहॉर्न के ऑफ़िस से अब भी आ रही थीं। शायद स्नेप मैल्फ़ॉय को तहख़ाने में अपने ऑफ़िस में ले गए होंगे ... या फिर वे उसे नागशक्ति के हॉल की तरफ़ ले गए होंगे ... लेकिन हैरी गलियारे में भागते समय हर दरवाज़े से कान लगाता गया। जब उसने गलियारे के आख़िरी क्लासरूम के कीहोल के पास कान लगाया, तो उसे आवाज़ें सुनाई दीं और वह रोमांचित हो गया।

'... ग़लतियाँ बर्दाश्त नहीं की जा सकतीं ड्रेको, क्योंकि अगर तुम्हें निकाल दिया गया -'

'मेरा इससे कोई लेना-देना नहीं है, ठीक है?'

'मुझे उम्मीद है कि तुम सच बोल रहे हो, क्योंकि यह फूहड़ और मूर्खतापूर्ण कोशिश थी। ऐसा शक है कि इसमें तुम्हारा हाथ हो सकता है।'

'मुझ पर किसे शक है?' मैल्फ़ॉय ने ग़ुस्से से पूछा। 'आख़िरी बार कहता हूँ, मैंने यह नहीं किया, **ठीक है**? उस केटी बेल लड़की का ज़रूर कोई दुश्मन होगा, जिसे कोई नहीं जानता होगा - मेरी तरफ़ इस तरह से न देखें! मैं जानता हूँ कि आप क्या कर रहे हैं, मैं मूर्ख नहीं हूँ, लेकिन यह काम नहीं करेगा - मैं आपको रोक सकता हूँ!'

एक पल के लिए ख़ामोशी छाई रही और फिर स्नेप धीरे से बोले, 'ओह ... अब समझा, बेलाट्रिक्स आंटी तुम्हें गुप्तविद्या सिखा रही हैं! तुम अपने मास्टर से कौन से विचार छिपाने की कोशिश कर रहे हो, ड्रेको?'

'मैं *अपने मास्टर से* कुछ छिपाने की कोशिश नहीं कर रहा हूँ। मैं तो बस

यह चाहता हूँ कि *आप* बीच में अपनी टाँग न अड़ाएँ!'

हैरी ने अपने कान कीहोल से और सटा लिए ... ऐसा क्या हो गया था, जो मैल्फ़ॉय स्नेप से इस तरह बातें कर रहा था, जिनके प्रति वह हमेशा सम्मान दिखाता था, यहाँ तक कि पसंद भी करता था?

'तो इसीलिए तुम इस टर्म में मुझसे नज़रें चुरा रहे हो? तुम्हें मेरे हस्तक्षेप का डर है? तुम जानते हो ड्रेको कि अगर कोई विद्यार्थी मेरे बार-बार बुलाने पर मेरे ऑफ़िस में नहीं आता, तो क्या होता -'

'तो मुझे सज़ा दे दीजिए! डम्बलडोर से मेरी शिकायत कर दीजिए!' मैल्फ़ॉय ने व्यंग्य से कहा।

एक बार फिर ख़ामोशी छा गई। फिर स्नेप बोले, 'तुम बहुत अच्छी तरह जानते हो कि मैं इन दोनों में से कोई भी काम नहीं करना चाहता।'

'तो फिर मुझे अपने ऑफ़िस में बुलाना छोड़ दीजिए!'

'मेरी बात सुनो,' स्नेप ने कहा और उनकी आवाज़ अब इतनी धीमी हो गई थी कि हैरी को अपना कान कीहोल से बहुत कसकर सटाना पड़ा, तब कहीं जाकर वह सुन पाया। 'मैं तुम्हारी मदद करने की कोशिश कर रहा हूँ। मैंने तुम्हारी माँ से वादा किया है कि मैं तुम्हारी रक्षा करूँगा। मैंने अटूट क़सम खाई है, ड्रेको -'

'ऐसा लगता है कि तब तो आपको अपनी अटूट क़सम तोड़नी होगी, क्योंकि मुझे आपकी रक्षा की ज़रूरत नहीं है! यह मेरा काम है, उन्होंने यह मुझे दिया है और मैं इसे कर रहा हूँ। मेरे पास एक योजना है और यह कामयाब हो रही है। बस इसमें अनुमान से थोड़ा ज़्यादा समय लग रहा है!'

'तुम्हारी योजना क्या है?'

'इससे आपका कोई लेना-देना नहीं है!'

'अगर तुम मुझे बता दो कि तुम क्या करने की कोशिश कर रहे हो, तो मैं तुम्हारी मदद कर सकता हूँ -'

'मुझे जितनी मदद चाहिए, वह मेरे पास है। धन्यवाद, मैं अकेला नहीं हूँ!'

'तुम आज रात को निश्चित रूप से अकेले थे, जो बहुत ही मूर्खतापूर्ण था। तुम गलियारों में बिना पहरेदारों या साथियों के घूम रहे थे। ये मूलभूत ग़लतियाँ हैं -'

'मेरे साथ क्रैब और गॉइल होते, अगर आपने उन्हें सज़ा न दी होती!'

'अपनी आवाज़ नीची रखो!' स्नेप ने ग़ुस्से से कहा, क्योंकि रोमांच के

कारण मैल्फ़ॉय की आवाज़ ऊँची हो गई थी। 'अगर तुम्हारे दोस्त क्रैब और गॉइल इस बार गुप्त कलाओं से रक्षा के अपने **ओ.डब्ल्यू.एल.** में पास होना चाहते हैं, तो उन्हें बहुत मेहनत करने की ज़रूरत है –'

'उससे क्या फ़र्क़ पड़ता है?' मैल्फ़ॉय ने कहा। 'गुप्त कलाओं से रक्षा– यह एक मज़ाक़ है, एक नाटक है! जैसे हममें से किसी को गुप्त कलाओं से रक्षा की ज़रूरत हो –'

'यह एक ऐसा नाटक है, जो हमारी सफलता के लिए अनिवार्य है, ड्रेको!' स्नेप ने कहा। 'तुम्हें क्या लगता है, अगर मैंने नाटक करना नहीं सीखा होता, तो मैं इन बरसों में कहाँ होता? अब मेरी बात सुनो! आज रात को इस तरह घूमकर और पकड़ में आकर तुमने लापरवाही का परिचय दिया है। और अगर तुम क्रैब तथा गॉइल जैसे साथियों पर भरोसा कर रहे हो –'

'सिर्फ़ वही नहीं हैं। मेरे साथ दूसरे लोग भी हैं, ज़्यादा सक्षम लोग!'

'तो तुम मुझे विश्वास में क्यों नहीं लेते हो, जबकि मैं तुम्हारी मदद कर सकता –'

'मैं जानता हूँ, आप क्या करना चाहते हैं! आप मेरी शोहरत छीनना चाहते हैं!'

एक बार फिर ख़ामोशी छा गई, फिर स्नेप ठंडेपन से बोले, 'तुम बच्चों जैसी बातें कर रहे हो। मैं समझता हूँ कि तुम्हारे पिता के पकड़े जाने और क़ैद होने से तुम विचलित हो गए हो, लेकिन –'

हैरी को बस एक सेकंड की चेतावनी मिली; उसे दरवाज़े की दूसरी तरफ़ मैल्फ़ॉय के क़दमों की आहट सुनाई दी। वह दरवाज़ा खुलने के ठीक पहले उछलकर रास्ते से हट गया। मैल्फ़ॉय गलियारे में तेज़-तेज़ क़दमों से जाने लगा। स्लगहॉर्न के ऑफ़िस के खुले दरवाज़े के सामने से होता हुआ वह दूर वाले मोड़ पर मुड़ा और ओझल हो गया।

हैरी की साँस लेने की हिम्मत नहीं हो रही थी। वह वहीं झुका रहा, जब स्नेप क्लासरूम से धीरे से बाहर निकले। उनके चेहरे का भाव सपाट था और वे वापस पार्टी में चले गए। हैरी फ़र्श पर ही बना रहा। वह चोगे के नीचे छिपा हुआ था और उसका दिमाग़ सरपट दौड़ रहा था।

अध्याय सोलह

बहुत ठंडा क्रिसमस

'तो स्नेप उसकी मदद करने का प्रस्ताव रख रहे थे? वे सचमुच उसकी *मदद करने का प्रस्ताव* रख रहे थे?'

'अगर तुम मुझसे एक बार और यह सवाल पूछोगे,' हैरी ने कहा, 'तो मैं इस स्प्राउट को तुम्हारी नाक में –'

'मैं तो सिर्फ़ पक्का कर रहा था!' रॉन ने कहा। वे रॉन के घर के किचन में सिंक के पास अकेले खड़े थे और मिसेज़ वीज़्ली के आदेश पर स्प्राउट्स के पहाड़ को छील रहे थे। सामने खिड़की के पार बर्फ़ गिर रही थी।

'*हाँ*, स्नेप *उसकी मदद करने का प्रस्ताव* रख रहे थे!' हैरी ने कहा। 'उन्होंने कहा था, उन्होंने मैल्फ़ॉय की माँ से उसकी रक्षा करने का वादा किया है। उन्होंने कहा था, उन्होंने अटूट क़सम खाई है –'

'अटूट क़सम?' रॉन ने स्तब्ध दिखते हुए कहा। 'नहीं, वे नहीं खा सकते ... क्या तुम्हें यक़ीन है?'

'हाँ, मुझे यक़ीन है,' हैरी ने कहा। 'इसका क्या मतलब होता है?'

'अटूट क़सम को तोड़ा नहीं जा सकता है ...'

'इतना तो मैं भी समझ गया था। अगर कोई इसे तोड़ता है, तो क्या होता है?'

'वह मर जाता है,' रॉन ने कहा। 'जब मैं पाँच साल का था, तो फ्रेड और जॉर्ज ने मुझे अटूट क़सम खिलाने की कोशिश की थी। मैं क़सम खाने के लिए तैयार हो गया था और फ्रेड का हाथ पकड़े हुए था, तभी डैडी ने हमें देख लिया। वे ग़ुस्से से पागल हो गए,' रॉन ने अपनी आँखों में पुरानी याद की चमक के साथ कहा। 'मैंने सिर्फ़ तभी डैडी को मम्मी जितने ग़ुस्से में देखा था। फ्रेड का कहना है कि तब से उसका बायाँ पुट्ठा पहले जैसा नहीं रहा।'

'अच्छा, फ़्रेड के बाएँ पुट्ठे को छोड़ो –'

'क्या कहा?' फ़्रेड की आवाज़ आई और दोनों जुड़वाँ भाई किचन में दाख़िल हो गए।

'ओह, जॉर्ज, इस तरफ़ देखो। वे चाकुओं का इस्तेमाल कर रहे हैं। ईश्वर उनकी रक्षा करे।'

'मैं दो महीने में सत्रह साल का हो जाऊँगा,' रॉन ने चिड़चिड़ेपन से कहा, 'फिर मैं यह काम जादू से करूँगा!'

'लेकिन तब तक,' जॉर्ज ने किचन की कुर्सी पर बैठकर टेबल पर अपने पैर रखते हुए कहा, 'हम तुम लोगों को चाकू का सही इस्तेमाल करते देख सकते हैं।'

'देखा, तुम्हारे कारण मुझसे गड़बड़ हो गई!' रॉन ग़ुस्से से बोला और अपने कटे हुए अँगूठे को चूसने लगा। 'तुम ठहरो तो सही, जब मैं सत्रह साल का हो जाऊँगा –'

'मुझे यक़ीन है कि तब तुम हमें अपनी छिपी हुई जादुई योग्यताओं से हैरान कर दोगे,' फ़्रेड ने उबासी लेते हुए कहा।

'और छिपी हुई योग्यताओं की बात आई है, रोनाल्ड,' जॉर्ज ने कहा, 'तो हम जिनी से यह क्या सुन रहे हैं? तुम्हारे और एक लड़की के बीच में क्या चल रहा है, जिसका नाम – अगर हमारी जानकारी ग़लत नहीं है तो – लैवेंडर ब्राउन है?'

रॉन का चेहरा थोड़ा गुलाबी हो गया, लेकिन वह स्प्राउट्स की तरफ़ मुड़ते समय थोड़ा ख़ुश भी दिख रहा था।

'अपने काम से काम रखो।'

'कितना बढ़िया जवाब दिया,' फ़्रेड ने कहा। 'क्या पता तुम इतने अच्छे जवाब कैसे दे लेते हो? नहीं, हम तो यह जानना चाहते थे कि ... यह कैसे हुआ?'

'तुम्हारा क्या मतलब है?'

'क्या उसके साथ कोई दुर्घटना हुई थी?'

'क्या?'

'अच्छा, तो फिर उसका दिमाग़ इतना कमज़ोर कैसे हो गया? देखो, ध्यान से!'

रॉन ने स्प्राउट्स छीलने वाला चाकू फ़्रेड को फेंककर मारा, जिसे फ़्रेड ने

अपनी छड़ी लहराकर काग़ज़ के हवाई जहाज़ में बदल दिया। दुर्भाग्य से मिसेज़ वीज़्ली उसी वक़्त कमरे में दाख़िल हुई थीं।

'रॉन!' उन्होंने ग़ुस्से से कहा। 'अगर मैंने दोबारा कभी तुम्हें चाकू फेंकते देखा, तो तुम्हारी ख़ैर नहीं!'

'नहीं,' रॉन ने कहा और स्प्राउट के पहाड़ की तरफ़ मुड़ते समय बाद में धीरे से यह भी जोड़ दिया, 'मैं आपको देखने नहीं दूँगा।'

'फ्रेड, जॉर्ज, बेटा, मुझे अफ़सोस है, लेकिन आज रात को रीमस आ रहे हैं, इसलिए बिल को भी तुम दोनों के साथ कमरे में रहना पड़ेगा!'

'कोई दिक्क़त नहीं,' जॉर्ज ने कहा।

'चार्ली नहीं आ रहा है, इसलिए हैरी और रॉन अटारी में रह सकते हैं। और अगर फ़्लर जिनी के साथ कमरे में रहने को तैयार हो जाती है –'

'– तो जिनी का क्रिसमस मन जाएगा –' फ्रेड बुदबुदाया।

'– तो सभी लोग आराम से रह सकते हैं। कम से कम, उन्हें सोने की जगह तो मिल जाएगी,' मिसेज़ वीज़्ली ने थोड़ी परेशान दिखते हुए कहा।

फ्रेड ने पूछा, 'पर्सी तो अपना बदसूरत चेहरा नहीं दिखा रहा है?'

मिसेज़ वीज़्ली जवाब देने से पहले मुड़ गईं।

'नहीं, वह व्यस्त है। मुझे लगता है, मंत्रालय में काफ़ी काम होगा!'

मिसेज़ वीज़्ली के किचन से जाने के बाद फ्रेड बोला, 'वह दुनिया का सबसे बड़ा मूर्ख है! सबसे बड़े दो मूर्खों में से एक! अच्छा तो जॉर्ज, अब चलते हैं।'

'तुम दोनों कहाँ जा रहे हो?' रॉन ने पूछा। 'क्या तुम इन स्प्राउट्स को छीलने में हमारी मदद नहीं कर सकते? तुम अपनी छड़ी का इस्तेमाल कर दो, तो हम भी आज़ाद होकर घूमने जा सकते हैं!'

'नहीं, हम ऐसा नहीं करना चाहते,' फ्रेड ने गंभीरता से कहा। 'देखो, जादू के इस्तेमाल के बिना स्प्राउट्स छीलने से चरित्र की नींव मज़बूत होती है। इससे आपको यह पता चलता है कि मगलुओं और नाकारा लोगों के लिए यह काम कितना मुश्किल होता है –'

'– और रॉन, अगर तुम चाहते हो कि कोई तुम्हारी मदद करे,' जॉर्ज ने काग़ज़ का हवाई जहाज़ उसकी तरफ़ फेंकते हुए कहा, 'तो तुम्हें उसकी तरफ़ चाकू नहीं फेंकना चाहिए। बस मुझे यही सलाह देनी थी। हम गाँव जा रहे हैं। पेपर शॉप में एक बहुत सुंदर लड़की काम करती है। वह सोचती है कि मेरे ताश के पत्तों का जादू बहुत अच्छा है ... उसका मानना है कि यह असली

जादू जैसा है ...'

'मूर्ख,' रॉन ने कहा, जब उसने फ़्रेड और जॉर्ज को बर्फ़ भरे अहाते के पार जाते देखा। 'उन्हें बस दस सेकंड लगते और फिर हम भी जा सकते थे।'

'मैं नहीं जा पाता,' हैरी ने कहा। 'मैंने डम्बलडोर से वादा किया था कि यहाँ रहते समय मैं इधर-उधर नहीं भटकूँगा।'

'ओह हाँ?' रॉन ने कहा। उसने कुछ और स्प्राउट छीलने के बाद कहा, 'तुम डम्बलडोर को स्नेप और मैल्फ़ॉय के बीच हुई बातें बताओगे?'

'हाँ,' हैरी ने कहा। 'मैं हर उस व्यक्ति को बताऊँगा, जो इसे रोक सके और डम्बलडोर का नाम उस सूची में सबसे ऊपर है। मैं तुम्हारे डैडी से भी बात कर सकता हूँ।'

'अफ़सोस, तुम यह नहीं सुन पाए कि मैल्फ़ॉय दरअसल कर क्या रहा है।'

'मैं सुन भी नहीं सकता था। यही तो असली बात है। वह स्नेप को भी नहीं बता रहा था।'

एक-दो पल के लिए ख़ामोशी छा गई, फिर रॉन बोला, 'ज़ाहिर है, तुम्हें पता है, वे लोग क्या कहेंगे? डैडी, डम्बलडोर और बाक़ी सभी लोग? वे कहेंगे कि स्नेप दरअसल मैल्फ़ॉय की मदद करने की कोशिश नहीं कर रहे हैं; वे तो बस मैल्फ़ॉय के इरादों का पता लगाने की कोशिश कर रहे हैं!'

'उन्होंने उनकी बातें नहीं सुनीं,' हैरी ने सपाट अंदाज़ में कहा। 'कोई भी इतना अच्छा नाटकबाज़ नहीं हो सकता, स्नेप भी नहीं।'

'हाँ ... फिर भी मेरी बात याद रखना,' रॉन ने कहा।

हैरी ने त्योरियाँ चढ़ाकर उसकी तरफ़ देखा।

'तुम तो मानते हो कि मैं सही हूँ, है ना?'

'हाँ, मैं तुम्हें सही मानता हूँ!' रॉन ने जल्दी से कहा। 'सचमुच, मैं ऐसा ही मानता हूँ! लेकिन उन सभी को तो भरोसा है कि स्नेप मायापंछी के समूह में हैं, है ना?'

हैरी कुछ नहीं बोला। उसे अभी-अभी यह ख़्याल आया था कि उसके नए सबूत पर पहली आपत्ति यही होगी। उसे अब हर्माइनी की आवाज़ सुनाई दे रही थी :

'ज़ाहिर है, हैरी, वे मदद करने का नाटक कर रहे थे, ताकि वे मैल्फ़ॉय से चोरी से उगलवा सकें कि वह क्या कर रहा है ...'

बहरहाल, यह विशुद्ध कल्पना थी, क्योंकि उसे हर्माइनी को ये बातें बताने

का मौक़ा ही नहीं मिल पाया था। जब तक हैरी स्लगहॉर्न की पार्टी में वापस लौटा था, तब तक हर्माइनी पार्टी से जा चुकी थी। कम से कम ग़ुस्सैल मैकलेगन ने तो उसे यही बताया था। और जब तक वह गरुड़द्वार के हॉल में पहुँचा, तब तक वह सोने जा चुकी थी। जब हैरी और रॉन अगले दिन जल्दी ही रॉन के घर के लिए रवाना हुए, तो उसे हर्माइनी से बस हैप्पी क्रिसमस कहने भर का मौक़ा मिल पाया। वैसे हैरी ने चलते-चलते उसे बता दिया कि छुट्टियों से लौटने पर वह उसे एक बहुत महत्वपूर्ण बात बताएगा। उसे पूरा यक़ीन नहीं था कि हर्माइनी ने उसकी बात सुनी भी थी या नहीं, क्योंकि उसी समय रॉन और लैवेंडर उसके ठीक पीछे बिना कुछ बोले शरीर के माध्यम से एक-दूसरे से गुडबाई करने लगे थे।

चाहे जो हो, हर्माइनी भी एक बात से इंकार नहीं कर पाएगी : मैल्फ़ॉय निश्चित रूप से कोई ग़लत काम कर रहा था और स्नेप यह बात जानते थे, इसलिए हैरी को यह कहने का हक़ था, 'मैंने तुमसे कहा था ना,' जो वह रॉन से पहले ही कई बार कह चुका था।

हैरी को मिस्टर वीज़्ली से बात करने का मौक़ा नहीं मिल पाया, क्योंकि वे क्रिसमस के एक दिन पहले तक मंत्रालय में देर रात तक काम करते रहे थे। वीज़्ली परिवार और उनके मेहमान लिविंग रूम में बैठे हुए थे। जिनी ने इसे इतने शानदार तरीक़े से सज़ाया था कि ऐसा लग रहा था, जैसे वे किसी बेहतरीन हॉल में बैठे हों। फ्रेड, जॉर्ज, हैरी और रॉन को ही मालूम था कि पेड़ की फुनगी पर बैठा देवदूत दरअसल बगीचे का एक बौना था। जब फ्रेड क्रिसमस डिनर के लिए गाजर उखाड़ने गया था, तो इस बौने ने उसके टखने पर काट लिया था। उस बौने को स्तब्ध करके उस पर सुनहरा पेंट कर दिया गया था, उसे एक छोटे टूटू में भर दिया गया था और उसकी पीठ से छोटे-छोटे पंख चिपका दिए गए थे। बौना उन सभी की तरफ़ देख रहा था। हैरी ने आज तक इससे बदसूरत देवदूत नहीं देखा था, जिसका बड़ा गंजा सिर आलू जैसा था और जिसके पैर थोड़े बाल भरे थे।

उन सभी को मिसेज़ वीज़्ली की प्रिय गायिका सेलेस्टिना वारबेक का क्रिसमस प्रसारण सुनना था, जिसकी आवाज़ लकड़ी के बड़े रेडियो से निकल रही थी। फ़्लर को सेलेस्टिना बहुत नीरस लग रही थी, इसलिए वह कोने में ज़ोर-ज़ोर से बात कर रही थी। इस वजह से मिसेज़ वीज़्ली त्योरियाँ चढ़ाकर बार-बार अपनी छड़ी वॉल्यूम कंट्रोल की तरफ़ कर रही थीं, जिससे सेलेस्टिना की आवाज़ लगातार ऊँची होती जा रही थी। जब एक जैज़ गाना चल रहा था, 'कड़ाही भर खौलता, सशक्त प्रेम,' तो फ्रेड और जॉर्ज जिनी के साथ एक्सप्लोडिंग स्नैप खेलने लगे। रॉन बिल और फ़्लर की तरफ़ चोरी से देखता रहा, जैसे उनसे

प्रेम के पैंतरे सीखना चाह रहा हो। इस दौरान रीमस ल्यूपिन, जो पहले से ज़्यादा दुबले और फटेहाल दिख रहे थे, आग के पास बैठकर उसकी गहराइयों में घूर रहे थे, जैसे उन्हें सेलेस्टिना की आवाज़ सुनाई ही नहीं दे रही हो।

'ओह, आओ और मेरी कड़ाही हिलाओ
और अगर तुम यह काम ठीक से करोगे,
तो मैं तुम्हारे लिए खौलता, सशक्त प्रेम तैयार करूँगी,
ताकि तुम आज रात को गर्म रह सको।'

'जब हम अठारह साल के थे, तब इस गाने पर नाचे थे!' मिसेज़ वीज़्ली ने कहा और अपनी बुनाई पर अपनी आँखें पोंछीं। 'तुम्हें याद है, आर्थर ?'

'हूँ ?' मिस्टर वीज़्ली ने कहा, जिनका सिर उस संतरे के ऊपर झुका हुआ था, जिसे वे छील रहे थे। 'ओह हाँ ... बहुत बढ़िया धुन है ...'

कोशिश करके वे थोड़े सीधे हुए और हैरी की तरफ़ देखा, जो उनके पास बैठा हुआ था।

'इसके बारे में अफ़सोस है,' उन्होंने कहा और रेडियो की तरफ़ अपना सिर लहराया, जब सेलेस्टिना कोरस में गाने लगी। 'जल्दी ही ख़त्म हो जाएगा।'

'कोई दिक्क़त नहीं,' हैरी ने मुस्कराते हुए कहा। 'क्या मंत्रालय में काफ़ी व्यस्तता चल रही है ?'

'बहुत,' मिस्टर वीज़्ली ने कहा। 'अगर हम प्रगति कर रहे होते, तो मुझे कोई दिक्क़त नहीं थी, लेकिन हमने पिछले दो महीनों में जो तीन गिरफ़्तारियाँ की हैं, उनमें से मेरे हिसाब से एक भी असली प्राणभक्षी नहीं हो सकता - यह बात किसी से कहना मत, हैरी,' उन्होंने जल्दी से कहा और अचानक थोड़े ज़्यादा जाग्रत नज़र आने लगे।

हैरी ने पूछा, 'तो फिर वे लोग स्टैन शनपाइक को छोड़ देंगे, है ना ?'

'मुझे नहीं लगता,' मिस्टर वीज़्ली ने कहा। 'मैं जानता हूँ कि डम्बलडोर ने स्टैन के बारे में सीधे स्क्रिमग्योर से अपील करने की कोशिश की है ... मेरा मतलब है, जिसने भी स्टैन से बात की है, वह जानता है कि वह उतना ही प्राणभक्षी है, जितना कि यह संतरा ... लेकिन उच्च अधिकारी ऐसा दिखाना चाहते हैं कि वे कुछ प्रगति कर रहे हैं। तुम तो जानते ही हो, "तीन गिरफ़्तारियाँ" हमेशा सुनने में "तीन ग़लत गिरफ़्तारियों और रिहाई" से ज़्यादा अच्छी लगती हैं ... एक बार फिर, यह बहुत गोपनीय है ...'

'मैं किसी से कुछ नहीं कहूँगा,' हैरी ने कहा। वह एक पल के लिए झिझका, फिर सोचा कि जो बात वह कहना चाहता था, वह किस तरह से कहे। जब उसने अपने विचारों को सिलसिलेवार जमाया, तो सेलेस्टिना वारबेक ने एक नया गाना शुरू कर दिया, 'तुमने मेरा दिल मुझसे छीन लिया।'

'मिस्टर वीज़्ली, जब मैं स्कूल जा रहा था, तो मैंने आपसे स्टेशन पर कुछ कहा था!'

'मैंने जाँच की थी, हैरी,' मिस्टर वीज़्ली ने तत्काल कहा। 'मैंने जाकर मैल्फ़ॉय परिवार के मकान की तलाशी ली थी। वहाँ ऐसा कुछ नहीं मिला – न तो टूटा हुआ, न ही सही-सलामत – जो वहाँ नहीं होना चाहिए था।'

'हाँ, मैं जानता हूँ। मैंने *दैनिक जादूगर* में पढ़ा था कि आपने तलाशी ली थी ... लेकिन यह थोड़ा अलग है ... थोड़ा और है ...'

फिर उसने मिस्टर वीज़्ली को हर वह बात बता दी, जो उसने मैल्फ़ॉय और स्नेप के बीच सुनी थी। जब हैरी बोल रहा था, तो उसने देखा कि ल्यूपिन का सिर उसकी तरफ़ घूम गया था और वे उसका कहा हर शब्द सुन रहे थे। उसकी बात पूरी होने के बाद ख़ामोशी छा गई। सिर्फ़ सेलेस्टिना की आवाज़ आ रही थी :

'ओ, मेरे बेचारे दिल, तुम कहाँ चले गए ?
तुम मुझसे दूर चले गए हो, जादू से ...'

मिस्टर वीज़्ली ने कहा, 'हैरी, क्या तुमने यह नहीं सोचा कि स्नेप सिर्फ़ –'

'मदद करने का नाटक कर रहे हों, ताकि वे मैल्फ़ॉय के इरादे जान सकें ?' हैरी ने जल्दी से कहा। 'हाँ, मैंने सोचा था कि आप यही कहेंगे। लेकिन इस बात का क्या सबूत है ?'

'सबूत खोजना हमारा काम नहीं है,' ल्यूपिन ने अप्रत्याशित रूप से कहा। उन्होंने अब आग की तरफ़ अपनी पीठ कर ली थी और हैरी के सामने घूम चुके थे। 'यह काम डम्बलडोर का है। डम्बलडोर को सीवियरस पर भरोसा है और यह हम सबके लिए काफ़ी होना चाहिए।'

'लेकिन,' हैरी ने कहा, 'मान लीजिए – मान लीजिए, डम्बलडोर स्नेप के बारे में ग़लत हों –'

'लोगों ने यह बात कई बार कही है। मुद्दे की बात यह है कि आपको डम्बलडोर की निर्णयशक्ति पर भरोसा है या नहीं। मुझे है, इसलिए मुझे

सीवियरस पर भी भरोसा है।'

'लेकिन डम्बलडोर से भी तो ग़लतियाँ हो सकती हैं,' हैरी ने बहस की। 'उन्होंने ऐसा ख़ुद कहा है। और आप –'

उसने ल्यूपिन से नज़रें मिलाईं।

'– क्या आप स्नेप को सचमुच पसंद करते हैं?'

'मैं सीवियरस को पसंद भी नहीं करता हूँ और नापसंद भी नहीं करता हूँ,' ल्यूपिन ने कहा। 'नहीं हैरी, मैं सच बोल रहा हूँ,' उन्होंने आगे कहा, जब हैरी के चेहरे पर संदेह का भाव आया। 'हम शायद कभी लंगोटिया यार तो नहीं बन पाएँगे – ख़ास तौर पर जेम्स और सिरियस तथा सीवियरस के बीच हुई घटनाओं के बाद। बहुत ज़्यादा कटुता हो गई है। लेकिन मैं यह बात नहीं भूला हूँ कि जब मैं हॉगवर्ट्स में पढ़ा रहा था, उस समय सीवियरस ने हर महीने मेरे लिए बेहतरीन भेड़िया-रोधक काढ़ा बनाया था, ताकि मुझे उतना कष्ट न उठाना पड़े, जितना कि मैं आम तौर पर पूर्णिमा के समय उठाता था।'

हैरी ने ग़ुस्से से कहा, 'लेकिन उन्होंने "संयोग से" लोगों को यह भी तो बता दिया था कि आप नरभेड़िए हैं, जिस वजह से आपको हॉगवर्ट्स छोड़ना पड़ा!'

ल्यूपिन ने अपने कंधे उचका दिए।

'यह ख़बर वैसे भी फैल जाती। हम दोनों जानते हैं कि वह मेरा पद पाना चाहता था, लेकिन मेरे काढ़े में छेड़छाड़ करके वह मुझे बहुत ज़्यादा नुक़सान पहुँचा सकता था। उसने मुझे स्वस्थ रखा और मैं कृतज्ञ हूँ।'

'शायद काढ़े के साथ छेड़छाड़ करने की उनकी हिम्मत इसलिए नहीं हुई होगी, क्योंकि डम्बलडोर उन पर नज़र रखे हुए थे!'

'तुम स्नेप से नफ़रत करने पर आमादा हो, हैरी,' ल्यूपिन ने हल्के से मुस्कराते हुए कहा। 'और मैं समझ सकता हूँ। जेम्स जैसे डैडी और सिरियस जैसे गॉडफ़ादर के कारण तुम्हें एक पुराना पूर्वाग्रह विरासत में मिला है। जो बात तुमने आर्थर और मुझे बताई है, वह तुम बेशक डम्बलडोर को भी बता दो, लेकिन यह उम्मीद मत करना कि वे भी इस मामले में तुम्हारी तरह सोचेंगे। यह उम्मीद भी मत करना कि जब तुम उन्हें यह बात बताओगे, तो वे हैरान होंगे। हो सकता है, डम्बलडोर के आदेश पर ही सीवियरस ने ड्रेको से सवाल पूछे हों।'

'... और अब तुमने इसे पूरी तरह तोड़ दिया है
मेहरबानी करके मुझे मेरा दिल लौटा दो!'

सेलेस्टिना ने अपना गाना बहुत लंबे और ऊँचे सुर के साथ ख़त्म किया। रेडियो में से तालियों की ज़ोरदार आवाज़ आई और मिसेज़ वीज़्ली भी जोश से तालियाँ बजाने लगीं।

'यह ख़त्म हो गया?' फ़्लर ने ज़ोर से कहा। 'भगवान का शुक्र है, कितना भयंकर था –'

'तो अब ड्रिंक ले लें?' मिस्टर वीज़्ली ने खड़े होते हुए ज़ोर से कहा। 'ड्रिंक कौन लेना चाहता है?'

जब मिस्टर वीज़्ली ड्रिंक्स लाने के लिए गए और बाक़ी सभी लोग पसरकर बातचीत करने लगे, तो हैरी ने ल्यूपिन से पूछा, 'पिछले कुछ समय से आप क्या कर रहे हैं?'

'ओह, मैं अंडरग्राउंड हूँ,' ल्यूपिन ने कहा। 'सचमुच। इसीलिए तो मैं तुम्हें चिट्ठियाँ नहीं लिख पाया, हैरी। तुम्हें चिट्ठियाँ भेजने से मेरा भेद खुल जाता।'

'आपका क्या मतलब है?'

'मैं अपने साथियों, अपने जैसे लोगों के बीच रह रहा था,' ल्यूपिन ने कहा। जब उन्होंने देखा कि हैरी समझ नहीं पाया है, तो वे आगे बोले, 'नरभेड़ियों के बीच। लगभग सभी नरभेड़िए वोल्डेमॉर्ट की तरफ़ हैं। डम्बलडोर जासूस चाहते थे और इस काम के लिए मुझसे ज़्यादा उपयुक्त और कौन हो सकता था?'

उनकी आवाज़ में थोड़ी कटुता झलक रही थी। शायद उन्हें इस बात का एहसास भी हो गया, क्योंकि आगे बोलते समय वे ज़्यादा गर्मजोशी से मुस्कराए, 'मैं शिकायत नहीं कर रहा हूँ। यह काम ज़रूरी है और इसे मुझसे अच्छी तरह कौन कर सकता है? बहरहाल, नरभेड़ियों का विश्वास हासिल करना मुश्किल है। उन्हें यह साफ़ नज़र आ जाता है कि मैंने जादूगरों के बीच रहने की कोशिश की है, जबकि वे सामान्य समाज से दूर हाशिए पर ज़िंदा रहते हैं और खाने के लिए चोरी करते हैं – और कई बार तो जान भी ले लेते हैं।'

'वे वोल्डेमॉर्ट को पसंद क्यों करते हैं?'

'उन्हें लगता है कि वोल्डेमॉर्ट के शासन में उनकी ज़िंदगी बेहतर हो जाएगी,' ल्यूपिन ने कहा। 'और जब तक ग्रेबैक वहाँ है, तब तक इस बात पर बहस करना मुश्किल है ...'

'ग्रेबैक कौन है?'

'तुमने उसका नाम नहीं सुना?' ल्यूपिन के हाथ उनकी गोद में बंद हो गए। 'फ़ेनरिर ग्रेबैक शायद दुनिया का सबसे ख़ूँख़ार नरभेड़िया है। उसका लक्ष्य

ज़्यादा से ज़्यादा लोगों को काटकर प्रदूषण फैलाना है। वह इतने ज़्यादा नरभेड़िए इसलिए बनाना चाहता है, ताकि जादूगरों को जीता जा सके। वोल्डेमॉर्ट ने उसकी सेवाओं के बदले में उसकी इच्छा पूरी करने का वादा किया है। ग्रेबैक बच्चों के मामले में विशेषज्ञ है ... वह कहता है, उन्हें बचपन में ही काट लो, उन्हें उनके माता-पिता से दूर बड़ा करो, उन्हें जादूगरों से नफ़रत करना सिखाओ। वोल्डेमॉर्ट लोगों को धमकी देता है कि वह ग्रेबैक से उनके बेटे-बेटियों को कटवा देगा। इस धमकी का आम तौर पर अच्छा असर होता है।'

ल्यूपिन एक पल ठहरने के बाद बोले, 'ग्रेबैक ने ही मुझे काटा था।'

'क्या ?' हैरी ने हैरानी से कहा। 'यानी जब आप छोटे थे, तब ?'

'हाँ। मेरे पिता ने उसे नाराज़ कर दिया था। मैं बहुत लंबे समय तक उस नरभेड़िए का नाम नहीं जानता था, जिसने मुझ पर हमला किया था। मुझे उस पर तरस भी आता था। मैं सोचता था कि उसका ख़ुद पर कोई नियंत्रण नहीं था, क्योंकि मैं जानता था कि पूर्णिमा को रूप बदलने पर कैसा महसूस होता है। लेकिन ग्रेबैक ऐसा नहीं है। पूर्णिमा के समय वह अपने शिकारों के क़रीब आ जाता है, ताकि वह उन पर फ़ौरन हमला कर सके। वह इसकी पूरी योजना बनाता है। और वोल्डेमॉर्ट उसी का इस्तेमाल नरभेड़ियों के मुखिया के रूप में कर रहा है। मैं यह नाटक नहीं कर सकता कि ग्रेबैक के मुक़ाबले मेरे तर्क ज़्यादा सफल हो रहे हैं, जो इस बात पर ज़ोर देता है कि हम नरभेड़िए ख़ून के हक़दार है और हमें सामान्य लोगों से प्रतिशोध लेना चाहिए।'

'लेकिन आप भी तो सामान्य हैं!' हैरी ने आवेश में कहा। 'आपके साथ तो बस एक - एक समस्या है -'

ल्यूपिन हँसने लगे।

'तुम्हारी बातें सुनकर मुझे जेम्स की बड़ी याद आती है। वह सबके सामने इसे मेरी "बालों वाली छोटी समस्या" कहा करता था। उसकी बात सुनकर कई लोगों को यह लगता था कि मैं किसी बदमिज़ाज ख़रगोश का मालिक हूँ।'

उन्होंने धन्यवाद देते हुए मिस्टर वीज़्ली से ड्रिंक का गिलास ले लिया और थोड़े ज़्यादा ख़ुशमिज़ाज दिखने लगे। इस दौरान हैरी को रोमांच की बाढ़ सी महसूस हुई : अपने पिता के ज़िक्र से उसे याद आया कि वह ल्यूपिन से कुछ पूछना चाहता था।

'क्या आपने कभी किसी हाफ़-ब्लड प्रिंस के बारे में सुना है ?'

'हाफ़-ब्लड क्या ?'

'प्रिंस,' हैरी ने कहा और उन्हें ग़ौर से देखने लगा।

'जादूगरों में राजकुमार नहीं होते हैं,' ल्यूपिन ने कहा, जो अब मुस्करा रहे थे, 'क्या तुम अपना यह नाम रखने की सोच रहे हो? मेरे ख़्याल से तो "चुनिंदा जादूगर" काफ़ी होना चाहिए।'

'इसका मुझसे कोई लेना-देना नहीं है!' हैरी ने ग़ुस्से से कहा। 'हाफ़-ब्लड प्रिंस हॉगवर्ट्स में था। मेरे पास उसकी पुरानी काढ़ों की किताब है। उसमें हर तरफ़ मंत्र लिखे हुए हैं, जिन्हें उसने खोजा था। उनमें से एक *आकाशगामी* था-'

'ओह, वह मंत्र तो हमारे ज़माने में हॉगवर्ट्स में फ़ैशन में था,' ल्यूपिन ने याद करते हुए कहा। 'जब मैं फ़िफ़्थ ईयर में था, तो कुछ महीने ऐसे गुज़रे, जब कोई टखनों के बल हवा में लटके बिना ज़्यादा दूर चल ही नहीं सकता था।'

'मेरे डैडी इसका इस्तेमाल करते थे,' हैरी ने कहा। 'मैंने उन्हें स्मृति पात्र में स्नेप पर इसका इस्तेमाल करते देखा था।'

उसने सामान्य दिखने की कोशिश की, जैसे इस टिप्पणी का कोई महत्व न हो, लेकिन उसे यक़ीन नहीं था कि उसने सही प्रभाव डाला था। ल्यूपिन की मुस्कराहट में समझ का एहसास झलक रहा था।

'हाँ,' उन्होंने कहा, 'लेकिन वे अकेले ही नहीं थे। जैसा मैंने कहा, यह मंत्र बहुत लोकप्रिय था ... तुम तो जानते ही हो कि मंत्र फ़ैशन में आते हैं और चले जाते हैं ...'

'लेकिन ऐसा लगता है, जैसे इसका आविष्कार तभी हुआ था, जब आप लोग स्कूल में थे,' हैरी ने अपनी बात पर अड़ते हुए कहा।

'ज़रूरी नहीं है,' ल्यूपिन ने कहा। 'मंत्र भी बाक़ी चीज़ों की तरह फ़ैशन में आते-जाते रहते हैं।' उन्होंने हैरी के चेहरे की तरफ़ देखा और फिर धीरे से बोले, 'हैरी, जेम्स शुद्ध ख़ून का था, और मैं तुम्हें विश्वास दिलाता हूँ, उसने हमसे यह कभी नहीं कहा कि हम उसे "प्रिंस" कहकर बुलाएँ।'

अब नाटक छोड़कर हैरी ने पूछा, 'और सिरियस भी नहीं था? या आप?'

'निश्चित रूप से नहीं।'

'ओह,' हैरी ने आग में घूरा। 'मैंने तो बस सोचा था - देखिए, उस प्रिंस ने काढ़े की क्लासों में मेरी बहुत मदद की है।'

'हैरी, यह पुस्तक कितनी पुरानी है?'

'क्या पता, मैंने जाँच करके नहीं देखा।'

ल्यूपिन ने कहा, 'शायद उससे तुम्हें अंदाज़ा लग जाएगा कि यह प्रिंस हॉगवर्ट्स में कब था?'

इसके कुछ ही समय बाद फ़्लर ने सेलेस्टिना के गाने की नक़ल करने का फ़ैसला कर लिया, 'कड़ाही भरकर खौलता, सशक्त प्रेम।' मिसेज़ वीज़्ली के चेहरे पर यह स्पष्ट भाव था कि अब सभी को सोने चले जाना चाहिए। हैरी और रॉन अटारी वाले बेडरूम में पहुँच गए, जहाँ हैरी के लिए पलंग लग चुका था।

रॉन लगभग तुरंत सो गया, लेकिन हैरी ने सोने से पहले अपने संदूक में हाथ डालकर *उच्च-स्तरीय काढ़ा-निर्माण* पुस्तक निकाली। उसने इसके पन्ने पलटे और खोजता रहा। आख़िरकार उसे पुस्तक के सामने की तरफ़ इसके प्रकाशन की तारीख़ दिखी। यह लगभग पचास साल पुरानी थी। पचास साल पहले न तो उसके पिता, न ही उसके पिता के दोस्त हॉगवर्ट्स में थे। थोड़ी निराशा महसूस करते हुए हैरी ने पुस्तक अपने संदूक में फेंक दी और बत्ती बुझाकर लेट गया। वह नरभेड़ियों और स्नेप, स्टैन शनपाइक और हाफ़-ब्लड प्रिंस के बारे में सोच रहा था। आख़िरकार वह एक असहज नींद में सो गया, जिसमें रेंगती हुई छायाएँ और घायल बच्चों की चीख़ें भरी थीं ...

'वह मज़ाक़ कर रही होगी ...'

हैरी अचानक चौंककर जाग गया और उसे अपने पलंग के सिरे पर एक उभरा मोज़ा पड़ा दिखा। उसने अपना चश्मा उठाकर लगाया और चारों तरफ़ देखने लगा। छोटी खिड़की अब बर्फ़ से लगभग पूरी तरह ढँक चुकी थी और इसके सामने रॉन पलंग पर बिलकुल तनकर बैठा था तथा सोने की एक मोटी चेन को देख रहा था।

'यह क्या है ?' हैरी ने पूछा।

'यह लैवेंडर ने भेजी है,' रॉन ने चिढ़ भरी आवाज़ में कहा। 'वह यह कैसे सोच सकती है कि मैं इसे पहनूँगा ...'

हैरी ने ज़्यादा ग़ौर से देखा और फिर उसके मुँह से हँसी छूट पड़ी। चेन में एक लॉकेट लटक रहा था, जिस पर बड़े-बड़े सुनहरे अक्षरों में लिखा था, 'मेरे दिलबर।'

'अच्छी है,' उसने कहा। 'बहुत अच्छी है। तुम्हें इसे निश्चित रूप से फ़्रेड और जॉर्ज के सामने पहनना चाहिए।'

'अगर तुमने उन्हें बताया,' रॉन ने चेन को अपने तकिए के नीचे छिपाते हुए कहा, 'तो मैं - तो मैं - तो मैं -'

'हकलाने लगूँगा,' हैरी ने मुस्कराते हुए कहा। 'छोड़ो भी, मैं ऐसा क्यों करूँगा ?'

'उसने सोच कैसे लिया कि मैं ऐसी चीज़ पसंद कर सकता हूँ ?' रॉन ने

पूछा। वह थोड़े सदमे में दिख रहा था।

'अच्छा, ज़रा सोचो,' हैरी ने कहा। 'क्या तुमने कभी उससे यह कहा है कि तुम अपने गले में "मेरे दिलबर" का पट्टा डालकर घूमना चाहते हो?'

'देखो ... हम दरअसल ज़्यादा बात नहीं करते हैं,' रॉन बोला। 'हम तो ज़्यादातर समय ...'

'चूमाचाटी करते हैं,' हैरी ने कहा।

'हाँ,' रॉन ने कहा। वह एक पल के लिए झिझका, फिर बोला, 'क्या हर्माइनी सचमुच मैकलेगन के साथ घूम-फिर रही है?'

'क्या पता,' हैरी ने कहा। 'वे दोनों एक साथ स्लगहॉर्न की पार्टी में गए थे, लेकिन मुझे नहीं लगा कि उसका वह अनुभव ज़्यादा अच्छा रहा था।'

जब हैरी ने अपने तोहफ़ों को देखना शुरू किया, तो रॉन थोड़ा ज़्यादा ख़ुश दिख रहा था।

हैरी के तोहफ़ों में एक स्वेटर था, जिसमें सामने की तरफ़ एक बड़ी सुनहरी गेंद बनी थी। इसे मिसेज़ वीज़्ली ने हाथ से बुना था। वीज़्ली जादूगरी दुकान के प्रॉडक्ट्स का एक बड़ा बॉक्स भी था, जो जुड़वाँ भाइयों ने दिया था। इसके अलावा एक थोड़ा गीला, सीलन भरी गंध वाला पैकेट भी आया था, जिस पर लेबल लगा था : 'मालिक को, क्रीचर की तरफ़ से।'

हैरी ने इसे घूरते हुए पूछा, 'क्या तुम्हें लगता है कि इसे खोलना सुरक्षित होगा?'

'कोई ख़तरनाक चीज़ तो हो नहीं सकती। मंत्रालय में हमारी सारी डाक की जाँच होती है,' रॉन ने जवाब दिया, हालाँकि वह भी पार्सल को शंका से देख रहा था।

'क्रीचर को कोई चीज़ देने का तो मुझे ध्यान ही नहीं रहा! क्या लोग आम तौर पर अपने घरेलू जिन्नों को क्रिसमस पर तोहफ़े देते हैं?' हैरी ने पूछा और पार्सल को सावधानी से कुरेदा।

'हर्माइनी तो ज़रूर देगी,' रौन बोला। 'लेकिन ठहरो, तुम अपराधी महसूस करो, इससे पहले इसे खोलकर देख तो लो कि इसमें क्या है।'

एक पल बाद, हैरी ज़ोर से चीख़ा और अपने पलंग से नीचे कूद गया। पैकेट में बहुत सारे कीड़े थे।

'अच्छा है,' रॉन ने हँसी का ठहाका लगाते हुए कहा। 'बहुत सोच-समझकर तोहफ़ा दिया है।'

'उस चेन से तो यही ज़्यादा अच्छा है,' हैरी ने कहा, जिससे रॉन तत्काल गंभीर हो गया।

क्रिसमस लंच के समय सभी लोग नए स्वेटर पहने थे। सिर्फ़ फ़्लर ही नया स्वेटर नहीं पहने थी (ऐसा लग रहा था कि मिसेज़ वीज़्ली उस पर नया स्वेटर बर्बाद नहीं करना चाहती थीं)। मिसेज़ वीज़्ली ने भी नया स्वेटर नहीं पहना था। वे जादूगरों का नया नीला हैट पहने थीं, जिसमें सितारों जैसे छोटे-छोटे हीरे चमक रहे थे। इसके अलावा वे सोने का एक शानदार हार भी पहने हुए थीं।

'फ्रेड और जॉर्ज ने ये मुझे दिए हैं! कितने सुंदर हैं, है ना?'

'हम अपने मोज़े ख़ुद धो रहे हैं, इसलिए अब हम आपकी ज़्यादा क़द्र करने लगे हैं,' जॉर्ज ने हवा में हाथ लहराते हुए कहा। 'रीमस, पारस्निप्स लोगे?'

'हैरी, तुम्हारे बालों में एक कीड़ा है,' जिनी ने चहकते हुए कहा और टेबल के पार झुककर उसे हटा दिया। हैरी की गर्दन पर रोंगटे खड़े हो गए, जिनका कीड़े से कोई लेना-देना नहीं था।

'कितना भयंकर है,' फ़्लर ने थोड़ा काँपते हुए कहा।

'हाँ, है ना?' रॉन ने कहा। 'ग्रेवी लोगी, फ़्लर?'

फ़्लर की मदद करने के जोश में उसके हाथ से ग्रेवी की कड़ाही को धक्का लग गया, जिससे ग्रेवी हवा में उड़ गई। बिल ने अपनी छड़ी लहराई और ग्रेवी उड़कर वापस कड़ाही में आ गई।

'तुम तो टौंक्स जितने ही बुरे हो,' फ़्लर ने रॉन से कहा, जब उसने धन्यवाद में बिल को चूमना ख़त्म कर लिया। 'वह हमेशा चीज़ें गिराती रहती है –'

'मैंने *प्यारी* टौंक्स को आज बुलाया था,' मिसेज़ वीज़्ली ने गाजरों को अनावश्यक तेज़ी से पटकते हुए और फ़्लर को ग़ुस्से से घूरते हुए कहा। 'लेकिन वह नहीं आ पाई। क्या तुम्हारी उससे बात हुई है, रीमस?'

'नहीं, मैं इस वक़्त किसी से ज़्यादा संपर्क में नहीं हूँ,' ल्यूपिन ने कहा। 'लेकिन टौंक्स अपने परिवार के साथ होगी, है ना?'

'हूँ,' मिसेज़ वीज़्ली ने कहा। 'शायद। दरअसल मुझे ऐसा लगा था कि वह क्रिसमस पर अकेली ही रहना चाहती थी।'

उन्होंने ल्यूपिन को चिढ़कर देखा, जैसे यह उन्हीं की ग़लती हो कि उन्हें टौंक्स के बजाय फ़्लर जैसी बहू मिल रही थी। लेकिन हैरी ने फ़्लर की तरफ़ देखा, जो अब बिल को अपने काँटे से टर्की के टुकड़े खिला रही थी। उसने सोचा कि मिसेज़ वीज़्ली एक ऐसी लड़ाई लड़ रही हैं, जिसमें उनकी हार तय है।

बहरहाल, उसे टौंक्स के बारे में एक सवाल याद आ गया और ल्यूपिन से ज़्यादा अच्छी तरह इसका जवाब कौन दे सकता था, जो पितृदेव के बारे में सब कुछ जानते थे ?

'टौंक्स के पितृदेव ने रूप बदल लिया है,' उसने उनसे कहा। 'स्नेप ने ऐसा कहा था। मुझे पता नहीं था कि ऐसा हो सकता है। पितृदेव ने रूप क्यों बदल लिया ?'

ल्यूपिन ने अपनी टर्की चबाने और निगलने का समय लिया, फिर धीरे से बोले, 'कई बार ... बड़ा सदमा ... भावनात्मक उथल-पुथल ...'

'यह बड़ा दिख रहा था, और इसके चार पैर थे,' हैरी ने कहा। फिर उसके मन में अचानक एक विचार आया और उसने अपनी आवाज़ धीमी कर ली। 'सुनिए ... कहीं ऐसा तो नहीं – ?'

'आर्थर!' मिसेज़ वीज़्ली ने अचानक कहा। वे अपनी कुर्सी से उठ चुकी थीं। उनका हाथ उनके दिल पर था और वे किचन की खिड़की से बाहर एकटक देख रही थीं। 'आर्थर – पर्सी आया है!'

'क्या ?'

मिस्टर वीज़्ली ने पलटकर देखा। सभी जल्दी से खिड़की की तरफ़ देखने लगे। जिनी अच्छी तरह देखने के लिए खड़ी हो गई। सचमुच वहाँ पर पर्सी वीज़्ली था, जो बर्फ़ भरे अहाते में क़दम बढ़ाता हुआ चला आ रहा था। उसका सींग के फ्रेम वाला चश्मा धूप में चमक रहा था। बहरहाल, वह अकेला नहीं था।

'आर्थर, उसके साथ – उसके साथ मंत्रीजी हैं!'

और सचमुच, जिस आदमी की फ़ोटो हैरी ने *दैनिक जादूगर* में देखी थी, वह पर्सी के साथ चला आ रहा था। वे थोड़े लँगड़ा रहे थे, उनके सफ़ेद होते बाल झूल रहे थे और उनके काले चोगे पर बर्फ़ के कण लगे थे। इससे पहले कि उनमें से कोई भी कुछ और कह पाता या मिस्टर और मिसेज़ वीज़्ली स्तब्ध नज़रों से एक-दूसरे को देखने से ज़्यादा कुछ कर पाते, पीछे वाला दरवाज़ा खुल गया और वहाँ पर पर्सी खड़ा हुआ था।

एक पल के लिए दर्दनाक ख़ामोशी छा गई। फिर पर्सी अजीब सी आवाज़ में बोला, 'मम्मी, क्रिसमस की शुभकामनाएँ!'

'ओह, *पर्सी*!' मिसेज़ वीज़्ली ने उसे गले लगाते हुए कहा।

रयूफ़स स्क्रिमग्योर दरवाज़े की चौखट पर ही खड़े रहे। वे अपनी चलने वाली छड़ी पर टिके हुए थे और इस भावनात्मक दृश्य को देखकर मुस्करा रहे थे।

'आपको बिना अनुमति के चले आने के लिए मुझे माफ़ करना होगा,'

उन्होंने कहा, जब मिसेज़ वीज़्ली ने उनकी तरफ़ देखा और मुस्कराते हुए अपनी आँखें पोंछीं। 'पर्सी और मैं काम के सिलसिले में यहाँ से गुज़र रहे थे और उसके मन में अपने परिवार से मिलने की प्रबल इच्छा हुई।'

लेकिन पर्सी ने परिवार के बाक़ी किसी सदस्य से मिलने का कोई उत्साह नहीं दिखाया। वह एकदम सीधा और अजीब सा दिखता हुआ खड़ा रहा तथा बाक़ी सभी के सिरों के ऊपर घूरता रहा। मिस्टर वीज़्ली, फ़्रेड और जॉर्ज पथरीले चेहरों के साथ उसे देख रहे थे।

'अंदर आइए, बैठिए मंत्रीजी!' मिसेज़ वीज़्ली हड़बड़ाकर अपने हैट को सीधा करते हुए बोलीं। 'थोड़ी टर्की या वाइन लें ... मेरा मतलब है –'

स्क्रिमग्योर ने कहा, 'नहीं, नहीं, मॉली!' हैरी ने अंदाज़ा लगा लिया कि मकान में दाख़िल होने से पहले उन्होंने पर्सी से उसकी माँ का नाम पूछ लिया होगा। 'मैं बीच में दख़ल नहीं देना चाहता। मैं यहाँ बिलकुल नहीं आया होता, अगर पर्सी इतनी बुरी तरह आप सभी से नहीं मिलना चाहता ...'

'ओह पर्सी!' मिसेज़ वीज़्ली ने आँसू भरी आँखों से कहा और उसे चूमने के लिए आगे बढ़ीं।

'... हम सिर्फ़ पाँच मिनट के लिए आए हैं, इसलिए मैं बाहर अहाते में घूमता हूँ, तब तक आप पर्सी से बातचीत कर लें। नहीं, नहीं, मैं आपको आश्वस्त करता हूँ कि मैं बीच में दख़ल नहीं देना चाहता! अच्छा, अगर कोई मुझे आपका सुंदर बगीचा दिखाना चाहे ... ओह, उस लड़के का खाना ख़त्म हो चुका है, क्या वह मुझे बगीचा दिखाने ले जा सकता है?'

टेबल का माहौल अचानक बदल गया। सभी स्क्रिमग्योर से पलटकर हैरी की तरफ़ देखने लगे थे। लगता था, कोई भी स्क्रिमग्योर के इस बहाने को मानने को तैयार नहीं था कि वे हैरी का नाम नहीं जानते थे या मंत्रीजी का बगीचा घुमाने के लिए उसे चुनना महज संयोग था, क्योंकि जिनी, फ़्लर और जॉर्ज की प्लेटें भी साफ़ हो चुकी थीं।

'हाँ, ठीक है,' हैरी ने ख़ामोशी को तोड़ते हुए कहा।

वह मूर्ख नहीं बना था। वह स्क्रिमग्योर के बहाने को समझ गया था। वह जानता था कि वे काम के सिलसिले में इस इलाक़े से नहीं गुज़र रहे थे। वह जानता था कि पर्सी अपने परिवार से नहीं मिलना चाहता था। वे तो शायद वहाँ इसीलिए आए थे, ताकि स्क्रिमग्योर हैरी से अकेले में बातचीत कर सकें।

'ठीक है,' उसने ल्यूपिन के पास से गुज़रते समय धीरे से कहा, जो अपनी कुर्सी से आधे उठ गए थे। जब मिस्टर वीज़्ली ने कुछ कहने के लिए अपना मुँह खोला, तब भी वह बोला, 'ठीक है।'

'बहुत बढ़िया!' स्क्रिमग्योर ने कहा और पीछे हटकर हैरी को दरवाज़े से अपने आगे निकलने दिया। 'हम बस आपके बगीचे का एक चक्कर लगाकर आते हैं। इसके बाद पर्सी और मैं चले जाएँगे। आप लोग अपना काम चालू रखें!'

हैरी अहाते के पार वीज़्ली परिवार के बर्फ़ से ढँके बगीचे की तरफ़ चल दिया। स्क्रिमग्योर उसकी बग़ल में थोड़े लँगड़ाकर चल रहे थे। हैरी जानता था कि वे इससे पहले ऑरर कार्यालय के प्रमुख थे। वे सख़्त दिख रहे थे और उनके शरीर पर चोटों के निशान थे। वे हैट पहने मोटे फ़ज से बहुत अलग थे।

'बहुत बढ़िया,' स्क्रिमग्योर ने बगीचे की फ़ेंस पर रुकते हुए और बर्फ़ भरे लॉन तथा पहचान में न आने वाले पौधों की तरफ़ देखते हुए कहा। 'बहुत बढ़िया।'

हैरी कुछ नहीं बोला। वह जानता था कि स्क्रिमग्योर उसे देख रहे थे।

'मैं तुमसे काफ़ी समय से मिलना चाहता था,' स्क्रिमग्योर ने कुछ पल बाद कहा। 'क्या तुम यह बात जानते हो?'

'नहीं,' हैरी ने सच कह दिया।

'ओह हाँ, काफ़ी समय से। लेकिन डम्बलडोर तुम्हें बहुत सँभालकर रख रहे थे,' स्क्रिमग्योर ने कहा। 'निश्चित रूप से यह स्वाभाविक भी है, क्योंकि तुमने इतना कुछ झेला है ... ख़ासकर मंत्रालय में हुई घटना के बाद ...'

उन्होंने हैरी के कुछ कहने का इंतज़ार किया, लेकिन जब हैरी कुछ नहीं बोला, तो वे आगे बोलने लगे, 'मैं जब से मंत्री बना हूँ, तभी से तुमसे बात करने का मौक़ा तलाश रहा था, लेकिन डम्बलडोर ने – जैसा कि मैंने कहा, बहुत समझदारी से – इसका मौक़ा नहीं दिया।'

अब भी हैरी कुछ नहीं बोला, बल्कि इंतज़ार करता रहा।

'चारों तरफ़ अफ़वाहें उड़ रही हैं!' स्क्रिमग्योर ने कहा। 'ओह, ज़ाहिर है, हम दोनों जानते हैं कि ख़बर किस तरह से विकृत होती है ... किसी भविष्यवाणी के बारे में कानाफूसी हो रही है ... तुम्हारे "चुनिंदा जादूगर" होने की अफ़वाहें ...'

हैरी ने सोचा कि अब वे उस बात के क़रीब आ रहे हैं, जिसके कारण स्क्रिमग्योर यहाँ आए थे।

'... मुझे लगता है कि डम्बलडोर ने तुमसे ये बातें की होंगी?'

हैरी ने सोचा कि उसे झूठ बोलना चाहिए या सच। उसने क्यारियों में चारों तरफ़ बौनों के पैरों के निशान देखे और वह जगह भी देखी, जहाँ फ़्रेड ने उस बौने

को पकड़ा था, जो अब क्रिसमस ट्री की फुनगी पर टूटू पहने था। आख़िरकार, उसने सच बोलने का फ़ैसला किया ... या थोड़ा सा सच।

'हाँ, हमने इस बारे में बातचीत की है।'

'अच्छा ...' स्क्रिमग्योर ने कहा। हैरी कनखियों से देख सकता था कि स्क्रिमग्योर उसकी तरफ़ देख रहे थे, इसलिए उसने एक बौने में बहुत दिलचस्पी लेने का नाटक किया, जिसने अभी-अभी अपना सिर जमी हुई झाड़ी के नीचे से बाहर निकाला था। 'और हैरी, डम्बलडोर ने तुम्हें क्या बताया?'

'माफ़ कीजिए, लेकिन वह हमारे बीच की बात है,' हैरी ने कहा।

उसने अपनी आवाज़ को जितना हो सकता था ख़ुशनुमा बनाने की कोशिश की। स्क्रिमग्योर ने भी हल्के-फुल्के और दोस्ताना अंदाज़ में कहा, 'ओह, ज़ाहिर है, अगर यह गोपनीयता का मामला है, तो मैं नहीं चाहूँगा कि तुम मुझे बताओ ... नहीं, नहीं ... और दरअसल इससे कोई फ़र्क़ नहीं पड़ता है कि तुम *चुनिंदा जादूगर* हो या नहीं?'

हैरी को इसका जवाब देने से पहले कुछ सेकंड तक इस पर विचार करना पड़ा।

'मैं समझ नहीं पाया, आप क्या कहना चाह रहे हैं, मंत्रीजी!'

'देखो, ज़ाहिर है, *तुम्हारे लिए* यह बहुत महत्वपूर्ण होगा,' स्क्रिमग्योर ने हँसते हुए कहा। 'लेकिन जादूगर समुदाय के लिए ... यह विश्वास का मामला है, है ना! लोग किस चीज़ पर यक़ीन करते हैं, यह महत्वपूर्ण है।'

हैरी कुछ नहीं बोला। उसने सोचा कि उसे हल्का-हल्का समझ में आ रहा था कि वे किस ओर जा रहे थे, लेकिन वह वहाँ पहुँचने में स्क्रिमग्योर की मदद नहीं करने वाला था। झाड़ी के नीचे वाला बौना अब इसकी जड़ों को खोद रहा था और कीड़ों की तलाश कर रहा था। हैरी ने अपनी आँखें उसी बौने पर जमाए रखीं।

'देखो, लोग मानते हैं कि तुम चुनिंदा जादूगर *हो*,' स्क्रिमग्योर ने कहा। 'वे तुम्हें हीरो मानते हैं, जो कि ज़ाहिर है तुम हो हैरी, भले ही तुम चुनिंदा जादूगर हो या न हो! अब तक तुम कितनी बार तुम-जानते-हो-कौन का सामना कर चुके हो?' फिर जवाब का इंतज़ार किए बिना वे आगे बोलने लगे, 'महत्वपूर्ण बात यह है कि तुम ज़्यादातर लोगों के लिए आशा का प्रतीक हो, हैरी। लोगों का मनोबल इस विचार से बढ़ जाता है कि कोई है, जो तुम-जानते-हो-कौन को नष्ट कर सकता है, जिसकी *क़िस्मत* में यही लिखा है। और मैं यह सोचे बिना नहीं रह सकता हूँ कि जब तुम्हें यह एहसास हो जाएगा, तो तुम्हें यह अपना

कर्तव्य लगेगा कि तुम मंत्रालय का साथ देकर सबका मनोबल बढ़ाओ।'

बौना अभी-अभी एक कीड़े को पकड़ने में सफल हो गया था। वह अब उसे बहुत कसकर खींच रहा था और जमी हुई ज़मीन से निकालने की कोशिश कर रहा था। हैरी इतनी देर तक ख़ामोश रहा कि स्क्रिमग्योर ने भी बौने की तरफ़ देखते हुए कहा, 'अजीब छोटे प्राणी हैं, है ना? तो तुम क्या कहते हो, हैरी?'

'मैं यह नहीं समझ पाया कि आप क्या चाहते हैं,' हैरी ने धीरे से कहा। '"मंत्रालय का साथ देकर सबका मनोबल बढ़ाओ" ... से आपका क्या मतलब है?'

'ओह देखो, मैं तुम्हें यक़ीन दिलाता हूँ, यह ज़्यादा मुश्किल काम नहीं है,' स्क्रिमग्योर ने कहा। 'अगर तुम समय-समय पर मंत्रालय में आते-जाते रहोगे, तो इससे अच्छा प्रभाव पड़ेगा। और ज़ाहिर है, वहाँ पर तुम्हें गेवेन रोबार्ड्स से बातचीत करने का काफ़ी मौक़ा मिलेगा, जो मेरे बाद ऑरर कार्यालय के प्रमुख हैं। डोलोरेस अंबरिज ने मुझे बताया है कि तुम ऑरर बनना चाहते हो। यह बहुत आसानी से किया जा सकता है ...'

हैरी के पेट में ग़ुस्सा उबलने लगा। तो डोलोरेस अंबरिज अब भी मंत्रालय में थीं!

'तो कुल मिलाकर,' उसने कहा, जैसे वह कुछ मुद्दे साफ़ कर लेना चाहता हो, 'आप जनता को यह विश्वास दिलवाना चाहते हैं कि मैं मंत्रालय के लिए काम कर रहा हूँ?'

'हैरी, तुम्हारे जुड़ने से सभी का मनोबल बढ़ेगा,' स्क्रिमग्योर ने कहा और इस बात पर राहत में दिखे कि हैरी इतनी जल्दी समझ गया था। 'चुनिंदा जादूगर ... इससे लोगों के मन में उम्मीद रहेगी, वे सोचेंगे कि रोमांचक चीज़ें हो रही हैं ...'

'लेकिन अगर मैं मंत्रालय में आता-जाता रहूँगा,' हैरी ने कहा। वह अभी भी अपनी आवाज़ को दोस्ताना बनाए रखने की कोशिश कर रहा था, 'तो क्या इससे ऐसा नहीं लगेगा कि मैं मंत्रालय के कामों से ख़ुश हूँ?'

'देखो,' स्क्रिमग्योर ने थोड़ी त्योरियाँ चढ़ाते हुए कहा, 'हाँ, कुछ हद तक इसीलिए हम यह चाहते हैं –'

'नहीं, मुझे लगता है कि यह नहीं चलेगा,' हैरी ने ख़ुशी से कहा। 'देखिए, मैं मंत्रालय के कुछ कामों को पसंद नहीं करता हूँ। जैसे, स्टैन शनपाइक को क़ैद करना।'

स्क्रिमग्योर एक पल के लिए कुछ नहीं बोले, लेकिन उनके चेहरे का भाव तत्काल सख़्त हो गया।

'मुझे उम्मीद थी कि तुम नहीं समझोगे,' उन्होंने कहा और वे अपनी आवाज़ से ग़ुस्से को दूर रखने में उतने कामयाब नहीं हुए थे, जितना हैरी हुआ था। 'यह ख़तरनाक समय है और कुछ क़दम उठाए जाने की ज़रूरत है। तुम सोलह साल के हो –'

'डम्बलडोर तो सोलह साल से बहुत ज़्यादा बड़े हैं, और वे भी नहीं सोचते हैं कि स्टैन को अज़्काबान में रहना चाहिए,' हैरी ने कहा। 'आप स्टैन को बलि का बकरा बना रहे हैं, जिस तरह आप मुझे अपना शुभंकर बनाना चाहते हैं।'

उन्होंने लंबी और कठोर निगाह से एक-दूसरे की तरफ़ देखा। आख़िरकार स्क्रिमग्योर ने कहा, जिसमें गर्मजोशी का ज़रा भी नाटक नहीं था, 'मैं समझ गया। तुम – अपने हीरो डम्बलडोर की तरह ही – मंत्रालय से अलग रहना चाहते हो?'

हैरी ने कहा, 'मैं यह नहीं चाहता कि मेरा इस्तेमाल किया जाए।'

'कुछ लोग कहेंगे, यह तुम्हारा कर्तव्य है कि तुम मंत्रालय को अपना इस्तेमाल करने दो!'

'हाँ, और दूसरे लोग यह कह सकते हैं, यह आपका कर्तव्य है कि आप जेल में डालने से पहले यह जाँच करें कि लोग सचमुच प्राणभक्षी हैं या नहीं,' हैरी ने कहा, जिसका ग़ुस्सा अब बढ़ रहा था। 'आप वही कर रहे हैं, जो बार्टी क्राउच ने किया था। आप लोग इस बात को सही तरीक़े से समझते ही नहीं हैं! या तो फ़ज होते हैं, जो यह नाटक कर रहे थे कि हर चीज़ ठीक है, जबकि उनकी नाक के नीचे लोगों की हत्याएँ हो रही थीं या फिर हमें आप मिलते हैं, जो ग़लत लोगों को जेल में डाल देते हैं और यह नाटक करने की कोशिश करते हैं कि चुनिंदा जादूगर आपके लिए काम कर रहा है?'

'तो तुम चुनिंदा जादूगर नहीं हो?' स्क्रिमग्योर ने कहा।

'आपने ही तो कहा था कि इससे कोई फ़र्क़ नहीं पड़ता?' हैरी ने कटुता से हँसते हुए कहा। 'कम से कम आपको नहीं पड़ता।'

स्क्रिमग्योर ने जल्दी से कहा, 'मुझे यह नहीं कहना चाहिए था। यह मेरी भूल थी।'

'नहीं, यह सच था,' हैरी ने कहा। 'आपने आज इससे ज़्यादा सच्ची बात नहीं कही है। आपको मेरे जीने-मरने की परवाह नहीं है! आपको तो इस बात की परवाह है कि मैं जनसाधारण को यह विश्वास दिलाने में आपकी मदद करूँ कि

आप वोल्डेमॉर्ट के ख़िलाफ़ युद्ध जीत रहे हैं। मैं भूला नहीं हूँ, मंत्रीजी ...'

उसने अपनी दाईं मुट्ठी उठाई। उसके ठंडे हाथ के पीछे वे निशान सफ़ेद चमक रहे थे, जहाँ डोलोरेस अंबरिज ने उसे अपने ही मांस पर लिखने के लिए विवश किया था : *मैं झूठ नहीं बोलूँगा।*

'जब मैं सबको वोल्डेमॉर्ट की वापसी के बारे में बताने की कोशिश कर रहा था, तब आप मेरी रक्षा करने के लिए नहीं आए थे। पिछले साल मंत्रालय मुझसे दोस्ती करने के लिए इतना उतावला नहीं था।'

वे ख़ामोशी में खड़े रहे, जो उतनी ही बर्फ़ीली थी, जितनी कि उनके पैरों के नीचे की ज़मीन। बौना आख़िरकार अपने कीड़े को निकालने में कामयाब हो गया था और अब वह झाड़ी की सबसे नीचे वाली शाखाओं से टिककर उसे ख़ुशी से चूस रहा था।

'डम्बलडोर के इरादे क्या हैं?' स्क्रिमग्योर ने पूछा। 'जब वे हॉगवर्ट्स से ग़ायब रहते हैं, तो वे कहाँ जाते हैं?'

'पता नहीं,' हैरी ने कहा।

'और अगर तुम्हें पता भी होता, तब भी तुम मुझे नहीं बताते, है ना?' स्क्रिमग्योर ने पूछा।

हैरी बोला, 'नहीं, मैं नहीं बताता।'

'अच्छा, तो मुझे दूसरे तरीक़े से इसका पता लगाना होगा।'

'आप कोशिश कर सकते हैं,' हैरी ने उदासीनता से कहा। 'लेकिन आप फ़ज से ज़्यादा चतुर दिखते हैं, इसलिए मैंने सोचा था कि आपने उनकी ग़लतियों से सबक़ सीख लिया होगा। उन्होंने हॉगवर्ट्स में हस्तक्षेप करने की कोशिश की थी। आपका ध्यान इस तरफ़ गया होगा कि आज वे मंत्री नहीं हैं, लेकिन डम्बलडोर आज भी हेडमास्टर हैं। अगर मैं आपकी जगह होता, तो डम्बलडोर के मामले में दख़ल नहीं देता।'

एक लंबी ख़ामोशी छाई रही।

'अच्छा, तो अब मैं समझ गया हूँ कि उन्होंने तुम पर बहुत अच्छा काम किया है,' स्क्रिमग्योर ने कहा और तार के फ्रेम वाले चश्मे के पीछे उनकी आँखें ठंडी और सख़्त थीं। 'पॉटर, तुम डम्बलडोर के सच्चे शागिर्द हो, है ना?'

'हाँ, मैं हूँ,' हैरी ने कहा। 'मुझे ख़ुशी हुई कि आप यह बात समझ गए।'

फिर वह जादू मंत्री की तरफ़ पीठ घुमाकर घर की तरफ़ बढ़ने लगा।

अध्याय सत्रह

स्लगहॉर्न की याद

नए साल के कुछ दिन बाद हैरी, रॉन और जिनी शाम को किचन की अँगीठी के पास क़तार बनाकर खड़े थे। वे हॉगवर्ट्स लौट रहे थे। विद्यार्थियों को जल्दी और सुरक्षित पहुँचाने के लिए मंत्रालय ने छू नेटवर्क के इस एकांगी मार्ग की अनुमति दे दी थी। सिर्फ़ मिसेज़ वीज़्ली ही वहाँ गुडबाई कहने के लिए थीं, क्योंकि मिस्टर वीज़्ली, फ्रेड, जॉर्ज, बिल और फ़्लर काम पर गए थे। मिसेज़ वीज़्ली विदा करते समय आँसुओं में डूब गई थीं। आजकल वे बहुत जल्दी रोने लग जाती थीं। जब से पर्सी क्रिसमस वाले दिन घर से धड़धड़ाता हुआ गया था, तभी से वे रोने की आदी हो चुकी थीं। घर से बाहर जाते समय पर्सी के चश्मे पर कुचली हुई जड़ लगी थी, जिसके लिए फ्रेड, जॉर्ज और जिनी ने श्रेय लेने का दावा पेश किया था।

'रोओ मत, मम्मी,' जिनी ने उनकी पीठ थपथपाते हुए कहा, जब मिसेज़ वीज़्ली उसके कंधे पर सिर रखकर रोने लगीं। '**सब ठीक हो जाएगा** ...'

'हाँ, हमारे बारे में चिंता मत करना,' रॉन ने कहा और अपनी माँ को अपने गाल पर एक बहुत गीला चुंबन लेने दिया। 'या पर्सी के बारे में। वह बहुत बड़ा मूर्ख है। उसके जाने से वास्तव में कोई नुक़सान नहीं हुआ है।'

मिसेज़ वीज़्ली और जमकर रोने लगीं, जब उन्होंने हैरी को अपनी बाँहों में लिया।

'मुझसे वादा करो कि तुम अपना ध्यान रखोगे ... मुश्किल से बचोगे ...'

'मैं हमेशा कोशिश करता हूँ, मिसेज़ वीज़्ली,' हैरी ने कहा। 'आप तो मुझे जानती ही हैं, मैं शांत ज़िंदगी पसंद करता हूँ।'

वे आँसुओं के बीच हँसीं और पीछे हटकर खड़ी हो गईं।

'सभी लोग अच्छी तरह रहना ...'

हैरी पन्ने जैसी हरी लपटों में दाख़िल होकर चिल्लाया, 'हॉगवर्ट्स!' जब

लपटों ने उसे अपने आगोश में समेट लिया, तो उसने वीज़्ली परिवार के किचन का आख़िरी दृश्य देखा, जिसमें मिसेज़ वीज़्ली का आँसू भरा चेहरा भी शामिल था। हैरी बहुत तेज़ी से घूम रहा था। उसे कई जादूगर कमरों की धुँधली झलक दिखी, जिन्हें ठीक से देख पाने से पहले ही वे ओझल हो गए। फिर उसकी रफ़्तार धीमी हो गई और आख़िरकार वह प्रोफ़ेसर मैक्गॉनेगल के ऑफ़िस की अँगीठी में पहुँच गया। जब वह अँगीठी से बाहर निकला, तो उन्होंने अपने काम के बीच नज़र उठाकर उसकी तरफ़ देखा।

'ईवनिंग पॉटर। कोशिश करना कि कारपेट पर ज़्यादा राख न गिरे।'

'जी, प्रोफ़ेसर।'

हैरी ने अपना चश्मा और बाल ठीक किए। तब तक रॉन भी घूमता हुआ आ गया। जिनी के आ जाने के बाद वे तीनों एक साथ मैक्गॉनेगल के ऑफ़िस से निकलकर गरुड़द्वार टॉवर की तरफ़ चल दिए। हैरी ने चलते-चलते गलियारे की खिड़कियों से बाहर देखा। मैदान के पार सूरज डूब रहा था। यहाँ बर्फ़ रॉन के घर के बगीचे से ज़्यादा गहरी थी। दूरी पर उसे दिखाई दिया कि हैग्रिड अपने केबिन के सामने बकबीक को कुछ खिला रहा था।

'बधाइयाँ,' मोटी औरत के पास पहुँचने पर रॉन ने आत्मविश्वास से कहा, जिसका चेहरा आज हमेशा से ज़्यादा पीला दिख रहा था। रॉन की तेज़ आवाज़ पर उसने मुँह बना लिया।

'नहीं!'

'"नहीं" का क्या मतलब?'

'पासवर्ड बदल चुका है,' उसने कहा। 'और मेहरबानी करके चिल्लाना मत!'

'लेकिन हम तो बाहर थे, हमें कैसे पता चलेगा – ?'

'हैरी! जिनी!'

हर्माइनी भागती हुई उनकी तरफ़ आ रही थी। उसका चेहरा बहुत गुलाबी था और वह एक चोगा, हैट तथा ग्लव्ज़ पहने हुए थी।

'मैं अभी दो घंटे पहले आई हूँ। मैं तो बस हैग्रिड और बक – मेरा मतलब है, विदरविंग्स से मिलने गई थी,' उसने हाँफते हुए कहा। 'तुम लोगों का क्रिसमस अच्छा रहा?'

'हाँ,' रॉन ने तत्काल कहा, 'काफ़ी घटनापूर्ण रहा। र्यूफ़स स्क्रिम –'

'मेरे पास तुम्हारे लिए कुछ है, हैरी,' हर्माइनी ने कहा। उसने न तो रॉन की तरफ़ देखा, न ही ऐसा कोई संकेत दिया, जिससे पता चले कि उसने उसकी

बात सुनी हो। 'ओह, ज़रा ठहरो – पासवर्ड। *संयम।*'

'बिलकुल,' मोटी औरत ने कमज़ोर आवाज़ में कहा और आगे की तरफ़ झूल गई, जिससे तस्वीर का छेद खुल गया।

'उसे क्या हुआ ?' हैरी ने पूछा।

'लगता है, क्रिसमस पर ज़्यादा जश्न मना लिया था,' हर्माइनी ने अपनी आँखें गोल-गोल घुमाते हुए कहा, जब वह भरे हुए हॉल में रास्ता बनाते हुए गई। 'उसने अपनी सहेली वायलेट के साथ मिलकर वह सारी शराब पी ली, जो सम्मोहन के गलियारे के पास शराबी संन्यासियों की तस्वीर में रखी थी। ख़ैर ...'

उसने अपनी जेब एक पल के लिए टटोली, फिर एक चर्मपत्र खींचकर निकाला, जिस पर डम्बलडोर की लिखाई थी।

'बहुत बढ़िया,' हैरी ने उसे खोला और उसे तत्काल पता चल गया कि डम्बलडोर के साथ उसकी अगली क्लास अगली रात को है। 'मेरे पास उन्हें बताने के लिए बहुत सारी बातें हैं – और तुम्हें भी। चलो, चलकर कहीं बैठते हैं –'

लेकिन उसी पल 'वॉन-वॉन' की ज़ोरदार चीख़ सुनाई दी और लैवेंडर ब्राउन न जाने कहाँ से धड़धड़ाती हुई आई और रॉन की बाँहों में समा गई। कई देखने वाले खिलखिलाए। हर्माइनी हँसते हुए बोली, 'यहाँ पर एक टेबल है ... आ रही हो, जिनी ?'

जिनी बोली, 'नहीं, धन्यवाद, मैंने डीन से मिलने का वादा किया था!' हैरी का ध्यान इस तरफ़ चला गया कि जिनी बहुत उत्साहित नहीं लग रही थी। रॉन और लैवेंडर को देखकर लग रहा था, जैसे वे खड़े-खड़े कुश्ती लड़ रहे हों। उन्हें छोड़कर हैरी हर्माइनी को ख़ाली टेबल की तरफ़ ले गया।

'तो तुम्हारा क्रिसमस कैसा रहा ?'

'ओह अच्छा था,' उसने कंधे उचकाए। 'कुछ ख़ास नहीं। वॉन-वॉन के यहाँ कैसा था ?'

'मैं तुम्हें एक मिनट में बताता हूँ,' हैरी ने कहा। 'देखो, हर्माइनी, क्या तुम उसे माफ़ – ?'

'नहीं, मैं नहीं कर सकती,' उसने सपाट अंदाज़ में कहा। 'इसलिए पूछना भी मत।'

'मैंने सोचा था कि शायद क्रिसमस के कारण –'

'हैरी, पाँच सौ साल पुरानी शराब का ड्रम मोटी औरत ने ख़ाली किया है,

मैंने नहीं किया है। अच्छा तो वह महत्वपूर्ण बात कौन सी थी, जो तुम मुझे बताना चाहते थे?'

वह इस समय इतनी ख़ूँख़ार दिख रही थी कि उससे बहस करना ठीक नहीं था, इसलिए हैरी ने रॉन का विषय छोड़ दिया और उसे बताया कि उसने मैल्फ़ॉय और स्नेप के बीच हुई क्या-क्या बातें सुनी थीं।

जब उसकी बात पूरी हो गई, तो हर्माइनी एक पल सोचने के बाद बोली, 'क्या तुम्हें नहीं लगता - ?'

'- कि वे मदद करने का नाटक कर रहे थे, ताकि वे मैल्फ़ॉय से धोखे से उगलवा लें कि वह क्या कर रहा था?'

'हाँ,' हर्माइनी ने कहा।

'रॉन के डैडी और ल्यूपिन भी ऐसा ही सोचते हैं,' हैरी ने मन मारते हुए कहा। 'लेकिन इससे निश्चित रूप से यह साबित होता है कि मैल्फ़ॉय कुछ करने की योजना बना रहा है। तुम इस बात से तो इंकार नहीं कर सकतीं?'

'नहीं, मैं नहीं कर सकती,' उसने धीरे से जवाब दिया।

'और वह वोल्डेमॉर्ट के आदेशों पर काम कर रहा है, जैसा मैंने पहले कहा था!'

'हूँ ... क्या उनमें से किसी ने दरअसल वोल्डेमॉर्ट का नाम लिया था?'

हैरी ने त्योरियाँ चढ़ाईं और याद करने की कोशिश करने लगा।

'मुझे नहीं लगता ... स्नेप ने ज़रूर "तुम्हारा मास्टर" कहा था और वह वोल्डेमॉर्ट के अलावा और कौन हो सकता है?'

'क्या पता,' हर्माइनी ने अपना होंठ काटते हुए कहा। 'हो सकता है, उसके डैडी हों?'

उसने कमरे के पार घूरा। वह सचमुच विचारों में खोई हुई थी। उसका ध्यान तो इस तरफ़ भी नहीं गया कि लैवेंडर रॉन को गुदगुदी कर रही थी। 'ल्यूपिन कैसे हैं?'

'बहुत बढ़िया नहीं हैं,' हैरी ने कहा और उसे बताया कि ल्यूपिन नरभेड़ियों के बीच जाकर रह रहे थे और उन्हें अपने मिशन में किन मुश्किलों का सामना करना पड़ रहा था। 'क्या तुमने कभी फ़ेनरिर ग्रेबैक का नाम सुना है?'

'हाँ, सुना है!' हर्माइनी ने हैरान दिखते हुए कहा। 'और तुमने भी तो सुना था, हैरी!'

'कब? जादू का इतिहास की क्लास में? तुम बहुत अच्छी तरह जानती

हो कि मैंने उस क्लास में एक बात भी नहीं ...'

'नहीं, नहीं, जादू का इतिहास की क्लास में नहीं – मैल्फ़ॉय ने बोर्गिन को उसके नाम की धमकी दी थी!' हर्माइनी ने कहा। 'शूमंतर गली में, क्या तुम्हें याद नहीं है? उसने बोर्गिन से कहा था कि ग्रेबैक उसके परिवार का पुराना दोस्त है और वह बोर्गिन की प्रगति की जाँच करता रहेगा!'

हैरी ने उसकी तरफ़ मुँह फाड़कर देखा। 'मैं तो भूल ही गया था! लेकिन इससे तो यह साबित होता है कि मैल्फ़ॉय प्राणभक्षी बन गया है, वरना वह ग्रेबैक के संपर्क में कैसे रह सकता है और उससे कोई काम करने को कैसे कह सकता है!'

'यह काफ़ी संदिग्ध लगता है,' हर्माइनी ने कहा। 'जब तक कि ...'

'ओह, छोड़ो भी,' हैरी ने चिढ़कर कहा, 'तुम इस समस्या से पार नहीं पा सकतीं!'

'देखो ... यह संभावना भी तो है कि यह सिर्फ़ कोरी धमकी हो।'

'तुम विश्वास ही नहीं करना चाहती हो,' हैरी ने अपना सिर हिलाते हुए कहा। 'हम देखेंगे कि कौन सही साबित होता है ... हर्माइनी, मंत्रालय की तरह ही तुम्हें भी अपने शब्द वापस लेने पड़ेंगे। ओह हाँ, मेरा रूयूफ़स स्क्रिमग्योर से विवाद हो गया था ...'

बाक़ी की शाम बड़ी अच्छी तरह गुज़री, क्योंकि उन दोनों ने मिलकर जादू मंत्री की ख़ूब बुराई की। रॉन की तरह ही हर्माइनी को भी यही लगता था कि मंत्रालय ने पिछले साल हैरी के साथ जो सलूक किया था, उसे देखते हुए अब यह उनका दुस्साहस ही था कि वे उससे मदद माँग रहे थे।

नई टर्म अगली सुबह शुरू हुई। सिक्स्थ ईयर के विद्यार्थियों के लिए एक सुखद आश्चर्य था। एक बड़ा साइनबोर्ड रातोरात कॉमन रूम के नोटिसबोर्ड पर लग गया था।

अंतर्ध्यान प्रशिक्षण

अगर आपकी उम्र सत्रह साल है या 31 अगस्त से पहले
सत्रह साल होने वाली है, तो आप जादू मंत्रालय के
अंतर्ध्यान प्रशिक्षक से बारह-सप्ताह के अंतर्ध्यान प्रशिक्षण
पाठ्यक्रम में शामिल होने की पात्रता रखते हैं।
अगर आप भाग लेने के इच्छुक हों, तो कृपया

नीचे अपना नाम लिख दें।

शुल्क : 12 गैलियन।

हैरी और रॉन नोटिस के चारों तरफ़ खड़ी भीड़ में शामिल हो गए तथा उन्होंने बारी-बारी से अपने नाम लिख दिए। रॉन हर्माइनी के बाद नाम लिखने के लिए अपनी क़लम बाहर निकाल ही रहा था कि तभी लैवेंडर उसके पीछे आई और उसकी आँखों पर अपना हाथ रखकर पूछने लगी, 'बताओ तो सही कौन है, वॉन-वॉन ?' हैरी ने मुड़कर देखा कि हर्माइनी चल दी थी। वह भी उसके पास पहुँच गया। वह रॉन और लैवेंडर के साथ नहीं रुकना चाहता था। बहरहाल, उसे हैरानी हुई कि अभी वे तस्वीर के छेद से थोड़ी दूर ही पहुँचे थे कि तभी रॉन उनके पीछे आ गया। उसके कान लाल थे और उसके चेहरे पर असंतोष का भाव था। बिना कुछ बोले हर्माइनी आगे जा रहे नेविल के पास पहुँचने के लिए तेज़ रफ़्तार से चलने लगी।

'तो – अंतर्ध्यान,' रॉन ने कहा। उसके अंदाज़ से यह स्पष्ट था कि हैरी को अभी-अभी हुई घटना के बारे में कुछ नहीं बोलना चाहिए। 'अच्छा अनुभव रहेगा, है ना ?'

'क्या पता,' हैरी ने कहा। 'शायद ख़ुद करते समय यह ज़्यादा अच्छा रहता हो, क्योंकि जब डम्बलडोर मुझे अंतर्ध्यान कराकर अपने साथ ले गए थे, तो मुझे इसमें ज़्यादा मज़ा नहीं आया था।'

'मैं तो भूल ही गया था कि तुम यह काम पहले ही कर चुके हो ... अच्छा रहेगा कि मैं अपना टेस्ट पहली बार में ही पास कर लूँ,' रॉन ने चिंतित दिखते हुए कहा। 'फ्रेड और जॉर्ज पहली बार में ही पास हो गए थे।'

'जबकि चार्ली फ़ेल हो गया था, है ना ?'

'हाँ, लेकिन चार्ली मुझसे ज़्यादा बड़ा है,' रॉन ने गोरिल्ले की तरह अपनी बाँहें अपने शरीर से थोड़ी दूर हटा लीं, 'इसलिए फ्रेड और जॉर्ज ने उसे ज़्यादा नहीं चिढ़ाया था ... कम से कम उसके सामने तो नहीं ...'

'हम असली टेस्ट कब दे सकते हैं ?'

'सत्रह साल का होते ही। यानी मैं मार्च में टेस्ट दे सकता हूँ!'

'हाँ, लेकिन तुम यहाँ अंतर्ध्यान नहीं हो पाओगे, महल के भीतर नहीं हो पाओगे ...'

'यह महत्वपूर्ण नहीं है। सबको पता चल जाएगा कि मैं अगर चाहूँ, तो अंतर्ध्यान हो सकता हूँ।'

रॉन अकेला ही अंतर्ध्यान होने की संभावना के बारे में रोमांचित नहीं था। पूरे दिन आगामी प्रशिक्षण के बारे में बहुत बातें होती रहीं। ज़्यादातर बातें इस बारे में हो रही थीं कि इसके बाद वे अपनी इच्छा से अंतर्ध्यान और प्रकट हो सकते हैं।

'कितना अच्छा रहेगा जब हम बस यूँ ही –' सीमस ने अपनी चुटकियाँ बजाकर बताया कि वह इस तरह अंतर्ध्यान हो जाएगा। 'मेरा कज़िन फ़र्गस मुझे चिढ़ाने के लिए यह काम करता है। ज़रा ठहरो, मैं उसे बता दूँगा ... इसके बाद उसे कभी शांति से एक पल भी नहीं जीने दूँगा ...'

इस सुखद संभावना के सपनों में खोकर उसने अपनी छड़ी थोड़े ज़्यादा उत्साह से लहरा दी। उस दिन सम्मोहन की क्लास में उन्हें साफ़ पानी का फव्वारा उत्पन्न करना था। लेकिन छड़ी के ज़ोर से हिलने के कारण उसकी जगह होज जैसी मोटी और तेज़ धारा उत्पन्न हो गई, जो छत से टकराकर लौटी और उसने प्रोफ़ेसर फ़्लिटविक को उल्टा गिरा दिया।

'हैरी पहले ही अंतर्ध्यान हो चुका है,' रॉन ने थोड़े शर्मिंदा सीमस को बताया, जब प्रोफ़ेसर फ़्लिटविक ने अपनी छड़ी लहराकर ख़ुद को सुखाया और सीमस को यह लिखने की सज़ा दी (*'मैं एक जादूगर हूँ, छड़ी लहराने वाला गोरिल्ला नहीं हूँ'*) 'डम् – अर – कोई उसे ले गया था। तुम जानते हो, साहचर्य-अंतर्ध्यान।'

'ओह!' सीमस फुसफुसाया। फिर उसने, डीन और नेविल ने अपने सिर सटा लिए, ताकि यह सुन सकें कि अंतर्ध्यान होने पर कैसा महसूस होता है। बाक़ी दिन हैरी को सिक्स्थ ईयर के दूसरे विद्यार्थियों ने घेर लिया और उससे अंतर्ध्यान होने की अनुभूति का वर्णन सुनने लगे। जब उसने उन्हें बताया कि यह कितना परेशानी भरा था, तो सभी विचलित होने के बजाय हैरान थे। रात को आठ बजने में दस मिनट तक उसने सवालों के लंबे जवाब दिए। फिर उसे मजबूरन झूठ बोलना पड़ा कि उसे लाइब्रेरी की एक पुस्तक लौटानी है, ताकि वह डम्बलडोर की क्लास में समय पर पहुँच जाए।

डम्बलडोर के ऑफ़िस के लैंप जल चुके थे। पुराने हेडमास्टरों की तस्वीरें अपने फ्रेमों में धीरे-धीरे खर्राटे ले रही थीं। स्मृति पात्र एक बार फिर डेस्क पर रखा हुआ था। डम्बलडोर के हाथ इसके दोनों तरफ़ रखे थे। दायाँ हाथ पहले जितना ही काला और जला हुआ था। यह ज़रा भी ठीक नहीं हुआ था और हैरी ने शायद सौवीं बार सोचा कि उन्हें इतनी गंभीर चोट कैसे लगी होगी, लेकिन उसने कुछ नहीं पूछा। डम्बलडोर ने कहा था कि वे उसे बाद में बता देंगे और वैसे भी वह किसी दूसरे विषय पर बातचीत करना चाहता था। लेकिन इससे पहले

कि हैरी स्नेप या मैल्फ़ॉय के बारे में कुछ कह पाए, डम्बलडोर बोलने लगे।

'मैंने सुना है कि तुम क्रिसमस पर जादू मंत्री से मिले थे?'

'हाँ,' हैरी ने कहा। 'वे मुझसे बहुत ख़ुश नहीं हैं।'

'अच्छा,' डम्बलडोर ने आह भरी। 'वे मुझसे भी बहुत ख़ुश नहीं हैं। हैरी, हमें इस बात से ज़्यादा दुखी होने के बजाय जूझते रहना चाहिए।'

हैरी मुस्कराया।

'वे मुझसे चाहते थे कि मैं जादूगर समुदाय को यह बताऊँ कि मंत्रालय बहुत अच्छा काम कर रहा है।'

डम्बलडोर मुस्कराए।

'तुम जानते हो, यह विचार दरअसल फ़ज के दिमाग़ में आया था। जब वे अपने पद से चिपके रहने की हताशा भरी कोशिश कर रहे थे, तो अंतिम कुछ दिनों में उन्होंने पूरी कोशिश की थी कि वे तुमसे मिलकर तुम्हारा समर्थन हासिल कर लें –'

'फ़ज ने पिछले साल मेरे साथ जो किया था, उसके बाद भी?' हैरी ने ग़ुस्से से कहा। '*अंबरिज के बाद भी*?'

'मैंने कॉर्नेलियस को बता दिया था कि इसकी कोई संभावना नहीं है, लेकिन उनके ऑफ़िस छोड़ने के बाद भी यह विचार ख़त्म नहीं हुआ। स्क्रिमग्योर की नियुक्ति के कुछ घंटों के भीतर ही उन्होंने मुझसे मुलाक़ात की और कहा कि मैं तुम्हारे साथ उनकी मुलाक़ात करवा दूँ –'

'तो इसीलिए आपमें बहस हुई थी!' हैरी के मुँह से निकल पड़ा। 'यह *दैनिक जादूगर* में छपा था।'

'*दैनिक जादूगर* में कभी-कभार सच्चाई छप जाती है,' डम्बलडोर ने कहा, 'कभी-कभार। हाँ, इसीलिए हममें बहस हुई थी। ऐसा लगता है कि र्यूफ़स ने आख़िरकार तुमसे मिलने का तरीक़ा खोज ही लिया।'

'उन्होंने मुझ पर आरोप लगाया कि मैं "डम्बलडोर का पक्का शागिर्द हूँ।"'

'कितना ग़लत किया!'

'मैंने उनसे कह दिया कि मैं हूँ।'

डम्बलडोर ने बोलने के लिए अपना मुँह खोला और फिर दोबारा बंद कर लिया। हैरी के पीछे ज्वाला नाम के मायापंछी ने एक हल्की, संगीतमयी आवाज़ निकाली। हैरी को बहुत संकोच हुआ, जब उसे अचानक यह एहसास हुआ कि

डम्बलडोर की चमकीली नीली आँखों में थोड़ा पानी दिख रहा था। वह जल्दी से अपने घुटनों की तरफ़ देखने लगा। बहरहाल, जब डम्बलडोर बोले, तो उनकी आवाज़ बिलकुल स्थिर थी।

'मुझे यह सुनकर बहुत ख़ुशी हुई, हैरी।'

'स्क्रिमग्योर जानना चाहते थे कि जब आप हॉगवर्ट्स में नहीं रहते हैं, तो आप कहाँ जाते हैं,' हैरी ने कहा, जो अब भी अपने घुटनों को देख रहा था।

'हाँ, वे यह जानने के लिए बहुत उत्सुक हैं,' डम्बलडोर ने कहा, जो अब ख़ुश लग रहे थे। हैरी समझ गया कि अब ऊपर देखना सुरक्षित है। डम्बलडोर ने आगे कहा, 'उन्होंने मेरा पीछा करवाने की कोशिश भी की थी। यह बहुत मज़ेदार था। उन्होंने डॉलिश को मेरे पीछे लगा दिया था। यह अच्छी बात नहीं थी। मैं एक बार पहले भी डॉलिश पर मंत्र पढ़ने के लिए विवश हो चुका था। मैंने गहरे अफ़सोस के साथ यह काम दोबारा कर दिया।'

हैरी ने पूछा, 'तो उन्हें अब भी नहीं मालूम कि आप कहाँ जाते हैं?' वह इस रहस्यमय विषय पर ज़्यादा जानकारी पाना चाहता था, लेकिन डम्बलडोर अपने आधे चाँद के आकार के चश्मे के ऊपर से सिर्फ़ मुस्करा दिए।

'नहीं, वे नहीं जानते हैं, और अभी तुम्हारे जानने का भी सही समय नहीं आया है। अब मैं सुझाव देता हूँ कि हम आगे चलें, जब तक कि कोई और महत्वपूर्ण बात – ?'

'एक बात है सर,' हैरी ने कहा। 'मैल्फ़ॉय और स्नेप के बारे में।'

'*प्रोफ़ेसर* स्नेप, हैरी।'

'हाँ, सर। मैंने प्रोफ़ेसर स्लगहॉर्न की पार्टी के दौरान उनकी बातें सुनी थीं ... दरअसल, मैंने उनका पीछा किया था ...'

डम्बलडोर ने भावहीन चेहरे के साथ हैरी की कहानी सुनी। जब हैरी की बात पूरी हो गई, तो वे कुछ पल तक ख़ामोश रहे। इसके बाद उन्होंने कहा, 'मुझे यह सब बताने के लिए धन्यवाद, हैरी, लेकिन मैं सुझाव देता हूँ कि तुम इस बात को अपने दिमाग़ से निकाल दो। मुझे नहीं लगता कि यह बहुत महत्वपूर्ण बात है।'

'बहुत महत्वपूर्ण नहीं है?' हैरी ने अविश्वास से कहा। 'प्रोफ़ेसर, क्या आप समझते हैं – ?'

'हाँ, हैरी, मेरी मानसिक शक्ति असाधारण है। मैं तुम्हारी बताई हर बात समझ गया हूँ,' डम्बलडोर ने थोड़ी तीखी आवाज़ में कहा। 'तुम यह भी सोच सकते हो कि मैं तुमसे ज़्यादा समझ गया हूँ। एक बार फिर, मुझे ख़ुशी है कि तुमने

मुझमें अपना विश्वास दर्शाया, लेकिन मैं तुम्हें दोबारा आश्वस्त करना चाहता हूँ कि तुमने ऐसा कुछ नहीं बताया है, जिससे मुझे परेशानी हुई हो।'

हैरी ख़ामोशी से बैठकर डम्बलडोर को घूरता रहा। क्या हो रहा था? क्या इसका मतलब यह था कि डम्बलडोर ने ही स्नेप को यह पता लगाने का आदेश दिया था कि मैल्फ़ॉय क्या कर रहा है? अगर ऐसा था, तो स्नेप उन्हें पहले ही वह सब बता चुके होंगे, जो हैरी ने अभी बताया था! या फिर वे इन बातों से सचमुच चिंतित थे, लेकिन उसके सामने बेफ़िक्री का नाटक कर रहे थे?

'तो सर,' हैरी ने अपनी आवाज़ को विनम्र और शांत रखने की कोशिश करते हुए कहा, 'आप अब भी उन पर यक़ीन करते हैं – ?'

'मैं इस सवाल का जवाब देने की सहिष्णुता पहले भी दिखा चुका हूँ,' डम्बलडोर ने कहा, लेकिन उनकी आवाज़ अब ज़्यादा सहिष्णुतापूर्ण नहीं लग रही थी। 'मेरा जवाब अब भी नहीं बदला है।'

'बदलना भी नहीं चाहिए,' एक व्यंग्यात्मक आवाज़ आई। यह साफ़ था कि फ़िनीज़ नाइजेलस सो नहीं रहा था, बल्कि सोने का नाटक कर रहा था। डम्बलडोर ने उनकी बात अनसुनी कर दी।

'और अब हैरी, मैं इस बात पर ज़ोर दूँगा कि हम आगे बढ़ें। मेरे पास आज शाम को तुम्हारे साथ विचार-विमर्श करने के लिए ज़्यादा महत्वपूर्ण बातें हैं।'

हैरी विद्रोही महसूस करते हुए बैठा रहा। क्या होगा अगर वह उन्हें विषय न बदलने दे, अगर वह मैल्फ़ॉय के ख़िलाफ़ दलीलें देने पर ज़ोर दे? डम्बलडोर ने अपना सिर इस तरह हिलाया, जैसे वे हैरी के मन की बात समझ गए हों।

'ओह हैरी, यह कितनी बार होता है, सबसे अच्छे दोस्तों में भी! हममें से हर व्यक्ति को यक़ीन होता है कि सामने वाले के बजाय उसके पास कहने के लिए ज़्यादा महत्वपूर्ण बात है!'

'मुझे नहीं लगता कि आप जो कहने वाले हैं, वह महत्वहीन है, सर,' हैरी ने सख़्त लहज़े में कहा।

'तुम बिलकुल सही हो, क्योंकि यह महत्वपूर्ण है,' डम्बलडोर ने तेज़ी से कहा। 'आज रात मैं तुम्हें दो और यादें दिखाऊँगा। दोनों को ही बहुत मुश्किल से हासिल किया गया है और उनमें से दूसरी तो मेरे ख़्याल से वह सबसे महत्वपूर्ण याद है, जो मैंने आज तक हासिल की है।'

हैरी इस बात पर कुछ नहीं बोला। वह अब भी अपनी बात पर डम्बलडोर की प्रतिक्रिया से नाराज़ था, लेकिन जानता था कि आगे बहस करने

से कोई फ़ायदा नहीं होना था।

'तो, डम्बलडोर ने गूँजती आवाज़ में कहा, 'हम इस शाम को टॉम रिडल की कहानी को आगे बढ़ाते हैं, जिसे हमने पिछली क्लास में हॉगवर्ट्स की चौखट पर छोड़ा था। तुम्हें याद होगा, वह यह सुनकर कितना रोमांचित हुआ था कि वह जादूगर है। तुम्हें याद होगा, उसने छूमंतर गली में मेरे साथ जाने से इंकार कर दिया था और मैंने उसे चेतावनी दी थी कि स्कूल में आने के बाद उसे चोरी की आदत छोड़नी पड़ेगी।

'तो स्कूल का ईयर शुरू हुआ और टॉम रिडल हॉगवर्ट्स आ गया। वह सेकंड हैंड दुशालों में था और चुनाव की रस्म के लिए फ़र्स्ट ईयर के बाक़ी विद्यार्थियों के साथ क़तार में खड़ा था। जैसे ही बोलती टोपी ने उसके सिर को छुआ, उसी पल उसने उसे नागशक्ति हाउस में रख दिया,' डम्बलडोर ने अपने काले हाथ को अपने सिर के ऊपर वाली शेल्फ़ की तरफ़ हिलाया, जहाँ बोलती टोपी स्थिर रखी हुई थी। 'मैं नहीं जानता कि रिडल को यह कितनी जल्दी पता चल गया कि उसके हाउस का मशहूर संस्थापक सर्पभाषी था – शायद उसी शाम को। इस ज्ञान से वह रोमांचित हुआ होगा और ख़ुद को ज़्यादा महत्वपूर्ण मानने लगा होगा।

'बहरहाल, अगर वह अपने हाउस के कॉमन रूम में सर्पभाषा का प्रदर्शन करके नागशक्ति हाउस के साथी विद्यार्थियों को डरा या प्रभावित कर रहा था, तो इसकी कोई शिकायत स्टाफ़ तक नहीं पहुँची। उसने घमंड या हिंसा के कोई चिन्ह प्रकट नहीं होने दिए। असाधारण रूप से प्रतिभाशाली और बहुत आकर्षक अनाथ होने के कारण शुरू से ही उसके प्रति पूरे स्टाफ़ का ध्यान और सहानुभूति थी। वह विनम्र, शांत और ज्ञानपिपासु दिखता था। लगभग सभी उससे बहुत प्रभावित थे।'

हैरी ने पूछा, 'सर, क्या आपने स्टाफ़ को नहीं बताया कि जब आप उससे अनाथालय में मिले थे, तो वह कैसा था?'

'नहीं, मैंने नहीं बताया। हालाँकि उसने पश्चाताप के कोई चिन्ह नहीं दिखाए थे, लेकिन यह संभव था कि उसे पिछली बातों पर अफ़सोस हो और वह सुधार करने का संकल्प कर चुका हो। मैंने उसे यह मौक़ा देने का फ़ैसला किया।'

डम्बलडोर ने ठहरकर हैरी की तरफ़ जिज्ञासा से देखा, जिसने कुछ बोलने के लिए अपना मुँह खोला था। यहाँ एक बार फिर डम्बलडोर की तथ्यों के बावजूद लोगों पर नाहक विश्वास करने की प्रवृत्ति साफ़ दिख रही थी, जबकि वे लोग उसके हक़दार नहीं थे! लेकिन फिर हैरी को कुछ याद आया ...

'लेकिन सर, आपने *दरअसल* उस पर भरोसा नहीं किया, है ना? उसने

मुझे बताया था ... रिडल जब उस डायरी में से बाहर निकला था, तो उसने कहा था, "डम्बलडोर मुझे कभी उतना पसंद नहीं करते थे, जितना बाक़ी टीचर्स करते थे।"

'देखो, मैं यह बात जानता था कि वह भरोसे के क़ाबिल नहीं है,' डम्बलडोर ने कहा। 'जैसा कि मैं पहले भी बता चुका हूँ, मैंने उस पर क़रीबी नज़र रखने का संकल्प कर लिया था और मैंने ऐसा ही किया। मैं यह नाटक नहीं कर सकता कि उस पर नज़र रखने से मुझे ज़्यादा कुछ पता चला। वह मेरे सामने बहुत रक्षात्मक हो जाता था। यक़ीनन उसे यह लग रहा था कि शुरू में जादूगर के रूप में पहचाने जाने की ख़ुशी में भावविभोर होकर उसने मुझे ज़रूरत से ज़्यादा जानकारी दे दी थी। वह दोबारा ज़्यादा बातें उजागर न करने के बारे में सावधान था, लेकिन रोमांच में उसके मुँह से जो निकल गया था, वह उसे वापस नहीं ले सकता था, न ही वह मिसेज़ कोल की बातों को वापस ले सकता था, जो उन्होंने मुझे बताई थीं। बहरहाल, उसमें इतनी समझदारी थी कि उसने मुझे उस तरह प्रभावित करने की कोशिश कभी नहीं की, जिस तरह उसने मेरे साथी शिक्षकों के साथ की थी।

'जब वह बड़ी क्लासों में गया, तो उसने अपने आस-पास समर्पित मित्रों का एक समूह बना लिया। मित्रों से अच्छा शब्द नहीं होने के कारण मुझे इसका इस्तेमाल करना पड़ रहा है, हालाँकि जैसा मैं पहले ही बता चुका हूँ, रिडल को निस्संदेह उनमें से किसी से भी कोई प्रेम नहीं था। महल के भीतर इस समूह को शैतानी रूप से ग्लैमरस माना जाता था। यह समूह बड़ा अजीब था। इसके कुछ विद्यार्थी कमज़ोर थे, जो संरक्षण चाहते थे। कुछ महत्वाकांक्षी थे और प्रतिष्ठा चाहते थे। कुछ ठग जैसे थे, जो ऐसे लीडर की शरण में आ गए थे, जो उन्हें क्रूरता के अधिक परिष्कृत रूप दिखा सकता था। दूसरे शब्दों में, वे प्राणभक्षियों के पूर्वज थे। दरअसल उनमें से कुछ तो हॉगवर्ट्स छोड़ने के बाद पहले प्राणभक्षी भी बने।

'रिडल के कठोर नियंत्रण के कारण ग़लत कामों में इन लोगों का हाथ कभी साबित नहीं हो पाया, हालाँकि हॉगवर्ट्स में उनके सात वर्षों तक रहने के दौरान ऐसी बहुत सी बुरी घटनाएँ हुईं, जिनमें उनका हाथ हो सकता था। ज़ाहिर है, सबसे गंभीर घटना रहस्यमय तहख़ाने का खुलना था, जिस वजह से एक लड़की की मौत हो गई। जैसा कि तुम जानते हो, हैग्रिड पर उस अपराध का ग़लत आरोप लगा दिया गया था।

'मुझे रिडल की हॉगवर्ट्स की ज़्यादा यादें नहीं मिल पाई हैं,' डम्बलडोर ने कहा और अपना मुरझाया हुआ हाथ स्मृति पात्र पर रख दिया। 'जो गिने-चुने लोग उसे तब जानते थे, वे उसके बारे में कुछ बताने को तैयार नहीं थे। वे बहुत

दहशत में थे। मैं जो जानता हूँ, वह मुझे उसके हॉगवर्ट्स छोड़ने के बाद बहुत मेहनत से पता चला है। जो चंद लोग बता सकते थे, मैंने उन्हें खोजा और बातचीत करने के लिए तैयार किया। मैंने पुराने रिकॉर्ड देखे और मगलुओं तथा जादूगर गवाहों से सवाल किए।

'जिन्हें मैं तैयार कर पाया, उन्होंने मुझे बताया कि रिडल में अपने पिता के बारे में ज़्यादा से ज़्यादा जानने की धुन थी। ज़ाहिर है, यह बात समझ में आती है; वह अनाथालय में पला-बड़ा था और स्वाभाविक रूप से जानना चाहता था कि वह वहाँ कैसे आया। लगता है कि उसने टॉम रिडल सीनियर के नाम की निरर्थक तलाश ट्रॉफ़ी रूम की शील्ड्स में की होगी, स्कूल के प्रिफ़ेक्ट्स की सूची में की होगी, जादूगरी के इतिहास की पुस्तकों में भी की होगी। आख़िरकार उसे यह स्वीकार करने के लिए विवश होना पड़ा कि उसके पिता ने कभी हॉगवर्ट्स में क़दम नहीं रखा था। मुझे लगता है कि तभी उसने अपना नाम हमेशा के लिए त्याग दिया और लॉर्ड वोल्डेमॉर्ट नाम रख लिया। फिर उसने अपनी माँ के ख़ानदान पर नज़र डाली, जिससे वह पहले नफ़रत करता था - तुम्हें याद होगा, उसे लगता था कि उसकी माँ जादूगरनी नहीं हो सकती, क्योंकि वह मौत नामक शर्मनाक मानवीय कमज़ोरी का शिकार हुई थी।

'उसे अपनी खोज सिर्फ़ "मारवोलो" नाम के सहारे करनी थी। अनाथालय वालों ने उसे बता दिया था कि यह उसके नाना का नाम था। आख़िरकार, जादूगर परिवारों की पुरानी पुस्तकों में कष्ट भरे शोध के बाद उसे नागशक्ति के आख़िरी वंशज के अस्तित्व का पता चला। सोलह साल की उम्र में गर्मी की छुट्टियों में जब वह अनाथालय गया, जहाँ वह हर साल लौटता था, तो वह अपने गॉन्ट रिश्तेदारों को खोजने चल दिया। और हैरी, अब तुम खड़े हो जाओ ...'

डम्बलडोर खड़े हुए और हैरी ने देखा कि एक बार फिर वे काँच की एक छोटी शीशी थामे हुए थे, जो मोती जैसे रंग की घुमड़ती यादों से भरी थी।

'यह मुझे क़िस्मत से मिली है,' उन्होंने चमकते हुए पदार्थ को स्मृति पात्र में डालते हुए कहा। 'इसे देखने के बाद तुम समझ जाओगे। चलें?'

हैरी पत्थर के पात्र के क़रीब जाकर नीचे झुका, जब तक कि उसका चेहरा याद की सतह में डूब नहीं गया। उसे अँधेरे में गिरने की जानी-पहचानी अनुभूति हुई और फिर वह पत्थर के गंदे फ़र्श पर उतरा, जो पूरी तरह अँधेरे में डूबा हुआ था।

उस जगह को पहचानने में कई पल लग गए। तब तक डम्बलडोर भी उसके क़रीब उतर चुके थे। गॉन्ट परिवार का मकान अब पहले से भी बहुत

ज़्यादा गंदा हो चुका था। हैरी ने आज तक इससे ज़्यादा गंदी जगह नहीं देखी थी। छत पर जालों का अंबार लगा था। फ़र्श पर धूल की परतें जमी थीं। टेबल पर पपड़ी लगे बर्तनों के ढेर में फफूँद भरा और सड़ा खाना रखा था। सिर्फ़ एक मोमबत्ती की हिलती हुई रोशनी आ रही थी, जो एक आदमी के पैरों के पास रखी थी। इस आदमी की दाढ़ी और बाल इतने बढ़ चुके थे कि हैरी को उसकी आँखें या मुँह नहीं दिख रहा था। वह आग के पास एक कुर्सी पर लुढ़का हुआ था। हैरी ने एक पल के लिए सोचा कि कहीं वह मर तो नहीं गया। लेकिन तभी दरवाज़े पर एक तेज़ दस्तक हुई और वह आदमी झटके से जाग गया। उसने अपने दाहिने हाथ में छड़ी और बाएँ हाथ में छोटा चाकू उठाया।

दरवाज़ा चरमराकर खुल गया। चौखट पर पुराने ज़माने की लालटेन लेकर एक लड़का खड़ा था, जिसे हैरी तत्काल पहचान गया : लंबा, पीले चेहरे, काले बालों वाला, आकर्षक – किशोर वोल्डेमॉर्ट।

वोल्डेमॉर्ट की आँखें धीरे-धीरे गंदे मकान में चारों तरफ़ घूमीं और फिर उसने कुर्सी पर बैठे आदमी को देख लिया। कुछ पलों तक वे एक-दूसरे को देखते रहे। फिर वह आदमी लड़खड़ाते हुए खड़ा हुआ। उसके पैरों के पास पड़ी कई ख़ाली बोतलें फ़र्श पर लुढ़कने और आवाज़ करने लगीं।

'**तुम!**' वह गरजा। '**तुम!**'

और वह शराबियों की तरह झूमता हुआ रिडल की तरफ़ बढ़ा। उसने छड़ी और चाकू ऊपर उठा रखे थे।

'रुको।'

रिडल ने सर्पभाषा में कहा। वह आदमी फिसलकर टेबल से टकरा गया, जिससे फफूँद लगे बर्तन फ़र्श पर गिरकर टूट गए। वह रिडल की तरफ़ घूरता रहा। एक लंबी ख़ामोशी छा गई, जिस दौरान उन्होंने एक-दूसरे को तौला। आदमी ने उस ख़ामोशी को तोड़ा।

'तुम इसे बोल सकते हो?'

'हाँ, मैं इसे बोल सकता हूँ,' रिडल ने कहा। वह कमरे में आगे आया और अपने पीछे दरवाज़े को झूलकर बंद होने दिया। हैरी को वोल्डेमॉर्ट की निडरता पर हैरानी हो रही थी। उसके चेहरे पर सिर्फ़ हिक़ारत और शायद निराशा का भाव था।

उसने पूछा, *'मारवोलो कहाँ है?'*

'मर गया,' आदमी ने कहा। *'बरसों पहले मर गया।'*

रिडल ने त्योरियाँ चढ़ा लीं।

'तो फिर तुम कौन हो?'

'मैं मॉफ़िन हूँ, क्यों?'

'मारवोलो के बेटे?'

'हाँ हूँ, तो ...'

मॉफ़िन ने अपने गंदे चेहरे से बाल एक तरफ़ हटाए, ताकि रिडल को ज़्यादा अच्छी तरह से देख सके। हैरी ने देखा कि उसने अपने दाहिने हाथ में मारवोलो की काले पत्थर की अँगूठी पहन रखी थी।

'मुझे लगा था कि तुम वह मगलू हो,' मॉफ़िन फुसफुसाया। *'तुम उस मगलू जैसे दिखते हो।'*

'किस मगलू जैसा?' रिडल ने तीखी आवाज़ में पूछा।

'वह मगलू, जिससे मेरी बहन प्यार करती थी; वह मगलू, जो आगे उस बड़े मकान में रहता है,' मॉफ़िन ने कहा और उनके बीच अप्रत्याशित रूप से फ़र्श पर थूक दिया। *'तुम बिलकुल उसी जैसे दिखते हो। रिडल। लेकिन उसकी उम्र ज़्यादा है, है ना? अब मैं सोचता हूँ, वह तुमसे बहुत बड़ा है ...'*

मॉफ़िन थोड़ा चकराया हुआ लग रहा था और वह थोड़ा लहराया। वह अब भी सहारे के लिए टेबल के किनारे को पकड़े हुए था।

उसने मूर्खतापूर्ण ढंग से जोड़ दिया, *'देखा, वह लौट आया था।'*

वोल्डेमॉर्ट मॉफ़िन को घूर रहा था, जैसे संभावनाओं को तौल रहा हो। अब वह थोड़ा ज़्यादा क़रीब आया और बोला, *'रिडल वापस लौट आया?'*

'हाँ, उसने मेरी बहन को छोड़ दिया, और उसके साथ यही होना चाहिए था। उसने उस घटिया मगलू से शादी जो की थी!' मॉफ़िन ने एक बार फिर फ़र्श पर थूकते हुए कहा। *'भागने से पहले वह हमें लूटकर चली गई! मैं पूछता हूँ, वह लॉकेट कहाँ है? नागेश नागशक्ति का लॉकेट कहाँ है?'*

वोल्डेमॉर्ट ने जवाब नहीं दिया। मॉफ़िन दोबारा ग़ुस्सा हो रहा था। उसने अपना चाकू लहराया और चिल्लाया, *'उस घटिया औरत ने हमारा नाम मिट्टी में मिला दिया! और तुम कौन हो, जो यहाँ आकर इस सबके बारे में सवाल पूछ रहे हो? सब ख़त्म हो चुका है ... सब ख़त्म हो चुका है ...'*

वह दूसरी तरफ़ देखने लगा और थोड़ा लड़खड़ाया। वोल्डेमॉर्ट आगे बढ़ा। जब उसने ऐसा किया, तो एक अस्वाभाविक अँधेरा छा गया, जिससे वोल्डेमॉर्ट का लैंप, मॉफ़िन की मोमबत्ती और बाक़ी सब कुछ अँधेरे में डूब गया।

डम्बलडोर की उँगलियाँ हैरी की बाँह पर कस गईं और वे दोबारा वर्तमान

की ओर उड़ने लगे। उस घुप्प अँधेरे के बाद डम्बलडोर के ऑफ़िस की हल्की सुनहरी रोशनी से हैरी की आँखें चौंधिया गईं।

'बस इतना ही ?' हैरी ने तत्काल कहा। 'इतना अँधेरा क्यों छा गया था ? क्या हुआ था ?'

'क्योंकि मॉर्फ़िन को उसके बाद कुछ याद नहीं रहा,' डम्बलडोर ने हैरी को कुर्सी पर बैठने का इशारा करते हुए कहा। 'जब वह अगली सुबह जागा, तो फ़र्श पर अकेला पड़ा था। मारवोलो की अँगूठी चली गई थी।

'इस दौरान लिटिल हैंगलटन गाँव में एक नौकरानी हाई स्ट्रीट में चीख़ रही थी कि बड़े मकान के ड्रॉइंग रूम में तीन लाशें पड़ी हुई थीं : टॉम रिडल सीनियर और उसके माता-पिता मर गए थे।

'मगलू पुलिस वाले परेशान थे। जहाँ तक मुझे पता है, उन्हें आज तक पता नहीं चल पाया है कि रिडल परिवार के लोग कैसे मर गए, क्योंकि *मृत्युदंशम्* शाप आम तौर पर कोई निशान नहीं छोड़ता है ... इसका अपवाद मेरे सामने बैठा है,' डम्बलडोर ने हैरी के माथे के निशान की तरफ़ इशारा करते हुए कहा। 'दूसरी तरफ़ मंत्रालय तत्काल जान गया कि ये हत्याएँ किसी जादूगर ने की हैं। वे यह भी जानते थे कि एक सज़ायाफ़्ता मगलू-विद्वेषी जादूगर रिडल हाउस के क़रीब ही रहता है। यही नहीं, उस मगलू-विद्वेषी को एक बार उन्हीं लोगों में से एक पर हमला करने के लिए सज़ा भी मिल चुकी थी, जिनकी हत्या हुई थी।

'इसलिए मंत्रालय ने मॉर्फ़िन को पकड़ लिया। उन्हें उससे सवाल पूछने, सत्यद्रव का इस्तेमाल करने या गुप्त-घुसपैठ के प्रयोग की ज़रूरत नहीं पड़ी। उसने फ़ौरन हत्या करने की बात स्वीकार कर ली। उसने ऐसी जानकारियाँ दीं, जो सिर्फ़ हत्यारा ही दे सकता था। उसने कहा कि उसे उन मगलुओं को मारने पर गर्व था। वह इतने सालों से मौक़े का इंतज़ार कर रहा था। उसने अपनी छड़ी भी दे दी, जिसने तत्काल यह साबित कर दिया कि रिडल परिवार की हत्या के लिए इसका इस्तेमाल किया गया था। वह बिना किसी संघर्ष के अज़्काबान चला गया। उसे सिर्फ़ इस बात से परेशानी थी कि उसके पिता की अँगूठी चली गई थी। वह बार-बार अपने पहरेदारों से कहता रहा, "उस अँगूठी के खोने पर मेरे पिता मुझे जान से मार देंगे, जान से मार देंगे।" और स्पष्ट रूप से उसने बार-बार यही कहा। उसने अपनी बाक़ी ज़िंदगी अज़्काबान में काटी और मारवोलो की आख़िरी पारिवारिक धरोहर के नुक़सान पर अफ़सोस करता रहा। वह अब अज़्काबान में मरने वाले दूसरे बेचारों की तरह जेल के पास दफ़न है।'

'तो वोल्डेमॉर्ट ने मॉर्फ़िन की छड़ी चुराकर उसका इस्तेमाल किया था ?' हैरी ने सीधे बैठते हुए कहा।

'बिलकुल,' डम्बलडोर ने कहा। 'हमारे पास यह दिखाने के लिए यादें तो नहीं हैं, लेकिन मुझे लगता है कि हम सटीक अनुमान लगा सकते हैं कि क्या हुआ होगा। वोल्डेमॉर्ट ने अपने मामा को स्तब्ध कर दिया, उसकी छड़ी उठाई और घाटी पार करके "उस बड़े मकान" की तरफ़ चल दिया। वहाँ उसने उस मगलू आदमी की हत्या कर दी, जिसने उसकी जादूगरनी माँ को छोड़ा था और अपने मगलू दादा-दादी की भी। इस तरह उसने रिडल पूर्वजों को मारकर अपने पिता से प्रतिशोध लिया, जिसने उसे कभी नहीं चाहा था। इसके बाद वह गॉन्ट के मकान में आया और एक जटिल जादू करके अपने मामा के दिमाग़ में एक झूठी याद भर दी। फिर उसने बेहोश मॉर्फ़िन के पास उसकी छड़ी रख दी, उसके हाथ से पुरानी अँगूठी उतारकर जेब में रख ली और चला गया।'

'और मॉर्फ़िन को कभी यह एहसास भी नहीं हुआ कि यह काम उसने नहीं किया था?'

'कभी नहीं,' डम्बलडोर ने कहा, 'जैसा मैंने कहा, उसने गर्व से अपना अपराध ख़ुद स्वीकार किया था।'

'लेकिन उसकी असली याद उसके मन में हमेशा से थी!'

'हाँ, लेकिन गुप्त-घुसपैठ के बहुत निपुण इस्तेमाल से ही इसे निकाला जा सकता था,' डम्बलडोर ने कहा, 'जब मॉर्फ़िन ने अपना अपराध स्वीकार कर ही लिया था, तो कोई उसके दिमाग़ के भीतर इतनी दूर तक क्यों जाता? बहरहाल, मैं मॉर्फ़िन के जीवन के आख़िरी हफ़्तों में उससे मिला, क्योंकि उस वक़्त मैं वोल्डेमॉर्ट के अतीत के बारे में ज़्यादा से ज़्यादा पता लगाने की कोशिश कर रहा था। मैंने बड़ी मुश्किल से इस याद को बाहर निकाला। जब मैंने देखा कि इसमें क्या था, तो मैंने अज़्काबान से मॉर्फ़िन को छुड़वाने के लिए इसका इस्तेमाल करने की कोशिश की। बहरहाल, मंत्रालय किसी फ़ैसले पर पहुँचता, इससे पहले ही मॉर्फ़िन मर चुका था।'

'लेकिन मंत्रालय को यह एहसास क्यों नहीं हुआ कि वोल्डेमॉर्ट ने मॉर्फ़िन के साथ यह सब किया था?' हैरी ने ग़ुस्से से पूछा। 'वह उस समय नाबालिग़ था, है ना? मुझे लगता था कि वे नाबालिग़ जादूगरी का पता लगा सकते हैं!'

'तुमने बिलकुल सही कहा – वे जादू का पता तो लगा सकते हैं, लेकिन यह पता नहीं लगा सकते कि वह जादू किसने किया था। तुम्हें याद होगा, मंत्रालय ने तुम पर वायु-विचरण मंत्र का इस्तेमाल करने का आरोप लगाया था, जबकि दरअसल वह काम –'

'डॉबी ने किया था,' हैरी गुर्राया और वह अन्याय अब भी उसे परेशान कर रहा था। 'तो अगर कोई नाबालिग़ जादूगर किसी वयस्क जादूगर या

जादूगरनी के मकान के भीतर जादू कर दे, तो मंत्रालय को पता नहीं चलेगा?'

'मंत्रालय को निश्चित रूप से यह पता नहीं चल पाएगा कि जादू किसने किया है,' डम्बलडोर ने हैरी के चेहरे पर ग़ुस्से के भाव देखकर हल्के से मुस्कराते हुए कहा। 'वे घर के भीतर माता-पिता पर निर्भर करते हैं कि वे अपने बच्चों पर नियंत्रण रखेंगे।'

'क्या बकवास है,' हैरी तुनककर बोला। 'देखिए यहाँ क्या हुआ? देखिए, मॉर्फ़िन के साथ क्या हुआ?'

'मैं मानता हूँ,' डम्बलडोर ने कहा। 'मॉर्फ़िन चाहे जैसा भी था, वह उस तरह की मौत का हक़दार नहीं था, जो उसे मिली। उसे उन हत्याओं के लिए दोष दिया गया, जो उसने की ही नहीं थीं। लेकिन अब देर हो रही है और विदा लेने से पहले मैं चाहता हूँ कि तुम यह दूसरी याद भी देख लो ...'

डम्बलडोर ने अंदर की जेब से काँच की एक और शीशी निकाली। हैरी तत्काल ख़ामोश हो गया। उसे याद था, डम्बलडोर ने कहा था कि यह सबसे महत्वपूर्ण याद है। हैरी का ध्यान इस तरफ़ गया कि शीशी के भीतर की यादों को स्मृति पात्र में ख़ाली करने में मुश्किल आई। ऐसा लग रहा था, जैसे वे थोड़ी जम गई हों। क्या यादें भी जम सकती हैं?

'इसमें ज़्यादा समय नहीं लगेगा,' डम्बलडोर ने कहा, जब उन्होंने आख़िरकार पूरी शीशी ख़ाली कर दी। 'तुम्हें पता चलेगा, इससे पहले ही हम लौट आएँगे। एक बार फिर स्मृति पात्र में चलते हैं ...'

और हैरी एक बार फिर चाँदी जैसी सतह में गिर गया। इस बार वह एक ऐसे आदमी के सामने उतरा, जिसे वह तत्काल पहचान गया।

वे ज़्यादा युवा होरेस स्लगहॉर्न थे। हैरी उन्हें गंजा देखने का इतना आदी हो चुका था कि उसे मोटे, चमकदार, भूसे के रंग के बालों वाले स्लगहॉर्न को देखकर काफ़ी अजीब लगा। ऐसा लग रहा था जैसे उन्होंने अपने सिर पर विग लगा रखी हो, हालाँकि उनके सिर के ऊपरी हिस्से पर गैलियन के आकार की चमकती चाँद थी। उनकी मूँछ वर्तमान की तुलना में छोटी थी। वे उतने मोटे तो नहीं थे, जितने कि आजकल थे, लेकिन उनके कढ़े हुए वेस्टकोट के सुनहरे बटनों पर काफ़ी दबाव पड़ रहा था। उनके छोटे पैर मख़मल के कुशन पर आराम कर रहे थे। वे एक आरामदेह कुर्सी पर टिककर बैठे थे। उनके एक हाथ में शराब का छोटा गिलास था और दूसरा हाथ पाइनएप्पल टॉफ़ियों के बॉक्स में कुछ खोज रहा था।

हैरी जब इधर-उधर देख रहा था, तभी डम्बलडोर उसके पास आ गए। उसने देखा कि वे स्लगहॉर्न के ऑफ़िस में खड़े थे। आधा दर्जन लड़के स्लगहॉर्न के

आस-पास बैठे थे। वे सभी किशोर स्लगहॉर्न की कुर्सी से ज़्यादा सख़्त या नीचे वाली कुर्सियों पर बैठे थे। हैरी रिडल को तत्काल पहचान गया। उसका चेहरा सबसे आकर्षक था और वह लड़कों में सबसे सहज था। उसका दाहिना हाथ कुर्सी के हत्थे पर लापरवाही से रखा हुआ था। एक झटके के साथ हैरी ने देखा कि वह मारवोलो की सुनहरी और काली अँगूठी पहने हुए था। इसका मतलब यह था कि वह अपने पिता को मार चुका था।

रिडल ने पूछा, 'सर, क्या यह सच है कि प्रोफ़ेसर मेरीथॉट रिटायर हो रही हैं?'

'टॉम, टॉम, अगर मैं जानता, तो भी तुम्हें नहीं बताता,' स्लगहॉर्न ने कहा और अपनी शकर लिपटी उँगली रिडल की तरफ़ दिखाई, हालाँकि उन्होंने आँख मारकर यह जता दिया कि उन्होंने बुरा नहीं माना है। 'मैं यह जानना चाहूँगा कि तुम्हें इतनी जानकारियाँ मिलती कहाँ से हैं? तुम्हारे पास तो आधे स्टाफ़ से ज़्यादा जानकारियाँ रहती हैं।'

रिडल मुस्कराया। बाक़ी लड़के हँसे और उसकी तरफ़ प्रशंसा भरी निगाहों से देखने लगे।

'तुम्हें जो चीज़ें पता नहीं होनी चाहिए, उन्हें जानने की तुममें अनोखी योग्यता है और तुम महत्वपूर्ण लोगों की सावधानी से चापलूसी भी करते हो – पाइनएप्पल टॉफ़ियों के लिए धन्यवाद, तुम्हारा अंदाज़ बिलकुल सही है, यह मेरी सबसे प्रिय टॉफ़ी है –'

जब कई लड़के दोबारा खिलखिलाने लगे, तो अचानक एक बहुत अजीब चीज़ हुई। पूरे कमरे में अचानक घना सफ़ेद कोहरा भर गया, जिससे हैरी अपने पास खड़े डम्बलडोर के चेहरे के सिवाय कुछ नहीं देख पाया। फिर धुंध में स्लगहॉर्न की अस्वाभाविक रूप से तेज़ आवाज़ गूँजी : *'तुम ग़लत रास्ते पर जा रहे हो, लड़के, मेरी बात याद रखना।'*

कोहरा उतनी ही तेज़ी से साफ़ हो गया, जितनी तेज़ी से यह प्रकट हुआ था। बहरहाल, किसी ने भी ऐसा प्रकट नहीं किया, जैसे कोई अस्वाभाविक बात हुई हो। चकराते हुए हैरी ने देखा कि स्लगहॉर्न की डेस्क पर रखी छोटी सुनहरी घड़ी ने ग्यारह घंटे बजाए।

'हे भगवान, इतना समय हो गया,' स्लगहॉर्न ने कहा। 'लड़को, अब तुम्हें चल देना चाहिए, वरना तुम सभी मुश्किल में पड़ जाओगे। लेस्ट्रेंज, मुझे कल तक तुम्हारा निबंध चाहिए, वरना सज़ा मिलेगी। और एवरी, तुम्हारे साथ भी यही होगा।'

लड़कों के एक-एक करके बाहर निकलते समय स्लगहॉर्न कुर्सी से उठे

और अपना ख़ाली गिलास लेकर डेस्क तक गए। बहरहाल, रिडल पीछे ही रुका रहा। हैरी जानता था कि वह जान-बूझकर रुका था, क्योंकि वह स्लगहॉर्न के साथ आख़िर में अकेला रहना चाहता था।

'ध्यान रखना, टॉम,' स्लगहॉर्न ने कहा, जब उन्होंने मुड़कर देखा कि रिडल अब भी वहीं है। 'कहीं तुम रात को अपने कमरे से बाहर नहीं पकड़े जाओ, जबकि तुम एक प्रिफ़ेक्ट हो ...'

'सर, मैं आपसे कुछ पूछना चाहता था।'

'तो फिर पूछो, मेरे बच्चे, पूछो ...'

'सर, मैं जानना चाहता था कि क्या आप ... होरक्रक्स के बारे में कुछ जानते हैं!'

और यह एक बार फिर हो गया : घना कोहरा कमरे में इतना ज़्यादा भर गया कि हैरी स्लगहॉर्न या रिडल को बिलकुल भी नहीं देख पाया। सिर्फ़ डम्बलडोर ही दिख रहे थे, जो उसके पास हल्के से मुस्करा रहे थे। फिर स्लगहॉर्न की आवाज़ एक बार फिर उसी तरह गूँजी, जिस तरह यह पहले गूँजी थी।

'मैं होरक्रक्स के बारे में कुछ नहीं जानता हूँ और अगर मैं जानता भी होता, तो तुम्हें नहीं बताता! अब यहाँ से तत्काल चले जाओ और दोबारा मेरे सामने इस चीज़ का ज़िक्र मत करना!'

'तो बात यहीं पर ख़त्म होती है,' डम्बलडोर ने हैरी के पास से कहा। 'चलने का समय हो गया।'

और हैरी के पैर फ़र्श से उठ गए। कुछ ही पल बाद उसके पैर डम्बलडोर की डेस्क के सामने के क़ालीन पर आ गए।

हैरी ने सूनेपन से कहा, 'क्या इतना ही था?'

डम्बलडोर ने कहा था कि यह सबसे महत्वपूर्ण याद थी, लेकिन उसे समझ में नहीं आ रहा था कि यह महत्वपूर्ण क्यों थी। निश्चित रूप से यह अजीब तो था कि अचानक कोहरा छा गया था और कोहरे की तरफ़ किसी का भी ध्यान नहीं गया था, लेकिन इसके अलावा कुछ नहीं हुआ था। रिडल ने सिर्फ़ एक सवाल पूछा था, जिसका जवाब उसे नहीं मिला था।

डम्बलडोर ने अपनी डेस्क के पीछे बैठते हुए कहा, 'जैसा तुमने ध्यान दिया होगा, उस याद के साथ छेड़छाड़ की गई है।'

'छेड़छाड़?' हैरी ने दोहराया और वह भी बैठ गया।

'निश्चित रूप से,' डम्बलडोर ने कहा। 'प्रोफ़ेसर स्लगहॉर्न ने अपनी ही याद के साथ छेड़छाड़ की है।'

'लेकिन वे ऐसा क्यों करेंगे ?'

'क्योंकि, मुझे लगता है कि वे अपनी इस याद पर शर्मिंदा हैं,' डम्बलडोर ने कहा। 'उन्होंने अपनी याद को दुरुस्त करने की कोशिश की है, ताकि वे बेहतर रोशनी में दिख सकें और उन्होंने उन हिस्सों को ढँक दिया है, जो वे मुझे नहीं दिखाना चाहते हैं। जैसा तुमने देखा होगा, यह बहुत ही सतही तरीक़े से किया गया है और यह अच्छा ही हुआ, क्योंकि इससे पता चलता है कि सच्ची याद अब भी इन परिवर्तनों के नीचे मौजूद है।

'और इसलिए हैरी, मैं तुम्हें पहली बार होमवर्क दे रहा हूँ। तुम्हारा काम यह है कि तुम प्रोफ़ेसर स्लगहॉर्न को असली याद देने के लिए राज़ी कर लो, क्योंकि वह हमारे लिए सबसे महत्वपूर्ण जानकारी होगी।'

हैरी ने उनकी तरफ़ घूरा।

'निश्चित रूप से, सर,' उसने अपनी आवाज़ को सम्मानजनक बनाने की पूरी कोशिश करते हुए कहा, 'लेकिन आपको मेरी ज़रूरत क्यों है – आप गुप्त-घुसपैठ का इस्तेमाल कर सकते हैं ... या सत्यद्रव का ...'

'प्रोफ़ेसर स्लगहॉर्न एक बहुत ही क़ाबिल जादूगर हैं, जिन्हें मुझसे इन दोनों चीज़ों की उम्मीद होगी,' डम्बलडोर ने कहा। 'वे गुप्तविद्या में मॉर्फ़िन गॉन्ट से ज़्यादा कुशल हैं। मैंने उन पर दबाव डालकर उनसे यह याद निकलवा ली थी। मुझे लगता है कि इसके बाद तो वे अपने साथ सत्यद्रव का तोड़ भी रखते होंगे।

'नहीं, दबाव डालकर प्रोफ़ेसर स्लगहॉर्न से सच्चाई निकलवाने की कोशिश मूर्खतापूर्ण होगी। यह भलाई के बजाय नुक़सान ज़्यादा कर सकती है। मैं नहीं चाहता कि वे हॉगवर्ट्स छोड़कर चले जाएँ। बहरहाल, हम सबकी तरह उनकी भी कमज़ोरियाँ हैं और मेरा मानना है कि तुम ही एकमात्र व्यक्ति हो, जो उनके रक्षात्मक कवच को भेद सकते हो। हैरी, सच्ची याद को हासिल करना बहुत महत्वपूर्ण है ... कितना महत्वपूर्ण है, यह हम उसे देखने के बाद ही जान पाएँगे। तो, गुड लक ... और गुड नाइट।'

अचानक क्लास ख़त्म होने पर हैरान हैरी जल्दी से खड़ा हो गया।

'गुडनाइट, सर।'

जब उसने अपने पीछे दरवाज़ा बंद किया, तो उसे फ़िनीज़ नाइजेलस की आवाज़ सुनाई दी, 'मैं यह नहीं समझ पा रहा हूँ कि यह लड़का आपसे ज़्यादा सफल कैसे हो सकता है, डम्बलडोर।'

डम्बलडोर ने जवाब दिया, 'मुझे उम्मीद भी नहीं है कि आप समझ पाएँगे, फ़िनीज़!' ज्वाला ने एक और धीमी, संगीतमयी आवाज़ निकाली।

अध्याय अठारह

जन्मदिन के तोहफ़े

अगले दिन हैरी ने रॉन और हर्माइनी दोनों को ही विश्वास में लेते हुए बता दिया कि डम्बलडोर ने उसे क्या काम सौंपा है। उसे यह बात दोनों को अलग-अलग बतानी पड़ी, क्योंकि हर्माइनी अब भी रॉन के साथ नहीं रहना चाहती थी। वह उसकी तरफ़ हिक़ारत से देखकर दूर चल देती थी।

रॉन को लग रहा था कि हैरी को स्लगहॉर्न के साथ कोई दिक्क़त नहीं आएगी।

'वे तुमसे बहुत प्यार करते हैं,' उसने नाश्ते के समय भुने हुए अंडे को काँटे से लहराते हुए कहा। 'तुम्हें किसी चीज़ के लिए इंकार नहीं करेंगे, है ना? वे काढ़े के अपने छोटे राजकुमार को कैसे इंकार कर सकते हैं? आज क्लास के बाद रुकना और उनसे पूछ लेना।'

बहरहाल, हर्माइनी का विचार अलग था।

'अगर डम्बलडोर उनसे वह चीज़ नहीं उगलवा पाए हैं, तो इसका मतलब यह है कि स्लगहॉर्न असली घटना को छिपाने का संकल्प कर चुके हैं,' उसने धीमी आवाज़ में कहा, जब वे ब्रेक के समय बर्फ़ भरे वीरान अहाते में खड़े थे। 'होरक्रक्स ... *होरक्रक्स* ... मैंने कभी इसके बारे में नहीं सुना ...'

'तुमने नहीं सुना?'

हैरी निराश हो गया; उसे उम्मीद थी कि हर्माइनी उसे यह बता देगी कि होरक्रक्स क्या होता है।

'यह कोई बहुत उच्च-स्तरीय शैतानी जादू होगा, वरना वोल्डेमॉर्ट इसके बारे में क्यों जानना चाहता? हैरी, मुझे लगता है कि जानकारी हासिल करना मुश्किल साबित होगा। तुम्हें इस बारे में बहुत सावधान रहना होगा कि तुम स्लगहॉर्न से यह बात कैसे पूछते हो। कोई अच्छी सी योजना बना लो ...'

'रॉन कह रहा था कि मैं आज काढ़े की क्लास के बाद रुककर पूछ लूँ ...'

'ओह, अच्छा, अगर *वॉन-वॉन* ऐसा सोचता है, तो फिर यही करना ठीक रहेगा,' उसने ग़ुस्से से कहा। 'आख़िरकार, वॉन-वॉन की बुद्धि कब ग़लत साबित हुई है?'

'हर्माइनी, क्या तुम इस बात को –'

'नहीं!' उसने ग़ुस्से से कहा और धड़धड़ाती हुई चली गई। हैरी बर्फ़ में टखने तक धँसा हुआ अकेला रह गया।

काढ़े की क्लासें इन दिनों काफ़ी मुश्किल थीं, क्योंकि हैरी, रॉन और हर्माइनी को एक ही डेस्क पर बैठना पड़ता था। आज हर्माइनी ने अपनी कड़ाही टेबल पर इस तरह रखी, ताकि वह अर्नी के क़रीब रहे। उसने हैरी और रॉन को नज़रअंदाज़ कर दिया।

हर्माइनी के तमतमाए चेहरे को देखकर रॉन ने हैरी से बुदबुदाकर पूछा, '*तुमने* क्या कर दिया?'

लेकिन इससे पहले कि हैरी जवाब दे पाए, स्लगहॉर्न ने विद्यार्थियों को ख़ामोश रहने को कहा।

'शांत रहो, शांत रहो, प्लीज़! जल्दी से, आज दोपहर बहुत काम करना है! गोलपैलट्ट का तीसरा नियम ... मुझे कौन बता सकता है – ? ज़ाहिर है, मिस ग्रेंजर बता सकती हैं!'

'हर्माइनी ने पूरी तेज़ी से बता दिया : "गोलपैलट्ट-का-तीसरा-नियम-बताता-है-कि-मिश्रित-ज़हर-के-लिए-विषहर-अलग-अलग-तत्वों-के-विषहरों-के-योग-से-अधिक-शक्तिशाली-होगा।"

'बिलकुल!' स्लगहॉर्न मुस्कराकर बोले। 'गरुड़द्वार को दस पॉइंट! अब अगर हम गोलपैलट्ट के तीसरे नियम को सही मानते हैं ...'

हैरी स्लगहॉर्न की बात मानने को तैयार था कि गोलपैलट्ट का तीसरा नियम सही था, हालाँकि वह इसमें से कोई बात नहीं समझ पाया था। हर्माइनी के अलावा कोई और स्लगहॉर्न की अगली बात को भी नहीं समझ पाया।

'... जिसका मतलब यह है कि अगर हम स्कार्पिन रेवेलास्पेल से काढ़े के तत्वों को सही पहचान भी लें, तब भी हमारा लक्ष्य अलग-अलग तत्वों के विषहर चुनने जितना आसान नहीं है, बल्कि हमारा लक्ष्य तो उस अतिरिक्त पदार्थ को खोजना है, जो लगभग जादुई ढंग से इन अलग-अलग तत्वों को रूपांतरित कर देता है –'

रॉन हैरी के पास मुँह खोले बैठा था और *उच्च-स्तरीय काढ़ा-निर्माण* की नई पुस्तक पर अनजाने में ड्रॉइंग बना रहा था। रॉन यह भूल जाता था कि अब उसे हर चीज़ ख़ुद समझनी थी, क्योंकि अब हर्माइनी उसे मुसीबत से नहीं उबारेगी।

'... और इसलिए,' स्लगहॉर्न ने अपनी बात पूरी करते हुए कहा, 'मैं चाहता हूँ कि तुम सभी आकर मेरी डेस्क से ज़हर की एक-एक शीशी ले जाओ। तुम्हें क्लास के ख़त्म होने से पहले उसके भीतर के ज़हर का विषहर तैयार करना है। और अपने सुरक्षा दस्ताने पहनना मत भूलना!'

हर्माइनी अपनी डेस्क से उठकर स्लगहॉर्न की डेस्क तक आधी दूर पहुँच चुकी थी, तब जाकर बाक़ी के विद्यार्थियों को यह एहसास हुआ कि उन्हें स्लगहॉर्न की डेस्क तक जाना था। और जब तक हैरी, रॉन तथा अर्नी टेबल पर लौटे, तब तक हर्माइनी अपनी शीशी के पदार्थ को अपनी कड़ाही में डाल चुकी थी और उसके नीचे आग जला चुकी थी।

हर्माइनी ने तनकर खड़े होते हुए उत्साह से कहा, 'हैरी, कितने अफ़सोस की बात है कि प्रिंस इस मामले में तुम्हारी ज़्यादा मदद नहीं कर पाएगा! तुम्हें इस बार सिद्धांतों को समझने की ज़रूरत पड़ेगी। कोई शॉर्टकट या धोखेबाज़ी नहीं चलेगी!'

चिढ़कर हैरी ने उस ज़हर वाली शीशी का कॉर्क खोला, जो उसने स्लगहॉर्न की डेस्क से उठाई थी। यह ज़हर गेरुए रंग का था। उसने उसे अपनी कड़ाही में डाला और नीचे आग जला दी। उसे ज़रा भी पता नहीं था कि इसके बाद उसे क्या करना है। उसने रॉन की तरफ़ देखा, जो मुँह लटकाकर खड़ा था और अब तक हैरी ने जो कुछ किया था, उसकी नक़ल कर चुका था।

रॉन ने बुदबुदाकर हैरी से पूछा, 'तुम्हें यक़ीन है कि प्रिंस ने कोई टिप नहीं दी है?'

हैरी ने *उच्च-स्तरीय काढ़ा-निर्माण* की अपनी विश्वसनीय पुस्तक निकाली और विषहरों वाले अध्याय को खोला। वहाँ गोलपैलट्ट का तीसरा नियम लिखा था, जिसे हर्माइनी ने शब्दशः दोहराया था, लेकिन प्रिंस की लिखाई में एक भी स्पष्टीकरण नहीं था कि इसका क्या मतलब होता है। ज़ाहिर है, हर्माइनी की तरह ही प्रिंस को भी इसे समझने में ज़रा भी मुश्किल नहीं आई थी।

'कुछ नहीं है,' हैरी ने उदास स्वर में कहा।

हर्माइनी अब उत्साह से अपनी कड़ाही पर छड़ी लहरा रही थी। दुर्भाग्य से, वे उसके मंत्र की नक़ल नहीं कर सकते थे, क्योंकि अब वह अशाब्दिक मंत्रों में इतनी निपुण हो चुकी थी कि उसे ज़ोर से शब्द बोलने की ज़रूरत नहीं पड़ती

थी। बहरहाल, अर्नी मैकमिलन अपनी कड़ाही पर *'स्पेशलिस रिवेलियो!'* बुदबुदा रहा था, जो प्रभावशाली मंत्र लग रहा था, इसलिए हैरी और रॉन ने जल्दी से उसकी नक़ल कर ली।

हैरी को यह एहसास होने में पाँच मिनट लग गए कि क्लास के सर्वश्रेष्ठ काढ़ा बनाने वाले की उसकी प्रतिष्ठा धूमिल होने वाली है। स्लगहॉर्न ने तहख़ाने में अपने पहले चक्कर में बड़ी उम्मीद से उसकी कड़ाही की तरफ़ देखा था और वे ख़ुशी से चीख़ने के लिए तैयार थे, जैसा कि वे हमेशा करते थे, लेकिन इसके बजाय उन्होंने खाँसते हुए अपना सिर जल्दी से हटा लिया, क्योंकि उसमें से सड़े अंडों की बदबू आ रही थी। हर्माइनी बेहद संतुष्ट दिख रही थी। काढ़े की हर क्लास में हैरी के आगे निकलने से उसे बहुत चिढ़ होती थी। अब वह अपने ज़हर के रहस्यमय रूप से अलग-अलग तत्वों को दस अलग-अलग शीशियों में डाल रही थी। इस चिढ़ भरे दृश्य को देखने से बचने के लिए हैरी हाफ़-ब्लड प्रिंस की पुस्तक पर झुका और उसने अनावश्यक तेज़ी से कुछ पन्ने पलटे।

और वहाँ पर विषहरों की एक लंबी सूची को काटते हुए लिखा था।

बस एक बीज़ोआ उनके गले के नीचे ठूँस दो।

हैरी ने एक पल के लिए इन शब्दों को घूरा। क्या उसने बहुत पहले बीज़ोआ के बारे में नहीं सुना था? क्या स्नेप ने उनकी पहली काढ़े की क्लास में यह नहीं बताया था? *'बीज़ोआ एक पत्थर है, जिसे बकरी के पेट से निकाला जाता है और यह ज़्यादातर ज़हरों से बचाता है।'*

यह गोलपैलट्ट की समस्या का जवाब नहीं था और अगर स्नेप उनके टीचर होते, तो हैरी यह करने की हिम्मत कभी नहीं करता, लेकिन यह दुस्साहसिक क़दम उठाने का वक़्त था। वह जल्दी से स्टोर की अलमारी तक गया और उसके भीतर टटोलने लगा। उसने यूनिकॉर्न के सींग और सूखी हुई जड़ियों के गुच्छे अलग हटाए, जब तक कि उसे सबसे पीछे एक छोटा सा बॉक्स नहीं मिल गया, जिस पर लिखा हुआ था, 'बीज़ोआ।'

उसने जैसे ही बॉक्स खोला, स्लगहॉर्न ने घोषणा की, 'सभी लोग ध्यान दो, बस दो मिनट बचे हैं!' बॉक्स के अंदर आधा दर्जन सिकुड़ी हुई भूरी चीज़ें थीं, जो पत्थरों के बजाय सूखी किडनी जैसी लग रही थीं। हैरी ने एक बीज़ोआ निकाला, बॉक्स को अलमारी में वापस रखा और जल्दी से अपनी कड़ाही के पास लौट आया।

'समय ... **ख़त्म!**' स्लगहॉर्न ने कहा। 'अच्छा, तो अब देखते हैं कि तुमने कैसा किया है! ब्लेज़ ... तुमने क्या किया है?'

धीरे-धीरे स्लगहॉर्न कमरे में चलते रहे और विभिन्न विषहरों की जाँच

करते रहे। किसी का भी काम पूरा नहीं हुआ था, हालाँकि स्लगहॉर्न के आने से पहले हर्माइनी अपनी शीशी में कुछ और पदार्थ डालने की कोशिश कर रही थी। रॉन ने पूरी तरह हार मान ली थी और वह अपनी कड़ाही से उठते कसैले धुएँ को न सूँघने की कोशिश कर रहा था। हैरी अपने थोड़े पसीनेदार हाथ में बीज़ोआ दबाकर इंतज़ार कर रहा था।

स्लगहॉर्न उनकी टेबल पर सबसे आख़िर में पहुँचे। उन्होंने अर्नी के काढ़े को सूँघा और त्योरी चढ़ाते हुए रॉन की कड़ाही तक गए। वे रॉन की कड़ाही के पास रुके नहीं, बल्कि जल्दी से पीछे हट गए।

'और तुम, हैरी,' उन्होंने कहा। 'तुम्हारे पास मुझे दिखाने के लिए क्या है?'

हैरी ने अपना हाथ आगे बढ़ाया। उसकी हथेली पर बीज़ोआ था।

स्लगहॉर्न ने उसकी तरफ़ पूरे दस सेकंड तक देखा। हैरी को एक पल के लिए लगा कि कहीं वे उस पर चिल्लाने तो नहीं वाले हैं। फिर उन्होंने अपना सिर पीछे किया और अट्टहास करने लगे।

'इस लड़के की हिम्मत तो देखो!' वे गूँजती आवाज़ में बोले और बीज़ोआ उसके हाथ से लेकर ऊपर उठाया, ताकि पूरी क्लास उसे देख सके। 'ओह, तुम अपनी माँ जैसे हो ... अच्छा, मैं नहीं कह सकता कि तुम ग़लत हो ... बीज़ोआ निश्चित रूप से इन सभी काढ़ों का विषहर है!'

हर्माइनी का चेहरा पसीना-पसीना था और उसकी नाक पर राख लगी थी। वह आगबबूला दिख रही थी। उसके अधूरे विषहर में बावन पदार्थ थे, जिनमें उसके ख़ुद के बालों का गुच्छा भी शामिल था। उसका काढ़ा स्लगहॉर्न के पीछे उबल रहा था, लेकिन स्लगहॉर्न की आँखें तो बस हैरी पर टिकी थीं।

हर्माइनी ने दाँत पीसते हुए हैरी से पूछा, 'और तुमने अपने आप बीज़ोआ के बारे में सोच लिया, है ना, हैरी?'

हैरी के जवाब देने से पहले ही स्लगहॉर्न ख़ुशी-ख़ुशी बोल पड़े, 'असली काढ़ा बनाने वाले को इसी तरह की स्वतंत्र कल्पनाशीलता की ज़रूरत होती है! बिलकुल अपनी माँ की तरह है। उसमें भी काढ़ा बनाने की नैसर्गिक समझ थी। निश्चित रूप से हैरी में यह प्रतिभा लिली से आई है ... हाँ, हैरी, हाँ, अगर तुम्हारे हाथ में बीज़ोआ है, तो ज़ाहिर है इससे काम हो जाएगा ... लेकिन चूँकि यह हर ज़हर पर काम नहीं कर सकता और काफ़ी दुर्लभ होता है, इसलिए विषहर बनाने का तरीक़ा मालूम होना चाहिए ...'

कमरे में एक ही व्यक्ति हर्माइनी से ज़्यादा ग़ुस्सा था और वह था

मैल्फ़ॉय। हैरी को यह देखकर ख़ुशी हुई कि उसने अपने ऊपर बिल्ली की उल्टी जैसी कोई चीज़ छलका ली थी। इससे पहले कि कोई भी इस बात पर आक्रोश व्यक्त कर सके कि हैरी बिना कुछ किए क्लास में सबसे अव्वल रहा था, घंटी बज गई।

'अब सामान पैक करने का वक़्त आ गया है!' स्लगहॉर्न ने कहा। 'और विशुद्ध दुस्साहस के लिए गरुड़द्वार को दस पॉइंट!'

वे अब भी हँसते हुए अपनी डेस्क के पीछे पहुँच गए।

हैरी पीछे रुका रहा और अपने बैग को पैक करने में काफ़ी देर लगाता रहा। न तो रॉन, न ही हर्माइनी ने जाते समय उसे शुभकामना दी। दोनों थोड़े चिढ़े हुए दिख रहे थे। आख़िरकार कमरे में सिर्फ़ हैरी और स्लगहॉर्न ही बचे थे।

'चलो हैरी, तुम्हें अगली क्लास के लिए देर हो जाएगी।' स्लगहॉर्न ने प्यार से कहा और अपने ड्रैगन की खाल के ब्रीफ़केस के सुनहरे कुंदे बंद किए।

'सर,' हैरी को ऐसा करते समय वोल्डेमॉर्ट की बरबस याद आ गई, 'मैं आपसे कुछ पूछना चाहता हूँ।'

'पूछो, मेरे प्यारे बच्चे, पूछो ...'

'सर, मैं सोच रहा था कि क्या आप ... होरक्रक्स के बारे में जानते हैं?'

स्लगहॉर्न किसी मूर्ति की तरह स्थिर हो गए। उनका गोल चेहरा जैसे अपने आप अंदर धँस गया हो। उन्होंने अपने होंठों पर जीभ फेरी और फिर भर्राई आवाज़ में बोले, 'तुमने क्या पूछा?'

'सर, मैंने पूछा कि क्या आप होरक्रक्स के बारे में जानते हैं। देखिए–'

स्लगहॉर्न फुसफुसाकर बोले, 'डम्बलडोर ने तुम्हें इस काम पर लगाया है, है ना?'

उनकी आवाज़ अचानक पूरी तरह बदल गई थी। अब यह ख़ुशनुमा नहीं, बल्कि सदमे और दहशत से भरी हुई थी। उन्होंने अपने सीने वाली जेब में हाथ डालकर एक रूमाल निकाला और उससे अपनी भौंह पर आता पसीना पोंछा।

स्लगहॉर्न ने पूछा, 'डम्बलडोर ने तुम्हें वह – वह याद दिखा दी है, है ना?'

'हाँ,' हैरी ने तत्काल फ़ैसला करते हुए कहा कि सच बोलना ही सबसे अच्छा रहेगा।

'हाँ, ज़ाहिर है,' स्लगहॉर्न ने धीरे से कहा। वे अब भी अपने सफ़ेद चेहरे को पोंछ रहे थे। 'ज़ाहिर है ... अच्छा ... अगर तुमने उस याद को देखा है, हैरी, तो तुम्हें पता ही चल गया होगा कि मैं – होरक्रक्स के बारे में कुछ भी नहीं

जानता हूँ – *कुछ भी नहीं!*'

उन्होंने अपना ड्रैगन की खाल वाला ब्रीफ़केस उठाया और अपना रूमाल जेब में रखते हुए तेज़ी से तहख़ाने के दरवाज़े की तरफ़ चल दिए।

'सर,' हैरी ने हताशा में कहा, 'मुझे लगा था कि उस याद में कुछ और भी हो सकता है –'

'तुम्हें ऐसा लगा था?' स्लगहॉर्न ने कहा। 'तब तो तुम्हें ग़लत लगा था, **बिलकुल ग़लत!**'

उन्होंने आख़िरी शब्द गरजते हुए कहे और इससे पहले कि हैरी आगे कुछ बोल पाता, उन्होंने बाहर निकलकर तहख़ाने का दरवाज़ा धड़ाम से बंद कर दिया।

जब हैरी ने रॉन और हर्माइनी को इस नाकामयाब बातचीत के बारे में बताया, तो उनमें से किसी ने भी सहानुभूति नहीं दिखाई। हर्माइनी अब भी इस बात पर नाराज़ थी कि हैरी ने सही तरीक़े से काम किए बिना ही उसे हरा दिया था। रॉन को इस बात का मलाल था कि हैरी ने उसे भी बीज़ोआ नहीं दिया था।

हैरी चिढ़कर बोला, 'अगर हम दोनों ऐसा करते, तो यह मूर्खतापूर्ण दिखता! देखो, मैं उन्हें नरम करने की कोशिश कर रहा था, ताकि मैं उनसे वोल्डेमॉर्ट के बारे में पूछ सकूँ। ओह, तुम *अब तो आदत डाल लो!*' उसने चिढ़कर कहा, जब रॉन वोल्डेमॉर्ट के नाम को सुनकर भय के कारण चौंका।

अपनी असफलता और रॉन तथा हर्माइनी के रवैये से नाराज़ हैरी अगले कुछ दिन तक इस बारे में सोच-विचार करता रहा कि स्लगहॉर्न के बारे में आगे क्या करे। उसने यह तय किया कि कुछ समय के लिए स्लगहॉर्न को यह समझने देना चाहिए कि वह होरक्रक्स के बारे में सब कुछ भूल गया है। सबसे अच्छा तो यह रहेगा कि उन्हें सुरक्षा का झूठा एहसास दिलाने के बाद ही उन पर हमला किया जाए।

जब हैरी ने स्लगहॉर्न से दोबारा सवाल नहीं पूछा, तो वे पहले की तरह ही उसके साथ प्रेमपूर्ण व्यवहार करने लगे और उस बात को अपने दिमाग़ से निकाल दिया। हैरी इंतज़ार करता रहा कि वे उसे अपनी पार्टी में आने का आमंत्रण दें। वह इस बार उनका आमंत्रण स्वीकार करना चाहता था, भले ही उसे अपनी क्विडिच प्रैक्टिस किसी दूसरे दिन रखनी पड़े। बहरहाल, दुर्भाग्य से उसे ऐसा कोई आमंत्रण नहीं मिला। हैरी ने हर्माइनी और जिनी से पूछा। उनमें से किसी को भी आमंत्रण नहीं मिला था और जहाँ तक वे जानती थीं, किसी और को भी नहीं मिला था। हैरी सोचने लगा कि इसका कहीं यह मतलब तो नहीं कि स्लगहॉर्न जितने भुलक्कड़ दिखते हैं, उतने हैं नहीं। वे हैरी को सवाल पूछने का

अतिरिक्त मौक़ा नहीं देना चाहते थे।

इस दौरान, हॉगवर्ट्स की लाइब्रेरी ने हर्माइनी को पहली बार धोखा दिया था। इससे उसे इतना सदमा लगा कि वह यह भूल ही गई कि वह बीज़ोआ वाली बात पर हैरी से नाराज़ थी।

'मुझे होरक्रक्स के बारे में एक भी स्पष्टीकरण नहीं मिला!' उसने हैरी को बताया। 'एक भी नहीं! मैंने पूरा प्रतिबंधित खंड छान मारा और सबसे *भयंकर* पुस्तकें भी, जो सबसे *वीभत्स* काढ़े बनाने के तरीक़े बताती हैं – लेकिन कहीं कुछ नहीं मिला! *सबसे बुरा जादू* पुस्तक की प्रस्तावना में मुझे बस इतना मिला है – सुनो – "होरक्रक्स जादुई आविष्कारों में सबसे शैतानी चीज़ है, इसलिए उसके बारे में हम न तो कुछ कहेंगे, न ही निर्देश देंगे ..." मेरा मतलब है, तो फिर इसका ज़िक्र ही क्यों किया?' उसने अधीरता से कहा और पुरानी किताब को बंद कर दिया। किताब से एक भुतहा चीख़ निकली। 'ओह, चुप रहो,' उसने कहा और किताब अपने बैग में ठूँस ली।

फरवरी के आने पर स्कूल के चारों तरफ़ जमा बर्फ़ पिघल गई और उसकी जगह भयंकर गीलापन आ गया। बैंगनी-भूरे बादल आसमान से उतरकर महल के क़रीब आ गए और लगातार बारिश होने से घास पर कीचड़ भरी फिसलन हो गई। इसका परिणाम यह हुआ कि सिक्स्थ ईयर का पहला अंतर्ध्यान प्रशिक्षण मैदान के बजाय बड़े हॉल में हुआ। यह प्रशिक्षण शनिवार की सुबह को रखा गया था, ताकि किसी की क्लास न छूटे।

जब हैरी और हर्माइनी हॉल में आए (रॉन लैवेंडर के साथ पहले ही आ चुका था), तो उन्होंने देखा कि टेबलें ग़ायब हो चुकी थीं। बारिश ऊँची खिड़कियों से टकरा रही थी और जादुई छत उनके ऊपर स्याह ढंग से घुमड़ रही थी। वहाँ पर चारों हाउसों के प्रमुख खड़े थे – प्रोफ़ेसर मैक्गॉनेगल, स्नेप, फ़्लिटविक और स्प्राउट। उनके अलावा एक नाटा जादूगर भी था, जिसके सामने सभी विद्यार्थी खड़े हो गए। नाटा जादूगर मंत्रालय का अंतर्ध्यान प्रशिक्षक था। वह अजीब तरीक़े से बेनूर था। उसकी भौंहें पारदर्शी थीं, उसके बाल पतले थे और उसका शरीर बहुत हल्का दिख रहा था, जैसे तेज़ हवा का झोंका उसे दूर उड़ा ले जा सकता हो। हैरी ने सोचा कि कहीं लगातार अंतर्ध्यान होने और प्रकट होने के कारण ही तो उसका शरीर कमज़ोर नहीं हो गया था; या फिर कहीं अंतर्ध्यान होने के लिए कमज़ोर शरीर होना ज़रूरी तो नहीं था।

जब सभी विद्यार्थी आ गए और हाउस प्रमुखों ने उन्हें शांत कर दिया, तो मंत्रालय का जादूगर बोला, 'गुड मॉर्निंग! मेरा नाम विल्की टाईक्रॉस है और मैं अगले बारह सप्ताह तक आपका मंत्रालय द्वारा भेजा अंतर्ध्यान प्रशिक्षक रहूँगा।

मुझे उम्मीद है कि इस दौरान मैं आपको अंतर्ध्यान परीक्षण के लिए तैयार कर दूँगा –'

'मैल्फ़ॉय, चुप रहो और ध्यान दो!' प्रोफ़ेसर मैक्गॉनेगल ने ज़ोर से कहा।

सबने मुड़कर देखा। मैल्फ़ॉय का चेहरा हल्का गुलाबी हो गया था। वह क्रैब से किसी बात पर फुसफुसाकर बहस कर रहा था। जब मैक्गॉनेगल की फटकार सुनकर वह क्रैब से दूर हटा, तो बहुत नाराज़ दिख रहा था। हैरी ने जल्दी से स्नेप की तरफ़ देखा। वे भी थोड़े चिढ़े हुए लग रहे थे। हैरी को पक्का यक़ीन था कि वे मैल्फ़ॉय की बदतमीज़ी के कारण नहीं चिढ़े थे, बल्कि इस कारण चिढ़े थे, क्योंकि मैक्गॉनेगल ने उनके हाउस के किसी विद्यार्थी को डाँट दिया था।

'– तब तक आपमें से ज़्यादातर लोग अपना टेस्ट देने के लिए तैयार हो जाएँगे,' टाईक्रॉस ने आगे कहा, जैसे बीच में कोई व्यवधान ही न आया हो।

'जैसा आप जानते होंगे, हॉगवर्ट्स के भीतर अंतर्ध्यान या प्रकट होना आम तौर पर संभव नहीं है। आप लोग प्रैक्टिस कर सकें, इसलिए हेडमास्टर ने अंतर्ध्यान व प्रकट होने को रोकने वाला सम्मोहन बड़े हॉल के भीतर से एक घंटे के लिए हटा लिया है। आप लोग अच्छी तरह से समझ लें कि आप इस हॉल की दीवारों के बाहर अंतर्ध्यान नहीं हो पाएँगे और ऐसी कोशिश करना समझदारी नहीं होगी।

'मैं चाहता हूँ कि अब आप सभी इस तरह खड़े हो जाएँ, ताकि आपके सामने पाँच फ़ुट ख़ाली जगह रहे।'

हड़बड़ी और धक्का-मुक्की होने लगी, जब विद्यार्थी दूर होते समय एक-दूसरे से टकराए और बाक़ियों को अपनी जगह से हटने के आदेश देने लगे। हाउसों के प्रमुख विद्यार्थियों के बीच जाकर उन्हें खड़ा करने लगे और बहस रोकने लगे।

हर्माइनी ने पूछा, 'हैरी, तुम कहाँ जा रहे हो?'

लेकिन हैरी ने जवाब नहीं दिया। वह तेज़ी से भीड़ के बीच से जा रहा था। वह उस जगह के पार निकला, जहाँ प्रोफ़ेसर फ़्लिटविक चीलघात के कुछ विद्यार्थियों को खड़ा करने की कोशिश कर रहे थे। दिक्क़त यह थी कि वे सभी सामने वाली लाइन में रहना चाहते थे। फिर वह प्रोफ़ेसर स्प्राउट के पास से गुज़रा, जो मेहनतकश वालों को लाइन में खड़ा कर रही थीं। अर्नी मैकमिलन के पीछे से निकलते हुए उसने ख़ुद को भीड़ के सबसे पीछे कर लिया। अब वह मैल्फ़ॉय के ठीक पीछे खड़ा था। मैल्फ़ॉय सामान्य उथलपुथल का लाभ लेते हुए क्रैब के साथ दोबारा बहस करने लगा था। क्रैब मैल्फ़ॉय से पाँच फ़ुट दूर खड़ा था और बग़ावत पर उतारू दिख रहा था।

'मुझे नहीं पता कि और कितना वक़्त लगेगा, ठीक है?' मैल्फ़ॉय ने क्रैब से कहा; उसे यह मालूम नहीं था कि हैरी उसके ठीक पीछे खड़ा है। 'मुझे जितनी उम्मीद थी, उससे ज़्यादा समय लग रहा है।'

क्रैब ने अपना मुँह खोला, लेकिन मैल्फ़ॉय ने अंदाज़ा लगा लिया कि वह क्या कहने वाला है।

'देखो, यह जानना तुम्हारा काम नहीं है कि मैं क्या कर रहा हूँ। क्रैब, तुम और गॉइल बस उतना ही करो, जितना तुमसे कहा जाए। तुम बस चुपचाप पहरा दो!'

'अगर मैं अपने दोस्तों से पहरा दिलवाना चाहता हूँ, तो मैं उन्हें बता देता हूँ कि मैं क्या कर रहा हूँ,' हैरी ने इतनी ज़ोर से कहा, ताकि मैल्फ़ॉय उसकी बात सुन ले।

मैल्फ़ॉय तेज़ी से घूमा और उसका हाथ अपनी छड़ी पर पहुँच गया, लेकिन उसी समय चारों हाउसों के प्रमुख चिल्लाए, 'शांत!' दोबारा ख़ामोशी छा गई। मैल्फ़ॉय धीरे से सामने की तरफ़ घूम गया।

'धन्यवाद,' टाईक्रॉस ने कहा, 'अब ...'

उन्होंने अपनी छड़ी लहराई। अचानक हर विद्यार्थी के सामने फ़र्श पर पुराने ज़माने का लकड़ी का एक-एक छल्ला आ गया।

'अंतर्ध्यान होते समय तीन महत्वपूर्ण बातें याद रखनी होती हैं!' टाईक्रॉस ने कहा। 'गंतव्य-स्थल, संकल्प, एकाग्रता!'

उन्होंने आगे कहा, 'पहला क़दम : अपने मस्तिष्क को दृढ़ता से उस *गंतव्य-स्थल* पर केंद्रित करो, जहाँ तुम पहुँचना चाहते हो। इस समय तुम अपने सामने वाले छल्ले के भीतर ध्यान केंद्रित करो।'

सभी ने कनखियों से इधर-उधर देखकर यह जाँच की कि बाक़ी सभी अपने छल्ले की तरफ़ देख रहे हैं या नहीं। फिर वे कहे अनुसार अपने छल्ले की तरफ़ देखने लगे। हैरी ने अपने छल्ले के भीतर के धूल भरे फ़र्श को देखा और बाक़ी किसी चीज़ के बारे में न सोचने की कोशिश की। यह असंभव था, क्योंकि वह इस बात पर चकरा रहा था कि मैल्फ़ॉय ऐसा कौन सा काम कर रहा था, जो उसे पहरेदारों की ज़रूरत थी।

'दूसरा क़दम,' टाईक्रॉस ने कहा, 'यह *संकल्प करो* कि तुम उस जगह पर जाना चाहते हो! उस जगह पर पहुँचने की इच्छा को मस्तिष्क से अपने शरीर के कण-कण तक पहुँचाओ!'

हैरी ने चोरी से चारों तरफ़ देखा। उसकी बाईं तरफ़ अर्नी मैकमिलन

अपने छल्ले पर इतनी जमकर ध्यान केंद्रित कर रहा था कि उसका चेहरा गुलाबी हो गया था। ऐसा लग रहा था, जैसे वह क्विडिच की बड़ी गेंद तूफ़ान जितने बड़े अंडे को शरीर से निकालना चाहता हो। हैरी ने अपनी हँसी रोकी और जल्दी से अपनी निगाह अपने छल्ले पर डाली।

'तीसरा क़दम,' टाईक्रॉस ने कहा, 'अपनी जगह पर घूमना, लेकिन सिर्फ़ तभी, जब मैं आदेश दूँ ... तीन की गिनती पर निराकार को महसूस करते हुए *एकाग्रता* के साथ बढ़ना! एक –'

हैरी ने एक बार फिर मुड़कर देखा। बहुत से विद्यार्थी इतनी जल्दी अंतर्ध्यान होने के आग्रह पर दहशत में आ गए थे।

'– दो –'

हैरी ने अपने विचारों को दोबारा अपने छल्ले पर केंद्रित करने की कोशिश की। वह अब तक भूल चुका था कि उसे कौन सी तीन बातें याद रखनी थीं।

'– तीन!'

हैरी अपनी जगह पर घूमा, उसका संतुलन गड़बड़ा गया और वह गिरते-गिरते बचा। ऐसा सिर्फ़ उसी के साथ नहीं हुआ था। पूरे हॉल में अचानक बहुत सारे विद्यार्थी लड़खड़ा गए थे। नेविल तो अपनी पीठ के बल गिर चुका था। दूसरी तरफ़, अर्नी मैकमिलन एड़ियों के बल घूमकर छलाँग मारकर अपने छल्ले में पहुँच गया। वह एक पल के लिए रोमांचित दिखने लगा, लेकिन तभी उसका ध्यान गया कि डीन थॉमस उसकी तरफ़ देखकर ज़ोर-ज़ोर से हँस रहा था।

'कोई बात नहीं, कोई बात नहीं,' टाईक्रॉस ने कहा, जिन्हें इससे बेहतर प्रदर्शन की उम्मीद भी नहीं थी। 'अपने छल्लों को दोबारा ठीक कर लो और अपनी पुरानी जगह पर लौट जाओ ...'

दूसरी कोशिश भी पहली कोशिश से ज़्यादा अच्छी नहीं रही। तीसरी भी उतनी ही बुरी रही। चौथी कोशिश तक कोई रोमांचक घटना नहीं हुई। उस कोशिश के दौरान एक दर्द भरी भयंकर चीख़ सुनाई दी। सभी लोग दहशत में मुड़कर देखने लगे। मेहनतकश हाउस की सूज़न बोन्स अपने छल्ले में एक पैर से उछल रही थी और उसका बायाँ पैर पाँच फ़ुट दूर उसी जगह पर रह गया था, जहाँ वह पहले खड़ी थी।

हाउसों के प्रमुख सूज़न बोन्स के पास गए। एक तेज़ धमाका हुआ और बैंगनी धुआँ निकला, जिसके बाद सूज़न सुबकने लगी। उसका पैर तो जुड़ गया था, लेकिन वह आतंकित लग रही थी।

विल्की टाईक्रॉस ने भावहीनता से कहा, 'विभक्तीकरण या शरीर के अंगों का अलगाव तब होता है, जब मस्तिष्क पर्याप्त *एकाग्र* नहीं होता है। आपको पूरी तरह अपने गंतव्य-स्थल पर ध्यान केंद्रित करना है और बिना जल्दबाज़ी के *एकाग्रता* से बढ़ना है ... ऐसे।'

टाईक्रॉस आगे बढ़े, उसी जगह पर अपनी बाँहें फैलाकर गोल घूमे और अंतर्ध्यान होकर हॉल के पीछे वाले हिस्से में प्रकट हो गए।

उन्होंने कहा, 'तीन सूत्रों को याद रखो और दोबारा कोशिश करो ... एक – दो – तीन –'

लेकिन एक घंटे बाद भी सूजन के विभक्तीकरण से ज़्यादा रोचक और कोई घटना नहीं हुई। टाईक्रॉस हताश नहीं दिख रहे थे। अपने चोगे को गले पर कसते हुए वे बोले, 'अगले शनिवार को मिलते हैं। और तीन सूत्रों को मत भूलना : *गंतव्य-स्थल। संकल्प। एकाग्रता।*'

इसके साथ ही उन्होंने अपनी छड़ी लहराई और छल्ले ग़ायब हो गए। फिर वे प्रोफ़ेसर मैक्गॉनेगल के साथ हॉल से बाहर चले गए। तत्काल बातचीत होने लगी और विद्यार्थी प्रवेश हॉल की तरफ़ बढ़ने लगे।

'तुमने कैसा किया?' रॉन ने जल्दी से हैरी की तरफ़ आते हुए कहा। 'मुझे लगता है कि आख़िरी कोशिश में मुझे कुछ महसूस हुआ था – मेरे पैरों में झुनझुनी जैसा एहसास हो रहा था।'

'वॉन-वॉन, मुझे लगता है कि तुम्हारे जूते छोटे हो गए हैं,' उनके पीछे से एक आवाज़ आई और हर्माइनी मुस्कराते हुए पास से गुज़र गई।

'मुझे तो कुछ भी महसूस नहीं हुआ,' हैरी ने हर्माइनी के ताने को नज़रअंदाज़ करते हुए कहा। 'लेकिन मुझे अभी इसकी परवाह भी नहीं है –'

'तुम्हारा क्या मतलब है, तुम्हें परवाह नहीं है ... तुम अंतर्ध्यान होना नहीं सीखना चाहते हो?' रॉन ने हैरानी से पूछा।

हैरी बोला, 'दरअसल, मुझे उसकी ज़्यादा चिंता नहीं है। मुझे झाड़ू पर उड़ना ज़्यादा पसंद है।' फिर उसने पीछे मुड़कर देखा कि मैल्फ़ॉय कहाँ था। प्रवेश हॉल में पहुँचकर हैरी तेज़ी से चलने लगा और रॉन से बोला, 'जल्दी चलो, मुझे कुछ करना है ...'

हैरान रॉन हैरी के पीछे-पीछे लगभग दौड़ता हुआ गरुड़द्वार टॉवर पहुँचा। पीव्ज़ के कारण उन्हें थोड़ी देर हो गई, जिसने चौथी मंज़िल पर एक दरवाज़ा बंद कर दिया था। पीव्ज़ हर आने वाले से कह रहा था कि वह उन्हें तभी गुज़रने देगा, जब वे अपने पैंट में आग लगा लेंगे। हैरी और रॉन मुड़कर

दूसरे रास्ते से चल दिए। वे अपने विश्वसनीय शॉर्टकट से होते हुए पाँच मिनट के भीतर तस्वीर के छेद से होते हुए अंदर पहुँच गए।

रॉन ने थोड़ा हाँफते हुए पूछा, 'क्या तुम मुझे बताओगे कि तुम क्या करना चाहते हो?'

'ऊपर चलो,' हैरी ने कहा और वह हॉल को पार करता हुआ उस दरवाज़े की तरफ़ चल दिया, जो लड़कों के कमरों की सीढ़ियों तक जाता था। जैसी कि हैरी को उम्मीद थी, उनका कमरा ख़ाली था। उसने अपना संदूक खोला और उसमें कुछ खोजने लगा, जबकि रॉन अधीरता से देखता रहा।

'हैरी ...'

'मैल्फ़ॉय क्रैब और गॉइल से पहरेदारी करवा रहा है। वह अभी क्रैब से इस बारे में बहस कर रहा था। मैं जानना चाहता हूँ ... आहा।'

उसे वह चीज़ मिल गई, जिसे वह खोज रहा था – ख़ाली चर्मपत्र का तह किया हुआ चौकोर टुकड़ा। उसने इसे खोला और अपनी छड़ी की नोक से थपथपाया।

'मैं क़सम खाता हूँ कि मैं जो भी कहूँगा, झूठ कहूँगा और झूठ के सिवाय कुछ नहीं कहूँगा।'

तत्काल चर्मपत्र की सतह पर हॉगवर्ट्स का नक़्शा उभर आया। यहाँ महल की हर मंज़िल का पूरा नक़्शा था। इसमें छोटे-छोटे काले बिंदु हिल रहे थे, जिन पर महल में रहने वाले हर व्यक्ति के नाम के लेबल लगे थे।

हैरी ने रॉन से कहा, 'मैल्फ़ॉय को खोजने में मेरी मदद करो।'

उसने नक़्शा अपने बिस्तर पर रख दिया। फिर वह और रॉन उसमें झुककर खोजने लगे।

'वह रहा!' रॉन ने एक मिनट के बाद कहा। 'देखो, वह नागशक्ति के हॉल में है ... पार्किन्सन, जैबिनी, क्रैब और गॉइल के साथ ...'

हैरी ने भी निराशा से नक़्शे की तरफ़ देखा, लेकिन फिर जोश में आ गया।

उसने दृढ़ता से कहा, 'मैं आगे से उस पर नज़र रखूँगा। जिस पल मैं उसे कहीं पर मँडराता हुआ देखूँगा और क्रैब तथा गॉइल को बाहर पहरेदारी करते देखूँगा, मैं तत्काल अदृश्य चोगा पहनकर यह पता लगाने चल दूँगा कि वह क्या कर –'

उसने अपनी बात अधूरी छोड़ दी, क्योंकि नेविल आ गया था। उसके पास से कपड़ा जलने की तेज़ बदबू आ रही थी। वह अपने संदूक में नया पैंट

खोजने लगा।

मैल्फ़ॉय को पकड़ने के संकल्प के बावजूद हैरी को दो सप्ताह तक कोई सफलता नहीं मिली। हालाँकि उसने नक़्शे को बार-बार देखा, कई बार तो वह इसे देखने के लिए क्लासों के बीच में अनावश्यक रूप से बाथरूम तक गया, लेकिन एक बार भी मैल्फ़ॉय कहीं पर संदिग्ध स्थिति में नहीं दिखा। वैसे उसने यह ज़रूर देखा कि क्रैब और गॉइल सामान्य से ज़्यादा बार महल में अकेले घूम रहे थे, कई बार तो वे वीरान गलियारों में स्थिर खड़े दिख रहे थे, लेकिन इस दौरान मैल्फ़ॉय उनके आस-पास कहीं नहीं था; वह नक़्शे में दिख ही नहीं रहा था। यह बहुत रहस्यमय और अजीब था। हैरी ने इस संभावना पर विचार किया कि मैल्फ़ॉय कहीं स्कूल से बाहर तो नहीं जा रहा है, लेकिन उसे समझ में नहीं आया कि वह ऐसा कैसे कर रहा होगा, क्योंकि अब महल के भीतर सुरक्षा के बहुत कड़े इंतज़ाम थे। उसे बस यही लगा कि शायद वह नक़्शे पर दिखने वाले सैकड़ों छोटे काले बिंदुओं के बीच मैल्फ़ॉय को नहीं देख पाया होगा। मैल्फ़ॉय, क्रैब और गॉइल आम तौर पर एक साथ रहते थे, लेकिन अब वे अलग-अलग दिख रहे थे। हैरी ने सोचा कि बड़े होने पर इस तरह की बातें अक्सर होती हैं - फिर उसने दुखी मन से सोचा कि रॉन और हर्माइनी इस बात का जीता-जागता सबूत हैं।

फरवरी मार्च में बदल गया, लेकिन मौसम में कोई बदलाव नहीं हुआ। बस गीलेपन के साथ मौसम हवादार भी हो गया। सभी हाउसों के हॉल में एक नोटिस लग गया कि हॉग्समीड की अगली यात्रा रद्‌द कर दी गई है। सभी इस बात से नाराज़ थे। रॉन तो आगबबूला हो गया।

'यह मेरे जन्मदिन पर थी!' उसने कहा। 'मैं वहाँ जाने के लिए बेताब था!'

'वैसे इसमें ज़्यादा हैरानी की बात नहीं है, है ना?' हैरी ने कहा। 'केटी के साथ जो हुआ था, उसके बाद?'

केटी अब भी सेंट मंगोज़ से नहीं लौटी थी। यही नहीं, *दैनिक जादूगर* में कई और लोगों के ग़ायब होने की ख़बर छपी थी, जिनमें से कई हॉगवर्ट्स में पढ़ रहे विद्यार्थियों के रिश्तेदार थे।

'लेकिन अब मुझे बस उस मूर्खतापूर्ण अंतर्ध्यान प्रशिक्षण पर ध्यान देना होगा!' रॉन ने चिढ़कर कहा। 'जन्मदिन का बहुत अच्छा तोहफ़ा है ...'

तीन क्लासों के बाद भी अंतर्ध्यान होना पहले जितना ही मुश्किल साबित हो रहा था, हालाँकि कुछ और लोग विभक्त होने में कामयाब हो गए थे। कुंठा बहुत ज़्यादा थी और विल्की टाइक्रॉस तथा उसके तीन सूत्रों के प्रति काफ़ी दुर्भावना थी। उसके बताए सूत्रों के कई मज़ाक़िया संस्करण भी लोकप्रिय हो गए थे, जिनमें सबसे शालीन संस्करण कुत्ते जैसी साँस और गोबर भरा सिर थे।

'हैप्पी बर्थडे, रॉन,' हैरी ने कहा, जब एक मार्च को सीमस और डीन ने नाश्ते के लिए जाते समय शोर-शराबा करके उन्हें जगा दिया। 'तोहफ़ा लो।'

उसने रॉन के बिस्तर पर एक पैकेट उछाल दिया, जहाँ कई और तोहफ़े रखे थे। हैरी ने अनुमान लगा लिया कि उन तोहफ़ों को रात में घरेलू जिन्नों ने पहुँचाया होगा।

रॉन ने उनींदी आवाज़ में कहा, 'धन्यवाद।' जब रॉन अपने तोहफ़े खोलने लगा, तो हैरी अपने बिस्तर से उठा और अपना संदूक खोलकर उसमें नक़्शा खोजने लगा, जिसे वह इस्तेमाल करने के बाद हर बार छिपा देता था। संदूक का आधा सामान बाहर निकालने के बाद नक़्शा उस मोज़े के नीचे छिपा मिला, जिसमें उसने ख़ुशक़िस्मती काढ़े की शीशी छिपा रखी थी।

वह बुदबुदाया, 'ठीक है!' फिर वह नक़्शे को अपने पलंग पर ले गया और उसे धीरे से ठोंककर बुदबुदाया, 'मैं क़सम खाता हूँ कि मैं जो भी कहूँगा, झूठ कहूँगा और झूठ के सिवाय कुछ नहीं कहूँगा।' उसने यह बात धीरे से कही थी, ताकि नेविल इसे न सुन पाए, जो उस वक़्त उसके पलंग के पैताने के पास से गुज़र रहा था।

'बहुत बढ़िया, हैरी!' रॉन ने उत्साह से कहा और क्विडिच कीपर के उन नए दस्तानों को लहराया, जो हैरी ने उसे दिए थे।

'कोई बात नहीं,' हैरी ने बेध्यानी से कहा, जब उसने नागशक्ति के हॉल में मैल्फ़ॉय को खोजा। 'सुनो ... मुझे नहीं लगता कि वह अपने बिस्तर पर है ...'

रॉन ने जवाब नहीं दिया। वह तोहफ़े खोलने में काफ़ी व्यस्त था। बीच-बीच में वह ख़ुशी की आवाज़ें निकालता जा रहा था।

'सच्ची, इस साल बहुत अच्छे तोहफ़े मिले हैं!' उसने घोषणा की और सोने की एक भारी घड़ी निकाली, जिसके किनारों पर अजीब से प्रतीक बने थे और काँटों के बजाय छोटे-छोटे सितारे हिल रहे थे। 'देखो मम्मी-डैडी ने मुझे क्या दिया है? ओह, मुझे लगता है कि मैं अगले साल बालिग़ भी हो जाऊँगा ...'

'बहुत बढ़िया,' हैरी बुदबुदाया और घड़ी पर एक नज़र डालने के बाद नक़्शे को ज़्यादा ग़ौर से देखने लगा। मैल्फ़ॉय कहाँ था? वह बड़े हॉल में नागशक्ति की टेबल पर नाश्ता भी नहीं कर रहा था ... वह स्नेप के आस-पास भी नहीं था, जो अपनी स्टडी में बैठे हुए थे ... वह किसी बाथरूम या अस्पताल में भी नहीं था ...

रॉन ने चॉकलेट कड़ाहियों का एक बॉक्स हैरी की तरफ़ बढ़ाते हुए भारी आवाज़ में पूछा, 'लोगे?'

'नहीं धन्यवाद,' हैरी ने ऊपर देखते हुए कहा। 'मैल्फ़ॉय दोबारा ग़ायब हो गया है!'

'हो ही नहीं सकता,' रॉन ने कहा और कपड़े पहनने के लिए पलंग से उतरते समय दूसरी चॉकलेट कड़ाही अपने मुँह में ठूँस ली। 'चलो, अगर तुम जल्दी नहीं करोगे, तो तुम्हें भूखे पेट ही अंतर्ध्यान होना पड़ेगा ... वैसे शायद इससे अंतर्ध्यान होना ज़्यादा आसान हो जाएगा ...'

रॉन ने कुछ सोचते हुए चॉकलेट कड़ाहियों के बॉक्स को देखा और फिर कंधे उचकाकर तीसरी भी खा ली।

हैरी नक़्शे को अपनी छड़ी से ठोंककर बुदबुदाया, 'उलझन सुलझन!' हालाँकि उसकी उलझन नहीं सुलझी थी। फिर उसने कपड़े पहने और जमकर सोचने लगा। मैल्फ़ॉय के बीच-बीच में ग़ायब होने का कोई तो कारण होना चाहिए, लेकिन उसे समझ में नहीं आया कि यह क्या हो सकता है। इसका पता लगाने का सबसे अच्छा तरीक़ा उसका पीछा करना था, लेकिन अदृश्य चोगा होने के बावजूद यह विचार व्यावहारिक नहीं था। उसे क्लासों, क्विडिच प्रैक्टिस, होमवर्क और अंतर्ध्यान पर भी ध्यान देना था। वह स्कूल में पूरे दिन मैल्फ़ॉय के पीछे-पीछे नहीं घूम सकता था, वरना उसकी अनुपस्थिति पर लोगों का ध्यान ज़रूर चला जाएगा।

'तैयार हो?' उसने रॉन से कहा।

वह गलियारे के दरवाज़े तक आधी दूर चला गया था, तब जाकर उसे एहसास हुआ कि रॉन हिला भी नहीं था। वह अब भी अपने बिस्तर पर झुका हुआ था और बारिश से नहाई खिड़की के बाहर अजीब तरीक़े से घूरे जा रहा था।

'रॉन? नाश्ता करने चलो।'

'मुझे भूख नहीं है।'

हैरी ने उसकी तरफ़ घूरा।

'अभी तुमने ही तो कहा था - ?'

'अच्छा, ठीक है, मैं तुम्हारे साथ नीचे चलता हूँ,' रॉन ने आह भरते हुए कहा, 'लेकिन मैं कुछ खाना नहीं चाहता।'

हैरी ने संदेह से उसे ऊपर से नीचे तक देखा।

'तुमने अभी-अभी चॉकलेट कड़ाहियों का आधा बॉक्स खा लिया है, इसलिए भूख नहीं लग रही होगी, है ना?'

'ऐसी बात नहीं है,' रॉन ने दोबारा आह भरी। 'तुम ... तुम नहीं

समझोगे।'

'सही कहा,' हैरी ने कहा, हालाँकि वह चकरा गया था। फिर वह दरवाज़ा खोलने के लिए मुड़ा।

'हैरी!' रॉन ने अचानक कहा।

'– क्या ?'

'हैरी, मैं इसे नहीं झेल सकता!'

'तुम क्या नहीं झेल सकते ?' हैरी ने कहा, जो अब निश्चित रूप से दहशत में दिख रहा था। रॉन का चेहरा थोड़ा पीला था और उसे देखकर ऐसा लग रहा था, जैसे उसे उल्टी होने वाली हो।

रॉन ने भर्राई आवाज़ में कहा, 'मैं उसके बारे में सोचे बिना नहीं रह सकता!'

हैरी ने मुँह फाड़कर उसकी तरफ़ देखा। उसे इस बात की उम्मीद नहीं थी और उसे यक़ीन नहीं था कि वह इसे सुनना चाहता था। हालाँकि वे दोस्त थे, लेकिन अगर रॉन लैवेंडर को 'लैव-लैव' बोलने लगेगा, तो उसे दख़ल देना पड़ेगा।

'उसका नाश्ता नहीं करने से क्या संबंध है,' हैरी ने इस मामले में सामान्य बुद्धि का प्रयोग करने की कोशिश करते हुए कहा।

'मुझे नहीं लगता कि उसे मेरी मोहब्बत का पता भी है,' रॉन ने हताशा भरी मुद्रा में कहा।

हैरी ने चकराते हुए कहा, 'उसे निश्चित रूप से तुम्हारी मोहब्बत का पता है। वह तुम्हें दिन भर चूमती जो रहती है, है ना ?'

रॉन ने पलकें मिचमिचाते हुए कहा।

'तुम किसके बारे में बात कर रहे हो ?'

'*तुम* किसके बारे में बात कर रहे हो ?' हैरी ने कहा और उसे यह एहसास हुआ कि यह बातचीत बेसिरपैर की हो रही थी।

'रोमिल्डा वेन,' रॉन ने धीरे से कहा और इस नाम से उसके चेहरे पर चमक आ गई, जैसे धूप खिल गई हो।

उन्होंने लगभग पूरे एक मिनट तक एक-दूसरे को देखा, फिर हैरी बोला, 'मज़ाक़ मत करो, समझे ? तुम मज़ाक़ कर रहे हो।'

'मुझे लगता है ... हैरी, मैं उससे प्यार करता हूँ,' रॉन ने घुटी हुई आवाज़ में कहा।

'**ठीक है**,' हैरी ने रॉन के पास आते हुए कहा, ताकि उसकी चमकती हुई आँखों और पीले चेहरे को अच्छी तरह देख ले, '**ठीक है** ... सीधे चेहरे से यह बात दोबारा तो कहो।'

'मैं उससे प्यार करता हूँ,' रॉन ने तेज़ी से दोहराया। 'क्या तुमने उसके बाल देखे हैं। वे कितने काले, चमकीले और रेशमी हैं ... और उसकी आँखें? उसकी बड़ी-बड़ी काली आँखें? और उसकी –'

'यह सचमुच मज़ेदार है,' हैरी ने अधीरता से कहा, 'लेकिन मज़ाक़ ख़त्म हो गया है, ठीक है? अब इसे छोड़ दो।'

वह चलने के लिए मुड़ा। अभी वह दरवाज़े तक दो क़दम ही गया था कि तभी उसके दाहिने कान पर एक ज़ोरदार मुक्का पड़ा। लड़खड़ाते हुए वह देखने के लिए मुड़ा। रॉन की मुट्ठी तनी हुई थी, उसका चेहरा ग़ुस्से से भिंचा हुआ था और वह उसे दोबारा मुक्का मारने वाला था।

हैरी ने तत्काल प्रतिक्रिया की। उसने अपनी छड़ी जेब से बाहर निकाली और बिना सोचे-समझे मन में आया पहला मंत्र बोल दिया : *आकाशगामी!*

रॉन चिल्लाया, जब उसके पैर एक बार फिर ऊपर की तरफ़ हो गए। वह हवा में उल्टा लटक गया और उसके दुशाले नीचे की तरफ़ हो गए।

हैरी गरजा, *'तुमने मुझे क्यों मारा?'*

'तुमने उसका अपमान किया था, हैरी! तुमने कहा था कि यह मज़ाक़ है!' रॉन चिल्लाया, जिसका चेहरा धीरे-धीरे बैंगनी हो रहा था, क्योंकि उसके शरीर का सारा ख़ून उसके सिर में आ रहा था।

'यह पागलपन है!' हैरी ने कहा। 'तुम्हें हो क्या गया – ?'

तभी उसने रॉन के पलंग पर खुले पड़े बॉक्स को देखा और तेज़ी से दौड़कर आते दैत्य की तरह सच्चाई उससे टकरा गई।

'तुम्हें चॉकलेट कड़ाहियाँ कहाँ मिलीं?'

'बर्थडे के तोहफ़े में मिली थीं!' रॉन चिल्लाया और आज़ाद होने की कोशिश में हवा में धीरे से घूमा। 'याद है, मैंने तुम्हें भी तो एक देने की कोशिश की थी?'

'तुमने उन्हें ज़मीन से उठाया था, है ना?'

'वे मेरे पलंग से गिर गई थीं, ठीक है? अब मुझे नीचे उतारो!'

'वे तुम्हारे पलंग से नहीं गिरी थीं, मूर्ख कहीं के! क्या तुम यह बात नहीं समझ पाए हो? वे मेरी थीं। जब मैं नक़्शा खोज रहा था, तो मैंने उन्हें अपने

संदूक से बाहर निकालकर फेंका था। ये चॉकलेट कड़ाहियाँ मुझे रोमिल्डा ने क्रिसमस से पहले दी थीं और उनमें प्रेम काढ़ा भरा है!'

लेकिन इसका सिर्फ़ एक शब्द ही रॉन के दिमाग़ में घुस पाया।

'रोमिल्डा ?' उसने दोहराया। 'क्या तुमने रोमिल्डा का नाम लिया ? हैरी - क्या तुम उसे जानते हो ? क्या तुम उससे मेरा परिचय करवा सकते हो ?'

हैरी ने लटके हुए रॉन को घूरा, जो उसे बड़ी उम्मीद से देख रहा था। हैरी का हँसने का बहुत मन हुआ, पर उसने जैसे-तैसे अपनी हँसी रोकी। उसका एक हिस्सा - जो उसके दुख रहे दाहिने कान के सबसे क़रीब था - यह चाहता था कि वह रॉन को नीचे उतार ले और तमाशा करने दे, जब तक कि काढ़े का असर ख़त्म न हो जाए ... लेकिन दूसरी तरफ़ वे दोस्त थे। रॉन ने जब उस पर हमला किया था, तो वह पूरे होशोहवास में नहीं था। हैरी ने सोचा कि अगर रॉन ने रोमिल्डा वेन के सामने अपने प्यार का इज़हार कर दिया, तो हैरी एक और मुक्के का हक़दार होगा।

'हाँ, मैं तुम्हारा परिचय करवा दूँगा,' हैरी ने तेज़ी से सोचते हुए कहा। 'मैं इस समय तुम्हें नीचे ले चलता हूँ, **ठीक है** ?'

उसने रॉन को फ़र्श पर थोड़ी ज़्यादा तेज़ी से नीचे गिराया (उसका कान बहुत दुख रहा था), लेकिन रॉन मुस्कराते हुए दोबारा उठकर खड़ा हो गया।

'वह स्लगहॉर्न के ऑफ़िस में होगी,' हैरी ने विश्वासपूर्वक कहा और दरवाज़े तक गया।

'वह वहाँ क्यों होगी ?' रॉन ने चिंता से पूछा और उसके पीछे-पीछे चलने लगा।

'ओह, वह काढ़े की अतिरिक्त पढ़ाई कर रही है,' हैरी ने तत्काल सोचते हुए झूठ बोल दिया।

रॉन उत्साह से बोला, 'मैं उनसे पूछूँगा कि क्या मैं भी उसके साथ अतिरिक्त पढ़ाई कर सकता हूँ ?'

'बहुत बढ़िया विचार है,' हैरी ने कहा।

लैवेंडर तस्वीर के छेद के पास इंतज़ार कर रही थी। हैरी ने इस जटिल स्थिति का तो अनुमान ही नहीं लगाया था।

'तुम्हें देर हो गई, वॉन-वॉन!' उसने कहा। 'मेरे पास तुम्हारे जन्मदिन का तोहफ़ा -'

'मुझे अकेला छोड़ दो,' रॉन ने अधीरता से कहा, 'हैरी रोमिल्डा वेन से मेरा परिचय करवाने जा रहा है।'

इसके बाद लैवेंडर से एक शब्द कहे बिना रॉन तस्वीर के छेद से बाहर निकल गया। हैरी ने लैवेंडर की तरफ़ अफ़सोस से देखने की कोशिश की, लेकिन शायद लैवेंडर को उसके चेहरे पर व्यंग्यात्मक मुस्कान दिखी होगी, क्योंकि जब मोटी औरत की तस्वीर झूलकर बंद हुई, तो वह पहले से ज़्यादा नाराज़ दिख रही थी।

हैरी को थोड़ी चिंता हुई कि स्लगहॉर्न कहीं नाश्ता तो नहीं कर रहे होंगे, लेकिन पहली दस्तक पर ही उन्होंने अपने ऑफ़िस का दरवाज़ा खोल दिया। वे मख़मल का हरा ड्रेसिंग गाउन पहने थे और उन्होंने उसी रंग की नाइटकैप भी लगा रखी थी। उनकी आँखें थोड़ी धुँधली दिख रही थीं।

'हैरी,' वे बुदबुदाए। 'इतनी सुबह ... मैं शनिवार को आम तौर पर देर तक सोता हूँ ...'

'प्रोफ़ेसर, आपको परेशान करने के लिए सचमुच माफ़ी चाहता हूँ,' हैरी ने बहुत धीरे से कहा, जब रॉन पंजों के बल स्लगहॉर्न के कमरे में झाँकने की कोशिश करता रहा, 'लेकिन मेरे दोस्त रॉन ने ग़लती से प्रेम काढ़े वाली चॉकलेट खा ली है। आप उसे उसका विषहर दे दें। मैं उसे मैडम पॉमफ्री के पास ले जा सकता था, लेकिन वीज़्ली जादूगरी दुकान के सामानों पर प्रतिबंध लगा हुआ है और आप जानते ही हैं ... अजीब सवाल पूछे जा सकते हैं ...'

स्लगहॉर्न ने कहा, 'मुझे तो लगता है, तुम ख़ुद ही उसे तत्काल विषहर देकर ठीक कर सकते थे। तुम काढ़े बनाने में इतने निपुण हो!'

'अर,' हैरी ने कहा, जिसका ध्यान थोड़ा भटक गया था, क्योंकि रॉन अब उसकी पसलियों में कोहनी मारकर अंदर चलने का इशारा कर रहा था, 'देखिए, मैंने आज तक प्रेम काढ़े का तोड़ नहीं बनाया है, सर, और जब तक मैं इसे सही तरीक़े से बना पाऊँगा, तब तक रॉन कहीं कोई गंभीर ग़लती न कर बैठे -'

रॉन ने उसी समय धीरे से कहा, 'हैरी, वह मुझे नहीं दिख रही है - क्या इन्होंने उसे छिपा रखा है?'

'क्या यह काढ़ा नया है?' स्लगहॉर्न ने कहा, जो अब रॉन को व्यावसायिक दिलचस्पी से देख रहे थे। 'वे जितनी ज़्यादा देर तक रखे रहते हैं, उनकी शक्ति उतनी ही बढ़ जाती है।'

'इससे बहुत कुछ समझ में आता है,' हैरी ने हाँफते हुए कहा, जो अब रॉन के साथ लगभग कुश्ती लड़ रहा था, ताकि वह स्लगहॉर्न को हटाकर कमरे में न घुस जाए। उसने विनती करते हुए कहा, 'प्रोफ़ेसर, आज इसका जन्मदिन है।'

'ओह, ठीक है, तो अंदर आ जाओ, अंदर आ जाओ,' स्लगहॉर्न ने

पिघलते हुए कहा। 'मेरे बैग में वह विषहर है। ज़्यादा मुश्किल काढ़ा नहीं है ...'

रॉन दरवाज़े से होकर धड़धड़ाता हुआ स्लगहॉर्न की काफ़ी गर्म स्टडी में घुस गया। वह एक सजे हुए स्टूल से टकराकर लड़खड़ा गया। उसने हैरी की गर्दन में हाथ डालकर अपना संतुलन सँभाला और बुदबुदाया, 'उसने तो यह नहीं देखा होगा, है ना?'

हैरी बोला, 'वह अब तक यहाँ नहीं आई है।' उधर स्लगहॉर्न काढ़ों का किट खोल रहे थे। उन्होंने काँच की एक छोटी शीशी में चुटकी भर यह सामान और चुटकी भर वह सामान डाला।

'यह अच्छा हुआ,' रॉन ने जोश से कहा। 'मैं कैसा दिख रहा हूँ?'

'बहुत ही आकर्षक,' स्लगहॉर्न ने सहजता से कहा और रॉन को साफ़ द्रव से भरा एक गिलास थमा दिया। 'अब इसे पी जाओ। यह घबराहट दूर करने का टॉनिक है। जब वह आएगी, तो तुम शांत रहोगे, समझे।'

'बहुत बढ़िया,' रॉन ने उत्साह से कहा और आवाज़ करते हुए काढ़ा गटक लिया।

हैरी और स्लगहॉर्न उसे देखते रहे। एक पल के लिए रॉन उनकी तरफ़ देखकर मुस्कराया। फिर, बहुत धीरे-धीरे उसकी मुस्कराहट कम हो गई और ओझल हो गई। इसके बजाय अब उसके चेहरे पर बहुत ही दहशत भरा भाव दिख रहा था।

हैरी ने मुस्कराते हुए कहा, 'तो अब सामान्य हो गए?' स्लगहॉर्न हँसे और हैरी ने आगे कहा, 'बहुत-बहुत धन्यवाद, प्रोफ़ेसर।'

'कोई बात नहीं, मेरे बच्चे, कोई बात नहीं,' स्लगहॉर्न ने कहा, जब रॉन ध्वस्त दिखता हुआ पास वाली कुर्सी पर लुढ़क गया। वह निढाल दिख रहा था। 'उसे थोड़ी ताक़त की ज़रूरत है,' स्लगहॉर्न ने आगे कहा, जो अब उस टेबल की तरफ़ जा रहे थे, जिस पर शराब की बहुत सी बोतलें रखी थीं। 'मेरे पास बटरबियर है, मेरे पास शराब है, मेरे पास इस पुरानी बेहतरीन शराब की आख़िरी बोतल है ... हूँ ... मैं इसे डम्बलडोर को क्रिसमस पर तोहफ़े में देना चाहता था ... अह ठीक है ...' उन्होंने कंधे उचकाते हुए कहा, '... ख़ैर, जो चीज़ उन्हें मिली ही नहीं, उन्हें उसका अफ़सोस भी नहीं होगा! हम इसे खोलकर मिस्टर वीज़्ली का जन्मदिन मना लेते हैं! निराश प्रेम की वेदना को दूर भगाने के लिए बेहतरीन शराब से अच्छा कुछ भी नहीं है ...'

स्लगहॉर्न एक बार फिर हँसे और हैरी भी हँसने लगा। सच्ची याद को निकलवाने की असफल कोशिश के बाद वह पहली बार स्लगहॉर्न के साथ

अकेला था। अगर वह स्लगहॉर्न को अच्छे मूड में रखे ... अगर वे पुरानी शराब पीने के बाद पिघल जाएँ ...

'यह लो,' स्लगहॉर्न ने हैरी और रॉन को शराब का एक-एक गिलास थमाने के बाद अपना गिलास उठाया। 'अच्छा, रैल्फ़ - हैप्पी बर्थडे!'

'- रॉन -' हैरी ने फुसफुसाकर कहा।

लेकिन रॉन तो कुछ सुन ही नहीं रहा था। वह शराब का पहला घूँट पी चुका था।

एक पल में ही, जो दिल के धड़कने जितना समय था, हैरी को एहसास हो गया कि कोई भयंकर चीज़ हो गई थी, हालाँकि स्लगहॉर्न को कुछ भी नहीं लगा था।

'- और तुम्हारे ऐसे बहुत सारे जन्मदिन -'

'रॉन!'

रॉन के हाथ से गिलास गिर गया था। वह अपनी कुर्सी से आधा उठा और फिर लुढ़क गया। उसके हाथ-पैर बुरी तरह काँप रहे थे। उसके मुँह से झाग निकल रहा था और उसकी आँखें बाहर निकली जा रही थीं।

'प्रोफ़ेसर!' हैरी गरजा। 'कुछ कीजिए!'

लेकिन स्लगहॉर्न को तो जैसे सदमे से लक़वा मार गया था। रॉन छटपटा रहा था और उसका दम घुटा जा रहा था। उसकी चमड़ी नीली पड़ रही थी।

'क्या - लेकिन -' स्लगहॉर्न ने कहा।

हैरी ने छलाँग लगाकर एक नीची टेबल पार की और स्लगहॉर्न के काढ़ों की खुली हुई किट की तरफ़ भागा। उसने कुछ जार और पाउच बाहर निकाले, जबकि रॉन की दमघुटी साँस की भयंकर आवाज़ कमरे में भरने लगी। फिर उसे वह मिल गया - वह सिकुड़ा हुआ किडनी जैसा पत्थर, जो स्लगहॉर्न ने काढ़े की क्लास में उससे लिया था।

वह तेज़ी से धड़धड़ाता हुआ रॉन के पास आया और उसने उसका जबड़ा खोलकर उस बीज़ोआ को उसके मुँह में ठूँस दिया। रॉन काँपा, उसने तेज़ी से आह भरी और फिर वह अचेत हो गया।

अध्याय उन्नीस

घरेलू जिन्न की जासूसी

'तो कुल मिलाकर रॉन का यह जन्मदिन अच्छा नहीं रहा?' फ्रेड ने कहा।

शाम का समय था। अस्पताल में ख़ामोशी छाई हुई थी। खिड़कियों पर पर्दे लगे थे और लैंप जल चुके थे। वहाँ सिर्फ़ रॉन ही भर्ती था, जो बिस्तर पर लेटा हुआ था। हैरी, हर्माइनी और जिनी उसके आस-पास बैठे थे। उन्होंने पूरे दिन अस्पताल के दरवाज़े के बाहर इंतज़ार किया था और जब भी कोई अंदर-बाहर होता था, तो वे अंदर झाँककर देखने की कोशिश करते थे। मैडम पॉमफ्री ने उन्हें आठ बजे ही अंदर आने दिया था। फ्रेड और जॉर्ज आठ बजकर दस मिनट पर आ गए थे।

'हमने अपना तोहफ़ा इस तरह देने की कल्पना नहीं की थी,' जॉर्ज ने गंभीरता से कहा और रॉन के पलंग के पास वाले केबिनेट पर एक बड़ा तोहफ़ा रखते हुए जिनी के पास बैठ गया।

फ्रेड बोला, 'हाँ, हमने यह कल्पना की थी कि वह होश में होगा।'

'हम लोग हॉग्समीड में थे और उसे हैरान करने का इंतज़ार कर रहे थे –' जॉर्ज ने कहा।

जिनी ने सिर उठाकर देखते हुए पूछा, 'तुम हॉग्समीड में क्यों थे?'

'हम ज़ोन्को की जोकशॉप ख़रीदने के बारे में सोच रहे थे,' फ्रेड ने उदासी से कहा। 'हमारी हॉग्समीड की शाखा। लेकिन इससे तुम्हें क्या फ़ायदा होगा, क्योंकि तुम्हें तो वीकएंड पर हमारा सामान ख़रीदने की इजाज़त ही नहीं है ... लेकिन इस वक़्त इस बारे में क्यों सोचना?'

उसने हैरी के पास एक कुर्सी खिसकाई और रॉन के पीले चेहरे को देखा।

'यह कैसे हुआ, हैरी?'

हैरी ने वह कहानी दोहराई, जिसे वह सैकड़ों बार डम्बलडोर, मैक्गॉनेगल,

मैडम पॉमफ़्री, हर्माइनी और जिनी को सुना चुका था।

'... और फिर मैंने बीज़ोआ उसके गले के नीचे ठूँस दिया, जिससे उसकी साँस थोड़े आराम से चलने लगी। स्लगहॉर्न मदद लेने के लिए भागे। फिर मैक्गॉनेगल और मैडम पॉमफ़्री आ गईं तथा रॉन को यहाँ ले आईं। उन्हें लगता है कि वह बिलकुल ठीक हो जाएगा। मैडम पॉमफ़्री कहती हैं कि उसे यहाँ पर एकाध सप्ताह रुकना पड़ेगा ... इस दौरान उसे ब्राह्मी का रस पीना पड़ेगा ...'

जॉर्ज ने धीमी आवाज़ में कहा, 'ओह, बड़ी अच्छी क़िस्मत रही कि तुमने बीज़ोआ के बारे में सोच लिया!'

'– अच्छी क़िस्मत तो यह थी कि कमरे में बीज़ोआ मिल गया,' हैरी ने कहा, जो यह सोच-सोचकर ही दहशत में आ रहा था कि अगर उसे वह छोटा पत्थर नहीं मिलता, तो क्या होता ?

हर्माइनी ने धीरे से आह भरी। वह पूरे दिन बहुत चुप रही थी। वह सफ़ेद चेहरे के साथ हैरी के पास आई थी, जब वह दिन में अस्पताल के बाहर खड़ा था। उसने पूछा था कि क्या हुआ था। उसने हैरी और जिनी की इस लंबी बातचीत में हिस्सा नहीं लिया था कि रॉन को किस तरह ज़हर दिया गया था, बल्कि उनके पास खड़ी रही थी। उसका जबड़ा भिंचा हुआ था और वह डरी हुई दिख रही थी, जब तक कि अंततः उन्हें अंदर जाने की इजाज़त नहीं मिल गई।

'क्या मम्मी-डैडी को पता है ?' फ़्रेड ने जिनी से पूछा।

'वे एक घंटे पहले आकर उसे देख गए हैं। वे इस समय डम्बलडोर के ऑफ़िस में हैं, लेकिन जल्दी ही लौट आएँगे ...'

ख़ामोशी छाई रही, जब वे सभी नींद में रॉन का बड़बड़ाना सुनने लगे।

फ़्रेड ने धीरे से कहा, 'तो उस बोतल में ज़हर मिला था ?'

'हाँ,' हैरी ने तत्काल कहा। वह किसी दूसरी चीज़ के बारे में नहीं सोच सकता था और दोबारा इस बारे में बातचीत करने का मौक़ा पाकर ख़ुश था। 'स्लगहॉर्न ने शराब गिलासों में भरी थी –'

'क्या वे तुमसे नज़र बचाकर रॉन के गिलास में कुछ डाल सकते थे ?'

'शायद,' हैरी ने कहा, 'लेकिन स्लगहॉर्न रॉन को ज़हर क्यों देंगे ?'

'क्या पता,' फ़्रेड ने त्योरियाँ चढ़ाते हुए कहा। 'तुम्हें यह तो नहीं लगता कि उन्होंने ग़लती से गिलास बदल दिए हों ? हो सकता है, वे तुम्हें ज़हर वाला गिलास देना चाहते हों ?'

जिनी ने पूछा, 'स्लगहॉर्न हैरी को ज़हर क्यों देना चाहेंगे ?'

'मैं नहीं जानता,' फ्रेड ने कहा, 'लेकिन बहुत से लोग हैरी को ज़हर देना चाहेंगे, है ना? "चुनिंदा जादूगर" और भी न जाने क्या-क्या?'

जिनी ने कहा, 'तो तुम्हें लगता है, स्लगहॉर्न प्राणभक्षी हैं?'

फ्रेड संदेह भरे स्वर में बोला, 'कुछ भी संभव है!'

'हो सकता है, वे सम्मोहन शाप के वशीभूत होकर काम कर रहे हों!' जॉर्ज ने कहा।

'वे निर्दोष भी तो हो सकते हैं,' जिनी बोली। 'हो सकता है, ज़हर बोतल में हो, जिसका मतलब है कि यह स्लगहॉर्न के लिए था।'

'स्लगहॉर्न को कौन मारना चाहेगा?'

'डम्बलडोर के अनुसार वोल्डेमॉर्ट स्लगहॉर्न को अपने दल में शामिल करना चाहता है,' हैरी बोला। 'स्लगहॉर्न हॉगवर्ट्स आने से पहले एक साल से छिपे हुए थे। और ...' उसने उस याद के बारे में सोचा, जो डम्बलडोर अब तक स्लगहॉर्न से नहीं निकलवा पाए थे, 'और शायद वोल्डेमॉर्ट उन्हें रास्ते से हटाना चाहता होगा। शायद वह सोचता होगा कि वे डम्बलडोर के लिए मूल्यवान साबित हो सकते हैं।'

'लेकिन तुमने कहा था कि स्लगहॉर्न यह बोतल क्रिसमस पर डम्बलडोर को देने वाले थे,' जिनी ने उसे याद दिलाया। 'यह भी तो हो सकता है कि ज़हर देने वाला डम्बलडोर की जान लेना चाहता हो।'

'तब तो ज़हर देने वाला स्लगहॉर्न को ज़्यादा अच्छी तरह से नहीं जानता था,' हर्माइनी ने घंटों बाद पहली बार कहा और उसकी आवाज़ से ऐसा लग रहा था, जैसे उसे बुरी तरह सर्दी हो गई थी। 'जो भी स्लगहॉर्न को जानता है, उसे यह पता होना चाहिए कि इस बात की काफ़ी संभावना है कि वे इतनी स्वादिष्ट चीज़ ख़ुद रख लेंगे।'

'हर-माइ-नी,' रॉन अप्रत्याशित तरीक़े से बड़बड़ाया।

वे सभी ख़ामोश हो गए और उसे चिंता से देखते रहे, लेकिन एक पल तक अस्पष्टता से बड़बड़ाने के बाद रॉन खर्राटे लेने लगा।

कमरे का दरवाज़ा खुल गया, जिससे वे सभी चौंककर उछल पड़े। हैग्रिड उनकी तरफ़ तेज़ी से चला आ रहा था। उसके बालों में पानी था, उसका भालू की खाल का कोट उसके पीछे लहरा रहा था, उसके हाथ में धनुष था और वह पूरे फ़र्श पर कीचड़ भरे पैरों के निशान छोड़ता आ रहा था, जो डॉल्फ़िन जितने बड़े थे।

'हम पूरे दिन जंगल में थे!' उसने हाँफते हुए कहा। 'अरागॉग की हालत

अब ज़्यादा ख़राब हो गई है। हम उसे पढ़कर सुना रहे थे – सुबह से हमने कुछ खाया भी नहीं था – जब हम अभी डिनर करने गए, तो प्रोफ़ेसर स्प्राउट ने हमें रॉन के बारे में बताया! अब कैसी हालत है ?'

'बुरी नहीं है,' हैरी ने कहा। 'वे कहती हैं, वह **ठीक** हो जाएगा।'

मैडम पॉमफ्री अपने ऑफ़िस से तेज़ी से बाहर निकलकर बोलीं, 'एक बार में छह से ज़्यादा लोग नहीं देख सकते!'

जॉर्ज ने उन्हें बताया, 'हैग्रिड को मिलाकर छह ही तो हो रहे हैं!'

'ओह ... हाँ ...' मैडम पॉमफ्री ने कहा, जिन्होंने हैग्रिड के विशाल आकार के कारण उसे एक नहीं, बल्कि कई लोग गिन लिए थे। अपनी दुविधा को छिपाने के लिए वे जल्दी से उसके कीचड़ भरे निशान अपनी छड़ी से साफ़ करने चली गईं।

'हमें यक़ीन नहीं होता,' हैग्रिड ने भर्राई आवाज़ में कहा और अपने बड़े खिचड़ी सिर को हिलाते हुए रॉन को घूरकर देखा। 'यक़ीन नहीं होता ... इसे यहाँ पड़ा देखो ... इसे कौन नुक़सान पहुँचाना चाहेगा, हैं ?'

'हम लोग अभी इसी बारे में बातचीत कर रहे थे,' हैरी ने कहा। 'हम भी नहीं जानते।'

'गरुड़द्वार की क्विडिच टीम से तो किसी की दुश्मनी नहीं है,' हैग्रिड ने चिंता से कहा। 'पहले केटी, अब रॉन ...'

जॉर्ज बोला, 'मुझे नहीं लगता कि कोई पूरी क्विडिच टीम की जान लेने की कोशिश कर रहा होगा!'

'वुड नागशक्ति वालों के साथ ऐसा कर सकता था, बशर्ते उसे यक़ीन होता कि वह पकड़ में नहीं आएगा,' फ्रेड ने न्यायपूर्ण ढंग से कहा।

हर्माइनी ने धीरे से कहा, 'देखो, मुझे नहीं लगता कि यह क्विडिच से संबंधित है, लेकिन मुझे लगता है कि इन हमलों के बीच कोई आपसी संबंध है।'

'तुम्हें ऐसा क्यों लगता है,' फ्रेड ने पूछा।

'देखो, एक तो इसलिए, क्योंकि दोनों ही हमले जानलेवा हो सकते थे, लेकिन हुए नहीं, हालाँकि यह सिर्फ़ ख़ुशक़िस्मती थी। दूसरी बात यह कि ज़हर और हार दोनों ही उस व्यक्ति तक नहीं पहुँच पाए, जिसे मारने की कोशिश की गई थी। ज़ाहिर है,' वह सोचती हुई आगे बोली, 'इससे अपराधी एक तरह से ज़्यादा ख़तरनाक हो जाता है, क्योंकि ऐसा लगता है, उसे यह परवाह नहीं है कि असली शिकार तक पहुँचने के लिए वह कितने लोगों को मारता है।'

इससे पहले कि कोई इस भयंकर बात पर कुछ कह पाता, अस्पताल का

दरवाज़ा दोबारा खुल गया तथा मिस्टर और मिसेज़ वीज़्ली वार्ड में आ गए। वार्ड में कुछ समय पहले आकर उन्होंने अच्छे से तसल्ली कर ली थी कि रॉन पूरी तरह से ठीक हो जाएगा। अब मिसेज़ वीज़्ली ने हैरी को पकड़कर बहुत कसकर गले लगा लिया।

'डम्बलडोर ने हमें बताया कि तुमने बीज़ोआ से उसकी जान कैसे बचाई?' वे सुबकीं। 'ओह हैरी, हम क्या कह सकते हैं? तुमने जिनी को बचाया ... तुमने आर्थर को बचाया ... और अब तुमने रॉन को भी बचा लिया ...'

'आप ऐसा ... मैंने कुछ नहीं ...' हैरी अजीब ढंग से बुदबुदाया।

'हमारा आधा परिवार तुम्हारे कारण ज़िंदा है,' मिस्टर वीज़्ली ने दबी आवाज़ में कहा। 'हैरी, मैं तो यही कह सकता हूँ कि वीज़्ली परिवार के लिए वह दिन बहुत अच्छा था, जब रॉन ने हॉगवर्ट्स एक्सप्रेस में तुम्हारे कम्पार्टमेंट में बैठने का फ़ैसला किया था।'

हैरी इस बात का कोई जवाब नहीं सोच पाया और वह ख़ुश हुआ, जब मैडम पॉमफ़्री ने उन्हें एक बार फिर याद दिलाया कि रॉन के बिस्तर के पास छह से ज़्यादा लोग नहीं रहने चाहिए। हैरी और हर्माइनी एक साथ चलने के लिए उठे। हैग्रिड ने भी उनके साथ जाने का फ़ैसला किया, ताकि रॉन का परिवार उसके साथ रह सके।

जब वे तीनों संगमरमर की सीढ़ियों तक जाने वाले गलियारे में चलने लगे, तो हैग्रिड गुर्राया, 'यह भयंकर है! इतने कड़े नए सुरक्षा उपायों के बावजूद विद्यार्थी घायल हो रहे हैं ... डम्बलडोर बहुत चिंतित हैं ... वे ज़्यादा कहते नहीं हैं, लेकिन हम समझ सकते हैं ...'

'क्या उनके दिमाग़ में कोई विचार है, हैग्रिड?' हर्माइनी ने हताशा से पूछा।

'हमें लगता है कि उनके जितने तेज़ दिमाग़ में सैकड़ों विचार होंगे,' हैग्रिड ने दृढ़ता से कहा। 'लेकिन वे नहीं जानते हैं कि वह हार किसने भेजा था, न ही वे यह जानते हैं कि उस शराब में ज़हर किसने मिलाया था, वरना वे उसे पकड़ लेते, है ना? हमें तो इस बात की चिंता हो रही है,' हैग्रिड ने अपनी आवाज़ धीमी कर ली और पीछे मुड़कर देखा (हैरी ने पीव्ज़ की तलाश में छत की तरफ़ भी देखा), 'कि अगर बच्चों पर यूँ ही हमले होते रहे, तो हॉगवर्ट्स कितने समय तक खुला रह पाएगा? एक बार फिर रहस्यमय तहख़ाने जैसा माहौल ... दहशत फैल जाएगी, माता-पिता अपने बच्चों को स्कूल से बाहर निकाल लेंगे और अगली चीज़ यह होगी कि स्कूल का संचालक मंडल ...'

हैग्रिड ने बोलना बंद कर दिया, जब लंबी बालों वाली औरत का एक भूत

तैरता हुआ पास से गुज़र गया, फिर वह भर्राई फुसफुसाहट में आगे बोलने लगा, '... स्कूल का संचालक मंडल स्कूल को हमेशा के लिए बंद करने की बात करने लगेगा।'

'ऐसा कैसे हो सकता है?' हर्माइनी ने चिंतित दिखते हुए कहा।

'इसे उनके नज़रिए से देखो,' हैग्रिड भारी आवाज़ में बोला। 'हमारा मतलब है, बच्चों को हॉगवर्ट्स भेजने में थोड़ा ख़तरा तो हमेशा रहता है, है ना? जब सैकड़ों नाबालिग़ जादूगर एक साथ हों, तो दुर्घटनाओं की आशंका तो रहती ही है, है ना? लेकिन हत्या की कोशिश बिलकुल अलग बात है। इसलिए कोई हैरानी नहीं कि डम्बलडोर बहुत ग़ुस्सा हैं, ख़ासकर स्ने-'

हैग्रिड बोलते-बोलते अचानक रुक गया और उसकी काली दाढ़ी के ऊपर वाली ख़ाली जगह पर एक जाना-पहचाना अपराधी भाव नज़र आने लगा।

'क्या?' हैरी ने जल्दी से पूछा। 'डम्बलडोर स्नेप से नाराज़ हैं?'

'हमने ऐसा कब कहा?' हैग्रिड ने कहा, हालाँकि उसका दहशत का भाव साफ़ चुगली कर रहा था। 'ज़रा समय तो देखो, आधी रात होने वाली है, हमें तुम लोगों को -'

'हैग्रिड, डम्बलडोर स्नेप से क्यों नाराज़ हैं?' हैरी ने ज़ोर से पूछा।

'श्श्श!' हैग्रिड ने कहा। वह घबराया हुआ था और साथ में नाराज़ भी दिख रहा था। 'ऐसी बात चिल्लाकर मत बोलो, हैरी! क्या तुम यह चाहते हो कि हमारी नौकरी चली जाए? वैसे हमें नहीं लगता कि अब तुम्हें हमारे रहने या न रहने की कोई परवाह होगी। अब तुमने जादुई प्राणियों की देखभाल विषय छोड़ जो दिया है -'

'मुझे अपराधी महसूस कराने की कोशिश मत करो, तुम्हारा यह दाँव कामयाब नहीं होगा!' हैरी ने सख़्ती से कहा। 'स्नेप ने क्या किया है?'

'हमें नहीं पता, हैरी, हमें उनकी बातें नहीं सुननी चाहिए थीं! हम - देखो, हम कुछ समय पहले जंगल से बाहर आ रहे थे, तब हमने उन दोनों की बातें सुनीं - देखो, दोनों बहस कर रहे थे। हम नहीं चाहते थे कि उनका ध्यान हमारी तरफ़ जाए, इसलिए हम छिप गए। हालाँकि हमने कोशिश की कि कुछ न सुनें, लेकिन काफ़ी गर्म बहस हो रही थी और उनकी बातें नहीं सुनना मुश्किल था।'

'तो?' हैरी ने उसे प्रेरित किया, जब हैग्रिड ने अपने विशाल पैर परेशानी में कसमसाए।

'देखो - हमने स्नेप को यह कहते सुना कि अब वे डम्बलडोर का काम

आगे नहीं करना चाहते हैं –'

'क्या ?'

'देखो हैरी, ऐसा लग रहा था, जैसे स्नेप को यह एहसास हो रहा था कि उन पर ज़रूरत से ज़्यादा काम का बोझ है। ख़ैर, डम्बलडोर ने उनसे साफ़ कह दिया कि वे यह काम करने के लिए तैयार हुए थे और उन्हें यह करना ही होगा। वे उनके साथ काफ़ी दृढ़ थे। और फिर उन्होंने कहा कि स्नेप अपने हाउस यानी नागशक्ति में जाँच करें। इसके बारे में कोई अजीब बात नहीं है!' हैग्रिड ने जल्दी से कहा, जब हैरी और हर्माइनी ने अर्थपूर्ण निगाहों से एक-दूसरे को देखा। 'हार वाले मामले में सभी हाउस प्रमुखों से कहा गया था कि वे अपने-अपने हाउस में छानबीन करें –'

'हाँ, लेकिन डम्बलडोर की बाक़ी हाउस प्रमुखों से बहस नहीं हुई थी, है ना ?' हैरी ने कहा।

'देखो,' हैग्रिड ने अपने धनुष को असहजता से मरोड़ा। एक ज़ोरदार आवाज़ आई और धनुष के दो टुकड़े हो गए। 'हैरी, हम जानते हैं कि तुम स्नेप के बारे में क्या सोचते हो ? हम नहीं चाहते कि तुम इस बात का कोई गहरा अर्थ निकालो, जो इसमें है ही नहीं।'

'देखो,' हर्माइनी ने कहा।

जब वे मुड़े, तो उन्हें अपने पीछे वाली दीवार पर आर्गस फ़िल्च की छाया दिखी। फिर वह ख़ुद मोड़ पर मुड़कर उनकी तरफ़ आ गया। उसके जबड़े हिल रहे थे।

'ओहो,' वह घरघराती आवाज़ में बोला। 'इतनी देर तक बिस्तर से बाहर हो ? इसका मतलब है सज़ा!'

'नहीं, इसका मतलब सज़ा नहीं है, फ़िल्च,' हैग्रिड ने कहा। 'वे मेरे साथ हैं, है ना ?'

'इससे क्या फ़र्क़ पड़ता है ?' फ़िल्च ने उसे चिढ़ाते हुए कहा।

हैग्रिड आगबबूला होकर बोला, 'नाकारा चौकीदार, हम टीचर हैं!'

एक बुरी सी आवाज़ आई, जब फ़िल्च आवेश से फूलने लगा। मिसेज़ नॉरिस बिना किसी के दिखे वहाँ आ गई थी और अब फ़िल्च के पतले टखनों के आस-पास घूम रही थी।

'जाओ,' हैग्रिड ने अपने मुँह के कोने से कहा।

हैरी तो यही चाह रहा था। वह और हर्माइनी दोनों जल्दी से चल दिए। भागते समय उन्हें हैग्रिड और फ़िल्च की तेज़ आवाज़ें पीछे से सुनाई देती रहीं। वे

गरुड़द्वार टॉवर में जाते वक़्त पीव्ज़ के पास से गुज़रे, लेकिन वह बड़े उल्लास से चीख़-पुकार की तरफ़ जा रहा था और किलकारियाँ भर रहा था,

जब भी फ़साद हो, जब भी मुश्किल हो,
तो पीव्ज़ को बुला लो, वह उसे दुगना कर देगा!'

मोटी औरत ऊँघ रही थी और जगाए जाने पर वह ख़ुश नहीं हुई। बहरहाल, वह चिढ़ती हुई आगे की तरफ़ झूल गई और वे शांत, ख़ाली हॉल में पहुँच गए। ऐसा नहीं लग रहा था कि लोगों को अभी रॉन के बारे में पता चल पाया था। हैरी को बहुत राहत मिली। उस दिन वह पहले ही बहुत सवालों के जवाब दे चुका था। हर्माइनी उससे गुड नाइट करके लड़कियों के कमरों की तरफ़ चली गई। बहरहाल, हैरी पीछे रुका रहा और आग के पास एक कुर्सी पर बैठकर बुझते हुए अंगारों को देखता रहा।

तो डम्बलडोर की स्नेप से बहस हुई थी। उन्होंने हैरी से कहा था कि उन्हें स्नेप पर पूरा भरोसा है, लेकिन इसके बावजूद वे स्नेप पर नाराज़ हुए थे ... उन्हें लगा था कि स्नेप ने नागशक्ति के विद्यार्थियों की जाँच करने की पूरी कोशिश नहीं की थी ... या, शायद नागशक्ति के एक विद्यार्थी मैल्फ़ॉय की?

क्या डम्बलडोर ने हैरी की आशंकाओं को हवा में उड़ाने का नाटक सिर्फ़ इसलिए किया था, क्योंकि वे यह नहीं चाहते थे कि वह कोई मूर्खतापूर्ण काम करे या मामले को अपने हाथ में ले? यह संभव था। यह भी हो सकता था कि डम्बलडोर हैरी का ध्यान पढ़ाई या स्लगहॉर्न की याद हासिल करने से दूर न हटाना चाहते हों। शायद डम्बलडोर को यह ठीक नहीं लगता हो कि वे स्टाफ़ के प्रति अपनी शंकाएँ सोलह साल के विद्यार्थियों को बताएँ ...

'सुनो पॉटर!'

हैरी डरकर उछल पड़ा। उसने छड़ी तान ली। उसे पूरा भरोसा था कि हॉल पूरी तरह ख़ाली था। वह इस बात के लिए बिलकुल तैयार नहीं था कि दूर वाली कुर्सी से एक आकृति अचानक उठकर खड़ी हो जाएगी। क़रीब से देखने पर उसे पता चला कि वह कॉरमैक मैकलेगन था।

'मैं तुम्हारे लौटने का इंतज़ार कर रहा था,' मैकलेगन ने हैरी की तनी हुई छड़ी को नज़रअंदाज़ करते हुए कहा। 'शायद आँख लग गई थी। देखो, मैंने सुबह वीज़्ली को अस्पताल में जाते देखा था। ऐसा नहीं लगता कि वह अगले सप्ताह के मैच तक ठीक हो पाएगा।'

मैकलेगन किस बारे में बात कर रहा है, यह समझने में हैरी को थोड़ा वक़्त लगा।

'ओह ... अच्छा ... क्विडिच,' उसने कहा और अपनी छड़ी दोबारा अपनी जीन्स के बेल्ट में रखते हुए थके अंदाज़ में अपने बालों पर हाथ फेरा। 'हाँ ... हो सकता है, वह ठीक न हो पाए।'

'तो इसका मतलब है कि अब मैं कीपर बन जाऊँगा, है ना?' मैकलेगन ने कहा।

'हाँ,' हैरी ने कहा। 'हाँ, ऐसा ही लगता है ...'

वह इसके ख़िलाफ़ कोई तर्क नहीं सोच पाया, क्योंकि ट्रायल्स में रॉन के बाद मैकलेगन का प्रदर्शन ही सबसे अच्छा रहा था।

'बहुत बढ़िया,' मैकलेगन ने संतुष्ट आवाज़ में कहा। 'तो प्रैक्टिस कब है?'

'क्या? ओह ... कल शाम को है।'

'अच्छा। सुनो पॉटर, इससे पहले हमें कुछ बात करनी चाहिए। मेरे पास रणनीति के बारे में कुछ विचार हैं, जो तुम्हें उपयोगी लग सकते हैं।'

'ठीक है,' हैरी ने बिना उत्साह दिखाए कहा। 'देखो, मैं उन्हें कल सुनूँगा। मैं इस वक़्त काफ़ी थका हुआ हूँ ... मिलते हैं ...'

रॉन को ज़हर दिया गया है, यह ख़बर अगले दिन हर तरफ़ फैल गई, लेकिन इससे उस तरह की सनसनी नहीं फैली, जैसी केटी पर हुए हमले से फैली थी। लोगों को लगा कि शायद यह दुर्घटना थी। इसका कारण यह था कि उस वक़्त वह काढ़ों के टीचर के रूम में था और उसे तत्काल विषहर दे दिया गया था, जिससे कोई ज़्यादा नुक़सान नहीं हुआ था। वास्तव में, गरुड़द्वार के विद्यार्थी मेहनतकश के ख़िलाफ़ होने वाले क्विडिच मैच में ज़्यादा दिलचस्पी ले रहे थे। उनमें से ज़्यादातर यह देखना चाहते थे कि मेहनतकश टीम के धावक ज़कारियस स्मिथ ने नागशक्ति के साथ हुए शुरुआती मैच में कमेंट्री करते समय गरुड़द्वार वालों के ख़िलाफ़ जो बुरी बातें कही थीं, उसके लिए उसे क्या सज़ा दी जाएगी।

बहरहाल, हैरी की क्विडिच में दिलचस्पी ख़त्म हो गई थी। वह दिन-रात ड्रेको मैल्फ़ॉय के बारे में सोचने लगा था। उसे जब भी मौक़ा मिलता था, वह नक़्शे में मैल्फ़ॉय को देखने लगता था। वह कई बार वहाँ चला जाता था, जहाँ मैल्फ़ॉय हो सकता था, हालाँकि अब तक वह मैल्फ़ॉय को कोई असामान्य काम करते नहीं पकड़ पाया था। लेकिन ऐसे समय भी होते थे, जब मैल्फ़ॉय नक़्शे से ग़ायब हो जाता था ...

बहरहाल, हैरी को इस समस्या के बारे में सोचने का ज़्यादा समय नहीं मिल पाता था। क्विडिच प्रैक्टिस और होमवर्क के अलावा अब वह जहाँ भी जाता था, कॉरमैक मैकलेगन और लैवेंडर ब्राउन उसे घेर लेते थे।

वह यह फ़ैसला नहीं कर पाया कि उन दोनों में से वह किससे ज़्यादा चिढ़ता था ? मैकलेगन लगातार उसे बताता रहता था कि अगर रॉन के बजाय वह टीम का स्थायी कीपर बन जाएगा, तो कितना अच्छा रहेगा! उसने यह भी कहा कि जब हैरी उसे नियमित रूप से खेलते हुए देखेगा, तो वह भी यही सोचने लगेगा। मैकलेगन दूसरे खिलाड़ियों की आलोचना करने में भी काफ़ी आगे था और वह हैरी को विस्तृत प्रशिक्षण योजनाएँ भी बताता रहता था। इस वजह से हैरी को एक से अधिक बार उसे यह याद दिलाना पड़ा था कि कप्तान मैकलेगन नहीं, बल्कि वह है।

इस दौरान लैवेंडर हैरी के पास आकर रॉन के बारे में बातें करती रहती थी। इन बातों से हैरी लगभग उतना ही ऊब चुका था, जितना कि क्विडिच के बारे में मैकलेगन के भाषणों से। पहले तो लैवेंडर इस बात पर बहुत नाराज़ हुई कि किसी ने भी उसे यह नहीं बताया कि रॉन अस्पताल में था – 'मेरा मतलब है, मैं उसकी गर्लफ्रेंड हूँ!' – लेकिन दुर्भाग्य से अब उसने हैरी के इस भुलक्कड़पन को माफ़ करने का फ़ैसला कर लिया था। अब वह रॉन की भावनाओं के बारे में हैरी से गहरी बातचीत करने के लिए उतावली थी। यह एक बहुत मुश्किल अनुभव था, जो हैरी नहीं झेलना चाहता था।

'देखो, तुम इस सबके बारे में रॉन से ही बात क्यों नहीं कर लेती हो ?' हैरी ने कहा, जब लैवेंडर ने एक बार उससे बहुत लंबी पूछताछ कर ली, जिसमें उसने यह पूछा था कि रॉन ने उसके नए ड्रेस दुशालों के बारे में क्या कहा था और यह भी कि हैरी के हिसाब से रॉन लैवेंडर से अपने रिश्ते को लेकर कितना 'गंभीर' है।

'मैं कर लेती, लेकिन मैं जब भी उससे मिलने जाती हूँ, वह हमेशा सोया मिलता है!' लैवेंडर ने चिंता से कहा।

'ऐसा क्या ?' हैरी ने हैरानी से कहा, क्योंकि वह जब-जब अस्पताल गया था, रॉन उसे हमेशा पूरी तरह चुस्त-दुरुस्त मिला था। डम्बलडोर और स्नेप के झगड़े की ख़बर में उसने बड़ी दिलचस्पी ली थी और वह मैकलेगन को खरी-खोटी सुनाने के लिए भी बहुत उत्सुक रहता था।

'क्या हर्माइनी ग्रेंजर अब भी उससे मिलने जाती है ?' लैवेंडर ने अचानक पूछा।

'हाँ, मुझे ऐसा लगता है। वे दोस्त हैं, है ना ?' हैरी ने असहजता से कहा।

'दोस्त ? मुझे हँसी मत दिलाओ,' लैवेंडर ने हिक़ारत से कहा। 'जब से रॉन ने मेरे साथ घूमना शुरू किया है, तब से वह उससे बात तक नहीं कर रही है! लेकिन चूँकि अब वह *दिलचस्प* हो गया है, इसलिए वह उससे संबंध *बढ़ा रही है* ...'

'क्या ज़हर दिए जाने को तुम दिलचस्प होना कहती हो ?' हैरी ने पूछा। 'ख़ैर – माफ़ करना, मुझे जाना होगा – मैकलेगन क्विडिच के बारे में बात करने आ रहा है,' हैरी ने जल्दी से कहा और बग़ल वाले एक दरवाज़े से भागा, जो ठोस दीवार होने का नाटक करता था। फिर एक शॉर्टकट उसे काढ़े की क्लास की तरफ़ ले गया, जहाँ लैवेंडर या मैकलेगन उसका पीछा नहीं कर सकते थे।

मेहनतकश के ख़िलाफ़ होने वाले क्विडिच मैच की सुबह हैरी पिच पर जाने से पहले अस्पताल में गया। रॉन बहुत आंदोलित था। मैडम पॉमफ़्री उसे मैच देखने नहीं जाने दे रही थीं। उनका कहना था कि इससे वह बहुत रोमांचित हो जाएगा और इसका उसकी सेहत पर अच्छा असर नहीं पड़ेगा।

'मैकलेगन कैसा है ?' उसने हैरी से हताशा से पूछा और यह भूल गया कि वह यह सवाल दो बार पहले भी पूछ चुका है।

'मैंने तुम्हें बताया तो था,' हैरी ने धैर्यपूर्वक कहा, 'वह चाहे विश्वस्तरीय होता, लेकिन मैं उसे फिर भी टीम में नहीं रखता। वह हर एक को बताता है कि क्या करना है। वह सोचता है कि वह हम सबसे ज़्यादा अच्छी तरह हर पोजीशन पर खेल सकता है। मैं उससे छुटकारा पाने के लिए बेताब हूँ। और छुटकारा पाने की बात आई है, तो,' हैरी ने खड़े होते हुए और अपनी फ़ायरबोल्ट उठाते हुए कहा, 'जब लैवेंडर तुमसे मिलने आती है, तो तुम सोने का नाटक बंद कर दो ? वह मुझे पागल कर रही है।'

'ओह,' रॉन ने झेंपते हुए कहा। 'हाँ। ठीक है।'

'अगर तुम उसके साथ आगे घूमना-फिरना नहीं चाहते हो, तो उससे साफ़ कह दो,' हैरी ने कहा।

'हाँ ... अच्छा ... यह इतना आसान नहीं है, है ना ?' रॉन ने कहा। वह थोड़ा ठहरा। 'मैच से पहले हर्माइनी यहाँ आएगी ?' उसने धीरे से पूछा।

'नहीं, वह जिनी के साथ पहले ही पिच की तरफ़ जा चुकी है।'

'ओह,' रॉन ने कहा, वह थोड़ा उदास दिख रहा था। 'अच्छा। ठीक है, गुड लक। उम्मीद है कि तुम मैकलेगन को धूल चटा दोगे – मेरा मतलब है, स्मिथ को।'

'मैं कोशिश करूँगा,' हैरी ने अपनी झाड़ू को कंधे पर रखते हुए कहा।

'मैच के बाद मिलते हैं।'

वह जल्दी से वीरान गलियारों में भागा। पूरा स्कूल महल के बाहर था। लोग या तो स्टेडियम में बैठ चुके थे या फिर स्टेडियम की तरफ़ जा रहे थे। वह खिड़कियों के पास से गुज़रते समय बाहर झाँकता जा रहा था, ताकि अंदाज़ा लगा सके कि उन्हें कितनी हवा का सामना करना पड़ेगा। तभी सामने से आई एक आवाज़ पर उसने नज़र उठाकर देखा; मैल्फ़ॉय उसकी तरफ़ आ रहा था। उसके साथ दो लड़कियाँ भी थीं, जो नाराज़ और चिड़चिड़ी दिख रही थीं।

हैरी को देखते ही मैल्फ़ॉय रुक गया और फिर बिना आनंद की हँसी हँसते हुए आगे चल दिया।

हैरी ने पूछा, 'तुम कहाँ जा रहे हो?'

'हाँ, मैं सचमुच तुम्हें बताने वाला हूँ कि मैं कहाँ जा रहा हूँ,' मैल्फ़ॉय ने व्यंग्य से कहा। 'जल्दी करो, वे लोग चुनिंदा कप्तान का इंतज़ार कर रहे हैं – वह लड़का जिसने स्कोर कर लिया – या वे तुम्हें आजकल जो भी कहते हों।'

मैल्फ़ॉय के साथ वाली एक लड़की अनिच्छा से हँसी। हैरी ने जब उसे घूरकर देखा, तो लड़की झेंप गई। मैल्फ़ॉय हैरी के पास से निकला और वह लड़की तथा उसकी सहेली तेज़ी से भागकर मोड़ पर मुड़ीं और ग़ायब हो गईं।

हैरी उसी जगह जमा रह गया और उन्हें ग़ायब होते देखता रहा। यह तो बहुत ग़ुस्सा दिलाने वाली बात थी। पहले ही मैच में पहुँचने के लिए देर हो रही थी और यहाँ मैल्फ़ॉय छिपकर कहीं जा रहा था, जबकि बाक़ी का स्कूल महल से नदारद था। मैल्फ़ॉय के इरादों का पता लगाने का इससे अच्छा मौक़ा क्या हो सकता था? ख़ामोश पल गुज़रते गए और हैरी जहाँ था, वहीं किसी मूर्ति की तरफ़ स्थिर खड़ा-खड़ा उसी तरफ़ देखता रहा, जहाँ मैल्फ़ॉय ग़ायब हुआ था ...

जब हैरी चेंजिंग रूम में भागता हुआ पहुँचा, तो जिनी ने पूछा, 'तुम कहाँ अटक गए थे?' टीम के बाक़ी सभी खिलाड़ी कपड़े बदलकर तैयार हो चुके थे। मारक कूट और पीक्स घबराहट में अपने मुद्‌गरों को पैरों से टकरा रहे थे।

'मुझे मैल्फ़ॉय मिल गया था,' हैरी ने उसे धीरे से बताया, जब उसने अपना लाल दुशाला सिर के ऊपर डाला।

'तो?'

'तो मैं जानना चाहता था कि जब बाक़ी सब लोग यहाँ पर हैं, तो वह दो लड़कियों के साथ महल में क्या कर रहा था ...'

'इससे क्या फ़र्क़ पड़ता है?'

'देखो, मुझे वह बात पता नहीं चल पाएगी, है ना?' हैरी ने कहा और

अपनी फ़ायरबोल्ट उठाकर अपने चश्मे को सीधा किया। 'चलो, चलते हैं!'

इसके बाद एक बिना शब्द कहे बिना वह पिच की तरफ़ चल दिया। भीड़ में से ख़ुशी और तानों की तेज़ आवाज़ें आने लगीं। हवा बहुत कम चल रही थी। कहीं-कहीं बादल हो रहे थे। उनके बीच से कभी-कभार तेज़ धूप की चमक भी आ जाती थी।

'अजीब स्थितियाँ हैं!' मैकलेगन ने टीम का हौसला बढ़ाते हुए कहा। 'कूट और पीक्स, तुम लोग सूरज से दूर की तरफ़ उड़ना, ताकि वे तुम्हें आते हुए न देख पाएँ –'

'मैकलेगन, कप्तान मैं हूँ, तुम उन्हें निर्देश मत दो,' हैरी ने ग़ुस्से से कहा। 'बस गोल के पास पहुँच जाओ!'

जब मैकलेगन गोल की तरफ़ चल दिया, तो हैरी कूट और पीक्स की तरफ़ मुड़ा।

उसने मन मारकर उनसे कहा, 'सचमुच सूरज से दूर की तरफ़ उड़ना।'

उसने मेहनतकश के कप्तान से हाथ मिलाया और फिर मैडम हूच की सीटी बजते ही ज़मीन पर पैर मारकर हवा में उठ गया। सुनहरी गेंद को देखने के लिए वह बाक़ी की टीम से ज़्यादा ऊपर उड़ रहा था और पूरी पिच के चक्कर लगा रहा था। अगर वह इसे जल्दी से पकड़ ले, तो उसे मौक़ा मिल सकता है कि वह महल लौट जाए और नक़्शे में खोज ले कि मैल्फ़ॉय क्या कर रहा है ...

'और तूफ़ान मेहनतकश के स्मिथ के पास है,' मैदान में एक सपनीली आवाज़ गूँजी। 'पिछले मैच में वह कमेंट्री कर रहा था और जिनी वीज़्ली ने उसे टक्कर मार दी थी। मुझे लगता है, शायद जान-बूझकर मारी होगी – ऐसा ही लगता है। स्मिथ गरुड़द्वार के बारे में काफ़ी बदतमीज़ी से बोला था। मुझे उम्मीद है, अब उनके ख़िलाफ़ खेलते समय उसे उस बात का अफ़सोस हो रहा होगा – ओह देखो, उसके हाथ से तूफ़ान छिन गया है, इसे जिनी ने लिया है। वह मुझे पसंद है, वह बहुत अच्छी है ...'

हैरी ने कमेंटेटर बॉक्स की तरफ़ घूरकर देखा। निश्चित रूप से कोई भी सही दिमाग़ वाला व्यक्ति लूना लवगुड को कमेंट्री नहीं करने देगा ? लेकिन इतनी ऊपर से भी उन लंबे, गंदे-सुनहरे बालों या बटरबियर कॉर्क के हार को पहचानने में कोई ग़लती नहीं हो सकती थी ... लूना के पास प्रोफ़ेसर मैक्गॉनेगल थोड़ी परेशान दिख रही थीं, जैसे अपने चुनाव पर अफ़सोस कर रही हों।

'... लेकिन अब मेहनतकश के एक बड़े खिलाड़ी ने उसके हाथ से तूफ़ान छीन लिया है। मुझे उसका नाम नहीं पता, यह बिबल जैसा कुछ है – नहीं, बगिन्स –'

'यह कैडवैलेडर है!' प्रोफ़ेसर मैक्गॉनेगल लूना के पास से ज़ोर से चिल्लाईं। भीड़ हँसने लगी।

हैरी ने चारों तरफ़ देखकर सुनहरी गेंद की तलाश की। उसका कोई चिन्ह नहीं दिख रहा था। कुछ ही पल में कैडवैलेडर ने स्कोर कर लिया। मैकलेगन चिल्लाकर जिनी की आलोचना कर रहा था कि उसने तूफ़ान को अपने हाथ से निकल जाने दिया था। इस चक्कर में वह देख ही नहीं पाया कि बड़ी लाल गेंद उसके दाहिने कान के पास से उड़ती हुई गोल के अंदर चली गई।

'मैकलेगन, तुम अपने काम पर ध्यान दो और बाक़ी सबको अकेला छोड़ दो!' हैरी गरजा और अपने कीपर का सामना करने के लिए घूमा।

'तुम भी कोई बढ़िया उदाहरण पेश नहीं कर रहे हो!' मैकलेगन तमतमाए चेहरे के साथ ग़ुस्से से चिल्लाया।

'और हैरी पॉटर की अपने कीपर से बहस हो रही है,' लूना ने धीरे से कहा, जबकि नीचे बैठे मेहनतकश और नागशक्ति वाले ख़ुशी से तालियाँ बजाने लगे। 'मुझे नहीं लगता कि इससे उसे सुनहरी गेंद पकड़ने में मदद मिलेगी, लेकिन यह एक चाल हो सकती है ...'

ग़ुस्से से कोसते हुए हैरी घूमा और दोबारा पिच के चक्कर लगाकर आसमान में पंख वाली छोटी सुनहरी गेंद की तलाश करने लगा।

जिनी और डिमेल्ज़ा ने एक-एक गोल कर दिया। इससे नीचे बैठे लाल-सुनहरी पोशाक वाले समर्थकों को ख़ुश होने का मौक़ा मिल गया। फिर कैडवैलेडर ने एक बार फिर गोल कर दिया, जिससे स्कोर बराबर हो गया, लेकिन इस तरफ़ लूना का ध्यान नहीं था। स्कोर जैसी छोटी-मोटी चीज़ों में उसकी दिलचस्पी नहीं थी। वह तो भीड़ का ध्यान दिलचस्प आकार के बादलों की तरफ़ खींचती रही और इस संभावना की तरफ़ कि ज़कारियस स्मिथ, जो अब तक एक मिनट से भी ज़्यादा समय तक तूफ़ान को अपने क़ब्ज़े में नहीं रख पाया था, 'लूज़र्स लर्गी' नामक किसी चीज़ का शिकार था।

'मेहनतकश सत्तर-चालीस से जीत रहा है!' प्रोफ़ेसर मैक्गॉनेगल लूना के मेगाफ़ोन में चिल्लाईं।

'अच्छा, इतना स्कोर हो गया?' लूना ने अनिश्चित तरीक़े से कहा। 'ओह, देखो! गरुड़द्वार के कीपर ने अब एक मारक से उसका मुद्गर ले लिया है।'

हैरी हवा में घूमा। निश्चित रूप से, मैकलेगन ने न जाने किस समझदारी के तहत पीक्स का मुद्गर उससे छीन लिया था और उसे बता रहा था कि किस तरह पहलवान को आते हुए कैडवैलेडर की तरफ़ मारा जाए।

'तुम उसे बल्ला वापस करो और गोल के पास पहुँचो!' हैरी मैकलेगन की तरफ़ झपटते हुए गरजा। तभी मैकलेगन ने पहलवान पर ज़ोरदार प्रहार किया और उसका निशाना ग़लत लग गया।

अंधा करने वाला, तेज़ दर्द हुआ ... एक रोशनी चमकी ... दूर से चीख़ें सुनाई दीं ... और उसे एक लंबी सुरंग में नीचे गिरने की अनुभूति हुई ...

जब हैरी की आँख खुली, तो वह एक बहुत गर्म और आरामदेह बिस्तर पर लेटा हुआ था। एक लैंप छायादार छत पर सुनहरी रोशनी का घेरा बना रहा था। उसने अपना सिर अजीब तरीक़े से उठाया। उसकी बाईं तरफ़ चकत्ते वाला, लाल बालों वाला रॉन लेटा हुआ था।

'अच्छा किया जो तुम भी आ गए,' रॉन ने मुस्कराते हुए कहा।

हैरी ने पलकें झपकाईं और चारों तरफ़ देखा। ज़ाहिर है : वह अस्पताल में था। बाहर का आसमान नीला था, जिसमें लाली भी थी। मैच घंटों पहले ख़त्म हो गया होगा ... और मैल्फ़ॉय को पकड़ने की आशा भी। हैरी को अपना सिर अजीब तरीक़े से भारी लगा। उसने एक हाथ उठाया और उसे महसूस हुआ, जैसे उसने पट्टियों की सख़्त पगड़ी पहन रखी हो।

'क्या हुआ ?'

'खोपड़ी चटक गई,' मैडम पॉमफ्री ने तेज़ी से आते हुए और उसे उसके तकियों पर दोबारा धकाते हुए कहा। 'चिंता करने की कोई बात नहीं है। मैंने चोट तत्काल ठीक कर दी थी, लेकिन मैं तुम्हें आज रात को यहीं रोके रख रही हूँ। तुम्हें कुछ घंटे तक कोई मेहनत का काम नहीं करना चाहिए।'

'मैं यहाँ पर रात भर नहीं रुकना चाहता,' हैरी ने ग़ुस्से से बैठते हुए और अपनी चादर फेंकते हुए कहा। 'मैं मैकलेगन को खोजकर उसकी जान लेना चाहता हूँ।'

'मुझे डर है कि यह भी "मेहनत" की श्रेणी में आएगा,' मैडम पॉमफ्री ने उसे कसकर पलंग पर धक्का दिया और अपनी छड़ी ख़तरनाक तरीक़े से लहराई। 'पॉटर, जब तक मैं तुम्हें छुट्टी नहीं दे दूँ, तुम यहीं रुकोगे, वरना मैं हेडमास्टर को बुला लूँगी।'

वे तेज़ी से अपने ऑफ़िस में चली गईं और हैरी भुनभुनाता हुआ अपने तकियों पर गिर गया।

'क्या तुम जानते हो, हम कितने अंतर से हारे ?' उसने रॉन से दाँत भींचकर पूछा।

'हाँ, मुझे पता है,' रॉन ने माफ़ी माँगने वाले अंदाज़ में कहा। 'आख़िरी

स्कोर तीन सौ बीस–साठ था।'

'बहुत बढ़िया,' हैरी ने वहशी अंदाज़ में कहा। 'सचमुच बढ़िया! जब मैं मैकलेगन को पकड़ लूँगा –'

'तुम्हें उसे पकड़ने की क्या ज़रूरत है, वह तो दैत्य के आकार का है,' रॉन तर्कपूर्ण ढंग से कहा। 'व्यक्तिगत रूप से मुझे लगता है कि उस पर प्रिंस का नाख़ून वाला मंत्र मारना ज़्यादा अच्छा रहेगा। वैसे भी जब तक तुम यहाँ से लौटोगे, तब तक बाक़ी टीम उससे निबट चुकी होगी। बाक़ी के खिलाड़ी उससे ख़ुश नहीं थे ...'

रॉन की आवाज़ में हल्की सी ख़ुशी का पुट था, जिसे वह छिपा नहीं पाया। हैरी जानता था कि मैकलेगन के इतने ख़राब प्रदर्शन से रॉन बहुत ख़ुश था। हैरी वहीं लेटा रहा और छत पर बने रोशनी के घेरे की तरफ़ घूरता रहा। उसकी हाल ही में ठीक हुई खोपड़ी दर्द नहीं कर रही थी, लेकिन इतनी सारी पट्टियों के नीचे थोड़ी कमज़ोर ज़रूर लग रही थी।

'मैं यहाँ से मैच की कमेंट्री सुन रहा था,' रॉन ने कहा, जिसकी आवाज़ अब हँसी के कारण काँप रही थी। 'काश अब लूना हमेशा कमेंट्री करे ... *लूज़र्स लर्गी ...*'

लेकिन हैरी इतने ज़्यादा ग़ुस्से में था कि उसे इसमें हँसने की कोई बात नज़र नहीं आई और कुछ समय बाद रॉन की हँसी भी कम हो गई।

रॉन काफ़ी देर बाद बोला, 'तुम्हारे बेहोश होने के बाद जिनी यहाँ आई थी।' हैरी की कल्पना में तत्काल एक दृश्य आ गया, जिसमें जिनी उसके बेहोश शरीर पर झुककर रो रही थी और उसके प्रति अपने गहरे प्यार का इज़हार कर रही थी, जबकि रॉन उन दोनों को अपना आशीर्वाद दे रहा था ... 'उसका कहना था कि तुम मैच के लिए बिलकुल समय पर पहुँचे थे। ऐसा कैसे हुआ ? तुम तो यहाँ से काफ़ी पहले निकल गए थे।'

'ओह ...' हैरी ने कहा, जब उसकी कल्पना की तस्वीर चूर–चूर हो गई। 'हाँ ... देखो, मैंने मैल्फ़ॉय को दो लड़कियों के साथ चोरी से जाते देखा था। उन लड़कियों को देखकर ऐसा लग रहा था, जैसे वे उसके साथ नहीं रहना चाहती थीं। देखो, यह दूसरा मौक़ा है, जब वह बाक़ी के स्कूल के साथ क्विडिच पिच पर नहीं था। याद है, उसने पिछला मैच भी छोड़ दिया था,' हैरी ने आह भरी। 'काश मैं उसके पीछे गया होता, मैच तो वैसे भी भयंकर था ...'

'मूर्ख मत बनो,' रॉन ने तीखी आवाज़ में कहा। 'तुम मैल्फ़ॉय का पीछा करने के लिए क्विडिच मैच नहीं छोड़ सकते थे। तुम कप्तान हो!'

'मैं यह जानना चाहता हूँ कि उसके इरादे क्या हैं,' हैरी ने कहा। 'और

मुझसे यह मत कहना कि यह सब मेरा वहम है। मैल्फ़ॉय और स्नेप के बीच हुई बातचीत सुनने के बाद तो बिलकुल भी नहीं –'

'मैंने यह कभी नहीं कहा कि यह तुम्हारा वहम था,' रॉन ने कहा और कोहनी के बल उठते हुए हैरी को त्योरियाँ चढ़ाकर देखा, 'लेकिन ऐसा कोई नियम नहीं है, जो यह कहे कि इस जगह पर एक समय में एक ही व्यक्ति किसी चीज़ की योजना बनाए! तुम तो मैल्फ़ॉय के पीछे पागल हो गए हो, हैरी। मेरा मतलब है, उसका पीछा करने के लिए मैच छोड़ने के बारे में सोचना ...'

'मैं उसे वह काम करते हुए पकड़ना चाहता हूँ!' हैरी ने कुंठा में कहा। 'मेरा मतलब है, जब वह नक़्शे से ग़ायब हो जाता है, तब वह कहाँ जाता है?'

'क्या पता ... शायद हॉग्समीड?' रॉन ने जम्हाई लेते हुए सुझाव दिया।

'मैंने उसे नक़्शे में कभी किसी ख़ुफ़िया गलियारे में जाते हुए नहीं देखा है। मुझे लगता है कि वैसे भी अब उन गलियारों पर नज़र रखी जा रही है!'

'तब तो मुझे नहीं पता,' रॉन ने कहा।

उनके बीच ख़ामोशी छा गई। हैरी ने अपने ऊपर लैंप की रोशनी के घेरे की तरफ़ देखा और सोचने लगा ...

काश उसके पास रूफ़स स्क्रिमग्योर की शक्ति होती! तब वह मैल्फ़ॉय के पीछे जासूस लगा सकता था, लेकिन दुर्भाग्य से हैरी के पास ऐसा कोई पद नहीं था, जिसके अधिकारों का उपयोग करके वह ऑरर्स को आदेश दे सके ... उसने **डीए** के सदस्यों को इस काम में लगाने के बारे में थोड़ी देर तक सोचा, लेकिन एक बार फिर वही समस्या सामने आई कि विद्यार्थियों की क्लासें छूट जाएँगी, जबकि उनमें से ज़्यादातर के टाइमटेबल पहले से ही काफ़ी भरे हुए थे ...

रॉन के पलंग से एक धीमा खर्राटा गूँजा। कुछ समय बाद मैडम पॉमफ़्री अपने ऑफ़िस से बाहर आईं। इस बार वे एक मोटा ड्रेसिंग गाउन पहने थीं। नींद का नाटक करना सबसे आसान था। हैरी ने करवट ली और सुना कि वे अपनी छड़ी लहराकर चारों तरफ़ के पर्दे लगा रही हैं। लैंप धीमे करने के बाद वे अपने ऑफ़िस की तरफ़ लौट गईं। उसने उनके पीछे दरवाज़ा बंद होने की आवाज़ सुनी और जान गया कि वे सोने चली गई हैं।

हैरी ने अँधेरे में लेटे-लेटे सोचा, क्विडिच की चोट के कारण वह तीसरी बार अस्पताल में आया है। पिछली बार दमपिशाचों के आने के कारण वह झाड़ू से गिर गया था। उससे पहले प्रोफ़ेसर लॉकहार्ट ने फूहड़पन से उसके हाथ की सारी हड्डियाँ हटा दी थीं ... वह अब तक की सबसे दर्दनाक चोट थी ... एक रात में हाथ की पूरी हड्डियों के उगने का दर्द भयंकर था और आधी रात को एक अप्रत्याशित आगंतुक के आने से भी वह कम नहीं हुआ था –

हैरी तनकर सीधे बैठ गया, उसका दिल तेज़ी से धड़कने लगा और उसकी पट्टियों की पगड़ी तिरछी हो गई। आख़िर उसे समाधान मिल गया था : मैल्फ़ॉय का पीछा करवाने का एक तरीक़ा *था* – वह यह कैसे भूल गया था, वह यह पहले क्यों नहीं सोच पाया ?

लेकिन सवाल यह था, उसे कैसे बुलाया जाए ? यह काम कैसे किया जाता है ?

प्रयोग करने के लिए हैरी अँधेरे में धीरे से बोला।

'क्रीचर ?'

खट्ट की एक बहुत तेज़ आवाज़ हुई और ख़ामोश कमरे में छीना-झपटी तथा चूँ-चूँ की आवाज़ें भर गईं। रॉन झटके से जाग गया।

'क्या हो रहा है – ?'

मैडम पॉमफ़्री भागती हुई वहाँ न आ जाएँ, इसलिए हैरी जल्दी से अपनी छड़ी उनके ऑफ़िस की तरफ़ करके बुदबुदाया, *'ध्वनिदमन!'* फिर वह अपने पलंग के सिरे पर पहुँच गया, ताकि ज़्यादा अच्छी तरह देख सके कि क्या हो रहा था।

कमरे के बीच में दो घरेलू जिन्न फ़र्श पर लोट लगा रहे थे। उनमें से एक ने सिकुड़ा हुआ मेहरून स्वेटर और कई ऊनी हैट पहन रखे थे। दूसरा घरेलू जिन्न एक गंदा पुराना चिथड़ा पहने था, जो छोटी सी धोती की तरह उसके पुट्ठों को ढँके था। फिर एक और तेज़ धमाका हुआ तथा पीव्ज़ नाम का भूत कुश्ती लड़ते घरेलू जिन्नों के ऊपर हवा में प्रकट हो गया।

'मैं देख रहा था, पॉटी!' उसने नीचे हो रही लड़ाई की तरफ़ इशारा करके असभ्य स्वर में कहा और फिर एक ज़ोरदार किलकारी भरी, 'छोटे-छोटे प्राणियों को लड़ते देखो, काट रहे हैं, मुक्का मार रहे हैं –'

'क्रीचर डॉबी के सामने हैरी पॉटर का अपमान नहीं कर सकता, नहीं, वह नहीं कर सकता, वरना डॉबी क्रीचर की ज़बान काट लेगा!' डॉबी ने तीखी आवाज़ में कहा।

'– लात मार रहे हैं, खरोंच रहे हैं!' पीव्ज़ ख़ुशी से चिल्लाया, जो अब घरेलू जिन्नों को ज़्यादा ग़ुस्सा दिलाने के लिए उन पर चॉक के टुकड़े फेंककर मार रहा था। 'मारो, खरोंचो!'

'क्रीचर अपने मालिक के बारे में जो चाहेगा कहेगा। ओह हाँ, और वह भी कैसा मालिक है, बदज़ातों का घटिया दोस्त है, ओह, बेचारे क्रीचर की मालकिन क्या कहेंगी – ?'

क्रीचर की मालकिन क्या कहेंगी, यह उन्हें पता नहीं चल पाया, क्योंकि उसी पल डॉबी ने अपना गाँठदार मुक्का क्रीचर के मुँह पर जड़ दिया और उसके आधे दाँत तोड़ दिए। हैरी और रॉन दोनों ही अपने बिस्तर से उछले और उन्होंने दोनों जिन्नों को अलग-अलग कर दिया, हालाँकि वे दोनों इसके बाद भी एक-दूसरे को लात-मुक्के मारते रहे। पीव्ज़ उन्हें उकसाता रहा और चीख़ता हुआ लैंप के चारों तरफ़ मँडराने लगा। 'अपनी उँगलियाँ उसकी नाक में घुसा दो, उसका सिर खोल दो, उसके कान खींच लो –'

हैरी ने अपनी छड़ी पीव्ज़ की तरफ़ की और बोला, *'जीभतालू!'* पीव्ज़ ने अपने गले को पकड़ा, थूक गटका और फिर भद्दी मुद्राएँ बनाता हुआ कमरे से बाहर उड़ गया। जीभ तालू से चिपकने के कारण उसकी बोलती बंद हो गई थी।

'बहुत बढ़िया,' रॉन ने तारीफ़ करते हुए कहा और डॉबी को हवा में उठा लिया, ताकि उसके तेज़ी से लहरा रहे अंग क्रीचर के शरीर से संपर्क न कर पाएँ। 'यह प्रिंस का एक और मंत्र था, है ना?'

'हाँ,' हैरी ने क्रीचर की दुबली बाँह को मरोड़ते हुए कहा, 'ठीक है – मैं अब तुम्हें एक-दूसरे से लड़ने के लिए मना करता हूँ! क्रीचर, तुम्हें डॉबी से नहीं लड़ना है। डॉबी, मैं जानता हूँ कि मैं तुम्हें आदेश नहीं दे सकता –'

'डॉबी आज़ाद घरेलू जिन्न है। वह जिसका चाहे उसका आदेश मान सकता है और डॉबी वह करेगा, जो हैरी पॉटर उससे करवाना चाहता है!' डॉबी ने कहा। आँसू अब उसके सिकुड़े हुए छोटे चेहरे से स्वेटर पर बह रहे थे।

'**अच्छा** तो,' हैरी ने कहा और उसने तथा रॉन दोनों ने घरेलू जिन्नों को छोड़ दिया, जो फ़र्श पर गिर गए, लेकिन उन्होंने दोबारा लड़ाई शुरू नहीं की।

'मालिक ने मुझे बुलाया था?' क्रीचर ने टर्र-टर्र करती आवाज़ में कहा और झुककर सलाम किया, हालाँकि हैरी को उसने जिस तरह से देखा, उससे यह स्पष्ट था कि वह हैरी की दुखद मौत से ज़्यादा कुछ नहीं चाहता था।

'हाँ, मैंने बुलाया था,' हैरी ने मैडम पॉमफ़्री के ऑफ़िस के दरवाज़े की तरफ़ यह जाँच करने के लिए देखा कि *ध्वनिदमन* मंत्र अब भी काम कर रहा था या नहीं। अंदर की ख़ामोशी बता रही थी कि उन्होंने हंगामा नहीं सुना था। 'मैं तुमसे एक काम करवाना चाहता हूँ।'

'मालिक जो चाहते हैं, क्रीचर वही करेगा,' क्रीचर ने कहा, जो अब इतनी नीचे झुक गया था कि उसके होंठ उसके पैर के अँगूठों को छूने लगे थे, 'क्योंकि क्रीचर के पास कोई विकल्प नहीं है, लेकिन क्रीचर को अपने मालिक पर शर्म आती है, हाँ –'

'डॉबी वह काम कर देगा, हैरी पॉटर!' डॉबी चिंचियाया, उसकी टेनिस बॉल जितनी बड़ी आँखों में अब आँसू तैर रहे थे। 'डॉबी हैरी पॉटर की मदद करके सम्मानित होगा!'

'**अच्छा**, तो मुझे लगता है कि तुम दोनों को ही इस काम पर लगाना ज़्यादा अच्छा रहेगा,' हैरी ने कहा। 'ठीक है ... मैं चाहता हूँ कि तुम ड्रेको मैल्फ़ॉय का पीछा करो।'

रॉन के चेहरे पर आए हैरानी तथा परेशानी के मिले-जुले भाव को नज़रअंदाज़ करते हुए हैरी ने आगे कहा, 'मैं यह जानना चाहता हूँ कि वह कहाँ जा रहा है, किससे मिल रहा है और क्या कर रहा है। मैं चाहता हूँ कि तुम चौबीसों घंटे उसका पीछा करो।'

'ठीक है, हैरी पॉटर!' डॉबी ने तत्काल कहा और उसकी बड़ी-बड़ी आँखें रोमांच से चमकने लगीं। 'और अगर डॉबी इसमें कोई ग़लती करता है, तो डॉबी सबसे ऊँची मीनार से नीचे कूद जाएगा, हैरी पॉटर!'

'उसकी कोई ज़रूरत नहीं है,' हैरी ने जल्दी से कहा।

'मालिक मुझसे सबसे छोटे मैल्फ़ॉय का पीछा करवाना चाहते हैं ?' क्रीचर ने कहा। 'मालिक चाहते हैं कि मैं अपनी पुरानी मालकिन के शुद्ध ख़ून वाले ख़ानदान के सदस्य की जासूसी करूँ ?'

'हाँ,' हैरी ने एक बड़ा ख़तरा देखा और उसे तत्काल रोकने का फ़ैसला किया। 'और क्रीचर, तुम पर यह प्रतिबंध है कि तुम उसे न तो कुछ बताओगे, न ही उसे दिखाओगे कि तुम क्या कर रहे हो, उससे बात भी नहीं करोगे, उसे संदेश भी नहीं लिखोगे, या ... या उससे किसी तरह से संपर्क नहीं करोगे। ठीक है ?'

उसने देखा कि क्रीचर उसके दिए निर्देशों में कोई दरार खोजने के लिए छटपटा रहा था। हैरी ने इंतज़ार किया। एक-दो पल बाद हैरी को बहुत संतोष हुआ, जब क्रीचर ने एक बार फिर नीचे झुककर सलाम किया और बड़े द्वेष के साथ कहा, 'मालिक ने हर चीज़ के बारे में सोच लिया है और क्रीचर को आदेश मानना ही होगा, हालाँकि क्रीचर उस मैल्फ़ॉय लड़के का ग़ुलाम बनना ज़्यादा पसंद करता, ओह हाँ ...'

'तो फिर ठीक है,' हैरी ने कहा। 'मुझे नियमित रिपोर्ट चाहिए, लेकिन मेरे पास आते समय यह देख लेना कि आस-पास दूसरे लोग न हों। रॉन और हर्माइनी के होने से कोई दिक़्क़त नहीं है। और किसी को भी यह मत बताना कि तुम क्या कर रहे हो। बस जोंक की तरह मैल्फ़ॉय से चिपके रहना।'

अध्याय बीस

लॉर्ड वोल्डेमॉर्ट का आग्रह

हैरी और रॉन की सोमवार को सुबह-सुबह ही अस्पताल से छुट्टी हो गई। मैडम पॉमफ़्री के इलाज से वे बिलकुल ठीक हो चुके थे। बेहोशी और ज़हर की इन घटनाओं से सबसे अच्छा लाभ यह हुआ था कि हर्माइनी की रॉन से दोबारा दोस्ती हो गई। हर्माइनी उनके साथ नाश्ता करने भी गई और उसने उन्हें यह ख़बर सुनाई कि जिनी की डीन से लड़ाई हो गई थी। हैरी के सीने में सोए हुए जानवर ने अचानक अपना सिर उठा लिया और उम्मीद से सूँघने लगा।

'उनकी लड़ाई किस बारे में हुई?' उसने अपनी आवाज़ सामान्य बनाए रखने की कोशिश करते हुए पूछा, जब वे सातवीं मंज़िल के वीरान गलियारे में मुड़े। वहाँ बस एक बहुत छोटी लड़की थी, जो दैत्यों की दीवारदरी को देख रही थी। सिक्स्थ ईयर के विद्यार्थियों को देखकर वह दहशत में दिखने लगी और उसके हाथ से पीतल का भारी तराजू छूट गया।

'कोई बात नहीं!' हर्माइनी ने उसकी मदद करते हुए कहा। 'यह लो ...' उसने अपनी छड़ी से टूटे हुए तराजू को ठोंका और बोली, *'मरम्मतो!'*

लड़की ने धन्यवाद तक नहीं कहा, बल्कि उसी जगह पर स्थिर खड़ी रही और उन्हें जाते तथा ओझल होते देखती रही। रॉन ने मुड़कर उसकी तरफ़ देखा।

फिर वह बोला, 'मैं क़सम खाकर कहता हूँ कि अब लड़कियाँ दिनोदिन ज़्यादा छोटी होती जा रही हैं।'

'अभी उसकी फ़िक्र मत करो,' हैरी ने थोड़ी अधीरता से कहा। 'जिनी और डीन में किस बात पर झगड़ा हो गया, हर्माइनी?'

हर्माइनी बोली, 'ओह, डीन इस बात पर हँस रहा था कि मैकलेगन ने तुम पर पहलवान मारा था!'

'यह ज़रूर मज़ेदार दिखा होगा,' रॉन ने तर्कपूर्ण ढंग से कहा।

'यह ज़रा भी मज़ेदार नहीं था!' हर्माइनी ने ग़ुस्से से कहा। 'यह तो भयंकर था। अगर कूट और पीक्स हैरी को बीच में नहीं पकड़ लेते, तो वह बुरी तरह घायल हो सकता था!'

'लेकिन देखो, इस बात पर जिनी और डीन को हमेशा के लिए अलग होने की कोई ज़रूरत नहीं थी,' हैरी ने अब भी अपनी आवाज़ को सामान्य रखने की कोशिश करते हुए कहा। 'या वे अब भी एक साथ हैं?'

'हाँ, वे एक साथ हैं – लेकिन तुम इतनी दिलचस्पी क्यों ले रहे हो?' हर्माइनी ने हैरी की तरफ़ तीखी निगाह डालते हुए कहा।

'मैं यह नहीं चाहता कि मेरी क्विडिच टीम का तालमेल एक बार फिर बिगड़ जाए!' उसने जल्दी से कहा, लेकिन हर्माइनी इसके बाद भी उसे संदेह से देखती रही। हैरी को बड़ी राहत मिली, जब उसे पीछे से एक आवाज़ सुनाई दी, 'हैरी!' इससे उसे पीछे मुड़ने का बहाना मिल गया।

'ओह, हाय लूना।'

'मैं तुम्हें खोजती हुई अस्पताल गई थी,' लूना ने कहा और अपने बैग में टटोला। 'लेकिन वहाँ जाकर पता चला कि तुम्हारी छुट्टी हो गई है ...'

उसने रॉन के हाथों में एक हरे प्याज़ जैसी कोई चीज़, एक बड़ा चित्तीदार कुकुरमुत्ता और कैट लिटर जैसी बहुत सी चीज़ें पकड़ा दीं और आख़िरकार एक गंदा चर्मपत्र निकालकर हैरी को थमा दिया।

'... मुझे इसे तुम्हें देने को कहा गया था।'

यह एक छोटा चर्मपत्र था, जिसे देखते ही हैरी तत्काल समझ गया कि डम्बलडोर ने उसे एक बार फिर अतिरिक्त सबक़ के लिए आमंत्रित किया है।

चर्मपत्र खोलते ही उसने रॉन और हर्माइनी से कहा, 'आज रात को!'

'पिछले मैच में बढ़िया कमेंट्री की थी!' रॉन ने लूना को हरे प्याज़ जैसी चीज़, चित्तीदार कुकुरमुत्ता और कैट लिटर वापस देते हुए कहा। लूना अजीब तरीक़े से मुस्कराई।

'तुम मेरा मज़ाक़ उड़ा रहे हो, है ना?' उसने कहा। 'सब कह रहे हैं कि मेरी कमेंट्री भयंकर थी।'

'नहीं, मैं गंभीर हूँ!' रॉन ने गंभीरता से कहा। 'मुझे याद नहीं है कि मुझे किसी कमेंट्री में इससे ज़्यादा मज़ा आया हो! वैसे, यह क्या है?' उसने प्याज़ जैसी चीज़ को लूना के हाथ से लेकर अपनी आँख के स्तर तक उठाते हुए कहा।

'ओह, यह गर्डीरूट है,' लूना ने कैट लिटर और कुकुरमुत्ते को अपने बैग में दोबारा ठूँसते हुए कहा। 'तुम चाहो तो इसे अपने पास रख सकते हो। मेरे पास और भी हैं। यह गल्पिंग प्लिम्पीज़ को दूर रखने के लिए बहुत अच्छी होती है।'

फिर वह चली गई। रॉन अब भी गर्डीरूट को पकड़े-पकड़े हँसता रहा।

'तुम जानते हो, लूना तो हैरान कर देती है,' उसने कहा, जब वे एक बार फिर बड़े हॉल की तरफ़ चल दिए। 'मैं जानता हूँ कि वह थोड़ी पागल है, लेकिन वह बहुत अच्छी –'

उसकी बोलती अचानक बंद हो गई। लैवेंडर ब्राउन संगमरमर की सीढ़ियों के नीचे खड़ी थी और बहुत ग़ुस्से में दिख रही थी।

'हाय,' रॉन ने घबराते हुए कहा।

'चलो,' हैरी ने हर्माइनी से बुदबुदाकर कहा और वे तेज़ी से गुज़र गए। चलते-चलते उन्होंने लैवेंडर की बात सुनी, 'तुमने मुझे यह क्यों नहीं बताया कि तुम्हारी आज छुट्टी हो रही है? और वह तुम्हारे साथ क्यों है?'

आधा घंटे बाद जब रॉन नाश्ता करने के लिए आया, तो वह नाराज़ और चिड़चिड़ा दिख रहा था। हालाँकि वह लैवेंडर के पास बैठा था, लेकिन हैरी ने देखा कि उन दोनों में बातचीत नहीं हो रही थी। हर्माइनी ऐसा नाटक कर रही थी, जैसे उस तरफ़ उसका ध्यान ही न हो, लेकिन एक-दो बार हैरी ने उसके चेहरे पर बेवजह मुस्कराहट आते देखी। पूरे दिन हर्माइनी अच्छे मूड में नज़र आई और उस शाम को वह हॉल में हैरी के जड़ी-बूटी विज्ञान के निबंध को देखने के लिए (दूसरे शब्दों में, उसे पूरा लिखने के लिए) भी तैयार हो गई। अब तक वह ऐसा इसलिए नहीं कर रही थी, क्योंकि वह जानती थी कि हैरी रॉन को अपने निबंध की नक़ल करने देगा।

'बहुत-बहुत धन्यवाद,' हैरी ने जल्दी से उसकी पीठ ठोंकते हुए कहा। फिर उसने अपनी घड़ी में देखा कि आठ बजने ही वाले थे। 'सुनो मुझे जल्दी जाना होगा, वरना डम्बलडोर के पास पहुँचने में देर हो जाएगी ...'

हर्माइनी ने कोई जवाब नहीं दिया, बल्कि थोड़े थके अंदाज़ में उसके कुछ कमज़ोर वाक्यों को काट दिया। हैरी मुस्कराते हुए जल्दी से तस्वीर के छेद से बाहर निकला और हेडमास्टर के ऑफ़िस की तरफ़ चल दिया। टॉफ़ी एक्लेयर्स का नाम सुनते ही गारगॉइल उछलकर एक तरफ़ हो गया और हैरी ने एक बार में दो-दो सीढ़ियाँ लाँघकर घुमावदार सीढ़ी पार की तथा दरवाज़ा खटखटाया। तभी अंदर की एक घड़ी ने आठ बजाए।

'आ जाओ,' डम्बलडोर ने कहा। हैरी ने दरवाज़े को धकाने के लिए हाथ बढ़ाया, लेकिन यह अंदर से खुल गया। वहाँ प्रोफ़ेसर ट्रिलोनी खड़ी थीं।

'ओहो!' वे चिल्लाईं और नाटकीय तरीक़े से हैरी की तरफ़ इशारा किया, जब उन्होंने अपने चश्मे से उसकी तरफ़ पलकें झपकाकर देखा। 'तो इसीलिए आप मुझे ऑफ़िस से बेइज़्ज़त करके निकाल रहे थे, डम्बलडोर!'

'प्यारी सिबिल,' डम्बलडोर ने थोड़े आहत स्वर में कहा, 'तुम्हें बेइज़्ज़त करके निकालने का कोई सवाल ही नहीं है, लेकिन हैरी का आठ बजे का अपॉइंटमेंट है और मुझे सचमुच नहीं लगता है कि इस बारे में और कुछ कहने को बचा है –'

'बहुत बढ़िया,' प्रोफ़ेसर ट्रिलोनी ने बहुत आहत आवाज़ में कहा। 'अगर आप उस घुसपैठिए को नहीं निकालेंगे, तो ठीक है ... शायद मुझे कोई और स्कूल ढूँढ़ना चाहिए, जहाँ मेरी प्रतिभा की ज़्यादा क़द्र हो ...'

वे हैरी के पास से निकलीं और घुमावदार सीढ़ी पर नीचे जाकर ओझल हो गईं। हैरी ने उन्हें आधी दूरी पर लड़खड़ाते हुए सुना और अंदाज़ा लगा लिया कि वे अपने पीछे लहराती शॉल के कारण गिर गई होंगी।

डम्बलडोर थोड़े थके अंदाज़ में बोले, 'हैरी, दरवाज़ा लगा लो और बैठ जाओ।'

हैरी ने आदेश का पालन किया। जब वह डम्बलडोर की डेस्क के सामने वाली कुर्सी पर बैठा, तो उसने देखा कि एक बार फिर स्मृति पात्र उनके बीच रखा था। वहाँ पर घुमड़ती यादों से भरी दो छोटी शीशियाँ भी रखी थीं।

हैरी ने पूछा, 'प्रोफ़ेसर ट्रिलोनी ख़ुश नहीं हैं कि फ़िरेंज पढ़ा रहा है?'

'हाँ,' डम्बलडोर ने कहा। 'ज्योतिष के कारण मुझे अपनी उम्मीद से ज़्यादा मुश्किलें आ रही हैं, शायद इसलिए क्योंकि मैंने वह विषय नहीं पढ़ा है। मैं फ़िरेंज को जंगल वापस लौटने के लिए नहीं कह सकता हूँ, क्योंकि अब वह निर्वासित है, न ही मैं सिबिल ट्रिलोनी को जाने के लिए कह सकता हूँ। तुम्हें एक राज़ की बात बताता हूँ। महल से बाहर जाने के बाद वह कितने ख़तरे में होगी, इसका उसे ज़रा भी अंदाज़ा नहीं है। वह नहीं जानती है – और मुझे लगता है कि उसे यह बताने में समझदारी भी नहीं है – कि उसने तुम्हारे और वोल्डेमॉर्ट के बारे में भविष्यवाणी की थी।'

डम्बलडोर एक गहरी आह भरते हुए बोले, 'मेरे स्टाफ़ की समस्याओं की चिंता मत करो। हमारे पास बातचीत करने के लिए ज़्यादा महत्वपूर्ण मामले हैं। पहली बात – क्या तुमने वह काम किया, जो मैंने तुम्हें इससे पहले वाली क्लास के आख़िर में सौंपा था?'

'ओह,' हैरी ने चौंकते हुए कहा। अंतर्ध्यान प्रशिक्षण, क्विडिच, रॉन को ज़हर दिए जाने, अपनी खोपड़ी फूटने और ड्रेको मैल्फ़ॉय के इरादों का पता

लगाने के संकल्प के कारण हैरी यह भूल ही गया था कि डम्बलडोर ने उससे प्रोफ़ेसर स्लगहॉर्न की याद निकलवाने को कहा था ... 'सर, मैंने प्रोफ़ेसर स्लगहॉर्न से काढ़ों की क्लास के आख़िर में पूछा था, लेकिन वे मुझे याद देने को तैयार नहीं हुए।'

थोड़ी देर ख़ामोशी छाई रही।

'अच्छा,' डम्बलडोर ने आख़िरकार कहा और हैरी को अपने आधे चाँद के आकार के चश्मे के ऊपर से घूरा। हैरी को लगा, जैसे उसका एक्सरे किया जा रहा हो। 'और क्या तुम्हें लगता है कि इस मामले में तुमने पूरी कोशिश की थी? क्या तुमने अपनी पूरी सूझ-बूझ का इस्तेमाल किया था? क्या तुमने उस याद को हासिल करने में अपनी पूरी चालाकी लगा दी थी? क्या तुमने कोई कोर-कसर नहीं छोड़ी थी?'

'देखिए,' हैरी चकरा गया और उसे यह समझ में नहीं आया कि इसके बाद क्या कहे। याद हासिल करने की उसकी एकमात्र कोशिश अचानक बहुत कमज़ोर दिखने लगी। 'देखिए ... जिस दिन रॉन ने ग़लती से प्रेम काढ़ा निगल लिया था, उस दिन मैं उसे प्रोफ़ेसर स्लगहॉर्न के पास ले गया था। मैंने सोचा था कि अगर मैं प्रोफ़ेसर स्लगहॉर्न को अच्छे मूड में ले आऊँ -'

डम्बलडोर ने पूछा, 'और क्या उससे काम बन गया?'

'ओह नहीं, सर, क्योंकि वहाँ रॉन ने धोखे से ज़हर पी लिया था -'

'- ज़ाहिर है, इससे तुम याद हासिल करने के बारे में सब कुछ भूल गए। जब सबसे अच्छा दोस्त ख़तरे में हो, तो मैं इसके अलावा कोई उम्मीद भी नहीं कर सकता हूँ। बहरहाल, जब यह स्पष्ट हो गया कि रॉन पूरी तरह ठीक हो जाएगा, तब तो तुम्हें उस काम की तरफ़ ध्यान देना चाहिए था, जो मैंने तुम्हें सौंपा था। मैंने तुम्हारे सामने यह स्पष्ट कर दिया था कि वह याद कितनी महत्वपूर्ण है। दरअसल, मैंने तुम्हारे सामने यह स्पष्ट करने की पूरी कोशिश की थी कि वह सबसे महत्वपूर्ण याद थी और अगर वह हमारे पास नहीं आई, तो हम अपना समय बर्बाद कर रहे हैं।'

शर्म का एक गर्म और काँटेदार एहसास हैरी के सिर से होता हुआ उसके पूरे शरीर में फैल गया। डम्बलडोर ने अपनी आवाज़ ऊँची नहीं की थी, वे ग़ुस्सा नहीं हुए थे, लेकिन हैरी को उनका चिल्लाना ज़्यादा अच्छा लगता। यह ठंडी निराशा बहुत बुरी थी।

'सर,' उसने थोड़ी हताशा से कहा, 'ऐसा नहीं है कि मैं चिंतित नहीं था, मेरे पास बस दूसरे - दूसरे ...'

'दूसरे कामों की चिंता थी,' डम्बलडोर ने उसका वाक्य पूरा कर दिया।

'अच्छा।'

एक बार फिर उनके बीच ख़ामोशी छा गई। हैरी को डम्बलडोर की ख़ामोशी पहले कभी इतनी असहज नहीं लगी थी। ख़ामोशी लगातार चलती जा रही थी और डम्बलडोर के सिर के ऊपर लगी अरमान्डो डिपेट की तस्वीर के खर्राटों से ही टूट रही थी। हैरी को लगा कि वह अजीब तरीक़े से छोटा हो गया था, जैसे कमरे में दाख़िल होने के बाद से उसका क़द कुछ घट गया हो।

जब वह इसे और बर्दाश्त नहीं कर पाया, तो वह बोला, 'प्रोफ़ेसर डम्बलडोर, मुझे सचमुच अफ़सोस है। मुझे ज़्यादा कोशिश करनी चाहिए थी ... मुझे यह एहसास होना चाहिए था कि अगर यह काम सचमुच महत्वपूर्ण नहीं होता, तो आप इसे मुझसे करने को कहते ही नहीं।'

'यह कहने के लिए धन्यवाद, हैरी,' डम्बलडोर ने धीरे से कहा। 'मैं यह उम्मीद करता हूँ कि आगे से तुम इस मामले को सबसे ऊपर रखोगे। आज रात के बाद हमारे मिलने का तब तक कोई मतलब नहीं है, जब तक कि हमारे पास वह याद न हो।'

हैरी ने गंभीरता से कहा, 'मैं इसे कर दूँगा, सर, मैं इसे उनसे ले लूँगा।'

'अच्छा, तो फिर हम इस मामले को यहीं ख़त्म करते हैं,' डम्बलडोर ने मुस्कराते हुए कहा, 'और अपनी कहानी को वहाँ से आगे बढ़ाते हैं, जहाँ हमने इसे छोड़ा था। तुम्हें याद है, हमने इसे कहाँ छोड़ा था?'

'हाँ सर,' हैरी जल्दी से बोला। 'वोल्डेमॉर्ट ने अपने पिता और दादा-दादी को मार डाला था और इसका इल्ज़ाम अपने मामा मॉर्फ़िन पर लगवा दिया था। फिर वह हॉगवर्ट्स लौट गया था और उसने ... उसने प्रोफ़ेसर स्लगहॉर्न से होरक्रक्स के बारे में पूछा था,' यह कहते हुए उसके चेहरे पर शर्म का भाव आ गया।

'बहुत बढ़िया,' डम्बलडोर ने कहा। 'तुम्हें याद होगा, मैंने तुम्हें अपनी इन मुलाक़ातों की शुरुआत में बताया था कि हम अंदाज़ों और अटकलों के क्षेत्र में क़दम रख रहे हैं?'

'हाँ, सर।'

'अभी तक मैंने तुम्हें तथ्य के ठोस स्रोत बताए हैं, जिनसे यह अनुमान लगाया जा सकता है कि वोल्डेमॉर्ट ने सत्रह साल की उम्र तक क्या किया था, है ना?'

हैरी ने सिर हिलाया।

'लेकिन अब हैरी,' डम्बलडोर ने कहा, 'अब चीज़ें ज़्यादा धुँधली और

अनजान हो जाती हैं। अगर रिडल नाम के लड़के के बारे में सबूत खोजना मुश्किल था, तो वोल्डेमॉर्ट नाम के वयस्क के बारे में याद देने के लिए किसी को तैयार करना लगभग असंभव था। दरअसल, मुझे लगता है कि उसके अलावा कोई भी जीवित व्यक्ति हॉगवर्ट्स से जाने के बाद उसके जीवन का पूरा वर्णन नहीं कर सकता है। बहरहाल, मैं तुम्हें दो आख़िरी यादें दिखाना चाहूँगा।' डम्बलडोर ने काँच की दो छोटी शीशियों की तरफ़ इशारा किया, जो स्मृति पात्र के पास चमक रही थीं। 'मुझे तुम्हारी राय जानकर ख़ुशी होगी कि मैंने जो निष्कर्ष निकाले हैं, क्या वे तुम्हारे हिसाब से ठीक हैं।'

डम्बलडोर उसकी राय को इतना ज़्यादा महत्व देते हैं, यह सोचकर हैरी को इस बात पर और भी शर्म महसूस हुई कि वह स्लगहॉर्न की होरक्रक्स वाली याद को हासिल नहीं कर पाया था। अपराधी की तरह उसने अपनी कुर्सी पर पहलू बदला। उधर डम्बलडोर ने एक शीशी को रोशनी में उठाकर देखा।

'मुझे उम्मीद है कि लोगों की यादों में गोता लगाते-लगाते तुम थके नहीं होगे, क्योंकि ये दोनों यादें बहुत अजीब हैं,' उसने कहा। 'पहली तो होकी नाम की बहुत बूढ़ी घरेलू जिन्न की है। इससे पहले कि हम होकी की नज़रों से देखें, मुझे जल्दी से तुम्हें बताना होगा कि लॉर्ड वोल्डेमॉर्ट ने हॉगवर्ट्स कैसे छोड़ा था।

'उस समय वह अपने स्कूल के सेवन्थ ईयर में पहुँच गया था। जैसा कि तुमने अंदाज़ा लगा लिया होगा, उसे हर परीक्षा में सबसे अच्छे ग्रेड मिले थे। उसके सभी सहपाठी यह फ़ैसला कर रहे थे कि हॉगवर्ट्स छोड़ने के बाद वे कौन सा कैरियर चुनेंगे। लगभग सभी को यह उम्मीद थी कि टॉम रिडल किसी अद्भुत कैरियर को चुनेगा, क्योंकि वह प्रिफ़ेक्ट था, हेड बॉय था और उसने स्कूल के प्रति विशेष सेवाओं का पुरस्कार भी जीता था। मैं जानता हूँ कि कई टीचर्स ने, जिनमें प्रोफ़ेसर स्लगहॉर्न भी शामिल थे, उसे यह सुझाव दिया कि वह जादू मंत्रालय में नौकरी कर ले। उन्होंने उसके सामने वहाँ नौकरी दिलवाने में मदद करने का प्रस्ताव भी रखा। बहरहाल, वोल्डेमॉर्ट ने ऐसे सभी प्रस्तावों को नामंज़ूर कर दिया। बाद में स्टाफ़ को पता चला कि वोल्डेमॉर्ट बोर्गिन एंड बर्क्स में काम करने लगा था।'

'बोर्गिन एंड बर्क्स ?' हैरी ने स्तब्ध होते हुए दोहराया।

'बोर्गिन एंड बर्क्स!' डम्बलडोर ने धीरे से दोहराया। 'मुझे लगता है, होकी की याद में चलने पर तुम्हें समझ में आ जाएगा कि वोल्डेमॉर्ट को वहाँ कौन सा आकर्षण दिखा था। लेकिन यह वह पहली नौकरी नहीं थी, जिसे वोल्डेमॉर्ट करना चाहता था। उस वक़्त इसके बारे में बहुत कम लोग जानते थे - हेडमास्टर ने बहुत कम लोगों को यह गोपनीय बात बताई थी, जिनमें से एक मैं भी था -

लेकिन बोर्गिन एंड बर्क्स में जाने से पहले वोल्डेमॉर्ट प्रोफ़ेसर डिपेट के पास गया था और उनसे पूछा था कि क्या वह हॉगवर्ट्स में टीचर बन सकता है?'

'वह यहाँ रहना चाहता था? क्यों?' हैरी ने पूछा, जो अब और हैरान रह गया था।

'मेरा मानना है कि उसके पास कई कारण थे, हालाँकि उसने प्रोफ़ेसर डिपेट को उनमें से कोई भी कारण नहीं बताया,' डम्बलडोर ने कहा। 'मेरे हिसाब से सबसे पहला और सबसे महत्वपूर्ण कारण यह था कि वोल्डेमॉर्ट को किसी व्यक्ति के बजाय इस जगह से ज़्यादा मोह था। हॉगवर्ट्स ही वह जगह थी, जहाँ वह सबसे ज़्यादा ख़ुश रहा था। यही वह पहली और इकलौती जगह थी, जहाँ उसे घर जैसा महसूस हुआ था।'

हैरी इन शब्दों को सुनकर थोड़ा परेशान हो गया, क्योंकि वह भी हॉगवर्ट्स के बारे में ऐसा ही महसूस करता था।

'दूसरी बात, यह महल प्राचीन जादू का गढ़ है। बेशक वोल्डेमॉर्ट ने इसके कई रहस्य समझ लिए थे, जिन्हें ज़्यादातर विद्यार्थी नहीं समझ पाए थे, लेकिन हो सकता है उसे महसूस हुआ हो कि यहाँ और भी रहस्य हैं, जादू के और भी ख़ज़ाने हैं, जिनका दोहन किया जा सकता है।

'और तीसरी बात, टीचर के रूप में उसके पास युवा जादूगरों और जादूगरनियों को प्रभावित करने की काफ़ी शक्ति होती। शायद उसे यह विचार प्रोफ़ेसर स्लगहॉर्न से मिला होगा, जिनके साथ उसके बहुत अच्छे संबंध थे, जिन्होंने उसे यह दिखा दिया था कि टीचर कितनी महत्वपूर्ण भूमिका निभा सकता है। मैं एक पल के लिए भी यह कल्पना नहीं कर सकता कि वोल्डेमॉर्ट अपना पूरा जीवन हॉगवर्ट्स में बिताना चाहता होगा, लेकिन मुझे लगता है कि उसने इसे शुरुआती महत्वपूर्ण जगह के रूप में देखा होगा, जहाँ वह अपनी सेना बना सकता था।'

'लेकिन उसे नौकरी नहीं मिली, सर?'

'नहीं, उसे नहीं मिली। प्रोफ़ेसर डिपेट ने उसे बता दिया कि टीचर होने के लिए अठारह साल की उम्र कम है। बहरहाल, उन्होंने उससे कहा कि कुछ साल बाद वह टीचर पद के लिए आवेदन दे सकता है।'

हैरी ने झिझकते हुए पूछा, 'और आपको इसके बारे में कैसा लगा, सर?'

'बहुत उलझन हुई थी,' डम्बलडोर ने कहा। 'मैंने अरमान्डो डिपेट को सलाह दी थी कि वे उसे टीचर न बनाएँ – मैंने उन्हें वे कारण नहीं बताए थे, जो मैंने तुम्हें बताए हैं, क्योंकि प्रोफ़ेसर डिपेट वोल्डेमॉर्ट को बहुत पसंद करते थे और

उन्हें उसकी ईमानदारी पर भरोसा था – लेकिन मैं इस स्कूल में लॉर्ड वोल्डेमॉर्ट की वापसी नहीं चाहता था, ख़ास तौर पर किसी शक्तिशाली पद पर।'

'वह कौन सा पद चाहता था, सर? वह कौन सा विषय पढ़ाना चाहता था?'

डम्बलडोर के जवाब देने से पहले ही हैरी समझ गया कि जवाब क्या होगा।

'गुप्त कलाओं से रक्षा। उस समय गैलेटी मेरीथॉट नाम की एक बूढ़ी प्रोफ़ेसर यह विषय पढ़ाती थीं, जो हॉगवर्ट्स में लगभग पचास सालों से थीं।

'तो वोल्डेमॉर्ट बोर्गिन एंड बर्क्स में चला गया और उसे पसंद करने वाले सभी टीचर्स ने कहा कि ऐसी दुकान पर काम करके इतना प्रतिभाशाली युवा जादूगर अपनी प्रतिभा बर्बाद कर रहा है। बहरहाल, वोल्डेमॉर्ट सिर्फ़ कर्मचारी ही नहीं था। विनम्र, आकर्षक और चतुर होने के कारण जल्दी ही उसे उस तरह के ख़ास काम दिए जाने लगे, जो सिर्फ़ बोर्गिन एंड बर्क्स जैसी जगहों पर ही होते हैं। हैरी, तुम्हें मालूम ही है, बोर्गिन एंड बर्क्स दुकान असामान्य और सशक्त जादू वाली वस्तुओं में विशेषज्ञता रखती है। वोल्डेमॉर्ट को लोगों को इस बात के लिए राज़ी करने के लिए भेजा गया कि वे अपना मूल्यवान सामान उस दुकान को बेच दें। सभी की राय में वह इस काम में असामान्य रूप से माहिर था।'

'मैं शर्त लगाता हूँ कि वह ज़रूर होगा,' हैरी ने कहा, जो ख़ुद को रोक नहीं पाया था।

डम्बलडोर हल्के से मुस्कराते हुए बोले, 'और अब होकी नाम की घरेलू जिन्न की बात सुनने का वक़्त आ गया है। वह एक बहुत बूढ़ी और अमीर जादूगरनी के यहाँ काम करती थी, जिसका नाम हेपज़िबा स्मिथ था।'

डम्बलडोर ने अपनी छड़ी से एक शीशी ठोंकी। कॉर्क बाहर उड़ गया और घुमड़ती हुई याद को स्मृति पात्र में डालने के बाद उन्होंने हैरी से कहा, 'हैरी, पहले तुम।'

हैरी उठकर खड़ा हुआ और एक बार फिर पत्थर के पात्र के घुमड़ते हुए चाँदी जैसे पदार्थ के ऊपर झुका, जब तक कि उसका चेहरा उसे छूने नहीं लगा। वह अँधेरे में गिरने लगा और एक बैठक में उतर गया। वह एक बहुत मोटी बूढ़ी औरत के सामने था, जो एक बड़ी जिंजर विग और चमकते गुलाबी दुशाले पहने थी। दुशाले उसके चारों तरफ़ लहरा रहे थे, जिससे वह पिघलते हुए बर्फ़ के टुकड़े की तरह नज़र आ रही थी। वह जवाहरात जड़े एक छोटे आईने में अपना चेहरा देख रही थी और अपने पहले से लाल गालों पर एक बड़े पाउडर पफ़ से रूज़ लगा रही थी। तभी एक घरेलू जिन्न नज़र आई। हैरी ने आज तक इससे

नाटी और बूढ़ी घरेलू जिन्न नहीं देखी थी। उस जिन्न ने हेपज़िबा के मोटे पैर कसी हुई साटन की रेशमी स्लिपर्स में डाले।

'जल्दी करो, होकी!' हेपज़िबा दबंग अंदाज़ में बोली। 'उसने कहा था कि वह चार बजे आएगा। अब सिर्फ़ कुछ ही मिनट बचे हैं और वह आज तक कभी देर से नहीं आया है!'

उसने अपना पाउडर पफ़ दूर हटा दिया, जब घरेलू जिन्न सीधी खड़ी हुई। घरेलू जिन्न के सिर का ऊपरी हिस्सा हेपज़िबा की कुर्सी की आधी ऊँचाई तक भी नहीं पहुँच रहा था। उसकी काग़ज़ जैसी पतली चमड़ी उसके शरीर से उसी तरह लटक रही थी, जैसे कड़क लिनेन की वह चादर, जिसे उसने चोगे की तरह लपेट रखा था।

'मैं कैसी दिख रही हूँ?' हेपज़िबा ने सिर घुमाकर आईने में कई कोणों से अपना चेहरा देखते हुए पूछा।

'बहुत प्यारी, मैडम,' होकी ने चिंचियाते हुए कहा।

हैरी को लगा, शायद यह होकी के अनुबंध में लिखा होगा कि जब भी उससे यह सवाल पूछा जाए, तो उसे सरासर झूठ बोलना है, क्योंकि उसकी राय में हेपज़िबा बहुत प्यारी होने से बहुत दूर दिख रही थी।

दरवाज़े की घंटी बजी और मालकिन तथा घरेलू जिन्न दोनों ही चौंककर उछल पड़ीं।

'जल्दी, जल्दी, वह आ गया, होकी!' हेपज़िबा चीख़ी और घरेलू जिन्न कमरे से बाहर निकल गई। उस कमरे में इतना सामान भरा पड़ा था कि यह देखना मुश्किल था कि कोई भी एक दर्जन चीज़ों को ठोकर मारे बिना उसे कैसे पार कर सकता है। छोटे रंगीन बॉक्सेस से भरी अलमारियाँ थीं, सुनहरी जिल्द वाली किताबों से भरे केस थे, भाग्यदर्पणों और ब्रह्मांड के मॉडलों से भरे शेल्फ़ थे और पीतल के कई गमलों में पौधे थे। दरअसल, यह कमरा किसी जादुई एंटीक शॉप और पौधशाला का मिला-जुला रूप लग रहा था।

घरेलू जिन्न कुछ ही मिनट में लौट आई। उसके पीछे एक लंबा युवक था, जिसे पहचानने में हैरी को कोई मुश्किल नहीं हुई। यह वोल्डेमॉर्ट था, जो एक काला सूट पहने था। स्कूल के दिनों की तुलना में उसके बाल अब थोड़े ज़्यादा लंबे थे और गाल ज़्यादा खोखले, लेकिन यह सब उस पर जम रहा था। वह पहले से ज़्यादा आकर्षक लग रहा था। उसने भरे हुए कमरे में अपना रास्ता इस तरह बनाया, जिससे हैरी समझ गया कि वह यहाँ पहले भी कई बार आ चुका है। उसने नीचे झुककर हेपज़िबा के मोटे हाथ को अपने होंठों से चूमा।

'मैं आपके लिए फूल लाया हूँ,' उसने धीरे से कहा और हवा में से गुलाबों

का गुच्छा उत्पन्न कर दिया।

'शरारती लड़के, तुम्हें नहीं लाना चाहिए था!' बूढ़ी हेपज़िबा चिल्लाई, हालाँकि हैरी का ध्यान इस तरफ़ गया कि उसके सबसे क़रीब वाली टेबल पर एक ख़ाली फूलदान तैयार था। 'तुम इस बूढ़ी औरत को बिगाड़ रहे हो, टॉम ... बैठ जाओ, बैठ जाओ ... होकी कहाँ है ... ओह ...'

घरेलू जिन्न भागती हुई कमरे में आई। उसके हाथ में छोटे केकों की ट्रे थी, जो उसने अपनी मालकिन की कोहनी के पास रख दी।

'लो टॉम,' हेपज़िबा ने कहा। 'मैं जानती हूँ कि तुम्हें मेरे बनाए केक कितने पसंद हैं? अब बताओ, तुम कैसे हो? तुम्हारा चेहरा पीला दिख रहा है। मैं तुमसे सैकड़ों बार कह चुकी हूँ कि वे लोग तुमसे उस दुकान में बहुत ज़्यादा काम करवाते हैं ...'

वोल्डेमॉर्ट मशीनी अंदाज़ में मुस्कराया और हेपज़िबा दाँत निकालने लगी।

उसने अपनी पलकें झपकाते हुए कहा, 'अच्छा तो इस बार तुम्हारे आने का क्या बहाना है?'

'मिस्टर बर्क पिशाचों द्वारा बनाए ज़िरहबख़्तर के लिए अपनी पेशकश बढ़ाना चाहते हैं,' वोल्डेमॉर्ट ने कहा। 'पाँच सौ गैलियन, उनका कहना है कि यह बहुत ज़्यादा है –'

'अब, अब, इतनी तेज़ी से नहीं, वरना मैं सोचने लगूँगी कि तुम यहाँ सिर्फ़ मेरे सामान के लिए आते हो!' हेपज़िबा ने मुँह फुलाते हुए कहा।

'मुझे उनके कारण ही यहाँ आने का आदेश मिलता है,' वोल्डेमॉर्ट ने धीरे से कहा। 'मैं सिर्फ़ एक ग़रीब सहायक हूँ, मैडम, जिसे आदेश का पालन करना ही होता है। मिस्टर बर्क चाहते हैं कि –'

'ओह, मिस्टर बर्क, बकवास!' हेपज़िबा ने अपना छोटा हाथ लहराते हुए कहा। 'मुझे तुम्हें कुछ दिखाना है, जो मैंने मिस्टर बर्क को आज तक नहीं दिखाया है! क्या तुम मेरे राज़ को राज़ रख सकते हो, टॉम? क्या तुम वादा करते हो कि तुम मिस्टर बर्क को यह नहीं बताओगे कि यह चीज़ मेरे पास है? अगर उसे पता चल गया कि यह चीज़ मेरे पास है, तो वह मुझे कभी चैन से नहीं रहने देगा। और मैं इसे कभी नहीं बेचूँगी ... बर्क को नहीं, किसी को भी नहीं! लेकिन टॉम, तुम इसके इतिहास के कारण इसकी क़द्र करोगे, इस बात के लिए नहीं कि इसकी बदौलत तुम कितने गैलियन कमा सकते हो ...'

'वोल्डेमॉर्ट ने धीरे से कहा, मिस हेपज़िबा मुझे जो दिखाएँगी, वह हर

चीज़ देखने में मुझे ख़ुशी होगी!' हेपज़िबा ने लड़कियों जैसी किलकारी निकाली।

'मैं होकी से उसे मँगवाती हूँ ... होकी, तुम कहाँ गईं ? मैं मिस्टर रिडल को अपना सबसे *बेशक़ीमती* ख़ज़ाना दिखाना चाहती हूँ ... वैसे जब तुम ला ही रही हो, तो दोनों ही ले आओ ...'

'यह लीजिए, मैडम,' घरेलू जिन्न ने चिंचियाते हुए कहा। हैरी को चमड़े के दो बॉक्स दिखे, जो एक के ऊपर एक रखे कमरे के पार इस तरह आ रहे थे, जैसे अपने आप आ रहे हों, हालाँकि वह जानता था कि घरेलू जिन्न उन्हें अपने सिर पर रखकर टेबलों तथा फ़ुटस्टूल्स के बीच से जगह बनाती हुई ला रही थी।

हेपज़िबा ने घरेलू जिन्न से बॉक्स लेकर उन्हें अपनी गोद में रख लिया और सबसे ऊपर वाले को खोलने की तैयारी करने लगी, 'टॉम, मुझे लगता है कि यह तुम्हें पसंद आएगा ... ओह, अगर मेरे परिवार वालों को पता चल गया कि मैंने तुम्हें यह दिखाया है ... वे लोग तो इसे हथियाने के लिए बेताब हैं!'

उसने ढक्कन खोल दिया। हैरी ज़्यादा अच्छी तरह से देखने के लिए थोड़ा आगे सरका। उसने देखा कि उसमें एक छोटा सा सुनहरा कप था, जिस पर दो सुंदर हैंडल थे।

'टॉम, मुझे लगता है, तुम्हें पता होगा कि यह क्या है ? इसे उठा लो, इसे अच्छी तरह देखो!' हेपज़िबा ने फुसफुसाकर कहा। वोल्डेमॉर्ट ने लंबी उँगलियों वाला एक हाथ बढ़ाया और हैंडल से पकड़कर कप को उसके रेशमी बॉक्स से बाहर निकाल लिया। हैरी को उसकी काली आँखों में एक लाल चमक दिख गई। उसका लोभी भाव अजीब तरीक़े से हेपज़िबा के चेहरे पर प्रतिबिंबित हो रहा था, हालाँकि हेपज़िबा की छोटी आँखें वोल्डेमॉर्ट के आकर्षक चेहरे पर ही जमी हुई थीं।

'बिज्जू,' वोल्डेमॉर्ट ने बुदबुदाकर कहा और कप पर उकेरी गई आकृति की जाँच की। 'तब तो यह ... ?'

'माया मेहनतकश का है, जैसा तुम बहुत अच्छी तरह जानते हो, चालाक लड़के!' हेपज़िबा ने कहा और आगे की तरफ़ झुककर उसके खोखले गालों में चिमटी भर ली। 'मैंने तुम्हें बताया था ना कि मैं उनकी दूर की वंशज हूँ! यह सदियों से हमारे ख़ानदान में एक पीढ़ी से दूसरी पीढ़ी तक चला आ रहा है। प्यारा है, है ना ? ऐसा माना जाता है कि इसमें बहुत सी शक्तियाँ हैं, लेकिन मैंने आज तक उनकी ठीक से जाँच नहीं की है। मैं तो बस इसे अपने पास सुरक्षित रखना चाहती हूँ ...'

उसने कप को वोल्डेमॉर्ट की लंबी उँगली से निकालकर बॉक्स में धीरे से रख दिया। वह इसे सावधानी से दोबारा रखने पर इतना ज़्यादा ध्यान दे रही थी

कि उसकी नज़र वोल्डेमॉर्ट के चेहरे के भूखे भाव पर नहीं पड़ी, जो कप के छिनते समय उभर आया था।

'और अब,' हेपज़िबा ने ख़ुशी से कहा, 'होकी कहाँ है ? ओह हाँ, तुम यहाँ हो – इसे ले जाओ, होकी –'

घरेलू जिन्न ने आज्ञा का पालन करते हुए कप वाले बॉक्स को ले लिया। फिर हेपज़िबा अपनी गोद में रखे ज़्यादा सपाट बॉक्स की तरफ़ झुक गई।

'मुझे लगता है कि यह वाला तुम्हें और ज़्यादा पसंद आएगा, टॉम,' उसने फुसफुसाकर कहा। 'थोड़े क़रीब झुक आओ, प्यारे लड़के, ताकि तुम देख सको ... ज़ाहिर है, बर्क जानता है कि यह मेरे पास है, मैंने यह उसी से ख़रीदा था और मुझे लगता है कि मेरी मौत के बाद वह इसे दोबारा अपने यहाँ रखना पसंद करेगा ...'

उसने सुंदर कड़ी को खोलकर झटके से बॉक्स खोल दिया। वहाँ चिकने लाल मख़मल पर सोने का एक भारी लॉकेट रखा हुआ था।

इस बार वोल्डेमॉर्ट ने बिना कहे अपना हाथ बढ़ा दिया और रोशनी में ऊपर करके लॉकेट को घूरने लगा।

जब रोशनी सर्पाकार एस पर पड़ी, तो वह धीरे से बोला, 'नागशक्ति का निशान है!'

जब वोल्डेमॉर्ट मंत्रमुग्ध होकर लॉकेट को देख रहा था, तो हेपज़िबा चहकते हुए बोली, 'सही कहा! मैं इसके लिए अपने हाथ-पैर तक देने को तैयार थी, लेकिन इतने नायाब ख़ज़ाने को किसी तरह नहीं छोड़ सकती थी। मुझे इसे अपने संग्रह में रखना ही था। बर्क ने इसे एक ग़रीब औरत से ख़रीदा था, जिसने शायद इसे चुराया था, लेकिन उसे इसकी वास्तविक क़ीमत का अंदाज़ा नहीं था –'

इस बार कोई ग़लती नहीं हो सकती थी : उसके शब्द सुनकर वोल्डेमॉर्ट की आँखें लाल हो गईं और हैरी ने देखा कि लॉकेट की चेन पर जमी उसकी उँगलियाँ सफ़ेद हो गईं।

'– मुझे लगता है कि बर्क ने उस औरत से यह लॉकेट कौड़ियों के मोल ख़रीदा था, लेकिन तुम देख रहे हो ... यह सुंदर है, है ना ? कहा जाता है कि इसमें भी बहुत सी शक्तियाँ हैं, लेकिन मैं तो बस इसे सुरक्षित रखना चाहती हूँ ...'

उसने लॉकेट को वापस लेने के लिए अपना हाथ बढ़ाया। एक पल के लिए हैरी ने सोचा कि वोल्डेमॉर्ट इसे नहीं छोड़ेगा, लेकिन फिर वोल्डेमॉर्ट ने इसे अपनी उँगलियों से फिसल जाने दिया और यह दोबारा लाल मख़मल के बॉक्स में

पहुँच गया।

'तो, प्यारे टॉम, मुझे उम्मीद है कि तुम्हें इसमें मज़ा आया होगा!'

हेपज़िबा ने टॉम का चेहरा पूरी तरह देखा और पहली बार हैरी ने उसकी मूर्खतापूर्ण मुस्कान को गड़बड़ाते हुए देखा।

'तुम ठीक तो हो, प्यारे लड़के?'

'ओह हाँ,' वोल्डेमॉर्ट ने धीरे से कहा। 'हाँ, मैं बिलकुल ठीक हूँ ...'

'मुझे लगा था – लेकिन मुझे लगता है कि यह रोशनी के कारण होगा –' हेपज़िबा ने कहा, जो थोड़ी घबराई दिख रही थी। हैरी ने अंदाज़ा लगा लिया कि उसने भी वोल्डेमॉर्ट की आँखों में एक पल के लिए आई लाल चमक देख ली थी। 'होकी, इन्हें दूर ले जाओ और दोबारा बंद कर दो ... वही मंत्र ...'

'अब चलने का समय हो गया है, हैरी,' डम्बलडोर ने धीरे से कहा। जब घरेलू जिन्न बॉक्स उठाकर जाने लगी, तो डम्बलडोर ने एक बार फिर हैरी की बाँह पकड़ी और अँधेरे में ऊपर उठते हुए वे एक साथ डम्बलडोर के ऑफ़िस में पहुँच गए।

'हेपज़िबा स्मिथ इस घटना के दो दिन बाद मर गई,' डम्बलडोर ने कहा और अपनी सीट पर बैठ गए। हैरी उनका इशारा समझ गया कि उसे भी बैठ जाना चाहिए। 'होकी नाम की घरेलू जिन्न को मंत्रालय ने इस बात के लिए सज़ा दी कि उसने अपनी मालकिन की शाम की कॉफ़ी में दुर्घटनावश ज़हर मिला दिया था।'

'असंभव!' हैरी ने ग़ुस्से से कहा।

'मुझे लगता है कि हम दोनों के विचार एक से हैं,' डम्बलडोर ने कहा। 'निश्चित रूप से इस मौत और रिडल परिवार की मौतों में कई समानताएँ हैं। दोनों ही मामलों में दोष किसी और पर मढ़ दिया गया, जिसे यह बात स्पष्ट याद थी कि उसी के कारण मौत –'

'होकी ने अपराध स्वीकार कर लिया?'

डम्बलडोर ने कहा, 'उसे याद था कि उसने अपनी मालकिन की कॉफ़ी में कोई चीज़ डाली थी। जाँच करने पर पता चला कि वह शकर नहीं, बल्कि एक दुर्लभ ज़हर था। यह नतीजा निकाला गया कि वह ऐसा करना नहीं चाहती होगी, लेकिन बुढ़ापे और दिमाग़ सरकने के कारण –'

'वोल्डेमॉर्ट ने उसकी याद भी बदल दी होगी, जिस तरह मॉर्फ़िन की बदली थी!'

'हाँ, मेरा भी यही ख़्याल है,' डम्बलडोर ने कहा। 'और मॉर्फ़िन की ही

तरह मंत्रालय भी होकी पर शक करने लगा –'

'– क्योंकि वह घरेलू जिन्न थी,' हैरी ने कहा। उसे हर्माइनी द्वारा स्थापित सोसायटी **एस.पी.ई.डब्ल्यू.** से इतनी ज़्यादा सहानुभूति पहले कभी नहीं हुई थी।

'बिलकुल,' डम्बलडोर ने कहा। 'वह बूढ़ी थी, उसने स्वीकार कर लिया था कि उसने कॉफ़ी में कुछ गड़बड़ की थी और मंत्रालय में किसी ने भी इससे ज़्यादा जाँच करने की जहमत नहीं उठाई। मॉर्फ़िन के मामले की तरह ही जब तक मैंने उसे ढूँढ़ा और उसकी याद खोजने में कामयाब हुआ, तब तक उसका जीवन लगभग ख़त्म हो गया था – लेकिन ज़ाहिर है, उसकी याद सिर्फ़ इतना ही साबित कर सकती है कि वोल्डेमॉर्ट को कप और लॉकेट की जानकारी थी।

'जब तक होकी को सज़ा मिली, तब तक हेपज़िबा के परिवार को यह एहसास हो गया कि उसके दो सबसे बेशक़ीमती ख़ज़ाने ग़ायब थे। उन्हें इसके बारे में पक्का पता चलने में थोड़ा समय लगा, क्योंकि हेपज़िबा अपनी चीज़ें कई जगह छिपाकर रखती थी और अपने सामान की बहुत जतन से रक्षा करती थी। बहरहाल, जब तक उन्हें यह यक़ीन हो पाता कि कप और लॉकेट दोनों चोरी हो गए हैं, तब तक बोर्गिन एंड बर्क्स में काम करने वाला लड़का, जो हेपज़िबा के यहाँ नियमित रूप से आता था और उसे इतनी अच्छी तरह प्रभावित करता था, नौकरी छोड़कर ग़ायब हो चुका था। उसके मालिकों को ज़रा भी पता नहीं था कि वह कहाँ चला गया। उसके ग़ायब होने पर बाक़ी सबकी तरह ही वे भी हैरान थे। और इसके बाद काफ़ी समय तक टॉम रिडल के बारे में न तो कुछ सुना गया, न ही उसे देखा गया।

'अब हैरी,' डम्बलडोर ने कहा, 'अगर तुम्हें बुरा न लगे, तो मैं यहाँ एक बार फिर ठहरकर तुम्हारा ध्यान इस कहानी के कुछ बिंदुओं की तरफ़ आकर्षित करना चाहूँगा। वोल्डेमॉर्ट ने एक और हत्या की थी। रिडल परिवार को मारने के बाद यह उसकी पहली हत्या थी या नहीं, मैं नहीं जानता। बहरहाल, मुझे लगता है कि यह उसके बाद पहली हत्या थी। जैसा कि तुम देखोगे, इस बार उसने प्रतिशोध के लिए नहीं, बल्कि लाभ के लिए हत्या की थी। वह उन दो शानदार निशानियों को चाहता था, जो उस प्रेम में पागल औरत ने उसे दिखाई थीं। जिस तरह उसने अपने अनाथालय में बाक़ी बच्चों को लूटा था, जिस तरह उसने अपने मामा मॉर्फ़िन की अँगूठी चुराई थी, उसी तरह अब वह हेपज़िबा का कप और लॉकेट चुराकर भाग गया।'

'लेकिन,' हैरी ने त्योरियाँ चढ़ाकर कहा, 'यह पागलपन दिखता है ... हर चीज़ जोखिम में डाल दी, अपनी नौकरी छोड़ दी, सिर्फ़ इन ...'

'तुम्हें यह पागलपन दिख सकता है, लेकिन वोल्डेमॉर्ट को नहीं,' डम्बलडोर

ने कहा। 'हैरी, मुझे उम्मीद है कि समय के साथ तुम समझ जाओगे कि इन चीज़ों का उसके लिए क्या मतलब था, लेकिन तुम यह तो स्वीकार करोगे कि उसने लॉकेट इसलिए लिया था, क्योंकि वह उस पर अपना हक़ मानता था।'

'शायद लॉकेट पर तो उसका हक़ हो सकता है,' हैरी ने कहा, 'लेकिन उसने कप क्यों लिया?'

'वह कप हॉगवर्ट्स की संस्थापक का था,' डम्बलडोर ने कहा। 'मुझे लगता है कि उसे अब भी स्कूल के प्रति गहरा खिंचाव महसूस होता होगा, इसलिए वह हॉगवर्ट्स के इतिहास में इतनी गहराई से रचे-बसे प्रतीक को हासिल करने के प्रलोभन को नहीं ठुकरा सकता था। मुझे लगता है, बाक़ी कारण भी थे ... समय आने पर मैं तुम्हें वे कारण भी बताऊँगा।

'और अब मेरे पास तुम्हें दिखाने के लिए यह आख़िरी याद है, जब तक कि तुम प्रोफ़ेसर स्लगहॉर्न की याद को नहीं ले आते हो। होकी की याद और इस याद के बीच में दस साल गुज़र चुके थे, जिस दौरान हम सिर्फ़ अंदाज़ा ही लगा सकते हैं कि लॉर्ड वोल्डेमॉर्ट क्या कर रहा था ...'

हैरी एक बार फिर उठकर खड़ा हो गया, जब डम्बलडोर ने आख़िरी याद को स्मृति पात्र में डाला।

'यह किसकी याद है?' उसने पूछा।

'मेरी,' डम्बलडोर ने कहा।

हैरी ने चाँदी जैसे घुमड़ते पदार्थ में डम्बलडोर के पीछे गोता लगा दिया और उसी ऑफ़िस में पहुँच गया, जहाँ से वह अभी-अभी आया था। वहाँ पर ज्वाला था, जो अपने अड्डे पर बैठकर झपकी ले रहा था और डेस्क के पीछे डम्बलडोर बैठे थे, जो हैरी के पास खड़े डम्बलडोर से बहुत मिलते-जुलते दिख रहे थे, हालाँकि उनके दोनों हाथ भले-चंगे थे और उनके चेहरे पर शायद थोड़ी कम झुर्रियाँ थीं। वर्तमान ऑफ़िस और इस ऑफ़िस में एक अंतर यह था कि इस याद में बर्फ़ गिर रही थी, जिसके टुकड़े खिड़की के पास से अँधेरे में उड़ते हुए जा रहे थे और बाहरी चौखट पर जमा हो रहे थे।

अपेक्षाकृत युवा डम्बलडोर किसी चीज़ का इंतज़ार कर रहे थे और निश्चित रूप से कुछ पल बाद दरवाज़े पर एक दस्तक हुई, जिसे सुनकर वे बोले, 'आ जाओ।'

हैरी के मुँह से आह निकल गई। वोल्डेमॉर्ट कमरे में आ गया था। उसका चेहरा-मोहरा वैसा नहीं था, जैसा हैरी ने दो साल पहले पत्थर की बड़ी कड़ाही से बाहर निकलते देखा था। उसकी आँखें साँप जैसी नहीं थीं, उसकी आँखें लाल

नहीं थीं, उसका चेहरा नक़ाब जैसा नहीं था, लेकिन वह अब आकर्षक टॉम रिडल नहीं रह गया था। ऐसा लग रहा था, जैसे उसके नैन-नक़्श जल गए हों और धुँधले हो गए हों। वे निर्जीव और अजीब तरीक़े से विकृत थे। उसकी आँखों के सफ़ेद हिस्से पर एक ख़ूनी भाव था, हालाँकि उसकी पुतलियाँ अब तक छेद में नहीं बदली थीं। वह एक लंबा काला चोगा पहने था और उसका चेहरा अब उतना ही पीला था, जितनी कि उसके कंधों पर चमकती बर्फ़।

डेस्क के पीछे बैठे डम्बलडोर ने हैरानी का कोई चिन्ह नहीं दिखाया। साफ़ दिख रहा था कि वोल्डेमॉर्ट अपॉइंटमेंट लेकर आया था।

'गुड ईवनिंग, टॉम,' डम्बलडोर ने आराम से कहा। 'बैठ जाओ।'

'धन्यवाद,' वोल्डेमॉर्ट ने कहा और वह उस कुर्सी पर बैठ गया, जिसकी तरफ़ डम्बलडोर ने इशारा किया था - यह वही कुर्सी दिख रही थी, जिसे हैरी ने अभी-अभी ख़ाली किया था। 'मैंने सुना था कि आप हेडमास्टर बन गए हैं,' उसने कहा और उसकी आवाज़ पहले से ज़्यादा ऊँची तथा ठंडी हो गई थी। 'बहुत बढ़िया चुनाव।'

'मुझे ख़ुशी है कि तुम इससे ख़ुश हो,' डम्बलडोर ने मुस्कराते हुए कहा। 'कुछ पियोगे?'

वोल्डेमॉर्ट ने कहा, 'हाँ, मैं काफ़ी दूर से आया हूँ।'

डम्बलडोर उठकर खड़े हुए और उस अलमारी तक गए, जहाँ अब स्मृति पात्र रखा रहता था, लेकिन उस वक़्त अलमारी में बोतलें भरी हुई थीं। उन्होंने वोल्डेमॉर्ट को शराब का एक प्याला दिया और ख़ुद के लिए भी एक गिलास भरकर अपनी कुर्सी पर लौट आए।

'तो टॉम ... मुझे मुलाक़ात का यह आनंद कैसे नसीब हो रहा है?'

वोल्डेमॉर्ट ने तत्काल जवाब नहीं दिया, बल्कि शराब की चुस्कियाँ लेता रहा।

वह बोला, 'अब लोग मुझे "टॉम" नहीं कहते हैं! आजकल मुझे दूसरे नाम से जाना जाता है -'

'मैं जानता हूँ कि तुम्हें किस नाम से जाना जाता है,' डम्बलडोर ने मुस्कराते हुए कहा। 'लेकिन मेरे लिए तो तुम हमेशा टॉम रिडल़ ही रहोगे। यह पुराने टीचर्स की एक और चिढ़ाने वाली आदत है कि वे कभी अपने विद्यार्थियों की शुरुआत को नहीं भूल पाते हैं।'

उन्होंने अपना गिलास उठाया, जैसे वोल्डेमॉर्ट की सेहत के लिए जाम पी रहे हों, जिसका चेहरा भावहीन बना रहा। बहरहाल, हैरी को कमरे के माहौल में

परिवर्तन महसूस हुआ। डम्बलडोर ने वोल्डेमॉर्ट के चुने हुए नाम को लेने से इंकार करके इस मीटिंग में वोल्डेमॉर्ट की शर्तों पर चलने से इंकार कर दिया था। हैरी जानता था कि वोल्डेमॉर्ट को भी यही महसूस हो रहा था।

'मुझे हैरानी है कि आप यहाँ इतने लंबे समय तक रुके हैं,' वोल्डेमॉर्ट ने थोड़ी देर ठहरने के बाद कहा। 'मैं हमेशा सोचता था कि आप जैसा जादूगर स्कूल क्यों नहीं छोड़ना चाहता है ?'

'देखो,' डम्बलडोर ने अब भी मुस्कराते हुए कहा, 'मेरे लिए युवा मस्तिष्कों को प्राचीन योग्यताएँ सिखाने और उन्हें प्रशिक्षित करने से ज़्यादा महत्वपूर्ण कुछ नहीं है। अगर मेरी याददाश्त सही है, तो तुम भी कभी टीचर बनना चाहते थे।'

'मैं अब भी वही चाहता हूँ,' वोल्डेमॉर्ट ने कहा। 'मैंने तो सिर्फ़ यह सोचा था कि आप अब तक यहाँ क्यों हैं ? आपसे मंत्रालय अक्सर सलाह लेता है और मेरे हिसाब से आपके सामने दो बार मंत्री बनने का प्रस्ताव रखा जा चुका है –'

'दरअसल तीन बार,' डम्बलडोर ने कहा। 'लेकिन मंत्रालय के कैरियर में मेरी कभी दिलचस्पी नहीं रही। मुझे लगता है कि हम दोनों इस मामले में एक जैसे हैं।'

वोल्डेमॉर्ट ने अपना सिर झुकाया और बिना मुस्कराए शराब की एक और चुस्की ली। डम्बलडोर ने उस ख़ामोशी को नहीं तोड़ा, जो अब उन दोनों के बीच फैल चुकी थी, बल्कि उम्मीद के साथ वोल्डेमॉर्ट के पहले बोलने का इंतज़ार करते रहे।

'मैं लौट आया हूँ,' उसने थोड़ी देर बाद कहा, 'मैं शायद प्रोफ़ेसर डिपेट की उम्मीद से ज़्यादा देर बाद लौटा हूँ ... लेकिन मैं लौट आया हूँ, ताकि दोबारा टीचर बनने का आग्रह कर सकूँ, जिसे उन्होंने पहले यह बताते हुए ठुकरा दिया था कि मेरी उम्र कम है। मैं आपसे यह पूछने आया हूँ कि क्या आप मुझे इस महल में लौटने और पढ़ाने की इजाज़त दे सकते हैं। शायद आप जानते होंगे कि यहाँ से जाने के बाद मैंने काफ़ी कुछ देखा और किया है। मैं आपके विद्यार्थियों को ऐसी चीज़ें दिखा और सिखा सकता हूँ, जो वे किसी दूसरे जादूगर से नहीं सीख सकते।'

डम्बलडोर ने अपने प्याले के ऊपर से वोल्डेमॉर्ट को कुछ समय तक देखा और फिर जवाब दिया।

'हाँ, मैं निश्चित रूप से जानता हूँ कि तुमने यहाँ से जाने के बाद काफ़ी कुछ देखा और किया है,' उन्होंने धीरे से कहा। 'तुम्हारे कारनामों की अफ़वाहें तुम्हारे पुराने स्कूल तक पहुँच चुकी हैं, टॉम। अगर उनमें से आधी भी सच हों,

तो मुझे अफ़सोस होगा।'

वोल्डेमॉर्ट का चेहरा भावहीन था, जब उसने कहा, 'महानता से ईर्ष्या उत्पन्न होती है, ईर्ष्या से द्वेष उत्पन्न होता है और द्वेष से झूठ उत्पन्न होता है। निश्चित रूप से आप यह जानते होंगे, डम्बलडोर।'

डम्बलडोर ने धीरे से पूछा, 'जो तुम कर रहे हो, उसे तुम "महानता" कहते हो?'

'निश्चित रूप से,' वोल्डेमॉर्ट ने कहा और उसकी आँखें लाल हो गईं। 'मैंने प्रयोग किए हैं और मैंने जादू की सीमाओं को शायद किसी दूसरे जादूगर से ज़्यादा दूर तक पहुँचा दिया है –'

'जादू के कुछ ख़ास प्रकारों को,' डम्बलडोर ने धीरे से उसे सुधारते हुए कहा। 'बाक़ी प्रकारों के बारे में तुम ... माफ़ करना ... बिलकुल अज्ञानी हो।'

वोल्डेमॉर्ट पहली बार मुस्कराया। यह व्यंग्यात्मक मुस्कराहट उसके ग़ुस्से से भी ज़्यादा ख़तरनाक लग रही थी।

'वही पुराने तर्क,' उसने धीरे से कहा। 'लेकिन मैंने इस दुनिया में जो कुछ भी देखा है, वह आपके उस मशहूर कथन का समर्थन नहीं करता है कि प्रेम मेरी तरह के जादू से ज़्यादा शक्तिशाली है, डम्बलडोर।'

'शायद तुम ग़लत जगह देख रहे थे,' डम्बलडोर ने सुझाव दिया।

'अच्छा, तो फिर मेरे नए शोध के लिए हॉगवर्ट्स से ज़्यादा अच्छी जगह कौन सी हो सकती है?' वोल्डेमॉर्ट ने कहा। 'क्या आप मुझे लौटने की इजाज़त देंगे? क्या आप मुझे मेरा ज्ञान अपने विद्यार्थियों तक पहुँचाने देंगे? मैं ख़ुद को और अपनी प्रतिभा को आपके हवाले करना चाहता हूँ। मैं आपके आदेश का पालन करूँगा।'

डम्बलडोर ने अपनी भौंहें उठाईं।

'और उन लोगों का क्या होगा, जिन्हें *तुम* आदेश देते हो? उन लोगों का क्या होगा, जो ख़ुद को – जैसी कि अफ़वाह है – प्राणभक्षी कहते हैं?'

हैरी कह सकता था कि वोल्डेमॉर्ट को यह उम्मीद नहीं थी कि डम्बलडोर इस नाम को जानते होंगे। उसने वोल्डेमॉर्ट की आँखों को एक बार फिर लाल होते और उसके छेद जैसे नथुनों को फड़कते देखा।

कुछ पल ठहरने के बाद वह बोला, 'मुझे यक़ीन है कि मेरे दोस्त मेरे बिना काम चला सकते हैं!'

'मुझे यह सुनकर ख़ुशी हुई कि तुम उन्हें दोस्त मानते हो,' डम्बलडोर ने कहा। 'मुझे तो लग रहा था कि वे नौकरों की श्रेणी में आते हैं।'

'आप ग़लत समझे थे,' वोल्डेमॉर्ट ने कहा।

'तब तो फिर अगर मैं आज रात को हॉग्स हेड में जाता हूँ, तो मुझे उन लोगों का समूह नहीं मिलेगा, जो तुम्हारे लौटने का इंतज़ार कर रहे होंगे – नॉट, रोज़ियर, मल्सिबर, डोलोहोव? सचमुच समर्पित दोस्त हैं, जो बर्फ़ीली रात में तुम्हारे साथ इतनी दूर तक यात्रा करने आए हैं, सिर्फ़ इसलिए, ताकि जब तुम टीचर का पद हासिल करने की कोशिश करो, तो वे तुम्हें शुभकामना दे सकें।'

इसमें कोई शक नहीं था कि वोल्डेमॉर्ट को अपने सहयात्रियों के बारे में डम्बलडोर का विस्तृत ज्ञान अच्छा नहीं लगा था। बहरहाल, वह तत्काल सँभल गया।

'आप तो हमेशा की तरह सर्वज्ञानी हैं, डम्बलडोर।'

'ओह नहीं, बस स्थानीय शराबख़ाने वालों से मेरी दोस्ती है,' डम्बलडोर ने हल्के-फुल्के ढंग से कहा। 'अब टॉम ...'

डम्बलडोर ने अपना ख़ाली गिलास नीचे रख दिया और तनकर बैठ गए। उनकी उँगलियों की नोकें आपस में जुड़ी हुई थीं।

'... हम खुलकर बात करते हैं। तुम आज रात को यहाँ अपने चेलों के साथ क्यों आए हो? तुम एक ऐसी नौकरी का आग्रह क्यों कर रहे हो, जो हम दोनों जानते हैं कि तुम नहीं चाहते हो?'

वोल्डेमॉर्ट हैरान दिखने लगा।

'मैं इस नौकरी को नहीं चाहता हूँ? डम्बलडोर, सच तो यह है कि मैं इस नौकरी को बहुत ज़्यादा चाहता हूँ।'

'ओह, तुम हॉगवर्ट्स तो लौटना चाहते हो, लेकिन तुम यहाँ पढ़ाना नहीं चाहते हो। और तुम तब भी पढ़ाना नहीं चाहते थे, जब तुम अठारह साल के थे। तुम हॉगवर्ट्स में क्यों आना चाहते हो, टॉम? एक बार खुलकर आग्रह करने की कोशिश तो करो।'

वोल्डेमॉर्ट व्यंग्य से हँसा।

'अगर आप मुझे नौकरी नहीं देना चाहते हैं –'

'ज़ाहिर है, मैं नहीं देना चाहता हूँ,' डम्बलडोर ने कहा। 'और मुझे एक पल के लिए भी नहीं लगा कि तुम्हें भी इसकी उम्मीद होगी। बहरहाल, तुम यहाँ आए, तुमने इसका आग्रह किया, तुम्हारा कोई उद्देश्य तो होगा।'

वोल्डेमॉर्ट उठकर खड़ा हुआ। वह टॉम रिडल से बिलकुल अलग दिख रहा था। उसका चेहरा ग़ुस्से से विकृत हो गया था।

'यह आपका आख़िरी फ़ैसला है?'

'हाँ,' डम्बलडोर ने भी खड़े होते हुए कहा।

'तब तो हमें एक-दूसरे से और कुछ नहीं कहना है।'

'नहीं, बिलकुल नहीं,' डम्बलडोर ने कहा और उनके चेहरे पर भारी दुख का भाव दिखने लगा। 'वह समय बहुत पहले चला गया है, जब मैं तुम्हें जली हुई अलमारी दिखाकर डरा सकता था और तुम्हारे अपराधों का प्रायश्चित करने के लिए तुम्हें विवश कर सकता था। लेकिन मैं चाहता हूँ कि काश मैं ऐसा कर सकता, टॉम ... काश मैं ऐसा कर सकता ...'

एक पल के लिए हैरी चिल्लाकर एक निरर्थक चेतावनी देना चाहता था : उसे यक़ीन था कि वोल्डेमॉर्ट का हाथ उसकी जेब और उसमें रखी छड़ी की तरफ़ हिला था, लेकिन वह पल गुज़र गया। वोल्डेमॉर्ट मुड़ गया। दरवाज़ा बंद हो गया। वह जा चुका था।

हैरी को महसूस हुआ कि डम्बलडोर का हाथ उसकी बाँह पर कस रहा था और कुछ पल बाद वे दोनों लगभग उसी जगह पर एक साथ खड़े हुए थे। फ़र्क़ सिर्फ़ यह था कि खिड़की की मुँडेर पर अब बर्फ़ नहीं जम रही थी और डम्बलडोर का हाथ एक बार फिर काला तथा मृतप्राय दिख रहा था।

'क्यों?' हैरी ने तत्काल डम्बलडोर के चेहरे की तरफ़ देखते हुए कहा। 'क्या आपको कभी पता चला कि वह क्यों लौटा था?'

'मुझे अंदाज़ा है,' डम्बलडोर ने कहा, 'लेकिन उससे ज़्यादा कुछ नहीं।'

'कैसा अंदाज़ा, सर?'

'वो मैं तुम्हें तब बताऊँगा हैरी, जब तुम प्रोफ़ेसर स्लगहॉर्न से उनकी याद ले आओगे,' डम्बलडोर ने कहा। 'जब तुम जिगसॉ पहेली का आख़िरी टुकड़ा ले आओगे, तो मुझे उम्मीद है कि हम दोनों के सामने हर चीज़ साफ़ हो जाएगी।'

हैरी अब भी जिज्ञासा से जल रहा था। हालाँकि डम्बलडोर ने दरवाज़े तक जाकर उसे उसके लिए खोल दिया था, लेकिन वह तत्काल नहीं हिला।

'क्या वह गुप्त कलाओं से रक्षा का टीचर बनना चाहता था, सर? उसने कुछ कहा नहीं था ...'

'ओह हाँ, वह निश्चित रूप से गुप्त कलाओं से रक्षा का टीचर बनना चाहता था,' डम्बलडोर ने कहा। 'हमारी छोटी सी मुलाक़ात के बाद यह साबित हो गया। लॉर्ड वोल्डेमॉर्ट को उस पद पर रखने से इंकार करने के बाद गुप्त कलाओं से रक्षा का कोई भी टीचर यहाँ एक साल से ज़्यादा समय तक नहीं रह पाया।'

अध्याय इक्कीस

छिपा हुआ कमरा

हैरी ने अगले सप्ताह अपने दिमाग़ पर बहुत ज़ोर डालते हुए सोचा कि वह स्लगहॉर्न को सच्ची याद देने के लिए कैसे राज़ी कर सकता है, लेकिन उसके दिमाग़ में कोई अद्भुत विचार नहीं आया। इससे वह एक बार फिर वही करने लगा, जो वह परेशान होते समय अक्सर करता था : वह इस उम्मीद में काढ़े की पुस्तक पर झुका रहता था कि शायद प्रिंस ने उसके हाशिए में इस बारे में कोई उपयोगी चीज़ लिखी होगी, जैसा कि उसने पहले कई बार किया था।

हर्माइनी ने रविवार की शाम दृढ़ता से कहा, 'तुम्हें उसमें कुछ नहीं मिलेगा।'

'छोड़ो भी, हर्माइनी,' हैरी ने कहा। 'अगर प्रिंस नहीं होता, तो रॉन आज ज़िंदा नहीं होता।'

हर्माइनी ने उसकी बात को हवा में उड़ाते हुए कहा, 'अगर तुमने फ़र्स्ट ईयर में स्नेप की बात सुनी होती, तब भी वह ज़िंदा होता।'

हैरी ने उसकी बात को नज़रअंदाज़ कर दिया। उसे अभी-अभी हाशिए में एक मंत्र (*सेक्टमसेम्परा!*) लिखा मिला था, जिसके नीचे लिखा था 'दुश्मनों के लिए'। वह इसे आज़माने के लिए उतावला हो रहा था, लेकिन उसे हर्माइनी के सामने ऐसा करना ठीक नहीं लग रहा था। इसलिए उसने चुपके से उस पन्ने का कोना मोड़ दिया।

वे लोग गरुड़द्वार के हॉल में आग के पास बैठे थे। उनके आस-पास सिर्फ़ सिक्स्थ ईयर के विद्यार्थी ही थे। डिनर से लौटने पर थोड़ी देर रोमांच का माहौल बन गया था, क्योंकि नोटिसबोर्ड पर एक नया नोटिस लगा था, जिसमें उनके अंतर्ध्यान टेस्ट की तारीख़ लिखी थी। पहले टेस्ट की तारीख़ यानी इक्कीस अप्रैल से पहले सत्रह साल के होने वाले विद्यार्थियों को यह विकल्प दिया गया था कि वे हॉग्समीड में होने वाले अतिरिक्त प्रशिक्षण सत्रों के लिए अपना नाम दे

सकते हैं, जो भारी निगरानी में होने वाले थे।

रॉन इस नोटिस को पढ़कर दहशत में आ गया। वह अब तक अंतर्ध्यान होने में कामयाब नहीं हो पाया था और उसे डर था कि वह टेस्ट में कामयाब नहीं हो पाएगा। हर्माइनी दो बार अंतर्ध्यान होने में सफल हो चुकी थी, इसलिए उसमें थोड़ा ज़्यादा आत्मविश्वास था। उधर हैरी चार महीने बाद सत्रह साल का होने वाला था, इसलिए वह यह टेस्ट नहीं दे सकता था, भले ही वह उसके लिए पूरी तरह तैयार होता।

'कम से कम तुम अंतर्ध्यान तो हो सकते हो!' रॉन ने तनाव में कहा। 'तुम्हें जुलाई में कोई दिक्क़त नहीं आएगी!'

'मैंने यह काम बस एक बार किया है,' हैरी ने उसे याद दिलाया। वह पिछली प्रैक्टिस में अंतर्ध्यान होकर अपने गोले के भीतर प्रकट होने में कामयाब हो गया था।

अंतर्ध्यान होने के बारे में चिंता व्यक्त करने में काफ़ी समय बर्बाद करने के बाद रॉन अब स्नेप के एक बहुत मुश्किल निबंध को पूरा करने के लिए जूझ रहा था, जिसे हैरी और हर्माइनी पहले ही पूरा कर चुके थे। हैरी को पूरी उम्मीद थी कि उसे बहुत कम नंबर मिलेंगे, क्योंकि दमपिशाचों से जूझने के सर्वश्रेष्ठ तरीक़े के मामले में वह स्नेप से असहमत था, लेकिन उसे परवाह नहीं थी। इस वक़्त स्लगहॉर्न की याद उसके लिए सबसे महत्वपूर्ण चीज़ थी।

'हैरी, मैं बताए देती हूँ कि मूर्ख प्रिंस इस काम में तुम्हारी मदद नहीं कर पाएगा, हैरी!' हर्माइनी ने ज़्यादा ज़ोर से कहा। 'जो तुम चाहते हो, उसके लिए किसी को विवश करने का एक ही तरीक़ा है और वह है सम्मोहन शाप, जो ग़ैर-क़ानूनी है -'

'हाँ, मैं जानता हूँ, धन्यवाद,' हैरी ने कहा, लेकिन पुस्तक से निगाह नहीं हटाई। 'इसीलिए मैं किसी अलग चीज़ की तलाश कर रहा था। डम्बलडोर कहते हैं कि सत्यद्रव से काम नहीं चलेगा, लेकिन किसी और चीज़ से काम बन सकता है, जैसे किसी काढ़े या मंत्र से ...'

हर्माइनी बोली, 'तुम ग़लत दिशा में सोच रहे हो। डम्बलडोर कहते हैं कि सिर्फ़ तुम ही उस याद को हासिल कर सकते हो। इसका यही मतलब है कि तुम स्लगहॉर्न को राज़ी कर सकते हो, जबकि बाक़ी लोग नहीं कर सकते। यह उन्हें काढ़ा पिलाने की बात नहीं है, वह तो कोई भी कर सकता है -'

'"बेलिजरेंट" की स्पेलिंग क्या होती है?' रॉन ने कहा, जो अपनी क़लम को बहुत तेज़ी से हिला रहा था और अपने चर्मपत्र को घूर रहा था। 'यह "**बी - यू - एम -**" तो नहीं हो सकती।'

'नहीं, यह नहीं है,' हर्माइनी ने रॉन का निबंध अपनी तरफ़ खींचते हुए कहा। 'और "ऑगरी" की स्पेलिंग भी "**ओ - आर - जी**" से शुरू नहीं होती है। तुम कौन सी क़लम का इस्तेमाल कर रहे हो?'

'यह फ्रेड और जॉर्ज की वर्तनीजाँच क़लम है ... लेकिन मुझे लगता है कि इसका जादू ख़त्म हो रहा होगा ...'

'हाँ, ऐसा ही है,' हर्माइनी ने उसके निबंध के शीर्षक की तरफ़ इशारा करते हुए कहा, 'क्योंकि हमसे दमपिशाचों से निबटने का तरीक़ा पूछा गया था, "दमआलुओं" से निबटने का नहीं। इसके अलावा मुझे नहीं लगता कि तुमने अपना नाम बदलकर "रूनिल वाज़्लिब" रख लिया है।'

'ओह नहीं!' रॉन दहशत में आकर अपने चर्मपत्र को घूरते हुए बोला। 'यह मत कहना कि मुझे पूरा निबंध फिर से लिखना पड़ेगा!'

'**ठीक है**, हम इसे सुधार सकते हैं,' हर्माइनी ने निबंध अपनी तरफ़ खींचते हुए कहा और अपनी छड़ी निकाल ली।

'तुम बहुत प्यारी हो, हर्माइनी,' रॉन ने कहा और अपनी कुर्सी पर टिककर थके अंदाज़ में अपनी आँखें मलने लगा।

हर्माइनी का चेहरा हल्का गुलाबी हो गया, लेकिन उसने सिर्फ़ इतना ही कहा, 'लैवेंडर कहीं तुम्हारी यह बात न सुन ले।'

'मैं उसके सामने नहीं कहूँगा,' रॉन ने अपने हाथों से मुँह छिपाते हुए कहा। 'या शायद उसके सामने यह कह दूँगा ... फिर वह मुझे छोड़ देगी ...'

हैरी ने पूछा, 'अगर तुम इस मामले को ख़त्म करना चाहते हो, तो तुम ही उसे क्यों नहीं छोड़ देते?'

'तुमने कभी किसी को नहीं छोड़ा है, है ना?' रॉन ने कहा। 'तुम और चो तो बस -'

'अलग-अलग हो गए थे, हाँ,' हैरी ने कहा।

'काश यही मेरे और लैवेंडर के साथ हो जाए!' रॉन उदासी से बोला। वह देखता रहा कि हर्माइनी अपनी छड़ी से उसके ग़लत स्पेलिंग वाले शब्दों को ठोंक रही थी, ताकि वे अपने आप सही हो जाएँ। रॉन आगे बोला, 'लेकिन मैं इस रिश्ते को ख़त्म करने का जितना संकेत देता हूँ, वह मुझे उतनी ही कसकर जकड़ लेती है। यह तो दैत्याकार समुद्रफ़ेनी के साथ घूमने की तरह है।'

बीस मिनट बाद हर्माइनी ने रॉन को उसका निबंध देते हुए कहा, 'यह लो!'

'बहुत-बहुत धन्यवाद,' रॉन ने कहा। 'क्या मैं निष्कर्ष लिखने के लिए

तुम्हारी क़लम उधार ले सकता हूँ ?'

हैरी को हाफ़-ब्लड प्रिंस के नोट्स में अब तक कोई काम की चीज़ नहीं मिली थी। उसने मुड़कर चारों तरफ़ देखा। हॉल में अब सिर्फ़ वे तीनों ही बचे थे। स्नेप और उनके निबंध को कोसते हुए सीमस कुछ समय पहले सोने चला गया था। बस लकड़ियों के चटकने और रॉन की क़लम के चलने की आवाज़ें ही आ रही थीं, जब वह हर्माइनी की क़लम से दमपिशाचों पर आख़िरी पैराग्राफ़ लिख रहा था। हैरी ने अभी जम्हाई लेते हुए हाफ़-ब्लड प्रिंस की पुस्तक बंद की ही थी कि तभी –

खट्ट।

हर्माइनी के मुँह से हल्की सी चीख़ निकल गई, रॉन ने अपने पूरे निबंध पर स्याही फैला दी और हैरी बोला, 'क्रीचर!'

घरेलू जिन्न ने झुककर सलाम किया और अपने गाँठदार अँगूठों को देखते हुए बोला।

'मालिक ने कहा था कि वे मैल्फ़ॉय लड़के की गतिविधियों पर नियमित रिपोर्ट चाहते हैं, इसलिए क्रीचर आया है –'

खट्ट।

डॉबी भी क्रीचर के पास प्रकट हो गया था और उसका टीकोज़ी वाला हैट तिरछा था।

'डॉबी भी मदद कर रहा था, हैरी पॉटर!' उसने चिंचियाते हुए कहा और क्रीचर की तरफ़ वितृष्णा से देखा। 'और क्रीचर जब हैरी पॉटर से मिलने आए, तो उसे डॉबी को बता देना चाहिए, ताकि वे दोनों अपनी रिपोर्ट एक साथ दे सकें!'

'यह क्या है ?' हर्माइनी ने पूछा, जो अब भी घरेलू जिन्नों के अचानक आ जाने से सदमे में दिख रही थी। 'क्या हो रहा है, हैरी ?'

हैरी जवाब देने से पहले झिझका, क्योंकि उसने अब तक हर्माइनी को यह नहीं बताया था कि उसने क्रीचर और डॉबी को मैल्फ़ॉय का पीछा करने का आदेश दिया था। हर्माइनी घरेलू जिन्नों के मामले में बहुत संवेदनशील थी।

हैरी ने कहा, 'देखो ... मैंने उनसे मैल्फ़ॉय की जासूसी करने को कहा है!'

'दिन-रात,' क्रीचर ने कहा।

'डॉबी एक हफ़्ते से नहीं सोया है, हैरी पॉटर!' डॉबी ने गर्व के साथ कहा और जहाँ खड़ा था, वहीं खड़े-खड़े लहराने लगा।

हर्माइनी नाराज़ दिखने लगी।

'तुम सोए नहीं हो, डॉबी ? लेकिन निश्चित रूप से हैरी, तुमने उससे ऐसा तो नहीं कहा होगा –'

'नहीं, ज़ाहिर है, मैंने नहीं कहा था,' हैरी ने जल्दी से कहा। 'डॉबी, तुम सो सकते हो, ठीक है ? लेकिन क्या तुममें से किसी को कुछ पता चला ?' उसने हर्माइनी के दोबारा हस्तक्षेप करने से पहले ही जल्दी से पूछ लिया।

'मास्टर मैल्फ़ॉय गरिमा से चलते हैं, जो उनके शुद्ध ख़ून के अनुरूप है,' क्रीचर ने तत्काल टर्र-टर्र करती आवाज़ में कहा। 'उनके चेहरे-मोहरे से मेरी मालकिन की याद आती है और उनका अंदाज़ ऐसा है कि –'

'ड्रेको मैल्फ़ॉय एक गंदा लड़का है!' डॉबी ग़ुस्से से चिंचियाते हुए बोला। 'एक गंदा लड़का, जो – जो –'

वह अपने सिर की टीकोज़ी से लेकर अपने मोज़ों की उँगलियों तक काँपा और आग की तरफ़ भागा, जैसे उसमें कूदने वाला हो। हैरी को कुछ ऐसा ही होने का अंदेशा था, इसलिए उसने डॉबी को कमर से पकड़ लिया और पकड़े रहा। कुछ सेकंड तक जूझने के बाद डॉबी निढाल हो गया।

'धन्यवाद, हैरी पॉटर,' उसने हाँफते हुए कहा। 'डॉबी को अब भी अपने पुराने मालिकों की बुराई करने में मुश्किल होती है ...'

हैरी ने उसे छोड़ दिया। डॉबी ने अपनी टीकोज़ी सीधी की और क्रीचर से आवेश में कहा, 'लेकिन क्रीचर को पता होना चाहिए कि ड्रेको मैल्फ़ॉय किसी घरेलू जिन्न के लिए अच्छा मालिक नहीं है!'

'हाँ, हमें इस बारे में सुनने की ज़रूरत नहीं है कि तुम मैल्फ़ॉय से कितना प्यार करते हो,' हैरी ने क्रीचर से कहा। 'अब जल्दी से बताओ कि वह दरअसल कहाँ जा रहा है।'

क्रीचर ने दोबारा सिर झुकाया, फिर वह ग़ुस्से से बोला, 'मास्टर मैल्फ़ॉय बड़े हॉल में खाना खाते हैं, तहख़ाने के अपने कमरे में सोते हैं, अपनी क्लासों में जाते हैं –'

'डॉबी, तुम मुझे बताओ,' हैरी ने क्रीचर की बात काटते हुए कहा, 'क्या वह किसी ऐसी जगह जा रहा है, जहाँ उसे नहीं जाना चाहिए ?'

'हैरी पॉटर, सर,' डॉबी चिंचियाया और उसकी गेंद जैसी बड़ी आँखें आग की रोशनी में चमकने लगीं, 'जहाँ तक डॉबी देख सकता है, मैल्फ़ॉय लड़का कोई नियम नहीं तोड़ रहा है, लेकिन फिर भी वह छिपकर काम कर रहा है। वह दूसरे विद्यार्थियों के साथ हर दिन सातवीं मंज़िल पर जाता है, जो एक ख़ास कमरे में

उसके दाखिल होने के बाद बाहर पहरा देते हैं। उस कमरे का नाम है –'

'आवश्यकता कक्ष!' हैरी ने कहा और अपने माथे पर *उच्च-स्तरीय काढ़ा-निर्माण* पुस्तक दे मारी। हर्माइनी और रॉन ने उसे घूरकर देखा। 'वह चोरी से वहीं जा रहा है! वह अपना काम वहीं कर रहा होगा ... चाहे वह जो भी कर रहा हो! और मैं शर्त लगाता हूँ कि इसीलिए वह नक़्शे में दिखाई नहीं दे रहा था – अब मुझे याद आया कि नक़्शे में आवश्यकता कक्ष तो दिखता ही नहीं है!'

रॉन बोला, 'शायद नक़्शा बनाने वालों को यह पता ही न हो कि वह कमरा वहाँ है।'

'मुझे लगता है कि यह उस कमरे के जादू का हिस्सा होगा,' हर्माइनी ने कहा। 'अगर कोई चाहता हो कि यह नक़्शे पर नज़र न आए, तो यह नज़र नहीं आएगा।'

हैरी ने उत्सुकता से पूछा, 'डॉबी, क्या तुमने अंदर जाकर देखा कि मैल्फ़ॉय क्या कर रहा है?'

डॉबी ने कहा, 'नहीं, हैरी पॉटर, यह असंभव है।'

'नहीं, यह असंभव नहीं है,' हैरी ने फ़ौरन कहा। 'मैल्फ़ॉय पिछले साल हमारे मुख्यालय में घुस आया था, इसलिए मैं भी अंदर जाकर उसकी जासूसी कर सकता हूँ। इसमें दिक्क़त क्या है?'

'मुझे नहीं लगता कि तुम ऐसा कर पाओगे, हैरी,' हर्माइनी धीरे से बोली। 'मैल्फ़ॉय पहले से ही जानता था कि हम उस कमरे का किस रूप में इस्तेमाल कर रहे थे, है ना, क्योंकि उस मूर्ख मैरीटा ने चुगली कर दी थी। वह कमरे को **डीए** का मुख्यालय बनाना चाहता था। उसे इसकी आवश्यकता थी, इसलिए कमरा **डीए** का मुख्यालय बन गया। लेकिन तुम यह नहीं जानते हो कि मैल्फ़ॉय जब वहाँ जाता है, तो कमरा क्या बन जाता है, इसलिए तुम इससे क्या बनने का आग्रह करोगे?'

'कोई न कोई रास्ता तो होगा,' हैरी ने इस आपत्ति को हवा में उड़ाते हुए कहा। 'तुमने बहुत अच्छा काम किया है, डॉबी।'

'क्रीचर ने भी अच्छा काम किया है,' हर्माइनी ने दयालुता से कहा, लेकिन कृतज्ञ दिखने के बजाय क्रीचर ने अपनी बड़ी-बड़ी, लाल आँखें उससे दूर हटा लीं और छत की तरफ़ देखते हुए बोला, 'बदज़ात क्रीचर से कुछ बोल रही है। क्रीचर ऐसा नाटक करेगा, जैसे उसने उसकी बात सुनी ही न हो –'

'यहाँ से जाओ,' हैरी ने उसे झिड़का और क्रीचर ने आख़िरी बार काफ़ी नीचे झुककर सलाम किया तथा अंतर्ध्यान हो गया। 'बेहतर होगा कि तुम भी

जाकर थोड़ा सो लो, डॉबी।'

'धन्यवाद, हैरी पॉटर, सर!' डॉबी ख़ुशी से चिंचियाया और वह भी ओझल हो गया।

जिन्नों के जाने के बाद हैरी रॉन और हर्माइनी की तरफ़ मुड़कर उत्साह से बोला, 'यह कितना अच्छा रहा! अब आख़िरकार हम जान चुके हैं कि मैल्फ़ॉय कहाँ जा रहा है! हमने उसे फँसा लिया है!'

'हाँ, यह बहुत बढ़िया है,' रॉन ने थोड़ी उदासी से कहा, जो उस स्याही को साफ़ करने की कोशिश कर रहा था, जो उसके कुछ ही देर पहले पूरे हुए निबंध पर फैली थी। हर्माइनी ने उसके चर्मपत्र को अपनी तरफ़ खींचा और अपनी छड़ी से स्याही साफ़ करने लगी।

'लेकिन "बहुत से विद्यार्थियों" के साथ वहाँ जाने का क्या मतलब है?' हर्माइनी ने कहा। 'इस काम में कितने लोग उसका साथ दे रहे हैं? तुम यह तो नहीं सोचते हो कि वह गोपनीय काम करते समय बहुत सारे लोगों पर भरोसा कर रहा है ...'

'हाँ, यह अजीब है,' हैरी ने त्योरियाँ चढ़ाते हुए कहा। 'मैंने उसे क्रैब से कहते सुना था कि क्रैब को इस बात से कोई मतलब नहीं होना चाहिए कि वह क्या कर रहा है ... तो फिर वह इतने सारे लोगों ... इतने सारे लोगों ...'

हैरी की आवाज़ धीमी होते-होते खो गई। वह आग की तरफ़ घूरने लगा।

'हे भगवान, मैं भी कितना मूर्ख हूँ?' उसने धीरे से कहा। 'यह स्पष्ट है, है ना? तहख़ाने में इसकी कड़ाही भरी हुई थी ... उसने क्लास के दौरान उसमें से थोड़ा चुरा लिया होगा ...'

'क्या चुरा लिया होगा?' रॉन ने पूछा।

'भेसबदल काढ़ा। जब स्लगहॉर्न ने हमें काढ़े की पहली क्लास में भेसबदल काढ़ा दिखाया था, तो मैल्फ़ॉय ने उसमें से थोड़ा काढ़ा चुरा लिया होगा ... मैल्फ़ॉय की रखवाली के लिए बहुत से विद्यार्थी नहीं खड़े रहते हैं ... वे तो हमेशा की तरह क्रैब और गॉइल ही रहते हैं ... हाँ, यह बात सही लगती है!' हैरी ने कहा और उछलकर आग के सामने चहलक़दमी करने लगा। 'वे इतने मूर्ख हैं कि उसकी हर बात मान लेते हैं, भले ही उन्हें उसके इरादे मालूम न हों ... लेकिन वह नहीं चाहता है कि वे हमेशा आवश्यकता कक्ष के बाहर मँडराते हुए नज़र आएँ, इसलिए वह भेसबदल काढ़ा पिलाकर उनसे दूसरे लोगों का वेश बनवा रहा है ... जिस दिन वह क्विडिच मैच देखने नहीं गया था, उस दिन मैंने उसके साथ दो लड़कियाँ देखी थीं – हा! वे लड़कियाँ नहीं, क्रैब और गॉइल थे!'

हर्माइनी ने दबी हुई आवाज़ में कहा, 'तुम यह कहना चाहते हो कि जिस छोटी लड़की का तराजू मैंने ठीक किया था – ?'

'हाँ, ज़ाहिर है!' हैरी ने ज़ोर से कहा और उसकी तरफ़ घूरकर देखा। 'ज़ाहिर है! मैल्फ़ॉय उस वक़्त कमरे के भीतर होगा, इसलिए उस लड़की ने – मैं यह क्या बोल रहा हूँ – *उस* लड़के ने तराजू गिरा दिया और मैल्फ़ॉय को इशारा कर दिया कि उसे बाहर नहीं निकलना है, क्योंकि वहाँ पर कोई आ गया है। और फिर वह लड़की भी तो थी, जिसने मेंढक के अंडों की बोतल गिरा दी थी! हम लोग उसके पास से इतनी बार निकले थे, लेकिन हमें इस बात का पता ही नहीं था!'

'वह क्रैब और गॉइल का रूप बदलकर उन्हें लड़कियाँ बना रहा है?' रॉन ने ठहाका लगाते हुए कहा। 'ओह ... कोई हैरानी नहीं कि आजकल वे ज़्यादा ख़ुश नहीं दिखते हैं ... वे उसे साफ़-साफ़ मना क्यों नहीं कर देते हैं ...'

हैरी बोला, 'देखो, अगर उसने उन्हें अपना मौत का निशान दिखा दिया होगा, तो वे मना नहीं कर सकते हैं!'

'हूँ ... क्या पता, मौत का निशान उसके हाथ पर है भी या नहीं,' हर्माइनी ने संदेह से कहा और रॉन के सूखे हुए निबंध को तह कर दिया, ताकि उसे कोई और नुक़सान न हो पाए। फिर उसने वह चर्मपत्र रॉन को थमा दिया।

'हम देखेंगे,' हैरी ने विश्वास से कहा।

हर्माइनी ने भी खड़े होकर अँगड़ाई लेते हुए कहा, 'हाँ, हम देखेंगे। लेकिन हैरी, इससे पहले कि तुम रोमांचित हो जाओ, मैं तुम्हें बता दूँ, मुझे अब भी नहीं लगता है कि तुम आवश्यकता कक्ष में पहुँच सकते हो, जब तक कि तुम यह पता न लगा लो कि वहाँ क्या है। और मुझे लगता है कि तुम्हें यह भी नहीं भूलना चाहिए,' उसने अपना बैग कंधे पर टाँगा और उसकी तरफ़ बहुत गंभीरता से देखा, 'कि तुम्हें स्लगहॉर्न से *याद निकलवाने* पर ध्यान केंद्रित करना चाहिए। गुडनाइट।'

हैरी थोड़ा असंतुष्ट होकर उसे जाते हुए देखता रहा। हर्माइनी के निकलने के बाद जब लड़कियों के कमरे की तरफ़ जाने वाला दरवाज़ा बंद हो गया, तो वह रॉन की तरफ़ मुड़ा।

'तुम्हें क्या लगता है?'

'काश मैं घरेलू जिन्नों की तरह ग़ायब हो सकता,' रॉन उस जगह को घूरते हुए बोला, जहाँ डॉबी ओझल हुआ था। 'तब मैं अंतर्ध्यान टेस्ट चुटकी बजाकर पास कर लेता।'

हैरी उस रात अच्छी तरह नहीं सो पाया। वह घंटों तक जागता रहा और सोचता रहा कि मैल्फ़ॉय आवश्यकता कक्ष का किस तरह उपयोग कर रहा होगा। उसे यक़ीन था कि जब वह अगले दिन वहाँ जाएगा, तो उसे पता चल जाएगा। हर्माइनी की बात के बावजूद हैरी को यक़ीन था कि अगर मैल्फ़ॉय **डीए** के मुख्यालय को देख सकता था, तो वह भी मैल्फ़ॉय की करतूत को देख सकता है ... भले ही वह कक्ष कुछ भी बन जाता हो। मीटिंग की जगह? छिपने की जगह? स्टोररूम? वर्कशॉप? हैरी का दिमाग़ तेज़ी से काम करता रहा और जब उसे आख़िरकार नींद आई, तब भी उसके सपनों में मैल्फ़ॉय की तस्वीरें आती रहीं, जो स्लगहॉर्न में बदल गया, जो स्नेप में बदल गए ...

अगली सुबह नाश्ते के समय हैरी का दिल बहुत उम्मीद से भरा था। गुप्त कलाओं से रक्षा की क्लास से पहले उसका एक पीरियड ख़ाली था। उसने संकल्प कर लिया था कि वह उस समय आवश्यकता कक्ष के भीतर जाने की कोशिश करेगा। वह कमरे में घुसने की योजना फुसफुसाकर बता रहा था, लेकिन हर्माइनी उसमें कोई दिलचस्पी नहीं ले रही थी। इस बात से हैरी चिढ़ गया। वह जानता था कि अगर वह चाहती, तो उसकी बहुत मदद कर सकती थी।

'देखो,' उसने धीरे से कहा और आगे झुककर *दैनिक जादूगर* पर एक हाथ रखा, जिसे हर्माइनी ने अभी-अभी एक उल्लू से लिया था और जिसके पीछे वह ओझल हो गई थी। 'मैं स्लगहॉर्न के बारे में भूला नहीं हूँ, लेकिन मुझे बिलकुल भी पता नहीं है कि मैं उनसे वह याद कैसे निकलवा सकता हूँ? देखो, जब तक मेरे मन में कोई बेहतरीन विचार नहीं आता है, तब तक मैं यही पता लगा लेता हूँ कि मैल्फ़ॉय क्या कर रहा है?'

'मैं तुम्हें पहले ही बता चुकी हूँ, तुम्हें स्लगहॉर्न को *राज़ी* करना है,' हर्माइनी ने कहा। 'यह उन्हें धोखा देने या जादू करने का सवाल नहीं है, वरना डम्बलडोर एक पल में यह काम कर लेते। आवश्यकता कक्ष के बाहर मँडराकर अपना समय बर्बाद करने के बजाय,' उसने *दैनिक जादूगर* को हैरी के हाथ से खींचा और उसे खोलकर पहले पन्ने पर नज़र डाली, 'तुम्हें स्लगहॉर्न से पूछना चाहिए और उनसे भलमनसाहत दिखाने का आग्रह करना चाहिए।'

'क्या हमारी जान-पहचान वाला कोई - ?' रॉन ने पूछा, जब हर्माइनी ने सुर्ख़ियों पर नज़र डाली।

'हाँ!' हर्माइनी ने कहा, जिसे सुनकर हैरी और रॉन के गले में नाश्ता अटक गया। 'लेकिन कोई घबराने वाली बात नहीं है, वह मरा नहीं है - मंडंगस को गिरफ़्तार करके अज़्काबान भेज दिया गया है! वह चोरी की कोशिश में सजीव-लाश बनने का नाटक कर रहा था ... और ऑक्टेवियस पीपर ग़ायब हो

गया है ... ओह, और यह ख़बर कितनी भयंकर है, नौ साल के एक लड़के को अपने दादा-दादी को मारने की कोशिश में गिरफ़्तार कर लिया गया है। उन्हें लगता है कि वह लड़का सम्मोहन शाप के वशीभूत होगा ...'

उन्होंने ख़ामोशी से नाश्ता किया। उसके तत्काल बाद हर्माइनी पुरातन लिपियों की क्लास में चली गई और रॉन कॉमन रूम की तरफ़ चला गया, जहाँ उसे स्नेप के दमपिशाच वाले निबंध का निष्कर्ष लिखना था, जो अभी बाक़ी रह गया था। उधर हैरी सातवीं मंज़िल के गलियारे की तरफ़ चला गया, जहाँ वह पगले बार्नाबास की दीवारदरी के सामने जाना चाहता था, जिस पर बार्नाबास दैत्यों को नाचना सिखा रहा था।

हैरी को जैसे ही एक ख़ाली गलियारा मिला, उसने अदृश्य चोगा ओढ़ लिया, लेकिन उसे ऐसा करने की ज़रूरत नहीं थी। जब वह अपने गंतव्य स्थल तक पहुँचा, तो वहाँ कोई नहीं था। हैरी को पता नहीं था कि कमरे के भीतर उसके पहुँचने की संभावना मैल्फ़ॉय के अंदर होने पर बेहतर थी या बाहर रहने पर, लेकिन कम से कम उसकी पहली कोशिश में यह पेंच तो नहीं था कि क्रैब या गॉइल ग्यारह साल की लड़की होने का नाटक कर रहे हों।

जहाँ आवश्यकता कक्ष का दरवाज़ा छिपा हुआ था, उस जगह के पास पहुँचकर उसने अपनी आँखें बंद कर लीं। वह जानता था कि उसे क्या करना है। वह पिछले साल इसमें बहुत निपुण हो चुका था। अपनी पूरी शक्ति के साथ उसने सोचा, *मुझे यह देखने की ज़रूरत है कि मैल्फ़ॉय अंदर क्या कर रहा है ... मुझे यह देखने की ज़रूरत है कि मैल्फ़ॉय अंदर क्या कर रहा है ... मुझे यह देखने की ज़रूरत है कि मैल्फ़ॉय अंदर क्या कर रहा है ...*

इसके बाद वह तीन बार दरवाज़े के पास से गुज़रा। उसका दिल रोमांच से धड़क रहा था। उसने अपनी आँखें खोलीं और देखा – लेकिन सामने अब भी ख़ाली दीवार थी।

वह आगे की तरफ़ बढ़ा और उसने कोशिश करते हुए धक्का दिया। ठोस दीवार हिली तक नहीं।

'**ठीक है**,' हैरी ने ज़ोर से कहा। '**ठीक है** ... मैंने ग़लत चीज़ सोच ली थी ...'

उसने एक पल के लिए सोचा, फिर दोबारा चल दिया। उसने अपनी आँखें बंद कर लीं और पूरी ताक़त से एकाग्रचित्त होने की कोशिश की।

मुझे वह जगह देखने की ज़रूरत है, जहाँ मैल्फ़ॉय गुप्त रूप से आता रहता है ... मुझे वह जगह देखने की ज़रूरत है, जहाँ मैल्फ़ॉय गुप्त रूप से आता रहता है ...

तीन बार पास से गुज़रने के बाद उसने बड़ी उम्मीद के साथ आँखें खोलीं।

वहाँ कोई दरवाज़ा नहीं था।

'ओह, खुल भी जाओ,' उसने दीवार से चिढ़कर कहा। 'यह तो स्पष्ट निर्देश था ... अच्छा ...'

उसने कई मिनट तक कसकर सोचा, फिर एक बार और क़दम बढ़ाए।

'मुझे ज़रूरत है कि तुम मेरे लिए वही जगह बन जाओ, जो तुम ड्रेको मैल्फ़ॉय के लिए बनते हो ...'

तीन बार घूमने के बाद उसने अपनी आँखें तत्काल नहीं खोलीं। वह पूरे ध्यान से सुन रहा था, जैसे उसे दरवाज़े के *खट्ट* से प्रकट होने की आवाज़ सुनाई दे जाएगी। बहरहाल, उसे दूर चहचहाती चिड़ियों की आवाज़ के अलावा कुछ सुनाई नहीं दिया। उसने अपनी आँखें खोलीं।

अब भी कोई दरवाज़ा नहीं था।

हैरी के मुँह से गाली निकल गई। किसी की चीख़ सुनाई दी। उसने मुड़कर देखा कि फ़र्स्ट ईयर के कुछ बच्चे मोड़ पर भागे जा रहे हैं। उन्हें ऐसा लगा, जैसे वहाँ कोई बदतमीज़ भूत था।

एक घंटे तक हैरी ने 'मुझे यह देखने की ज़रूरत है कि ड्रेको मैल्फ़ॉय तुम्हारे भीतर क्या कर रहा है' जैसे शब्दों की हर संभावना को आज़माकर देखा, लेकिन आख़िर में उसे यह स्वीकार करने के लिए विवश होना पड़ा कि हर्माइनी की बात में दम था : कमरा उसके लिए खुलना ही नहीं चाहता था। कुंठित और चिड़चिड़ा होकर वह गुप्त कलाओं से रक्षा की क्लास की तरफ़ चल दिया। चलते-चलते उसने अपना अदृश्य चोगा उतारकर अपने बैग में ठूँस लिया।

जब हैरी मोमबत्ती से रोशन क्लासरूम में जल्दी से घुसा, तो स्नेप ने ठंडेपन से कहा, 'एक बार फिर देर से आए हो, पॉटर। गरुड़द्वार के दस पॉइंट कम।'

हैरी ने स्नेप की तरफ़ त्योरियाँ चढ़ाकर देखा और जल्दी से रॉन के पास जाकर बैठ गया। क्लास के आधे विद्यार्थी अब भी खड़े थे, अपनी पुस्तकें निकाल रहे थे और सामान जमा रहे थे। इसका मतलब यह था कि वे भी अभी-अभी आए थे और उसे आने में ज़्यादा देर नहीं हुई थी।

'इससे पहले कि हम शुरू करें, मैं तुम लोगों से दमपिशाचों वाले निबंध चाहता हूँ,' स्नेप ने अपनी छड़ी लापरवाही से लहराई, जिससे पच्चीस चर्मपत्र हवा में उड़े और क़रीने से उनकी डेस्क पर पहुँच गए। 'और मुझे उम्मीद है कि ये उस बकवास से बेहतर होंगे, जो मुझे सम्मोहन शाप का प्रतिरोध करने के मामले

में झेलनी पड़ रही है। अब तुम लोग अपनी पुस्तकें खोल लो – क्या बात है, मिस्टर फ़िनिगन?'

सीमस ने कहा, 'सर, क्या आप हमें यह बता सकते हैं कि सजीव-लाश और भूत में क्या अंतर होता है? क्योंकि *दैनिक जादूगर* में सजीव-लाश के बारे में कुछ आया है –'

'नहीं, उसमें कुछ नहीं आया है,' स्नेप ने ऐसी आवाज़ में कहा, जिसमें बोरियत का पुट था।

'लेकिन सर, मैंने लोगों को इस बारे में बात करते सुना है –'

'मिस्टर फ़िनिगन, अगर तुमने वास्तव में वह लेख पढ़ा होता, तो तुम जान जाते कि वह तथाकथित सजीव-लाश दरअसल मंडंगस फ़्लेचर नाम का घटिया चोर था।'

'मुझे लगता था कि स्नेप और मंडंगस एक ही समूह में थे?' हैरी ने रॉन और हर्माइनी से बुदबुदाकर कहा। 'क्या उन्हें मंडंगस की गिरफ़्तारी से विचलित नहीं होना चाहिए – ?'

'लेकिन लगता है, पॉटर के पास इस विषय पर काफ़ी जानकारी है,' स्नेप ने कमरे के पीछे की तरफ़ इशारा करते हुए कहा। उनकी काली आँखें हैरी पर टिकी हुई थीं। 'पॉटर से पूछ लेते हैं कि हम सजीव-लाश और भूत में अंतर कैसे बता सकते हैं?'

पूरी क्लास ने हैरी की तरफ़ देखा, जो जल्दी से यह याद करने की कोशिश कर रहा था कि डम्बलडोर ने उसे उस रात को क्या बताया था, जब वे स्लगहॉर्न से मिलने गए थे।

'अर – देखिए – भूत पारदर्शी होते हैं –' उसने कहा।

'ओह, बहुत बढ़िया,' स्नेप ने बीच में अपने होंठ सिकोड़कर कहा। 'हाँ, यह देखना बहुत अच्छा लगा कि लगभग छह साल की जादुई शिक्षा में तुमने इतना कुछ सीख लिया है, पॉटर। *भूत पारदर्शी होते हैं।*'

पैन्सी पार्किन्सन ऊँचे सुर में हँसी। कई और लोग भी मुस्कराने लगे। हैरी ने एक गहरी साँस ली और शांति से आगे कहा, हालाँकि उसके भीतर आग लगी हुई थी, 'हाँ, भूत पारदर्शी होते हैं, लेकिन सजीव-लाश मरे हुए शरीर होते हैं। इसलिए वे ठोस होंगे –'

'इतना तो पाँच साल का बच्चा भी बता सकता है,' स्नेप ने व्यंग्य से कहा। 'सजीव-लाश ऐसी लाश होती है, जिसे शैतानी जादूगर ने मंत्र से पुनर्जीवित कर दिया है। दरअसल यह जीवित नहीं होती है; इसका इस्तेमाल तो

कठपुतली की तरह जादूगर के आदेशों के पालन के लिए होता है। जैसा मुझे यक़ीन है, अब तक तुम लोग यह जान चुके होगे कि भूत गुज़री हुई आत्मा का धरती पर छोड़ा गया निशान है ... और ज़ाहिर है, जैसा पॉटर ने तुम्हें बहुत समझदारी से बताया है, *भूत पारदर्शी होता है।*'

'देखिए, अगर हम उनमें भेद करने की कोशिश कर रहे हों, तो हैरी ने जो कहा है, वह सबसे उपयोगी है!' रॉन ने कहा। 'अगर हम किसी अँधेरी गली में किसी के सामने आते हैं, तो हम तत्काल देख सकते हैं कि यह ठोस है या नहीं, या फिर हम यह पूछें, "माफ़ करना, क्या आप गुज़री हुई आत्मा के धरती पर छूटे निशान हैं ?"'

हँसी की लहर दौड़ गई, लेकिन जब स्नेप ने ग़ुस्से से पूरी क्लास को घूरकर देखा, तो ख़ामोशी छा गई।

'गरुड़द्वार के दस और पॉइंट कम,' स्नेप ने कहा। 'मुझे तुमसे इससे ज़्यादा परिष्कृत व्यवहार की उम्मीद भी नहीं थी, रोनाल्ड वीज़्ली, वह लड़का जो इतना ठोस है कि कमरे में आधा इंच भी अंतर्ध्यान नहीं हो पाता।'

'*नहीं!*' हर्माइनी ने फुसफुसाकर हैरी से कहा और उसकी बाँह पकड़ ली, जब हैरी ने अपना मुँह आवेश में खोला। 'कोई फ़ायदा नहीं है, तुम्हें एक बार फिर सज़ा मिल जाएगी, रहने दो!'

'अब पुस्तक का दो सौ तेरह पेज खोल लो,' स्नेप ने कहा और थोड़ा मुस्कराए, 'और पहले दो पैरेग्राफ़ पढ़ो, जो पीड़ीकृत शाप के बारे में हैं ...'

रॉन पूरी क्लास में बुझा-बुझा रहा। जब क्लास के अंत में घंटी बजी, तो लैवेंडर रॉन और हैरी के पास आ गई (हर्माइनी उसके आने पर रहस्यमय तरीक़े से ग़ायब हो गई थी) तथा स्नेप को बुरा-भला कहने लगी। लैवेंडर ने कहा कि रॉन के अंतर्ध्यान होने के बारे में स्नेप को ताना नहीं मारना चाहिए था, लेकिन इससे रॉन और चिड़चिड़ा दिखने लगा तथा उसने हैरी के साथ लड़कों के बाथरूम में जाने का बहाना बनाकर लैवेंडर से पीछा छुड़ाया।

'स्नेप ने ठीक कहा है, है ना ?' रॉन एक-दो मिनट तक चटके हुए आईने में घूरने के बाद बोला। 'मैं नहीं जानता कि मुझे टेस्ट देने जाना भी चाहिए या नहीं। मैं अंतर्ध्यान होना अब तक नहीं सीख पाया हूँ।'

'तुम हॉग्समीड में होने वाले अतिरिक्त प्रैक्टिस सेशन में भाग लेकर देख लो कि उससे तुम्हें कितना फ़ायदा होता है,' हैरी ने तर्कपूर्ण ढंग से कहा। 'किसी मूर्खतापूर्ण गोले में प्रकट होने से तो यह ज़्यादा रोचक रहेगा। अगर उसके बाद भी तुम उतनी अच्छी तरह यह काम नहीं कर पाते हो, जितना कि तुम चाहते हो, तो तुम बाद में मेरे साथ टेस्ट दे देना - मीना, यह लड़कों का बाथरूम है!'

एक लड़की का भूत उनके पीछे वाले टॉयलेट में से बाहर निकल आया था और अब बीच हवा में तैर रहा था। वह लड़की अपने मोटे, सफ़ेद, गोल चश्मे से उनकी तरफ़ घूर रही थी।

'ओह,' उसने उदासी भरी आवाज़ में कहा। 'तो तुम दोनों हो।'

'तो तुम किसकी उम्मीद कर रही थीं?' रॉन ने आईने में उसकी तरफ़ देखते हुए कहा।

'किसी की नहीं,' मायूस मीना अपनी ठुड्डी के एक मुँहासे को उखाड़ते हुए बोली। 'उसने कहा था कि वह मुझसे आकर मिलेगा, लेकिन यह बात तो *तुमने* भी कही थी ...' उसने हैरी की तरफ़ उलाहने भरी निगाह डाली, '... मैंने तुम्हें कई महीनों से नहीं देखा है। मैंने सीख लिया है कि लड़कों से बहुत ज़्यादा उम्मीद नहीं रखनी चाहिए।'

'मुझे लगता था कि तुम लड़कियों के बाथरूम में रहती हो?' हैरी ने कहा, जो कुछ सालों से इस बात का ध्यान रख रहा था कि उस जगह के आस-पास भी न जाए।

'मैं वहीं रहती हूँ,' मीना ने चिढ़कर कंधे उचकाते हुए कहा, 'लेकिन इसका यह मतलब नहीं है कि मैं बाक़ी जगहों पर नहीं *जा* सकती हूँ। तुम्हें याद है, मैंने तुम्हें प्रिफ़ेक्ट्स वाले बाथरूम में नहाते समय देखा था?'

'बहुत अच्छी तरह,' हैरी ने कहा।

'लेकिन मुझे लगा था कि वह मुझे पसंद करता है,' उसने दुखी मन से कहा। 'अगर तुम दोनों चले जाओ, तो शायद वह आ जाएगा ... हम दोनों में बहुत सी बातें एक जैसी हैं ... मुझे यक़ीन है कि उसे भी ऐसा ही महसूस हुआ होगा ...'

और उसने बड़ी उम्मीद से दरवाज़े की तरफ़ देखा।

'जब तुम कहती हो कि तुम दोनों में बहुत सी बातें एक जैसी हैं,' रॉन ने थोड़े मज़े लेते हुए कहा, 'तो क्या इसका मतलब यह है कि वह भी टॉयलेट में रहता है?'

'नहीं,' मीना ने आवेश में कहा और उसकी आवाज़ पुराने टाइलों वाले बाथरूम में चारों तरफ़ ज़ोर से गूँजने लगी। 'मेरा मतलब है कि वह संवेदनशील है, लोग उसे भी तंग करते हैं और वह अकेलापन महसूस करता है। वह किसी से अपने दिल की बात नहीं कह सकता और अपनी भावनाएँ व्यक्त करने तथा रोने से भी नहीं घबराता है!'

'एक लड़का यहाँ आकर रो रहा है?' हैरी ने जिज्ञासा से पूछा। 'एक

लड़का?'

'तुम चिंता मत करो!' मीना ने कहा और अपनी छोटी, आँसू भरी आँखें रॉन पर जमा लीं, जो अब मुस्करा रहा था, 'मैंने वादा किया था कि मैं यह बात किसी को भी नहीं बताऊँगी और मैं उसके राज़ को अपनी –'

'– क़ब्र तक तो नहीं ले जाओगी, है ना?' रॉन ने हँसते हुए कहा। 'हाँ, गटर में ज़रूर ले जा सकती हो ...'

मीना ग़ुस्से से गरजी और उसने दोबारा टॉयलेट में गोता मार दिया, जिससे पानी किनारों से छलककर फ़र्श पर आ गया। मीना को उकसाने के बाद रॉन की हिम्मत लौट आई।

'तुम ठीक कहते हो,' उसने अपना स्कूल बैग कंधे पर टाँगते हुए कहा, 'मैं टेस्ट दूँ या न दूँ, यह फ़ैसला करने से पहले हॉग्समीड के प्रैक्टिस सेशन में चला जाता हूँ।'

अगले वीकएंड पर हर्माइनी और सिक्स्थ ईयर के बाक़ी विद्यार्थियों के साथ रॉन हॉग्समीड की तरफ़ चल दिया। वे सभी विद्यार्थी वहाँ जा रहे थे, जो सत्रह साल के थे या पंद्रह दिन में सत्रह साल के होने वाले थे और पंद्रह दिन बाद टेस्ट देना चाहते थे। हैरी ने थोड़ी ईर्ष्या से उन्हें गाँव में जाने की तैयारी करते देखा। उसे वहाँ की यात्रा छोड़ने का अफ़सोस हो रहा था। यह वसंत का एक बहुत सुहाना दिन था। काफ़ी समय बाद आसमान इतना साफ़ था। बहरहाल, उसने यह फ़ैसला किया था कि वह इस समय का उपयोग आवश्यकता कक्ष में एक और कोशिश करने के लिए करेगा।

जब हैरी ने हर्माइनी और रॉन को प्रवेश हॉल में अपनी योजना बताई, तो हर्माइनी बोली, 'इससे अच्छा तो यह रहेगा कि तुम सीधे स्लगहॉर्न के ऑफ़िस में जाओ और उनसे वह याद निकलवाने की कोशिश करो।'

'मैं कोशिश तो कर रहा हूँ!' हैरी ने बात काटते हुए कहा, जो बिलकुल सच था। स्लगहॉर्न को अकेले में घेरने के लिए वह उस सप्ताह काढ़े की हर क्लास के बाद सबसे आख़िर तक रुका रहा था, लेकिन स्लगहॉर्न इन दिनों इतनी तेज़ी से तहख़ाने से बाहर निकल जाते थे कि हैरी उन्हें पकड़ नहीं पाता था। हैरी ने दो बार उनके ऑफ़िस तक जाकर दरवाज़ा खटखटाया था, लेकिन उसे कोई जवाब नहीं मिला था, हालाँकि उसे यक़ीन था कि दूसरे मौक़े पर उसने पुराने ग्रामोफ़ोन की जल्दी से कम की गई आवाज़ सुन ली थी।

'वे मुझसे बात नहीं करना चाहते हैं, हर्माइनी! वे जान गए हैं कि अब मैं उन्हें अकेले में घेरना चाहता हूँ और वे ऐसा नहीं होने देना चाहते!'

'देखो, तुम्हें कोशिश करते रहना चाहिए, है ना?'

विद्यार्थियों की छोटी क़तार फ़िल्च के पास से गुज़रने का इंतज़ार कर रही थी, जो ख़ुफ़िया संवेदनसूचक से हमेशा की तरह उनकी तलाशी ले रहा था। वह कुछ क़दम आगे बढ़ा। हैरी ने हर्माइनी की बात का कोई जवाब नहीं दिया, ताकि फ़िल्च उसकी बात न सुन ले। रॉन और हर्माइनी को शुभकामनाएँ देने के बाद वह संगमरमर की सीढ़ियों पर चढ़ने लगा। हर्माइनी चाहे जो कहे, हैरी ने आवश्यकता कक्ष में एक-दो घंटे खोज करने का संकल्प कर लिया था।

प्रवेश हॉल से दूर पहुँचने पर हैरी ने बैग में से अपना अदृश्य चोगा और नक़्शा निकाल लिया। ख़ुद को छिपाने के बाद उसने नक़्शे को ठोंका और बुदबुदाया, 'मैं क़सम खाता हूँ कि मैं जो भी कहूँगा, झूठ कहूँगा और झूठ के सिवाय कुछ नहीं कहूँगा।' फिर उसने नक़्शे को ग़ौर से देखा।

चूँकि यह रविवार की सुबह थी, इसलिए लगभग सभी विद्यार्थी अपने-अपने कॉमन रूम में थे। गरुड़द्वार वाले एक टॉवर में थे, चीलघात वाले दूसरे टॉवर में, नागशक्ति वाले तहख़ाने में थे और मेहनतकश वाले किचन के पास के बेसमेंट में। एकाध विद्यार्थी यहाँ-वहाँ लाइब्रेरी या गलियारे में चलता दिख रहा था ... कुछ लोग बाहर मैदान में थे ... और सातवीं मंज़िल के गलियारे में ग्रेगरी गॉइल अकेला खड़ा था। आवश्यकता कक्ष का कोई नामोनिशान नहीं था, लेकिन हैरी को उसकी चिंता नहीं थी। अगर गॉइल उसके बाहर खड़ा-खड़ा पहरा दे रहा था, तो इसका मतलब यह था कि कमरा खुला था, चाहे नक़्शे को इस बात का पता हो या न हो। वह सीढ़ियों पर दौड़ने लगा और उस गलियारे के कोने पर पहुँचने के बाद ही धीमा हुआ। वहाँ वह बहुत धीरे-धीरे उस छोटी लड़की की तरफ़ रेंगने लगा, जो अपने हाथ में पीतल का भारी तराजू लेकर खड़ी थी। यह वही लड़की थी, जिसकी पंद्रह दिन पहले हर्माइनी ने मदद की थी। उसने इंतज़ार किया, जब तक वह उसके ठीक पीछे नहीं पहुँच गया। फिर बहुत नीचे झुककर वह फुसफुसाया, 'हैलो ... तुम बहुत सुंदर हो, है ना?'

गॉइल ने दहशत भरी तेज़ चीख़ निकाली और तराजू हवा में उछालकर दूर भाग गया। इससे पहले कि तराजू के गलियारे में गूँजने की आवाज़ आए, वह भागता हुआ ओझल हो चुका था। हैरी हँसते हुए पीछे की ख़ाली दीवार को देखने के लिए मुड़ा। उसे यक़ीन था कि ड्रेको मैल्फ़ॉय वहाँ पर मूर्ति की तरह स्थिर खड़ा होगा, क्योंकि उसे पता चल गया होगा कि कोई ऐसा व्यक्ति वहाँ आ गया है, जिसे वहाँ नहीं आना चाहिए था, लेकिन वह बाहर निकलने की हिम्मत नहीं कर सकता था। इससे हैरी को शक्ति का एक बहुत सुखद एहसास हुआ। फिर उसने यह याद करने की कोशिश की कि उसने किन शब्दों के तालमेल को

आज़माकर नहीं देखा था।

बहरहाल, उसका आशावादी मूड ज़्यादा देर तक क़ायम नहीं रहा। अगले आधे घंटे में उसने बहुत सारे शब्दों के तालमेल आज़माए, लेकिन दीवार पर दरवाज़ा प्रकट नहीं हुआ। हैरी को बहुत ज़्यादा निराशा हुई। मैल्फ़ॉय उससे कुछ फ़ुट दूर था और इस बात का ज़रा सा भी सबूत नहीं था कि वह वहाँ क्या कर रहा था। अपना संयम पूरी तरह खोकर हैरी भागकर दीवार के पास गया और उस पर जमकर लात मार दी।

'**आउच!**'

उसे लगा कि उसके पैर का पंजा टूट गया है। जब वह उसे पकड़कर एक पैर पर कूदने लगा, तो अदृश्य चोगा उसके ऊपर से फिसल गया।

'हैरी ?'

वह एक पैर पर ही घूमा और गिर गया। उसे यह देखकर बहुत हैरानी हुई कि वहाँ पर टौंक्स खड़ी थी। वह उसकी तरफ़ ऐसे आ रही थी, जैसे वह अक्सर इस गलियारे में घूमती हो।

'तुम यहाँ क्या कर रही हो ?' हैरी ने खड़े होते हुए कहा। वह इस बात पर चिढ़ रहा था कि टौंक्स उसे हमेशा गिरा हुआ ही क्यों देखती है ?

टौंक्स बोली, 'मैं डम्बलडोर से मिलने आई हूँ।'

हैरी को लगा कि वह भयंकर दिख रही थी। वह पहले से ज़्यादा दुबली दिख रही थी और उसके चूहे जैसे रंग वाले बाल बेजान दिख रहे थे।

'उनका ऑफ़िस यहाँ नहीं है,' हैरी ने कहा, 'यह महल के दूसरी तरफ़ है, गारगॉइल के पीछे –'

'मैं जानती हूँ,' टौंक्स ने कहा। 'वे वहाँ नहीं हैं। ज़ाहिर है, वे एक बार फिर चले गए हैं।'

'क्या सचमुच ?' हैरी ने कहा और अपने घायल पैर को धीरे से दोबारा फ़र्श पर रखा। 'सुनो – क्या तुम जानती हो कि वे कहाँ जाते हैं ?'

'नहीं,' टौंक्स ने कहा।

'तुम उनसे क्यों मिलना चाहती थीं ?'

'कोई ख़ास काम नहीं था,' टौंक्स ने अपने दुशाले की आस्तीन को पकड़ते हुए कहा। 'मैंने तो बस सोचा था कि उन्हें शायद मालूम होगा कि क्या हो रहा है ... मैंने अफ़वाहें सुनी हैं ... लोग घायल हो रहे हैं ...'

'हाँ, मैं जानता हूँ, यह सब अख़बारों में है,' हैरी ने कहा, 'वह छोटा बच्चा,

जिसने अपने दादा-दादी को मारने की कोशिश की थी -'

'*दैनिक जादूगर* बहुत पीछे चल रहा है,' टौंक्स ने कहा, जो उसकी बात जैसे सुन ही नहीं रही थी। 'तुम्हारे पास हाल ही में मायापंछी के समूह से किसी की चिट्ठी तो नहीं आई?'

'समूह का कोई व्यक्ति अब मुझे चिट्ठी नहीं लिखता है,' हैरी ने कहा, 'जब से सिरियस -'

हैरी ने देखा कि टौंक्स की आँखों में आँसू आ गए थे।

'मुझे माफ़ करना,' वह अजीब तरीक़े से बुदबुदाया। 'मेरा मतलब है ... मुझे भी उसकी याद आती है ...'

'क्या?' टौंक्स ने सूनेपन से कहा, जैसे वह उसकी बात नहीं सुन पाई हो। 'अच्छा ... तो फिर मिलते हैं, हैरी ...'

इसके बाद वह फ़ौरन मुड़ी और जल्दी से गलियारे में आगे बढ़ गई। हैरी पीछे से उसे घूरकर देखता रहा। एकाध मिनट बाद उसने दोबारा अदृश्य चोगा ओढ़ लिया और आवश्यकता कक्ष में घुसने की कोशिश करने लगा, लेकिन अब उसका दिल इस काम में नहीं था। आख़िरकार उसे अपने पेट में खोखलेपन का एहसास हुआ। वह जानता था कि रॉन और हर्माइनी जल्दी ही लंच के लिए आ जाएँगे, इसलिए उसने अपनी कोशिश छोड़ दी और गलियारे को मैल्फ़ॉय के लिए ख़ाली छोड़ दिया। हैरी जानता था कि मैल्फ़ॉय अभी कुछ घंटे तक बाहर निकलने से डरेगा।

उसे रॉन और हर्माइनी बड़े हॉल में मिले, जो आधा लंच कर चुके थे।

'मैंने यह काम कर दिया - यानी एक तरह से कर दिया!' रॉन ने हैरी को देखते ही उत्साह से कहा। 'मुझे मैडम पडीफ़ुट की टीशॉप के बाहर तक अंतर्ध्यान होना था, लेकिन मैं उससे थोड़ा आगे निकल गया। मैं स्क्रिवनशैफ़्ट की दुकान के पास जाकर उतरा, लेकिन कम से कम मैं हिला तो सही!'

'अच्छा हुआ,' हैरी ने कहा। 'और हर्माइनी, तुमने कैसा किया?'

'ओह ज़ाहिर है, वह तो त्रुटिरहित थी,' रॉन ने हर्माइनी के जवाब देने से पहले ही जवाब दे दिया। 'आदर्श एकाग्रता, पूर्वानुमान और हताशा या वे तीन सूत्र चाहे जो हों - उसके बाद हम सब थ्री ब्रूमस्टिक्स में ड्रिंक लेने गए और तुम्हें देखना चाहिए था कि टाईक्रॉस उसकी तारीफ़ों के कितने पुल बाँध रहे थे - मुझे हैरानी होगी, अगर वे जल्दी ही उसके सामने प्रेम प्रस्ताव न रख दें -'

'और तुमने क्या किया?' हर्माइनी ने रॉन की बात को अनसुना करते हुए पूछा। 'क्या तुम पूरे समय आवश्यकता कक्ष के बाहर रहे?'

'हाँ,' हैरी ने कहा। 'और अंदाज़ा लगाओ, वहाँ मुझे कौन मिला? टौंक्स!'

'टौंक्स?' रॉन और हर्माइनी ने एक साथ हैरानी से पूछा।

'हाँ, वह कह रही थी कि डम्बलडोर से मिलने आई है ...'

जब हैरी ने टौंक्स के साथ अपनी पूरी बातचीत उन्हें बता दी, तो रॉन फ़ौरन बोला, 'अगर मुझसे पूछो, तो उसका दिमाग़ थोड़ा सरक गया है। मंत्रालय में हुई घटना का उसके दिमाग़ पर असर हुआ है।'

'यह थोड़ा अजीब है,' हर्माइनी ने कहा, जो किसी कारण बहुत परेशान दिख रही थी। 'उसे स्कूल की पहरेदारी करनी थी, तो फिर उसने यहाँ आकर डम्बलडोर से मिलने के लिए अपनी जगह क्यों छोड़ी, जबकि वे यहाँ हैं ही नहीं?'

'मेरे मन में एक विचार आया था,' हैरी ने यूँ ही कह दिया। उसे यह कहते हुए अजीब लग रहा था। यह उसके बजाय हर्माइनी का इलाक़ा था। 'तुम्हें यह तो नहीं लगता कि वह ... कि वह सिरियस से प्यार करती थी?'

हर्माइनी ने उसकी तरफ़ घूरकर देखा।

'तुम्हें यह बात कैसे सूझी?'

'क्या पता,' हैरी ने कंधे उचकाते हुए कहा, 'लेकिन जब मैंने उसके नाम का ज़िक्र किया, तो वह रुँआसी हो गई ... और उसका पितृदेव भी अब बदलकर चार पैरों वाला हो गया है ... कहीं यह उसी जैसा तो नहीं बन गया?'

'अच्छा सोचा,' हर्माइनी ने धीरे से कहा। 'लेकिन मैं अब भी यह नहीं समझ पाई हूँ कि वह डम्बलडोर से मिलने के लिए महल में धड़धड़ाती हुई क्यों चली आई, अगर वह सचमुच इसीलिए आई थी ...'

'वही बात है, जो मैंने कही थी, है ना?' रॉन ने कहा, जो अब मसले हुए आलू अपने मुँह में ठूँस रहा था। 'वह थोड़ी अजीब हो गई है। उसकी हिम्मत ख़त्म हो गई है। औरतें,' उसने हैरी से समझदारी से कहा। 'वे बहुत जल्दी परेशान हो जाती हैं।'

'लेकिन फिर भी,' हर्माइनी ने अपने ख़्यालों की दुनिया से लौटते हुए कहा, 'मुझे नहीं लगता कि कोई *औरत* आधा घंटे तक इस बात पर परेशान होती रहेगी, क्योंकि मैडम रोज़मर्टा उसके उस मज़ाक़ पर नहीं हँसी थीं, जो एक उपचारक, चुड़ैल और *मिम्बुलस मिम्बलटोनिया* के बारे में था।'

रॉन का मुँह बन गया।

अध्याय बाईस

दफ़नाने के बाद

महल के कँगूरों के ऊपर गहरे नीले आसमान के टुकड़े दिखने लगे थे, लेकिन आने वाली सुहानी गर्मी के ये संकेत भी हैरी के मूड को नहीं सुधार पाए। वह अपनी दोनों कोशिशों में सफल नहीं हो पा रहा था। वह न तो किसी भी तरह यह पता लगा पा रहा था कि मैल्फ़ॉय क्या कर रहा है, न ही स्लगहॉर्न के साथ बातचीत करने में कामयाब हो रहा था। आख़िर वह स्लगहॉर्न से उस याद को कैसे निकलवाए, जो उन्होंने सालों से अपने भीतर दबा रखी थी?

हर्माइनी ने हैरी से दृढ़ता से कहा, 'आख़िरी बार कहती हूँ, मैल्फ़ॉय को भूल जाओ!'

वे लोग रॉन के साथ लंच के बाद अहाते के धूप भरे कोने में बैठे थे। हर्माइनी और रॉन जादू मंत्रालय के एक पैम्फ़लेट को पकड़े हुए थे : *अंतर्ध्यान होते समय होने वाली आम ग़लतियाँ और उनसे कैसे बचें।* उन लोगों का टेस्ट उसी दोपहर को था, बहरहाल उन्हें पैम्फ़लेट से बहुत ज़्यादा मानसिक राहत नहीं मिल पाई। जब एक लड़की मोड़ मुड़ने के बाद अचानक सामने आई, तो रॉन चौंक गया और उसने हर्माइनी के पीछे छिपने की कोशिश की।

'वह लैवेंडर नहीं है,' हर्माइनी ने परेशान अंदाज़ में कहा।

रॉन राहत की साँस लेते हुए बोला, 'ओह, अच्छा है!'

'हैरी पॉटर!' लड़की बोली। 'मुझसे कहा गया है कि मैं तुम्हें यह दे दूँ।'

'धन्यवाद ...'

चर्मपत्र के उस छोटे से टुकड़े को देखकर हैरी का दिल डूब गया। लड़की के दूर जाने के बाद वह बोला, 'डम्बलडोर ने कहा था कि जब तक मैं उस याद को हासिल नहीं कर लेता, तब तक अतिरिक्त सबक़ नहीं होंगे!'

जब हैरी चर्मपत्र खोल रहा था, तो हर्माइनी ने सुझाव दिया, 'शायद वे यह

पता लगाना चाहते होंगे कि तुमने कितनी प्रगति कर ली है?' बहरहाल, चर्मपत्र पर डम्बलडोर की लंबी, सँकरी, तिरछी लिखाई के बजाय अस्पष्ट सी घिचपिच थी। इसे पढ़ना बहुत मुश्किल था, क्योंकि स्याही फैलने के कारण चर्मपत्र पर बड़े-बड़े धब्बे थे।

प्रिय हैरी, रॉन और हर्माइनी,

कल रात को एरेगॉग की मृत्यु हो गई। हैरी और रॉन, तुम उससे मिले हो और तुम जानते हो कि वह कितना ख़ास था। हर्माइनी, हम जानते हैं, तुम उसे ज़रूर पसंद करतीं। अगर तुम लोग आज शाम को उसे दफ़नाने के लिए यहाँ आ सको, तो हमारा मनोबल बढ़ेगा। हम यह काम शाम ढलने के समय करना चाहते हैं, क्योंकि यह उसका सबसे पसंदीदा समय था। हम जानते हैं कि तुम्हें रात को बाहर नहीं निकलना चाहिए, लेकिन तुम चोगे का इस्तेमाल कर सकते हो। हम तुमसे ऐसा करने को कभी नहीं कहते, लेकिन क्या करें, हम अकेले इस स्थिति का सामना नहीं कर सकते।

हैग्रिड

'इसकी तरफ़ देखो,' हैरी ने हर्माइनी को चर्मपत्र थमाते हुए कहा।

'ओह, भगवान के लिए,' उसने उस पर जल्दी से निगाह डालते हुए कहा और फिर उसे रॉन की तरफ़ बढ़ा दिया, जिसने उसे बढ़ती हुई हैरानी के साथ पढ़ा।

'वह *पागल हो गया है!*' रॉन आवेश से बोला। 'उस जानवर ने अपने साथियों से कहा था कि वे हैरी और मुझे खा जाएँ! उसने कहा था कि वे हमें ख़त्म कर दें! और अब हैग्रिड हमसे यह उम्मीद करता है कि हम वहाँ जाकर उस भयंकर बालों वाले शरीर पर झुककर रोएँ।

'सिर्फ़ इतनी ही बात नहीं है,' हर्माइनी ने कहा। 'वह हमसे रात को महल से बाहर जाने के लिए कह रहा है, हालाँकि वह जानता है कि सुरक्षा लाख गुना सख़्त हो गई है और अगर हम पकड़े गए, तो बहुत मुश्किल में फँस जाएँगे।'

हैरी बोला, 'हम पहले भी तो रात को उससे मिलने गए हैं।'

'हाँ, लेकिन इस तरह के काम के लिए ?' हर्माइनी बोली। 'हमने पहले भी हैग्रिड की मदद करने के लिए बाहर जाने का जोखिम लिया है, लेकिन देखो, आख़िरकार – एरेगॉग मर गया है। अगर यह उसे बचाने का सवाल होता –'

'– तो मैं और भी नहीं जाना चाहता,' रॉन ने दृढ़ता से कहा। 'तुम उससे नहीं मिली हो, हर्माइनी। मेरा यक़ीन करो, मरने के बाद तो वह फिर भी काफ़ी ठीक दिख रहा होगा।'

हैरी ने चिट्ठी वापस ली और उस पर उभरे स्याही के धब्बों को घूरकर देखा। साफ़ दिख रहा था कि चर्मपत्र पर हैग्रिड के बहुत सारे मोटे-मोटे आँसू गिरे होंगे ...

'हैरी, तुम जाने के बारे में *नहीं* सोच सकते,' हर्माइनी बोली। 'इस फ़ालतू चीज़ के लिए सज़ा का जोखिम लेने का कोई मतलब नहीं है।'

हैरी ने आह भरी।

'हाँ, मैं जानता हूँ,' उसने कहा। 'मुझे लगता है कि हैग्रिड को हमारे बिना ही एरेगॉग को दफ़्न करना पड़ेगा।'

'हाँ, वह कर लेगा,' हर्माइनी ने राहत में दिखते हुए कहा। 'देखो, आज हम सब लोग टेस्ट देने जा रहे हैं, इसलिए काढ़े की क्लास लगभग ख़ाली होगी ... यह अच्छा मौक़ा है, तुम तब स्लगहॉर्न को थोड़ा नरम करके देखना!'

हैरी कटुता से बोला, 'तुम्हें लगता है कि मेरी क़िस्मत सत्तावनवीं बार में चमक जाएगी ?'

'क़िस्मत,' रॉन ने अचानक कहा। 'हैरी, यही मौक़ा है – ख़ुशक़िस्मत बन जाओ!'

'तुम्हारा क्या मतलब है ?'

'अपने क़िस्मत वाले काढ़े का इस्तेमाल करो!'

'रॉन, तुमने – तुमने सही कहा!' हर्माइनी स्तब्ध दिखते हुए बोली। 'ज़ाहिर है! मुझे यह ख़्याल क्यों नहीं आया ?'

हैरी ने उन दोनों की तरफ़ घूरकर देखा। उसने कहा, 'ख़ुशक़िस्मती काढ़ा ? लेकिन ... मैं इसे बचा रहा था ...'

'किसलिए ?' रॉन ने हैरानी से पूछा।

'हैरी, दुनिया में इस याद से ज़्यादा महत्वपूर्ण और क्या है ?' हर्माइनी ने पूछा।

हैरी ने जवाब नहीं दिया। उस छोटी सुनहरी शीशी का विचार कुछ समय से उसकी कल्पना की सरहद पर मँडरा रहा था। उसके मन की गहराइयों में अस्पष्ट योजनाएँ थीं, जिनमें जिनी और डीन अलग हो रहे थे तथा रॉन जिनी को एक नए बॉयफ्रेंड के साथ देखकर ख़ुश हो रहा था। वह इन बातों को सपने में देख रहा था या जागने और सोने के बीच के तंद्रा वाले समय में ...

हर्माइनी ने पूछा, 'हैरी ? तुम कहाँ खो गए ?'

'क्या ? हाँ, ज़ाहिर है,' उसने ख़ुद को सँभालते हुए कहा। 'अच्छा ... **ठीक है**, अगर मैं आज दोपहर को स्लगहॉर्न से कुछ नहीं उगलवा पाया, तो मैं थोड़ा सा ख़ुशक़िस्मती काढ़ा पी लूँगा और आज शाम को दोबारा कोशिश करूँगा।'

'तो यह पक्का हो गया,' हर्माइनी ने तेज़ी से कहा और उठकर एक शालीन छलाँग का प्रदर्शन किया। वह बुदबुदाने लगी, 'गंतव्य स्थल ... संकल्प ... एकाग्रता ...'

'ओह, रहने दो,' रॉन ने उससे आग्रह किया, 'मैं वैसे ही बीमार सा महसूस कर रहा हूँ – जल्दी से मुझे छिपा लो!'

'यह लैवेंडर नहीं है!' हर्माइनी ने अधीरता से कहा, जब दो लड़कियाँ अहाते में आईं और रॉन ने उसके पीछे गोता लगा दिया।

'बहुत बढ़िया,' रॉन ने हर्माइनी के पीछे झाँकते हुए कहा। 'ओह, वे लोग ख़ुश नहीं दिख रही हैं, है ना ?'

हर्माइनी बोली, 'वे मोंटगोमेरी बहनें हैं! ज़ाहिर है वे ख़ुश नहीं दिख रही हैं! क्या तुमने नहीं सुना कि उनके छोटे भाई के साथ क्या हुआ है ?'

रॉन ने कहा, 'सच कहूँ, तो अब मुझे याद ही नहीं रहता है कि किसके रिश्तेदार के साथ क्या हुआ है ?'

'देखो, उनके भाई पर एक नरभेड़िए ने हमला कर दिया था। अफ़वाह यह है कि उनकी माँ ने प्राणभक्षियों की मदद करने से इंकार कर दिया था। लड़का सिर्फ़ पाँच साल का था और वह सेंट मंगोज़ में मर गया। उपचारक उसे बचा नहीं पाए।'

'वह मर गया ?' हैरी ने सदमे से दोहराया। 'लेकिन नरभेड़िए मारते तो नहीं हैं। वे तो बस अपने जैसा बना लेते हैं!'

'कई बार वे मार भी देते हैं,' रॉन ने कहा, जो अब असामान्य रूप से गंभीर दिखने लगा था। 'मैंने ऐसा होते सुना है, जब नरभेड़िया उन्मत्त हो जाता है।'

'उस नरभेड़िए का नाम क्या था ?' हैरी ने जल्दी से पूछा।

हर्माइनी बोली, 'अफ़वाह है कि उसका नाम फ़ेनरिर ग्रेबैक था।'

'मैं जानता था – वही पागल, जो बच्चों पर हमला करना पसंद करता है, जिसके बारे में ल्यूपिन ने मुझे बताया था!' हैरी ने ग़ुस्से से कहा।

हर्माइनी ने उसकी तरफ़ गंभीरता से देखा।

'हैरी, तुम्हें वह याद हासिल करनी ही है,' उसने कहा। 'उससे वोल्डेमॉर्ट को रोकने में मदद मिलेगी, है ना? ये भयंकर घटनाएँ आख़िर उसी के कारण तो हो रही हैं ...'

उन्हें महल में ऊपर से घंटी बजती सुनाई दी। हर्माइनी और रॉन उछलकर खड़े हो गए तथा दहशत में दिखने लगे।

जब वे दोनों प्रवेश हॉल की तरफ़ जाने लगे, जहाँ टेस्ट देने जा रहे सभी विद्यार्थी एकत्रित हो रहे थे, तो हैरी उन दोनों से बोला, 'तुम लोग अच्छा प्रदर्शन करना। गुड लक।'

'तुम्हें भी!' हर्माइनी ने अर्थपूर्ण निगाह से देखते हुए कहा, जब हैरी तहख़ाने की तरफ़ जाने लगा।

उस दोपहर को काढ़े की क्लास में बस तीन ही विद्यार्थी थे : हैरी, अर्नी और ड्रेको मैल्फ़ॉय।

'अभी अंतर्ध्यान होने लायक़ बड़े नहीं हुए हो?' स्लगहॉर्न ने प्यार से कहा। 'अभी सत्रह साल के नहीं हुए?'

उन सभी ने अपने सिर हिलाए।

'ओह ठीक है,' स्लगहॉर्न ने ख़ुशी से कहा, 'चूँकि इतने कम लोग हैं, इसलिए हम थोड़ी *मज़ेदार* चीज़ कर लेते हैं। मैं चाहता हूँ कि तुम सभी कोई मज़ेदार चीज़ बनाओ!'

'अच्छी बात है, सर,' अर्नी ने चापलूसी करते हुए कहा और अपने हाथ मलने लगा। दूसरी तरफ़, मैल्फ़ॉय मुस्कराया तक नहीं।

उसने चिढ़ते हुए पूछा, '"मज़ेदार" से आपका क्या मतलब है?'

स्लगहॉर्न ने हवाई अंदाज़ में कहा, 'ओह, मुझे हैरान करो।'

मैल्फ़ॉय ने चिढ़ते हुए *उच्च-स्तरीय काढ़ा-निर्माण* पुस्तक खोली। साफ़ दिख रहा था कि उसे यह क्लास अपने समय की बर्बादी लग रही थी। हैरी ने उसे अपनी पुस्तक के ऊपर से देखते हुए सोचा, बेशक मैल्फ़ॉय समय की इस बर्बादी पर अफ़सोस कर रहा होगा, क्योंकि इस दौरान वह आवश्यकता कक्ष में अपना काम कर सकता था।

क्या यह उसकी कल्पना थी या फिर मैल्फ़ॉय भी टौंक्स की तरह ज़्यादा दुबला दिख रहा था? निश्चित रूप से वह ज़्यादा पीला तो दिख ही रहा था। उसकी चमड़ी पर भूरी रंगत थी, शायद इसलिए क्योंकि वह आजकल धूप में कम रहता था। लेकिन अब उसमें दंभ या रोमांच या श्रेष्ठता का कोई हवाई अंदाज़ नहीं था, कोई अकड़ नहीं थी, जो हॉगवर्ट्स एक्सप्रेस में थी, जब उसने वोल्डेमॉर्ट के दिए मिशन के बारे में खुलकर डींगें हाँकी थीं ... हैरी की राय में इसका सिर्फ़ एक ही मतलब हो सकता था : मिशन, चाहे वह जो भी था, कामयाब नहीं हो रहा था।

इस विचार से ख़ुश होकर हैरी ने *उच्च-स्तरीय काढ़ा-निर्माण* की अपनी पुस्तक पर सरसरी निगाह डाली और सुख-बोध काढ़े को चुना। हाफ़-ब्लड प्रिंस ने इसमें बहुत से सुधार किए थे। हैरी को लगा कि यह काढ़ा स्लगहॉर्न को मज़ेदार तो लगेगा ही, लेकिन अगर (हैरी का दिल उछल पड़ा, जब उसके मन में यह विचार आया) हैरी स्लगहॉर्न को यह काढ़ा चखा सके, तो हो सकता है कि वे इतने अच्छे मूड में आ जाएँ कि उसे अपनी याद दे दें ...

जब डेढ़ घंटे बाद स्लगहॉर्न ने हैरी की कड़ाही में धूप जैसा पीला पदार्थ देखा, तो उन्होंने ताली बजाते हुए कहा, 'यह तो बहुत अच्छा लगता है! मुझे लगता है, सुख-बोध काढ़ा है? और यह किसकी ख़ुशबू आ रही है? हूँ ... तुमने पुदीने की ज़रा सी टहनी भी डाल दी है, है ना? अपारंपरिक, लेकिन कितनी बढ़िया प्रेरणा थी, हैरी। ज़ाहिर है, इससे इस काढ़े के कभी-कभार होने वाले नुक़सान जैसे ज़्यादा गाने या नाक मरोड़ने का इलाज हो जाता है ... क्या पता तुम्हारे दिमाग़ में ऐसे विचार कहाँ से आ जाते हैं, मेरे बच्चे ... जब तक कि -'

हैरी ने पैर से हाफ़-ब्लड प्रिंस की पुस्तक अपने बैग में ज़्यादा गहराई तक धका दी।

'- तुममें तुम्हारी माँ के गुण न आ गए हों!'

'ओह ... हाँ, हो सकता है,' हैरी ने राहत में कहा।

अर्नी थोड़ा चिढ़ा हुआ लग रहा था। वह हैरी से एक बार तो जीतना चाहता था, इसलिए उसने अपने काढ़े को नया बनाने की कोशिश की थी, लेकिन काढ़ा उसकी कड़ाही की तली में बैंगनी कीचड़ की तरह जम गया था। मैल्फ़ॉय पहले ही अपना सामान पैक करने लगा था और चिड़चिड़ा दिख रहा था। स्लगहॉर्न ने उसके हिचकी वाले काढ़े को सिर्फ़ 'ठीक' कहा था।

घंटी बजते ही अर्नी और मैल्फ़ॉय तत्काल बाहर निकल गए।

'सर,' हैरी ने शुरू किया, लेकिन स्लगहॉर्न ने तत्काल पीछे देखा। जब उन्होंने देखा कि कमरे में उनके और हैरी के सिवाय कोई नहीं बचा है, तो वे

जितनी तेज़ी से हो सकता था, बाहर निकल गए।

'प्रोफ़ेसर – प्रोफ़ेसर, क्या आप मेरे काढ़े को चखना नहीं – ?' हैरी ने हताशा से कहा।

लेकिन तब तक स्लगहॉर्न जा चुके थे। निराश हैरी ने कड़ाही ख़ाली की, अपना सामान पैक किया, तहख़ाने से बाहर निकला और धीरे-धीरे सीढ़ियाँ चढ़ते हुए कॉमन रूम की तरफ़ चल दिया।

रॉन और हर्माइनी शाम को लौटे।

तस्वीर के छेद में से अंदर घुसते ही हर्माइनी चिल्लाई, 'हैरी! हैरी, मैं पास हो गई!'

'बहुत बढ़िया!' वह बोला। 'और रॉन?'

'वह – वह फ़ेल हो गया,' हर्माइनी ने फुसफुसाते हुए कहा, जब रॉन बहुत दुखी दिखता और लड़खड़ाता हुआ कमरे में आया। 'यह सचमुच बदक़िस्मती थी, ज़रा सी चीज। परीक्षक का ध्यान इस तरफ़ चला गया कि उसकी आधी भौंह पीछे छूट गई है ... स्लगहॉर्न के साथ कैसा रहा?'

'कोई ख़ुशी की बात नहीं हुई,' हैरी ने कहा, जब रॉन उनके पास आया। 'बदक़िस्मती रही, दोस्त, लेकिन तुम अगली बार पास हो जाओगे – हम एक साथ टेस्ट दे सकते हैं।'

'हाँ, मुझे भी ऐसा ही लगता है,' रॉन ने चिढ़ते हुए कहा। 'लेकिन *आधी भौंह*! जैसे इससे फ़र्क़ पड़ता है!'

'मैं जानती हूँ,' हर्माइनी ने तसल्ली देते हुए कहा, 'यह तो सचमुच कठोरता थी ...'

उन्होंने डिनर के वक़्त अंतर्ध्यान के प्रशिक्षक को जमकर कोसा। इसका परिणाम यह हुआ कि जब वे दोबारा कॉमन रूम में जाने लगे, तो रॉन थोड़ा ज़्यादा ख़ुश दिखने लगा। वे अब स्लगहॉर्न की समस्या और याद के बारे में बातचीत कर रहे थे।

रॉन ने पूछा, 'तो हैरी – क्या तुम अब ख़ुशक़िस्मती काढ़े का इस्तेमाल करोगे?'

'हाँ, लगता है, मुझे करना ही पड़ेगा,' हैरी ने कहा। 'मुझे नहीं लगता कि मुझे पूरे काढ़े की ज़रूरत होगी। बारह घंटों की ख़ुशक़िस्मती की क्या ज़रूरत है? इस काम में पूरी रात थोड़े ही लगेगी ... मैं बस एक घूँट पी लूँगा। दो-तीन घंटे में काम हो जाना चाहिए।'

'इसे पीने के बाद बहुत अच्छा लगता है,' रॉन ने याद करते हुए कहा। 'ऐसा लगता है, जैसे तुम कोई ग़लती कर ही नहीं सकते हो।'

'तुम किस बारे में बात कर रहे हो,' हर्माइनी ने हँसते हुए कहा। 'तुमने इसे कभी पिया ही नहीं है!'

'हाँ, लेकिन मुझे *लगा था* कि मैंने इसे पिया है, है ना ?' रॉन ने कहा, जैसे वह किसी स्पष्ट चीज़ को समझा रहा हो। 'दोनों एक ही बात हैं ...'

चूँकि उन्होंने स्लगहॉर्न को अभी-अभी बड़े हॉल में दाख़िल होते देखा था और उन्हें पता था कि वे डिनर लेने में काफ़ी समय लगाते हैं, इसलिए वे तीनों कुछ देर तक कॉमन रूम में ही रहे। उनकी योजना यह थी कि जब स्लगहॉर्न अपने ऑफ़िस में पहुँचें, तभी हैरी को वहाँ पहुँच जाना चाहिए। जब डूबता हुआ सूरज अँधेरे जंगल के पेड़ों के ऊपरी हिस्से तक आ गया, तो उन्होंने फ़ैसला किया कि समय आ गया है। उन्होंने देखा कि नेविल, डीन और सीमस कॉमन रूम में थे। फिर वे तीनों चोरी से लड़कों के कमरों तक गए।

हैरी ने अपने संदूक में रखे मोज़े के भीतर से चमकती हुई छोटी शीशी निकाली।

'पीता हूँ,' हैरी ने कहा और शीशी को उठाकर उसमें से एक छोटा सा घूँट लिया।

हर्माइनी ने फुसफुसाकर पूछा, 'कैसा लग रहा है ?'

हैरी ने एक पल तक कोई जवाब नहीं दिया। फिर धीरे-धीरे, लेकिन निश्चित रूप से अनंत अवसर का ख़ुशनुमा एहसास उसके पूरे शरीर में फैल गया। उसे महसूस हुआ कि वह कुछ भी कर सकता है, कुछ भी ... स्लगहॉर्न से याद हासिल करना अचानक संभव ही नहीं लग रहा था, बल्कि बहुत आसान लग रहा था ...

वह आत्मविश्वास से ओत-प्रोत होकर खड़ा हो गया और मुस्कराने लगा।

'बहुत बढ़िया,' उसने कहा। 'सचमुच बहुत बढ़िया। ठीक है ... मैं हैग्रिड के यहाँ जा रहा हूँ।'

'क्या ?' रॉन और हर्माइनी ने दहशत में आते हुए एक साथ कहा।

हर्माइनी बोली, 'नहीं हैरी – तुम्हें स्लगहॉर्न से मिलने जाना है, याद है ?'

'नहीं,' हैरी ने विश्वास से कहा। 'मैं हैग्रिड के यहाँ जा रहा हूँ। वहाँ जाने के बारे में मेरे मन में अच्छा महसूस हो रहा है।'

रॉन ने स्तब्ध दिखते हुए पूछा, 'तुम्हें एक दैत्याकार मकड़ी को दफ़नाने के बारे में अच्छा महसूस हो रहा है?'

'हाँ,' हैरी ने कहा और अपने बैग में से अदृश्य चोगा निकाल लिया। 'मुझे लगता है कि मुझे आज रात को वहीं रहना चाहिए। तुम जानते हो, मेरा मतलब क्या है?'

'नहीं, हम नहीं जानते,' रॉन और हर्माइनी ने एक साथ कहा, जो अब सचमुच दहशत में आ चुके थे।

'यह सचमुच ख़ुशक़िस्मती काढ़ा ही है ना?' हर्माइनी ने चिंता से पूछा और शीशी को रोशनी में उठाकर देखा। 'तुम्हारे पास कहीं एक और छोटी शीशी तो नहीं है, जिसमें कोई और काढ़ा भरा हो –'

'पागलपन का काढ़ा?' रॉन ने सुझाव दिया, लेकिन तब तक हैरी अपने कंधों पर चोगा डाल चुका था।

हैरी हँसा और रॉन तथा हर्माइनी पहले से भी ज़्यादा दहशत में आ गए।

'मेरा यक़ीन करो,' उसने कहा। 'मैं जानता हूँ कि मैं क्या कर रहा हूँ ... या कम से कम ...' उसने विश्वास भरे अंदाज़ में दरवाज़े तक जाते हुए कहा, 'ख़ुशक़िस्मती काढ़ा जानता है।'

उसने अदृश्य चोगा अपने सिर के ऊपर किया और सीढ़ियाँ उतरने लगा। रॉन और हर्माइनी जल्दी से उसके साथ चल दिए। सीढ़ियों के नीचे हैरी खुले दरवाज़े से फिसल गया।

'तुम *उसके* साथ ऊपर क्या कर रहे थे?' लैवेंडर ब्राउन चीख़ी। वह हैरी के आर-पार रॉन और हर्माइनी को देख रही थी, जो लड़कों के कमरों वाले गलियारे से एक साथ उतरे थे। रॉन अकबका गया और अनाप-शनाप बोलने लगा। बहरहाल, हैरी तेज़ी से कमरे के पार चल दिया।

तस्वीर के छेद से बाहर निकलना आसान था, क्योंकि जब वह पास पहुँचा, तभी जिनी और डीन उसमें से अंदर आए। हैरी उनके बीच से निकल गया। ऐसा करते समय वह जिनी से टकरा गया।

'मुझे धक्का *मत दो*, डीन,' जिनी चिढ़कर बोली। 'तुम हमेशा ऐसा ही करते रहते हो। मैं अपने आप अंदर जा सकती हूँ ...'

तस्वीर हैरी के पीछे झूलकर बंद हो गई, लेकिन इससे पहले उसने डीन को ग़ुस्से में कोई जवाब देते सुना ... उसकी सुखद अनुभूति बढ़ गई और वह महल में चलने लगा। उसे चुपके से चलने की ज़रूरत नहीं थी, क्योंकि उसे रास्ते में कोई भी नहीं मिला, लेकिन इस बात से उसे ज़रा भी हैरानी नहीं हुई। उस

शाम को वह हॉगवर्ट्स में सबसे ख़ुशक़िस्मत आदमी था।

उसे ज़रा भी पता नहीं था कि हैग्रिड के यहाँ जाने का विचार क्यों सही था। ऐसा लग रहा था कि काढ़ा एक समय में रास्ते की कई सीढ़ियों को रोशन कर रहा था : हालाँकि हैरी अंतिम मंज़िल नहीं देख सकता था, हालाँकि वह यह नहीं देख सकता था कि स्लगहॉर्न इस तस्वीर में कैसे आएँगे, लेकिन वह जानता था कि वह उस याद को हासिल करने के लिए सही तरीक़ा आज़मा रहा है। जब वह प्रवेश हॉल में पहुँचा, तो उसने देखा कि फ़िल्च सामने वाले दरवाज़े पर ताला लगाना भूल गया है। हैरी ने मुस्कराते हुए दरवाज़ा खोलकर साफ़ हवा तथा घास की ख़ुशबू पल भर के लिए नाक में भरी और फिर धुँधलके में सीढ़ियाँ उतरने लगा।

सबसे नीचे वाली सीढ़ी पर पहुँचकर उसे लगा कि हैग्रिड के यहाँ जाते समय सब्ज़ी वाली क्यारी से जाना बहुत सुखद रहेगा। क्यारी सीधे-सीधे उसके रास्ते में तो नहीं थी, लेकिन हैरी जानता था कि उसे इस सनक पर अमल करना ही चाहिए, इसलिए उसने अपने पैर तत्काल सब्ज़ी की क्यारी की तरफ़ मोड़ दिए। जब उसने वहाँ प्रोफ़ेसर स्लगहॉर्न को प्रोफ़ेसर स्प्राउट से बातचीत करते देखा, तो उसे हैरानी नहीं, बल्कि ख़ुशी हुई। हैरी पत्थर की एक नीची दीवार के पीछे छिप गया। वह बहुत शांति महसूस कर रहा था और उनकी बातचीत सुन रहा था।

'... समय निकालने के लिए धन्यवाद, पोमोना,' स्लगहॉर्न शिष्टता से कह रहे थे। 'अधिकांश विशेषज्ञों का कहना है कि अगर शाम के धुँधलके में उन्हें तोड़ा जाए, तो वे सबसे प्रभावशाली होते हैं।'

'ओह, यह सही है,' प्रोफ़ेसर स्प्राउट ने गर्मजोशी से कहा। 'इतना आपके लिए काफ़ी होगा ?'

'बहुत है, बहुत है,' स्लगहॉर्न ने कहा। हैरी ने देखा कि उन्होंने पत्ते वाले पौधे अपनी बाँह में भर रखे थे। 'इससे मेरे थर्ड ईयर के हर विद्यार्थी को कुछ पत्तियाँ मिल जाएँगी और कुछ बची रहेंगी, ताकि अगर कोई ग़लती से ज़्यादा पका दे, तो काम आ सकें ... अच्छा, तो गुड ईवनिंग और बहुत-बहुत धन्यवाद!'

प्रोफ़ेसर स्प्राउट बढ़ते अँधेरे में अपने ग्रीनहाउसों की दिशा में चल दीं और स्लगहॉर्न उस तरफ़ चल दिए, जहाँ हैरी अदृश्य खड़ा था।

हैरी के मन में अचानक ख़ुद को प्रकट करने की इच्छा हुई और उसने झटके से अपना चोगा उतार दिया।

'गुड ईवनिंग, प्रोफ़ेसर।'

'ओहो, हैरी, तुमने तो मुझे चौंका ही दिया,' स्लगहॉर्न ने अचानक रुकते हुए कहा और सतर्क हो गए। 'तुम महल से बाहर कैसे निकले?'

हैरी ने ख़ुशी से कहा, 'लगता है, फ़िल्च दरवाज़े पर ताला लगाना भूल गया था।' उसे स्लगहॉर्न की त्योरियों से भी ख़ुशी हुई।

'मैं उसकी शिकायत करूँगा। मेरे ख़्याल से वह सुरक्षा के बजाय कचरे की ज़्यादा चिंता करता है ... लेकिन तुम बाहर क्यों हो, हैरी?'

'सर, हैग्रिड के कारण,' हैरी ने कहा, जो जानता था कि सच्चाई बताना ही सही नीति थी। 'वह बहुत दुखी है ... लेकिन आप किसी को बताएँगे तो नहीं, प्रोफ़ेसर? मैं उसे मुश्किल में नहीं फँसाना चाहता हूँ ...'

स्लगहॉर्न की उत्सुकता तत्काल जाग गई।

'देखो, मैं यह वादा तो नहीं कर सकता,' उन्होंने भर्राई आवाज़ में कहा। 'लेकिन मैं जानता हूँ कि डम्बलडोर हैग्रिड पर पूरा भरोसा करते हैं, इसलिए मुझे यक़ीन है कि वह कोई बहुत भयंकर काम नहीं कर रहा होगा ...'

'देखिए, एक दैत्याकार मकड़ा था। हैग्रिड बरसों से उसके पास जा रहा था ... वह मकड़ा जंगल में रहता था ... वह बोल सकता था ...'

'मैंने अफ़वाहें सुनी थीं कि इस जंगल में बोलने वाली दैत्याकार मकड़ियाँ रहती हैं,' स्लगहॉर्न ने जंगल की तरफ़ देखते हुए धीरे से कहा। 'तो यह सच है?'

'हाँ,' हैरी ने कहा। 'लेकिन एरेगॉग नाम के इस मकड़े को हैग्रिड ने सबसे पहले पकड़ा था। वह कल रात को मर गया। हैग्रिड बहुत दुखी है। वह उसे दफ़न करते समय किसी का साथ चाहता है और मैंने कहा था कि मैं ज़रूर जाऊँगा।'

'बहुत मर्मस्पर्शी, बहुत मर्मस्पर्शी,' स्लगहॉर्न ने ख़्यालों में खोते हुए कहा और उनकी बड़ी-बड़ी आँखें दूर हैग्रिड के केबिन की रोशनियों पर जमी थीं। 'दैत्याकार मकड़े का ज़हर बहुत क़ीमती होता है ... अगर वह जानवर अभी-अभी मरा है, तो यह सूखा नहीं होगा ... ज़ाहिर है, मैं कोई असंवेदनशील काम नहीं करना चाहूँगा, जिससे हैग्रिड को परेशानी हो ... लेकिन अगर उसे हासिल करने का कोई तरीक़ा हो ... मेरा मतलब है, ज़िंदा मकड़े से ज़हर निकालना तो लगभग असंभव है ...'

स्लगहॉर्न जैसे हैरी के बजाय अब ख़ुद से बातें कर रहे थे।

'... इसे इकट्ठा न करना इसकी भयंकर बर्बादी है ... एक पिंट के सौ गैलियन मिल सकते हैं ... सच कहूँ तो मेरी तनख़्वाह ज़्यादा नहीं है ...'

और अब हैरी को स्पष्ट दिख गया कि उसे क्या करना चाहिए।

'देखिए,' उसने थोड़ा झिझकते हुए कहा, ताकि स्लगहॉर्न को विश्वास हो जाए, 'देखिए प्रोफ़ेसर, अगर आप आना चाहें, तो हैग्रिड शायद ख़ुश ही होगा ... एरेगॉग की विदाई ज़्यादा अच्छी तरह हो जाएगी ...'

'हाँ, ज़ाहिर है,' स्लगहॉर्न ने कहा; उनकी आँखें अब उत्साह से चमकने लगी थीं। 'हैरी, मैं शराब की एक-दो बोतल लेकर तुमसे वहीं मिलता हूँ ... हम बेचारे जानवर की सेहत के लिए तो जाम नहीं पी सकते, लेकिन हम उसे दफ़न करने के बाद उसकी याद में पार्टी करेंगे। और मैं अपनी टाई भी बदल लेता हूँ। यह वाली मौक़े के हिसाब से थोड़ी ज़्यादा भड़कीली लगती है ...'

वे तेज़ी से महल में चले गए और हैरी ख़ुश होता हुआ फ़ुर्ती से हैग्रिड के केबिन की तरफ़ चल दिया।

'हाँ, आ जाओ,' हैग्रिड ने दरवाज़ा खोलते हुए धीमी आवाज़ में कहा और हैरी को अपने सामने अदृश्य चोगे में से निकलते हुए देखा।

'रॉन और हर्माइनी नहीं आ पाए,' हैरी ने कहा, 'हालाँकि उन्हें सचमुच अफ़सोस है।'

'कोई - कोई बात नहीं ... हैरी, तुम आ गए, यही बात हमारे दिल को छू गई ...'

हैग्रिड जमकर सुबका। उसने एक काला आर्मबैंड बना लिया था, जो बूट पॉलिश में डूबे चिथड़े जैसा लग रहा था। उसकी आँखें फूली हुई, सूजी हुई और लाल थीं। हैरी ने उसे तसल्ली देते हुए उसकी कोहनी थपथपाई, क्योंकि उसका हाथ हैग्रिड के शरीर पर आसानी से इससे ऊपर नहीं पहुँच सकता था।

'हम उसे कहाँ दफ़ना रहे हैं?' उसने पूछा। 'जंगल में?'

'ओह नहीं,' हैग्रिड ने अपनी शर्ट के निचले हिस्से से आँसू भरी आँखें पोंछते हुए कहा। 'एरेगॉग के जाने के बाद बाक़ी मकड़ियाँ हमें आस-पास नहीं आने दे रही हैं। ऐसा लगता है कि सिर्फ़ उसी के आदेश के कारण वे हमें नहीं खाती थीं! क्या तुम इस बात पर यक़ीन कर सकते हो, हैरी?'

सच्चा जवाब 'हाँ' था। हैरी को बड़ी आसानी से वह भयंकर दृश्य याद आ गया, जब उसका और रॉन का उन मकड़ियों से आमना-सामना हुआ था। उसके सामने यह बात बहुत साफ़ थी कि सिर्फ़ एरेगॉग ही उन्हें हैग्रिड को खाने से रोक रहा था।

'पहले जंगल का कोई इलाक़ा नहीं था, जहाँ हम नहीं जा सकते हों!' हैग्रिड ने अपना सिर हिलाया। 'हम तुम्हें बता दें, एरेगॉग के शरीर को वहाँ से

लाना आसान नहीं था – वे लोग आम तौर पर मरने वालों को खा लेते हैं ... लेकिन हम उसे अच्छी तरह दफ़नाना चाहते थे ... सही तरीक़े से ...'

वह दोबारा सुबकने लगा और हैरी ने एक बार फिर उसकी कोहनी थपथपाने का सिलसिला जारी रखा। ऐसा करते समय उसने कहा (क्योंकि काढ़ा उसे बता रहा था कि यही करना सही रहेगा), 'हैग्रिड, जब मैं यहाँ आ रहा था, तो प्रोफ़ेसर स्लगहॉर्न मुझे रास्ते में मिल गए थे।'

'तुम मुश्किल में तो नहीं फँस गए ना?' हैग्रिड ने दहशत में ऊपर देखते हुए कहा। 'हम जानते हैं, तुम्हें रात को महल से बाहर नहीं होना चाहिए, यह हमारी ग़लती है –'

हैरी बोला, 'नहीं, नहीं, जब उन्होंने सुना कि मैं क्या कर रहा था, तो उन्होंने कहा कि वे भी एरेगॉग के प्रति सम्मान प्रकट करने के लिए यहाँ आना चाहते हैं। मुझे लगता है कि वे कपड़े बदलने गए हैं ... और उन्होंने कहा था कि वे कुछ बोतलें भी ले आएँगे, ताकि हम एरेगॉग की याद में पी सकें ...'

'अच्छा, उन्होंने ऐसा किया?' हैग्रिड ने हैरानी से कहा; यह स्पष्ट था कि यह बात भी उसके दिल को छू गई थी। 'यह तो – यह तो उन्होंने बहुत अच्छा किया और तुम्हें पकड़ा भी नहीं। हमारा पहले कभी होरेस स्लगहॉर्न से ज़्यादा पाला नहीं पड़ा है ... एरेगॉग को दफ़नाने आ रहे हैं, वाह ... एरेगॉग को यह बात पसंद आई होती ...'

हैरी ने मन ही मन सोचा कि एरेगॉग को स्लगहॉर्न के बारे में सिर्फ़ यही बात पसंद आई होती कि उनके शरीर में बहुत सारा गोश्त था, जिसे वह खा सकता था। फिर हैरी हैग्रिड के केबिन की पीछे वाली खिड़की के पास गया, जहाँ से उसने यह भयंकर दृश्य देखा कि बाहर विशाल मृत मकड़ा पीठ के बल लेटा हुआ था। इसके पैर मुड़े और उलझे हुए थे।

'हैग्रिड, क्या हम उसे तुम्हारे बगीचे में दफ़नाएँगे?'

'हमने सोचा था, कद्दू वाली क्यारी से थोड़ा सा आगे,' हैग्रिड ने रुँधी आवाज़ में कहा। 'हमने क़ब्र खोद ली है। बस सोचा था कि हम उसके बारे में कुछ अच्छी बातें कहेंगे – सुखद यादें, तुम तो जानते ही हो –'

उसकी आवाज़ काँपने लगी और टूट गई। दरवाज़े पर एक दस्तक हुई और हैग्रिड दरवाज़े की तरफ़ गया। चलते-चलते उसने अपनी नाक बड़े धब्बेदार रूमाल पर साफ़ की। स्लगहॉर्न जल्दी से अंदर आए। उनके पास कई बोतलें थीं और वे एक गहरा काला दुशाला पहने थे।

'हैग्रिड,' उन्होंने दुख भरी भारी आवाज़ में कहा। 'तुम्हें जो अपूरणीय

क्षति हुई है, उसके बारे में सुनकर बहुत अफ़सोस हुआ।'

'यह आपका बड़प्पन है,' हैग्रिड ने कहा। 'बहुत-बहुत धन्यवाद। और हैरी को सज़ा न देने के लिए भी धन्यवाद ...'

'कभी सपने में भी नहीं सोच सकता था,' स्लगहॉर्न ने कहा। 'दुखद रात है, दुखद रात है ... बेचारा जानवर कहाँ है?'

'वहाँ बाहर है,' हैग्रिड ने काँपती हुई आवाज़ में कहा। 'तो क्या – तो क्या हम यह काम कर दें?'

वे तीनों पीछे वाले बगीचे में पहुँच गए। चाँद पेड़ों के बीच से पीला चमक रहा था। चाँदनी और हैग्रिड की खिड़की से आती रोशनी एरेगॉग की लाश को चमका रही थी, जो एक विशाल गड्ढे के किनारे पर पड़ी थी। पास में ही दस फ़ुट ऊँचा मिट्टी का ताज़ा खुदा ढेर लगा था।

'बहुत बढ़िया,' स्लगहॉर्न ने मकड़े के सिर के पास जाते हुए कहा, जहाँ आठ दूधिया आँखें आसमान को सूनेपन से ताक रही थीं और दो विशाल, मुड़ी हुई चिमटियाँ चाँदनी में चमक रही थीं। जब स्लगहॉर्न चिमटियों के ऊपर के बालों भरे सिर को ग़ौर से देखने के लिए झुके, तो हैरी को बोतलों की हल्की सी खनक सुनाई दी।

हैग्रिड ने आँसू बहाते हुए स्लगहॉर्न की पीठ के पीछे से कहा, 'हर व्यक्ति उनकी सुंदरता की क़द्र नहीं करता है। होरेस, हमें पता नहीं था कि आप एरेगॉग जैसे प्राणियों में दिलचस्पी रखते हैं।'

'दिलचस्पी? हैग्रिड, मैं तो उनका सम्मान करता हूँ,' स्लगहॉर्न ने लाश से पीछे हटते हुए कहा। हैरी को उनके चोगे के नीचे एक बोतल की चमक ग़ायब होते दिखी, हालाँकि हैग्रिड एक बार फिर अपनी आँखें पोंछ रहा था, इसलिए वह कुछ नहीं देख पाया। 'अब ... क्या हम दफ़नाने की रस्म शुरू करें?'

हैग्रिड ने सिर झुकाया और आगे बढ़ा। उसने दैत्याकार मकड़े को अपने हाथों से धकाया और एक ज़बर्दस्त हुंकार के साथ अँधेरे गड्ढे में लुढ़का दिया। मकड़ा भयंकर आवाज़ के साथ नीचे जाकर टकराया। हैग्रिड दोबारा रोने लगा।

'ज़ाहिर है, यह तुम्हारे लिए मुश्किल है, क्योंकि तुम उसे अच्छी तरह जानते थे,' स्लगहॉर्न ने कहा, जो हैरी की तरह ही हैग्रिड की कोहनी से ऊपर नहीं पहुँच पा रहे थे, लेकिन उसी को थपथपाते जा रहे थे। 'मैं कुछ शब्द कहना चाहूँगा!'

हैरी ने सोचा कि स्लगहॉर्न के पास एरेगॉग का बहुत सारा अच्छा ज़हर पहुँच गया होगा, क्योंकि उनके चेहरे पर संतुष्टि का भाव था, जब वे गड्ढे के

किनारे तक पहुँचकर धीमी, प्रभावशाली आवाज़ में बोले, 'अलविदा, एरेगॉग, मकड़ों के शहंशाह! तुम्हारी जान-पहचान वाले तुम्हारी लंबी और वफ़ादार दोस्ती कभी नहीं भूल पाएँगे! हालाँकि तुम्हारा शरीर नष्ट हो जाएगा, लेकिन तुम्हारी आत्मा जंगल के अपने घर की शांति में मँडराती रहेगी। तुम्हारे कई आँखों वाले वंशज हमेशा फलते-फूलते रहें और तुम्हारे इंसानी दोस्तों को इस अपूरणीय क्षति को सहने की शक्ति मिले!'

'आपने ... आपने ... बहुत सुंदर बात कही!' हैग्रिड चीख़ा और मिट्टी के ढेर पर गिरकर पहले से भी ज़्यादा तेज़ी से रोने लगा।

'अरे, अरे,' स्लगहॉर्न ने अपनी छड़ी लहराई, जिससे मिट्टी का बड़ा ढेर उठा और मरे हुए मकड़े के ऊपर धमाके से गिरा। गड्ढा भर गया और एक साफ़ टीला बन गया। 'अब हम अंदर चलते हैं और उसके सम्मान में कुछ पी लेते हैं। हैरी, उसकी दूसरी तरफ़ रहो, हाँ, ऐसे ... चलो उठो हैग्रिड ... बहुत बढ़िया ...'

उन्होंने हैग्रिड को टेबल के पास एक कुर्सी पर बैठा दिया। दफ़नाने के दौरान फ़ैंग अपनी बास्केट में छिपा था। अब वह उनकी तरफ़ हल्के से चलता हुआ आया और उसने हमेशा की तरह अपना भारी सिर हैरी की गोद में रख दिया। स्लगहॉर्न ने शराब की एक बोतल खोल ली।

'मैंने इन *सभी* में ज़हर की जाँच कर ली है,' उन्होंने हैरी को आश्वस्त करते हुए कहा और पहली बोतल का ज़्यादातर हिस्सा हैग्रिड के बाल्टी के आकार के मग में डालकर उसे दे दिया। 'तुम्हारे दोस्त रूपर्ट के साथ जो हुआ था, उसके बाद मैं एक घरेलू जिन्न को हर बोतल में से चखाकर देखता हूँ।'

हैरी के मन में कल्पना आई कि अगर हर्माइनी को घरेलू जिन्नों के साथ इस तरह के सलूक की ख़बर लग गई, तो उसके चेहरे पर कैसा भाव आएगा। उसने फ़ैसला किया कि वह उसे यह बात कभी नहीं बताएगा।

'एक हैरी के लिए ...' स्लगहॉर्न ने दूसरी बोतल को दो मगों में डालते हुए कहा, '... और एक मेरे लिए। अच्छा,' उन्होंने अपने मग को ऊँचा उठाते हुए कहा, 'एरेगॉग के नाम पर।'

'एरेगॉग,' हैरी और हैग्रिड ने एक साथ कहा।

स्लगहॉर्न और हैग्रिड ने जमकर पी। बहरहाल, हैरी का रास्ता ख़ुशक़िस्मती काढ़े ने रोशन कर रखा था। वह जानता था कि उसे नहीं पीना चाहिए, इसलिए उसने घूँट भरने का नाटक किया और इसके बाद मग को अपने सामने वाली टेबल पर रख दिया।

हैग्रिड ने उदासी से कहा, 'जानते हैं, हमने उसे अंडे से पैदा किया था। जब

वह बाहर आया था, तो इतना सा था। पिल्ले जितना बड़ा था।'

'अच्छा!' स्लगहॉर्न ने कहा।

'हम उसे स्कूल की एक अलमारी में रखा करते थे, जब तक कि ... ओह ...'

हैग्रिड का चेहरा काला पड़ गया और हैरी इसका कारण जानता था : टॉम रिडल ने हैग्रिड को चालाकी से स्कूल से बाहर निकलवा दिया था। उसने हैग्रिड पर रहस्यमय तहख़ाना खोलने का दोष मढ़ दिया था। बहरहाल, ऐसा लग रहा था, जैसे स्लगहॉर्न सुन ही नहीं रहे थे। वे तो छत की तरफ़ देख रहे थे, जहाँ बहुत से पीतल के बर्तन लटके थे और चमकदार सफ़ेद बालों की एक लंबी, रेशमी रस्सी भी लटक रही थी।

'हैग्रिड, कहीं ये यूनिकॉर्न के बाल तो नहीं हैं?'

'ओह हाँ,' हैग्रिड ने उदासीनता से कहा। 'उनकी पूँछों से निकल जाते हैं। आप जानते हैं, जंगल की शाखाओं में लटके रहते हैं ...'

'लेकिन हैग्रिड, क्या तुम जानते हो कि ये कितने *क़ीमती* होते हैं?'

'जब कोई जानवर घायल हो जाता है, तो मैं इनका इस्तेमाल पट्टी बाँधने के लिए करता हूँ,' हैग्रिड कंधे उचकाते हुए बोला। 'ये बहुत उपयोगी होते हैं ... बहुत मज़बूत।'

स्लगहॉर्न ने अपने मग से एक लंबा घूँट लिया और सावधानी से केबिन में चारों तरफ़ नज़रें दौड़ाईं। हैरी जानता था कि वे और क़ीमती चीज़ों की तलाश कर रहे थे, जिनसे वे गैलियन कमा सकें और उनका उपयोग पुरानी शराब, पाइनएप्पल टॉफ़ियों तथा मख़मल के जैकेटों को ख़रीदने के लिए कर सकें। उन्होंने हैग्रिड और अपना मग दोबारा भरने के बाद उससे पूछा कि जंगल में इन दिनों कौन से प्राणी रहते हैं और हैग्रिड उनकी कितनी अच्छी तरह देखभाल करता है। हैग्रिड शराब और स्लगहॉर्न की चापलूसी भरी दिलचस्पी से फूल गया था। उसने अब अपनी आँखें पोंछना बंद कर दीं और काष्ठजीवों के पालन-पोषण के बारे में विस्तार से बताने लगा।

इस मोड़ पर ख़ुशक़िस्मती काढ़े ने हैरी को एक हल्का सा झटका दिया। उसने देखा कि स्लगहॉर्न जो बोतलें लाए थे, वे ख़त्म हो रही थीं। हैरी ने अब तक बिना ज़ोर से बोले पुनःभराव सम्मोहन नहीं किया था, लेकिन हैरी ने मन में सोचा, आज रात को सब कुछ संभव है। हैग्रिड और स्लगहॉर्न की नज़र बचाकर (जो ड्रैगन के अंडों के ग़ैर-क़ानूनी व्यापार की कहानियाँ सुनाने में जुटे थे) हैरी ने अपनी छड़ी टेबल के नीचे रखी ख़ाली बोतलों की तरफ़ की, जिससे वे तत्काल

दोबारा भर गईं।

एकाध घंटे बाद हैग्रिड और स्लगहॉर्न अजीब से लोगों और चीज़ों के नाम पर जाम पीने लगे थे : हॉगवर्ट्स के नाम पर, डम्बलडोर के नाम पर, घरेलू जिन्नों की बनाई शराब के नाम पर और –

'हैरी पॉटर के नाम पर!' हैग्रिड चीख़ा, जब उसने अपनी चौदहवीं बाल्टी की शराब ख़ाली करते हुए अपनी ठुड्डी पर छलका ली।

'हाँ सचमुच,' स्लगहॉर्न ने थोड़ी भारी आवाज़ में कहा, 'पैरी ऑटर, चुनिंदा जादूगर, जिसमें – देखो – कोई ख़ास बात है,' उन्होंने बुदबुदाते हुए अपना मग भी ख़ाली कर दिया।

उसके कुछ समय बाद ही हैग्रिड की आँखों में दोबारा आँसू आ गए और उसने यूनिकॉर्न के बालों का पूरा गुच्छा स्लगहॉर्न को दे दिया, जो उसे लेकर जेब में रखते हुए चिल्लाए, 'दोस्ती के नाम पर! उदारता के नाम पर! दस गैलियन वाले एक बाल के नाम पर!'

और इसके कुछ समय बाद हैग्रिड और स्लगहॉर्न एक-दूसरे की बाँहों में बाँहें डाले बैठे थे और एक मरे हुए जादूगर ओडो के बारे में एक दुख भरा गीत गा रहे थे।

'ओह, अच्छे लोग जल्दी मर जाते हैं,' हैग्रिड बुदबुदाया और टेबल पर नीचे झुक गया, उसकी आँखें थोड़ी भैंगी हो गई थीं, लेकिन स्लगहॉर्न आगे भी गाते रहे। 'हमारे डैडी की जाने की उम्र नहीं थी, न ही तुम्हारे मम्मी-डैडी की थी, हैरी ...'

हैग्रिड की आँखों के कोनों से दोबारा मोटे-मोटे आँसू गिरने लगे। उसने हैरी का हाथ पकड़कर उससे हाथ मिलाया।

'... अपने समय के सबसे अच्छे जादूगर और जादूगरनी थे ... भयंकर चीज़ ... भयंकर चीज़ ...'

स्लगहॉर्न ने दुखी आवाज़ में गाया :

'और ओडो हीरो, वे उसे उठाकर घर लाए
उस जगह पर, जहाँ उसने बचपन गुज़ारा था।
उन्होंने उसका हैट उलटा करके उसे क़ब्र में लिटा दिया
और उसकी छड़ी के दो टुकड़े कर दिए, जो दुखद था।'

'... भयंकर,' हैग्रिड ने हुंकार भरी और उसका बड़ा खिचड़ी सिर उसकी बाँहों पर एक तरफ़ लुढ़क गया। वह सो गया और ज़ोर-ज़ोर से खर्राटे लेने लगा।

'माफ़ करना,' स्लगहॉर्न ने हिचकी लेते हुए कहा। 'अपनी ज़िंदगी बचाने के लिए भी गाना सही नहीं गा सकता।'

'हैग्रिड आपके गाने के बारे में नहीं बोल रहा था,' हैरी ने धीरे से कहा। 'वह तो मेरे मम्मी-डैडी के बारे में बोल रहा था।'

'ओह,' स्लगहॉर्न ने एक बड़ी डकार को रोकते हुए कहा। 'ओह डियर, हाँ, वह सचमुच भयंकर था - सचमुच भयंकर था। भयंकर ... भयंकर ...'

उन्हें समझ में नहीं आ रहा था कि वे क्या कहें। उनका मग दोबारा भरता रहा।

'मुझे - मुझे नहीं लगता कि तुम्हें वह घटना याद होगी, हैरी?' उन्होंने अजीब तरीक़े से कहा।

हैरी ने अपनी आँखें हैग्रिड के भारी खर्राटों से हिलती मोमबत्ती की लपट पर जमाते हुए कहा, 'नहीं - देखिए, जब वे मरे थे, तब मैं एक साल का था। लेकिन अब मुझे काफ़ी कुछ पता चल चुका है कि क्या हुआ था। मेरे डैडी की मौत पहले हुए थी। क्या आप यह बात जानते हैं?'

'मैं - मैं नहीं जानता,' स्लगहॉर्न ने दबी हुई आवाज़ में कहा।

हैरी बोला, 'हाँ ... वोल्डेमॉर्ट ने उनकी हत्या की थी और फिर उनकी लाश को लाँघकर मेरी माँ की तरफ़ बढ़ा था।'

स्लगहॉर्न ज़ोर से काँपे, लेकिन वे अपनी दहशत भरी निगाह हैरी के चेहरे से नहीं हटा पाए।

'उसने मेरी माँ से रास्ते से हट जाने को कहा था,' हैरी ने स्लगहॉर्न की दहशत को नज़रअंदाज़ करते हुए निष्ठुरता से आगे कहा। 'उसने मुझे बताया था कि मेरी माँ को मरने की ज़रूरत नहीं थी। वह सिर्फ़ मुझे मारना चाहता था। वे भाग सकती थीं।'

'ओह,' स्लगहॉर्न ने साँस खींचते हुए कहा। 'वह भाग ... उसे ज़रूरत नहीं थी ... यह भयानक है ...'

'यह भयानक है, है ना?' हैरी ने कहा। अब उसकी आवाज़ फुसफुसाहट के स्तर पर पहुँच चुकी थी। 'लेकिन वे हिलीं तक नहीं। डैडी पहले ही मर चुके थे, लेकिन वे मुझे नहीं मरने देना चाहती थीं। उन्होंने वोल्डेमॉर्ट से आग्रह किया ... लेकिन वह बस हँस दिया ...'

'बस बहुत हो गया!' स्लगहॉर्न ने अचानक कहा और एक काँपता हुआ हाथ उठाया। 'सचमुच, मेरे प्यारे बच्चे, बहुत हो गया ... मैं बूढ़ा हो चुका हूँ ... मैं नहीं सुनना चाहता ... मैं नहीं सुनना चाहता ...'

'मैं भूल गया था,' हैरी ने झूठ बोल दिया, क्योंकि ख़ुशक़िस्मती काढ़ा उसे रास्ता दिखा रहा था। 'आपको वे पसंद थीं, है ना?'

'पसंद थीं?' स्लगहॉर्न ने कहा और उनकी आँखों में अब दोबारा आँसू भर आए थे। 'मैं कल्पना भी नहीं कर सकता कि जो भी उससे मिला हो, वह उसे पसंद न करे ... बहुत बहादुर ... बहुत मज़ेदार ... यह सबसे भयंकर चीज़ थी ...'

'लेकिन आप उनके बेटे की मदद नहीं करेंगे,' हैरी ने कहा। 'उन्होंने मेरी ख़ातिर अपनी जान दी थी, लेकिन आप एक याद भी नहीं देंगे।'

हैग्रिड के खर्राटे केबिन में गूँज रहे थे। हैरी ने स्लगहॉर्न की आँसू भरी आँखों में देखा। वे दूसरी तरफ़ नहीं देख पाए।

'ऐसा मत कहो,' उन्होंने फुसफुसाकर कहा। 'इसका तो कोई सवाल ही नहीं उठता ... अगर वह याद तुम्हारी मदद कर पाती ... लेकिन उससे कोई फ़ायदा नहीं हो सकता ...'

'वह याद फ़ायदा कर सकती है,' हैरी ने स्पष्टता से कहा। 'डम्बलडोर को जानकारी की ज़रूरत है। मुझे जानकारी की ज़रूरत है।'

वह जानता था कि वह सुरक्षित है। ख़ुशक़िस्मती काढ़ा उसे बता रहा था कि स्लगहॉर्न को सुबह तक इसमें से कुछ भी याद नहीं रहेगा। स्लगहॉर्न की आँखों में देखते हुए हैरी थोड़ा आगे झुका।

'मैं चुनिंदा जादूगर हूँ। मुझे उसे मारना है। मुझे उस याद की ज़रूरत है।'

स्लगहॉर्न का चेहरा पहले से ज़्यादा पीला हो गया। उनका माथा पसीने से चमकने लगा।

'तुम चुनिंदा जादूगर *हो*?'

'ज़ाहिर है, मैं हूँ,' हैरी ने धीरे से कहा।

'लेकिन ... मेरे प्यारे बच्चे ... तुम बहुत बड़ी चीज़ माँग रहे हो ... दरअसल तुम मुझसे यह माँग रहे हो कि मैं उस जादूगर को नष्ट करने में तुम्हारी मदद करूँ –'

'क्या आप उस जादूगर को नष्ट नहीं करना चाहते, जिसने लिली इवान्स की हत्या की है?'

'हैरी, हैरी, ज़ाहिर है, मैं चाहता हूँ, लेकिन –'

'आप बुरी तरह डरे हुए हैं कि उसे पता चल जाएगा कि आपने मेरी मदद की थी?'

स्लगहॉर्न ने कुछ नहीं कहा। वे आतंकित लग रहे थे।

'प्रोफ़ेसर, मेरी माँ की तरह बहादुर बनिए ...'

स्लगहॉर्न ने अपना मोटा हाथ उठाया और काँपती उँगलियों को मुँह पर रख लिया। पल भर के लिए वे किसी बड़े बच्चे की तरह दिखने लगे।

'मुझे गर्व नहीं है ...' वे अपनी उँगलियों के बीच से फुसफुसाए। 'मुझे उस बात पर शर्म आती है, जो उस – जो उस याद में है ... मुझे लगता है कि उस दिन मैंने बहुत ग़लत काम कर दिया था ...'

'वह याद मुझे देकर आप उसका हिसाब बराबर कर सकते हैं,' हैरी ने कहा। 'यह बहुत साहसिक और महान काम होगा।'

हैग्रिड नींद में ही हिला और फिर खर्राटे लेने लगा। स्लगहॉर्न और हैरी हिलती हुई मोमबत्ती के ऊपर से एक-दूसरे को घूरते रहे। एक बहुत लंबी ख़ामोशी छा गई, लेकिन ख़ुशक़िस्मती काढ़े ने हैरी को बता दिया कि वह इसे तोड़ने के बजाय इंतज़ार करे।

फिर, बहुत धीरे-धीरे, स्लगहॉर्न ने अपनी जेब में हाथ डालकर छड़ी बाहर निकाली। उन्होंने अपना दूसरा हाथ चोगे में डालकर एक छोटी ख़ाली शीशी निकाली। अब भी हैरी की आँखों में देखते हुए स्लगहॉर्न ने अपनी छड़ी की नोक अपने माथे से लगाई और उसे खींच लिया, जिससे याद का एक लंबा, चाँदी जैसा धागा भी नोक से चिपककर निकल आया। यह याद लंबी और लंबी खिंचती रही, जब तक कि यह टूट नहीं गई और छड़ी से झूलने नहीं लगी। स्लगहॉर्न ने इसे शीशी में भर दिया, जहाँ यह कुंडलियाँ बनाने लगी, फिर फैलकर गैस की तरह घुमड़ने लगी। उन्होंने काँपते हाथ से शीशी का ढक्कन लगाया और फिर हैरी को शीशी दे दी।

'बहुत-बहुत धन्यवाद, प्रोफ़ेसर।'

'तुम अच्छे लड़के हो,' प्रोफ़ेसर स्लगहॉर्न ने कहा और आँसू उनके मोटे गालों से बहते हुए उनकी मूँछ में जा रहे थे। 'और तुम्हारी आँखें उसके जैसी हैं ... इसे देखने के बाद मेरे बारे में ज़्यादा ग़लत मत सोचने लगना ...'

इतना कहने के बाद उन्होंने भी अपना सिर अपनी बाँहों पर टिकाया, एक गहरी आह भरी और सो गए।

अध्याय तेईस

होरक्रक्स

हैरी जब महल में घुसा, तो उसे महसूस हुआ कि ख़ुशक़िस्मती काढ़े का असर कम होने लगा था। सामने वाले दरवाज़े पर ताला नहीं लगा था, लेकिन तीसरी मंज़िल पर उसे पीव्ज़ मिल गया और हैरी को एक शॉर्टकट से मुड़कर उससे बाल-बाल बचना पड़ा। जब उसने मोटी औरत की तस्वीर के पास पहुँचकर अपना अदृश्य चोगा उतारा, तो उसे हैरानी नहीं हुई कि वह क़तई मदद के मूड में नहीं थी।

'यह आने का कौन सा समय है ?'

'मुझे सचमुच अफ़सोस है – मुझे किसी महत्वपूर्ण काम से बाहर जाना पड़ा था –'

'देखो, पासवर्ड आधी रात को बदल जाता है, इसलिए आज तुम्हें गलियारे में सोना पड़ेगा! ठीक है ?'

'तुम मज़ाक़ कर रही हो!' हैरी ने कहा। 'पासवर्ड आधी रात को क्यों बदलता है ?'

'ऐसा ही होता है,' मोटी औरत ने कहा। 'अगर तुम्हें कोई दिक़्क़त हो, तो जाकर हेडमास्टर से बात कर लो। उन्होंने ही सुरक्षा व्यवस्था कड़ी की है।'

'बहुत बढ़िया,' हैरी ने कटुता से कहा और सख़्त फ़र्श की तरफ़ देखा। 'बहुत ही बढ़िया। देखो, अगर वे यहाँ होते, तो मैं जाकर उनसे बात कर लेता, क्योंकि उन्हीं के कहने पर तो –'

'वे यहीं हैं,' हैरी के पीछे से एक आवाज़ आई। 'प्रोफ़ेसर डम्बलडोर एक घंटे पहले स्कूल लौट आए हैं।'

लगभग सिरकटा निक हैरी की तरफ़ उड़ता हुआ आ रहा था और उसका सिर हमेशा की तरह उसके गुलूबंद पर झूल रहा था।

निक बोला, 'मुझे यह ख़ूनी नवाब ने बताया था, जिसने उन्हें आते हुए देखा था। नवाब के अनुसार डम्बलडोर बहुत अच्छे मूड में लग रहे थे। ज़ाहिर है, वे थोड़े थके हुए भी थे।'

'कहाँ पर ?' हैरी ने कहा और उसका दिल उछलने लगा।

'ओह, खगोलशास्त्र की मीनार के ऊपर खटपट कर रहा है। यह उसका प्रिय मनोरंजन है –'

'मैं ख़ूनी नवाब के नहीं, डम्बलडोर के बारे में पूछ रहा हूँ!'

निक ने कहा, 'ओह – वे अपने ऑफ़िस में हैं। ख़ूनी नवाब ने जो कहा, उससे तो लगता है कि वे शायद सोने से पहले कुछ काम करेंगे –'

'हाँ, वे करेंगे,' हैरी ने कहा और उसके सीने में रोमांच धधकने लगा, जब उसने डम्बलडोर को यह बताने पर विचार किया कि उसने याद हासिल कर ली है। वह पलटा और दोबारा भागने लगा। उसने मोटी औरत की बात अनसुनी कर दी, जो उसके पीछे चिल्ला रही थी।

'लौट आओ! देखो, मैंने झूठ बोला था! मैं तो बस इसलिए चिढ़ गई थी, क्योंकि तुमने मुझे जगा दिया था! पासवर्ड अब भी "टेपवर्म" ही है!'

लेकिन तब तक हैरी गलियारे में धड़धड़ाता हुआ जा रहा था और कुछ ही मिनटों में वह डम्बलडोर के गारगॉइल के सामने "टॉफ़ी एक्लेयर्स" कह रहा था। गारगॉइल उछलकर एक तरफ़ हो गया और उसने हैरी को घुमावदार सीढ़ियों की तरफ़ जाने दिया।

जब हैरी ने दरवाज़ा खटखटाया, तो डम्बलडोर बोले, 'अंदर आ जाओ।' उनकी आवाज़ थोड़ी थकी-थकी लग रही थी।

हैरी ने दरवाज़ा खोला। डम्बलडोर का ऑफ़िस हमेशा जैसा ही था, लेकिन खिड़कियों के पार सितारों से भरा काला आसमान दिख रहा था।

'ओह हैरी,' डम्बलडोर ने हैरानी से कहा। 'इतनी रात को तुम्हारे आने की ख़ुशी मुझे क्यों नसीब हो रही है ?'

'सर – यह मुझे मिल गई। मैं स्लगहॉर्न की याद ले आया हूँ।'

हैरी ने काँच की छोटी शीशी बाहर निकालकर डम्बलडोर को दिखाई। एक-दो पल के लिए हेडमास्टर स्तब्ध नज़र आए। फिर उनके चेहरे पर एक चौड़ी मुस्कान फैल गई।

'हैरी, यह तो बहुत ही ज़बर्दस्त ख़बर है! बहुत ही ज़बर्दस्त! मैं जानता था, तुम यह काम कर सकते हो!'

आधी रात हो चुकी थी, इस बात को भूलते हुए वे जल्दी से अपनी डेस्क के पास से निकले, अपने अच्छे हाथ में स्लगहॉर्न की याद वाली शीशी ली और उस अलमारी की तरफ़ चल दिए, जिसमें स्मृति पात्र रखा था।

'और अब,' डम्बलडोर ने पत्थर के उस पात्र को अपनी डेस्क पर रखते हुए और शीशी में भरी याद उसमें डालते हुए कहा, 'अब आख़िर हम देख सकेंगे। हैरी, जल्दी करो ...'

हैरी ने आदेश का पालन करते हुए अपना सिर स्मृति पात्र में झुकाया और उसके पैर ऑफ़िस के फ़र्श से उठ गए ... एक बार फिर वह अँधेरे में गिरने लगा और होरेस स्लगहॉर्न के कई साल पहले के ऑफ़िस में उतरा।

वहाँ पर ज़्यादा युवा होरेस स्लगहॉर्न थे। उनके मोटे, चमकदार, भूसे के रंग के बाल और सुनहरी मूँछ थी। वे अपने ऑफ़िस की आरामदेह कुर्सी पर टिककर बैठे थे। उनके पैर मख़मल के कुशन पर आराम कर रहे थे। उनके एक हाथ में शराब का छोटा गिलास था और दूसरा हाथ पाइनएप्पल टॉफ़ियों के बॉक्स में कुछ खोज रहा था। स्लगहॉर्न के आस-पास आधा दर्जन लड़के बैठे थे, जिनके बीच में टॉम रिडल भी था, जिसकी उँगली पर मारवोलो की सोने की काली अँगूठी चमक रही थी।

जब डम्बलडोर हैरी के पास उतरे, उसी समय रिडल ने स्लगहॉर्न से पूछा, 'सर, क्या यह सच है कि प्रोफ़ेसर मेरीथॉट रिटायर हो रही हैं?'

'टॉम, टॉम, अगर मैं जानता, तो भी तुम्हें नहीं बताता,' स्लगहॉर्न ने कहा और अपनी शकर लिपटी उँगली रिडल की तरफ़ दिखाई, हालाँकि उन्होंने आँख मारकर यह जता दिया कि उन्होंने बुरा नहीं माना है। 'मैं यह जानना चाहूँगा कि तुम्हें इतनी जानकारियाँ मिलती कहाँ से हैं? तुम्हारे पास तो आधे स्टाफ़ से ज़्यादा जानकारियाँ रहती हैं।'

रिडल मुस्कराया। बाक़ी लड़के हँसे और उसकी तरफ़ प्रशंसा भरी निगाहों से देखने लगे।

'तुम्हें जो चीज़ें पता नहीं होनी चाहिए, उन्हें जानने की तुममें अनोखी योग्यता है और तुम महत्वपूर्ण लोगों की सावधानी से चापलूसी भी करते हो - पाइनएप्पल टॉफ़ियों के लिए धन्यवाद, तुम्हारा अंदाज़ा बिलकुल सही है, यह मेरी सबसे प्रिय टॉफ़ी है -'

कुछ लड़के दोबारा खिलखिलाए।

'- मुझे विश्वास है कि तुम बीस साल में जादू मंत्री बन सकते हो। अगर मुझे पाइनएप्पल टॉफ़ियाँ भेजते रहे, तो पंद्रह साल में भी बन सकते हो। मेरे

मंत्रालय में *बहुत अच्छे* संपर्क हैं।'

टॉम रिडल हल्के से मुस्कराया, जबकि बाक़ी विद्यार्थी दोबारा हँस पड़े। हैरी का ध्यान इस तरफ़ गया कि वह लड़कों के समूह में सबसे बड़ा नहीं था, लेकिन इसके बावजूद वे सभी उसे अपना लीडर मान रहे थे।

जब उनकी हँसी ख़त्म हो गई, तो वह बोला, 'सर, मुझे नहीं लगता कि राजनीति मुझे रास आएगी। एक बात तो यह है कि मेरे पास सही पृष्ठभूमि नहीं है।'

उसके आस-पास के कुछ लड़कों ने एक-दूसरे की तरफ़ मुस्कराकर देखा। हैरी को यक़ीन था कि वे इस मज़ाक़ पर मुस्करा रहे थे। निश्चित रूप से वे जानते थे या उन्हें शक था कि उनके गैंग लीडर का पूर्वज कितना मशहूर था।

'बकवास,' स्लगहॉर्न ने तेज़ी से कहा, 'तुम्हारी योग्यताओं को देखते हुए यह साफ़ है कि तुम किसी अच्छे जादूगर ख़ानदान के हो। टॉम, तुम बहुत दूर तक जाओगे। किसी विद्यार्थी के बारे में मेरा अंदाज़ा आज तक ग़लत साबित नहीं हुआ है।'

स्लगहॉर्न की डेस्क पर रखी छोटी सुनहरी घड़ी ने ग्यारह घंटे बजाए और उन्होंने घूमकर देखा।

'हे भगवान, इतना समय हो गया,' स्लगहॉर्न ने कहा। 'लड़को, अब तुम्हें चल देना चाहिए, वरना तुम सभी मुश्किल में पड़ जाओगे। लेस्ट्रेंज, मुझे कल तक तुम्हारा निबंध चाहिए, वरना सज़ा मिलेगी। और एवरी, तुम्हारे साथ भी यही होगा।'

लड़कों के एक-एक करके बाहर निकलते समय स्लगहॉर्न कुर्सी से उठे और अपना ख़ाली गिलास लेकर डेस्क तक गए। बहरहाल, रिडल पीछे ही रुका रहा। हैरी जानता था कि वह जान-बूझकर रुका था, क्योंकि वह स्लगहॉर्न के साथ आख़िर में अकेला रहना चाहता था।

'ध्यान रखना, टॉम,' स्लगहॉर्न ने कहा, जब उन्होंने मुड़कर देखा कि रिडल अब भी वहीं है। 'कहीं तुम रात को बिस्तर से बाहर नहीं पकड़े जाओ, जबकि तुम एक प्रिफ़ेक्ट हो ...'

'सर, मैं आपसे कुछ पूछना चाहता था।'

'तो फिर पूछो, मेरे बच्चे, पूछो ...'

'सर, मैं जानना चाहता था कि क्या आप ... होरक्रक्स के बारे में कुछ जानते हैं?'

स्लगहॉर्न ने उसकी तरफ़ घूरकर देखा। उनकी मोटी उँगलियाँ अनजाने

में ही अपने शराब के गिलास को दबाने लगीं।

'गुप्त कलाओं से रक्षा का प्रोजेक्ट कर रहे हो, है ना?'

लेकिन हैरी को पता था, स्लगहॉर्न अच्छी तरह जानते थे कि यह स्कूल का काम नहीं था।

'नहीं सर,' रिडल ने कहा। 'पढ़ते समय कहीं इस बात का ज़िक्र आया था और मैं इसे पूरी तरह नहीं समझ पाया था।'

स्लगहॉर्न ने कहा, 'देखो ... टॉम, हॉगवर्ट्स में तुम्हें ऐसी कोई किताब नहीं मिलेगी, जिसमें होरक्रक्स का वर्णन हो। यह बहुत ही शैतानी जादू है, बहुत ही शैतानी!'

'लेकिन ज़ाहिर है, आप इसके बारे में सब कुछ जानते हैं, सर? मेरा मतलब है, आपके जैसा जादूगर – माफ़ कीजिए, मेरा मतलब है, अगर आप मुझे नहीं बता सकते – मैं तो बस इतना जानता था कि अगर कोई मुझे बता सकता था, तो वह आप ही हो सकते हैं – इसलिए मैंने सोचा कि आपसे पूछ लूँ –'

हैरी ने सोचा, रिडल ने यह बहुत ही बढ़िया तरीक़े से किया था : झिझक, औपचारिक अंदाज़, सावधानीपूर्ण चापलूसी, कुछ भी ज़रूरत से ज़्यादा नहीं था। हैरी को अनिच्छुक लोगों से जानकारी निकलवाने का इतना अनुभव था कि वह जान गया कि रिडल इसमें बहुत निपुण है। वह जानता था कि रिडल उस जानकारी को बहुत, बहुत ज़्यादा चाहता था, शायद हफ़्तों से इस पल की योजना बना रहा था।

'देखो,' स्लगहॉर्न ने कहा, जो अब रिडल की तरफ़ नहीं देख रहे थे, बल्कि पाइनएप्पल टॉफ़ियों के बॉक्स पर लगे रिबन पर उँगलियाँ फेर रहे थे, 'ज़ाहिर है, तुम्हें मोटी-मोटी बातें बताने से कोई नुक़सान नहीं हो सकता। सिर्फ़ इसलिए, ताकि तुम उसका मतलब समझ लो। होरक्रक्स एक ऐसी चीज़ होती है, जिसमें कोई व्यक्ति अपनी आत्मा छिपा देता है।'

रिडल ने पूछा, 'मैं यह नहीं समझ पाया कि ऐसा कैसे होता है, सर?'

उसकी आवाज़ बहुत सावधानी से नियंत्रित थी, लेकिन हैरी को उसका रोमांच महसूस हो रहा था।

'देखो, तुम अपनी आत्मा के दो टुकड़े कर देते हो,' स्लगहॉर्न ने कहा, 'और उसका एक हिस्सा शरीर के बाहर किसी वस्तु में छिपा देते हो। फिर अगर शरीर पर हमला हो या वह नष्ट भी हो जाए, तो भी तुम मर नहीं सकते, क्योंकि आत्मा का दूसरा हिस्सा धरती से जुड़ा और अक्षत रहता है। लेकिन ज़ाहिर है, इस तरह की स्थिति में ज़िंदा रहना ...'

स्लगहॉर्न के चेहरे पर सलवटें पड़ गईं। हैरी को याद आया कि उसने लगभग दो साल पहले क्या सुना था।

'मेरा शरीर चला गया था। मेरी आत्मा भी कमज़ोर हो गई थी। मैं सबसे कमज़ोर भूत से भी कहीं ज़्यादा कमज़ोर था ... लेकिन फिर भी मैं ज़िंदा था।'

'... बहुत कम लोग ऐसी ज़िंदगी चाहेंगे, टॉम, बहुत कम। मौत ज़्यादा अच्छी रहेगी।'

लेकिन रिडल की भूख अब स्पष्ट दिखने लगी थी। उसके चेहरे पर लालच का भाव आ गया था। अब वह अपनी हसरत छिपा नहीं पा रहा था।

'आत्मा को कैसे तोड़ा जाता है?'

'देखो,' स्लगहॉर्न ने परेशान होते हुए कहा, 'तुम्हें यह समझ लेना चाहिए कि आत्मा को अक्षत और पूर्ण ही रहना चाहिए। इसके दो टुकड़े करना इसे दूषित करने का काम है। यह प्रकृति के ख़िलाफ़ है।'

'लेकिन ऐसा कैसे किया जाता है?'

'बुरे काम से – सबसे बुरे काम से। हत्या करके। हत्या करने से आत्मा के दो टुकड़े हो जाते हैं। होरक्रक्स उत्पन्न करने पर आमादा जादूगर इस विनाश का उपयोग अपने लाभ के लिए करता है : वह अपनी आत्मा के विभक्त हिस्से को किसी चीज़ में –'

'लेकिन कैसे – ?'

'इसका एक मंत्र होता है, लेकिन मुझसे मत पूछना, मैं नहीं जानता!' स्लगहॉर्न ने अपना सिर किसी बूढ़े हाथी की तरह हिलाते हुए कहा, जिसे मच्छर सता रहे हों। 'क्या मुझे देखकर ऐसा लगता है, जैसे मैंने इसे आज़माकर देखा हो – क्या मुझे देखकर ऐसा लगता है, जैसे मैंने किसी की हत्या की हो?'

'नहीं सर, ज़ाहिर है नहीं,' रिडल ने जल्दी से कहा। 'मुझे अफ़सोस है ... मैं आपको दुखी नहीं करना चाहता था ...'

'नहीं, नहीं, मैं दुखी नहीं हुआ हूँ,' स्लगहॉर्न ने रूखेपन से कहा। 'इन मामलों के बारे में थोड़ी-बहुत जिज्ञासा होना स्वाभाविक है ... प्रतिभावान जादूगर जादू के इस पहलू के बारे में हमेशा आकर्षित हुए हैं ...'

'हाँ सर,' रिडल ने कहा। 'मैं यह बात नहीं समझ पाया हूँ – सिर्फ़ जिज्ञासा के कारण – मेरा मतलब है, क्या एक होरक्रक्स से ज़्यादा फ़ायदा होता है? क्या कोई अपनी आत्मा सिर्फ़ एक बार ही तोड़ सकता है? क्या यह बेहतर नहीं होगा कि कोई अपनी आत्मा के कई टुकड़े कर ले, ताकि वह ज़्यादा शक्तिशाली बन

जाए ? मेरा मतलब है, उदाहरण के लिए, क्या सात सबसे सशक्त जादुई अंक नहीं है, क्या सात होरक्रक्स – ?'

'हे भगवान, टॉम!' स्लगहॉर्न चिल्लाए। 'सात! क्या एक व्यक्ति को मारना ही पर्याप्त बुरा नहीं है ? और वैसे भी ... आत्मा को एक बार तोड़ना ही बहुत बुरा होता है ... लेकिन उसे सात टुकड़ों में तोड़ना ...'

स्लगहॉर्न अब बहुत परेशान दिख रहे थे : वे रिडल की तरफ़ ऐसे घूर रहे थे, जैसे उन्होंने उसे पहले कभी ठीक से नहीं देखा हो। हैरी जानता था कि अब उन्हें अफ़सोस हो रहा होगा कि उन्होंने रिडल से इस विषय पर बातचीत ही क्यों शुरू की।

'ज़ाहिर है,' वे बुदबुदाए, 'हमारी यह सारी बातचीत सैद्धांतिक है, है ना ? सिर्फ़ सैद्धांतिक ...'

'हाँ, सर, ज़ाहिर है,' रिडल ने जल्दी से कहा।

'लेकिन फिर भी टॉम ... मैंने तुम्हें जो बताया है, हमारे बीच जो बातचीत हुई है, उसके बारे में किसी से कुछ मत कहना। लोग इस बात को पसंद नहीं करेंगे कि हम होरक्रक्स के बारे में बातें कर रहे थे। यह विषय हॉगवर्ट्स में प्रतिबंधित है ... डम्बलडोर ख़ास तौर पर इसके ख़िलाफ़ हैं ...'

'मैं किसी से कुछ नहीं कहूँगा, सर,' रिडल ने कहा और वह चल दिया। हैरी ने उसके चेहरे की झलक देखी, जिस पर अपार ख़ुशी का भाव था। यह वैसा ही भाव था, जैसा उसके चेहरे पर तब आया था, जब उसे पहली बार पता चला था कि वह जादूगर है। लेकिन इस ख़ुशी से उसके आकर्षक चेहरे की सुंदरता बढ़ने के बजाय घट गई थी, वह कम मानवीय लग रहा था ...

डम्बलडोर ने धीरे से कहा, 'हैरी, चलो, चलते हैं ...'

जब हैरी डम्बलडोर के ऑफ़िस के फ़र्श पर दोबारा लौटा, तब तक डम्बलडोर अपनी डेस्क के पीछे बैठ चुके थे। हैरी भी बैठ गया और डम्बलडोर के बोलने का इंतज़ार करने लगा।

'मैं काफ़ी लंबे समय से इस सबूत की उम्मीद कर रहा था,' आख़िरकार डम्बलडोर ने कहा। 'इससे उस सिद्धांत की पुष्टि होती है, जिस पर मैं काम कर रहा था। इससे यह पता चलता है कि मैं सही हूँ और यह भी कि मुझे अभी कितनी दूर जाना है ...'

अचानक हैरी का ध्यान इस तरफ़ गया कि दीवारों पर लगी तस्वीरों में सभी बूढ़े हेडमास्टर और हेडमिस्ट्रेसेस अब जाग चुके थे और उनकी बातचीत सुन रहे थे। लाल नाक वाले मोटे जादूगर ने तो कान में सुनने का यंत्र लगा

लिया था।

'देखो हैरी,' डम्बलडोर ने कहा। 'मुझे यक़ीन है कि हमने अभी-अभी जो सुना है, तुम उसके महत्व को समझते होगे। कुछ महीनों के अंतर को छोड़ दिया जाए, तो तुम्हारी ही उम्र में टॉम रिडल यह पता लगाने की पूरी कोशिश कर रहा था कि वह अमर कैसे बन सकता है।'

'तो, आपको लगता है कि वह सफल हो गया है, सर?' हैरी ने पूछा। 'उसने होरक्रक्स बना लिया? और इसीलिए जब उसने मुझ पर हमला किया, तो वह नहीं मरा? उसने एक होरक्रक्स कहीं छिपाकर रख दिया था? उसकी आत्मा का एक टुकड़ा सुरक्षित था?'

'एक टुकड़ा ... या ज़्यादा टुकड़े,' डम्बलडोर ने कहा। 'तुमने वोल्डेमॉर्ट की बात सुनी थी : वह होरेस से ख़ास तौर पर यह जानना चाहता था कि अगर कोई जादूगर एक से ज़्यादा होरक्रक्स बनाए, तो उसे क्या होगा? उस जादूगर का क्या होगा, जो मौत से बचने के लिए इतना संकल्पवान था कि वह कई बार हत्या करने के लिए तैयार था, अपनी आत्मा को बार-बार तोड़ने के लिए संकल्पवान था, ताकि वह उसके टुकड़ों को कई अलग-अलग छिपे होरक्रक्सों में रख सके। किसी पुस्तक में उसे यह जानकारी नहीं मिल सकती थी। जहाँ तक मैं जानता हूँ - और मुझे यक़ीन है कि जहाँ तक वोल्डेमॉर्ट जानता था - कोई जादूगर अपनी आत्मा के दो टुकड़े करने से ज़्यादा आगे तक नहीं गया था।

डम्बलडोर एक पल के लिए ठहरे और अपने विचारों को एकत्रित किया। फिर वे बोले, 'चार साल पहले मुझे एक निश्चित सबूत मिला कि वोल्डेमॉर्ट ने अपनी आत्मा के टुकड़े कर दिए थे।'

'कहाँ,' हैरी ने पूछा। 'कैसे?'

'वह सबूत तुमने ही मुझे दिया था, हैरी,' डम्बलडोर ने कहा। 'डायरी, रिडल की डायरी, जिसमें निर्देश दिए गए थे कि रहस्यमय तहख़ाने को दोबारा कैसे खोलना है।'

हैरी ने कहा, 'मैं समझा नहीं, सर।'

'देखो, हालाँकि मैंने उस डायरी से बाहर निकलने वाले रिडल को नहीं देखा, लेकिन तुमने मुझे उसका जो वर्णन सुनाया, वह मैंने पहले कभी नहीं सुना था। सिर्फ़ एक याद अपने आप काम करने और सोचने लगे? सिर्फ़ एक याद उस लड़की की ज़िंदगी चूसने लगे, जिसके हाथों में यह थी? नहीं, उस पुस्तक में याद से कोई ज़्यादा बुरी चीज़ होगी ... आत्मा का एक टुकड़ा होगा, मुझे इस बात का लगभग पूरा यक़ीन था। डायरी एक होरक्रक्स थी। लेकिन इस जवाब से कई

सवाल खड़े हो गए। मुझे सबसे ज़्यादा उलझन और दहशत इस बात से हुई कि डायरी हथियार और ढाल दोनों के रूप में काम कर रही थी।'

'मैं अब भी नहीं समझ पाया,' हैरी ने कहा।

'देखो, इस डायरी ने उसी तरह काम किया, जिस तरह होरक्रक्स करता – दूसरे शब्दों में आत्मा का एक टुकड़ा इसके भीतर सुरक्षित छिपा रहा और इसने अपने मालिक को मरने से बचाने में अपनी भूमिका निभाई। लेकिन इसमें कोई शक नहीं था कि रिडल सचमुच चाहता था कि उस डायरी को पढ़ा जाए। वह चाहता था कि उसकी आत्मा का वह टुकड़ा किसी और में जाकर रहे या उस पर क़ाबू करे, ताकि नागशक्ति के भयंकर जानवर को दोबारा बाहर निकाला जा सके।'

'देखिए, वह नहीं चाहता होगा कि उसकी कड़ी मेहनत बर्बाद हो जाए,' हैरी ने कहा। 'वह लोगों को यह बताना चाहता था कि वह नागशक्ति का वारिस है, क्योंकि वह पहले यह श्रेय नहीं ले पाया था।'

'बिलकुल सही कहा,' डम्बलडोर ने सिर हिलाते हुए कहा। 'लेकिन तुम यह नहीं देख पाए हो हैरी कि अगर वह डायरी से हॉगवर्ट्स के किसी भावी विद्यार्थी पर क़ाबू करने का इरादा रखता था, तो वह इतना मूर्ख कैसे था कि उसने अपनी आत्मा का क़ीमती टुकड़ा उसमें छिपा दिया। जैसा प्रोफ़ेसर स्लगहॉर्न ने स्पष्ट किया है, होरक्रक्स का मक़सद आत्मा के हिस्से को सुरक्षित रखना है, इसे किसी दूसरे के हवाले करना नहीं है, ताकि यह नष्ट हो जाए – जैसा कि सचमुच हुआ था। आत्मा का वह टुकड़ा अब अस्तित्व में नहीं है। तुमने उसे नष्ट कर दिया।

'जितनी लापरवाही से वोल्डेमॉर्ट ने इस होरक्रक्स के साथ सलूक किया था, वह मुझे बहुत ही ख़तरनाक लगा था। इससे मुझे लगा कि उसने कई और होरक्रक्स या तो बना दिए होंगे – या फिर बनाने की योजना बना रहा होगा, ताकि एक होरक्रक्स के नुक़सान से उसे कोई ख़ास फ़र्क़ न पड़े। मैं इस बात पर यक़ीन नहीं करना चाहता, लेकिन इसके अलावा किसी बात में समझदारी नहीं दिखती है।

'फिर दो साल पहले तुमने मुझे बताया कि जिस रात को वोल्डेमॉर्ट ने अपने शरीर को दोबारा बनाया था, उसने अपने प्राणभक्षियों के सामने एक बहुत ही महत्वपूर्ण और दहशत भरी बात कही थी, *'मैं, जो अमरता की तरफ़ जाने वाले रास्ते पर बाक़ी सबसे आगे पहुँच गया था।'* उसने कहा था, *'बाक़ी सबसे आगे।'* और मैं इसका मतलब समझ गया, हालाँकि प्राणभक्षी नहीं समझ पाए

थे। हैरी, वह अपने होरक्रक्सों की तरफ़ इशारा कर रहा था, एक नहीं, बल्कि कई होरक्रक्स, जो मेरे ख़्याल से आज तक किसी जादूगर ने नहीं बनाए हैं। लेकिन यह बात उचित लग रही थी : लॉर्ड वोल्डेमॉर्ट समय के साथ कम मानवीय दिख रहा था और इस रूपांतरण का मुझे यही कारण समझ में आया कि उसकी आत्मा विभाजित हो चुकी थी, आम बुराई की सरहदों से भी आगे तक ...'

'तो उसने दूसरे लोगों की हत्या करके ख़ुद की मौत असंभव बना ली?' हैरी ने कहा। 'अगर अमर होने में उसकी इतनी ही रुचि थी, तो उसने पारस पत्थर बना या चुरा क्यों नहीं लिया?'

'देखो, हम जानते हैं कि पाँच साल पहले उसने पारस पत्थर चुराने की कोशिश की थी,' डम्बलडोर ने कहा। 'लेकिन मुझे लगता है कि बहुत से कारणों से लॉर्ड वोल्डेमॉर्ट को होरक्रक्स की तुलना में पारस पत्थर कम आकर्षक लगा होगा।

'हालाँकि अमृत से ज़िंदगी सचमुच लंबी होती है, लेकिन अमरता हासिल करने के लिए इसे ज़िंदगी भर नियमित रूप से पीना पड़ता है। यानी अमरता के लिए वोल्डेमॉर्ट को पूरी तरह से अमृत पर निर्भर होना पड़ता। अगर यह ख़त्म हो जाता या दूषित हो जाता या अगर कोई पारस पत्थर को चुरा लेता, तो वह किसी सामान्य व्यक्ति की तरह मर जाता। याद रखो, वोल्डेमॉर्ट अकेला काम करना पसंद करता है। मेरा मानना है कि वह अमृत पर निर्भर रहने के विचार को भी बर्दाश्त नहीं कर पाया होगा। ज़ाहिर है, तुम पर हमला करने के बाद वाले भयंकर अर्ध-जीवन से मुक्ति पाने के लिए वह इसे पीने को तैयार था, लेकिन सिर्फ़ अपने शरीर को हासिल करने के लिए। मुझे यक़ीन है कि अमरता के लिए वह पूरी तरह से अपने होरक्रक्सों पर निर्भर रहना चाहता होगा। उसे पारस पत्थर से कुछ और नहीं चाहिए था, सिर्फ़ इंसान का रूप हासिल करना था। वह पहले से ही अमर था ... या उतना अमर था, जितना कोई इंसान हो सकता है।

'लेकिन अब हैरी, जिस महत्वपूर्ण याद को तुम लेकर आए हो, उससे हम लॉर्ड वोल्डेमॉर्ट को ख़त्म करने के रहस्य के ज़्यादा क़रीब पहुँच गए हैं, जितना कोई और पहले कभी नहीं पहुँचा है। तुमने उसे कहते सुना है, हैरी : 'क्या यह बेहतर नहीं होगा कि कोई अपनी आत्मा के कई टुकड़े कर ले, ताकि वह ज़्यादा शक्तिशाली बन जाए ... क्या सात सबसे सशक्त जादुई अंक नहीं है ...' *क्या सात सबसे सशक्त जादुई अंक नहीं है।* हाँ, मुझे लगता है कि सात हिस्सों वाली आत्मा का विचार लॉर्ड वोल्डेमॉर्ट को बहुत दिलचस्प लगा होगा।'

'उसने *सात* होरक्रक्स बनाए हैं?' हैरी ने दहशत में आते हुए कहा, जबकि दीवार पर लगे कई हेडमास्टरों ने सदमे और दहशत की आवाज़ें

निकालीं। 'लेकिन वे दुनिया में कहीं भी हो सकते हैं - छिपे हुए - दफ़न - या अदृश्य -'

'मुझे ख़ुशी हुई कि तुमने समस्या की गंभीरता समझ ली,' डम्बलडोर ने धीरे से कहा। 'लेकिन हैरी, पहली बात तो यह है कि सात होरक्रक्स नहीं हैं : छह हैं। उसकी आत्मा का सातवाँ हिस्सा, चाहे वह कितना ही खंडित हो चुका हो, उसके शरीर के भीतर है। यह उसका वह हिस्सा है, जो उसके निर्वासन के दौरान इतने सालों तक भुतहा अस्तित्व में जी रहा था। उसके बिना उसका कोई स्वरूप हो ही नहीं सकता था। आत्मा का वह सातवाँ टुकड़ा आख़िरी होगा, जिस पर वोल्डेमॉर्ट को मारना चाहने वाले को हमला करना होगा - वह टुकड़ा, जो उसके शरीर में रहता है।'

'लेकिन छह होरक्रक्स तो अब भी बचे हैं,' हैरी ने थोड़ी हताशा में कहा, 'हम उन्हें कहाँ खोज पाएँगे ?'

'तुम भूल रहे हो ... तुम पहले ही उनमें से एक को नष्ट कर चुके हो। और दूसरे को मैंने नष्ट कर दिया है।'

'आप कर चुके हैं ?' हैरी ने उत्सुकता से पूछा।

'हाँ बिलकुल,' डम्बलडोर ने अपना काला, जला हुआ हाथ उठाते हुए कहा। 'अँगूठी, हैरी। मारवोलो की अँगूठी। उस पर एक भयंकर शाप था। मुझे मेरी विनम्रता की कमी के लिए माफ़ करना, अगर मैं इतना निपुण नहीं होता और अगर मेरे बहुत घायल अवस्था में हॉगवर्ट्स लौटने के बाद प्रोफ़ेसर स्नेप सही समय पर क़दम नहीं उठाते, तो मैं यह कहानी सुनाने के लिए ज़िंदा नहीं रहता। बहरहाल, एक सिकुड़ा हुआ हाथ वोल्डेमॉर्ट की आत्मा के सातवें हिस्से की क़ीमत के रूप में ज़्यादा नहीं है। अब वह अँगूठी होरक्रक्स नहीं है।'

'लेकिन आपको वह मिली कैसे ?'

'देखो, जैसा कि तुम अब जान चुके हो, मैं कई सालों से वोल्डेमॉर्ट के अतीत के बारे में ज़्यादा से ज़्यादा जानकारी हासिल करने के अभियान में जुटा हूँ। मैं काफ़ी दूर-दूर तक घूमा हूँ और उन जगहों पर गया हूँ, जहाँ वह पहले रह चुका है। मुझे यह अँगूठी गॉन्ट परिवार के खंडहरनुमा घर में छिपी मिली थी। ऐसा लगता है कि जब वोल्डेमॉर्ट उसके भीतर अपनी आत्मा का एक टुकड़ा छिपाने में कामयाब हो गया, तो वह इसे पहनना नहीं चाहता था। उसने कई शक्तिशाली मंत्रों से सुरक्षित करके इसे उस खंडहर में छिपा दिया, जहाँ उसके पूर्वज कभी रहा करते थे (ज़ाहिर है, मॉर्फ़िन अज़्काबान चला गया था)। वोल्डेमॉर्ट को कभी अंदाज़ा भी नहीं था कि मैं किसी दिन उस खंडहर में जाने का

कष्ट कर सकता हूँ या फिर मैं जादुई रहस्य के लक्षणों को देखने के लिए आँखें खुली रख सकता हूँ।

'बहरहाल, हमें ख़ुद को बहुत ज़्यादा बधाई नहीं देनी चाहिए। तुमने डायरी नष्ट कर दी और मैंने अँगूठी। लेकिन अगर हमारी सात हिस्सों वाली आत्मा की अवधारणा सही है, तो अब भी चार होरक्रक्स बचे हैं।'

'और वे कुछ भी हो सकते हैं?' हैरी ने कहा। 'टिन के पुराने डिब्बे या काढ़ों की ख़ाली शीशियाँ ...?'

'हैरी, तुम आवागमन-कुंजी के बारे में सोच रहे हो, जो साधारण चीज़ें होती हैं, जिन्हें नज़रअंदाज़ करना आसान होता है। लेकिन क्या लॉर्ड वोल्डेमॉर्ट अपनी बेशक़ीमती आत्मा की रक्षा करने के लिए टिन के डिब्बों या काढ़ों की पुरानी शीशियों का इस्तेमाल करेगा? तुम वह भूल रहे हो, जो मैंने तुम्हें दिखाया था। लॉर्ड वोल्डेमॉर्ट को निशानियाँ इकट्ठी करने का शौक है और वह सशक्त जादुई इतिहास वाली चीज़ों को पसंद करता है। उसका गर्व, अपनी श्रेष्ठता में उसका विश्वास, जादूगरों के इतिहास में अभूतपूर्व स्थान बनाने का उसका संकल्प; इन सारी चीज़ों से मुझे लगता है कि वोल्डेमॉर्ट ने अपने होरक्रक्सों को बहुत सावधानी से चुना होगा और वे चीज़ें सम्मान करने लायक़ होंगी।'

'डायरी तो ख़ास नहीं थी।'

'जैसा कि तुमने ख़ुद कहा है, वह डायरी इस बात का सबूत थी कि वह नागशक्ति का वारिस था। मुझे यक़ीन है कि वोल्डेमॉर्ट को वह बेहद महत्वपूर्ण लगी होगी।'

'तो, बाक़ी होरक्रक्स?' हैरी ने कहा। 'क्या आप जानते हैं कि वे क्या हैं, सर?'

'मैं सिर्फ़ अंदाज़ा लगा सकता हूँ,' डम्बलडोर ने कहा। 'जो कारण मैंने अभी बताए हैं, उनके आधार पर मेरा मानना है कि लॉर्ड वोल्डेमॉर्ट ऐसी चीज़ें पसंद करेगा, जिनकी अपनी कोई गरिमा हो। इसलिए मैं वोल्डेमॉर्ट के अतीत में यह प्रमाण खोजने गया कि उसके आस-पास से ऐसे सामान ग़ायब तो नहीं हुए हैं।'

'लॉकेट!' हैरी ने ज़ोर से कहा। 'मेहनतकश का कप!'

'हाँ,' डम्बलडोर ने मुस्कराते हुए कहा। 'मैं अपने दूसरे हाथ की तो नहीं, लेकिन इसकी दो उँगलियों की शर्त लगाने को तैयार हूँ कि वे होरक्रक्स नंबर तीन और चार होंगे। अगर उसने कुल छह होरक्रक्स बनाए हैं, तो बाक़ी बचे हुए दो होरक्रक्सों के बारे में यक़ीन से कुछ कहना बहुत मुश्किल है। बहरहाल, मैं अंदाज़ा लगा सकता हूँ कि मेहनतकश और नागशक्ति की चीज़ें हासिल करने के

बाद वह गरुड़द्वार और चीलघात की किसी वस्तु को खोजने के अभियान में जुटा होगा। मुझे यक़ीन है कि चारों संस्थापकों की चार वस्तुओं ने वोल्डेमॉर्ट की कल्पना को काफ़ी प्रबलता से आकर्षित किया होगा। मैं यह बात यक़ीन से तो नहीं कह सकता कि वह कभी चीलघात की कोई चीज़ खोज पाया या नहीं, लेकिन मुझे विश्वास है कि गरुड़द्वार का इकलौता जाना-पहचाना अवशेष सुरक्षित है।'

डम्बलडोर ने अपनी काली उँगलियों से अपने पीछे की दीवार की तरफ़ इशारा किया, जहाँ काँच के एक केस में माणिक जड़ी तलवार रखी थी।

'सर, क्या आपको लगता है कि दरअसल इसीलिए वह हॉगवर्ट्स लौटना चाहता था?' हैरी ने पूछा। 'दूसरे संस्थापकों की किसी चीज़ को खोजने के लिए?'

'मैंने बिलकुल यही सोचा था,' डम्बलडोर ने कहा। 'लेकिन दुर्भाग्य से, इससे हम बहुत आगे नहीं पहुँच पाते हैं, क्योंकि उसे स्कूल में खोजबीन करने का मौक़ा नहीं मिला। मुझे लगता है कि वह ख़ाली हाथ ही यहाँ से चला गया। मैं इस निष्कर्ष पर पहुँचने के लिए विवश हूँ कि वह चारों संस्थापकों की वस्तुएँ इकट्ठी करने की अपनी महत्वाकांक्षा पूरी नहीं कर पाया। उसके पास निश्चित रूप से दो हैं – हो सकता है उसे तीसरी भी मिल गई हो – हम अभी बस इतना ही जान सकते हैं।'

'भले ही उसे चीलघात या गरुड़द्वार का होरक्रक्स मिल गया हो, लेकिन अब भी छठवाँ होरक्रक्स बचता है,' हैरी ने अपनी उँगलियों पर गिनते हुए कहा। 'जब तक कि उसे दोनों न मिल गए हों?'

'मुझे ऐसा नहीं लगता,' डम्बलडोर ने कहा। 'मुझे लगता है, मैं जानता हूँ कि छठवाँ होरक्रक्स क्या है। देखो, कुछ समय से नागिनी नामक साँप के व्यवहार के बारे में मेरी दिलचस्पी जाग गई है!'

'साँप?' हैरी ने हैरान होकर कहा। 'क्या होरक्रक्स के रूप में जानवरों का इस्तेमाल भी किया जा सकता है?'

'देखो, ऐसा करना तो नहीं चाहिए,' डम्बलडोर ने कहा, 'क्योंकि किसी सोचने और चलने वाले प्राणी में अपनी आत्मा का एक हिस्सा रखना बहुत ही जोख़िम भरा काम है। बहरहाल, अगर मेरा अंदाज़ा सही है, तो वोल्डेमॉर्ट जब तुम्हारे माता-पिता के घर तुम्हें मारने के इरादे से पहुँचा, तो वह अपने छह होरक्रक्सों के लक्ष्य से एक कम था।

'ऐसा लगता है कि उसने होरक्रक्स बनाने की प्रक्रिया को ख़ास हत्याओं के लिए सुरक्षित रखा था। तुम निश्चित रूप से महत्वपूर्ण शिकार थे। उसे

यक़ीन था कि तुम्हें मारकर वह उस ख़तरे को ख़त्म कर रहा था, जो भविष्यवाणी में बताया गया था। उसे यक़ीन था कि वह ख़ुद को अजेय बना रहा है। मुझे लगता है कि वह तुम्हारी मौत से अपना सातवाँ और अंतिम होरक्रक्स बनाना चाहता था।

'जैसा कि हम जानते हैं, वह असफल हो गया। बहरहाल, कुछ साल के अंतराल के बाद उसने नागिनी की दी गई जानकारी पर एक बूढ़े मगलू को मारा था और तब उसके मन में यह विचार आया होगा कि वह नागिनी को आख़िरी होरक्रक्स बना सकता है। वह नागशक्ति के साथ उसके संबंध को रेखांकित करती है, जिससे लॉर्ड वोल्डेमॉर्ट का रहस्यमय आभामंडल बढ़ता है। मुझे लगता है कि वह उसे सबसे ज़्यादा पसंद करता है। निश्चित रूप से वह उसे अपने क़रीब रखना पसंद करता है और उसका उस पर बहुत असामान्य नियंत्रण है, जो किसी सर्पभाषी के लिहाज़ से भी बहुत ज़्यादा है।'

हैरी बोला, 'तो डायरी चली गई, अँगूठी चली गई। कप, लॉकेट और साँप अब भी बचे हैं ... और आपको लगता है कि एक होरक्रक्स हो सकता है, जो कभी चीलघात या गरुड़द्वार का हो?'

डम्बलडोर ने सिर झुकाते हुए कहा, 'बहुत अच्छा विश्लेषण है!'

'तो ... आप अब भी उनकी तलाश कर रहे हैं, सर? जब आप स्कूल से जाते हैं, तो क्या आप उन्हीं की तलाश में जाते हैं?'

'सही कहा,' डम्बलडोर ने कहा। 'मैं बहुत लंबे समय से तलाश कर रहा हूँ। मुझे लगता है ... शायद ... मैं एक और को खोजने के क़रीब हूँ। उम्मीद के कई लक्षण दिखाई दे रहे हैं।'

'और अगर आप ऐसा करते हैं,' हैरी ने जल्दी से कहा, 'तो क्या मैं आपके साथ चल सकता हूँ और इसे नष्ट करने में आपकी मदद कर सकता हूँ?'

डम्बलडोर ने हैरी को एक पल के लिए बड़े ग़ौर से देखा और फिर बोले, 'हाँ, मुझे ऐसा ही लगता है।'

'मैं चल सकता हूँ?' हैरी ने पूरी तरह हैरान होते हुए कहा।

'ओह हाँ,' डम्बलडोर ने थोड़ा मुस्कराते हुए कहा। 'मुझे लगता है कि तुम इसके हक़दार हो गए हो।'

हैरी का मनोबल बढ़ गया। उसे यह बात अच्छी लगी कि डम्बलडोर ने उससे सावधानी और सुरक्षा के शब्द नहीं कहे थे। दीवारों पर चारों तरफ़ लगी तस्वीरों के हेडमास्टर और हेडमिस्ट्रेसेस डम्बलडोर के निर्णय से इतने प्रभावित नहीं हुए थे। हैरी ने देखा कि उनमें से कुछ तो अपना सिर हिला रहे थे और

फ़िनीज़ नाइजेलस ने तो एक व्यंग्यात्मक आवाज़ भी निकाली।

हैरी ने तस्वीरों को नज़रअंदाज़ करते हुए पूछा, 'सर, जब कोई होरक्रक्स नष्ट होता है, तो क्या वोल्डेमॉर्ट को पता चल जाता है ? क्या वह इसे महसूस कर सकता है ?'

'बड़ा ही दिलचस्प सवाल है, हैरी। मुझे नहीं लगता। मुझे लगता है कि वोल्डेमॉर्ट अब बुराई के दलदल में इतना गहरा धँस चुका है और उसकी आत्मा के महत्वपूर्ण हिस्से उससे इतने लंबे समय से दूर हैं कि उसे उस तरह एहसास नहीं होता है, जिस तरह हमें होता है। संभवतः मौत की घड़ी में उसे अपने नुक़सान का एहसास हो ... पर अभी नहीं। उदाहरण के लिए, उसे डायरी के नष्ट होने का पता ही नहीं चल पाया, जब तक कि उसने लूसियस मैल्फ़ॉय से सच्चाई नहीं उगलवा ली। मुझे बताया गया है कि जब वोल्डेमॉर्ट को पता चला कि डायरी नष्ट हो चुकी है और डायरी की शक्तियाँ ख़त्म कर दी गई हैं, तब वह बहुत ग़ुस्सा हुआ था।'

'लेकिन मुझे लगा था कि वह ख़ुद चाहता था कि लूसियस मैल्फ़ॉय इसे हॉगवर्ट्स में पहुँचा दे ?'

'हाँ, कई साल पहले वह ऐसा ही चाहता था, जब उसे विश्वास था कि वह और ज़्यादा होरक्रक्स बना सकता है, लेकिन फिर भी लूसियस को वोल्डेमॉर्ट के आदेश का इंतज़ार करना था, जो उसे कभी नहीं मिला, क्योंकि वोल्डेमॉर्ट उसे डायरी देने के कुछ समय बाद ही ग़ायब हो गया। बेशक वोल्डेमॉर्ट ने सोचा था कि लूसियस सावधानी से उस होरक्रक्स की सुरक्षा करेगा और इसके अलावा उसके साथ कुछ करने की हिम्मत नहीं करेगा, लेकिन वह लूसियस पर बहुत ज़्यादा भरोसा कर रहा था! लूसियस उस मालिक से क्यों डरता, जो बरसों से ग़ायब था और जिसे वह मरा हुआ मानता था ? ज़ाहिर है, लूसियस को यह पता नहीं था कि वह डायरी वास्तव में क्या थी। मुझे लगता है, वोल्डेमॉर्ट ने उसे बताया होगा कि डायरी के कारण रहस्यमय तहख़ाना दोबारा खुल जाएगा, क्योंकि इस पर चतुराई से जादुई सम्मोहन किया गया है। अगर लूसियस को पता होता कि उसके हाथ में अपने मालिक की आत्मा का टुकड़ा है, तो वह बेशक उसे ज़्यादा जतन से रखता – लेकिन इसके बजाय उसने अपने पुराने लक्ष्य को पूरा करने की ख़ातिर डायरी का इस्तेमाल किया। उसने डायरी इस उम्मीद से आर्थर वीज़्ली की बेटी तक पहुँचा दी, ताकि एक ही प्रहार से आर्थर बदनाम हो जाए, मुझे हॉगवर्ट्स से निकाल दिया जाए और उसे एक बहुत आपराधिक वस्तु से छुटकारा मिल जाए। ओह, बेचारा लूसियस ... उसने अपने फ़ायदे के लिए उस होरक्रक्स को बर्बाद करवा दिया, जिस पर वोल्डेमॉर्ट आगबबूला हुआ। पिछले

साल मंत्रालय में उसने जो सुनहरा मौक़ा गँवाया, उसके बाद तो शायद लूसियस इस बात पर ख़ुश होगा कि इस वक़्त वह अज़्काबान में कम से कम ज़िंदा तो है।'

हैरी एक पल के लिए सोचता रहा, फिर उसने पूछा, 'अगर उसके सारे होरक्रक्स नष्ट हो जाएँ, तो वोल्डेमॉर्ट को मारा जा *सकता* है ?'

'हाँ, मुझे ऐसा ही लगता है,' डम्बलडोर ने कहा। 'उसके होरक्रक्सों के बिना वोल्डेमॉर्ट एक नश्वर व्यक्ति होगा, जिसकी आत्मा टूटी और कुचली हुई होगी। वैसे यह मत भूलो कि चाहे उसकी आत्मा बहुत बुरी तरह से विभाजित हो, लेकिन उसका दिमाग़ और उसकी जादुई शक्ति बरकरार है। होरक्रक्सों के बिना भी वोल्डेमॉर्ट जैसे जादूगर को मारने के लिए असाधारण कुशलता और शक्ति की ज़रूरत होगी।'

'लेकिन मुझमें असाधारण कुशलता और शक्ति नहीं है,' हैरी बोल उठा, इससे पहले कि वह ख़ुद को रोक पाए।

'हाँ, तुममें है,' डम्बलडोर ने दृढ़ता से कहा। 'तुममें ऐसी शक्ति है, जो वोल्डेमॉर्ट में कभी नहीं रही। तुम –'

'मैं जानता हूँ!' हैरी ने अधीरता से कहा। 'मैं प्रेम कर सकता हूँ!' बड़ी मुश्किल से वह यह बात कहने से रोक पाया : 'इससे क्या फ़ायदा होगा ?'

'हाँ हैरी, तुम प्रेम कर सकते हो,' डम्बलडोर ने कहा, जिन्हें देखकर ऐसा लग रहा था, जैसे वे अच्छी तरह जानते हों कि हैरी अभी-अभी क्या कहते-कहते रुक गया था। 'तुम्हारे साथ जो हुआ है, उसके बाद यह एक बहुत बड़ी और उल्लेखनीय बात है। तुम अभी इतने छोटे हो कि तुम यह नहीं समझ पाए हो कि तुम कितने असाधारण हो, हैरी।'

हैरी ने थोड़ा निराश होते हुए कहा, 'तो, जब भविष्यवाणी कहती है कि मुझमें "ऐसी शक्तियाँ होंगी, जिनकी जानकारी शैतानी शहंशाह को नहीं होगी," तो क्या इसका मतलब सिर्फ़ प्रेम है ?'

'हाँ – सिर्फ़ प्रेम,' डम्बलडोर ने कहा। 'लेकिन हैरी, यह कभी मत भूलना कि भविष्यवाणी जो कहती है, वह सिर्फ़ इसलिए महत्वपूर्ण है, क्योंकि वोल्डेमॉर्ट ने इसे महत्वपूर्ण बनाया है। मैंने तुम्हें यह बात पिछले साल के अंत में बताई थी। वोल्डेमॉर्ट ने तुम्हें उस व्यक्ति के रूप में चुना, जो उसके लिए सबसे ख़तरनाक हो सकता था – और ऐसा करके, उसने तुम्हें वह व्यक्ति बना दिया, जो उसके लिए सबसे ख़तरनाक होगा!'

'लेकिन यह तो एक ही बात है –'

'नहीं, एक ही बात नहीं है!' डम्बलडोर ने अब अधीरता से कहा। वे अपने

काले, सिकुड़े हुए हाथ से हैरी की तरफ़ इशारा करते हुए बोले, 'तुम भविष्यवाणी को कुछ ज़्यादा ही महत्व दे रहे हो!'

हैरी ने हड़बड़ाकर कहा, 'लेकिन आपने ही तो कहा था कि भविष्यवाणी का मतलब है –'

'अगर वोल्डेमॉर्ट ने भविष्यवाणी के बारे में कभी नहीं सुना होता, तो क्या यह पूरी हुई होती? क्या तब इसका कोई अर्थ होता? ज़ाहिर है नहीं! क्या तुम्हें लगता है कि भविष्यवाणी कक्ष में रखी हर भविष्यवाणी पूरी होती है?'

'लेकिन,' हैरी ने चकराते हुए कहा, 'लेकिन पिछले साल आपने कहा था कि हममें से एक को दूसरे को मारना होगा –'

'हैरी, हैरी, सिर्फ़ इसलिए क्योंकि वोल्डेमॉर्ट ने एक बहुत गंभीर ग़लती कर दी थी और प्रोफ़ेसर ट्रिलोनी के शब्दों के अनुरूप काम कर दिया था! अगर वोल्डेमॉर्ट ने कभी तुम्हारे पिता की हत्या नहीं की होती, तो क्या उसने तुममें प्रतिशोध की आवेशपूर्ण इच्छा डाली होती? ज़ाहिर है, नहीं! अगर उसने तुम्हारी माँ को तुम्हारी ख़ातिर बलिदान करने के लिए विवश नहीं किया होता, तो क्या उसने तुम्हें वह जादुई संरक्षण दिया होता, जिसे वह भेद नहीं सकता था? ज़ाहिर है नहीं। हैरी! क्या तुम देख नहीं पाए? वोल्डेमॉर्ट ने अपने सबसे बुरे दुश्मन को ख़ुद तैयार किया है, जिस तरह तानाशाह हर जगह करते हैं! क्या तुम्हें अंदाज़ा है कि तानाशाह उन लोगों से कितना डरते हैं, जिनका वे दमन करते हैं? ऐसे तानाशाहों को यह एहसास होता है कि एक दिन उनके कई शिकारों के बीच में से कोई न कोई उनके ख़िलाफ़ उठ खड़ा होगा और बदला लेगा! वोल्डेमॉर्ट भी अलग नहीं है! वह हमेशा ऐसे व्यक्ति की तलाश करता है, जो उसे चुनौती दे सकता है। उसने भविष्यवाणी सुनी और वह फ़ौरन काम में जुट गया। इसका परिणाम यह हुआ कि उसने न सिर्फ़ उस व्यक्ति को ख़ुद चुना, जो उसके लिए सबसे ख़तरनाक हो सकता था, बल्कि उसने उसे अनूठे घातक हथियार भी सौंप दिए!'

'लेकिन –'

'यह अनिवार्य है कि तुम यह बात समझ लो!' डम्बलडोर ने खड़े होकर कमरे में चहलक़दमी करते हुए कहा। उनका चमकता दुशाला उनके पीछे लहरा रहा था। हैरी ने उन्हें पहले कभी इतना आंदोलित नहीं देखा था। 'तुम्हें मारने की कोशिश करके वोल्डेमॉर्ट ने उस उल्लेखनीय व्यक्ति को चुन लिया, जो यहाँ मेरे सामने बैठा है और उसे उस काम के साधन भी दे दिए! यह वोल्डेमॉर्ट की ग़लती है कि तुम उसके विचारों और महत्वाकांक्षाओं को देख पाए। यह उसकी ग़लती है कि तुम उस सर्पभाषा को समझ पाए, जिसमें वह आदेश देता है। लेकिन हैरी,

वोल्डेमॉर्ट के बारे में तुम्हारी अनोखी समझ के बावजूद (जो एक ऐसी चीज़ है, जिसके लिए कोई प्राणभक्षी कुछ भी कर सकता है) तुम गुप्त कलाओं की तरफ़ कभी आकर्षित नहीं हुए। तुमने कभी भी, एक पल के लिए भी, वोल्डेमॉर्ट का सहयोगी बनने की ज़रा सी भी इच्छा नहीं दिखाई!'

'ज़ाहिर है, मैंने नहीं दिखाई!' हैरी ने ग़ुस्से से कहा। 'उसने मेरे मम्मी-डैडी को मार डाला!'

'संक्षेप में, तुम प्रेम की अपनी क्षमता के कारण सुरक्षित हो!' डम्बलडोर ने ज़ोर से कहा। 'इकलौती सुरक्षा, जो वोल्डेमॉर्ट जैसे शक्तिशाली जादूगर के ख़िलाफ़ काम कर सकती है! तमाम प्रलोभनों और कष्टों के बावजूद तुम्हारा दिल पवित्र रहा, उतना ही पवित्र जितना कि यह ग्यारह साल की उम्र में था, जब तुमने दर्पण में देखा था। वह दर्पण दिल की ख़्वाहिश दिखाता था और उसने तुम्हें अमरता या अमीरी के बजाय लॉर्ड वोल्डेमॉर्ट को रोकने का तरीक़ा दिखाया था। हैरी, क्या तुम्हें ज़रा भी अंदाज़ा है कि कितने कम जादूगर उस दर्पण में वह देख सकते थे, जो तुमने देखा था? वोल्डेमॉर्ट को तभी पता चल जाना चाहिए था कि उसका मुक़ाबला किससे है, लेकिन उसे पता नहीं चला!

'लेकिन अब वह यह बात जान चुका है। तुम लॉर्ड वोल्डेमॉर्ट के दिमाग़ में बिना ख़ुद को नुक़सान पहुँचाए चले गए थे, लेकिन वह बेहद पीड़ा झेले बिना तुम पर क़ब्ज़ा नहीं कर सकता था, जैसा उसे मंत्रालय में पता चला। हैरी, मुझे लगता है कि वह इसका कारण नहीं समझता है, लेकिन वह अपनी आत्मा के टुकड़े करने की इतनी जल्दी में था कि वह निष्कलंक और समूची आत्मा की अतुलनीय शक्ति को समझने के लिए एक पल भी नहीं ठहर पाया।'

'लेकिन सर,' हैरी ने अपने बहस के अंदाज़ को नियंत्रित करने की पूरी कोशिश करते हुए कहा, 'बात तो वही है, है ना? मुझे उसे मारने की कोशिश करनी है, या -'

'करनी है?' डम्बलडोर ने कहा। 'ज़ाहिर है, तुम्हें करनी ही है! लेकिन भविष्यवाणी के कारण नहीं! बल्कि इसलिए, क्योंकि यह कोशिश किए बिना तुम ख़ुद ही कभी चैन से नहीं बैठोगे! हम दोनों ही यह बात जानते हैं! एक पल के लिए कल्पना करो कि तुमने वह भविष्यवाणी कभी नहीं सुनी होती! तब तुम वोल्डेमॉर्ट के बारे में कैसा महसूस करते? सोचो!'

हैरी डम्बलडोर को अपने सामने चहलक़दमी करते देखता रहा। वह सोचने लगा। उसने अपनी मम्मी, अपने डैडी और सिरियस के बारे में सोचा। उसने सेडरिक डिगोरी के बारे में सोचा। उसने लॉर्ड वोल्डेमॉर्ट द्वारा किए गए सभी भयंकर कामों के बारे में सोचा। उसके सीने के भीतर एक लपट उठने लगी,

जो उसके गले को जलाने लगी।

'मैं उसे मरा हुआ देखना चाहता,' हैरी ने धीरे से कहा। 'और मैं यह काम करना चाहता।'

'ज़ाहिर है, तुम यह काम करना चाहते!' डम्बलडोर चिल्लाए। 'तुमने देखा, भविष्यवाणी का यह मतलब नहीं है कि *तुम्हें* कोई चीज़ अनिवार्य रूप से करनी है! लेकिन भविष्यवाणी के कारण लॉर्ड वोल्डेमॉर्ट ने *तुम्हें अपने समान दर्जा दे दिया* ... दूसरे शब्दों में तुम अपना रास्ता चुनने के लिए आज़ाद हो, भविष्यवाणी की तरफ़ से मुँह मोड़ने के लिए आज़ाद हो! लेकिन वोल्डेमॉर्ट भविष्यवाणी को अवश्यंभावी मानता है। वह तुम्हारी तलाश में भटकता रहेगा ... जो दरअसल इसे निश्चित बनाता है कि –'

'कि हममें से एक आख़िर में दूसरे को मारेगा,' हैरी ने कहा। 'हाँ।'

लेकिन आख़िरकार वह उस बात को समझ गया, जो डम्बलडोर उसे समझाने की कोशिश कर रहे थे। मौत का युद्ध लड़ने के लिए किसी को मैदान में घसीटकर ले जाया जा सकता है या फिर वह अपना सिर उठाकर जा सकता है। शायद कुछ लोग कहेंगे कि दोनों में बहुत ज़्यादा अंतर नहीं है, लेकिन डम्बलडोर जानते थे – और मैं भी जानता हूँ, हैरी ने गर्व के साथ सोचा, और मेरे मम्मी-डैडी भी जानते थे – कि दुनिया में सबसे ज़्यादा फ़र्क़ इसी से पड़ता है।

अध्याय चौबीस

सेक्टमसेम्परा

रात के काम से हैरी थक तो गया था, लेकिन वह बेहद ख़ुश था। अगली सुबह उसने सम्मोहन की क्लास में रॉन और हर्माइनी को पूरी बात बता दी (इससे पहले उसने अपने आस-पास बैठे विद्यार्थियों पर *ध्वनिदमन* सम्मोहन कर दिया था)। वे दोनों इस बात से बहुत प्रभावित हुए कि उसने किस तरह स्लगहॉर्न से याद निकलवा ली थी। बहरहाल, जब उसने उन्हें वोल्डेमॉर्ट के होरक्रक्सों के बारे में बताया, तो वे हैरान रह गए। उन्हें इस बात पर भी हैरानी हुई कि अगर डम्बलडोर को कोई होरक्रक्स मिल गया, तो वे हैरी को भी अपने साथ ले जाएँगे।

जब हैरी ने आख़िरकार उन्हें पूरी बात बता दी, तो रॉन बोला, 'वाह!' वह बिना सोचे-समझे अपनी छड़ी छत की दिशा में लहरा रहा था और उसे ज़रा भी पता नहीं था कि वह क्या कर रहा था। 'वाह! तुम सचमुच डम्बलडोर के साथ जाओगे ... और उसे नष्ट करने की कोशिश करोगे ... वाह।'

'रॉन, तुम बर्फ़ बना रहे हो,' हर्माइनी ने धैर्य से कहा और रॉन की कलाई पकड़कर छड़ी छत की तरफ़ से दूर हटा ली, जहाँ से बर्फ़ के बड़े सफ़ेद गोले गिरने लगे थे। हैरी ने देखा कि पास वाली टेबल से लैवेंडर ब्राउन हर्माइनी को ग़ुस्से से घूर रही थी। बहुत लाल आँखों से उसे घूरते देखकर हर्माइनी ने तत्काल रॉन का हाथ छोड़ दिया।

'ओह हाँ,' रॉन ने अपने कंधों के नीचे थोड़ी हैरानी से देखा। 'माफ़ करना ... ऐसा लग रहा है, जैसे हम सभी को भयंकर डैंडरफ़ हो गए हों ...'

उसने हर्माइनी के कंधे से थोड़ी नक़ली बर्फ़ हटाई। लैवेंडर रोने लगी। रॉन के चेहरे पर अपराधबोध आ गया और उसने उसकी तरफ़ पीठ घुमा ली।

'हम अलग-अलग हो गए हैं,' उसने हैरी को अपने मुँह के कोने से बताया। 'कल रात को, जब उसने मुझे हर्माइनी के साथ लड़कों के कमरे से नीचे

उतरते हुए देखा था। ज़ाहिर है, वह तुम्हें नहीं देख पाई, इसलिए उसने सोचा कि हम दोनों अकेले ही ऊपर से आ रहे थे।'

'आह,' हैरी ने कहा। 'वैसे तुम्हें इससे कोई दिक़्क़त तो नहीं हुई, है ना?'

'नहीं,' रॉन ने स्वीकार किया। 'जब वह चिल्ला रही थी, तो बुरा लग रहा था, लेकिन कम से कम मुझे संबंध तोड़ना तो नहीं पड़ा।'

'डरपोक,' हर्माइनी ने कहा, हालाँकि वह थोड़ी ख़ुश दिख रही थी। 'रोमांस के लिए कल की रात बुरी थी। जिनी और डीन भी अलग हो गए, हैरी!'

हैरी को लगा कि यह बताते समय हर्माइनी की आँख में समझ भरा भाव था, लेकिन वह यह बात कैसे जान सकती थी कि उसका दिल अचानक नाचने लगा था। अपने चेहरे को वह जितना भावहीन बना सकता था और अपनी आवाज़ को जितना उदासीन बना सकता था, उतना बनाते हुए उसने पूछा, 'कैसे?'

'ओह, बिलकुल बेवक़ूफ़ी भरी बात थी ... जिनी ने कहा कि डीन हमेशा तस्वीर के छेद के पास उसे धक्का देने की कोशिश करता है, जैसे वह उसमें से अकेले नहीं चढ़ सकती हो ... लेकिन उनका संबंध बरसों से डाँवाँडोल था।'

हैरी ने क्लासरूम के दूसरी तरफ़ बैठे डीन पर निगाह डाली। वह निश्चित रूप से दुखी दिख रहा था।

'ज़ाहिर है, इससे तुम दुविधा में पड़ गए हो, है ना?' हर्माइनी ने कहा।

हैरी ने जल्दी से पूछा, 'तुम्हारा क्या मतलब है?'

'क्विडिच टीम,' हर्माइनी ने कहा। 'अगर जिनी और डीन की बातचीत बंद है ...'

'ओह – ओह हाँ,' हैरी ने कहा।

'फ़्लिटविक,' रॉन ने चेतावनी भरे अंदाज़ में कहा। सम्मोहन के नाटे टीचर उनकी तरफ़ लहराते हुए आ रहे थे। सिर्फ़ हर्माइनी ही सिरके को शराब में बदलने में कामयाब हुई थी। उसके काँच का गिलास गहरे लाल द्रव से भरा था, जबकि हैरी और रॉन के गिलासों का द्रव अब भी काला भूरा था।

प्रोफ़ेसर फ़्लिटविक ने उलाहना देते हुए कहा, 'लड़को, बातचीत कम करो, काम ज़्यादा करो ... मुझे कोशिश करके दिखाओ ...'

उन्होंने एक साथ अपनी छड़ियाँ उठाईं और अपनी पूरी शक्ति से ध्यान केंद्रित किया। फिर उन्होंने छड़ी अपने गिलासों की तरफ़ कर दी। हैरी के गिलास का सिरका बर्फ़ में बदल गया। रॉन के गिलास में विस्फोट हो गया।

प्रोफ़ेसर फ़्लिटविक ने टेबल के नीचे से दोबारा निकलते हुए और अपने

हैट के ऊपर से काँच के टुकड़े हटाते हुए कहा, 'अच्छा तो ... होमवर्क में इसकी *प्रैक्टिस* करना।'

सम्मोहन के बाद उनका एक दुर्लभ ख़ाली पीरियड था और वे एक साथ कॉमन रूम तक गए। लैवेंडर के साथ अपने संबंध ख़त्म होने को लेकर रॉन बहुत ख़ुश लग रहा था। हर्माइनी भी ख़ुश दिख रही थी, लेकिन जब हैरी ने उससे पूछा कि वह क्यों मुस्करा रही है, तो वह बोली, 'दिन सुहाना है।' दोनों में किसी ने भी इस तरफ़ ध्यान नहीं दिया कि हैरी के मन में एक ज़बर्दस्त युद्ध चल रहा था :

वह रॉन की बहन है।

लेकिन उसने डीन को छोड़ दिया है!

वह अब भी रॉन की बहन है।

मैं उसका सबसे अच्छा दोस्त हूँ!

इससे स्थिति और .खराब हो जाती है।

अगर मैं उससे पहले बात कर लूँ –

वह मुझे मारेगा।

लेकिन अगर मुझे परवाह न हो ?

वह तुम्हारा सबसे अच्छा दोस्त है!

हैरी का ध्यान इस तरफ़ नहीं गया कि वे तस्वीर के छेद में से होते हुए धूप भरे कॉमन रूम में पहुँच गए थे। उसने सेवन्थ ईयर के विद्यार्थियों को समूह में देखा, लेकिन तब तक कुछ नहीं समझ पाया, जब तक हर्माइनी यह नहीं चिल्लाई, 'केटी! तुम लौट आईं! तुम **ठीक** हो गईं ?'

हैरी ने घूरकर देखा। यह सचमुच केटी बेल थी, जो बिलकुल स्वस्थ दिख रही थी और उसके प्रसन्न दोस्त उसे घेरे हुए थे।

'मैं सचमुच ठीक हो चुकी हूँ!' उसने ख़ुशी से कहा। 'उन्होंने सोमवार को मुझे सेंट मंगोज़ से छोड़ दिया था। मैंने घर पर मम्मी-डैडी के साथ कुछ दिन बिताए और आज सुबह यहाँ लौट आई। लीन अभी-अभी मुझे मैकलेगन और पिछले मैच के बारे में बता रही थी, हैरी ...'

'हाँ,' हैरी ने कहा, 'अब तुम लौट आई हो और रॉन ठीक हो चुका है। अब हमारे पास चीलघात को रौंदने का अच्छा मौक़ा है, जिसका मतलब है कि हम अब भी कप जीत सकते हैं। सुनो, केटी ...'

उसे उससे तत्काल यह सवाल पूछना था। उसकी जिज्ञासा ने जिनी को भी कुछ समय के लिए उसके दिमाग़ से निकाल दिया। उसने अपनी आवाज़

नीची कर ली, जब केटी के दोस्त अपना बैग और बाक़ी सामान उठाने लगे, क्योंकि उन्हें रूपांतरण की क्लास के लिए देर हो रही थी।

'... वह हार ... क्या तुम याद कर सकती हो कि वह तुम्हें किसने दिया था?'

'नहीं,' केटी ने अपना सिर दुख से हिलाते हुए कहा। 'हर कोई मुझसे यही पूछ रहा है, लेकिन मुझे ज़रा भी पता नहीं है। मुझे जो आख़िरी चीज़ याद है, वह यह है कि मैं थ्री ब्रूमस्टिक्स के लेडीज़ बाथरूम में घुस रही थी।'

हर्माइनी ने पूछा, 'तो तुम निश्चित रूप से बाथरूम में गई थीं?'

'देखो, मुझे बस इतना पता है कि मैंने दरवाज़ा धकाया था,' केटी ने कहा, 'इसलिए मुझे लगता है कि जिसने भी मुझ पर सम्मोहन किया था, वह इसके ठीक पीछे खड़ा था। उसके बाद मेरी याददाश्त ख़ाली है, जब तक कि दो सप्ताह पहले मुझे सेंट मंगोज़ में होश नहीं आया। सुनो, अच्छा रहेगा कि अब मैं चल दूँ। मैं आज ही लौटी हूँ, लेकिन इसके बाद भी प्रोफ़ेसर मैक्गॉनेगल मुझे लाइनें लिखने की सज़ा दे सकती हैं ...'

उसने अपना बैग तथा पुस्तकें उठाईं और जल्दी से अपने दोस्तों के पीछे चली गई। हैरी, रॉन और हर्माइनी खिड़की के पास वाली टेबल पर बैठकर उसकी कही बातों पर विचार करने लगे।

'तो यह कोई लड़की या औरत होगी, जिसने केटी को वह हार दिया था,' हर्माइनी ने कहा, 'क्योंकि यह काम लेडीज़ बाथरूम में हुआ था।'

'या फिर कोई लड़का होगा, जो लड़की या औरत दिखता होगा,' हैरी ने कहा। 'यह मत भूलो कि हॉगवर्ट्स में भेसबदल काढ़े की कड़ाही भरी हुई थी। हम जानते हैं कि इसमें से कुछ चोरी हो गया था ...'

उसने अपने मन में तस्वीर देखी कि क्रैब और गॉइल लड़कियाँ बनकर चले जा रहे हैं।

हैरी ने कहा, 'मुझे लगता है कि मैं ख़ुशक़िस्मती काढ़े का एक घूँट पी लूँ और दोबारा आवश्यकता कक्ष में जाने की कोशिश करूँ।'

'यह काढ़े की बर्बादी होगी,' हर्माइनी ने साफ़ कह दिया और *स्पेलमैन्स सिलेबरी* पुस्तक नीचे रख दी, जिसे उसने अभी-अभी बैग से निकाला था। 'क़िस्मत एक सीमा तक ही तुम्हारा साथ दे सकती है, हैरी। स्लगहॉर्न वाली बात अलग थी। तुममें पहले से ही उन्हें राज़ी करने की क्षमता थी, तुम्हें तो बस परिस्थितियों को थोड़ा ढालना था। क़िस्मत तुम्हें किसी सशक्त सम्मोहन के पार नहीं ले जा सकती। अपने बाक़ी के काढ़े को बर्बाद मत करो! अगर डम्बलडोर तुम्हें अपने साथ ले जाते हैं, तो तुम्हें ख़ुशक़िस्मती की ज़रूरत पड़ेगी ...' उसने

अपनी आवाज़ फुसफुसाहट में बदलते हुए नीची कर ली।

'क्या हम कुछ और काढ़ा नहीं बना सकते?' रॉन ने हर्माइनी की बात को नज़रअंदाज़ करते हुए हैरी से पूछा। 'इसका बहुत सारा स्टॉक हो, तो अच्छा रहेगा ... ज़रा पुस्तक में देखना ...'

हैरी ने अपनी *उच्च-स्तरीय काढ़ा-निर्माण* पुस्तक बैग से निकाली और ख़ुशक़िस्मती काढ़े वाले पन्ने को देखा।

'ओह, यह तो बहुत ही जटिल है,' उसने पदार्थों की सूची पर नज़र दौड़ाते हुए कहा। 'और इसमें छह महीने लगते हैं ... इसे बहुत लंबे समय तक पकाना पड़ता है ...'

'तब तो बहुत मुश्किल है,' रॉन बोला।

हैरी अपनी पुस्तक दोबारा रखने वाला था, तभी उसने पन्ने के कोने को मुड़ा हुआ देखा। उसने उसे पलटाकर देखा, तो वहाँ *सेक्टमसेम्परा* मंत्र लिखा था, जिसके नीचे लिखा था 'दुश्मनों के लिए।' उसने इस पन्ने को कुछ सप्ताह पहले निशान लगाने के लिए मोड़ दिया था। उसे अब तक यह पता नहीं चल पाया था कि इस मंत्र से क्या होता है और इसका प्रमुख कारण यह था कि वह इसे हर्माइनी के आस-पास रहते समय जाँच करके नहीं देखना चाहता था। बहरहाल, वह सोच रहा था कि अगली बार जब भी मैकलेगन उसके पीछे से आएगा, तो वह उस पर इसका प्रयोग कर देगा।

केटी बेल के स्कूल लौटने से सिर्फ़ एक ही व्यक्ति ख़ास ख़ुश नहीं था। वह था डीन थॉमस, क्योंकि अब उसे धावक की जगह से हटना पड़ रहा था। जब हैरी ने उसे यह बताया, तो उसने बड़ी हिम्मत से इस सदमे को सहा और सिर्फ़ हुंकार भरकर कंधे उचका दिए। हालाँकि हैरी को यह स्पष्ट एहसास था कि उसके मुड़ते ही डीन और सीमस उसकी पीठ पीछे बग़ावत के अंदाज़ में कुछ बड़बड़ाने लगे थे।

अगले पखवाड़े में हैरी की कप्तानी में होने वाली सबसे अच्छी क्विडिच प्रैक्टिस हुई। मैकलेगन के जाने और केटी के लौट आने से टीम इतनी ख़ुश थी कि सभी बहुत बढ़िया खेले।

जिनी डीन के साथ संबंध टूटने से ज़रा भी परेशान नहीं दिख रही थी। इसके विपरीत वह तो टीम की जान थी। तूफ़ान के क़रीब आने पर रॉन चिंता से गोल के सामने ऊपर-नीचे कूदने लगता था, जिसकी नक़ल जिनी इतनी अच्छी तरह करती थी कि सबको मज़ा आ जाता था। वह हैरी के मैकलेगन को आदेश देने की भी नक़ल करती थी, जिसके ठीक बाद हैरी बेहोश हो गया था। हैरी भी बाक़ी लोगों के साथ हँसता था और जिनी की तरफ़ देखने के इस मासूम बहाने

पर ख़ुश होता था। प्रैक्टिस के दौरान उसे कई पहलवानों से चोट पहुँची, क्योंकि जिनी के कारण वह सुनहरी गेंद पर अपनी आँखें नहीं टिका पा रहा था।

उसके दिमाग़ में अब भी लड़ाई चल रही थी : जिनी या रॉन? कई बार वह सोचता था कि लैवेंडर वाली घटना के बाद रॉन को उसका जिनी के साथ घूमना-फिरना ज़्यादा बुरा नहीं लगेगा, लेकिन फिर उसे रॉन के चेहरे का भाव याद आया, जब उसने जिनी और डीन को चूमते हुए देखा था। उसे यक़ीन था कि अगर हैरी जिनी का हाथ भी पकड़ ले, तो भी रॉन को गद्‌दारी लगेगी ...

बहरहाल, हैरी न चाहते हुए भी ख़ुद को जिनी के साथ बातें करने से, उसके साथ हँसने से, प्रैक्टिस के बाद उसके साथ लौटने से रोक नहीं पाया। चाहे उसकी अंतरात्मा कितनी भी दुखे, वह उसके साथ अकेले रहने के बहाने खोजने लगा : अगर स्लगहॉर्न अपनी पार्टी दे दें, तो यह आदर्श मौक़ा रहेगा, क्योंकि तब रॉन आस-पास नहीं रहेगा - लेकिन दुर्भाग्य से स्लगहॉर्न ने पार्टी देना ही छोड़ दिया था। एक-दो बार हैरी ने हर्माइनी की मदद लेने के बारे में सोचा, लेकिन उसे नहीं लगा कि वह उसके चेहरे पर आने वाले आत्मसंतुष्टि के भाव को झेल सकता है। जब भी वह जिनी को निहारता था या उसके मज़ाक़ों पर हँसता था, तो हर्माइनी के चेहरे पर आत्मसंतुष्टि का भाव नज़र आने लगता था। मामला इस बात से और भी जटिल हो गया था, क्योंकि उसके मन में लगातार यह चिंता भी बनी रहती थी कि अगर वह जिनी के सामने घूमने-फिरने का प्रस्ताव नहीं रखेगा, तो जल्दी ही कोई और यह प्रस्ताव रख देगा। वह और रॉन कम से कम इस बात पर एकमत थे कि वह बहुत ज़्यादा लोकप्रिय थी, जो उसके लिए अच्छा नहीं था।

कुल मिलाकर ख़ुशक़िस्मती काढ़े का एक और घूँट पीने का प्रलोभन हर दिन बढ़ता जा रहा था, क्योंकि जैसा हर्माइनी ने कहा था, यह तो 'परिस्थितियों को थोड़ा अनुकूल बनाना' था! मई के शांत दिन धीरे-धीरे खिसकते रहे और जब भी हैरी जिनी को देखता था, तो रॉन उसके ठीक पीछे रहता था। हैरी क़िस्मत के उस झटके के लिए बेताब था, जो रॉन को यह एहसास दिला दे कि उसे सबसे ज़्यादा ख़ुशी इस बात से होनी चाहिए कि उसका सबसे अच्छा दोस्त और उसकी बहन आपस में प्यार करने लगें और वह उन दोनों को कुछ सेकंड के लिए अकेला छोड़ दे। इसका कोई मौक़ा नहीं दिख रहा था, क्योंकि अंतिम क्विडिच मैच क़रीब आ रहा था। रॉन हर समय हैरी के साथ रणनीतियों पर बातचीत करना चाहता था और किसी दूसरी चीज़ पर ज़्यादा ध्यान ही नहीं दे रहा था।

सिर्फ़ रॉन का ही यह हाल नहीं था। गरुड़द्वार-चीलघात मैच में पूरे स्कूल की बहुत ज़्यादा दिलचस्पी थी, क्योंकि इसी मैच से चैंपियनशिप का फ़ैसला होना था। अगर गरुड़द्वार चीलघात को तीन सौ से ज़्यादा अंतर से हरा दे, तो वे

चैंपियनशिप जीत जाएँगे (यह काम तो बड़ा था, लेकिन हैरी की टीम इस वक़्त जितना शानदार खेल रही थी, उतना पहले कभी नहीं खेली थी)। अगर वे तीन सौ पॉइंट से कम से जीतते हैं, तो वे चीलघात के बाद दूसरे नंबर पर आएँगे। अगर वे सौ पॉइंट से हारते हैं, तो वे मेहनतकश के बाद तीसरे नंबर पर आएँगे। अगर वे सौ से ज़्यादा अंतर से हारते हैं, तो वे चौथे स्थान पर रहेंगे। हैरी ने सोचा कि कोई भी उसे यह बात कभी भूलने नहीं देगा कि उसी की कप्तानी में गरुड़द्वार की टीम दो सदियों में पहली बार चौथे स्थान पर रही है।

इस महत्वपूर्ण मैच के पहले हमेशा जैसी ही स्वाभाविक घटनाएँ हुईं : प्रतिद्वंद्वी हाउसों के विद्यार्थी गलियारों में विरोधी टीम के खिलाड़ियों को धमकाने लगे। खिलाड़ियों के पास से गुज़रने पर उनके बारे में व्यंग्यात्मक तुकबंदियाँ ज़ोर-ज़ोर से बोली जाने लगीं। टीम के सदस्य या तो सबके सामने घमंड से इतराते रहते थे या फिर क्लासों के बीच बाथरूम की तरफ़ उल्टी करने के लिए भागते रहते थे। न जाने क्यों, यह मैच हैरी के दिमाग़ में जिनी के लिए उसकी योजना की सफलता या असफलता से जुड़ गया। वह यह एहसास करने से ख़ुद को रोक नहीं पाया कि अगर वे तीन सौ पॉइंट से ज़्यादा अंतर से जीत जाते हैं, तो उल्लास का माहौल और मैच के बाद अच्छी ज़ोरदार पार्टी ख़ुशक़िस्मती काढ़े के ज़ोरदार घूँट जितनी ही अच्छी हो सकती है।

अपनी तमाम व्यस्तता के बावजूद हैरी अपनी दूसरी महत्वाकांक्षा को नहीं भूला था : यह पता लगाना कि मैल्फ़ॉय आवश्यकता कक्ष में क्या कर रहा था। चूँकि मैल्फ़ॉय नक़्शे में अक्सर नहीं दिखता था, इसलिए उसने अंदाज़ा लगा लिया कि मैल्फ़ॉय अब भी उस कक्ष में काफ़ी समय बिता रहा था। हालाँकि हैरी यह उम्मीद खोने लगा था कि वह कभी उस कमरे के भीतर पहुँचने में सफल हो पाएगा, लेकिन इसके बावजूद वह जब भी आस-पास होता था, तो अंदर घुसने की कोशिश करता था। बहरहाल, आग्रह को बार-बार घुमा-फिराकर कहने के बावजूद दीवार पर दरवाज़ा प्रकट नहीं हुआ।

चीलघात के ख़िलाफ़ होने वाले मैच से कुछ दिन पहले हैरी कॉमन रूम से निकला और डिनर करने के लिए नीचे की तरफ़ अकेला चल दिया। रॉन उल्टी करने के लिए पास वाले बाथरूम में चला गया था और हर्माइनी प्रोफ़ेसर वेक्टर के पास एक ग़लती के बारे में बात करने गई थी, जो उसके हिसाब से उसने अंकों के जादुई महत्व के पिछले निबंध में कर दी थी। महज़ अपनी आदत के चलते हैरी सातवीं मंज़िल के गलियारे में गया और उसने चलते-चलते नक़्शे की जाँच की। एक पल के लिए तो उसे मैल्फ़ॉय कहीं नहीं दिखा और उसने सोचा कि वह ज़रूर आवश्यकता कक्ष में होगा, लेकिन तभी उसने देखा कि मैल्फ़ॉय का छोटा सा लेबल लगा बिंदु एक मंज़िल नीचे लड़कों के बाथरूम में था। उसके साथ क्रैब

या गॉइल नहीं थे, बल्कि मायूस मीना थी।

हैरी ने इस अस्वाभाविक जोड़ी की तरफ़ घूरना तभी बंद किया, जब वह एक सूट ऑफ़ आर्मर से टकरा गया। इससे हुए तेज़ धमाके से वह होश में आ गया। वह जल्दी से वहाँ से भागा, ताकि फ़िल्च न आ जाए। वह तेज़ी से संगमरमर की सीढ़ी उतरा और नीचे वाले गलियारे में दौड़ने लगा। बाथरूम के बाहर उसने दरवाज़े से कान लगा दिए। जब उसे कुछ सुनाई नहीं दिया, तो उसने बहुत धीरे से दरवाज़ा खोल दिया।

ड्रेको मैल्फ़ॉय दरवाज़े की तरफ़ पीठ करके खड़ा था। उसके हाथ सिंक के दोनों कोनों को पकड़े हुए थे और उसका सफ़ेद-सुनहरा सिर झुका हुआ था।

'ऐसा मत करो,' एक टॉयलेट से मायूस मीना की आवाज़ आई। 'ऐसा मत करो ... मुझे बताओ क्या गड़बड़ है ? मैं तुम्हारी मदद कर सकती हूँ ...'

'मेरी मदद कोई नहीं कर सकता,' मैल्फ़ॉय ने कहा। उसका पूरा शरीर काँप रहा था। 'मैं यह काम नहीं कर सकता ... मैं यह काम नहीं कर सकता ... यह काम नहीं होगा ... और अगर मैंने इसे जल्दी ही नहीं किया ... तो वे कहते हैं कि वे मुझे मार डालेंगे ...'

हैरी को इतना गहरा सदमा लगा कि वह उसी जगह पर मूर्ति की तरह खड़ा रह गया - मैल्फ़ॉय रो रहा था - सचमुच रो रहा था। आँसू उसके पीले चेहरे से बहते हुए गंदे बेसिन में गिरने लगे। मैल्फ़ॉय सुबकते हुए आहें भरता रहा और फिर बुरी तरह काँपने के बाद उसने चटके हुए आईने में देखा। तब जाकर उसने देखा कि उसके कंधे के पीछे से हैरी उसे घूर रहा था।

मैल्फ़ॉय ने पलटते हुए छड़ी निकाल ली। हैरी ने भी तत्काल अपनी छड़ी निकाल ली। मैल्फ़ॉय का मंत्र हैरी के बस कुछ इंच दूर से निकल गया, जिससे उसके पीछे की दीवार पर लगा लैंप टूट गया। हैरी ने एक तरफ़ को छलाँग लगाकर सोचा *आकाशगामी!* और अपनी छड़ी लहराई, लेकिन मैल्फ़ॉय ने मंत्र को रोक दिया और दूसरा मंत्र पढ़ने के लिए अपनी छड़ी ऊपर की -

'नहीं! नहीं! लड़ो मत!' मायूस मीना चिल्लाई और उसकी आवाज़ टाइलों वाले बाथरूम में ज़ोर से गूँजने लगी। 'रुको! **रुको!**'

एक ज़ोरदार धमाका हुआ और हैरी के पीछे के डिब्बे में विस्फोट हुआ। हैरी ने एक पैर-बंधन शाप देने की कोशिश की, जो मैल्फ़ॉय के कान के पीछे वाली दीवार से टकराकर लौटा और उसने मायूस मीना के पीछे वाले वाटर टैंक को चकनाचूर कर दिया। मायूस मीना की चीख़ निकल गई और हर तरफ़ पानी फैलने लगा। हैरी फिसल गया और मैल्फ़ॉय अपने चेहरे को विकृत करते हुए चिल्लाया, 'पीड़ि-'

'**सेक्टमसेम्परा!**' हैरी फ़र्श से गरजा और उसने अपनी छड़ी तेज़ी से लहराई।

मैल्फ़ॉय के चेहरे और सीने से ख़ून बहने लगा, जैसे उसे किसी अदृश्य तलवार से काट दिया गया हो। वह पीछे की तरफ़ गिरा, जिससे पानी से भरे फ़र्श पर ज़ोरदार छपाक की आवाज़ आई। उसके बेजान दाहिने हाथ से छड़ी गिर गई।

'नहीं –' हैरी ने हाँफते हुए कहा।

फिसलते और लड़खड़ाते हुए हैरी उठकर खड़ा हुआ। वह मैल्फ़ॉय की तरफ़ लपका, जिसका चेहरा अब लाल पड़ गया था। उसके सफ़ेद हाथ उसके ख़ून से नहाए सीने पर खरोंच रहे थे।

'नहीं – मैंने यह नहीं –'

हैरी नहीं जानता था कि वह क्या कह रहा था। वह मैल्फ़ॉय के पास घुटने टेककर बैठ गया, जो अब अपने ही ख़ून के तालाब में बुरी तरह काँप रहा था। मायूस मीना ने कानफोड़ू चीख़ निकाली।

'**हत्या! बाथरूम में हत्या! हत्या!**'

हैरी के पीछे का दरवाज़ा खुल गया और उसने दहशत में ऊपर देखा। स्नेप बाथरूम में आ गए थे और उनका चेहरा आगबबूला था। हैरी को झटके से एक तरफ़ करके वे मैल्फ़ॉय के ऊपर झुके, अपनी छड़ी निकाली और उसे उन गहरे जख़्मों के ऊपर फेरा, जो हैरी के शाप के कारण हुए थे। वे एक मंत्र भी बुदबुदाते जा रहे थे, जो किसी गीत जैसा लग रहा था। ख़ून बहना बंद हो गया। स्नेप ने मैल्फ़ॉय के चेहरे पर लगा ख़ून साफ़ किया और अपना मंत्र दोहराया। अब जख़्म ठीक होने लगे थे।

हैरी अब भी एकटक देख रहा था और अपने किए पर दहशत में था। उसे यह एहसास ही नहीं था कि वह ख़ुद भी ख़ून और पानी में लथपथ है। मायूस मीना अब भी ऊपर सुबक और बिसूर रही थी। जब स्नेप ने तीसरी बार प्रतिकारक मंत्र पढ़ दिया, तो उन्होंने मैल्फ़ॉय को उठाकर खड़ा कर दिया।

'तुम्हें अस्पताल जाना चाहिए। निशान रह सकते हैं, लेकिन अगर तुम तत्काल डिटेनी ले लेते हो, तो तुम उससे भी बच सकते हो ... आओ ...'

स्नेप मैल्फ़ॉय को सहारा देकर बाथरूम के बाहर ले गए। वे दरवाज़े पर पहुँचकर ठंडे आवेश से भरी आवाज़ में बोले, 'और पॉटर ... तुम यहीं मेरा इंतज़ार करना।'

हैरी के मन में एक पल के लिए भी इस आदेश की अवहेलना करने का

विचार नहीं आया। वह काँपता हुआ धीरे-धीरे खड़ा हुआ और गीले फ़र्श को देखता रहा। इसकी सतह पर ख़ून के धब्बे लाल फूलों की तरह तैर रहे थे। वह मायूस मीना को चुप रहने के लिए भी कुछ नहीं बोल पाया, जब वह लगातार बढ़ती ख़ुशी के साथ चीख़ती और सुबकती रही।

स्नेप दस मिनट बाद लौटे। बाथरूम में आने के बाद उन्होंने दरवाज़ा बंद कर दिया।

'जाओ,' उन्होंने मीना से कहा, जो तत्काल अपने टॉयलेट में चली गई। पीछे ख़ामोशी रह गई।

'मैं यह नहीं करना चाहता था,' हैरी ने तत्काल कहा। उसकी आवाज़ ठंडी, पानीदार जगह पर गूँज रही थी। 'मैं नहीं जानता था कि वह मंत्र क्या करता है।'

लेकिन स्नेप ने उसकी इस बात को अनसुना कर दिया।

'ज़ाहिर है, मैंने तुम्हें कम आँका था, पॉटर,' उन्होंने धीरे से कहा। 'कौन सोच सकता था कि तुम इस तरह का शैतानी जादू जान सकते हो? यह मंत्र तुम्हें किसने सिखाया?'

'मैंने इसे कहीं पढ़ा था।'

'कहाँ?'

'लाइब्रेरी की पुस्तक में,' हैरी ने तत्काल झूठ गढ़ते हुए कहा। 'मैं याद नहीं कर सकता कि यह मैंने किस पुस्तक में -'

'झूठे,' स्नेप ने कहा। हैरी का गला सूख गया। वह जानता था कि स्नेप क्या करने वाले थे और वह इसे कभी रोक नहीं पाया था ...

बाथरूम उसकी आँखों के सामने काँप रहा था। उसने अपने मस्तिष्क से सारे विचार बाहर निकालने की कोशिश की, लेकिन इसके बाद भी हाफ़-ब्लड प्रिंस की *उच्च-स्तरीय काढ़ा-निर्माण* पुस्तक उसके दिमाग़ के सामने धुँधले तरीक़े से तैर आती थी ...

और वह गीले बाथरूम में स्नेप की तरफ़ दोबारा देख रहा था। उसने स्नेप की काली आँखों में घूरा और नाउम्मीदी के साथ यह उम्मीद की कि स्नेप वह नहीं देख पाए हों, जिसका उसे डर था, लेकिन -

'अपना स्कूलबैग मेरे पास लाओ,' स्नेप ने धीरे से कहा, 'और स्कूल की अपनी सारी किताबें भी। *सारी*। उन्हें यहाँ मेरे पास लाओ। अभी!'

बहस करने से कोई फ़ायदा नहीं होना था। हैरी तत्काल मुड़ा और छप-छप करता हुआ बाथरूम से बाहर निकला। गलियारे में पहुँचने के बाद वह

गरुड़द्वार टॉवर की तरफ़ भागने लगा। ज़्यादातर विद्यार्थी दूसरी तरफ़ जा रहे थे। उसे पानी और ख़ून में लथपथ देखकर उनके मुँह हैरानी से खुले रह गए, लेकिन उसने भागते समय किसी के भी सवालों का कोई जवाब नहीं दिया।

वह स्तब्ध महसूस कर रहा था, जैसे उसका कोई प्रिय पालतू जानवर अचानक वहशी हो गया हो। प्रिंस ने इस तरह का मंत्र अपनी किताब में क्यों लिखा? और जब स्नेप इसे देखेंगे, तो क्या होगा? क्या वे स्लगहॉर्न को बता देंगे – हैरी के पेट में उथलपुथल होने लगी – हैरी पूरे साल काढ़ों में इतने अच्छे परिणाम कैसे हासिल कर रहा था? क्या वे उस पुस्तक को ज़ब्त कर लेंगे या नष्ट कर देंगे, जिसने हैरी को इतना कुछ सिखाया था ... वह पुस्तक जो एक तरह से उसकी मार्गदर्शक और दोस्त बन गई थी? हैरी ऐसा नहीं होने देगा ... वह कभी नहीं होने देगा ...

'तुम कहाँ थे? तुम इतने गीले क्यों हो? क्या यह *ख़ून* है?'

रॉन सीढ़ियों पर ऊपर खड़ा था और हैरी को देखकर चकरा गया था।

'मुझे तुम्हारी पुस्तक चाहिए,' हैरी ने हाँफते हुए कहा। 'तुम्हारी काढ़े वाली पुस्तक। जल्दी से ... उसे मुझे दे दो ...'

'लेकिन हाफ़-ब्लड प्रिंस वाली पुस्तक को क्या हुआ?'

'मैं बाद में बताऊँगा!'

रॉन ने बैग से अपनी *उच्च-स्तरीय काढ़ा-निर्माण* पुस्तक निकालकर हैरी को दे दी। हैरी उसके पास से होते हुए भागा और कॉमन रूम में लौट गया। वहाँ उसने अपना स्कूलबैग उठाया, कई विद्यार्थियों की हैरान निगाहों को नज़रअंदाज़ किया, जो अपना खाना ख़त्म करके लौट चुके थे और तस्वीर वाले छेद से बाहर निकलकर तेज़ी से सातवें मंज़िल के गलियारे की तरफ़ जाने लगा।

वह नाचते दैत्यों की दीवारदरी के पास अचानक रुक गया, उसने अपनी आँखें बंद कर लीं और फिर चलने लगा।

मुझे अपनी पुस्तक छिपाने के लिए एक जगह चाहिए ... मुझे अपनी पुस्तक छिपाने के लिए एक जगह चाहिए ... मुझे अपनी पुस्तक छिपाने के लिए एक जगह चाहिए ...

तीन बार वह ख़ाली दीवार के सामने से गुज़रा। जब उसने अपनी आँखें खोलीं, तो आख़िरकार आवश्यकता कक्ष का दरवाज़ा सामने था। हैरी ने उसे झटके से खोला, अंदर घुसा और उसे धड़ाम से बंद कर दिया।

वह हाँफने लगा। जल्दबाज़ी, दहशत और बाथरूम में जो होने वाला था, उसके डर के बावजूद वह आश्चर्य से देखने लगा। वह एक बड़े चर्च के आकार के

कमरे में खड़ा था, जिसकी ऊँची खिड़कियों से रोशनी आ रही थी। यह ऊँची दीवारों का शहर दिख रहा था और हैरी जानता था कि हॉगवर्ट्स में रहने वालों की कई पीढ़ियों ने यहाँ सामान छिपाए होंगे। गलियाँ और सड़कें थीं, जिनके आस-पास टूटे और ख़राब फ़र्नीचर के ढेर थे। शायद उन्हें ग़लत जादू के सबूत मिटाने के लिए यहाँ रखा गया होगा या फिर महल पर गर्व करने वाले घरेलू जिन्नों ने छिपाया होगा। हज़ारों पुस्तकें थीं, जो या तो प्रतिबंधित थीं या रंगी अथवा चुराई हुई थीं। इसके अलावा पंखदार गुलेलें और फ़ैंग्ड फ्रिज़बी भी थे, जिनमें से कुछ में तो अब भी इतनी जान बाक़ी थी कि वे बाक़ी प्रतिबंधित वस्तुओं के पहाड़ों के ऊपर आधे-अधूरे मन से मँडरा रहे थे। जम चुके काढ़ों की चटकी हुई शीशियाँ, थीं। हैट, आभूषण, चोगे, ड्रैगन के अंडे के छिलके, कॉर्क लगी शीशियाँ जिनके अंदर का सामान बुरी तरह चमक रहा था, कई ज़ंग लगी तलवारें और ख़ून से सनी एक भारी कुल्हाड़ी।

इस सारे छिपे ख़ज़ाने के बीच हैरी जल्दी से सामने की तरफ़ एक गली में भागा। वह एक दैत्य की विशाल मूर्ति के पास से मुड़ा, थोड़ी दूर भागा, उस टूटी हुई ग़ायब होने वाली अलमारी के पास से बाईं तरफ़ मुड़ा, जिसमें मॉन्टेग्यू पिछले साल ग़ुम हो गया था। आख़िरकार वह एक बड़ी अलमारी के पास ठहरा, जिसे देखकर ऐसा लग रहा था, जैसे उस पर एसिड फेंका गया हो। उसने अलमारी का चरमराता हुआ दरवाज़ा खोला। अंदर एक पिंजरा रखा था, जिसके भीतर का प्राणी बहुत पहले मर चुका था। उसके कंकाल के पाँच पैर थे। उसने हाफ़-ब्लड प्रिंस की पुस्तक पिंजरे के पीछे ठूँस दी और अलमारी बंद कर दी। वह एक पल के लिए ठहरा, उसका दिल भयंकर तरीक़े से धड़क रहा था, उसने अटाले के ढेर को देखा ... क्या वह इतने कबाड़े के बीच इस जगह को दोबारा खोज पाएगा? उसने पास वाले बक्से के ऊपर से एक बदसूरत बूढ़े जादूगर की मूर्ति का टूटा हुआ धड़ उठाकर उस अलमारी के ऊपर रख दिया, जहाँ उसने पुस्तक छिपाई थी। उसने जादूगर की मूर्ति के ऊपर एक धूल भरी पुरानी विग और एक बदरंग मुकुट रख दिया, ताकि यह आसानी से पहचान में आ जाए। फिर वह छिपे हुए कबाड़े की गलियों से पूरी तेज़ी से भागता हुआ दरवाज़े तक गया और वापस गलियारे में पहुँच गया। उसने अपने पीछे दरवाज़ा धड़ाम से बंद किया, जो फ़ौरन दीवार में बदल गया।

हैरी फ़ुर्ती से नीचे वाली मंज़िल के बाथरूम की तरफ़ भागा और भागते समय उसने रॉन की *उच्च-स्तरीय काढ़ा-निर्माण* पुस्तक अपने बैग में डाल ली। एक मिनट बाद वह स्नेप के सामने था, जिन्होंने बिना कुछ कहे हैरी के स्कूलबैग की तरफ़ हाथ बढ़ा दिया। हैरी ने हाँफते हुए उन्हें बैग दे दिया। उसके सीने में तेज़ दर्द हो रहा था और वह इंतज़ार करने लगा।

एक-एक करके स्नेप ने हैरी की सारी पुस्तकें निकालीं और उनकी जाँच की। सबसे आख़िर में सिर्फ़ काढ़े की पुस्तक बची थी, जिसे खोलने से पहले उन्होंने उसे काफ़ी ग़ौर से देखा।

'पॉटर, यह तुम्हारी किताब है?'

'हाँ,' हैरी ने अब भी तेज़-तेज़ साँसें लेते हुए कहा।

'तुम्हें पूरा यक़ीन है, पॉटर?'

'हाँ,' हैरी ने थोड़े जोश से कहा।

'यह तुम्हारी *उच्च-स्तरीय काढ़ा-निर्माण* पुस्तक है, जिसे तुमने फ़्लरिश एंड ब्लॉट्स से ख़रीदा था?'

'हाँ,' हैरी ने दृढ़ता से कहा।

स्नेप ने पूछा, 'तो फिर इसके कवर पर "रूनिल वाज़्लिब" क्यों लिखा है?'

हैरी का दिल एक पल के लिए धक्क रह गया।

'यह मेरा निकनेम है,' उसने कहा।

'तुम्हारा निकनेम,' स्नेप ने दोहराया।

'हाँ ... मेरे दोस्त मुझे इसी नाम से पुकारते हैं,' हैरी बोला।

'मैं निकनेम का मतलब समझता हूँ,' स्नेप ने कहा। उनकी ठंडी, काली आँखें एक बार फिर हैरी की आँखों में देख रही थीं। हैरी ने उनकी तरफ़ न देखने की कोशिश की। *अपना दिमाग़ बंद कर लो ... अपना दिमाग़ बंद कर लो ...* लेकिन वह यह कभी नहीं सीख पाया था कि इसे सही तरीक़े से कैसे किया जाता है ...

'जानते हो, मुझे क्या लगता है, पॉटर?' स्नेप ने बहुत धीरे से कहा। 'मुझे लगता है कि तुम झूठे और धोखेबाज़ हो और तुम्हें टर्म ख़त्म होने तक हर शनिवार को मेरे साथ सज़ा काटनी चाहिए। तुम्हें क्या लगता है, पॉटर?'

'मैं - मैं इससे सहमत नहीं हूँ, सर,' हैरी ने कहा और अब भी स्नेप से आँखें नहीं मिलाईं।

'ठीक है, हम देखते हैं कि सज़ाओं के बाद तुम्हें कैसा महसूस होता है,' स्नेप ने कहा। 'शनिवार को सुबह दस बजे, पॉटर। मेरे ऑफ़िस में।'

'लेकिन सर ...' हैरी ने हताशा में ऊपर देखते हुए कहा। 'क्विडिच ... आख़िरी मैच ...'

'दस बजे,' स्नेप ने फुसफुसाकर कहा और मुस्कराए, जिससे उनके पीले

दाँत दिखने लगे। 'बेचारा गरुड़द्वार ... मुझे डर है कि इस साल चौथे स्थान पर रहेगा ...'

और इसके बाद वे एक शब्द भी बोले बिना बाथरूम से चले गए। हैरी चटके हुए आईने में घूरता रहा। उसे यक़ीन था कि उसे इस समय जितनी ज़ोर से मतली आ रही थी, उतनी रॉन को ज़िंदगी में कभी नहीं आई होगी।

'मैं यह नहीं कहूँगी कि "मैंने तुम्हें इस बात की चेतावनी दे दी थी,"' हर्माइनी ने एक घंटे बाद कॉमन रूम में कहा।

'छोड़ो भी, हर्माइनी,' रॉन ग़ुस्से से बोला।

हैरी डिनर करने नहीं गया। उसकी भूख मर चुकी थी। उसने रॉन, हर्माइनी और जिनी को पूरी बात बता दी थी, हालाँकि इसकी कोई ख़ास ज़रूरत नहीं थी। ख़बर बहुत तेज़ी से फैल गई थी। मायूस मीना ने महल के हर बाथरूम में जाकर यह ख़बर फैलाने की ज़िम्मेदारी ले ली थी। पैन्सी पार्किन्सन मैल्फ़ॉय से अस्पताल में मिलने गई थी। इसके बाद पैन्सी ने हैरी पर आरोप लगाने में ज़रा भी समय बर्बाद नहीं किया। स्नेप ने स्टाफ़ को सारी बात बता दी थी। प्रोफ़ेसर मैक्गॉनेगल ने हैरी को पहले ही पंद्रह मिनट तक फटकारा था। उन्होंने उसे बताया कि यह उसकी ख़ुशक़िस्मती है कि उसे स्कूल से निकाला नहीं गया और वे टर्म के अंत तक स्नेप की हर शनिवार की सज़ा से पूरी तरह सहमत हैं।

हर्माइनी आख़िरकार ख़ुद को यह कहने से रोक नहीं पाई, 'मैंने तुमसे कहा था कि वह प्रिंस कुछ गड़बड़ है। और मैं सही थी, है ना?'

'नहीं, मुझे नहीं लगता कि तुम सही थीं,' हैरी ने दृढ़ता से कहा।

हर्माइनी के लेक्चर के बिना ही उसके सामने बहुत सी मुश्किलें थीं। जब उसने गरुड़द्वार की टीम को बताया कि वह शनिवार को नहीं खेल पाएगा, तो उनके चेहरे के भाव ही उसकी सबसे बुरी सज़ा थे। अब जिनी की आँखें उस पर टिकी थीं, लेकिन वह उससे नज़रें नहीं मिलाना चाहता था। वह वहाँ निराशा या ग़ुस्सा नहीं देखना चाहता था। उसने बस जिनी को बता दिया कि वह शनिवार को खोजी के रूप में खेलेगी और डीन उसकी जगह पर टीम में धावक बन जाएगा। अगर वे जीत जाएँगे, तो शायद मैच के बाद के जश्न में जिनी और डीन में सुलह हो जाएगी ... यह विचार हैरी के दिल को किसी बर्फ़ीले चाकू की तरह बेध गया ...

'हैरी,' हर्माइनी ने कहा, 'तुम उस पुस्तक की तरफ़दारी कैसे कर सकते हो, जब उस मंत्र ने –'

'तुम उस पुस्तक के बारे में बोलना बंद करो!' हैरी ने झिड़कते हुए कहा। 'प्रिंस ने उस मंत्र को सिर्फ़ उतारा था! ऐसा नहीं है कि वह किसी को उसका प्रयोग

करने की सलाह दे रहा था! जहाँ तक हम जानते हैं, वह किसी चीज़ को लिख रहा था, जिसका इस्तेमाल उसके ख़िलाफ़ हुआ था!'

'मुझे इस पर यक़ीन नहीं है,' हर्माइनी ने कहा। 'दरअसल तुम अपना बचाव –'

'मैंने जो किया है, मैं उसका बचाव नहीं कर रहा हूँ!' हैरी ने जल्दी से कहा। 'मैं चाहता हूँ कि काश मैंने यह नहीं किया होता। सिर्फ़ इसलिए नहीं, क्योंकि मुझे एक दर्जन सज़ाएँ मिली हैं। तुम जानती हो कि मैं जानते-बूझते हुए इस तरह का मंत्र किसी पर नहीं पढ़ता, मैल्फ़ॉय पर भी नहीं, लेकिन तुम प्रिंस को दोष नहीं दे सकतीं। उसने यह नहीं लिखा था, "इसे आज़माकर देखो, यह सचमुच अच्छा मंत्र है" – वह तो सिर्फ़ ख़ुद के याद करने के लिए लिख रहा था, किसी और के लिए नहीं ...'

'क्या तुम यह कह रहे हो,' हर्माइनी ने कहा, 'कि तुम दोबारा उस पुस्तक को – ?'

'लेने जा रहे हो ? हाँ, मैं उसे लाऊँगा,' हैरी ने ज़ोर देते हुए कहा। 'सुनो, प्रिंस के बिना मैं ख़ुशक़िस्मती काढ़ा कभी नहीं जीत पाता। मैं यह कभी नहीं जान पाता कि रॉन को ज़हर से कैसे बचाना है। मैं कभी भी –'

'– काढ़े में निपुणता की प्रतिष्ठा नहीं हासिल कर पाते, जिसके तुम हक़दार नहीं थे,' हर्माइनी ने दुष्टता से कहा।

'छोड़ो भी, हर्माइनी!' जिनी ने कहा। हैरी इतना हैरान और कृतज्ञ हुआ कि ऊपर देखने लगा। 'ऐसा लगता है कि मैल्फ़ॉय उसे अक्षम्य शाप देने की कोशिश कर रहा था। तुम्हें तो ख़ुश होना चाहिए कि हैरी के पास बचाव के लिए कोई मंत्र था!'

'ज़ाहिर है, मुझे ख़ुशी है कि हैरी को शाप नहीं लगा!' हर्माइनी ने कहा, जो स्पष्ट रूप से आहत थी, 'लेकिन तुम उस *सेक्टमसेम्परा* मंत्र को अच्छा नहीं कह सकतीं। देखो जिनी, उसने हैरी को कहाँ लाकर खड़ा कर दिया है! और मैच में तुम्हारी संभावनाओं को देखते हुए ऐसा लग रहा था –'

'ओह, क्विडिच के बारे में कुछ मत बोलो, क्योंकि तुम उसके बारे में कुछ नहीं समझती हो,' जिनी ने झटके से कहा, 'कुछ बोलकर तुम ख़ुद को शर्मिंदा ही करोगी।'

हैरी और रॉन घूरने लगे। हर्माइनी और जिनी की आम तौर पर अच्छी जमती थी, लेकिन इस वक़्त वे दोनों हाथ बाँधकर ग़ुस्से से विपरीत दिशाओं में घूर रही थीं। रॉन ने घबराकर हैरी की तरफ़ देखा, फिर यूँ ही एक पुस्तक उठाकर उसके पीछे अपना मुँह छिपा लिया। हैरी जानता था कि वह इसका बहुत

कम हक़दार था, लेकिन अचानक वह बहुत ख़ुश हो गया, हालाँकि उनमें से कोई भी बाक़ी शाम एक-दूसरे से कुछ नहीं बोला।

उसकी ख़ुशी बहुत कम समय तक क़ायम रही। अगले दिन नागशक्ति वालों के ताने झेलने थे और गरुड़द्वार वालों का बहुत ग़ुस्सा भी झेलना था, जो बहुत दुखी थे कि उनके कप्तान ने आख़िरी मैच में ख़ुद पर प्रतिबंध लगवा लिया था। चाहे वह हर्माइनी से जो भी कहे, शनिवार तक हैरी ख़ुशक़िस्मती काढ़े के बदले में रॉन, जिनी और बाक़ी लोगों के साथ क्विडिच पिच तक जाना पसंद करता। यह लगभग असहनीय था कि वह धूप में बाहर जा रहे विद्यार्थियों के समूह से दूर मुड़ जाए। वे सभी गुलाब, हैट, बैनर और स्कार्फ़ लहराते हुए जा रहे थे। वह पत्थर की सीढ़ियाँ उतरकर तहख़ाने में चलता गया, जब तक कि दूर से आती भीड़ की आवाज़ें धीमी नहीं हो गईं। हैरी जानता था कि वह कमेंट्री का एक भी शब्द, ताली या शोर नहीं सुन पाएगा।

'ओह पॉटर,' स्नेप ने कहा, जब हैरी ने उनके दरवाज़े पर दस्तक दी और जाने-पहचाने ऑफ़िस में दाख़िल हुआ। हालाँकि स्नेप अब ऊपर की मंज़िल पर पढ़ाने लगे थे, लेकिन उन्होंने अपने पुराने ऑफ़िस को अब तक ख़ाली नहीं किया था। यहाँ अब भी पहले की ही तरह मद्धिम रोशनी थी और दीवारों में बने खानों पर चारों तरफ़ रंगीन काढ़ों की शीशियाँ रखी थीं, जिनमें मरी हुई चिपचिपी चीज़ें तैर रही थीं। जिस टेबल पर हैरी को बैठना था, उस पर बहुत से जाले लगे बॉक्स रखे थे। ऐसा लग रहा था कि यह उबाऊ, मुश्किल और फ़ालतू काम होगा।

'मिस्टर फ़िल्च इन पुरानी फाइलों को साफ़ करने के लिए किसी को खोज रहे थे,' स्नेप ने धीरे से कहा। 'इनमें हॉगवर्ट्स के ग़लत काम करने वालों और उनकी सज़ाओं के रिकॉर्ड हैं। जहाँ स्याही हल्की हो गई है या चूहों ने कार्ड को नुक़सान पहुँचा दिया है, वहाँ तुम्हें अपराधों और सज़ाओं की नक़ल करनी होगी और उन्हें अक्षर के क्रम से बॉक्सों में दोबारा जमाना होगा। और हाँ, तुम जादू का इस्तेमाल नहीं करोगे।'

'ठीक है, प्रोफ़ेसर,' हैरी ने कहा और इन शब्दों में जितनी हिक़ारत भर सकता था, उसने भर दी।

'मुझे लगता है कि तुम,' स्नेप ने अपने होंठों पर दुष्ट मुस्कान के साथ कहा, 'बॉक्स नंबर एक हज़ार बारह से एक हज़ार छप्पन तक काम शुरू कर दो। तुम्हें वहाँ कुछ जाने-पहचाने नाम मिलेंगे, जिससे काम में तुम्हारी दिलचस्पी बढ़ जाएगी। यह देखो ...'

उन्होंने एक झटके से सबसे ऊपर वाले बॉक्स से एक कार्ड बाहर

निकालकर पढ़ा, *''"जेम्स पॉटर और सिरियस ब्लैक। बरट्रैम ऑब्री पर ग़ैर-क़ानूनी मंत्र का प्रयोग करते हुए पकड़े गए। ऑब्री का सिर सामान्य से दुगुने आकार का हो गया था। दोहरी सज़ा।"'* स्नेप व्यंग्य से हँसे। 'यह सोचना कितना आरामदेह है कि हालाँकि वे जा चुके हैं, लेकिन उनकी महान उपलब्धियों का रिकॉर्ड अब भी मौजूद है ...'

हैरी को अपने पेट में खलबली की जानी-पहचानी अनुभूति हुई। जवाब देने से ख़ुद को रोकने के लिए उसने अपनी जीभ दबा ली और एक बॉक्स अपनी तरफ़ खींच लिया।

जैसा कि हैरी ने अंदाज़ा लगाया था, यह बेकार और नीरस काम था। साथ ही, जैसी स्नेप ने निश्चित रूप से योजना बनाई होगी, उसके पेट में उस समय ज़ोर का झटका लगता था, जब वह अपने डैडी या सिरियस का नाम पढ़ता था, जो आम तौर पर बहुत से ग़लत कामों में साथ रहते थे। कभी-कभार उनके साथ रीमस ल्यूपिन और पीटर पेटिग्रू के नाम भी मिल जाते थे। उनके बहुत से अपराधों और सज़ाओं की नक़ल करते समय वह सोच रहा था कि बाहर क्या हो रहा होगा, जहाँ मैच अभी-अभी शुरू हुआ होगा ... जिनी चो के ख़िलाफ़ खोजी के रूप में खेल रही होगी ...

हैरी ने बार-बार दीवार पर टिक-टिक करती बड़ी घड़ी की तरफ़ देखा। ऐसा लग रहा था कि यह सामान्य घड़ी से आधी रफ़्तार से चल रही थी। शायद स्नेप ने इस पर बहुत धीरे चलने का जादू कर दिया होगा! उसे यहाँ आए अभी आधे घंटे ... एक घंटे ... डेढ़ घंटे से ज़्यादा समय हो चुका होगा।

जब घड़ी में साढ़े बारह बज गए, तो हैरी का पेट गुड़गुड़ करने लगा। स्नेप हैरी को काम सौंपने के बाद से कुछ नहीं बोले थे। उन्होंने आख़िरकार एक बजकर दस मिनट पर ऊपर देखा।

'मुझे लगता है कि इतना काफ़ी है,' उन्होंने ठंडेपन से कहा। 'तुमने जहाँ काम छोड़ा है, वहाँ निशान लगा दो। तुम अगले शनिवार को दस बजे वहीं से फिर काम शुरू करोगे।'

'जी, सर।'

हैरी ने एक मुड़े हुए कार्ड को बॉक्स में कहीं भी ठूँस दिया और जल्दी से दरवाज़े से बाहर निकल गया, ताकि स्नेप कहीं अपना इरादा न बदल लें। वह तेज़ी से पत्थर की सीढ़ियों पर चढ़ा और पिच की तरफ़ से किसी आवाज़ को सुनने के लिए अपने कानों पर ज़ोर डालने लगा, लेकिन वहाँ ख़ामोशी थी ... इसका मतलब यह था कि मैच ख़त्म हो गया था ...

वह भीड़ भरे बड़े हॉल के बाहर ठिठका, फिर वह संगमरमर की सीढ़ियों

के ऊपर भागा। चाहे गरुड़द्वार की टीम जीते या हारे, यह आम तौर पर अपने कॉमन रूम में ही जश्न या दुख मनाती थी।

'कैसे हाल-चाल हैं?' उसने मोटी औरत से पासवर्ड बोला और सोचने लगा कि उसे अंदर जाने क्या मिलेगा।

मोटी औरत का चेहरा भावहीन था, जब उसने जवाब दिया, 'तुम ख़ुद ही देख लो!'

और फिर वह आगे की तरफ़ झूल गई।

उसके पीछे वाले छेद से जश्न की गर्जना बाहर निकली। हैरी आँखें फाड़कर देखने लगा, जब उसे देखते ही लोग चीख़ने लगे। कई हाथों ने उसे कमरे के अंदर खींच लिया।

'हम जीत गए!' रॉन ने सामने आकर हैरी की तरफ़ चाँदी का कप लहराते हुए कहा। 'हम जीत गए! स्कोर था चार सौ पचास-एक सौ चालीस। हम जीत गए!'

हैरी ने चारों तरफ़ देखा। जिनी उसकी तरफ़ भागती हुई आ रही थी। जिनी के चेहरे पर एक सख़्त, जलता हुआ भाव था, जब उसने अपनी बाँहें हैरी के गले में डाल दीं। बिना कुछ सोचे-समझे, बिना कोई योजना बनाए, बिना यह चिंता किए कि पचास विद्यार्थी देख रहे थे, हैरी ने उसे चूम लिया।

कई लंबे पलों बाद - या हो सकता था आधा घंटे बाद - या कई धूप भरे दिनों के बाद - वे अलग हुए। कमरे में अचानक बहुत ख़ामोशी छा गई थी। फिर कई लोग सीटी बजाने लगे और खी-खी करने लगे। जिनी के सिर के ऊपर से हैरी ने देखा कि डीन थॉमस के हाथ में एक टूटा हुआ गिलास है और रोमिल्डा वेन को देखकर ऐसा लग रहा था, जैसे वह उठाकर कुछ मारने वाली हो। हर्माइनी मुस्करा रही थी, लेकिन हैरी की निगाह तो रॉन को खोज रही थी। आख़िर उसे रॉन दिख गया। वह अब भी कप पकड़े था और उसके चेहरे पर ऐसा भाव था, जैसे किसी ने उसके सिर पर हथौड़ा मार दिया हो। एक पल के लिए उन्होंने एक-दूसरे की तरफ़ देखा, फिर रॉन ने अपने सिर को हल्का सा झटका दिया, जिसका मतलब हैरी ने यह लगाया, 'अच्छा - अगर तुम बहुत चाहते हो।'

उसके सीने वाला जानवर विजय के उल्लास में गरजने लगा। हैरी ने जिनी की तरफ़ मुस्कराकर देखा और बिना कुछ कहे तस्वीर के छेद की तरफ़ इशारा किया। ऐसा लग रहा था कि वे मैदान में काफ़ी दूर तक घूमने जा रहे थे, जिस दौरान अगर उन्हें समय मिला, तो वे मैच के बारे में भी बातचीत कर सकते थे।

अध्याय पच्चीस

भविष्यवाणी किसी ने सुन ली

हैरी पॉटर जिनी वीज़्ली के साथ घूमने लगा था, इस बात में बहुत से लोग दिलचस्पी ले रहे थे। ख़ास तौर पर लड़कियाँ। कुछ हफ़्तों तक हैरी पर इस गपशप का कोई असर नहीं हुआ, बल्कि इससे उसे अच्छा लगा। आख़िर यह बहुत अच्छी बात थी कि उसके बारे में किसी ऐसे विषय पर बातें हो रही थीं, जिससे उसे ख़ुशी मिल रही थी। ऐसा काफ़ी अरसे बाद हो रहा था। अभी तक उसके बारे में बातें इसलिए होती थीं, क्योंकि वह शैतानी जादू की भयंकर घटनाओं में शामिल रहता था।

'लोगों को गपशप करने के अलावा जैसे कोई काम ही नहीं है,' जिनी ने कहा, जब वह कॉमन रूम के फ़र्श पर हैरी के पैरों से टिककर *दैनिक जादूगर* पढ़ रही थी। 'एक सप्ताह में दमपिशाचों के तीन हमले हो चुके हैं, लेकिन रोमिल्डा वेन मुझसे पूछ रही थी कि क्या यह सच है कि तुम्हारे सीने पर गरुड़अश्व का टैटू है।'

रॉन और हर्माइनी अट्टहास करने लगे, लेकिन हैरी ने उन्हें नज़रअंदाज़ कर दिया।

'तुमने क्या जवाब दिया ?'

'मैंने उसे बताया कि वह टैटू हंगेरियन हॉर्नटेल का है,' जिनी ने अख़बार का पन्ना पलटते हुए कहा। 'ज़्यादा मर्दाना लगता है।'

'धन्यवाद,' हैरी ने मुस्कराते हुए कहा। 'और तुमने उसे क्या बताया कि रॉन के सीने पर किसका टैटू है ?'

'पिग्मी पफ़ का, लेकिन मैंने उसे यह नहीं बताया कि वह टैटू कहाँ है।'

रॉन की त्योरियाँ चढ़ गईं, जबकि हर्माइनी हँसी के मारे लोट-पोट हो गई।

'ध्यान रखो,' रॉन ने हैरी और जिनी की तरफ़ चेतावनी भरी उँगली दिखाते हुए कहा। 'मैंने अपनी इजाज़त दे दी है, इसका यह मतलब नहीं है कि मैं इसे वापस नहीं ले सकता –'

'*तुम्हारी इजाज़त,*' जिनी ने व्यंग्य से सवाल किया। 'तुम कब से मुझे कुछ करने की इजाज़त देने लगे हो? वैसे भी, तुमने कहा था कि तुम माइकल या डीन के बजाय मेरा हैरी के साथ घूमना ज़्यादा पसंद करोगे।'

'हाँ, मैंने कहा था,' रॉन ने मन मारकर कहा। 'लेकिन तभी तक, जब तक कि तुम दोनों सबके सामने चूमाचाटी न करने लगो –'

जिनी बोली, 'पाखंडी कहीं के! तुम और लैवेंडर क्या करते थे, जो ईल की तरह एक-दूसरे से चिपके रहते थे?'

लेकिन जब जून आया, तो रॉन की सहनशक्ति का ज़्यादा इम्तहान नहीं हुआ, क्योंकि हैरी और जिनी बहुत कम समय एक साथ रह पाते थे। जिनी के **ओ.डब्ल्यू.एल.** के टेस्ट क़रीब आ रहे थे और उसे मजबूरी में रात को घंटों तक रिवीज़न करना पड़ता था। एक शाम को जिनी लाइब्रेरी चली गई थी और हैरी कॉमन रूम में खिड़की के पास बैठा हुआ अपने जड़ी-बूटी विज्ञान के होमवर्क को निबटा रहा था। हालाँकि सच तो यह था कि वह उस बहुत सुखद घंटे को याद कर रहा था, जो उसने लंच के समय जिनी के साथ झील के पास बिताया था। उसी समय हर्माइनी उसके और रॉन के बीच वाली सीट पर बैठ गई। उसके चेहरे पर एक अप्रिय उद्देश्यपूर्ण भाव था।

'मैं तुमसे कुछ बात करना चाहती हूँ, हैरी।'

'किस बारे में?' हैरी ने शक से पूछा। पिछले ही दिन हर्माइनी ने उसे समझाया था कि उसे जिनी का ध्यान ज़्यादा नहीं भटकाना चाहिए, क्योंकि जिनी को अपनी परीक्षाओं के लिए कड़ी मेहनत करनी चाहिए।

'तथाकथित हाफ़-ब्लड प्रिंस।'

'ओह, दोबारा नहीं,' हैरी ने कराहते हुए कहा। 'क्या तुम इस विषय को कभी छोड़ोगी?'

वह अपनी पुस्तक लाने के लिए दोबारा आवश्यकता कक्ष में जाने की हिम्मत नहीं जुटा पाया था, इसलिए काढ़ों में उसका प्रदर्शन ख़राब हो रहा था (हालाँकि स्लगहॉर्न जिनी को पसंद करते थे और उन्होंने मज़ाक़ में कहा था कि ऐसा हैरी के प्रेमप्रसंग के कारण हो रहा था)। बहरहाल, हैरी को यक़ीन था कि स्नेप ने अभी प्रिंस की पुस्तक को पकड़ने की कोशिश में हार नहीं मानी थी, इसलिए हैरी ने संकल्प कर लिया था कि जब तक स्नेप उसकी पुस्तक की तलाश

में जुटे हैं, तब तक वह उसे वहीं रहने देगा।

हर्माइनी ने दृढ़ता से कहा, 'मैं इस विषय को तब तक नहीं छोड़ूँगी, जब तक कि तुम मेरी पूरी बात नहीं सुन लोगे। देखो, मैं यह पता लगाने की कोशिश कर रही हूँ कि शैतानी मंत्र खोजने का शौक किसे हो सकता है –'

'यह उस लड़के प्रिंस का शौक नहीं था –'

'लड़का – किसने कहा कि वह लड़का है ?'

'हम यह बात पहले भी कर चुके हैं,' हैरी ने चिढ़कर कहा। '*प्रिंस*, हर्माइनी, *प्रिंस!*'

'ठीक है!' हर्माइनी ने कहा और उसके गालों पर लाल चमक आ गई, जब उसने अपनी जेब से एक बहुत पुराने अख़बार की क़तरन निकाली और हैरी के सामने टेबल पर पटक दी। 'इसकी तरफ़ देखो! इस फ़ोटो को देखो!'

हैरी ने ख़स्ताहाल काग़ज़ और उस हिलते हुए फ़ोटो को देखा, जो काफ़ी समय बीतने के कारण पीला पड़ गया था। रॉन भी देखने के लिए क़रीब झुक गया। फ़ोटो में लगभग पंद्रह साल की एक दुबली लड़की दिख रही थी। वह सुंदर नहीं थी। वह चिड़चिड़ी दिख रही थी, उसकी भौंहें भारी थी और उसका चेहरा लंबा, पीला था। फ़ोटो के नीचे लिखा था : *एलीन प्रिंस, हॉगवर्ट्स गॉबस्टोन्स टीम की कप्तान।*

'तो ?' हैरी ने उस छोटी सी ख़बर को पढ़ा, जिसके ऊपर फ़ोटो था। यह अंतर्विद्यालयीन प्रतियोगिताओं के बारे में नीरस ख़बर थी।

'उसका नाम एलीन प्रिंस था। प्रिंस, हैरी।'

उन्होंने एक-दूसरे की तरफ़ देखा और तब जाकर हैरी को एहसास हुआ कि हर्माइनी क्या कहने की कोशिश कर रही थी। वह ज़ोर से हँस पड़ा।

'हो ही नहीं सकता।'

'क्यों ?'

'तुम्हें लगता है कि वह हाफ़-ब्लड प्रिंस थी ... ? ओह, छोड़ो भी।'

'क्यों नहीं ? हैरी, जादूगरों की दुनिया में असली राजकुमार तो होते नहीं हैं! या तो यह निकनेम यानी ख़ुद का चुना हुआ नाम है, या फिर यह उसका असली नाम है, है ना ? नहीं, सुनो! अगर उसके पिता जादूगर हों, जिनका सरनेम "प्रिंस" था और उसकी माँ मगलू हों, तो वह ख़ुद को "हाफ़-ब्लड प्रिंस" कह सकती थी!'

'हाँ, बहुत बुद्धिमानी की बात सोची, हर्माइनी ...'

'लेकिन ऐसा हो सकता है! शायद उसे हाफ़-ब्लड प्रिंस होने पर गर्व हो!'

'सुनो हर्माइनी, मैं जानता हूँ कि प्रिंस लड़की नहीं है। मुझे इसका कारण नहीं मालूम, लेकिन मैं जानता हूँ।'

हर्माइनी ने ग़ुस्से से कहा, 'सच तो यह है कि तुम यह सोचते हो कि कोई लड़की इतनी बुद्धिमान नहीं हो सकती है?'

'तुम्हारे साथ पाँच साल तक रहने के बाद मैं यह कैसे सोच सकता हूँ कि लड़कियाँ बुद्धिमान नहीं होती हैं?' हैरी ने इस बात पर आहत होते हुए कहा। 'जिस तरीक़े से वह लिखता है। मैं बस जानता हूँ कि प्रिंस लड़का था, मैं बता सकता हूँ। इस लड़की का उससे कोई लेना-देना नहीं है। वैसे तुम्हें यह क़तरन मिली कहाँ?'

'लाइब्रेरी में,' हर्माइनी ने कहा और हैरी को यही उम्मीद थी। 'वहाँ पर पुराने *दैनिक जादूगरों* का बहुत बड़ा संग्रह है। मैं इस एलीन प्रिंस के बारे में और ज़्यादा पता लगाने की कोशिश कर रही हूँ, बशर्ते मैं लगा सकूँ।'

हैरी ने चिढ़कर कहा, 'मज़े करो।'

'हाँ, मैं करूँगी,' हर्माइनी ने कहा। 'और सबसे पहले तो मैं' उसने तस्वीर के छेद के पास पहुँचकर उसकी तरफ़ देखा, 'काढ़ों के पुराने पुरस्कारों के रिकॉर्ड देखूँगी!'

हैरी ने एक पल के लिए उसकी तरफ़ देखकर त्योरियाँ चढ़ाईं, फिर गहराते आसमान को देखने लगा।

'वह कभी इस बात को नहीं भूल पाएगी कि तुमने काढ़े में उससे अच्छा प्रदर्शन किया था,' रॉन ने कहा और दोबारा अपनी *एक हज़ार जादुई जड़ी-बूटियाँ और फफूँदियाँ* पुस्तक पढ़ने लगा।

'तुम्हें यह तो नहीं लगता कि मैं पागल हूँ, जो उस पुस्तक को दोबारा निकालना चाहता हूँ, है ना?'

'ज़ाहिर है नहीं,' रॉन ने जोश से कहा। 'वह प्रिंस जीनियस था। वैसे भी ... उसके बीज़ोआ के सुझाव के बिना तो मैं ...' उसने अपने गले पर ख़ास अंदाज़ में उँगली फेरी, 'यह बातचीत करने के लिए यहाँ नहीं होता, है ना? मेरा मतलब है, मैं यह नहीं कह रहा हूँ कि जो मंत्र तुमने मैल्फ़ॉय पर मारा था, वह बहुत बढ़िया -'

'मैं भी नहीं कह रहा हूँ,' हैरी ने जल्दी से कहा।

'लेकिन वह बिलकुल ठीक हो गया, है ना? ज़रा सी देर में उठकर खड़ा

हो गया।'

'हाँ,' हैरी ने कहा। यह पूरी तरह सच था, हालाँकि उसकी अंतरात्मा इसके बावजूद उसे कचोट रही थी। 'स्नेप के कारण ...'

'तुम्हें इस शनिवार को भी स्नेप के पास जाकर सज़ा काटनी है?' रॉन ने आगे कहा।

'हाँ, और उसके बाद वाले शनिवार को भी और उसके बाद वाले शनिवार को भी,' हैरी ने आह भरते हुए कहा। 'और वे तो अब यह इशारा करने लगे हैं कि अगर मैंने इस टर्म के आख़िर तक सभी बॉक्स पूरे नहीं किए, तो हम अगले साल भी यही काम करेंगे।'

अब ये सज़ाएँ उसे ख़ास तौर पर परेशान कर रही थीं, क्योंकि इससे वह जिनी के साथ बहुत कम समय बिता पाता था, जो पहले ही बहुत सीमित था। दरअसल, कुछ समय से वह सोचने लगा था कि शायद स्नेप भी यह बात जानते हैं, क्योंकि अब वे हैरी को हर बार पहले से भी ज़्यादा समय तक रोकने लगे थे और इसके अलावा वे चुभता हुआ ताना मारते रहते थे कि हैरी अच्छे मौसम और इसके द्वारा मिलने वाले मौक़ों का फ़ायदा नहीं उठा पा रहा है।

हैरी कटु चिंता से बाहर निकला, जब जिमी पीक्स एक मुड़ा हुआ चर्मपत्र लेकर उसकी बग़ल में प्रकट हुआ।

'धन्यवाद, जिमी ... अरे, यह तो डम्बलडोर ने भेजा है!' हैरी ने रोमांचित होकर कहा और चर्मपत्र को खोलकर उसे पढ़ने लगा। 'उन्होंने मुझे जल्दी से जल्दी अपने ऑफ़िस में बुलाया है!'

हैरी और रॉन ने एक-दूसरे की तरफ़ देखा।

'ओह,' रॉन फुसफुसाया। 'तुम्हें यह तो नहीं लगता ... कि उन्हें वह चीज़ मिल गई है ...?'

'जाकर देखता हूँ, है ना?' हैरी ने तेज़ी से खड़े होते हुए कहा।

वह झटपट कॉमन रूम से बाहर निकला और जितनी तेज़ी से हो सकता था, सातवीं मंज़िल पर पहुँच गया। रास्ते में उसे पीव्ज़ के सिवाय कोई नहीं मिला, जो विपरीत दिशा में उड़कर जा रहा था और हमेशा की तरह हैरी पर चॉक के टुकड़े फेंक रहा था। हैरी के रक्षात्मक मंत्र से बचते समय वह जमकर खिलखिलाया। पीव्ज़ के ग़ायब होने के बाद गलियारों में ख़ामोशी छा गई। अब कर्फ़्यू में सिर्फ़ पंद्रह मिनट बचे थे, इसलिए ज़्यादातर विद्यार्थी अपने कॉमन रूम में पहुँच चुके थे।

तभी हैरी को एक चीख़ और किसी के गिरने की आवाज़ सुनाई दी। वह चलते-चलते रुक गया और सुनने लगा।

'तुम्हारी - *हिम्मत* - कैसे - हुई - आआआह!'

शोर पास वाले गलियारे से आ रहा था। हैरी अपनी छड़ी निकालकर उस तरफ़ भागा। मोड़ पर मुड़ने के बाद उसने देखा कि प्रोफ़ेसर ट्रिलोनी फ़र्श पर पड़ी हुई थीं और उनका सिर उनकी शॉल से ढँका था। उनके पास शेरी की कई बोतलें पड़ी थीं, जिनमें से एक टूट गई थी।

'प्रोफ़ेसर-'

हैरी जल्दी से आगे गया और प्रोफ़ेसर ट्रिलोनी को उठाने लगा। उनकी माला के कुछ चमकते मनके उनके चश्मे में उलझ गए थे। उन्होंने ज़ोर से हिचकी ली, अपने बाल सहलाए और हैरी के हाथ का सहारा लेकर उठ गईं।

'क्या हुआ, प्रोफ़ेसर ?'

उन्होंने तेज़ आवाज़ में कहा, 'मैं टहल रही थी और कुछ शैतानी चीज़ों पर विचार कर रही थी, जिनकी झलक मैंने देखी थी ...'

लेकिन हैरी ज़्यादा ध्यान नहीं दे रहा था। उसका ध्यान अभी-अभी इस तरफ़ गया था कि वे कहाँ खड़े थे : दाहिनी तरफ़ नाचते दैत्यों की दीवारदरी थी और बाईं तरफ़ पत्थर की दीवार थी, जिसके पीछे -

'प्रोफ़ेसर, क्या आप आवश्यकता कक्ष के अंदर जाने की कोशिश कर रही थीं ?'

'... जो अपशकुन मैंने देखे थे - क्या ?'

अचानक वे बहुत सतर्क दिखने लगीं।

'आवश्यकता कक्ष,' हैरी ने दोहराया। 'क्या आप उसके भीतर जाने की कोशिश कर रही थीं ?'

'मैं - देखो - मुझे पता नहीं था कि विद्यार्थी भी इसके बारे में जानते हैं -'

'सब विद्यार्थी नहीं जानते हैं,' हैरी ने कहा। 'लेकिन क्या हुआ ? आप चीख़ी थीं ... ऐसा लगा था, जैसे आपको चोट लगी हो ...'

'मैं - देखो,' प्रोफ़ेसर ट्रिलोनी ने कहा और रक्षात्मक तरीक़े से शॉल अपने चारों तरफ़ लपेटकर बड़ी-बड़ी आँखों से उसे घूरने लगीं। 'मैं - कुछ चीज़ें - उह - कुछ व्यक्तिगत सामान - उह - कमरे में रखना चाहती थी ...' और फिर वे 'भद्दे आरोप' जैसा कुछ बुदबुदाने लगीं।

'ठीक है,' हैरी ने शेरी की बोतलों को देखते हुए कहा। 'लेकिन आप उन्हें

छिपाने के लिए अंदर नहीं जा पाईं ?'

उसे यह बात बहुत अजीब लगी : जब वह हाफ़-ब्लड प्रिंस की पुस्तक छिपाना चाहता था, तब तो कमरा उसके लिए खुल गया था।

'ओह, मैं अंदर तो पहुँच गई थी,' प्रोफ़ेसर ट्रिलोनी ने कहा और दीवार को ग़ुस्से से घूरकर देखा। 'लेकिन वहाँ पहले से ही कोई था।'

'कोई अंदर था ? कौन ?' हैरी ने पूछा। 'अंदर कौन था ?'

'मैं नहीं जानती,' प्रोफ़ेसर ट्रिलोनी ने थोड़ी हैरानी से कहा, क्योंकि हैरी की आवाज़ में बेचैनी साफ़ झलक रही थी। 'मैं कमरे में अंदर गई और मुझे एक आवाज़ सुनाई दी। मैं बरसों से इसमें सामान छिपा रही हूँ, यानी इस कक्ष का इस्तेमाल कर रही हूँ, लेकिन ऐसा पहले कभी नहीं हुआ।'

'एक आवाज़ ? वह क्या कह रही थी ?'

'वह कुछ कह नहीं रही थी,' प्रोफ़ेसर ट्रिलोनी ने कहा। 'वह तो ... किलकारी भर रही थी।'

'किलकारी ?'

'ख़ुशी से,' उन्होंने सिर हिलाते हुए कहा।

हैरी ने उनकी तरफ़ घूरा।

'यह किसी लड़के की आवाज़ थी या लड़की की ?'

'मुझे लगता है कि लड़के की ही होगी,' प्रोफ़ेसर ट्रिलोनी बोलीं।

'और आवाज़ ख़ुश लग रही थी ?'

'बहुत ख़ुश,' प्रोफ़ेसर ट्रिलोनी ने कहा।

'जैसे जश्न मना रही हो ?'

'निश्चित रूप से।'

'और फिर – ?'

'और फिर मैंने पूछा, "वहाँ कौन है ?"'

हैरी ने थोड़ा कुंठित होकर पूछा, 'क्या आप बिना पूछे यह पता नहीं लगा सकती थीं कि वहाँ कौन था ?'

'अंदरूनी आँख,' प्रोफ़ेसर ट्रिलोनी ने गरिमा के साथ अपने शॉल और चमकते मनकों की कई मालाओं को सीधा करते हुए कहा, 'किलकारियों के सांसारिक क्षेत्र से बाहर की बातों को देख रही थी।'

'ठीक है,' हैरी ने जल्दी से कहा। वह प्रोफ़ेसर ट्रिलोनी की अंदरूनी आँख

के बारे में पहले भी कई बार सुन चुका था। 'और क्या आवाज़ ने बताया कि वहाँ कौन था?'

'नहीं, उसने नहीं बताया,' उन्होंने कहा। 'एकदम अँधेरा छा गया और अगले ही पल किसी ने मुझे कमरे से बाहर फेंक दिया!'

'और आप यह नहीं देख पाईं कि क्या हो रहा है?' हैरी ने न चाहते हुए भी पूछ लिया।

'नहीं, मैं नहीं देख पाई, जैसा मैंने कहा, अँधेरा था –' वे रुक गईं और उसकी तरफ़ संदेह से देखने लगीं।

'मुझे लगता है कि आपको यह बात प्रोफ़ेसर डम्बलडोर को बता देनी चाहिए,' हैरी ने कहा। 'उन्हें पता होना चाहिए कि मैल्फ़ॉय जश्न मना रहा है – मेरा मतलब है कि किसी ने आपको कमरे से बाहर फेंक दिया है।'

उसे हैरानी हुई, जब यह सुझाव सुनकर प्रोफ़ेसर ट्रिलोनी तन गईं और ग़ुस्से में दिखने लगीं।

'हेडमास्टर ने मुझे सूचित किया है कि वे मुझसे कम मिलना पसंद करेंगे,' उन्होंने ठंडेपन से कहा। 'जो लोग मेरी क़द्र नहीं करते हैं, मैं उनके पास जाना पसंद नहीं करती हूँ। अगर डम्बलडोर उन चेतावनियों को नज़रअंदाज़ करने की कोशिश करते हैं, जो ताश के पत्ते बताते –'

उनका दुबला हाथ अचानक हैरी की कलाई पर कस गया।

'बार-बार, चाहे मैं उन्हें कैसे भी जमा लूँ –'

और उन्होंने अपने शॉलों के नीचे से नाटकीय अंदाज़ में एक पत्ता खींचा।

'– टॉवर पर गिरती बिजली,' वे फुसफुसाईं। 'विनाश। तबाही। ये चीज़ें लगातार क़रीब आ रही हैं ...'

'ठीक है,' हैरी ने दोबारा कहा। 'देखिए ... मुझे अब भी लगता है कि आपको डम्बलडोर को इस आवाज़ और अँधेरा छाने तथा कमरे से बाहर फेंके जाने के बारे में बताना चाहिए ...'

'तुम्हें ऐसा लगता है?' प्रोफ़ेसर ट्रिलोनी ने एक पल के लिए इस मामले पर विचार किया, लेकिन हैरी जानता था कि वे अपने इस रोमांचक अनुभव को बताना पसंद करेंगी।

हैरी ने कहा, 'मैं उनसे मिलने ही जा रहा हूँ, मेरा उनके साथ अपॉइंटमेंट है। हम एक साथ चलते हैं।'

'अच्छा, तो फिर चलो,' प्रोफ़ेसर ट्रिलोनी ने मुस्कराते हुए कहा। वे झुकीं

और अपनी शेरी की बोतलें उठाकर पास ही रखे एक बड़े नीले-सफ़ेद गमले में डाल दीं।

जब वे दोनों साथ-साथ चलने लगे, तो प्रोफ़ेसर ट्रिलोनी भारी आवाज़ में बोलीं, 'हैरी, मुझे क्लासों में तुम्हारी कमी बड़ी अखरती है। तुम कभी अच्छे भविष्यदृष्टा तो नहीं थे, लेकिन तुम बहुत अद्‌भुत व्यक्ति थे, जिसके बारे में भविष्यवाणी की जा सकती थी ...'

हैरी ने जवाब नहीं दिया। जब प्रोफ़ेसर ट्रिलोनी उसकी मौत या विनाश के बारे में लगातार भविष्यवाणी करती थीं, तो वह चिढ़ जाता था।

'मुझे डर है,' उन्होंने आगे कहा, 'कि वह घोड़ा – माफ़ करना, वह सेनटॉर – ताश के पत्तों से भविष्यवाणी करने के बारे में कुछ नहीं जानता है। मैंने उससे पूछा था – जैसे एक भविष्यवक्ता दूसरे से पूछता है – कि क्या उसे भी आने वाले विनाश के दूरगामी कंपन महसूस हो रहे हैं ? लेकिन वह मेरी बात पर हँस दिया। हाँ, हँस दिया!'

उनकी आवाज़ थोड़ी ऊँची हो गई और बोतलें पीछे छूटने के बाद भी हैरी को शेरी की तेज़ गंध आई।

'शायद घोड़े ने लोगों को यह कहते सुन लिया होगा कि मेरे पास मेरी पर-परदादी जितनी प्रतिभा नहीं है। ईर्ष्यालु लोग वर्षों से ये अफ़वाहें फैला रहे हैं। तुम जानते हो हैरी, ऐसे लोगों से मैं क्या कहती हूँ ? अगर मैं डम्बलडोर के सामने अपनी प्रतिभा साबित नहीं कर देती, तो क्या वे मुझे इतने अच्छे स्कूल में पढ़ाने देते, मुझ पर इतने सालों तक इतना भरोसा दिखाते ?'

हैरी धीरे से कुछ बुदबुदाया।

'मुझे डम्बलडोर के साथ हुई पहली मुलाक़ात अच्छी तरह याद है,' प्रोफ़ेसर ट्रिलोनी बोलती रहीं। 'वे बहुत प्रभावित हुए थे, ज़ाहिर है, बहुत ही प्रभावित ... मैं हॉग्स हेड में ठहरी हुई थी, जहाँ ठहरने की सलाह मैं कभी नहीं दूँगी – वहाँ खटमल हैं, प्यारे बच्चे – लेकिन मेरे पास पैसे कम थे। डम्बलडोर ने सराय में मेरे कमरे में आने का शिष्टाचार निभाया। उन्होंने मुझसे सवाल पूछे ... मुझे यह स्वीकार करना होगा कि पहले तो वे ज्योतिष के प्रति पूर्वाग्रह से ग्रस्त लगे थे ... और मुझे याद है कि मैं थोड़ा अजीब महसूस कर रही थी, क्योंकि मैंने उस दिन ज़्यादा कुछ नहीं खाया था ... लेकिन फिर ...'

और अब हैरी पहली बार पूरी तरह ध्यान दे रहा था, क्योंकि वह जानता था कि तब क्या हुआ था : प्रोफ़ेसर ट्रिलोनी ने वह भविष्यवाणी की थी, जिसने हैरी के पूरे जीवन की दिशा बदल दी थी। यह भविष्यवाणी उसके और वोल्डेमॉर्ट के बारे में थी।

'... लेकिन तभी हमारी बातों के बीच में सीवियरस स्नेप ने बदतमीज़ी से दख़ल दे दिया!'

'क्या?'

'हाँ, दरवाज़े के बाहर हंगामा हो गया और यह खुल गया। वहाँ पर असभ्य बारमैन स्नेप को पकड़े खड़ा था। स्नेप बहाना बनाते हुए कह रहे थे कि वे सीढ़ियों पर ग़लत रास्ते से ऊपर आ गए थे, हालाँकि मुझे लगता है कि जब मैं डम्बलडोर से बात कर रही थी, तो उन्हें चोरी छिपे सुनते पकड़ लिया गया था – देखो, वे ख़ुद उस समय नौकरी खोज रहे थे और बेशक टिप्स लेने की आशा में कान लगाकर सुन रहे होंगे! तुम जानते हो, उसके बाद डम्बलडोर मुझे नौकरी देने के ज़्यादा पक्ष में हो गए। हैरी, ऐसा इसलिए हुआ क्योंकि उन्होंने मेरी विनम्रता और शांत प्रतिभा को उस आक्रामक, घुसपैठिए युवक की तुलना में बेहतर पाया, जो कीहोल से कान लगाकर सुन रहा था – हैरी?'

उन्होंने पलटकर देखा, तब जाकर उन्हें यह एहसास हुआ कि हैरी उनके साथ नहीं चल रहा था। वह रुक गया था और अब उनसे दस फ़ुट पीछे रह गया था।

'हैरी?' उन्होंने अनिश्चितता से दोहराया।

शायद उसका चेहरा सफ़ेद पड़ गया था, जिससे वे काफ़ी चिंतित और भयभीत हो गईं। हैरी मूर्ति की तरह स्थिर खड़ा था। सदमे की लहरें उससे टकरा रही थीं, लहर के बाद लहर, जिससे हर चीज़ मिट गई, सिवाय इस जानकारी के, जो उससे इतने लंबे समय से छिपाकर रखी गई थी ...

जिसने भविष्यवाणी सुनी थी, वे स्नेप थे। जो भविष्यवाणी की ख़बर वोल्डेमॉर्ट के पास ले गए थे, वे स्नेप थे। स्नेप और पीटर पेटिग्रू ने मिलकर वोल्डेमॉर्ट को लिली, जेम्स और उनके बेटे को मारने भेजा था ...

इस वक़्त हैरी के लिए और कोई बात महत्त्वपूर्ण नहीं थी।

'हैरी?' प्रोफ़ेसर ट्रिलोनी ने दोबारा कहा। 'हैरी – मुझे लग रहा था कि हम एक साथ हेडमास्टर से मिलने जा रहे हैं?'

'आप यहीं रुकिए,' हैरी ने सुन्न होंठों से कहा।

'लेकिन ... मैं तो उन्हें बताने वाली थी कि मुझ पर आवश्यकता कक्ष में किस तरह हमला हुआ था –'

'आप यहीं रुकिए!' हैरी ने ग़ुस्से से दोहराया।

वे दहशत में आ गईं, जब वह उनके पास से दौड़ता हुआ डम्बलडोर के

गलियारे में मुड़ा, जहाँ गारगॉइल पहरा दे रहा था। हैरी ने गारगॉइल से चिल्लाकर पासवर्ड बोला और एक बार में तीन-तीन सीढ़ियाँ लाँघते हुए घुमावदार सीढ़ियों पर चढ़ गया। उसने डम्बलडोर के दरवाज़े पर खटखटाने के बजाय उसे ज़ोर से भड़भड़ाया। 'आ जाओ' की शांत आवाज़ आने से पहले ही हैरी तेज़ी से कमरे में पहुँच चुका था।

ज्वाला नाम के मायापंछी ने मुड़कर देखा। उसकी चमकती काली आँखें सूर्यास्त के सुनहरे रंग से चमक रही थीं, जो खिड़की के पार हो रहा था। डम्बलडोर खिड़की पर खड़े होकर मैदान को देख रहे थे। उनके हाथ में एक लंबा, काला यात्री चोगा था।

'देखो हैरी, मैंने वादा किया था कि तुम मेरे साथ चल सकते हो।'

एक-दो पल के लिए हैरी को कुछ समझ में नहीं आया। ट्रिलोनी के साथ हुई बातचीत ने उसके दिमाग़ से बाक़ी सारी बातें निकाल दी थीं और उसका दिमाग़ बहुत धीमे चल रहा था।

'आपके साथ ... चलना ...?'

'ज़ाहिर है, अगर तुम चलना चाहो।'

'अगर मैं ...'

और फिर हैरी को याद आया कि वह डम्बलडोर के ऑफ़िस में आने के लिए इतना उतावला क्यों था।

'आपको मिल गया? आपको कोई होरक्रक्स मिल गया?'

'मुझे ऐसा ही लगता है।'

ग़ुस्से और द्वेष की भावनाएँ सदमे और रोमांच की भावनाओं से जूझने लगीं : कुछ पल तक हैरी कुछ नहीं बोला।

डम्बलडोर ने कहा, 'डर लगना स्वाभाविक है।'

'मुझे डर नहीं लग रहा है!' हैरी ने तत्काल कहा और यह बिलकुल सच था। उसे ज़रा भी डर महसूस नहीं हो रहा था। 'यह कौन सा होरक्रक्स है? यह कहाँ है?'

'मुझे यक़ीन नहीं है कि यह कौन सा है - हालाँकि मुझे लगता है कि हम साँप को तो हटा सकते हैं - लेकिन मेरा अनुमान है कि वह होरक्रक्स यहाँ से कई मील दूर समुद्र किनारे की एक गुफा में छिपा हुआ है। मैं बहुत लंबे समय से उस गुफा को खोजने की कोशिश कर रहा हूँ : वह गुफा, जिसमें वार्षिक पिकनिक के समय टॉम रिडल ने अपने अनाथालय के दो बच्चों को आतंकित किया था, तुम्हें

याद है ?'

'हाँ,' हैरी ने कहा। 'इस पर सुरक्षा के कैसे उपाय हैं ?'

'मैं नहीं जानता। मेरे मन में कुछ शंकाएँ हैं, जो बिलकुल ग़लत भी हो सकती हैं।' डम्बलडोर झिझके और फिर बोले, 'हैरी, मैंने वादा किया था कि तुम मेरे साथ चल सकते हो और मैं अपना वादा पूरा करने को तैयार हूँ। लेकिन यह मेरी बहुत बड़ी ग़लती होगी, अगर मैं तुम्हें यह चेतावनी न दे दूँ कि यह बहुत ख़तरनाक होगा।'

'मैं चल रहा हूँ,' डम्बलडोर की बात पूरी होने से पहले ही हैरी बोल पड़ा। स्नेप पर ग़ुस्से के कारण दुस्साहसिक काम करने की उसकी इच्छा पिछले कुछ मिनटों में दस गुना बढ़ गई थी। यह हैरी के चेहरे पर दिख रहा होगा, क्योंकि जब डम्बलडोर खिड़की से हटे और उन्होंने हैरी की तरफ़ ज़्यादा ग़ौर से देखा, तो उनकी चाँदी जैसी भौंहों के बीच एक हल्की लकीर आ गई।

'तुम्हें क्या हुआ ?'

'कुछ नहीं,' हैरी ने तत्काल झूठ बोल दिया।

'तुम किस बात से परेशान हो ?'

'मैं परेशान नहीं हूँ।'

'हैरी, तुम गुप्तविद्या में निपुण नहीं हो पाए हो –'

इस शब्द ने वह चिंगारी दे दी, जिससे हैरी का ग़ुस्सा भड़क गया।

'स्नेप!' उसने बहुत ज़ोर से कहा और ज्वाला ने पीछे से धीरे से आवाज़ निकाली। 'सब कुछ स्नेप के कारण हुआ है! उन्होंने वोल्डेमॉर्ट को भविष्यवाणी के बारे में बताया था। *उन्होंने* ही दरवाज़े के बाहर खड़े होकर भविष्यवाणी सुनी थी! प्रोफ़ेसर ट्रिलोनी ने मुझे सब कुछ बता दिया है!'

डम्बलडोर का भाव ज़रा भी नहीं बदला, लेकिन हैरी ने सोचा कि ढलते सूरज की ख़ूनी चमक के नीचे उनका चेहरा सफ़ेद दिख रहा था। एक लंबे पल तक डम्बलडोर कुछ नहीं बोले।

आख़िरकार उन्होंने पूछा, 'तुम्हें इस बारे में कब पता चला ?'

'अभी-अभी!' हैरी ने कहा, जो बड़ी मुश्किल से ख़ुद को चिल्लाने से रोक रहा था। और तभी, अचानक वह ख़ुद को नहीं रोक पाया। **'और आपने उन्हें यहाँ पढ़ाने दिया, जबकि उन्होंने वोल्डेमॉर्ट से मेरे मम्मी-डैडी पर हमला करने को कहा था!'**

अब वह इतनी बुरी तरह हाँफ रहा था, जैसे कुश्ती लड़ रहा हो। हैरी

डम्बलडोर से दूर मुड़ गया, जिनकी एक मांसपेशी भी नहीं हिली थी। हैरी स्टडी में चहलक़दमी करता रहा और अपने हाथ में अपनी उँगलियाँ मलता रहा तथा पूरी कोशिश करता रहा कि वह चीज़ों को उठाकर न पटकने लगे। वह डम्बलडोर पर ग़ुस्से से चिल्लाना चाहता था, लेकिन वह उनके साथ होरक्रक्स को नष्ट करने भी जाना चाहता था। वह उन्हें बताना चाहता था कि वे मूर्ख हैं, जो स्नेप पर भरोसा कर रहे हैं, लेकिन वह इस बात पर भी दहशत में था कि अगर उसने अपने ग़ुस्से पर क़ाबू नहीं किया, तो डम्बलडोर उसे अपने साथ नहीं ले जाएँगे ...

'हैरी,' डम्बलडोर ने धीरे से कहा। 'प्लीज़ मेरी बात सुनो।'

चहलक़दमी करने से ख़ुद को रोकना भी चिल्लाने से रोकना जितना ही मुश्किल था। हैरी अपना होंठ काटते हुए ठहरा और उसने डम्बलडोर के झुर्रियों भरे चेहरे की तरफ़ देखा।

'प्रोफ़ेसर स्नेप ने एक भयंकर –'

'मुझसे यह मत कहिए कि यह एक ग़लती थी, सर! वे दरवाज़े पर छिपकर सुन रहे थे!'

'मेरी बात तो पूरी होने दो।' डम्बलडोर ने इंतज़ार किया, जब तक हैरी ने सहमति में सिर नहीं हिलाया। फिर वे आगे बोलने लगे। 'प्रोफ़ेसर स्नेप ने एक भयंकर ग़लती कर दी थी। जब उन्होंने प्रोफ़ेसर ट्रिलोनी की भविष्यवाणी का पहला हिस्सा सुना था, तब वे लॉर्ड वोल्डेमॉर्ट की सेवा में थे। ज़ाहिर है, वे सुनी हुई बातें अपने मालिक को जल्दी से बताने चले गए, क्योंकि इसका उनके मालिक से बहुत गहरा संबंध था। लेकिन वे नहीं जानते थे – वे यह बात किसी तरीक़े से जान ही नहीं सकते थे – कि वोल्डेमॉर्ट उसके बाद किस लड़के के पीछे पड़ेगा, या वह अपनी ख़ूनी खोज में किसके माता-पिता को मारेगा, जो तुम्हारे माता-पिता थे –'

हैरी ने एक व्यंग्यात्मक हँसी निकाली।

'वे मेरे डैडी से उतनी ही नफ़रत करते थे, जितनी कि सिरियस से! प्रोफ़ेसर, क्या आपका ध्यान इस तरफ़ नहीं गया कि स्नेप जिन लोगों से नफ़रत करते हैं, वे कितनी जल्दी मर जाते हैं?'

'तुम्हें अंदाज़ा भी नहीं है हैरी कि जब प्रोफ़ेसर स्नेप को यह एहसास हुआ कि लॉर्ड वोल्डेमॉर्ट ने किस तरह भविष्यवाणी का विश्लेषण किया है, तो उन्हें कितनी ग्लानि हुई। मेरा मानना है कि यह उनके जीवन का सबसे बड़ा पश्चाताप था और इसी कारण वे लौटे हैं –'

'लेकिन *वे* बहुत अच्छे गुप्तज्ञाता हैं, है ना, सर?' हैरी ने कहा, जिसकी

आवाज़ अब काँप रही थी, हालाँकि वह इसे स्थिर रखने की कोशिश कर रहा था। 'इसके अलावा, क्या वोल्डेमॉर्ट को इस बात पर *यक़ीन* नहीं है कि स्नेप अब भी उसकी तरफ़ हैं? प्रोफ़ेसर ... आपको इतना पक्का विश्वास कैसे है कि स्नेप हमारी तरफ़ हैं?'

डम्बलडोर एक पल के लिए कुछ नहीं बोले। उन्हें देखकर लगा, जैसे वे किसी चीज़ के बारे में अपना मन बनाने की कोशिश कर रहे हों। आख़िर वे बोले, 'मुझे भरोसा है। मुझे सीवियरस स्नेप पर पूरा भरोसा है।'

हैरी ने ख़ुद को सँभालने के लिए कुछ समय तक गहरी साँसें लीं, पर यह तरीक़ा सफल नहीं हुआ।

'लेकिन मुझे नहीं है!' उसने पहले जितनी तेज़ी से कहा। 'वे इसी समय आपकी नाक के नीचे ड्रेको मैल्फ़ॉय के साथ किसी गुनताड़े में लगे हैं और आप इसके बाद भी –'

'हम इस बारे में पहले भी बात कर चुके हैं, हैरी,' डम्बलडोर ने कहा और इस बार उनकी आवाज़ में सख़्ती का लहज़ा था। 'मैं तुम्हें अपने विचार बता चुका हूँ।'

'आप आज रात को स्कूल छोड़कर जा रहे हैं और मैं शर्त लगाता हूँ कि आपने यह सोचा भी नहीं है कि स्नेप और मैल्फ़ॉय क्या कर सकते हैं?'

'क्या कर सकते हैं?' डम्बलडोर ने पूछा और अपनी भौंहें उठा दीं। 'तुम ठीक-ठीक बताओ, तुम्हें उन पर क्या करने का शक है?'

'मैं ... वे किसी गुनताड़े में हैं!' हैरी ने कहा और यह कहते समय उसके हाथ मुट्ठियों में बँध गए। 'अभी-अभी प्रोफ़ेसर ट्रिलोनी अपनी शेरी की बोतलें छिपाने के लिए आवश्यकता कक्ष में गई थीं। उन्हें वहाँ मैल्फ़ॉय के ख़ुशी से जश्न मनाने की आवाज़ें सुनाई दीं! वह वहाँ पर किसी ख़तरनाक चीज़ की मरम्मत करने की कोशिश कर रहा था और अगर आप मुझसे पूछें, तो उसने मरम्मत कर ली है और आप स्कूल से जा रहे हैं, बिना किसी सुरक्षा के –'

'बहुत हो गया,' डम्बलडोर ने कहा। उन्होंने यह बात बहुत शांति से कही थी, लेकिन फिर भी हैरी तत्काल ख़ामोश हो गया। वह जानता था कि उसने आख़िरकार अदृश्य रेखा पार कर ली थी। 'क्या तुम्हें लगता है कि इस साल अपनी अनुपस्थिति के दौरान मैंने स्कूल को असुरक्षित छोड़ा होगा? मैंने ऐसा नहीं किया है। आज रात को जब मैं जाऊँगा, तो यहाँ पर एक बार फिर अतिरिक्त सुरक्षा होगी। हैरी, मेहरबानी करके ऐसा मत सोचो कि मैं अपने विद्यार्थियों की सुरक्षा को गंभीरता से नहीं लेता हूँ।'

'मैं ऐसा नहीं –' हैरी थोड़ा शर्मिंदा होते हुए बुदबुदाया, लेकिन डम्बलडोर ने बीच में ही उसकी बात काट दी।

'मैं इस बारे में आगे बात नहीं करना चाहता हूँ।'

हैरी ने अपने शब्द मुँह में ही रोक लिए। उसे डर लग रहा था कि वह बहुत आगे तक चला गया था और उसने डम्बलडोर के साथ जाने के अपने मौक़े को गँवा दिया था, लेकिन डम्बलडोर ने आगे कहा, 'क्या तुम आज रात को मेरे साथ चलना चाहते हो?'

'हाँ,' हैरी ने तुरंत कहा।

'बहुत बढ़िया, तो सुनो।'

डम्बलडोर तनकर खड़े हो गए।

'मैं तुम्हें सिर्फ़ एक शर्त पर ले चलूँगा। शर्त यह है कि तुम मेरे हर आदेश का तुरंत और बिना कोई सवाल किए पालन करोगे।'

'ज़ाहिर है।'

'हैरी, मेरी बात समझने की कोशिश करो। मेरा मतलब है कि तुम्हें इस तरह के आदेशों का भी पालन करना होगा, जैसे "भागो," "छिपो" या "लौट जाओ।" क्या तुम इस बात का वादा करते हो?'

'मैं – हाँ, ज़ाहिर है।'

'अगर मैं तुमसे छिपने को कहूँगा, तो क्या तुम ऐसा करोगे?'

'हाँ।'

'अगर मैं तुमसे भागने को कहूँगा, तो क्या तुम मेरा आदेश मानोगे?'

'हाँ।'

'अगर मैं तुम्हें मुझे छोड़कर ख़ुद को बचाने को कहूँगा, तो क्या तुम वैसा ही करोगे, जैसा मैं तुमसे कहूँगा?'

'मैं –'

'हैरी?'

उन्होंने एक-दूसरे की तरफ़ एक पल के लिए देखा।

'हाँ, सर।'

'बहुत अच्छा! तो मैं चाहता हूँ कि तुम जाकर अपना चोगा ले आओ और पाँच मिनट में प्रवेश हॉल में मुझसे मिलो।'

डम्बलडोर खिड़की से बाहर देखने के लिए मुड़े। सूरज अब क्षितिज पर

माणिक जैसा लाल चमक रहा था। हैरी जल्दी से डम्बलडोर के ऑफ़िस से निकला और घुमावदार सीढ़ियों से उतर गया। उसका दिमाग़ अचानक बहुत साफ़ हो गया था। वह जानता था कि क्या करना है।

जब वह वापस लौटा, तब रॉन और हर्माइनी कॉमन रूम में एक साथ बैठे थे। हर्माइनी ने तत्काल पूछा, 'डम्बलडोर क्या चाहते थे?' फिर उसने चिंता से आगे जोड़ दिया, 'हैरी, तुम **ठीक** तो हो?'

'मैं ठीक हूँ,' हैरी ने उन दोनों के पास से आगे जाते हुए कहा। वह सीढ़ियों पर लपककर चढ़ा और अपने कमरे में पहुँच गया, जहाँ उसने संदूक खोलकर अपना नक़्शा और मोज़ा निकाल लिए। फिर वह सीढ़ियों से नीचे उतरा और हॉल में गया। वह वहाँ जाकर रुक गया, जहाँ रॉन और हर्माइनी स्तब्ध बैठे हुए थे।

'मेरे पास ज़्यादा समय नहीं है,' हैरी ने हाँफते हुए कहा। 'डम्बलडोर को लगता है कि मैं अपना अदृश्य चोगा लेने आया हूँ। सुनो ...'

उसने उन्हें जल्दी से बता दिया कि वह कहाँ और क्यों जा रहा है। उसने हर्माइनी की दहशत भरी आहों या रॉन के सवालों का कोई जवाब नहीं दिया। वे बाद में बाक़ी बातें ख़ुद सोच सकते हैं।

'... तो तुम समझ गए कि इसका क्या मतलब है?' हैरी ने जल्दी से अपनी बात पूरी करते हुए कहा। 'डम्बलडोर आज रात को यहाँ नहीं होंगे। ऐसे में मैल्फ़ॉय जो भी करना चाहता होगा, उसे वह आसानी से कर सकता है। *नहीं, मेरी बात सुनो!*' उसने ग़ुस्से से कहा, जब रॉन और हर्माइनी दोनों ही बाधा डालने के लिए बेताब दिखने लगे। 'मैं जानता हूँ कि मैल्फ़ॉय ही आवश्यकता कक्ष में जश्न मना रहा था। यह लो –' उसने नक़्शा हर्माइनी के हाथ में थमाते हुए कहा। 'तुम्हें उस पर नज़र रखनी है और तुम्हें स्नेप को भी देखना है। **डीए** से तुम जिसे बुलाना चाहो, बुला सकती हो। हर्माइनी, वे संपर्क वाले गैलियन अब भी काम कर रहे होंगे, है ना? डम्बलडोर कहते हैं कि स्कूल पर उन्होंने अतिरिक्त सुरक्षा कर दी है, लेकिन अगर स्नेप इसमें शामिल हैं, तो वे जानते होंगे कि डम्बलडोर की सुरक्षा क्या है और उससे कैसे बचा जा सकता है – लेकिन उन्हें यह उम्मीद नहीं होगी कि तुम लोग निगरानी करोगे, है ना?'

'हैरी –' हर्माइनी ने बोलना शुरू किया, उसकी आँखें डर से फैल गई थीं।

'मेरे पास बहस करने का वक़्त नहीं है,' हैरी ने झिड़कते हुए कहा। 'इसे भी ले लो –' उसने मोज़ा रॉन के हाथों में दे दिया।

'धन्यवाद,' रॉन ने कहा। 'अर – मुझे मोज़े की ज़रूरत क्यों है?'

'तुम्हें उस चीज़ की ज़रूरत पड़ेगी, जो मोज़े के अंदर है। इसमें ख़ुशक़िस्मती काढ़ा है। इसे तुम दोनों और जिनी पी लेना। मेरी तरफ़ से उसे अलविदा कहना। मैं चलता हूँ, डम्बलडोर इंतज़ार कर रहे हैं –'

'नहीं!' हर्माइनी बोली, जब रॉन ने हैरान दिखते हुए सुनहरे काढ़े की वह छोटी सी शीशी निकाली। 'हमें यह नहीं चाहिए। इसे तुम ले जाओ। कौन जानता है, तुम्हें किस चीज़ का सामना करना पड़ेगा ?'

'मैं ठीक रहूँगा, क्योंकि मैं डम्बलडोर के साथ हूँ,' हैरी ने कहा। 'मैं बस यह तसल्ली करना चाहता हूँ कि तुम सभी लोग **ठीक-ठाक** रहो ... इस तरह मत देखो हर्माइनी, मैं तुमसे लौटकर मिलता हूँ ...'

और वह चल दिया। वह तस्वीर के छेद से तेज़ी से बाहर निकलकर प्रवेश हॉल की तरफ़ बढ़ने लगा।

डम्बलडोर बलूत की लकड़ी के सामने वाले दरवाज़े के पास इंतज़ार कर रहे थे। वे मुड़े, जब हैरी भागता हुआ सबसे ऊपर वाली पत्थर की सीढ़ी पर एकदम फिसलता हुआ रुका। वह तेज़ी से हाँफ रहा था और उसकी पसलियों में दर्द हो रहा था।

'मैं चाहूँगा कि तुम अपना चोगा ओढ़ लो,' डम्बलडोर ने कहा और उन्होंने इंतज़ार किया, जब तक कि हैरी ने उसे ओढ़ नहीं लिया। फिर वे आगे बोले, 'बहुत बढ़िया, तो अब चलें ?'

डम्बलडोर तत्काल पत्थर की सीढ़ियों से नीचे उतरने लगे। उनका यात्री चोगा गर्मी की शांत हवा में बहुत कम लहरा रहा था। अदृश्य चोगे के नीचे हैरी जल्दी-जल्दी उनके साथ चल रहा था। वह अब भी काफ़ी हाँफ रहा था और उसे बहुत पसीना आ रहा था।

'लेकिन लोग क्या सोचेंगे, जब वे आपको यहाँ से जाता हुआ देखेंगे ?' हैरी ने पूछा। उसका दिमाग़ मैल्फ़ॉय और स्नेप पर था।

'यही कि मैं हॉग्समीड में ड्रिंक लेने जा रहा हूँ,' डम्बलडोर ने हल्केपन से कहा। 'मैं ड्रिंक लेने के लिए कई बार रोज़मर्टा के यहाँ या हॉग्स हेड में जाता हूँ ... या ऐसा नज़र आता है। यह अपने सच्चे गंतव्य स्थल को छिपाने का बहुत अच्छा तरीक़ा है।'

वे बढ़ते धुँधलके में ड्राइव के पार निकल गए। गर्म घास, झील के पानी और हैग्रिड के केबिन से निकलते लकड़ी के धुएँ की गंध हवा में भरी थी। यह यक़ीन करना मुश्किल था कि वे किसी ख़तरनाक या डरावने अभियान पर जा रहे थे।

'प्रोफ़ेसर,' हैरी ने धीरे से कहा, जब सड़क के आख़िर में गेट नज़र आया, 'क्या हम अंतर्ध्यान होंगे ?'

'हाँ,' डम्बलडोर ने कहा। 'मेरा मानना है कि अब तुम अंतर्ध्यान हो सकते हो ?'

'हाँ,' हैरी ने कहा, 'लेकिन मेरे पास लाइसेंस नहीं है।'

उसे ईमानदारी सबसे अच्छी नीति लगी। यह भी हो सकता था कि वह जहाँ जाना चाहता था, उससे सौ मील दूर पहुँचकर सब कुछ बिगाड़ दे ?

'कोई बात नहीं,' डम्बलडोर ने कहा। 'मैं एक बार फिर तुम्हारी मदद कर सकता हूँ।'

वे गेट से बाहर निकलकर डूबते सूरज की रोशनी में हॉग्समीड जाने वाली वीरान सड़क की ओर मुड़े। उनके चलते समय अँधेरा तेज़ी से होने लगा। जब तक वे हाई स्ट्रीट पहुँचे, तब तक रात सचमुच होने लगी थी। दुकानों की ऊपर की खिड़कियों में रोशनियाँ झिलमिला रही थीं और जब वे थ्री ब्रूमस्टिक्स के क़रीब पहुँचे, तो उन्हें काफ़ी चिल्लाचोट की आवाज़ें आईं।

'- बाहर निकल जाओ!' मैडम रोज़मर्टा ने एक गंदे दिखने वाले जादूगर को ज़बर्दस्ती बाहर निकालते हुए कहा। 'ओह हैलो, एल्बस ... आप इतनी रात को बाहर कैसे हैं ...'

'गुड ईवनिंग रोज़मर्टा, गुड ईवनिंग ... माफ़ करना, मैं हॉग्स हेड जा रहा हूँ ... बुरा मत मानना, लेकिन आज रात को मुझे थोड़ा शांत माहौल चाहिए ...'

एक मिनट बाद वे उस सड़क पर मुड़ गए, जहाँ हॉग्स हेड का साइनबोर्ड थोड़ा चूँ-चूँ कर रहा था, हालाँकि हवा नहीं चल रही थी। थ्री ब्रूमस्टिक्स के विपरीत यह शराबख़ाना बिलकुल ख़ाली दिख रहा था।

'अंदर जाने की ज़रूरत नहीं है,' डम्बलडोर चारों तरफ़ देखते हुए बुदबुदाए। 'हमें तो सिर्फ़ यहाँ आने का नाटक करना था ... अब तुम अपना हाथ मेरे हाथ पर रखो, हैरी। ज़्यादा कसकर पकड़ने की ज़रूरत नहीं है, मैं सिर्फ़ तुम्हारा मार्गदर्शन कर रहा हूँ। तीन की गिनती पर - एक ... दो ... तीन ...'

हैरी मुड़ा। तत्काल उसे यह भयंकर अनुभूति हुई कि वह रबड़ की एक मोटी ट्यूब में सिकुड़ता जा रहा है। वह साँस नहीं ले सकता था। उसका हर हिस्सा असहनीय ढंग से दबा जा रहा था और जब उसे लगने लगा कि उसका दम घुट जाएगा, तभी अदृश्य बंधन शिथिल हो गए। वह ठंडे अँधेरे में खड़ा हुआ था और ताज़ी नमकीन हवा उसके फेफड़ों में भर रही थी।

अध्याय छब्बीस

गुफा

हैरी को नमक की गंध आ रही थी और लहरों के टकराने की आवाज़ सुनाई दे रही थी। हल्की ठंडी हवा उसके बाल बिखरा रही थी और वह चाँदनी से रोशन समुद्र तथा सितारों से भरे आसमान को देख रहा था। वह अँधेरे में डूबी ऊँची चट्टानों के ऊपर खड़ा था और उसके नीचे पानी का झाग हिलोरें मार रहा था। उसने मुड़कर देखा। पीछे एक बहुत बड़ी चट्टान थी, जो बिलकुल सीधी-सपाट थी। पास की कुछ बड़ी चट्टानें, जिनमें से एक पर हैरी और डम्बलडोर खड़े थे, ऐसी लग रही थीं, जैसे वे अतीत में किसी समय उस विशाल चट्टान से टूटी हों। यह बड़ा भयंकर दृश्य था। समुद्र और चट्टान के आस-पास पेड़-पौधे, घास या रेत नहीं थी।

'तुम्हें क्या लगता है ?' डम्बलडोर ने पूछा। वे हैरी से जैसे उसकी राय पूछ रहे हों कि यह जगह पिकनिक मनाने के लिए अच्छी है या नहीं ?

'वे अनाथालय के बच्चों को पिकनिक मनाने के लिए *यहाँ* लाए थे ?' हैरी ने पूछा, जो इस बात की कल्पना नहीं कर सकता था कि कोई यहाँ पर पिकनिक मनाने के लिए आ सकता है।

'निश्चित रूप से, यहाँ पर तो नहीं,' डम्बलडोर ने कहा। 'हमारे पीछे की चट्टानों से थोड़ी दूरी पर एक तरह का गाँव है। मुझे लगता है कि अनाथों को समुद्र की थोड़ी हवा खिलाने और उठती-गिरती लहरें दिखाने के लिए वहाँ ले जाया गया होगा। मेरे ख़्याल से सिर्फ़ टॉम रिडल और उसके शिकार ही इस जगह पर आए होंगे। मुझे लगता है, कोई मगलू इस चट्टान पर नहीं पहुँच सकता, जब तक कि वह असाधारण पर्वतारोही न हो। नावें चट्टान तक इसलिए नहीं आ सकतीं, क्योंकि इसके आस-पास की लहरें बहुत ख़तरनाक हैं। मैं कल्पना ही कर सकता हूँ कि रिडल कैसे नीचे उतरा होगा। उसे रस्सियों से कहीं ज़्यादा मदद जादू से मिली होगी। और वह अपने साथ दोनों छोटे बच्चों को

भी संभवतः सताने के लिए लाया होगा। मुझे लगता है कि यहाँ तक आते-आते ही वे डर गए होंगे, है ना?'

हैरी ने दोबारा चट्टान को देखा और उसके रोंगटे खड़े हो गए।

'लेकिन उसका - और हमारा - वास्तविक गंतव्य स्थल थोड़ा आगे है। चलो।'

डम्बलडोर ने चट्टान के बिलकुल किनारे की तरफ़ इशारा किया, जहाँ कुछ आले जैसे गड्ढे बने थे, जिन पर पैर रखकर शिलाखंडों से नीचे उतरा जा सकता था। ये शिलाखंड पानी में आधे डूबे हुए थे और चट्टान के ज़्यादा क़रीब थे। यह एक ख़तरनाक ढलान थी। डम्बलडोर को अपने ख़राब हाथ के कारण थोड़ी परेशानी महसूस हो रही थी, इसलिए वे धीरे-धीरे उतरे। निचली चट्टानें समुद्र के पानी के कारण फिसलन भरी थीं। हैरी को अपने चेहरे पर नमक की ठंडी फुहारें पड़ती महसूस हुईं।

चट्टान के सबसे क़रीब वाले शिलाखंड तक पहुँचकर डम्बलडोर बोले, '*प्रकाशित भव*।' सुनहरी रोशनी के हज़ारों प्रतिबिंब कुछ फ़ुट नीचे पानी की काली सतह पर चमकने लगे, जहाँ यह शिलाखंड पड़ा था। उसके पास वाली चट्टान की काली दीवार भी चमकने लगी।

'तुमने देखा?' डम्बलडोर ने धीरे से कहा और अपनी छड़ी को थोड़ा ऊँचा उठाया। हैरी को चट्टान में एक दरार दिख गई, जिसमें पानी घुमड़ रहा था।

'तुम्हें थोड़े गीले होने में तो कोई आपत्ति नहीं है?'

'नहीं,' हैरी ने कहा।

'तो फिर अपना अदृश्य चोगा उतार लो - अब उसकी कोई ज़रूरत नहीं है - चलो, छलाँग लगाते हैं।'

और अचानक किसी युवक जितनी फ़ुर्ती से डम्बलडोर शिलाखंड से फिसले और समुद्र में पहुँचकर तैरने लगे। वे चट्टान की अँधेरी दरार की तरफ़ तैर रहे थे और उनकी प्रकाशित छड़ी दाँतों में दबी हुई थी। हैरी ने अपना चोगा उतारकर जेब में रख लिया और उनके पीछे-पीछे तैरने लगा।

पानी बर्फ़ीला था। पानी से लथपथ कपड़े हैरी के चारों तरफ़ फैलकर उसे नीचे खींचने लगे। उसने गहरी साँसें लीं, जिससे उसके नथुनों में नमक और शैवाल की बदबू भर गई। वह उस चमकती, सिकुड़ती रोशनी की तरफ़ जा रहा था, जो अब चट्टान में ज़्यादा अंदर जाती जा रही थी।

दरार जल्दी ही एक अँधेरी सुरंग में खुली। हैरी जानता था कि ज्वार

आने पर यहाँ पानी भर जाता होगा। चिपचिपी दीवारें मुश्किल से तीन फ़ुट दूर होंगी और वे डम्बलडोर की छड़ी की हिलती रोशनी में गीले डामर की तरह चमक रही थीं। थोड़ी अंदर जाकर गलियारा बाईं तरफ़ घूम गया। हैरी ने देखा कि वह गलियारा चट्टान में अंदर तक गया है। वह लगातार डम्बलडोर के पीछे-पीछे तैरता रहा, जबकि उसकी सुन्न उँगलियाँ खुरदुरी, गीली चट्टान से टकराती रहीं।

फिर उसने देखा कि आगे डम्बलडोर पानी में से बाहर निकल रहे थे। उनके चाँदी जैसे बाल और गहरे रंग के दुशाले चमक रहे थे। जब हैरी भी उस जगह पर पहुँचा, तो उसे सीढ़ियाँ मिलीं, जो एक बड़ी गुफा तक जा रही थीं। वह उन सीढ़ियों पर चढ़ा। पानी उसके गीले कपड़ों से बह रहा था और वह ठहरी हुई सी ठंडी हवा में काँपता हुआ बाहर निकला।

डम्बलडोर गुफा के बीचोबीच खड़े थे। उनकी छड़ी उठी हुई थी और वे उसे धीरे-धीरे घुमाकर दीवारों तथा छत की जाँच कर रहे थे।

'हाँ, यही वह जगह है।'

'आपको कैसे मालूम?' हैरी ने फुसफुसाकर पूछा।

'यहाँ जादू हो चुका है,' डम्बलडोर ने कहा।

हैरी को पता नहीं था कि उसे जो कँपकँपी आ रही थी, वह ठंड के कारण थी या फिर जादू की उपस्थिति के कारण। वह देखता रहा, जब डम्बलडोर उसी जगह पर घूमे। वे स्पष्ट रूप से ऐसी बातों पर ध्यान एकाग्र कर रहे थे, जिन्हें हैरी नहीं देख सकता था।

'यह सिर्फ़ प्रवेश द्वार है,' डम्बलडोर ने एक-दो पल बाद कहा। 'हमें अंदर वाली जगह तक पहुँचना होगा ... अब प्रकृति की नहीं, बल्कि लॉर्ड वोल्डेमॉर्ट की बाधाएँ हमारा रास्ता रोकेंगी ...'

डम्बलडोर गुफा की दीवार के पास पहुँचे और अपनी काली हो चुकी उँगलियों के पोर दीवार पर फेरे। उन्होंने एक अजीब भाषा में कुछ शब्द बुदबुदाए, जिन्हें हैरी नहीं समझ पाया। दो बार डम्बलडोर ने गुफा में चारों तरफ़ चक्कर लगाया और खुरदुरी चट्टान को जितना ज़्यादा छू सकते थे, छुआ। वे बीच-बीच में ठहर जाते थे और किसी ख़ास जगह पर आगे-पीछे अपनी उँगलियाँ फेरते थे, जब तक कि आख़िरकार वे रुक नहीं गए। उनका हाथ दीवार पर सीधा रखा था।

'यह रहा,' उन्होंने कहा। 'हम यहाँ से अंदर चलेंगे। प्रवेश द्वार छिपा हुआ है।'

हैरी ने यह नहीं पूछा कि यह बात डम्बलडोर को कैसे पता है। उसने कभी किसी जादूगर को इस तरह काम करते नहीं देखा था – सिर्फ़ देखने और छूने से। लेकिन हैरी काफ़ी पहले जान चुका था कि धमाके और विस्फोट विशेषज्ञों के बजाय नौसिखियों की निशानी होते हैं।

डम्बलडोर गुफा की दीवार से थोड़ा पीछे हटे और अपनी छड़ी चट्टान की तरफ़ की। एक पल के लिए वहाँ एक मेहराबदार आकृति उभरी और सफ़ेद चमकने लगी, जैसे दरार के पीछे तेज़ रोशनी हो।

'आपने दरवाज़ा खोल लिया!' हैरी ने दाँत किटकिटाते हुए कहा, लेकिन शब्द उसके होंठों से बाहर निकल पाएँ, इससे पहले ही दरार बंद हो गई। चट्टान अब पहले की तरह ही ठोस हो गई थी। डम्बलडोर ने मुड़कर देखा।

'हैरी, मुझे अफ़सोस है, मैं भूल गया था,' यह कहते हुए उन्होंने अपनी छड़ी हैरी की तरफ़ की। हैरी के कपड़े फ़ौरन गर्म होकर इस तरह सूख गए, जैसे वे धधकती हुई आग के सामने लटके हों।

'धन्यवाद,' हैरी ने कहा, लेकिन डम्बलडोर तब तक अपना ध्यान दोबारा गुफा की ठोस दीवार पर केंद्रित कर चुके थे। उन्होंने जादू करने की और कोशिश नहीं की, बल्कि उसकी तरफ़ एकाग्रता से घूरते रहे, जैसे उस पर कोई बहुत ही दिलचस्प चीज़ लिखी हो। हैरी बिलकुल स्थिर खड़ा रहा। वह डम्बलडोर की एकाग्रता भंग नहीं करना चाहता था।

फिर दो मिनट बाद डम्बलडोर ने कहा, 'ओह नहीं। इतना बचकाना!'

'क्या हुआ, प्रोफ़ेसर ?'

डम्बलडोर ने अपना सही-सलामत हाथ दुशाले के भीतर डालकर चाँदी का एक छोटा चाकू बाहर निकाला, जिस तरह के चाकू से हैरी काढ़ों की सामग्री काटता था। फिर डम्बलडोर बोले, 'मुझे लगता है कि हमें गुज़रने की क़ीमत चुकानी होगी।'

'क़ीमत ?' हैरी ने कहा। 'हमें दरवाज़े को कुछ देना होगा ?'

'हाँ,' डम्बलडोर ने कहा। 'अगर मैं ग़लत नहीं हूँ, तो ख़ून।'

'ख़ून ?'

'मैंने कहा ना, यह बचकाना है,' डम्बलडोर ने कहा, जिनकी आवाज़ में हिक़ारत झलक रही थी। वे निराश लग रहे थे, जैसे वोल्डेमॉर्ट उनकी उम्मीदों से कहीं कम उतरा हो। 'मुझे यक़ीन है कि इसके पीछे यह विचार है कि अंदर घुसने से पहले दुश्मन ख़ुद को कमज़ोर कर ले। एक बार फिर लॉर्ड वोल्डेमॉर्ट यह बात

नहीं समझ पाया कि शारीरिक चोट से भी ज़्यादा भयंकर चीज़ें होती हैं।'

'हाँ, लेकिन फिर भी, अगर इससे बचा जा सकता हो ...' हैरी ने कहा, जो इतना ज़्यादा दर्द झेल चुका था कि अब और दर्द झेलने के लिए उत्सुक नहीं था।

'बहरहाल, कई बार इससे नहीं बचा जा सकता है,' डम्बलडोर ने कहा और अपने दुशाले की आस्तीन को हल्का सा झटका देकर अपने घायल हाथ की बाँह को खोल दिया।

'प्रोफ़ेसर!' हैरी ने प्रतिरोध किया और जल्दी से आगे आ गया, जब डम्बलडोर ने अपना चाकू उठाया। 'यह काम मैं करूँगा, मैं –'

वह नहीं जानता था कि वह क्या कहे – ज़्यादा युवा हूँ या ज़्यादा चुस्त हूँ ? लेकिन डम्बलडोर बस मुस्करा दिए। चाँदी की एक चमक हुई और लाल रंग की फुहार छूटी। चट्टान पर गहरे रंग की चमकती बूँदें दिखने लगीं।

'तुमने बहुत उदारता से मदद का प्रस्ताव रखा, हैरी,' डम्बलडोर ने कहा। वे अब अपनी छड़ी की नोक उस गहरे घाव पर फेर रहे थे, जो उन्होंने अपनी बाँह में किया था। घाव तत्काल ठीक हो गया, जिस तरह स्नेप ने मैल्फ़ॉय के घावों को ठीक किया था। डम्बलडोर आगे बोले, 'लेकिन तुम्हारा ख़ून मेरे ख़ून से ज़्यादा क़ीमती है। ओह, इससे काम हो गया, है ना ?'

एक बार फिर दीवार में मेहराबदार आकृति उभर आई और इस बार यह ओझल नहीं हुई। इसके भीतर की ख़ून से सनी चट्टान ग़ायब हो गई और एक ख़ाली जगह छोड़ गई, जहाँ घुप्प अँधेरा दिख रहा था।

'मुझे लगता है कि पहले मुझे जाना चाहिए,' डम्बलडोर ने कहा और वे मेहराबदार रास्ते से अंदर चल दिए। हैरी उनके पीछे चल रहा था और उसने अपनी छड़ी भी तेज़ी से जला ली थी।

उनकी आँखों के सामने एक अजीब दृश्य था। वे एक बड़ी काली झील के किनारे पर खड़े थे। यह झील इतनी बड़ी थी कि हैरी को दूर वाला सिरा दिखाई नहीं दे रहा था। गुफा इतनी ऊँची थी कि छत भी नज़र नहीं आ रही थी। झील के बीच धुंध भरी हरी रोशनी चमक रही थी। यह स्थिर पानी में प्रतिबिंबित हो रही थी। हरी चमक और दो छड़ियों की रोशनियाँ ही मख़मली कालेपन को तोड़ रही थीं, हालाँकि उनकी किरणें उतनी दूर तक नहीं जा रही थीं, जितनी हैरी को उम्मीद थी। यहाँ का अँधेरा सामान्य से ज़्यादा घना लग रहा था।

'चलो, चलते हैं,' डम्बलडोर ने धीरे से कहा। 'सावधान रहना, पानी में पैर न चला जाए। मेरे क़रीब ही रहना।'

वे झील के किनारे-किनारे चलने लगे। हैरी डम्बलडोर के ठीक पीछे चल रहा था। उनके क़दमों की आहट पानी को घेरने वाली चट्टानों के सँकरे किनारों पर गूँज रही थी। वे आगे चलते रहे, लेकिन दृश्य में कोई अंतर नहीं आया। उनके एक तरफ़ गुफा की खुरदुरी दीवार थी और दूसरी तरफ़ चिकना, काँच जैसा कालापन था, जिसके ठीक बीच से रहस्यमयी हरी चमक आ रही थी। हैरी को यह जगह और ख़ामोशी थोड़ी डरावनी लगी।

उसने आख़िरकार पूछा, 'प्रोफ़ेसर, क्या आपको लगता है कि होरक्रक्स यहीं है?'

'ओह हाँ,' डम्बलडोर ने कहा। 'हाँ, मुझे यक़ीन है कि वह यहीं है। सवाल यह है कि हम उस तक कैसे पहुँचें?'

हैरी बोला, 'क्या हम आगमन सम्मोहन का प्रयोग नहीं कर सकते?' उसे लग रहा था कि यह सुझाव मूर्खतापूर्ण था, लेकिन वह यहाँ से जल्दी से जल्दी बाहर निकलने के लिए उतावला था।

'निश्चित रूप से हम कर सकते हैं,' डम्बलडोर ने कहा और अचानक रुक गए, जिस वजह से हैरी उनसे टकराते-टकराते बचा। 'तुम इसे करके क्यों नहीं देख लेते?'

'मैं? ओह ... **ठीक है** ...'

हैरी को इसकी उम्मीद नहीं थी, लेकिन उसने अपना गला साफ़ किया और अपनी छड़ी उठाकर ज़ोर से बोला, *'आगमनो होरक्रक्स!'*

विस्फोट जैसी आवाज़ के साथ कोई बहुत बड़ी और पीली चीज़ बीस फ़ुट दूर काले पानी से बाहर निकली, लेकिन हैरी उसे ठीक से देख पाता, इससे पहले ही वह धमाकेदार छपाक के साथ दोबारा पानी के भीतर चली गई, जिससे आईने जैसी सतह पर बड़ी-बड़ी लहरें उठने लगीं। हैरी सदमे में पीछे की तरफ़ उछला और दीवार से टकराया। जब वह डम्बलडोर की तरफ़ मुड़ा, तब भी उसका दिल तेज़ी से धड़क रहा था।

'वह क्या था?'

'मुझे लगता है कि अगर हम होरक्रक्स को पकड़ने की कोशिश करेंगे, तो वही चीज़ हम पर हमला करेगी।'

हैरी ने पानी की तरफ़ देखा। झील की सतह एक बार फिर काले काँच की तरह चमक रही थी। लहरें अस्वाभाविक तेज़ी से ग़ायब हो गई थीं। बहरहाल, हैरी का दिल अब भी तेज़ी से धड़क रहा था।

'आपको क्या लगता था कि क्या होगा, सर?'

'मुझे लगता था कि अगर हम होरक्रक्स पर क़ब्ज़ा करने की कोई स्पष्ट कोशिश करेंगे, तो *कुछ न कुछ* होगा। हैरी, यह बहुत बढ़िया विचार था। यह पता लगाने का यह सबसे आसान तरीक़ा था कि हमारा सामना किससे है।'

हैरी ने पानी की तरफ़ देखते हुए कहा, 'लेकिन हम यह नहीं जानते हैं कि वह कौन सी चीज़ थी?'

'तुम्हारा मतलब है, *वे कौन सी चीज़ें हैं,*' डम्बलडोर ने कहा। 'मुझे नहीं लगता कि वहाँ सिर्फ़ एक ही चीज़ है। आगे चलें?'

'प्रोफ़ेसर?'

'हाँ, हैरी?'

'क्या आपको लगता है कि हमें झील के पानी के अंदर जाना होगा?'

'अंदर? सिर्फ़ तभी, जब हम बहुत दुर्भाग्यशाली हों?'

'आपको यह तो नहीं लगता कि होरक्रक्स तलहटी में है?'

'ओह नहीं ... मुझे लगता है कि होरक्रक्स *बीच में* है।'

और यह कहते हुए डम्बलडोर ने झील के बीच की धुंध भरी हरी रोशनी की तरफ़ इशारा कर दिया।

'तो हमें उस तक पहुँचने के लिए झील को पार करना होगा?'

'हाँ, मुझे ऐसा ही लगता है।'

हैरी ने कुछ नहीं कहा। उसके विचारों में जलराक्षस, दैत्याकार सर्प, राक्षस, केल्पीज़ और भूत आ गए ...

'अहा,' डम्बलडोर ने कहा और वे अचानक रुक गए। इस बार हैरी सचमुच उनसे टकरा गया। एक पल के लिए वह काले पानी के किनारे पर लड़खड़ा गया और डम्बलडोर का सही-सलामत हाथ उसकी ऊपरी बाँह पर कस गया। उन्होंने उसे दोबारा खींच लिया। 'माफ़ करना हैरी, मुझे चेतावनी दे देनी चाहिए थी। पीछे हटकर दीवार से टिककर खड़े हो जाओ। मुझे लगता है कि मुझे जगह मिल गई है।'

हैरी को ज़रा भी पता नहीं था कि डम्बलडोर का क्या मतलब था। काले किनारे का यह टुकड़ा भी बाक़ी जगह की तरह दिख रहा था, लेकिन लगता था, डम्बलडोर को इसके बारे में कोई ख़ास चीज़ पता चल गई थी। इस बार वे अपना हाथ चट्टानी दीवार पर नहीं फेर रहे थे, बल्कि हवा में चला रहे थे, जैसे किसी अदृश्य चीज़ को खोजकर पकड़ना चाहते हों।

'ओहो,' डम्बलडोर ने कुछ सेकंड बाद ख़ुश होकर कहा। उनका हाथ बीच

हवा में किसी चीज़ पर कस गया था, जिसे हैरी देख नहीं पाया। डम्बलडोर पानी के क़रीब गए। हैरी ने घबराकर देखा, जब डम्बलडोर के बकल वाले जूतों की नोक चट्टान के बिलकुल सिरे तक पहुँच गई। अपने हाथ को बीच हवा में जकड़े हुए डम्बलडोर ने दूसरे हाथ से छड़ी उठाई और उसकी नोक से अपनी मुट्ठी ठोंक दी।

तत्काल ताँबे जैसे हरे रंग की एक मोटी जंज़ीर हवा से प्रकट हो गई, जो डम्बलडोर के जकड़े हुए हाथ से पानी की गहराई तक जा रही थी। डम्बलडोर ने जंज़ीर को ठोंका। वह उनकी मुट्ठी से साँप की तरह फिसलने लगी और छन्न की आवाज़ से ज़मीन पर कुंडली बनाने लगी। जंज़ीर की आवाज़ चट्टानी दीवारों से टकराकर तेज़ी से गूँज रही थी और काले पानी की गहराई से कोई चीज़ खींच रही थी। जब एक छोटी नाव सतह से निकल आई, तो हैरी की आह निकल गई। यह भी जंज़ीर की तरह हरी थी और बिना लहरें उठाए किनारे पर उस जगह की तरफ़ तैर रही थी, जहाँ हैरी और डम्बलडोर खड़े थे।

'आप कैसे जानते थे कि जंज़ीर यहाँ है?' हैरी ने हैरानी से पूछा।

'जादू हमेशा निशान छोड़ जाता है,' डम्बलडोर ने कहा, जब नाव किनारे से हल्के झटके से टकराई, 'कई बार बहुत ही स्पष्ट निशान। मैंने टॉम रिडल को पढ़ाया है। मैं उसकी शैली जानता हूँ।'

'क्या ... क्या यह नाव सुरक्षित है?'

'ओह हाँ, मुझे तो ऐसा ही लगता है। वोल्डेमॉर्ट को झील पार करने के लिए किसी साधन की ज़रूरत थी, ताकि उसने इसके भीतर जो प्राणी छोड़े हैं, उनका ग़ुस्सा जगाए बिना वह वहाँ तक पहुँच सके। ऐसा इसलिए, क्योंकि हो सकता था उसे कभी अपने होरक्रक्स तक पहुँचने या उसे हटाने की ज़रूरत महसूस हो।'

'यानी अगर हम वोल्डेमॉर्ट की नाव में रहेंगे, तो पानी में रखी चीज़ें हमें कुछ नहीं करेंगी?'

'मुझे लगता है कि हमें इस बात के लिए तैयार रहना होगा कि किसी समय उन्हें यह एहसास हो जाएगा कि हम लॉर्ड वोल्डेमॉर्ट नहीं हैं। बहरहाल, अभी तक हमने अच्छी तरह काम किया है। उन्होंने हमें नाव निकालने की इजाज़त दे दी है।'

'लेकिन उन्होंने हमें इजाज़त क्यों दे दी?' हैरी ने पूछा, जो यह कल्पना कर रहा था कि जिस पल वे किनारे से दूर पहुँच जाएँगे, अँधेरे पानी में से निकलते जंतु उन्हें पकड़ लेंगे।

'वोल्डेमॉर्ट को यह विश्वास होगा कि कोई बहुत बड़ा जादूगर ही नाव खोज सकता है,' डम्बलडोर ने कहा। 'मुझे लगता है कि वह यह जोखिम लेने को तैयार होगा। उसे इस बात की बहुत कम संभावना लगती होगी कि कोई इसे खोज लेगा। इसके अलावा वह जानता होगा कि उसने आगे कई और बाधाएँ खड़ी की हैं, जिन्हें सिर्फ़ वही पार कर सकता है। हम देखेंगे कि क्या उसका अंदाज़ा सही था?'

हैरी ने नाव की तरफ़ देखा। यह सचमुच बहुत छोटी थी।

'ऐसा लगता है कि यह दो लोगों के लिए नहीं बनी है। क्या यह हम दोनों को ले जा पाएगी? क्या हम दोनों का वज़न ज़्यादा होगा?'

डम्बलडोर हँस दिए।

'वोल्डेमॉर्ट को वज़न की परवाह नहीं होगी, बल्कि झील के पार जाने वाली जादुई शक्ति की मात्रा की परवाह होगी। मुझे लगता है कि इस नाव पर सम्मोहन किया गया होगा, ताकि एक बार में एक ही जादूगर इसमें जा पाए।'

'लेकिन तब तो – ?'

'मुझे नहीं लगता कि तुम्हें गिना जाएगा, हैरी। तुम अब भी नाबालिग़ हो और पूर्ण जादूगर नहीं हो। वोल्डेमॉर्ट कभी सोलह साल के लड़के के यहाँ पहुँचने की उम्मीद नहीं कर रहा होगा। मुझे यह संभव नहीं लगता है कि मेरी तुलना में तुम्हारी शक्तियाँ दर्ज़ हो पाएँगी।'

इन शब्दों से हैरी का मनोबल ज़्यादा नहीं बढ़ा। शायद डम्बलडोर यह बात समझ गए, क्योंकि उन्होंने आगे कहा, 'वोल्डेमॉर्ट की ग़लती, हैरी, वोल्डेमॉर्ट की ग़लती ... बूढ़े लोग मूर्ख होते हैं, जब वे जवानी को नज़रअंदाज़ कर देते हैं ... अब, इस बार पहले तुम जाओ। ध्यान रखना, पानी को मत छूना।'

डम्बलडोर एक तरफ़ खड़े हो गए और हैरी सावधानीपूर्वक नाव में चढ़ गया। डम्बलडोर भी चढ़ गए और ज़मीन पर जंज़ीर की कुंडली बना दी। वे अब एक साथ ठस चुके थे। हैरी आराम से नहीं, बल्कि उकड़ूँ बैठा था। उसके घुटने नाव के कोनों के ऊपर थे। नाव तत्काल चलने लगी। नाव के पानी चीरने की हल्की आवाज़ के अलावा कोई आवाज़ नहीं हो रही थी। नाव उनकी मदद के बिना चल रही थी, जैसे कोई अदृश्य रस्सी उसे केंद्र की रोशनी की तरफ़ खींच रही हो। जल्दी ही उन्हें गुफा की दीवारें दिखना बंद हो गईं। ऐसा लग रहा था, जैसे वे समुद्र में हों। अंतर सिर्फ़ इतना था कि एक भी लहर नहीं दिख रही थी।

हैरी ने नीचे देखा और पाया कि उसकी छड़ी की रोशनी काले पानी पर सुनहरी चमक छोड़ रही थी। नाव काँच जैसी सतह पर गहरे निशान बना रही

थी, जो काले शीशे की दरारों जैसे दिख रहे थे ...

और फिर हैरी ने सतह से कुछ इंच नीचे संगमरमर जैसी कोई सफ़ेद चीज़ देख ली।

'प्रोफ़ेसर!' उसने कहा और उसकी हैरान आवाज़ ख़ामोश पानी के ऊपर ज़ोर से गूँजने लगी।

'हैरी?'

'मुझे लगता है कि मैंने पानी में एक हाथ देखा था – किसी इंसान का हाथ!'

'हाँ, मुझे यक़ीन है कि तुमने देखा होगा,' डम्बलडोर ने शांति से कहा।

हैरी ने नीचे पानी में घूरा और ओझल हो गए हाथ की तलाश की। उसके गले में मतली जैसी उठने लगी।

'तो वह चीज़, जो पानी में से बाहर उछली थी – ?'

लेकिन डम्बलडोर के जवाब देने से पहले ही हैरी को अपना जवाब मिल गया। छड़ी की रोशनी पानी की आगे की सतह पर पड़ी और वहाँ हैरी को इस बार सतह से कुछ इंच नीचे एक लाश दिखी, जिसका सिर ऊपर की तरफ़ था। उसकी खुली आँखें इस तरह धुंध भरी थीं, जैसे उनमें जाले लगे हों। उसके बाल और दुशाले धुएँ की तरह उसके चारों तरफ़ घुमड़ रहे थे।

'यहाँ पर तो लाशें हैं!' हैरी ने कहा और उसकी आवाज़ सामान्य से ज़्यादा ऊँची हो गई। यह उसकी आवाज़ लग ही नहीं रही थी।

'हाँ,' डम्बलडोर ने कहा, 'लेकिन इस वक़्त हमें उनकी चिंता करने की ज़रूरत नहीं है।'

'इस वक़्त?' हैरी ने दोहराया और पानी पर से निगाह हटाकर डम्बलडोर की तरफ़ देखा।

'तब तक नहीं, जब तक वे हमारे नीचे शांति से सिर्फ़ तैर रही हैं,' डम्बलडोर ने कहा। 'हैरी, लाश से डरने की कोई ज़रूरत नहीं है, जिस तरह अँधेरे से डरने की ज़रूरत नहीं है। ज़ाहिर है, लॉर्ड वोल्डेमॉर्ट गुप्त रूप से दोनों से डरता है, इसलिए वह इस बात से सहमत नहीं है। लेकिन एक बार फिर इससे उसकी कमअक़्ली का पता चलता है। अँधेरे और मौत को देखते समय हम अनजान चीज़ों से डरते हैं, इससे ज़्यादा कुछ नहीं है।'

हैरी कुछ नहीं बोला। वह बहस नहीं करना चाहता था, लेकिन उसे यह विचार भयंकर लगा कि उनके चारों तरफ़ पानी के नीचे लाशें तैर रही थीं। उसे तो यह यक़ीन भी नहीं था कि वे ख़तरनाक नहीं थीं।

'लेकिन उनमें से एक उछली थी,' उसने अपनी आवाज़ डम्बलडोर जितनी शांत और स्थिर रखने की कोशिश करते हुए कहा। 'जब मैंने होरक्रक्स को बुलाने की कोशिश की थी, तो क्या झील में से लाश उछली थी!'

'हाँ,' डम्बलडोर ने कहा। 'मुझे यक़ीन है कि जब हम होरक्रक्स उठा लेंगे, तो वे इतनी शांत नहीं रहेंगी। बहरहाल, ठंड और अँधेरे में रहने वाले कई प्राणियों की तरह ही वे भी रोशनी और गर्मी से डरती हैं। अगर ज़रूरत पड़ी, तो हम रोशनी और गर्मी को अपनी सहायता के लिए बुला लेंगे। आग जला लेंगे, हैरी,' हैरी को चकराते देखकर डम्बलडोर ने मुस्कराते हुए कहा।

'ओह ... ठीक है ...' हैरी ने तुरंत कहा। उसने अपना सिर उस हरी रोशनी की तरफ़ देखने के लिए घुमाया, जिसकी तरफ़ नाव अब भी लगातार चल रही थी। अब वह यह नाटक नहीं कर सकता था कि उसे डर नहीं लग रहा था। बड़ी काली झील, जिसमें लाशें भरी थीं ... यह कई घंटों पहले की बात लग रही थी, जब वह प्रोफ़ेसर ट्रिलोनी से मिला था, जब उसने रॉन और हर्माइनी को ख़ुशक़िस्मती काढ़ा दिया था ... अचानक वह सोचने लगा कि काश उसने उनसे ज़्यादा अच्छी तरह से विदा ली होती ... और वह जिनी को तो देख भी नहीं पाया था ...

'लगभग पहुँच ही गए,' डम्बलडोर ने प्रसन्नतापूर्वक कहा।

निश्चित रूप से अब हरी रोशनी ज़्यादा बड़ी होती जा रही थी। कुछ मिनटों के भीतर नाव रुक गई तथा धीरे से किसी चीज़ से टकराई, जिसे हैरी पहले तो नहीं देख पाया, लेकिन जब उसने अपनी प्रकाशित छड़ी उठाई, तो देखा कि वे झील के बीच में चिकनी चट्टान वाले छोटे टापू पर पहुँच चुके थे।

जब हैरी नाव से उतरने लगा, तो डम्बलडोर ने एक बार फिर कहा, 'ध्यान रखना, पानी को मत छूना।'

टापू डम्बलडोर के ऑफ़िस से ज़्यादा बड़ा नहीं था : यह समतल काले पत्थर का बड़ा टुकड़ा था, जिस पर कुछ नहीं था, लेकिन वहाँ से हरी रोशनी निकल रही थी, जो पास से ज़्यादा चमकीली दिख रही थी। हैरी ने उसकी तरफ़ घूरा। पहले तो उसने सोचा कि यह किसी तरह की लालटेन होगी, लेकिन फिर उसने देखा कि रोशनी स्मृति पात्र जैसे किसी पत्थर के पात्र से निकल रही थी, जो एक चौकी के ऊपर रखा हुआ था।

डम्बलडोर पात्र के पास जाने लगे और हैरी पीछे-पीछे चल दिया। पास जाकर उन्होंने उसमें देखा। पात्र में हरा द्रव भरा था, जिसमें से चमकदार रोशनी निकल रही थी।

'यह क्या है?' हैरी ने धीरे से पूछा।

डम्बलडोर ने कहा, 'मुझे नहीं मालूम! बहरहाल, यह ख़ून और लाशों से ज़्यादा चिंताजनक है।'

डम्बलडोर ने अपने काले हो चुके हाथ के ऊपर से दुशाले की आस्तीन पीछे सरकाई और अपनी जली हुई उँगलियों के पोर काढ़े की सतह की तरफ़ बढ़ाए।

'सर, छूना मत -!'

'मैं छू भी नहीं सकता हूँ,' डम्बलडोर ने कहा और हल्के से मुस्कराए। 'देखा? मैं इससे ज़्यादा क़रीब नहीं पहुँच सकता। तुम कोशिश करके देखो।'

हैरी ने घूरते हुए अपना हाथ पात्र में डाला और काढ़े को छूने की कोशिश की। उसके हाथ के सामने एक अदृश्य दीवार आ गई, जिसने उसे एक इंच दूर रोक दिया। उसने पूरा ज़ोर लगाया, लेकिन उसकी उँगलियों को ठोस और कठोर हवा के सिवाय कुछ नहीं मिला।

'हैरी, रास्ते से हट जाओ,' डम्बलडोर ने कहा।

उन्होंने अपनी छड़ी उठाई और काढ़े की सतह के ऊपर जटिल गतिविधियाँ कीं। वे बिना आवाज़ किए बुदबुदाते रहे। कुछ भी नहीं हुआ, बस शायद काढ़े से ज़्यादा तेज़ चमक आने लगी। डम्बलडोर के काम करते समय हैरी ख़ामोश बना रहा, लेकिन कुछ समय बाद डम्बलडोर ने अपनी छड़ी हटा ली और हैरी को लगा कि अब बात की जा सकती है।

'सर, आपको लगता है कि होरक्रक्स इसके अंदर है?'

'ओह हाँ।' डम्बलडोर ने पात्र में और क़रीब से झाँका। हैरी ने देखा कि हरे काढ़े की चमकीली सतह पर उनका चेहरा प्रतिबिंबित हो रहा था। 'लेकिन इस तक पहुँचा कैसे जाए? इस काढ़े को हाथ से छुआ नहीं जा सकता। इसे अलग नहीं किया जा सकता, इसे ग़ायब नहीं किया जा सकता, इस पर सम्मोहन नहीं किया जा सकता, इसे रूपांतरित नहीं किया जा सकता, इसकी प्रकृति में किसी तरह का कोई परिवर्तन नहीं किया जा सकता।'

लगभग बेख़्याली में डम्बलडोर ने अपनी छड़ी दोबारा उठाई, उसे एक बार हवा में घुमाया और फिर काँच के एक गिलास को पकड़ लिया, जिसे उन्होंने हवा से उत्पन्न किया था।

'मैं सिर्फ़ इसी नतीजे पर पहुँच सकता हूँ कि इस काढ़े को पिया जाना है।'

'क्या?' हैरी ने कहा। 'नहीं!'

'हाँ, मुझे ऐसा ही लगता है : सिर्फ़ इसे पीकर ही मैं पात्र ख़ाली कर सकता हूँ और देख सकता हूँ कि इसके नीचे क्या है?'

'लेकिन अगर – अगर यह आपकी जान ले ले?'

'ओह, मुझे नहीं लगता कि ऐसा कुछ होगा,' डम्बलडोर ने आसानी से कहा। 'लॉर्ड वोल्डेमॉर्ट इस टापू तक पहुँचने वाले व्यक्ति को मारना नहीं चाहेगा।'

हैरी को इस पर यक़ीन नहीं हो रहा था। क्या डम्बलडोर हर बात में अच्छाई देखने के मामले में पागलपन की हद तक पहुँच चुके थे?

'सर,' हैरी ने अपनी आवाज़ को तर्कपूर्ण रखने की कोशिश करते हुए कहा, 'सर, हम लोग *वोल्डेमॉर्ट* के बारे में बात कर रहे हैं –'

'मुझे अफ़सोस है, हैरी, मुझे यह कहना चाहिए था कि वह इस टापू पर पहुँचने वाले व्यक्ति को *तत्काल* नहीं मारना चाहेगा,' डम्बलडोर ने अपनी बात सुधारते हुए कहा। 'वह उसे इतने समय तक ज़िंदा रखेगा, ताकि यह पता लगा सके कि वह उसकी सुरक्षा को भेदने में कैसे सफल हुआ था और सबसे महत्वपूर्ण बात यह है कि वह पात्र को ख़ाली करने के लिए कृतसंकल्प क्यों था। यह मत भूलो कि लॉर्ड वोल्डेमॉर्ट मानता है कि सिर्फ़ उसी को उसके होरक्रक्सों की जानकारी है।'

हैरी दोबारा बोलने को हुआ, लेकिन इस बार डम्बलडोर ने अपना हाथ उठाकर उसे ख़ामोश कर दिया और हरे द्रव की तरफ़ त्योरियाँ चढ़ाकर देखा। यह स्पष्ट था कि वे बड़े ध्यान से कुछ सोच रहे थे।

उन्होंने आख़िरकार कहा, 'बेशक यह काढ़ा इस तरह से काम करेगा, जिससे मैं होरक्रक्स तक न पहुँच पाऊँ। हो सकता है, इससे मुझे लक़वा मार जाए, मैं भूल जाऊँ कि मैं यहाँ पर किसलिए आया हूँ, इससे इतना ज़्यादा दर्द होने लगे कि मेरा ध्यान भटक जाए या मैं किसी और तरीक़े से अक्षम हो जाऊँ। हैरी, चूँकि ऐसी परिस्थिति आ सकती है, इसलिए यह सुनिश्चित करना तुम्हारा काम रहेगा कि मैं लगातार पीता रहूँ, भले ही तुम्हें काढ़े को मेरे मुँह में ज़बर्दस्ती डालना पड़े। तुम समझ गए?'

उनकी आँखें पात्र के ऊपर मिलीं। दोनों के पीले चेहरों पर अजीब सी हरी रोशनी थी। हैरी कुछ नहीं बोला। क्या उसे इसीलिए साथ लाया गया था – ताकि वह डम्बलडोर को ज़बर्दस्ती एक ऐसा काढ़ा पिला सके, जिससे उन्हें असहनीय दर्द हो सकता है?

'तुम्हें याद है,' डम्बलडोर ने कहा, 'मैं तुम्हें किस शर्त पर अपने साथ

लाया हूँ ?'

हैरी झिझका, फिर उसने उन नीली आँखों में देखा, जो पात्र की रोशनी के कारण हरी हो गई थीं।

'लेकिन अगर – ?'

'तुमने क़सम खाई थी, है ना, कि मैं तुम्हें जो आदेश दूँगा, तुम उसका पालन करोगे ?'

'हाँ, लेकिन –'

'मैंने तुम्हें चेतावनी दी थी कि ख़तरा हो सकता है, है ना ?'

'हाँ,' हैरी बोला, 'लेकिन –'

'अच्छा तो,' डम्बलडोर ने अपनी आस्तीन एक बार फिर हिलाते हुए और ख़ाली गिलास उठाते हुए कहा, 'तो मैं तुम्हें आदेश देता हूँ।'

हैरी ने हताशा में पूछा, 'आपके बजाय मैं काढ़ा क्यों नहीं पी सकता ?'

'क्योंकि मैं ज़्यादा बूढ़ा, ज़्यादा चतुर और कम मूल्यवान हूँ,' डम्बलडोर ने कहा। 'आख़िरी बार पूछ रहा हूँ, हैरी, क्या तुम यह वादा करते हो कि तुम मुझे इसे पिलाते रहने की पूरी कोशिश करोगे ?'

'क्या – ?'

'क्या तुम वादा करते हो ?'

'लेकिन –'

'वादा करो, हैरी।'

'मैं – ठीक है, लेकिन –'

इससे पहले कि हैरी आगे कोई विरोध कर पाए, डम्बलडोर ने काँच का गिलास काढ़े में डुबा दिया। एक पल के लिए हैरी ने आशा की कि वे गिलास से काढ़े को नहीं छू पाएँगे, लेकिन काँच का गिलास सतह के नीचे चला गया, जिस तरह कोई चीज़ नहीं जा पाई थी। जब गिलास पूरी तरह भर गया, तो डम्बलडोर ने उसे अपने मुँह से लगा दिया।

'तुम्हारी सेहत के नाम पर, हैरी।'

उन्होंने पूरा गिलास ख़ाली कर दिया। हैरी ने दहशत से देखा कि उसके हाथ पात्र की किनारी को इतनी कसकर पकड़े हुए थे कि उसकी उँगलियाँ सुन्न हो गई थीं।

'प्रोफ़ेसर ?' उसने चिंता के साथ पूछा, जब डम्बलडोर ने ख़ाली गिलास को नीचे किया। 'आपको कैसा लग रहा है ?'

डम्बलडोर ने अपना सिर हिलाया। उनकी आँखें बंद थीं। हैरी ने सोचा कि क्या उन्हें पीड़ा हो रही होगी? डम्बलडोर ने आँखें बंद किए हुए ही गिलास को दोबारा पात्र में डाला, उसे भरा और एक बार फिर पी लिया।

ख़ामोशी में डम्बलडोर ने काढ़े के तीन और गिलास पी लिए। फिर चौथे गिलास को पीते समय वे लड़खड़ाए और पात्र की तरफ़ आगे गिर गए। उनकी आँखें अब भी बंद थीं और साँस भारी थी।

'प्रोफ़ेसर डम्बलडोर?' हैरी ने तनाव भरी आवाज़ में कहा। 'क्या आप मेरी आवाज़ सुन सकते हैं?'

डम्बलडोर ने जवाब नहीं दिया। उनका चेहरा इस तरह फड़क रहा था, जैसे वे गहरी नींद में बहुत भयंकर सपना देख रहे हों। गिलास पर उनकी पकड़ ढीली हो रही थी। काढ़ा उसमें से छलकने ही वाला था। हैरी आगे की तरफ़ बढ़ा और उसने काँच के गिलास को पकड़कर स्थिर रखा।

'प्रोफ़ेसर, क्या आप मेरी आवाज़ सुन सकते हैं,' उसने ज़ोर से दोहराया और उसकी आवाज़ गुफा में गूँजने लगी।

डम्बलडोर हाँफे और फिर ऐसी आवाज़ में बोले, जिसे हैरी पहचान नहीं पाया, क्योंकि उसने कभी डम्बलडोर को इतना डरा हुआ नहीं देखा था।

'मैं इसे नहीं पीना चाहता ... मुझे यह मत पिलाओ ...'

हैरी ने उस सफ़ेद चेहरे को देखा, जिसे वह बहुत अच्छी तरह जानता था। उसने उनकी मुड़ी हुई नाक और आधे चाँद के आकार के चश्मे को देखा। वह नहीं जानता था कि क्या करे।

'... नहीं चाहता ... रोकना चाहता हूँ ...' डम्बलडोर ने कराहते हुए कहा।

'आप ... आप रुक नहीं सकते, प्रोफ़ेसर,' हैरी ने कहा। 'आपको पीते रहना है, याद है? आपने मुझसे कहा था कि आपको पीते रहना है। यह लीजिए ...'

ख़ुद से नफ़रत करते हुए और वह जो कर रहा था, उससे बुरी तरह चिढ़ते हुए हैरी ने उस गिलास को ज़बर्दस्ती डम्बलडोर के मुँह से लगाया और उसे झुका दिया, जिससे डम्बलडोर ने अंदर के बाक़ी बचे काढ़े को भी पी लिया।

'नहीं ...' वे कराहे, जब हैरी ने गिलास को पात्र में डाला और उसे दोबारा भरा। 'मैं नहीं चाहता हूँ ... मैं नहीं चाहता हूँ ... मुझे छोड़ दो ...'

'ठीक है, प्रोफ़ेसर,' हैरी ने कहा और उसका हाथ काँप रहा था। 'सब ठीक है, मैं यहाँ हूँ –'

'इसे बंद करो, इसे बंद करो,' डम्बलडोर कराहे।

'हाँ ... हाँ ... इससे यह बंद हो जाएगा,' हैरी ने झूठ बोल दिया। उसने गिलास के द्रव को डम्बलडोर के खुले मुँह में डाल दिया।

डम्बलडोर चीख़ उठे। उनकी चीख़ काले पानी के ऊपर विशाल गुफा में आवाज़ चारों तरफ़ गूँजने लगी।

'नहीं, नहीं, नहीं ... नहीं ... मैं नहीं कर सकता ... मैं नहीं कर सकता ... मुझसे यह मत करवाओ, मैं नहीं करना चाहता ...'

'सब ठीक है, प्रोफ़ेसर, सब ठीक है!' हैरी ने ज़ोर से कहा। उसके हाथ इतनी बुरी तरह काँप रहे थे कि वह काढ़े के छठे गिलास को मुश्किल से भर पाया। अब पात्र आधा ख़ाली हो चुका था। 'आपको कुछ नहीं हो रहा है, आप सुरक्षित हैं, यह सब सच नहीं है, मैं क़सम खाता हूँ कि यह सब सच नहीं है – इसे ले लीजिए, ले लीजिए ...'

और आज्ञा मानते हुए डम्बलडोर ने पी लिया, जैसे हैरी उन्हें विषहर काढ़ा दे रहा हो, लेकिन प्याले को ख़ाली करने के बाद वे अपने घुटनों पर बैठ गए और बुरी तरह काँपने लगे।

'यह सब मेरी ग़लती है, मेरी ग़लती है,' उन्होंने सुबकते हुए कहा, 'मेहरबानी करके इसे रोक दो, मैं जानता हूँ कि मैंने ग़लत किया था, ओह, मेहरबानी करके इसे रोक दो! मैं दोबारा कभी, कभी यह कोशिश नहीं ...'

'इससे यह रुक जाएगा, प्रोफ़ेसर,' हैरी ने कहा और टूटती आवाज़ के साथ उसने डम्बलडोर के मुँह में काढ़े का सातवाँ गिलास उलट दिया।

डम्बलडोर इस तरह छटपटाने लगे, जैसे अदृश्य यातना झेल रहे हों। उनके लहराते हाथ ने हैरी के काँपते हाथों से दोबारा भरे हुए गिलास को लगभग गिरा दिया, जब वे कराहे, 'उन्हें कष्ट मत दो, उन्हें कष्ट मत दो, यह मेरी ग़लती है, इसके बजाय मुझे कष्ट दो ...'

'यह लीजिए, यह पी लीजिए, यह पी लीजिए, आप बिलकुल ठीक हो जाएँगे,' हैरी ने हताशा में कहा और एक बार फिर डम्बलडोर ने उसकी आज्ञा मानकर अपना मुँह खोल लिया, हालाँकि उनकी आँखें कसकर बंद थीं और वे सिर से पैर तक काँप रहे थे।

और अब वे आगे की तरफ़ गिर गए, दोबारा चीख़ने लगे और ज़मीन पर मुक्के मारने लगे, जबकि हैरी ने नवाँ गिलास भरा।

'मेहरबानी करके, मेहरबानी करके, मेहरबानी करके, नहीं ... वह नहीं,

वह नहीं, मैं कुछ भी कर लूँगा ...'

'बस इसे पी लीजिए, प्रोफ़ेसर, बस इसे पी लीजिए ...'

डम्बलडोर ने किसी ऐसे बच्चे की तरह उसे पी लिया, जो प्यास से मरा जा रहा हो, लेकिन जब उन्होंने उसे पूरा पी लिया, तो वे इस तरह चिल्लाने लगे, जैसे उनके भीतर आग लग रही हो।

'और नहीं, मेहरबानी करके, और नहीं ...'

हैरी ने काढ़े का दसवाँ गिलास भरा और उसे पात्र की तलहटी छूती हुई महसूस हुई।

'हम लोग वहाँ पर पहुँच ही रहे हैं, प्रोफ़ेसर, आप इसे पी लें, इसे पी लें ...'

उसने डम्बलडोर के कंधों को सहारा दिया और एक बार फिर डम्बलडोर ने गिलास ख़ाली कर दिया। हैरी एक बार फिर अपने पैरों पर खड़ा हो गया। उसने गिलास को दोबारा भर लिया, लेकिन तभी डम्बलडोर पहले से भी ज़्यादा यातना में चीखने लगे, 'मैं मरना चाहता हूँ! मैं मरना चाहता हूँ! इसे बंद कर दो, इसे बंद कर दो, मैं मरना चाहता हूँ!'

'इसे पी लीजिए, प्रोफ़ेसर, इसे पी लीजिए ...'

डम्बलडोर ने जैसे ही पूरा गिलास पिया, वे चिल्लाए, '**मुझे मार डालो!**'

'यह – यह वाला मार डालेगा!' हैरी ने हाँफते हुए कहा। 'बस इसे पी लीजिए ... यह ख़त्म हो जाएगा ... यह ख़त्म हो जाएगा!'

डम्बलडोर ने प्याला ख़ाली कर दिया और उसकी आख़िरी बूँद पी ली। फिर तेज़ खड़खड़ाती हुई आह भरकर वे चेहरे के बल लोट लगाने लगे।

'नहीं!' हैरी चिल्लाया, जो गिलास को दोबारा भरने के लिए खड़ा हो गया था। इसके बजाय उसने गिलास को पात्र में फेंक दिया और डम्बलडोर के पास झुककर उन्हें पीठ के बल लिटा दिया। डम्बलडोर का चश्मा तिरछा था, उनका मुँह खुला हुआ था और उनकी आँखें बंद थीं। 'नहीं,' हैरी ने डम्बलडोर को हिलाते हुए कहा, 'नहीं, आप मरे नहीं हैं! आपने कहा था, यह ज़हर नहीं है! जागिए, जागिए – *पुनर्जीवितो!*' वह चिल्लाया और उसने अपनी छड़ी डम्बलडोर के सीने की तरफ़ की। लाल रोशनी की लहर निकली, लेकिन कुछ नहीं हुआ। '*पुनर्जीवितो* – सर – प्लीज़ –'

डम्बलडोर की पलकें हिलीं। हैरी का दिल उछलने लगा।

'सर, क्या आप – ?'

'पानी,' डम्बलडोर ने बहुत धीमी आवाज़ में कहा।

'पानी,' हैरी हाँफते हुए बोला, '– हाँ –'

वह उछलकर खड़ा हुआ और उसने उस गिलास को उठा लिया, जिसे उसने पात्र में डाला था। उसका ध्यान इस तरफ़ नहीं गया कि उसके नीचे एक सुनहरा लॉकेट पड़ा हुआ था।

'*जलधारा!*' वह चिल्लाया और गिलास की तरफ़ छड़ी दिखाकर उसमें पानी भरने की कोशिश की।

गिलास में साफ़ पानी भर गया। हैरी डम्बलडोर के पास घुटनों के बल बैठ गया। उसने उनका सिर उठाया और गिलास उनके होंठों तक ले गया – लेकिन वह ख़ाली था। डम्बलडोर कराहे और हाँफने लगे।

'लेकिन अभी तो पानी था – ठहरिए – *जलधारा!*' हैरी ने एक बार फिर प्याले की तरफ़ छड़ी दिखाई। एक बार फिर, एक पल के लिए उसमें साफ़ पानी चमकने लगा, लेकिन जब वह उसे डम्बलडोर के मुँह के पास लाया, तो पानी दोबारा ओझल हो गया।

'सर, मैं कोशिश कर रहा हूँ, मैं कोशिश कर रहा हूँ!' हैरी हताशा में बोला, लेकिन उसे नहीं लगता था कि डम्बलडोर उसकी बात सुन सकते हैं। वे एक तरफ़ को लुढ़क गए थे और तेज़-तेज़ साँसें ले रहे थे, जैसे बहुत यातना में हों। '*जलधारा – जलधारा –* ***जलधारा!***'

गिलास दोबारा भर गया और ख़ाली हो गया। अब डम्बलडोर की साँस धीमी होती जा रही थी। हैरी का दिमाग़ दहशत में घूम रहा था। वह जानता था कि पानी लाने का अब एक ही रास्ता था, वही जिसकी वोल्डेमॉर्ट ने योजना बनाई थी ...

उसने ख़ुद को चट्टान के कोने पर उछाल दिया और गिलास झील में डाल दिया। बर्फ़ीला पानी उसमें पूरा भर गया और ओझल नहीं हुआ।

'सर – यह लीजिए!' हैरी चिल्लाया और आगे झुकते हुए उसने पानी डम्बलडोर के चेहरे पर बेढंगे तरीक़े से डाल दिया।

वह इससे ज़्यादा कुछ कर भी नहीं सकता था, क्योंकि उसके दूसरे हाथ में, जिसमें वह गिलास नहीं पकड़े था, जो बर्फ़ीली ठंडक थी, वह पानी की नहीं थी। एक चिपचिपे सफ़ेद हाथ ने हैरी की कलाई पकड़ ली थी और उसे धीरे-धीरे चट्टान से पीछे की ओर खींच रहा था। अब झील की सतह आईने जैसी साफ़ नहीं थी। यह घुमड़ रही थी। हैरी जहाँ भी देख रहा था, उसे काले पानी में से सफ़ेद सिर और हाथ बाहर निकलते दिख रहे थे – आदमी, औरतें और बच्चे,

जिनकी धँसी हुई, बेजान आँखें चट्टान की तरफ़ हिल रही थीं : काले पानी से मुर्दों की सेना बाहर निकल रही थी।

'पूर्ण शरीर-बंधन!' हैरी चिल्लाया और टापू की चिकनी, भीगी सतह को पकड़े रखने के लिए जूझने लगा, जब उसने उस सजीव-लाश की तरफ़ छड़ी की, जिसने उसका हाथ पकड़ रखा था। सजीव-लाश ने उसे छोड़ दिया और छपाक के साथ पानी में गिर गई। हैरी अपने पैरों पर खड़ा हुआ, लेकिन कई और सजीव-लाशें अब चट्टान पर चढ़ रही थीं और उनके दुबले हाथ इसकी फिसलन भरी सतह को पकड़ रहे थे। उनकी सूनी, धुंध भरी आँखें उस पर टिकी थीं और उनके पीछे पानी से भरे भीगे चिथड़े लहरा रहे थे, उनके धँसे हुए चेहरे भद्दे ढंग से मुस्करा रहे थे।

'पूर्ण शरीर-बंधन!' हैरी दोबारा गरजा और अपनी छड़ी हवा में लहराते हुए पीछे हटा। इससे छह-सात लाशें गिर गईं, लेकिन इसके बावजूद उसकी तरफ़ बहुत सारी सजीव-लाशें चली आ रही थीं। *'बाधितो! बंधनो!'*

उनमें से कुछ लड़खड़ाए, उनमें से एक-दो रस्सियों में बँध गए, लेकिन उनके पीछे से आ रही सजीव-लाशें बाक़ी लाशों को लाँघकर आ गईं। अब भी हवा में अपनी छड़ी घुमाते हुए हैरी चिल्लाया, *'सेक्टमसेम्परा!* ***सेक्टमसेम्परा!'***

हालाँकि उनके गीले चिथड़ों और बर्फ़ीली चमड़ी में गहरे घाव हो गए, लेकिन उनके भीतर कोई ख़ून ही नहीं था, जो निकलता। सजीव-लाशें बिना कुछ महसूस किए आगे बढ़ीं। उनके सिकुड़े हुए हाथ उसकी तरफ़ फैले हुए थे। जब वह और पीछे हटा, तो उसे पीछे से अपने चारों तरफ़ बाँहें कसती हुई महसूस हुईं। पतले, मांसविहीन हाथ मौत जैसे थे और उसके पैर ज़मीन से उठ गए, जब वे उसे उठाकर धीरे-धीरे पानी की तरफ़ ले जाने लगीं। वह जानता था कि अब वह बच नहीं सकता था, अब उसे डुबा दिया जाएगा और वह वोल्डेमॉर्ट की विभक्त आत्मा के एक टुकड़े का मृत रक्षक बनकर रह जाएगा ...

लेकिन तभी अँधेरे में आग प्रकट हो गई : आग का बैंगनी और सुनहरा गोला चट्टान को घेर चुका था, जिससे हैरी को कसकर पकड़ने वाली सजीव-लाशें लड़खड़ाकर गिर गईं। वे लपटों के बीच से उसे पानी तक ले जाने की हिम्मत नहीं कर सकती थीं। उन्होंने हैरी को छोड़ दिया। वह ज़मीन से टकराया, चट्टान पर फिसलकर गिरा, जिससे उसके हाथ छिल गए, लेकिन वह खड़ा हो गया और अपनी छड़ी उठाकर चारों तरफ़ देखने लगा।

डम्बलडोर दोबारा खड़े हो चुके थे। वे आस-पास की सजीव-लाशों जितने ही पीले थे, लेकिन उनसे लंबे भी थे। उनकी आँखों में आग नाच रही थी। उन्होंने अपनी छड़ी किसी मशाल की तरह उठा रखी थी और इसकी नोक से

किसी विशाल रस्सी की तरह लपटें निकल रही थीं और गर्मी से उन्हें घेर रही थीं।

सजीव-लाशें एक-दूसरे से टकराईं और अंधों की तरह उस आग से बचने की कोशिश करने लगीं, जो उन्हें घेरे हुए थी ...

डम्बलडोर ने पत्थर के पात्र की तलहटी से लॉकेट उठाकर अपने दुशाले में रख लिया। बिना कुछ बोले उन्होंने हैरी को अपने क़रीब आने का इशारा किया। लपटों से विचलित सजीव-लाशों को यह एहसास ही नहीं हुआ कि उनके शिकार जा रहे थे। डम्बलडोर हैरी को नाव तक ले गए और आग का गोला उनके साथ ही चारों तरफ़ घूमता रहा। चकराई हुई सजीव-लाशें उनके साथ पानी के कोने तक गईं और फिर कृतज्ञता से पानी में लौट गईं।

हैरी का पूरा शरीर काँप रहा था। एक पल के लिए तो उसे लगा कि डम्बलडोर नाव में नहीं चढ़ पाएँगे। इसकी कोशिश करते समय वे थोड़ा लड़खड़ाए। उनकी सारी शक्ति तो सुरक्षात्मक लपटों के घेरे को उनके चारों तरफ़ बनाए रखने में लग रही थी। हैरी ने उन्हें पकड़कर उनकी जगह पर बैठा दिया। एक बार फिर वे उसके भीतर सुरक्षित और ठसाठस बैठ गए। नाव काले पानी के पार चट्टान से दूर जाने लगी। आग का गोला उन्हें घेरे हुए था और ऐसा लग रहा था कि नीचे मँडरा रही सजीव-लाशें सतह पर आने की हिम्मत नहीं कर सकती थीं।

'सर,' हैरी ने हाँफते हुए कहा, 'सर, मैं आग के बारे में – भूल गया था – लाशें मेरी तरफ़ आ रही थीं और मैं दहशत में आ गया –'

'समझ में आता है,' डम्बलडोर बुदबुदाए। हैरी यह सुनकर दहशत में आ गया कि उनकी आवाज़ कितनी धीमी थी।

वे किनारे से हल्के से टकराए। हैरी उछलकर उतरा, फिर डम्बलडोर की मदद करने के लिए जल्दी से मुड़ा। जिस पल डम्बलडोर किनारे पर पहुँचे, उन्होंने अपने छड़ी वाले हाथ को गिर जाने दिया। आग का गोला ग़ायब हो गया, लेकिन सजीव-लाशें पानी में से दोबारा प्रकट नहीं हुईं। छोटी नाव छन्न की आवाज़ करती हुई दोबारा पानी में डूब गई। इसकी जंज़ीर भी दोबारा झील में चली गई। डम्बलडोर ने एक लंबी आह भरी और गुफा की दीवार से टिक गए।

'मैं कमज़ोर हूँ ...' उन्होंने कहा।

'चिंता मत कीजिए, सर,' हैरी ने तुरंत कहा। वह डम्बलडोर के चेहरे के अत्यधिक पीलेपन और थकान से चिंतित था। 'चिंता मत कीजिए, मैं अकेले ही हम दोनों को ले चलूँगा ... मेरा सहारा ले लीजिए, सर ...'

हैरी ने डम्बलडोर के सही-सलामत हाथ को अपने कंधों पर रख लिया। वह उन्हें सहारा देकर झील के पास से ले गया। वह उनका ज़्यादातर वज़न उठा रहा था।

'सुरक्षा ... आख़िरकार ... बहुत अच्छी थी,' डम्बलडोर ने धीरे से कहा। 'एक अकेला यह काम नहीं कर सकता था ... तुमने अच्छा काम किया, बहुत अच्छा, हैरी ...'

'अभी बोलिए मत,' हैरी ने कहा। उसे डर लग रहा था कि डम्बलडोर की आवाज़ कितनी लड़खड़ा रही थी, उनके पैर कितनी मुश्किल से उठ रहे थे, 'अपनी ताक़त बचाइए, सर ... हम लोग जल्दी ही यहाँ से बाहर निकल जाएँगे ...'

'मेहराबदार रास्ता दोबारा बंद हो गया होगा ... मेरा चाकू ...'

'उसकी कोई ज़रूरत नहीं है, चट्टान पर मेरे हाथ से ख़ून निकल गया था,' हैरी ने दृढ़ता से कहा, 'आप तो मुझे बस इतना बता दें कि कहाँ ...'

'यहाँ ...'

हैरी ने अपनी छिली हुई बाँह पत्थर पर पोंछ दी। ख़ून का तोहफ़ा पाने के बाद मेहराबदार रास्ता तत्काल खुल गया। वे बाहरी गुफा को पार कर गए और हैरी ने डम्बलडोर को बर्फ़ीले समुद्र के पानी में दोबारा सहारा दिया। चट्टान की दरार में दोबारा पानी भर चुका था।

'सब ठीक हो जाएगा, सर,' हैरी बार-बार कहता रहा। वह अब डम्बलडोर की ख़ामोशी के कारण बहुत ज़्यादा चिंतित था। इतना तो वह कुछ देर पहले उनकी कमज़ोर आवाज़ से भी नहीं हुआ था। 'हम लगभग वहाँ पहुँच चुके हैं ... मैं दोनों को अंतर्ध्यान करके ले जा सकता हूँ ... चिंता मत कीजिए ...'

'चिंता की क्या बात है, हैरी,' डम्बलडोर ने कहा। बर्फ़ीले पानी के बावजूद उनकी आवाज़ अब पहले से थोड़ी ज़्यादा सशक्त थी। 'आख़िर तुम मेरे साथ हो।'

अध्याय सत्ताईस

मीनार पर गिरी बिजली

सितारों भरे आसमान के नीचे लौट आने के बाद हैरी ने डम्बलडोर को सबसे क़रीबी शिलाखंड के ऊपर तक धकाकर उनके पैरों पर खड़ा कर दिया। डम्बलडोर का वज़न सँभालते हुए गीले और काँपते हैरी ने पूरी एकाग्रता से अपने गंतव्य-स्थल पर ध्यान केंद्रित किया : हॉग्समीड। अपनी आँखें बंद करके उसने पूरी ताक़त से डम्बलडोर का हाथ पकड़ लिया। फिर उसे भयंकर दबाव महसूस होने लगा।

आँखें खोलने से पहले ही वह जान गया कि उसने यह काम सफलतापूर्वक कर दिया था, क्योंकि नमक और समुद्री हवा की गंध चली गई थी। वह और डम्बलडोर काँप रहे थे तथा उनके कपड़ों से पानी टपक रहा था। वे हॉग्समीड की अँधेरी हाई स्ट्रीट पर खड़े थे। एक भयंकर पल के लिए हैरी ने कल्पना की कि दुकानों के पास से और सजीव-लाशें उनकी तरफ़ आ रही थीं, लेकिन उसने पलकें झपकाईं और देखा कि कोई भी चीज़ नहीं हिल रही थी। सब कुछ स्थिर था। अँधेरा छाया हुआ था, सिर्फ़ कुछ स्ट्रीटलैंपों और ऊपर की खिड़कियों से रोशनी आ रही थी।

'हमने यह काम कर दिया, प्रोफ़ेसर!' हैरी थोड़ी मुश्किल से फुसफुसाया। उसे अचानक एहसास हुआ कि उसके सीने में दर्द होने लगा था। 'हमने यह काम कर दिया! हमें होरक्रक्स मिल गया!'

डम्बलडोर उससे टिककर खड़े थे, लेकिन इसके बावजूद वे लड़खड़ाने लगे। एक पल के लिए तो हैरी ने सोचा कि उसके फूहड़ अंतर्ध्यान के कारण डम्बलडोर डगमगा गए होंगे। फिर उसने उनका चेहरा देखा, जो स्ट्रीट लैंप की दूर से आती रोशनी में पहले से ज़्यादा पीला और बेरंग दिख रहा था।

'सर, आप ठीक हैं?'

'पहले से बेहतर हूँ,' डम्बलडोर ने कमज़ोरी से कहा, हालाँकि उनके मुँह के कोने काँप रहे थे, 'वह काढ़ा ... कोई स्वास्थ्यवर्धक पेय तो था नहीं ...'

हैरी को यह देखकर दहशत हुई कि डम्बलडोर ज़मीन पर बैठ गए।

'सर - **कोई बात नहीं**, सर, आप बिलकुल ठीक हो जाएँगे, चिंता न करें -'

उसने मदद की तलाश में चारों तरफ़ हताशा से देखा, लेकिन कोई भी नहीं दिख रहा था। वह सिर्फ़ इतना ही सोच पा रहा था कि उसे किसी तरह डम्बलडोर को जल्दी से अस्पताल पहुँचाना है।

'हमें स्कूल पहुँचना होगा, सर ... मैडम पॉमफ्री ...'

'नहीं,' डम्बलडोर बोले। 'मुझे ... प्रोफ़ेसर स्नेप ... की ज़रूरत है ... लेकिन मुझे नहीं लगता ... मैं इस वक़्त उतनी दूर तक पैदल चल सकता हूँ ...'

'ठीक है - सर, सुनिए - मैं किसी दरवाज़े को खटखटाता हूँ, जहाँ आप थोड़ी देर रुक सकें - फिर मैं भागकर मैडम -'

'सीवियरस,' डम्बलडोर धीरे से बोले। 'मुझे सीवियरस की ज़रूरत है ...'

'तो ठीक है, स्नेप को ही ले आता हूँ - लेकिन मुझे आपको एक पल के लिए छोड़कर जाना होगा, ताकि मैं मदद ला -'

लेकिन इससे पहले कि हैरी हिल भी सके, उसे भागते हुए क़दमों की आवाज़ सुनाई दी। उसका दिल उछल पड़ा। किसी ने देख लिया था, किसी को पता चल गया था कि उन्हें मदद की ज़रूरत थी। उसने मुड़कर देखा कि मैडम रोज़मर्टा अँधेरी सड़क पर तेज़ी से उनकी तरफ़ आ रही थीं। वे ऊँचे हील वाली रोएँदार स्लिपर्स और एक रेशमी ड्रेसिंग गाउन पहने थीं, जिस पर ड्रैगन कढ़े हुए थे।

'जब मैं अपने बेडरूम के पर्दे लगा रही थी, तो मैंने आपको प्रकट होते देख लिया! हे भगवान, हे भगवान, मुझे समझ में नहीं आ रहा था कि मैं क्या - लेकिन एल्बस को क्या हुआ?'

वे ठहर गईं और हाँफते हुए आँखें फाड़कर डम्बलडोर को घूरने लगीं।

'वे घायल हो गए हैं,' हैरी ने कहा। 'मैडम रोज़मर्टा, आप उन्हें थ्री ब्रूमस्टिक्स में रखें, तब तक मैं स्कूल जाकर उनके लिए मदद लाता हूँ!'

'तुम वहाँ अकेले नहीं जा सकते! क्या तुम्हें एहसास नहीं है - क्या तुमने नहीं देखा - ?'

'अगर आप उन्हें पकड़ने में मेरी मदद कर दें,' हैरी ने उनकी बात को

अनसुना करते हुए कहा, 'तो मुझे लगता है कि हम उन्हें अंदर ले जा सकते हैं –'

'क्या हुआ ?' डम्बलडोर ने कहा। 'रोज़मर्टा, क्या कुछ गड़बड़ हुई है ?'

'मौत का निशान, एल्बस।'

और उन्होंने आसमान में हॉगवर्ट्स की तरफ़ इशारा कर दिया। इन शब्दों को सुनकर हैरी के मन में दहशत भर गई ... उसने मुड़कर देखा।

आसमान में स्कूल के ऊपर उसे वह निशान दिख गया : जलती हुई हरी खोपड़ी, जिसमें से साँप की लपलपाती जीभ निकल रही थी – वह निशान, जो प्राणभक्षी इमारत में दाख़िल होते समय हमेशा पीछे छोड़ जाते थे ... जहाँ भी वे हत्या करते थे ...

'यह कब प्रकट हुआ ?' डम्बलडोर ने पूछा और अपना हाथ बहुत ज़ोर से हैरी के कंधे पर रखकर कठिनाई से उठकर खड़े हुए।

'मुश्किल से दस मिनट हुए होंगे। जब मैंने बिल्ली को बाहर निकाला था, उस समय यह नहीं दिख रहा था। लेकिन जब मैं ऊपर की मंज़िल पर गई –'

'रोज़मर्टा, हमें फ़ौरन महल लौटना होगा,' डम्बलडोर ने कहा। हालाँकि वे थोड़े लड़खड़ा रहे थे, लेकिन अब वे सँभल रहे थे, 'हमें झाड़ुओं की ज़रूरत है –'

'मेरे पास बार के पीछे दो झाड़ुएँ हैं,' उन्होंने कहा, वे बहुत डरी हुई दिख रही थीं। 'क्या मैं भागकर उन्हें ले आऊँ – ?'

'नहीं, यह काम हैरी कर सकता है।'

हैरी ने अपनी छड़ी तत्काल हवा में ऊपर उठाई।

'आगमनो रोज़मर्टा की झाड़ुओं।'

पल भर बाद ही उसे शराबख़ाने के सामने वाले दरवाज़े के खुलने का ज़ोरदार धमाका सुनाई दिया। दो झाड़ुएँ तेज़ी से सड़क की तरफ़ उड़ती हुई आ रही थीं। वे हैरी के पास आकर रुक गईं और कमर की ऊँचाई पर ठहरकर हल्के से काँपती रहीं।

डम्बलडोर अपने सबसे पास वाली झाड़ू पर चढ़ते हुए बोले, 'रोज़मर्टा, मेहरबानी करके मंत्रालय को संदेश भेज दो! हो सकता है कि हॉगवर्ट्स के भीतर किसी को भी अब तक यह एहसास नहीं हुआ हो कि कुछ गड़बड़ है ... हैरी, अपना अदृश्य चोगा पहन लो।'

हैरी ने अपनी जेब से चोगा निकाला और झाड़ू पर सवार होने से पहले उसे अपने ऊपर डाल लिया। जब हैरी और डम्बलडोर ज़मीन पर पैर मारकर हवा में ऊपर उठे, उससे पहले ही मैडम रोज़मर्टा अपने शराबख़ाने की तरफ़

डगमगाती हुई चल दी थीं। महल की तरफ़ तेज़ी से जाते समय हैरी कनखियों से डम्बलडोर को देखता रहा। उनके गिरने की सूरत में वह उन्हें पकड़ने के लिए तैयार था, लेकिन लगता था जैसे मौत के निशान ने उन्हें शक्ति दे दी थी। वे अपनी झाड़ू पर झुके हुए थे। उनकी आँखें निशान पर जमी हुई थीं। उनके लंबे सफ़ेद बाल और दाढ़ी रात की हवा में उनके पीछे उड़ रहे थे। हैरी ने भी खोपड़ी के निशान की तरफ़ देखा और उसके भीतर डर किसी ज़हरीले बुलबुले की तरह फूलने लगा तथा उसके फेफड़ों पर दबाव डालने लगा, जिससे उसके दिमाग़ से बाक़ी सारी परेशानियाँ निकल गईं ...

वे लोग कितनी देर तक ग़ायब रहे थे? क्या रॉन, हर्माइनी और जिनी की ख़ुशक़िस्मती अब तक ख़त्म हो चुकी होगी? क्या उनमें से किसी की मौत के कारण स्कूल के ऊपर मौत का निशान प्रकट हुआ होगा या फिर नेविल, लूना या **डीए** के किसी अन्य सदस्य के कारण हुआ होगा? और अगर ऐसा था ... तो उसी ने उनसे गलियारों की पहरेदारी करने को कहा था, उसी ने उनसे अपने कमरे की सुरक्षा से बाहर निकलने को कहा था ... क्या वह एक बार फिर किसी दोस्त की मौत का ज़िम्मेदार रहेगा?

जब वे अँधेरी, घुमावदार गली के ऊपर मुड़े, जिस पर वे पहले चलकर गए थे, तो हैरी ने रात की हवा की सीटी के ऊपर डम्बलडोर के दोबारा अजीब भाषा में बुदबुदाने की आवाज़ सुनी। उसे समझ में आ गया कि हॉगवर्ट्स की सीमारेखा में आने के बाद उसकी झाड़ू एक पल के लिए क्यों काँपी थी। डम्बलडोर उस जादू को हटा रहे थे, जो उन्होंने ख़ुद महल पर किया था, ताकि वे तेज़ी से अंदर पहुँच सकें। मौत का निशान खगोलशास्त्र की मीनार के ठीक ऊपर चमक रहा था, जो महल में सबसे ऊपर थी। क्या इसका मतलब यह है कि मौत वहीं हुई थी?

तब तक डम्बलडोर परकोटे को पार कर चुके थे और अब वे उतर रहे थे। हैरी कुछ पल बाद उनके पास उतर गया और उसने चारों तरफ़ देखा।

परकोटा वीरान था। महल तक जाने वाली घुमावदार सीढ़ियों का दरवाज़ा बंद था। संघर्ष, मौत या लाश का कोई निशान नहीं था।

'इसका क्या मतलब है?' हैरी ने ऊपर की तरफ़ दुष्टता से चमकती उस हरी खोपड़ी की तरफ़ इशारा करते हुए पूछा, जिसमें से साँप की जीभ चमक रही थी। 'क्या यह असली निशान है? क्या कोई सचमुच मरा है - प्रोफ़ेसर?'

निशान की हल्की हरी चमक में हैरी ने देखा कि डम्बलडोर अपने काले हो चुके हाथ से अपना सीना पकड़े हुए थे।

'जाकर सीवियरस को जगा दो,' डम्बलडोर ने धीरे से लेकिन स्पष्टता से

कहा। 'उसे बता देना कि क्या हुआ है और उसे मेरे पास ले आना। और कुछ मत करना, किसी से भी बात मत करना और अपने चोगे को मत हटाना। मैं यहीं इंतज़ार करूँगा।'

'लेकिन –'

'तुमने क़सम खाई थी कि तुम मेरा आदेश मानोगे, हैरी – जाओ!'

हैरी जल्दी से उस दरवाज़े की तरफ़ गया, जो घुमावदार सीढ़ियों पर खुलता था, लेकिन अभी उसका हाथ दरवाज़े की लोहे की घुंडी के क़रीब पहुँचा ही था कि तभी उसे दरवाज़े की दूसरी तरफ़ से भागते हुए क़दमों की आवाज़ सुनाई दी। उसने मुड़कर डम्बलडोर की तरफ़ देखा, जिन्होंने उसे पीछे छिपने का इशारा किया। हैरी पीछे हट गया और डम्बलडोर ने अपनी छड़ी निकाल ली।

दरवाज़ा खुल गया। इसमें से कोई धड़धड़ाता हुआ आया और चिल्लाया: '*निरस्त्र भव!*'

हैरी का शरीर तत्काल सख़्त और स्थिर हो गया। वह मीनार की दीवार से टिककर किसी मूर्ति की तरह खड़ा रह गया। वह हिल या बोल नहीं सकता था। वह यह नहीं समझ पाया कि ऐसा कैसे हुआ – *निरस्त्र भव* तो स्थिरीकरण सम्मोहन नहीं है –

फिर निशान की रोशनी में उसने डम्बलडोर की छड़ी को कँगूरे के किनारे के ऊपर से उड़ते देखा और समझ गया ... डम्बलडोर ने हैरी को अशाब्दिक मंत्र से स्थिर कर दिया था और उस सम्मोहन को करने में उन्हें जो एक पल का समय लगा था, उसमें उन्होंने ख़ुद को बचाने का मौक़ा गँवा दिया था।

परकोटे से टिककर खड़े डम्बलडोर का चेहरा बहुत सफ़ेद था, लेकिन उन्होंने दहशत या परेशानी का कोई चिन्ह नहीं दिखाया। उन्होंने सिर्फ़ अपने को निरस्त्र करने वाले की तरफ़ देखा और कहा, 'गुड ईवनिंग, ड्रेको।'

मैल्फ़ॉय आगे की तरफ़ बढ़ा और उसने चारों तरफ़ जल्दी से देखकर यह जाँच कर ली कि वह और डम्बलडोर अकेले थे। उसकी निगाह दूसरी झाड़ू पर पड़ी।

'यहाँ और कौन है?'

'यही सवाल तो मैं तुमसे पूछना चाहता हूँ। या तुम यह काम अकेले ही कर रहे हो?'

हैरी ने निशान की हरी चमक में मैल्फ़ॉय की पीली आँखों को डम्बलडोर की तरफ़ जाते देखा।

'नहीं,' उसने कहा। 'मेरे साथ और लोग भी हैं। आज रात को आपके

स्कूल में प्राणभक्षी आ गए हैं।'

'अच्छा, अच्छा,' डम्बलडोर ने इस तरह कहा, जैसे मैल्फ़ॉय उन्हें होमवर्क का कोई महत्वाकांक्षी प्रोजेक्ट दिखा रहा हो। 'सचमुच बहुत बढ़िया। तो तुमने उन्हें अंदर लाने का कोई तरीक़ा खोज लिया?'

'हाँ,' मैल्फ़ॉय ने हाँफते हुए कहा। 'आपकी नाक के नीचे ... और आपको पता भी नहीं चला!'

'बहुत बढ़िया,' डम्बलडोर ने कहा। 'लेकिन ... मुझे माफ़ करना ... वे लोग कहाँ हैं? तुम तो अकेले दिख रहे हो।'

'उन्हें आपके कुछ पहरेदारों ने रोक लिया है। वे लोग नीचे लड़ रहे हैं। उन्हें यहाँ पहुँचने में ज़्यादा वक़्त नहीं लगेगा ... मैं उनके आगे-आगे आ गया हूँ – मुझे एक काम करना है।'

डम्बलडोर ने धीरे से कहा, 'अच्छा, तो फिर तुम्हें वह काम कर देना चाहिए, मेरे प्यारे बच्चे!'

ख़ामोशी छा गई। हैरी अपने अदृश्य, लक़वाग्रस्त शरीर के भीतर क़ैद खड़ा-खड़ा उन दोनों को घूरता रहा। दूर होने वाली प्राणभक्षियों की लड़ाई की आवाज़ सुनने के लिए उसने अपने कान चौकस कर लिए। उसके सामने ड्रेको मैल्फ़ॉय एल्बस डम्बलडोर को घूरने के अलावा कुछ नहीं कर रहा था, जो अविश्वसनीय रूप से मुस्कराए।

'ड्रेको, ड्रेको, तुम हत्यारे नहीं हो।'

'आपको कैसे मालूम?' मैल्फ़ॉय ने तुरंत कहा।

ऐसा लगा, उसे यह एहसास हो गया कि उसके शब्द कितने बचकाने लग रहे होंगे! हैरी ने निशान की हरी चमक में उसके चेहरे को शर्म से लाल होते देखा।

'आप नहीं जानते कि मैं कितना कुछ कर सकता हूँ,' मैल्फ़ॉय ने ज़्यादा सशक्त ढंग से कहा, 'आपको नहीं मालूम कि मैंने क्या किया है!'

'ओह हाँ, मुझे मालूम है,' डम्बलडोर ने धीरे से कहा। 'तुमने केटी बेल और रोनाल्ड वीज़्ली को लगभग मार ही दिया था। तुम पूरे साल हताशा से मुझे मारने की कोशिश कर रहे थे। माफ़ करना, ड्रेको लेकिन वे कमज़ोर कोशिशें थीं ... इतनी कमज़ोर ... कि सच कहूँ तो मुझे लग रहा था कि तुम दरअसल दिल से यह काम करना ही नहीं चाहते थे ...'

'मैं दिल से यह काम करना चाहता था!' मैल्फ़ॉय ने उग्रता से कहा। 'मैं पूरे साल इसी की कोशिश कर रहा हूँ और आज रात को –'

तभी महल में कहीं बहुत नीचे से आती एक दबी हुई चीख़ सुनाई दी।

मैल्फ़ॉय सख़्त हो गया और उसने पीछे मुड़कर देखा।

'कोई जमकर संघर्ष कर रहा है,' डम्बलडोर ने कहा। 'लेकिन तुम कह रहे थे ... हाँ, तुम मेरे स्कूल में प्राणभक्षियों को लाने में कामयाब हो गए। मैं स्वीकार करता हूँ कि यह मुझे असंभव लगता था ... तुमने यह काम किया कैसे?'

लेकिन मैल्फ़ॉय कुछ नहीं बोला। वह अब भी नीचे के शोर को सुनने की कोशिश कर रहा था और वह भी हैरी जितना ही लक़वाग्रस्त दिख रहा था।

'शायद तुम्हें यह काम अकेले ही कर देना चाहिए,' डम्बलडोर ने सुझाव दिया। 'अगर मेरे पहरेदारों ने तुम्हारे समर्थकों को रोक दिया, तो क्या होगा? जैसा तुम्हें शायद एहसास होगा, आज रात को यहाँ मायापंछी के समूह के सदस्य भी हैं। और आख़िर, तुम्हें किसी मदद की ज़रूरत भी नहीं है ... इस वक़्त मेरे पास कोई छड़ी नहीं है ... मैं अपना बचाव नहीं कर सकता।'

मैल्फ़ॉय उनकी तरफ़ बस घूरता रहा।

जब मैल्फ़ॉय न तो हिला, न ही कुछ बोला, तो डम्बलडोर बोले, 'अच्छा, तो तुम तब तक कुछ करने से डर रहे हो, जब तक कि वे तुम्हारे साथ न आ जाएँ।'

'मुझे डर नहीं लग रहा है!' मैल्फ़ॉय गुर्राया, हालाँकि उसने इसके बावजूद डम्बलडोर पर हमला करने की कोई कोशिश नहीं की। 'डर तो आपको लगना चाहिए!'

'लेकिन क्यों? मुझे नहीं लगता कि तुम मुझे मारोगे, ड्रेको। किसी की हत्या करना उतना आसान नहीं है, जितना कि मासूम लोग समझते हैं ... इसलिए अपने दोस्तों का इंतज़ार करते समय मुझे बताओ ... तुम उन्हें यहाँ तक कैसे ले आए? तुम्हें यह काम करने में बहुत लंबा समय लग गया?'

मैल्फ़ॉय को देखकर ऐसा लग रहा था, जैसे वह चिल्लाने या उल्टी करने की इच्छा को रोक रहा हो। उसने थूक गटका और कई गहरी साँसें लीं। फिर उसने डम्बलडोर की ओर ग़ुस्से से घूरकर अपनी छड़ी सीधे उनके सीने की तरफ़ तान दी। फिर, जैसे वह ख़ुद को रोक नहीं पा रहा हो, उसने कहा, 'मुझे उस ग़ायब होने वाली टूटी अलमारी को सुधारना था, जिसका इस्तेमाल किसी ने बरसों से नहीं किया था। वह वाली, जिसमें मॉन्टेग्यू पिछले साल ग़ायब हो गया था।'

'आआआह।'

डम्बलडोर की आह दर्द से भरी थी। उन्होंने एक पल के लिए आँखें बंद कर लीं।

'यह बहुत चतुराई भरा काम था ... मुझे लगता है कि वह अलमारी जोड़ी वाली थी ?'

'दूसरी अलमारी बोर्गिन एंड बर्क्स में है,' मैल्फ़ॉय बोला। 'और उनके बीच एक तरह का रास्ता बना हुआ है। मॉन्टेग्यू ने मुझे बताया कि वह हॉगवर्ट्स वाली अलमारी में फँसा हुआ था। कई बार उसे स्कूल की गतिविधियाँ सुनाई देती थीं और कई बार उसे दुकान में हो रही बातें सुनाई देती थीं, जैसे अलमारी स्कूल और दुकान के बीच यात्रा कर रही हो, लेकिन उसकी आवाज़ किसी को सुनाई नहीं दे रही थी ... आख़िरकार वह अंतर्ध्यान होने में कामयाब हो गया, हालाँकि तब तक उसने इसका टेस्ट पास नहीं किया था। वह इस काम को करते समय मरते-मरते बचा। सबको यह कहानी बहुत अच्छी लगी, लेकिन मैं ही था, जिसे इसका महत्व समझ में आया। यहाँ तक कि बोर्गिन भी इसका महत्व नहीं जानता था। सिर्फ़ मुझे ही यह एहसास हुआ कि अगर मैं टूटी हुई अलमारी को ठीक कर दूँ, तो उन अलमारियों के माध्यम से हॉगवर्ट्स में आया जा सकता है।'

'बहुत बढ़िया,' डम्बलडोर बुदबुदाया। 'तो प्राणभक्षी बोर्गिन एंड बर्क्स से स्कूल में तुम्हारी मदद के लिए आ सकते थे ... चतुराई भरी योजना थी, बहुत चतुराई भरी योजना थी ... और जैसा तुमने कहा, ठीक मेरी नाक के नीचे थी ...'

'हाँ,' मैल्फ़ॉय ने कहा, जिसे डम्बलडोर की तारीफ़ से साहस और राहत मिली थी। 'हाँ, यह चतुराई भरी थी!'

'लेकिन कई ऐसे समय थे,' डम्बलडोर ने आगे कहा, 'जब तुम्हें यक़ीन नहीं था कि तुम अलमारी को सुधार पाओगे, और तब तुम घटिया काम करने लगे, जैसे शापित हार मेरे पास भिजवाने लगे, जिसका ग़लत हाथों में पड़ना तय था ... उस शराब में ज़हर मिला दिया, जिसके बारे में बहुत कम संभावना थी कि वह मुझ तक पहुँचेगी ...'

'हाँ देखिए, लेकिन आपको फिर भी यह एहसास नहीं हुआ कि उसके पीछे कौन था, है ना ?' मैल्फ़ॉय ने व्यंग्य से कहा, जब डम्बलडोर परकोटे पर थोड़ा नीचे सरके। उनके पैरों की ताक़त स्पष्ट रूप से कम हो रही थी। हैरी बेकार में उस सम्मोहन से आज़ाद होने की कोशिश करता रहा, जो उसे बाँधे हुए था।

'सच कहूँ तो मुझे यह एहसास हो गया था,' डम्बलडोर ने कहा। 'मुझे यक़ीन था कि यह तुम्हारा ही काम था!'

मैल्फ़ॉय ने पूछा, 'तो फिर आपने मुझे रोका क्यों नहीं ?'

'मैंने कोशिश की थी, ड्रेको। प्रोफ़ेसर स्नेप मेरे आदेश पर तुम पर नज़र

रख रहे थे –'

'वे *आपके* आदेशों पर काम नहीं कर रहे थे। उन्होंने मेरी माँ से वादा किया था –'

'ज़ाहिर है, उन्होंने तुम्हें यही बताया होगा, ड्रेको, लेकिन –'

'मूर्ख बूढ़े आदमी, वे डबल-एजेंट हैं! वे आपके लिए काम नहीं कर रहे हैं, आपको तो बस यह लगता है!'

'ड्रेको, इस बारे में हमारी राय भिन्न है। मैं प्रोफ़ेसर स्नेप पर भरोसा करता हूँ –'

'तब तो आप बड़ा ग़लत करते हैं!' मैल्फ़ॉय ने व्यंग्य से कहा। 'वे मेरी बहुत मदद करने का प्रस्ताव रख रहे थे – वे सारा श्रेय ख़ुद लेना चाहते थे – इस काम में हिस्सा बँटाना चाहते थे – "तुम क्या कर रहे हो ? क्या तुमने ही वह हार वाला काम किया, वह बड़ा मूर्खतापूर्ण काम था, इससे सब कुछ चौपट हो जाता –" लेकिन मैंने उन्हें यह नहीं बताया कि मैं आवश्यकता कक्ष में क्या कर रहा हूँ। जब तक वे कल सुबह जागेंगे, तब तक मेरा काम पूरा हो जाएगा, और तब वे शैतानी शहंशाह के सबसे प्रिय प्राणभक्षी नहीं रहेंगे। वे मेरी तुलना में कुछ नहीं होंगे, कुछ नहीं!'

'बहुत ही संतुष्टिदायक,' डम्बलडोर ने धीरे से कहा। 'ज़ाहिर है, हम सभी अपनी कड़ी मेहनत के बदले में प्रशंसा चाहते हैं ... लेकिन इसमें कोई तुम्हारा साथी भी होगा ... कोई हॉग्समीड में होगा, जिसने केटी को वह हार – आआआह ...'

डम्बलडोर ने एक बार फिर अपनी आँखें बंद कर लीं और सिर हिलाया, जैसे वे सोने वाले हों।

'... ज़ाहिर है ... रोज़मर्टा। वह कब से सम्मोहन शाप में है ?'

'आख़िरकार आप जान ही गए, है ना ?' मैल्फ़ॉय ने ताना मारते हुए कहा।

नीचे से एक और चीख़ सुनाई दी, जो पिछली वाली चीख़ से ज़्यादा तेज़ थी। मैल्फ़ॉय ने घबराकर दोबारा पीछे देखा, फिर डम्बलडोर की तरफ़ मुड़ा, जिन्होंने आगे कहा, 'तो बेचारी रोज़मर्टा को अपने ही बाथरूम में छिपने और वह हार हॉगवर्ट्स की किसी भी अकेली विद्यार्थी को देने के लिए मजबूर होना पड़ा ? और ज़हर मिली शराब ... ज़ाहिर है, रोज़मर्टा ने स्लगहॉर्न को बोतल भेजने से पहले उसमें ज़हर मिला दिया होगा ... उसने सोचा होगा कि वे मुझे क्रिसमस पर तोहफ़े में यह देंगे ... हाँ, बहुत ही साफ़-सुथरा ... बहुत ही साफ़-सुथरा ...

बेचारा मिस्टर फ़िल्च, ज़ाहिर है, रोज़मर्टा की भेजी बोतल की जाँच नहीं करेगा ... मुझे बताओ, तुम रोज़मर्टा के साथ बातचीत कैसे कर रहे थे? मुझे लग रहा था कि स्कूल से अंदर-बाहर होने वाले संप्रेषण के सभी तरीक़ों पर नज़र रखी जा रही थी।'

'सम्मोहित सिक्के,' मैल्फ़ॉय ने कहा, जैसे वह बोलते रहने के लिए मजबूर हो, हालाँकि उसका छड़ी वाला हाथ बुरी तरह काँप रहा था। 'एक मेरे पास था और दूसरा उसके पास था। इस तरह मैं उसे संदेश भेज सकता था -'

'क्या यह संप्रेषण का वही ख़ुफ़िया तरीक़ा नहीं है, जो पिछले साल ख़ुद को डम्बलडोर की सेना कहने वाले विद्यार्थियों ने ईजाद किया था?' डम्बलडोर ने कहा। उनकी आवाज़ धीमी थी, लेकिन हैरी ने देखा कि यह कहते समय वे दीवार पर एक इंच नीचे फिसल गए।

'हाँ, मेरे दिमाग़ में यह विचार वहीं से आया था,' मैल्फ़ॉय ने विकृत मुस्कान से कहा। 'शराब में ज़हर मिलाने का विचार मुझे बदज़ात ग्रेंजर से मिला था। मैंने उसे लाइब्रेरी में यह बोलते सुना था कि फ़िल्च काढ़ों को नहीं पहचान सकता ...'

डम्बलडोर ने कहा, 'मेहरबानी करके मेरे सामने उस अपशब्द का प्रयोग मत करो!'

मैल्फ़ॉय कठोर हँसी हँसा।

'जब मैं आपको मारने वाला हूँ, उस समय भी आपको मेरे "बदज़ात" शब्द कहने की परवाह है?'

'हाँ, मुझे है,' डम्बलडोर ने कहा और हैरी ने देखा कि उनके पैर फ़र्श पर थोड़े फिसल गए, जब उन्होंने लड़खड़ाकर सीधे खड़े होने की कोशिश की। 'लेकिन जहाँ तक मुझे मारने की बात है, ड्रेको, तो तुम्हारे पास कई मिनट का समय था। हम बिलकुल अकेले हैं। मैं बिलकुल असहाय हूँ, इतना असहाय कि तुमने सपने में भी इसकी कल्पना नहीं की होगी, लेकिन इसके बावजूद तुमने अब तक यह काम नहीं किया है ...'

मैल्फ़ॉय का मुँह न चाहते हुए भी विकृत हो गया, जैसे उसने कोई बहुत कड़वी चीज़ निगल ली हो।

'अब आज रात के बारे में,' डम्बलडोर ने आगे कहा, 'मुझे थोड़ी हैरानी है कि यह कैसे हुआ ... तुम्हें कैसे पता चला कि मैं स्कूल से चला गया हूँ? लेकिन ज़ाहिर है,' उन्होंने अपने सवाल का जवाब ख़ुद दे दिया, 'रोज़मर्टा ने मुझे जाते हुए देख लिया था। मुझे यक़ीन है कि उसने ख़ुफ़िया सिक्कों से तुम्हें संदेश दे दिया

होगा ...'

'यह सही है,' मैल्फ़ॉय ने कहा। 'लेकिन उसने कहा था कि आप बस एक ड्रिंक लेने गए हैं और जल्दी ही लौट आएँगे ...'

'हाँ, मैं निश्चित रूप से ड्रिंक लेने ही गया था .... और मैं एक तरह से लौट आया हूँ,' डम्बलडोर बुदबुदाए। 'तो तुमने मेरे लिए एक जाल बिछाने का फ़ैसला कर लिया?'

मैल्फ़ॉय बोला, 'हमने फ़ैसला किया कि हम मीनार के ऊपर मौत का निशान बना देते हैं और आपको जल्दी से यहाँ बुलवा लेते हैं। हमें उम्मीद थी कि आप यह देखने के लिए सीधे यहीं आएँगे कि कौन मर गया है। और आपने देखा, हमारी चाल कामयाब हो गई!'

'देखो ... हाँ और नहीं ...' डम्बलडोर ने कहा। 'लेकिन मैं इसका मतलब यह समझूँ कि कोई नहीं मरा है?'

'कोई न कोई तो मरा है,' मैल्फ़ॉय ने कहा और यह कहते समय उसकी आवाज़ ऊँची हो गई। 'कोई आपके दल का था ... मुझे नहीं पता कि कौन था। वहाँ अँधेरा था ... मैं उसके शरीर को लाँघकर निकला था ... आपके लौटने तक मुझे यहाँ आपका इंतज़ार करना था, लेकिन आपके समूह के लोग बीच में आ गए ...'

'हाँ, उन्होंने ऐसा किया होगा,' डम्बलडोर ने कहा।

नीचे से एक धमाका और चीख़ें सुनाई दीं, जो पहले से तेज़ थीं। ऐसा लग रहा था, जैसे लोग अब उस जगह तक आने वाली घुमावदार सीढ़ियों पर लड़ रहे थे, जहाँ डम्बलडोर, मैल्फ़ॉय और हैरी खड़े हुए थे। हैरी का दिल तेज़ी से धड़क रहा था ... कोई मर गया था ... मैल्फ़ॉय उसके शरीर को लाँघकर आया था ... लेकिन वह कौन था?'

'चाहे जो हो, समय बहुत कम है,' डम्बलडोर ने कहा। 'तो अब हम तुम्हारे विकल्पों के बारे में विचार करते हैं, ड्रेको।'

'*मेरे* विकल्प!' मैल्फ़ॉय ने ज़ोर से कहा। 'मेरे हाथ में छड़ी है – मैं आपको मारने ही वाला हूँ –'

'मेरे प्यारे बच्चे, उस बारे में हम कोई मुग़ालता नहीं रखते हैं। अगर तुम मुझे मारने वाले होते, तो तुम यह काम तभी कर देते, जब तुमने मुझे निरस्त्र किया था। तुम तरीक़ों और साधनों के बारे में यह मज़ेदार बातचीत नहीं करते।'

'मेरे पास कोई विकल्प नहीं है!' मैल्फ़ॉय ने कहा और उसका चेहरा

डम्बलडोर जितना ही सफ़ेद हो गया। 'मुझे यह काम करना ही है! वे मुझे मार डालेंगे! वे मेरे पूरे परिवार को मार डालेंगे!'

'मैं तुम्हारी मुश्किल समझता हूँ,' डम्बलडोर ने कहा। 'वरना तुम्हीं सोचो, मैंने तुमसे पहले सवाल-जवाब क्यों नहीं किया? मैं जानता था कि अगर लॉर्ड वोल्डेमॉर्ट को यह एहसास हो जाता कि मैं तुम पर शक करता हूँ, तो तुम्हारी हत्या हो जाती।'

मैल्फ़ॉय नाम सुनकर चिहुँका।

'मैं तुमसे उस मिशन के बारे में बात करने की हिम्मत नहीं कर सकता था, जो मैं जानता था कि उसने तुम्हें सौंपा था। मुझे डर था कि वह तुम्हारे ख़िलाफ़ गुप्त-घुसपैठ का प्रयोग कर रहा होगा,' डम्बलडोर ने आगे कहा। 'लेकिन अब आख़िरकार हम एक-दूसरे से साफ़-साफ़ बोल सकते हैं ... कोई नुक़सान नहीं हुआ है! तुमने किसी को चोट नहीं पहुँचाई है, हालाँकि तुम बहुत ख़ुशक़िस्मत हो कि तुम्हारे ग़ैर-इरादतन शिकार बच गए ... मैं तुम्हारी मदद कर सकता हूँ, ड्रेको।'

'नहीं, आप नहीं कर सकते,' मैल्फ़ॉय ने कहा और उसका छड़ी वाला हाथ अब बहुत बुरी तरह काँपने लगा। 'कोई नहीं कर सकता। उन्होंने मुझे यह काम करने को कहा था, वरना वे मुझे जान से मार डालेंगे। मेरे पास कोई विकल्प नहीं है।'

'सही पाले में आ जाओ, ड्रेको। हम तुम्हें तुम्हारी उम्मीदों से कहीं ज़्यादा अच्छी तरह छिपा सकते हैं। यही नहीं, मैं मायापंछी के समूह के सदस्यों को आज रात तुम्हारे घर भेजकर तुम्हारी माँ को भी कहीं छिपवा सकता हूँ। तुम्हारे डैडी इस वक़्त अज़्काबान में सुरक्षित हैं ... समय आने पर हम उनकी भी रक्षा कर सकते हैं ... सही पाले में आ जाओ, ड्रेको ... तुम हत्यारे नहीं हो ...'

मैल्फ़ॉय ने डम्बलडोर की तरफ़ घूरा।

'लेकिन मैं इतनी दूर तक तो आ गया हूँ, है ना?' उसने धीरे से कहा। 'उन्हें लग रहा था कि मैं यह कोशिश करते हुए मारा जाऊँगा, लेकिन मैं यहाँ हूँ ... और आप मेरे वश में हैं ... छड़ी मेरे हाथ में है ... आप मेरी मेहरबानी पर हैं ...'

'नहीं ड्रेको,' डम्बलडोर ने धीरे से कहा। 'इस वक़्त तुम्हारी नहीं, मेरी मेहरबानी मायने रखती है।'

मैल्फ़ॉय कुछ नहीं बोला। उसका मुँह खुला हुआ था। उसका छड़ी वाला हाथ अब भी काँप रहा था। हैरी को लगा कि हाथ थोड़ा सा नीचे हो गया था-

लेकिन अचानक सीढ़ियों पर क़दमों की आहट सुनाई दी और एक पल बाद मैल्फ़ॉय को रास्ते से धका दिया गया, जब काले दुशालों में चार लोग दरवाज़े से होते हुए परकोटे पर आ गए। हैरी अब भी बिलकुल स्थिर था। उसने बिना पलकें झपकाए दहशत में चार अजनबियों को देखा। ऐसा लग रहा था कि प्राणभक्षी नीचे का युद्ध जीत गए थे।

अजीब से दिखने वाले एक आदमी ने घरघराई हुई हँसी निकाली।

'डम्बलडोर फँस गए!' उसने कहा और वह एक मोटी नाटी औरत की तरफ़ मुड़ा, जो उसकी बहन जैसी दिख रही थी और उत्सुकता से मुस्करा रही थी। 'डम्बलडोर बिना छड़ी के, डम्बलडोर अकेले! बहुत बढ़िया ड्रेको, बहुत बढ़िया!'

'गुड ईवनिंग, एमिकस,' डम्बलडोर ने शांति से कहा, जैसे उस आदमी का टी-पार्टी में स्वागत कर रहे हों। 'और तुम अलेक्टो को भी ले आए हो ... बहुत बढ़िया ...'

औरत ने ग़ुस्से भरी आवाज़ निकाली।

उसने ताना मारते हुए कहा, 'आपको लगता है कि आपके ये मज़ाक़ मृत्युशैया पर आपकी मदद करेंगे?'

'मज़ाक़? नहीं, नहीं, यह तो शिष्टाचार है,' डम्बलडोर ने जवाब दिया।

'काम तमाम कर दो,' हैरी के सबसे क़रीब खड़े अजनबी ने कहा, जो लंबा-चौड़ा था। उसके बाल उलझे हुए और मूँछें भूरी थीं। उसके काले दुशाले बहुत कसे हुए थे। उसकी आवाज़ ऐसी थी, जैसी हैरी ने पहले कभी नहीं सुनी थी। यह भौंकने जैसी थी। हैरी को उसके पास से धूल, पसीने और ख़ून की तेज़ बदबू आ रही थी। उसके गंदे हाथों में लंबे पीले नाख़ून थे।

'क्या तुम हो, फ़ेनरिर?' डम्बलडोर ने पूछा।

'सही पहचाना,' उस व्यक्ति ने कहा। 'मुझे देखकर ख़ुश हुए, डम्बलडोर?'

'नहीं, मैं यह नहीं कह सकता कि मैं तुम्हें देखकर ख़ुश हुआ ...'

फ़ेनरिर ग्रेबैक मुस्कराया और अपने नुकीले दाँत दिखाने लगा। उसकी ठुड्डी पर ख़ून बह रहा था और वह अपने होंठ भद्दे तरीक़े से धीरे-धीरे चाट रहा था।

'लेकिन डम्बलडोर, आप तो जानते ही हो कि मुझे बच्चों से कितना प्यार है?'

'क्या मैं इसका मतलब यह समझूँ कि तुम अब बिना पूर्णिमा के भी हमला

करने लगे हो? यह बहुत ही अस्वाभाविक है ... तुम्हें इंसानी गोश्त का ऐसा स्वाद लग गया है कि तुम एक महीने में एक बार से ही संतुष्ट नहीं हो?'

'सही कहा,' ग्रेबैक ने कहा। 'इससे आपको सदमा लगा, है ना, डम्बलडोर? आप डर गए?'

'देखो, मैं यह नाटक तो नहीं करूँगा कि इससे मुझे हिक़ारत नहीं हुई,' डम्बलडोर ने कहा। 'और हाँ, मुझे इस बात पर थोड़ा सदमा ज़रूर लगा है कि ड्रेको ने तुम्हें उस स्कूल में आमंत्रित किया है, जहाँ उसके दोस्त रहते हैं ...'

'मैंने नहीं किया,' मैल्फ़ॉय ने कहा। वह ग्रेबैक की तरफ़ नहीं देख रहा था। लगता था, वह उसकी तरफ़ देखना चाहता भी नहीं था। 'मुझे नहीं पता था कि वह आने वाला है –'

'मैं हॉगवर्ट्स की यात्रा का प्रलोभन कैसे छोड़ सकता था, डम्बलडोर,' ग्रेबैक ने दाँत किटकिटाते हुए कहा। 'यहाँ कितने सारे नाज़ुक गले हैं, जिन्हें मैं काट सकता हूँ ... ज़ायक़ेदार, ज़ायक़ेदार ...'

और वह एक पीला नाख़ून अपने सामने वाले दाँत पर रखकर डम्बलडोर की तरफ़ देखकर हँसने लगा।

'अब खाने के बाद मैं मिठाई की जगह आपको खा सकता हूँ, डम्बलडोर ...'

'नहीं।' चौथे प्राणभक्षी ने तेज़ी से कहा। उसका चेहरा भारी और क्रूर था। 'हमें आदेश मिला है। यह काम ड्रेको को ही करना है। ड्रेको, अब जल्दी करो।'

मैल्फ़ॉय के चेहरे पर अब पहले से भी कम संकल्प दिख रहा था। वह दहशत में आ रहा था, जब उसने डम्बलडोर के चेहरे को देखा, जो अब पहले से भी ज़्यादा पीला और नीचे हो गया था, क्योंकि वे परकोटे की दीवार पर और नीचे फिसल गए थे।

'वैसे भी, अगर मुझसे पूछो, तो वे ज़्यादा दिनों के मेहमान नहीं हैं!' अजीब से आदमी ने कहा, जब उसकी बहन उसकी बात पर हँसी। 'उनकी तरफ़ देखो – आपको क्या हुआ है, डम्बी?'

'ओह एमीकस, कमज़ोर प्रतिरोध, हाथ-पैर धीमे चलना,' डम्बलडोर ने कहा। 'संक्षेप में कहूँ, तो बुढ़ापा ... शायद एक दिन यह तुम्हारे साथ भी होगा ... अगर तुम ख़ुशक़िस्मत रहे ...'

'इसका क्या मतलब है, इसका क्या मतलब है?' प्राणभक्षी चीख़ा और

अचानक हिंसक हो गया। 'हमेशा ऐसी ही बातें करते हो, डम्बी, बातें करते रहते हो और करते कुछ नहीं हो। मैं तो यह भी नहीं जानता कि शैतानी शहंशाह तुम्हें मारने का कष्ट क्यों कर रहे हैं! चलो ड्रेको, उस काम को कर दो!'

लेकिन उसी समय नीचे से जूझने की आवाज़ आई और एक आवाज़ चिल्लाई, *'उन्होंने सीढ़ियों पर बाधा खड़ी कर दी है। लघुतो!* ***लघुतो!'***

हैरी का दिल उछलने लगा। तो इन चारों ने सभी विरोधियों को ख़त्म नहीं किया था, बल्कि वे तो लड़ाई छोड़कर मीनार के ऊपर तक आ गए थे। ऐसा लग रहा था कि उन्होंने अपने पीछे किसी तरह का बैरियर बना दिया था –

'ड्रेको, जल्दी!' क्रूर चेहरे वाले आदमी ने ग़ुस्से से कहा।

लेकिन मैल्फ़ॉय का हाथ इतनी बुरी तरह काँप रहा था कि वह निशाना भी नहीं साध सकता था।

'यह काम मैं करता हूँ,' ग्रेबैक गुर्राया और अपने हाथ फैलाकर तथा दाँत खोलकर डम्बलडोर की तरफ़ बढ़ा।

'मैंने कहा, नहीं!' क्रूर चेहरे वाला आदमी चिल्लाया। रोशनी की एक चमक हुई और नरभेड़िया दूर उड़ गया। वह परकोटे से जा टकराया और ग़ुस्से में दिखने लगा। हैरी का दिल बहुत ज़ोर-ज़ोर से धड़क रहा था। उसे यह असंभव लग रहा था कि कोई उसके दिल के धड़कने की आवाज़ नहीं सुन सकता था। वह डम्बलडोर के मंत्र के कारण क़ैद था – अगर वह हिल भी सकता, तो वह चोगे के नीचे से शाप दे सकता था –

'ड्रेको, इसे कर दो, या फिर एक तरफ़ हट जाओ, ताकि हममें से कोई –' औरत चीख़ी, लेकिन ठीक उसी समय परकोटे वाला दरवाज़ा खुल गया। वहाँ स्नेप खड़े थे। उनकी छड़ी उनके हाथ में थी और वे सामने के दृश्य को देख रहे थे : डम्बलडोर दीवार से टिके खड़े थे और ग़ुस्सैल नरभेड़िए सहित चार प्राणभक्षी तथा मैल्फ़ॉय उनके सामने खड़े थे।

'एक समस्या आ गई है, स्नेप,' एमिकस ने कहा, जिसकी आँखें और छड़ी डम्बलडोर पर टिकी हुई थीं, 'लड़का यह काम नहीं कर पा रहा –'

लेकिन किसी और ने स्नेप का नाम धीरे से पुकारा था।

'सीवियरस ...'

उस पूरी शाम के सभी डरावने अनुभवों में हैरी को यह आवाज़ ही सबसे ज़्यादा डरावनी लगी। पहली बार डम्बलडोर आग्रह कर रहे थे।

स्नेप ने कुछ नहीं कहा, बल्कि आगे बढ़कर मैल्फ़ॉय को धक्का देकर रास्ते से दूर हटा दिया। तीनों प्राणभक्षी बिना कुछ कहे रास्ते से हट गए। यहाँ तक कि

नरभेड़िया भी हट गया।

स्नेप ने एक पल के लिए डम्बलडोर की तरफ़ घूरा। स्नेप के चेहरे की सख़्त लकीरों में हिक़ारत और नफ़रत साफ़ झलक रही थी।

'सीवियरस ... प्लीज़ ...'

स्नेप ने अपनी छड़ी उठाई और सीधे डम्बलडोर की तरफ़ तान दी।

'मृत्युदंशम्!'

स्नेप की छड़ी के सिरे से हरी रोशनी की एक लहर निकली और डम्बलडोर के सीने से जा टकराई। हैरी की दहशत में निकली चीख़ कोई नहीं सुन पाया। वह डम्बलडोर को हवा में उड़ते हुए देखता रहा। एक पल के लिए तो ऐसा लगा, जैसे वे चमकती खोपड़ी के नीचे स्थिर हो गए हों। फिर वे धीरे से पीछे की तरफ़ गिरे और किसी बड़े गुड्डे की तरह परकोटे से नीचे गिरकर ओझल हो गए।

अध्याय अट्ठाईस

प्रिंस का भागना

हैरी को महसूस हुआ, जैसे वह भी हवा में उड़ रहा हो : यह नहीं हुआ था ... *यह नहीं हो सकता था ...*

स्नेप ने कहा, 'यहाँ से चलो, जल्दी!'

उसने मैल्फ़ॉय का कॉलर पकड़ा और उसे दरवाज़े से सबसे पहले ज़बर्दस्ती बाहर निकाल दिया। स्नेप के पीछे-पीछे ग्रेबैक और मोटे भाई-बहन निकल गए, जो रोमांच से हाँफ रहे थे। जब वे दरवाज़े से ओझल हुए, तब जाकर हैरी को एहसास हुआ कि वह अब दोबारा हिल सकता है। अब वह दीवार से शरीर-बंधन शाप के कारण नहीं, बल्कि दहशत और सदमे के कारण टिका हुआ था। उसने अदृश्य चोगे को एक तरफ़ फेंक दिया, जब क्रूर चेहरे वाला प्राणभक्षी दरवाज़े से सबसे आख़िर में निकल रहा था।

'पूर्ण शरीर-बंधन!'

प्राणभक्षी इस तरह झुका, जैसे किसी ठोस चीज़ ने उसकी पीठ पर वार कर दिया हो और मोम के किसी सख़्त गुड्डे की तरह ज़मीन पर गिर गया। वह अभी ज़मीन से टकराया ही था कि हैरी उसे लाँघ गया और अँधेरी सीढ़ियों पर नीचे भागने लगा।

दहशत हैरी के दिल को चीरने लगी ... उसे डम्बलडोर के पास पहुँचना था और स्नेप को पकड़ना था ... न जाने क्यों ये दोनों चीज़ें जुड़ी हुई थीं ... अगर वह उन दोनों को एक साथ ला पाता, तो ऐसा नहीं हो पाता ... डम्बलडोर नहीं मरते ...

उसने घुमावदार सीढ़ियों के आख़िरी दस पायदान एक छलाँग में पार किए और अपनी छड़ी उठाकर रुक गया। हल्की रोशनी वाले गलियारे में धूल भरी थी। आधी छत गिर गई थी और सामने लड़ाई चल रही थी। लेकिन जब

वह यह पता लगाने की कोशिश कर रहा था कि कौन किससे लड़ रहा है, तभी उसे एक दुष्ट आवाज़ चिल्लाती सुनाई दी, *'काम पूरा हो गया, चलने का समय हो गया!'* उसने स्नेप को गलियारे के दूर वाले छोर पर मुड़ते देखा। स्नेप और मैल्फ़ॉय बिना खरोंच के लड़ाई के बीच से निकलने में कामयाब हो गए थे। जब हैरी उनके पीछे भागा, तो एक लड़ने वाले ने ख़ुद को अपने प्रतिद्वंद्वी से आज़ाद किया और उसकी तरफ़ आ गया : यह नरभेड़िया ग्रेबैक था। हैरी अपनी छड़ी उठा पाए, इससे पहले ही वह उसके ऊपर आ चुका था। हैरी पीछे की तरफ़ गिर गया। गंदे उलझे बाल उसके चेहरे पर आ गए। पसीने और ख़ून की बदबू अब उसकी नाक और मुँह में भर रही थी। उसके गले में गर्म लोभी साँस पड़ रही थी–

'पूर्ण शरीर–बंधन!'

हैरी को ग्रेबैक ख़ुद पर गिरता महसूस हुआ। उसने बहुत कोशिश करके नरभेड़िए को दूर हटाया और फ़र्श पर गिरा दिया, जब हरी रोशनी की एक लहर उसकी तरफ़ उड़ती हुई आई। उसने गोता लगाया और सिर आगे करके लड़ाई के बीच भागा। उसके पैर फ़र्श पर किसी मोटी और फिसलन भरी चीज़ से टकराए, जिससे वह लड़खड़ा गया : वहाँ पर ख़ून के तालाब में दो शरीर पड़े हुए थे, लेकिन वे कौन थे, यह देखने का समय नहीं था। हैरी को अब अपने सामने लाल बाल लपटों की तरह उड़ते दिख रहे थे : जिनी मोटे प्राणभक्षी एमीकस के साथ लड़ रही थी, जो उस पर मंत्र मारे जा रहा था, लेकिन जिनी उनसे बचती जा रही थी। एमीकस खिलखिला रहा था और इस खेल का आनंद ले रहा था : *'पीड़ितो – पीड़ितो* – तुम हमेशा तो नहीं नाच सकतीं, लड़की –'

'बाधितो!' हैरी चिल्लाया।

उसका मंत्र एमीकस के सीने में लगा। वह दर्द से सुअर की तरह चिंघाड़ा और उसके पैर हवा में उठकर पीछे वाली दीवार से टकरा गए। वह टकराकर फिसला और रॉन, प्रोफ़ेसर मैक्गॉनेगल तथा ल्यूपिन के पीछे ओझल हो गया, जो एक–एक प्राणभक्षी से लड़ रहे थे। हैरी ने देखा कि उनके पीछे टौंक्स सुनहरे बालों वाले एक ऊँचे–पूरे जादूगर से लड़ रही थी, जो सभी दिशाओं में शाप मारे जा रहा था। उसके शाप दीवारों से टकराकर चारों तरफ़ उड़ रहे थे। इस वजह से पत्थर टूट रहे थे और सबसे पास वाली खिड़की टूट चुकी थी –

'हैरी, तुम कहाँ से आ रहे हो?' जिनी चिल्लाई, लेकिन जवाब देने का समय नहीं था। हैरी अपना सिर नीचे करके आगे की तरफ़ भागने लगा। वह एक विस्फोट से बाल–बाल बचा, जो उसके सिर के ऊपर हुआ और जिसके कारण उन सभी पर दीवार के टुकड़ों की बौछार हो गई। स्नेप भाग नहीं पाएगा, वह स्नेप को पकड़ लेगा –

'*यह लो!*' प्रोफ़ेसर मैक्गॉनेगल चिल्लाईं और हैरी को महिला प्राणभक्षी एलेक्टो की झलक दिखी, जो अपने हाथ सिर पर रखकर गलियारे में भाग रही थी। उसका भाई उसके ठीक पीछे था। हैरी उनके पीछे लपका, लेकिन उसका पैर किसी चीज़ में उलझ गया और अगले ही पल वह किसी के पैरों पर गिर पड़ा। उसे नेविल का पीला, गोल चेहरा फ़र्श पर टिका दिखा।

'नेविल, तुम ठीक तो -'

'मैं ठीक हूँ,' नेविल बुदबुदाया, जो अपना पेट पकड़े हुए था। 'हैरी ... स्नेप और मैल्फ़ॉय ... भाग गए ...'

'मैं जानता हूँ, मैं उन्हीं के पीछे जा रहा हूँ!' हैरी ने कहा और फ़र्श से एक मंत्र सुनहरे बालों वाले उस ऊँचे-पूरे प्राणभक्षी पर मारा, जो सबसे ज़्यादा हंगामा मचा रहा था। जब मंत्र उसके चेहरे से टकराया, तो उसने दर्द भरी आवाज़ निकाली। फिर वह लड़खड़ाता हुआ भाई-बहन के पीछे भागा।

हैरी फ़र्श से उठा और गलियारे में भागने लगा। उसने पीछे से आती धमाकों की आवाज़ को नज़रअंदाज़ कर दिया। बाक़ी लोग उसे लौटने के लिए आवाज़ें लगा रहे थे, लेकिन उसने उनकी एक नहीं सुनी। उसने ज़मीन पर गिरे शरीरों की तरफ़ भी ध्यान नहीं दिया, जिनकी क़िस्मत का उसे अब तक पता नहीं था ...

वह एक मोड़ पर मुड़ा और फिसल गया। ख़ून के कारण उसके जूते फिसल रहे थे। स्नेप काफ़ी आगे निकल गया होगा। क्या यह संभव था कि वह आवश्यकता कक्ष में जाकर अलमारी में घुस गया हो या फिर मायापंछी के समूह ने अब तक वहाँ का रास्ता बंद कर दिया होगा, ताकि प्राणभक्षी उस रास्ते से वापस न लौट पाएँ? उसे अपने क़दमों की आवाज़ के अलावा कोई और आवाज़ सुनाई नहीं दे रही थी। अगले ख़ाली गलियारे में भागते समय उसका दिल तेज़ी से धड़क रहा था। फिर उसे पैर का ख़ून भरा निशान दिखा, जिससे उसे यह पता चल गया कि कम से कम एक प्राणभक्षी स्कूल के सामने वाले दरवाज़े की तरफ़ भागा था - शायद आवश्यकता कक्ष का रास्ता सचमुच रोक दिया गया था -

वह एक और मोड़ पर मुड़ा। एक शाप उसके पास से गुज़र गया। वह एक कवच के पीछे छिप गया, जिसमें विस्फोट हो गया। उसने प्राणभक्षी भाई-बहन को आगे संगमरमर की सीढ़ियाँ उतरते देखा और उन पर मंत्र साधा, लेकिन उसका शाप सीढ़ियों के नज़दीक वाली जादूगरनियों की तस्वीर पर पड़ा, जो चीख़ती हुई पास की तस्वीरों में भाग गईं। कवच के अवशेषों के ऊपर से उछलते समय हैरी को चीख़ने-चिल्लाने की और आवाज़ें आने लगीं। ऐसा लग रहा था

कि महल के बाक़ी लोग भी जाग गए थे ...

वह एक शॉर्टकट की तरफ़ भागा, ताकि भाई-बहन से आगे निकलकर स्नेप और मैल्फ़ॉय के क़रीब पहुँच सके, जो निश्चित रूप से अब तक मैदान में पहुँच गए होंगे। उसने आधी दूरी पर छिपी हुई सीढ़ी कूदकर पार की और एक दीवारदरी के अंदर घुस गया। वह एक गलियारे में बाहर निकला, जहाँ मेहनतकश के बहुत से चकराए विद्यार्थी पायजामा पहने खड़े थे।

'हैरी! हमने शोर सुना। कोई मौत के निशान के बारे में कुछ कह रहा था -' अर्नी मैकमिलन ने कहना शुरू किया।

'रास्ते से हट जाओ!' हैरी चिल्लाया और दो लड़कों को एक तरफ़ धकेलते हुए नीचे भागा। बाक़ी की संगमरमर की सीढ़ियाँ उसने झटपट पार कीं। बलूत की लकड़ी का सामने वाला दरवाज़ा धमाके से खुला। सीढ़ियों पर ख़ून के दाग़ थे और कई आतंकित विद्यार्थी दीवारों से टिके खड़े थे। एक-दो ने तो अपने हाथ अपने चेहरों पर रख लिए थे। गरुड़द्वार का विशाल स्कोरबोर्ड एक शाप से टूट गया था और उसके माणिक अब नीचे फ़र्श पर गिर रहे थे ...

हैरी प्रवेश हॉल के पार भागा और बाहर अँधेरे मैदान में पहुँच गया। सामने तीन आकृतियाँ घास पर तेज़ी से भाग रही थीं। वे अंतर्ध्यान होने के लिए दूर वाले गेट तक जा रही थीं। उन्हें देखकर लगता था कि पीछे वाला वही विशाल सुनहरे बालों वाला प्राणभक्षी होगा और उससे थोड़े आगे स्नेप तथा मैल्फ़ॉय भाग रहे होंगे ...

उनके पीछे भागते समय हैरी के फेफड़ों में रात की ठंडी हवा चुभने लगी। उसे दूरी पर एक रोशनी की चमक दिखी, जिससे पल भर के लिए उसे आगे भागने वालों की आकृतियाँ दिख गईं। वह नहीं जानता था कि यह क्या था, लेकिन वह लगातार भागता रहा। वह इतने क़रीब नहीं था कि अच्छी तरह निशाना लगा सके -

एक और चमक, चिल्लाने की आवाज़ें, रोशनी की एक और चमक! और फिर हैरी समझ गया : हैग्रिड अपने केबिन से बाहर निकल आया था और प्राणभक्षियों को भागने से रोकने की कोशिश कर रहा था। हालाँकि हर साँस हैरी के फेफड़ों में घाव कर रही थी और उसके सीने की हर पसली आग की तरह जल रही थी, लेकिन हैरी ने अपने सिर में एक अनपेक्षित आवाज़ सुनी : *हैग्रिड नहीं ... हैग्रिड नहीं ...*

पीछे से कोई चीज़ आकर हैरी से टकराई और वह आगे की तरफ़ गिर गया। उसका चेहरा ज़मीन से टकराया और उसके दोनों नथुनों से ख़ून बहने

लगा। जब वह लुढ़का, तो उसने अपनी छड़ी तैयार करते हुए सोचा कि वह शॉर्टकट का इस्तेमाल करके जिन प्राणभक्षी भाई-बहन से आगे निकल आया था, वे उसके पीछे होंगे और उन्हीं ने उस पर हमला किया होगा ...

'बाधितो!' वह चिल्लाया, जब वह लुढ़कने के बाद अँधेरी ज़मीन पर उकड़ूँ बैठ गया। उसका मंत्र चमत्कारिक रूप से एक प्राणभक्षी से टकराया, जो गिर गया और उसने दूसरे को भी गिरा दिया। हैरी उछलकर दोबारा स्नेप के पीछे भागने लगा ...

अब उसे हैग्रिड की विशाल आकृति दिख रही थी। चाँद की रोशनी अचानक बादलों के पीछे से बाहर निकल आई। सुनहरे बालों वाला प्राणभक्षी हैग्रिड पर शाप मारे जा रहा था, लेकिन हैग्रिड की ज़बर्दस्त शक्ति और उसकी मोटी चमड़ी, जो उसे अपनी दानवी माँ से विरासत में मिली थी, अब भी उसकी सुरक्षा कर रही थी। बहरहाल, स्नेप और मैल्फ़ॉय अब भी भाग रहे थे। वे जल्दी ही गेट के पार निकल जाएँगे और अंतर्ध्यान हो जाएँगे –

हैरी हैग्रिड और सुनहरे बालों वाले प्राणभक्षी के पास से भागा। उसने स्नेप की पीठ का निशाना साधा और चिल्लाया, *'स्तब्धो!'*

उसका निशाना चूक गया। लाल रोशनी की लहर स्नेप के सिर के पास से निकल गई। स्नेप चिल्लाया, *'भागो, ड्रेको!'* स्नेप मुड़ा। बीस गज़ के फ़ासले से उसने और हैरी ने एक-दूसरे की तरफ़ देखा और एक साथ अपनी छड़ियाँ उठाईं।

'पीड़ि–'

लेकिन स्नेप ने उस शाप को रोक दिया और हैरी शाप को पूरा करने से पहले ही पीछे की तरफ़ फिंका गया। हैरी दोबारा उठकर खड़ा हुआ, जब विशाल प्राणभक्षी उसके पीछे से चिल्लाया, *'अग्निकांडो!'* हैरी ने एक विस्फोटक धमाका सुना और एक नारंगी रोशनी उन सभी पर फैल गई : हैग्रिड के केबिन में आग लग गई थी।

हैग्रिड गरजा, 'दुष्ट कहीं के – अंदर फ़ैंग है!'

'पीड़ि–' हैरी दूसरी बार चिल्लाया और नाचती आग की रोशनी में चमकती सामने वाली आकृति पर निशाना लगाया, लेकिन स्नेप ने एक बार फिर मंत्र को रोक दिया। हैरी ने देखा कि वह व्यंग्य से हँस रहा था।

'अक्षम्य शाप तुम नहीं दे सकते, पॉटर!' स्नेप लपटों, हैग्रिड की चीख़ों और फँसे हुए फ़ैंग की कूँ-कूँ की आवाज़ के ऊपर से चिल्लाया। 'तुममें न तो इतनी हिम्मत है, न ही क्षमता है –'

'बंध-' हैरी गरजा, लेकिन स्नेप ने हल्के से हाथ हिलाकर उस मंत्र को दूसरी तरफ़ मोड़ दिया।

'लड़ो!' हैरी स्नेप पर चिल्लाया। 'लड़ो, डरपोक कहीं के -'

'डरपोक, तुमने मुझे क्या कहा, पॉटर ?' स्नेप चिल्लाया। 'तुम्हारे डैडी तो अपने तीन साथियों के बिना मुझ पर कभी हमला नहीं करते थे, तुम उन्हें जाने क्या कहोगे ?'

'स्तब्ध-'

'एक बार फिर रोक दिया, और फिर रोक दूँगा, जब तक कि तुम अपना मुँह और दिमाग़ बंद करना नहीं सीख लोगे, पॉटर!' स्नेप ने व्यंग्य से कहा और एक बार फिर शाप को मोड़ दिया। *'अब चलो!'* उसने हैरी के पीछे वाले ऊँचे-पूरे प्राणभक्षी से चिल्लाकर कहा। 'अब चलने का समय हो गया है, इससे पहले कि मंत्रालय आ जाए -'

'बाधि-'

लेकिन इससे पहले कि वह मंत्र पूरा कर पाए, हैरी को काफ़ी दर्द होने लगा। वह घास पर लुढ़क गया। कोई चीख़ रहा था, कोई यातना से मर रहा था। स्नेप उसे मौत या पागल होने तक तड़पाता रहेगा -

'नहीं!' स्नेप की आवाज़ गरजी और दर्द उतनी ही अचानक रुक गया, जितनी अचानक यह शुरू हुआ था। हैरी अँधेरी घास पर पड़ा हुआ था। उसकी छड़ी उसके हाथ में थी और वह हाँफ रहा था। उसे स्नेप के चिल्लाने की आवाज़ सुनाई दी, 'क्या तुम वे आदेश भूल गए, जो हमें मिले थे ? पॉटर शैतानी शहंशाह का शिकार है - हमें उसे छोड़ना है! तुम जाओ! जाओ!'

और हैरी को अपने नीचे की ज़मीन काँपती हुई महसूस हुई, जब प्राणभक्षी भाई-बहन और ऊँचे-पूरे प्राणभक्षी ने स्नेप के आदेश का पालन किया तथा गेट की तरफ़ भागने लगे। हैरी के मुँह से ग़ुस्से की एक अस्पष्ट चीख़ निकली। इस पल उसे जीने-मरने की परवाह नहीं थी। वह उठकर खड़ा हुआ और स्नेप की तरफ़ लपका। अब उसे इस आदमी से उतनी ही नफ़रत थी, जितनी कि वोल्डेमॉर्ट से थी -

'सेक्टम-'

स्नेप ने अपनी छड़ी लहराई और शाप एक बार फिर दूसरी तरफ़ मुड़ गया। हैरी अब सिर्फ़ कुछ फ़ुट दूर था और उसे स्नेप का चेहरा आख़िरकार साफ़ दिख रहा था। अब स्नेप व्यंग्य से मुस्करा नहीं रहा था। जलती हुई लपटों में उसका चेहरा आगबबूला दिख रहा था। अपनी एकाग्रता की सारी शक्ति

बटोरकर हैरी ने सोचा, *आकाशगा* –

'नहीं पॉटर!' स्नेप चीख़ा। एक ज़ोरदार **धमाका** हुआ और हैरी पीछे की तरफ़ उड़ने लगा। एक बार फिर वह ज़मीन पर तेज़ी से गिरा और इस बार छड़ी उसके हाथ से उड़ गई। उसे हैग्रिड के चिल्लाने और फ़ैंग के भौंकने की आवाज़ें सुनाई दे रही थीं। जब स्नेप क़रीब आकर उसे देखने लगा, तो वह छड़ी के बिना डम्बलडोर जितना ही असुरक्षित था। स्नेप का पीला चेहरा केबिन की लपटों में चमक रहा था। उस पर इस वक़्त उतनी ही नफ़रत थी, जितनी डम्बलडोर को शाप देते समय थी।

'तुम मेरे ही मंत्रों का प्रयोग मेरे ही ख़िलाफ़ करने की ज़ुर्रत कर रहे हो, पॉटर? इनकी खोज मैंने की थी – मैंने, हाफ़-ब्लड प्रिंस ने! और तुम मेरे आविष्कार मेरे ही ख़िलाफ़ आज़मा रहे हो, अपने डैडी की तरह, है ना? मुझे यह बात पसंद नहीं आई ... *नहीं*!'

हैरी ने अपनी छड़ी उठाने के लिए छलाँग लगाई। स्नेप ने छड़ी पर एक मंत्र मारा और यह अँधेरे में कुछ फ़ुट दूर जाकर ओझल हो गई।

'तो मुझे मार डालो,' हैरी ने हाँफते हुए कहा, जिसके मन में ज़रा भी डर नहीं था, सिर्फ़ ग़ुस्सा और नफ़रत थी। 'मुझे भी उसी तरह मार डालो, जिस तरह तुमने डम्बलडोर को मारा था, डरपोक कहीं के –'

'**मुझे डरपोक मत कहो!**' स्नेप चीख़ा और उसका चेहरा अचानक पागलों जैसा तथा वहशी हो गया, जैसे उसे भी उतना ही कष्ट हो रहा हो, जितना कि दर्द से चिल्लाते कुत्ते को जलते हुए घर में हो रहा था।

स्नेप ने हवा में छड़ी लहराई। हैरी को महसूस हुआ कि कोई गर्म चीज़ उसके चेहरे से टकराई हो और वह ज़मीन पर पीछे की तरफ़ गिर गया। ज़मीन से टकराने के कारण उसकी आँखों के सामने तारे नाचने लगे और एक पल के लिए उसके शरीर से सारी हवा निकल गई। फिर उसे अपने ऊपर पंखों की आवाज़ सुनाई दी और किसी विशाल चीज़ ने सितारों को ढँक दिया। बकबीक ने स्नेप पर हमला कर दिया था। स्नेप पीछे की तरफ़ लड़खड़ा गया, जब उस पर ब्लेड जैसे नुकीले पंजे पड़े। जब हैरी जैसे-तैसे बैठ गया, तब भी उसका सिर ज़मीन से टकराने के कारण चकरा रहा था। उसने देखा कि स्नेप पूरी तेज़ी से भाग रहा था और विशाल पक्षी अपने पंख फड़फड़ाता तथा चीख़ता हुआ उसके पीछे भाग रहा था। हैरी ने उसे पहले कभी इतना उग्र नहीं देखा था –

हैरी उठकर खड़ा हुआ और अपनी छड़ी की तलाश करने लगा, ताकि वह दोबारा पीछा कर सके। लेकिन जब उसकी उँगलियाँ घास में टटोल रही थीं और टहनियों को हटा रही थीं, तभी वह समझ गया कि अब बहुत देर हो चुकी

है। उसका अंदाज़ा सही था। छड़ी मिलने पर उसने देखा कि गरुड़अश्व गेट का चक्कर लगा रहा था। स्नेप स्कूल की सीमा के बाहर अंतर्ध्यान होने में कामयाब हो गया था।

'हैग्रिड,' हैरी बुदबुदाया, जो अब भी हैरत में चारों तरफ़ देख रहा था। '**हैग्रिड?**'

वह लड़खड़ाते हुए जलते मकान की तरफ़ गया, जब एक विशाल आकृति लपटों के बीच से फ़ैंग को अपनी पीठ पर लादकर बाहर निकली। कृतज्ञता के साथ हैरी घुटनों के बल बैठ गया। उसका अंग-अंग दुख रहा था। उसका पूरा शरीर दर्द कर रहा था और हवा दर्द के साथ फेफड़ों में जा रही थी।

'तुम ठीक हो, हैरी? तुम ठीक हो? हमसे कुछ बोलो, हैरी ...'

हैग्रिड का बालों वाला बड़ा चेहरा हैरी के ऊपर तैर रहा था, जिससे सितारे दिखना बंद हो गए। हैरी को जली हुई लकड़ी और कुत्ते के बालों की बदबू आ रही थी। उसने एक हाथ बाहर निकाला और फ़ैंग के गर्म तथा ज़िंदा शरीर को अपने पास हिलता महसूस किया।

'मैं ठीक हूँ,' हैरी ने हाँफते हुए कहा। 'और तुम?'

'ज़ाहिर है, हम ठीक हैं ... हमारा काम तमाम करना इतना आसान नहीं है।'

हैग्रिड ने अपने हाथ हैरी की बाँहों के नीचे रखे और उसे इतनी ताक़त से उठाया कि हैरी के पैर पल भर के लिए ज़मीन से उठ गए। हैग्रिड ने उसे उठाकर खड़ा कर दिया। हैरी को हैग्रिड के गाल पर ख़ून बहता दिखा। उसकी एक आँख के नीचे गहरा घाव था, जो तेज़ी से सूज रहा था।

'तुम्हारे मकान की आग बुझानी चाहिए,' हैरी ने कहा, 'सम्मोहन मंत्र *जलधारा* है ...'

'जानते थे कि इसी जैसा होगा,' हैग्रिड बुदबुदाया और गुलाबी फूलों वाली छतरी उठाकर बोला, *'जलधारा!'*

छतरी की नोक से पानी की एक धारा बाहर निकली। हैरी ने छड़ी वाला हाथ उठाया, जो सीसे जैसा लग रहा था। वह भी बुदबुदाया *'जलधारा'*। दोनों मिलकर केबिन पर तब तक पानी फेंकते रहे, जब तक कि आख़िरी लपट नहीं बुझ गई।

'यह ज़्यादा बुरा नहीं है,' हैग्रिड ने कुछ मिनट बाद उम्मीद से कहा और धुएँ के अंबार को देखा। 'कोई भी ऐसी चीज़ नहीं हुई है, जिसे डम्बलडोर ठीक नहीं कर सकते ...'

यह नाम सुनकर हैरी के पेट में भयंकर दर्द होने लगा। ख़ामोशी और शांति में उसके भीतर दहशत उठने लगी।

'हैग्रिड ...'

'जब हमने उनके आने की आवाज़ सुनी, तो हम काष्ठजीवों के पैर बाँध रहे थे,' हैग्रिड ने दुख से कहा। वह अब भी तबाह केबिन की तरफ़ घूर रहा था। 'वे बेचारे जलकर मर गए होंगे ...'

'हैग्रिड ...'

'लेकिन हुआ क्या था, हैरी? हमने तो बस उन प्राणभक्षियों को महल से भागते देखा था, लेकिन स्नेप उनके साथ क्या कर रहा था? वह कहाँ गया है - क्या वह उनका पीछा कर रहा था?'

'वह ...' हैरी ने अपना गला साफ़ किया। गला दहशत और धुएँ के कारण सूख चुका था। 'हैग्रिड, वह हत्यारा है ...'

'हत्यारा है?' हैग्रिड ने ज़ोर से कहा और हैरी को घूरा। 'स्नेप ने हत्या की? तुम यह क्या बोल रहे हो, हैरी?'

'डम्बलडोर,' हैरी ने कहा। 'स्नेप ने ... डम्बलडोर की हत्या की।'

हैग्रिड बस उसकी तरफ़ देखता रहा। उसका चेहरा बिलकुल सपाट था, जैसे उसे कुछ समझ में नहीं आ रहा हो।

'डम्बलडोर, हैरी?'

'वे मर चुके हैं। स्नेप ने उन्हें मार डाला ...'

'ऐसा मत कहो,' हैग्रिड ने कहा। 'स्नेप डम्बलडोर को कैसे मार सकता है - मूर्ख मत बनो, हैरी। तुम ऐसा क्यों कह रहे हो?'

'मैंने अपनी आँखों से देखा है।'

'तुम ऐसा कैसे देख सकते हो?'

'मैंने इसे देखा था, हैग्रिड।'

हैग्रिड ने अपना सिर हिलाया। उसके चेहरे पर अविश्वास का भाव था, लेकिन वह हैरी को सहानुभूति से देख रहा था। वह जानता था, हैग्रिड सोच रहा होगा कि हैरी के सिर पर कोई चोट लग गई होगी, जिससे वह दुविधाग्रस्त हो गया होगा, या फिर शायद यह मंत्र का प्रभाव होगा ...

'देखो, हुआ यह होगा कि डम्बलडोर ने स्नेप को प्राणभक्षियों के साथ जाने को कहा होगा,' हैग्रिड ने विश्वास से कहा। 'हमें लगता है कि उसे अपना छलावा क़ायम रखना होगा। देखो, हम तुम्हें स्कूल ले चलते हैं। चलो हैरी ...'

हैरी ने बहस करने या समझाने की कोई कोशिश नहीं की। वह अब भी बेक़ाबू ढंग से काँप रहा था। हैग्रिड को यह बात जल्दी ही पता चल जाएगी, बहुत जल्दी ... महल की तरफ़ क़दम बढ़ाते समय हैरी ने देखा कि बहुत सी खिड़कियाँ रोशन हो चुकी थीं। वह अंदर के दृश्य की कल्पना कर सकता था, जहाँ लोग एक कमरे से दूसरे कमरे में जाकर एक-दूसरे को बता रहे होंगे कि प्राणभक्षी अंदर घुस आए थे, हॉगवर्ट्स के ऊपर मौत का निशान चमक रहा है, कोई न कोई निश्चित रूप से मर गया होगा ...

बलूत की लकड़ी का सामने वाला दरवाज़ा खुला हुआ था। उसमें से रोशनी बाहर निकलकर ड्राइव और लॉन पर आ रही थी। ड्रेसिंग गाउन पहने विद्यार्थी सीढ़ियों से झाँक रहे थे। वे घबराकर उन प्राणभक्षियों को देखने की कोशिश कर रहे थे, जो रात के अँधेरे में खो गए थे। बहरहाल, हैरी की आँखें सबसे ऊँची वाली मीनार के नीचे की ज़मीन पर टिकी हुई थीं। उसने कल्पना की कि उसे वहाँ पर घास में कोई काली, गुड़ी-मुड़ी चीज़ दिख रही थी, हालाँकि सच तो यह था कि वह इतनी दूर था कि इस तरह की कोई चीज़ नहीं देख सकता था। जब उसने बिना कुछ कहे उस जगह की तरफ़ घूरा, जहाँ उसके हिसाब से डम्बलडोर का शरीर पड़ा होना चाहिए था, तो उसने लोगों को उधर जाते देखा।

हैग्रिड और हैरी महल के सामने की तरफ़ जाने लगे। फ़ैंग उनके ठीक पीछे चल रहा था। हैग्रिड बोला, 'वे लोग क्या देख रहे हैं ? वह क्या है, जो घास में पड़ा है ?' अब हैग्रिड खगोल शास्त्र की मीनार के नीचे की तरफ़ जा रहा था, जहाँ छुटपुट भीड़ जमा हो गई थी। 'देखो हैरी ? मीनार के ठीक नीचे ? जहाँ पर निशान है ... ओह ... तुम्हें यह तो नहीं लगता कि कोई गिर गया है – ?'

हैग्रिड ख़ामोश हो गया। निश्चित रूप से यह विचार इतना भयंकर था कि इसे ज़ोर से बोलना ठीक नहीं था। हैरी उसके साथ चलता रहा। उसके चेहरे तथा पैरों में दर्द हो रहा था, जहाँ पिछले आधे घंटे में कई मंत्र पड़े थे। वह इसे विरक्त ढंग से महसूस कर रहा था, जैसे उसके क़रीब का कोई व्यक्ति उस दर्द को झेल रहा हो। जो असली था, जिससे बचा नहीं जा सकता था, वह उसके सीने का खिंचाव था ...

वह और हैग्रिड किसी सपने में चलते रहे तथा बुदबुदाती भीड़ के बीच से होते हुए सबसे आगे पहुँच गए, जहाँ अवाक् विद्यार्थियों और टीचर्स ने जगह छोड़ दी थी।

हैरी ने हैग्रिड की दर्द और सदमे से भरी कराह सुनी, लेकिन वह रुका नहीं। वह आगे की तरफ़ धीरे-धीरे चलता रहा, जब तक कि वह उस जगह नहीं पहुँच गया, जहाँ डम्बलडोर पड़े हुए थे। वह उन पर झुक गया।

हैरी ने उसी पल से उम्मीद छोड़ दी थी, जिस पल से डम्बलडोर का उस पर डाला गया शरीर-बंधन शाप हट गया था। वह जानता था कि यह तभी हट सकता था, जब इसे डालने वाला मर गया हो। लेकिन उन्हें यहाँ इस तरह पड़े देखने के लिए वह मानसिक रूप से तैयार नहीं था : दुनिया के सबसे बड़े जादूगर को, जिनसे हैरी कभी मिला था या मिलेगा।

डम्बलडोर की आँखें बंद थीं। उनके हाथ और पैर के कोण अजीब थे, वरना ऐसा भी लग सकता था कि वे सो रहे हों। हैरी ने मुड़ी हुई नाक के ऊपर के आधे चाँद के आकार के चश्मे को सीधा किया और अपनी आस्तीन से उनके मुँह से बहती ख़ून की धारा को पोंछा। फिर उसने उनके बूढ़े चेहरे को निहारा और इस विकराल तथा अबूझ सत्य को समझने की कोशिश की : कि डम्बलडोर फिर कभी उससे बात नहीं कर पाएँगे, कि अब वे फिर कभी उसकी मदद नहीं कर पाएँगे ...

भीड़ हैरी के पीछे से बुदबुदाने लगी। काफ़ी देर बाद उसे एहसास हुआ कि उसका पैर किसी सख़्त चीज़ पर रखा हुआ है।

घंटों पहले जिस लॉकेट को चुराने में उन्होंने कामयाबी पाई थी, वह डम्बलडोर की जेब से गिर गया था। यह शायद ज़मीन से ज़ोर से टकराने के कारण खुल गया था। हालाँकि हैरी अब और सदमा या दहशत या दुख महसूस नहीं कर सकता था, लेकिन उसे उठाते ही हैरी समझ गया कि कोई चीज़ गड़बड़ थी ...

उसने लॉकेट को अपने हाथ में घुमाया। यह स्मृति पात्र में देखे गए लॉकेट जितना बड़ा नहीं था, न ही इस पर नागशक्ति का *एस* का निशान बना हुआ था। इसके भीतर एक मुड़े हुए चर्मपत्र के अलावा कुछ नहीं था, जो उस जगह पर कसकर फँसा हुआ था, जहाँ तस्वीर रहनी चाहिए थी।

वह क्या कर रहा है, यह सोचे-समझे बिना हैरी ने चर्मपत्र के टुकड़े को बाहर निकाला और उसे खोला। उसने चर्मपत्र को कई छड़ियों की रोशनी में पढ़ा, जो अब उसके पीछे जल चुकी थीं :

शैतानी शहंशाह को,

मैं जानता हूँ कि तुम इसे पढ़ोगे,

उससे पहले ही मैं मर जाऊँगा, लेकिन मैं चाहता हूँ कि तुम्हें यह पता चल जाए कि मैंने तुम्हारे रहस्य को खोजा था।

मैंने असली होरक्रक्स को चुरा लिया है और मैं इसे जल्दी से जल्दी नष्ट करने वाला हूँ।

मैं इस आशा में मौत को गले लगा रहा हूँ कि जब तुम अपनी टक्कर के व्यक्ति से मिलो, तो तुम एक बार फिर नश्वर बन जाओ।

आर.ए.बी.

हैरी इस संदेश का मतलब नहीं समझ पाया, न ही उसे इस बात की परवाह थी। सिर्फ़ एक ही चीज़ महत्वपूर्ण थी : यह असली होरक्रक्स नहीं था। डम्बलडोर ने उस भयंकर काढ़े को पीकर खुद को ख़ामख़्वाह कमज़ोर कर लिया था। हैरी ने चर्मपत्र को अपने हाथ में मरोड़ा और उसकी आँखें आँसुओं से जलने लगीं। उसके पीछे फ़ैंग रोने लगा।

अध्याय उनतीस

मायापंछी का विलाप

'यहाँ आओ, हैरी ...'

'नहीं।'

'तुम यहाँ नहीं ठहर सकते, हैरी ... अब चलो ...'

'नहीं।'

वह डम्बलडोर के पास से नहीं हटना चाहता था। वह कहीं नहीं जाना चाहता था। उसके कंधे पर रखा हैग्रिड का हाथ काँप रहा था। फिर एक और आवाज़ आई, 'चलो हैरी।'

एक छोटे और गर्म हाथ ने उसका हाथ पकड़कर उसे ऊपर उठाया। उसने इसके दबाव का बिना सोचे पालन किया। जब वह भीड़ में बिना देखे चलने लगा, तब जाकर उसे हवा में फूलों की ख़ुशबू से एहसास हुआ कि यह जिनी थी, जो उसे महल की तरफ़ ले जा रही थी। उसे बहुत सी अस्पष्ट आवाज़ें सुनाई दे रही थीं। रात के अँधेरे में सुबकियाँ, चिल्लाने की आवाज़ें और विलाप सुनाई दे रहा था, लेकिन हैरी और जिनी चलते गए। वे प्रवेश हॉल की सीढ़ियाँ चढ़ने लगे। हैरी के सामने कुछ धुँधले चेहरे तैरकर आए। लोग उसकी तरफ़ देखकर घूर रहे थे, फुसफुसा रहे थे और हैरान हो रहे थे। जब वे दोनों संगमरमर की सीढ़ियों की तरफ़ जाने लगे, तो फ़र्श पर गरुड़द्वार के माणिक ख़ून की बूँदों की तरह चमक रहे थे।

जिनी बोली, 'हम लोग अस्पताल जा रहे हैं।'

'मैं घायल नहीं हूँ,' हैरी ने कहा।

'यह मैक्गॉनेगल का आदेश है,' जिनी ने कहा। 'सब लोग वहीं हैं, रॉन, हर्माइनी, ल्यूपिन और बाक़ी सभी।'

डर एक बार फिर हैरी के सीने में उभर आया : वह उन स्थिर आकृतियों

को भूल गया था, जिन्हें वह पीछे छोड़ आया था।

'जिनी, और कौन मरा है?'

'फ़िक्र मत करो, हममें से कोई नहीं मरा है।'

'लेकिन मौत का निशान – मैल्फ़ॉय ने कहा था कि वह किसी के शरीर को लाँघकर गया था –'

'वह बिल को लाँघकर गया था, लेकिन चिंता की कोई बात नहीं है, बिल ज़िंदा है।'

बहरहाल, उसकी आवाज़ में ऐसा कुछ था, जिससे हैरी जान गया कि कोई गड़बड़ हो गई है।

'पक्का?'

'एकदम पक्का ... मगर उसकी हालत थोड़ी ख़राब है। ग्रेबैक ने उस पर हमला किया था। मैडम पॉमफ्री कहती हैं कि अब वह – अब वह पहले जैसा नहीं दिख पाएगा ...' जिनी की आवाज़ थोड़ी काँपने लगी। 'हम दरअसल यह नहीं जानते हैं कि इसका क्या प्रभाव पड़ेगा – मेरा मतलब है कि ग्रेबैक नरभेड़िया है, लेकिन वह उस समय भेड़िए के रूप में नहीं था।'

'लेकिन बाक़ी लोग ... वहाँ पर और शरीर भी तो पड़े थे ...'

'नेविल अस्पताल में है, लेकिन मैडम पॉमफ्री कहती हैं कि वह बिलकुल ठीक हो जाएगा। प्रोफ़ेसर फ़्लिटविक बेहोश हो गए थे, लेकिन वे ठीक हैं, बस थोड़े कमज़ोर हैं। वे चीलघात के विद्यार्थियों की देखभाल करने के लिए जाने की ज़िद कर रहे थे। और एक प्राणभक्षी मारा गया। वह उस मारक शाप से मरा, जो सुनहरे बालों वाला ऊँचा-पूरा प्राणभक्षी हर तरफ़ फेंक रहा था – हैरी, अगर हमारे पास तुम्हारा ख़ुशक़िस्मती काढ़ा नहीं होता, तो मुझे लगता है कि हम सभी मर गए होते। लेकिन उस काढ़े के कारण हर शाप हमारे पास से निकल गया –'

वे लोग अस्पताल के पास पहुँच गए। दरवाज़ा खोलने पर हैरी ने देखा कि नेविल दरवाज़े के पास वाले पलंग पर सो रहा था। रॉन, हर्माइनी, लूना, टौंक्स और ल्यूपिन वार्ड के दूर वाले छोर के एक पलंग के पास थे। दरवाज़ा खुलने की आवाज़ सुनकर उन्होंने ऊपर देखा। हर्माइनी हैरी के पास भागकर आई और उसके गले लग गई। ल्यूपिन भी चिंतित दिखते हुए आगे आए।

'तुम ठीक हो, हैरी?'

'मैं ठीक हूँ ... बिल कैसा है?'

किसी ने कोई जवाब नहीं दिया। हैरी ने हर्माइनी के कंधे के ऊपर से देखा। उसे बिल के तकिए पर एक ऐसा चेहरा दिखा, जिसे वह पहचान नहीं

पाया। यह चेहरा इतनी बुरी तरह कटा-पिटा था कि वीभत्स दिख रहा था। मैडम पॉमफ़्री उसके घावों पर बदबूदार हरा मल्हम लगा रही थीं। हैरी को याद आया कि स्नेप ने मैल्फ़ॉय के *सेक्टमसेम्परा* के घावों को अपनी छड़ी से कितनी आसानी से ठीक कर दिया था।

उसने मैट्रन से पूछा, 'क्या आप किसी सम्मोहन या मंत्र से इन घावों को ठीक नहीं कर सकतीं ?'

'इन पर कोई जादू काम नहीं करता है,' मैडम पॉमफ़्री ने कहा। 'मैं जितना जानती हूँ, वह सब आज़मा कर देख चुकी हूँ, लेकिन नरभेड़िए के काटे का कोई इलाज नहीं है।'

'लेकिन उसे पूर्णिमा के दिन नहीं काटा गया है,' रॉन ने कहा, जो अपने भाई के चेहरे को इस तरह देख रहा था, जैसे सिर्फ़ घूरने से ही वह ठीक हो जाएगा। 'ग्रेबैक ने रूप नहीं बदला था, इसलिए निश्चित रूप से बिल - असली नरभेड़िया नहीं बन - ?'

उसने ल्यूपिन की तरफ़ अनिश्चितता के साथ देखा।

'नहीं, मुझे नहीं लगता कि बिल असली नरभेड़िया बनेगा,' ल्यूपिन ने कहा, 'लेकिन इसका मतलब यह नहीं है कि कोई संक्रमण नहीं होगा। ये शापित घाव हैं। ये शायद कभी पूरी तरह ठीक नहीं हो पाएँगे और - इसके बाद बिल में भेड़िए जैसे कुछ गुण आ जाएँगे।'

रॉन बोला, 'शायद डम्बलडोर कोई चीज़ जानते होंगे, जो काम आ जाए। वे कहाँ हैं ? बिल डम्बलडोर के आदेश पर उन वहशियों से लड़ा था। डम्बलडोर को उसका ध्यान रखना होगा! वे उसे इस हालत में नहीं छोड़ सकते -'

जिनी बोली, 'रॉन - डम्बलडोर मर चुके हैं!'

'नहीं!' ल्यूपिन ने जिनी से हैरी की तरफ़ आवेश में देखते हुए कहा, जैसे उम्मीद कर रहे हों कि हैरी उसकी बात काट देगा, लेकिन जब हैरी ने ऐसा नहीं किया, तो ल्यूपिन बिल के पलंग के पास वाली कुर्सी पर लुढ़क गए और उन्होंने अपने चेहरे पर हाथ रख लिए। हैरी ने ल्यूपिन को पहले कभी बेक़ाबू होते नहीं देखा था। उसे महसूस हुआ, जैसे वह किसी व्यक्तिगत चीज़ में दख़ल देने की गुस्ताख़ी कर रहा है। उसने मुड़कर रॉन से निगाह मिलाई। आँखों ही आँखों में उसने जिनी की बात की पुष्टि कर दी।

'वे कैसे मरे ?' टौंक्स ने फुसफुसाकर पूछा। 'यह कैसे हुआ ?'

'स्नेप ने उन्हें मार डाला,' हैरी ने कहा। 'मैं वहाँ था, मैंने यह देखा था। हम लोग खगोल शास्त्र की मीनार पर लौटे थे, क्योंकि निशान वहीं था ... डम्बलडोर

बीमार थे, कमज़ोर थे, लेकिन मुझे लगता है कि जब हमें सीढ़ियों पर क़दमों की आहट सुनाई दी, तो वे समझ गए कि यह चाल थी, जाल था। उन्होंने मुझे शाप से बाँध दिया, मैं कुछ नहीं कर सकता था, मैं अदृश्य चोगे के नीचे था – और फिर मैल्फ़ॉय दरवाज़े से भीतर आया और उसने उन्हें निरस्त्र कर दिया –'

हर्माइनी ने तेज़ी से अपने हाथ मुँह पर रख लिए और रॉन कराहने लगा। लूना का मुँह काँपने लगा।

'– फिर प्राणभक्षी आए – और इसके बाद स्नेप आया – और स्नेप ने यह काम कर दिया। *मृत्युदंशम्!'* हैरी आगे नहीं बोल पाया।

मैडम पॉमफ्री रोने लगीं। किसी ने उनकी तरफ़ ज़रा भी ध्यान नहीं दिया, सिर्फ़ जिनी फुसफुसाकर बोली, 'श्श्श! सुनो!'

थूक गटकते हुए मैडम पॉमफ्री ने अपने मुँह पर उँगलियाँ रख लीं और उनकी आँखें फैल गईं। बाहर अँधेरे में कहीं पर मायापंछी ने एक दुखद तान छेड़ दी थी। हैरी ने इतना दुखद और मर्मस्पर्शी संगीत पहले कभी नहीं सुना था। हैरी को महसूस हुआ, जैसा उसे मायापंछी के गीत के बारे में पहले भी महसूस हो चुका था, कि यह संगीत उसके बाहर नहीं, बल्कि भीतर था। यह उसका ही दुख था, जो जादू से संगीत में बदल गया था और मैदान के पार तथा महल की खिड़कियों के भीतर गूँज रहा था।

उसे मालूम नहीं था कि वे लोग कितनी देर तक वह संगीत सुनते रहे। न ही उसे यह पता था कि इसे सुनने के बाद उनके दिल का दर्द थोड़ा कम क्यों हो गया? बहरहाल, ऐसा लगा जैसे बहुत समय बाद अस्पताल का दरवाज़ा खुला और प्रोफ़ेसर मैक्गॉनेगल वार्ड में दाख़िल हुईं। बाक़ी सभी की तरह उनके शरीर पर भी हाल में हुई लड़ाई के निशान थे। उनके चेहरे पर खरोंचें थीं और उनके दुशाले कई जगह से फटे थे।

'मॉली और आर्थर आ रहे हैं,' उन्होंने कहा, जिससे संगीत का जादू टूट गया। सभी लोग इस तरह जाग गए, जैसे तंद्रा में से बाहर आ रहे हों। वे बिल को देखने के लिए, अपनी आँखें मलने के लिए, अपने सिर हिलाने के लिए मुड़े। 'हैरी, क्या हुआ था? हैग्रिड के अनुसार तुम प्रोफ़ेसर डम्बलडोर के साथ थे, जब वे – जब यह हुआ था। वह कहता है कि प्रोफ़ेसर स्नेप इस मामले में शामिल थे –'

'स्नेप ने डम्बलडोर को मार डाला,' हैरी ने कहा।

प्रोफ़ेसर मैक्गॉनेगल ने उसे एक पल के लिए घूरा, फिर वे ख़तरनाक तरीक़े से लहराईं। मैडम पॉमफ्री, जो अब थोड़ा सँभल गई थीं, उठकर आगे की तरफ़ भागीं और उन्होंने हवा से एक कुर्सी प्रकट करके मैक्गॉनेगल के नीचे

सरका दी।

'स्नेप,' मैक्गॉनेगल ने धीरे से कुर्सी पर गिरते हुए कहा। 'हम सभी हैरान थे ... लेकिन वे हमेशा ... *स्नेप* ... पर भरोसा करते थे ... मुझे यक़ीन नहीं हो रहा है ...'

'स्नेप बहुत ही क़ाबिल गुप्तज्ञाता है,' ल्यूपिन ने कहा। उनकी आवाज़ बहुत कठोर थी। 'हम हमेशा यह बात जानते थे।'

'लेकिन डम्बलडोर को पक्का भरोसा था कि वह हमारी तरफ़ है!' टौंक्स ने फुसफुसाकर कहा। 'मुझे हमेशा लगता था कि डम्बलडोर स्नेप के बारे में ऐसा कुछ जानते होंगे, जो हम नहीं जानते थे ...'

'वे हमेशा यही संकेत देते थे कि उनके पास स्नेप पर भरोसा करने का अटल कारण है,' प्रोफ़ेसर मैक्गॉनेगल ने कहा, जो अब चौकड़ी की किनारी वाले रूमाल से अपनी भीगी आँखों के कोने पोंछ रही थीं। 'मेरा मतलब है ... स्नेप के इतिहास को देखते हुए ... ज़ाहिर है लोगों को शक होना ही था ... लेकिन डम्बलडोर ने मुझसे साफ़ कह दिया कि स्नेप का पछतावा बिलकुल असली है ... वे उसके ख़िलाफ़ एक शब्द भी सुनने को तैयार नहीं थे!'

टौंक्स बोली, 'मैं यह जानना चाहूँगी कि स्नेप ने उन्हें भरोसा दिलाने के लिए आख़िर कहा क्या था?'

'मैं जानता हूँ,' हैरी ने कहा और वे सब मुड़कर उसे घूरने लगे। 'स्नेप ने वोल्डेमॉर्ट को वह जानकारी दी, जिसकी वजह से वोल्डेमॉर्ट मेरे मम्मी-डैडी की हत्या करने गया। फिर स्नेप ने डम्बलडोर से कहा कि उसे यह एहसास नहीं था कि उसने क्या कर दिया है। उसने कहा कि उसे सचमुच अफ़सोस है कि उसने यह काम किया है, उसे अफ़सोस है कि वे मर गए।'

'और डम्बलडोर ने इस बात पर यक़ीन कर लिया?' ल्यूपिन ने हैरानी से कहा। 'डम्बलडोर ने इस बात पर विश्वास कर लिया कि स्नेप को जेम्स की मौत पर अफ़सोस है? स्नेप जेम्स से *नफ़रत* करता था ...'

'और उसे मेरी माँ की भी कोई परवाह नहीं थी,' हैरी ने कहा, 'क्योंकि वे मगलू परिवार में पैदा हुई थीं ... उसने उन्हें "बदज़ात" कहा था ...'

किसी ने भी हैरी से यह नहीं पूछा कि वह यह बात कैसे जानता था। वे सभी दहशत और सदमे में खोए हुए थे तथा जो हुआ था, उसकी भयंकर सच्चाई को पचाने की कोशिश कर रहे थे।

'यह सब मेरी ग़लती है,' प्रोफ़ेसर मैक्गॉनेगल ने अचानक कहा। वे परेशान लग रही थीं और अपने गीले रूमाल को अपने हाथों में घुमा रही थीं।

'मेरी ग़लती। मैंने ही फ़िलियस को आज रात को स्नेप को बुलाने के लिए भेजा था। मैंने उसे दरअसल हमारी मदद के लिए बुलाया था! अगर मैंने स्नेप को इस घटना की चेतावनी नहीं दी होती, तो वह कभी प्राणभक्षियों का साथ नहीं दे पाता। मुझे नहीं लगता कि फ़िलियस के बताने से पहले उसे उनके आने की जानकारी थी। मुझे नहीं लगता, उसे यह पहले से मालूम था कि प्राणभक्षी आ रहे हैं।'

'यह तुम्हारी ग़लती नहीं है, मिनर्वा,' ल्यूपिन ने दृढ़ता से कहा। 'हम सभी को और ज़्यादा समर्थकों की ज़रूरत थी। हम यह सोचकर ख़ुश थे कि स्नेप आ रहा है ...'

'तो जब वह लड़ने आया, तो प्राणभक्षियों के साथ मिल गया?' हैरी ने पूछा, जो स्नेप के दोगलेपन और बदनामी का पूरा विवरण सुनना चाहता था, ताकि उससे नफ़रत करने के और कारण बटोर सके तथा प्रतिशोध लेने का संकल्प कर सके।

'मुझे नहीं पता कि यह कैसे हुआ,' प्रोफ़ेसर मैक्गॉनेगल ने विचलित होते हुए कहा। 'यह बड़ा दुविधापूर्ण है ... डम्बलडोर ने हमसे कहा था कि वे कुछ घंटों के लिए स्कूल छोड़कर जा रहे हैं और हमें सावधानी के तौर पर गलियारों में पहरा देना है ... रीमस, बिल और निम्फ़ैडोरा हमारे साथ रहने वाले थे ... हमने पहरेदारी की। सब कुछ शांत लग रहा था। स्कूल से बाहर जाने वाले हर ख़ुफ़िया रास्ते पर नज़र रखी जा रही थी। हम जानते थे कि कोई उड़कर अंदर नहीं आ सकता। महल के हर प्रवेश द्वार पर सशक्त जादू था। मैं अब भी नहीं जान पाई हूँ कि प्राणभक्षी अंदर कैसे आ गए ...'

'मैं जानता हूँ,' हैरी ने कहा और संक्षेप में ग़ायब होने वाली अलमारी के जोड़े तथा उनके बीच बनने वाले जादुई रास्ते के बारे में बता दिया। 'वे लोग आवश्यकता कक्ष के रास्ते से अंदर आए थे।'

अनिच्छा से उसने रॉन और हर्माइनी की तरफ़ देखा, जो दोनों ही बहुत दुखी लग रहे थे।

'मुझसे गड़बड़ हुई थी, हैरी,' रॉन ने उदासी से कहा। 'हमने वही किया, जो तुमने कहा था। हमने नक़्शे में देखा और जब हमें मैल्फ़ॉय नहीं दिखा, तो हमने सोचा कि वह आवश्यकता कक्ष में होगा, इसलिए मैं, जिनी और नेविल उस पर निगरानी करने लगे ... लेकिन मैल्फ़ॉय हमारे पास से निकल गया।'

'जब हमें पहरा देते-देते लगभग एक घंटा हो चुका था, तब वह कमरे से बाहर निकला,' जिनी बोली। 'वह अकेला था और उस भयंकर सिकुड़े हुए हाथ को पकड़े था –'

'वह-हाथ-जो-संपत्ति-दिलाए,' रॉन ने कहा। 'याद है, वह हाथ सिर्फ़ पकड़ने वाले को ही रोशनी देता है?'

'ख़ैर,' जिनी आगे बोली, 'वह यह जाँच कर रहा होगा कि प्राणभक्षियों को बाहर निकालने के लिए रास्ता साफ़ है या नहीं, क्योंकि हमें देखते ही उसने हवा में कुछ उछाल दिया, जिससे घुप्प अँधेरा छा गया -'

'- पेरू का तत्काल अंधकार चूर्ण,' रॉन ने कटुता से कहा। 'इसे फ्रेड और जॉर्ज की दुकान से ख़रीदा गया था। मैं उनसे इस बारे में बात करूँगा कि वे अपना सामान कैसे-कैसे लोगों को बेचते हैं।'

'हमने हर चीज़ आजमाकर देखी - *प्रकाशित भव, अग्निकांडो,*' जिनी बोली। 'कोई भी चीज़ उस अँधेरे को दूर नहीं कर पाई। हम बस टटोलते हुए उस गलियारे से बाहर निकल सकते थे और इस दौरान हमें अपने पास से कई लोगों के तेज़ी से जाने की आवाज़ें सुनाई दे रही थीं। ज़ाहिर है, मैल्फ़ॉय को उस हाथ के कारण दिख रहा था और वह उन्हें राह दिखा रहा था, लेकिन हम कोई शाप या मंत्र मारने की हिम्मत इसलिए नहीं कर सकते थे, क्योंकि हमें डर था कि कहीं वह हमारे ही दल के किसी व्यक्ति को न लग जाए। जब तक हम रोशनी वाले दूसरे गलियारे में पहुँचे, तब तक वे जा चुके थे।'

ल्यूपिन ने भर्राई आवाज़ में कहा, 'ख़ुशक़िस्मती से रॉन, जिनी और नेविल लगभग तत्काल ही हमसे टकरा गए और उन्होंने हमें बता दिया कि क्या हुआ था। हमने कुछ मिनट बाद ही प्राणभक्षियों को घेर लिया, जो खगोलशास्त्र की मीनार की दिशा में जा रहे थे। यह साफ़ था कि मैल्फ़ॉय को निगरानी के लिए और लोगों के होने की उम्मीद नहीं थी। चाहे जो हो, लगता था उसका अंधकार चूर्ण ख़त्म हो गया था। लड़ाई छिड़ गई, वे तितर-बितर हो गए और हमने उनका पीछा किया। उनमें से एक प्राणभक्षी गिबन भागकर मीनार की सीढ़ियाँ चढ़ने लगा -'

'निशान उत्पन्न करने के लिए?' हैरी ने कहा।

'हाँ, शायद उसी के लिए। उन्होंने आवश्यकता कक्ष से निकलने से पहले ही यह योजना बना ली होगी,' ल्यूपिन ने कहा। 'लेकिन मुझे नहीं लगता कि गिबन को वहाँ पर अकेले डम्बलडोर का इंतज़ार करने का विचार पसंद आया, क्योंकि वह कुछ ही समय बाद सीढ़ियों से नीचे भागता हुआ आया और दोबारा लड़ाई में शामिल हो गया। एक मारक शाप ने उसकी जान ले ली, जिससे मैं बाल-बाल बचा था।'

हैरी ने हर्माइनी की तरफ़ मुड़ते हुए पूछा, 'जब रॉन, जिनी और नेविल आवश्यकता कक्ष पर नज़र रख रहे थे, तो तुम कहाँ - ?'

'स्नेप के ऑफ़िस के बाहर थी,' हर्माइनी ने फुसफुसाकर कहा और उसकी आँखों में आँसू चमक रहे थे, 'लूना के साथ। हम घंटों तक बाहर खड़े रहे, लेकिन कुछ नहीं हुआ ... हम यह नहीं जानते थे कि ऊपर क्या हो रहा था। नक़्शा रॉन के पास था ... लगभग आधी रात हो चुकी थी, तभी प्रोफ़ेसर फ़्लिटविक भागते हुए तहख़ाने में आए। वे महल में प्राणभक्षियों के आने के बारे में चिल्ला रहे थे। मुझे नहीं लगता कि उन्होंने इस तरफ़ ध्यान दिया था कि लूना और मैं वहाँ खड़ी थीं। वे तो स्नेप के ऑफ़िस में घुसे और हमने उन्हें यह कहते सुना कि स्नेप को उनके साथ चलकर मदद करनी है। फिर हमें एक ज़ोरदार प्रहार की आवाज़ आई और स्नेप जल्दी से अपने कमरे से बाहर निकले। उन्होंने हमें देखा और - और -'

'क्या ?' हैरी ने उसे आगे बोलने के लिए प्रेरित किया।

'मैं कितनी मूर्ख थी, हैरी!' हर्माइनी ने तेज़ फुसफुसाहट जैसे स्वर में कहा। 'स्नेप ने कहा कि प्रोफ़ेसर फ़्लिटविक गिर गए हैं और हमें जाकर उन्हें सँभालना चाहिए, जबकि वे - जबकि वह प्राणभक्षियों से लड़ने जा रहा है -'

उसने अपना चेहरा शर्म से छिपा लिया और अपनी उँगलियों के बीच से बोलती रही, जिससे उसकी आवाज़ दब गई।

'हम स्नेप के ऑफ़िस में यह देखने गए कि क्या हम प्रोफ़ेसर फ़्लिटविक की मदद कर सकते हैं ? वहाँ पहुँचने पर हमने देखा कि वे फ़र्श पर बेहोश पड़े थे ... और, ओह, अब यह कितना स्पष्ट है कि स्नेप ने फ़्लिटविक को स्तब्ध कर दिया होगा, लेकिन हमें उस वक़्त इस बात का एहसास नहीं हुआ, हैरी, हमें इस बात का एहसास नहीं हुआ। हमने स्नेप को निकल जाने दिया!'

'यह तुम्हारी ग़लती नहीं है,' ल्यूपिन ने दृढ़ता से कहा। 'हर्माइनी, अगर तुमने स्नेप की बात नहीं मानी होती और उसके रास्ते से नहीं हटी होतीं, तो शायद उसने तुम्हारी और लूना की हत्या कर दी होती।'

'फिर वह ऊपर की मंज़िल पर गया,' हैरी ने कहा और कल्पना की कि स्नेप संगमरमर की सीढ़ी पर चढ़कर ऊपर जा रहा है। कल्पना में हैरी ने देखा कि स्नेप के काले दुशाले हमेशा की तरह उसके पीछे उड़ रहे हैं और ऊपर जाते समय वह अपने चोगे में से छड़ी निकाल रहा है, 'और वह उस जगह तक पहुँच गया, जहाँ आप लोग लड़ रहे थे ...'

'हम मुश्किल में थे, हम हार रहे थे,' टौंक्स ने धीमी आवाज़ में कहा। 'गिबन मर गया था, लेकिन बाक़ी के प्राणभक्षी आख़िरी दम तक लड़ने के लिए तैयार दिख रहे थे। नेविल घायल हो चुका था, बिल को ग्रेबैक ने घायल कर

दिया था ... घुप्प अँधेरा था ... शाप हर तरफ़ उड़ रहे थे ... मैल्फ़ॉय लड़का ग़ायब हो गया था। वह भागकर मीनार की तरफ़ जाने वाली सीढ़ियों पर चढ़ गया होगा ... फिर उसके पीछे कुछ प्राणभक्षी भी भाग गए, लेकिन उनमें से एक ने किसी तरह के शाप से सीढ़ियों का रास्ता बंद कर दिया ... नेविल जब उस तरफ़ भागा, तो टकराकर हवा में पीछे फिंका गया –'

'हममें से कोई भी उसे पार नहीं कर पाया,' रॉन ने कहा, 'और वह ऊँचा-पूरा प्राणभक्षी हर तरफ़ मंत्रों की बौछार कर रहा था, जो दीवारों से टकराकर हमसे ज़रा सी दूर से निकल रहे थे ...'

'और फिर स्नेप वहाँ आ गया,' टौंक्स ने कहा, 'और ज़रा सी देर में –'

जिनी बोली, 'मैंने उसे हमारी तरफ़ भागते हुए देखा था, लेकिन उस ऊँचे-पूरे प्राणभक्षी ने उसके ठीक बाद मुझ पर मंत्र मार दिया। मुझे झुकना पड़ा, जिससे मेरा ध्यान भटक गया।'

ल्यूपिन बोले, 'मैंने उसे शापित बैरियर में से सीधे ऊपर जाते देखा। ऐसा लग रहा था, जैसे कोई बैरियर हो ही नहीं। मैंने भी उसके पीछे जाने की कोशिश की, लेकिन मैं नेविल की तरह पीछे फिंका गया ...'

'उसे कोई ऐसा मंत्र आता होगा, जो हमें नहीं आता,' मैक्गॉनेगल धीरे से बोलीं। 'आख़िर – वह गुप्त कलाओं से रक्षा का टीचर था ... मुझे तो बस यही लगा था कि वह प्राणभक्षियों के पीछे भागने की जल्दी में था, जो बचकर मीनार में पहुँच गए हैं ...'

'वह जल्दी में तो था ...' हैरी ने आवेश में कहा, 'लेकिन उन्हें रोकने के लिए नहीं, बल्कि उनकी मदद करने के लिए ... और मैं शर्त लगाता हूँ कि उस बैरियर को पार करने के लिए हाथ पर मौत का निशान होना ज़रूरी होगा – तो उसके नीचे आने के बाद क्या हुआ?'

'बड़े प्राणभक्षी ने उसी समय एक मंत्र मारा, जिससे आधी छत गिर गई और उसके कारण वह शाप भी ख़त्म हो गया, जो सीढ़ियों पर बाधा बना हुआ था,' ल्यूपिन ने कहा। 'हम आगे की तरफ़ भागे – मेरा मतलब है, हममें से जो लोग अब भी खड़े हुए थे, वे भागे – इसके बाद स्नेप और वह लड़का धूल में से बाहर निकले – ज़ाहिर है, हममें से किसी ने उन पर हमला नहीं किया –'

'हमने उन्हें निकल जाने दिया,' टौंक्स ने खोखली आवाज़ में कहा, 'हमने सोचा कि प्राणभक्षी उनका पीछा कर रहे थे – और फिर बाक़ी प्राणभक्षी और ग्रेबैक लौट आए तथा हम दोबारा लड़ने लगे – मुझे लगा कि स्नेप चिल्लाकर कुछ कह रहा था, लेकिन मैं नहीं जानती कि उसने क्या कहा था –'

'उसने चिल्लाकर कहा था, "काम पूरा हो गया," हैरी ने कहा। 'वह जो काम करना चाहता था, वह उसने कर दिया था।'

वे सभी ख़ामोश हो गए। ज्वाला का विलाप अब भी बाहर के अँधेरे मैदान में गूँज रहा था। जब संगीत हवा में तैर रहा था, तो हैरी के मस्तिष्क में अनायास अप्रिय विचार आ गए ... क्या अब तक उन्होंने डम्बलडोर के शरीर को मीनार के नीचे से हटा दिया होगा? अब क्या होगा? उन्हें कहाँ दफ़नाया जाएगा? उसने अपनी जेब में अपनी मुट्ठियाँ भींच लीं। उसे दाहिने हाथ पर नक़ली होरक्रक्स का ठोस आकार महसूस हो रहा था।

अस्पताल का दरवाज़ा तेज़ी से खुला, जिससे वे सभी चौंक गए। मिस्टर और मिसेज़ वीज़्ली वार्ड में धड़धड़ाते हुए आ रहे थे। फ़्लर उनके ठीक पीछे थी और उसका सुंदर चेहरा दहशत से भरा हुआ था।

'मॉली - आर्थर -' प्रोफ़ेसर मैक्गॉनेगल ने उछलते और जल्दी से आगे बढ़ते हुए कहा। 'मुझे बहुत अफ़सोस है -'

'बिल,' मिसेज़ वीज़्ली ने बहुत धीमी आवाज़ में कहा और वे प्रोफ़ेसर मैक्गॉनेगल के पास से तेज़ी से गुज़रीं, जब उन्होंने बिल का क्षत-विक्षत चेहरा देखा। 'ओह, *बिल!'*

ल्यूपिन और टौंक्स जल्दी से उठकर पीछे हट गए, ताकि मिस्टर और मिसेज़ वीज़्ली पलंग के पास पहुँच सकें। मिसेज़ वीज़्ली अपने बेटे पर झुकीं और अपने होंठ उसके लहूलुहान माथे पर लगा दिए।

'आपने बताया था कि ग्रेबैक ने उस पर हमला किया था?' मिस्टर वीज़्ली ने प्रोफ़ेसर मैक्गॉनेगल से पूछा। 'लेकिन उस वक़्त ग्रेबैक ने रूप नहीं बदला था? तो इसका क्या मतलब है? बिल को क्या होगा?'

'अभी हम कुछ नहीं जानते,' प्रोफ़ेसर मैक्गॉनेगल ने ल्यूपिन की तरफ़ असहायता से देखते हुए कहा।

'शायद कुछ संक्रमण होगा, आर्थर,' ल्यूपिन ने कहा। 'यह एक अजीब मामला है, संभवतः अनूठा ... हम नहीं जानते कि जब वह जागेगा, तो उसका व्यवहार कैसा होगा ...'

मिसेज़ वीज़्ली ने मैडम पॉमफ़्री से बदबूदार मल्हम लिया और बिल के घावों पर लगाने लगीं।

'और डम्बलडोर ...' मिस्टर वीज़्ली ने कहा। 'मिनर्वा, क्या यह सच है ... क्या वे सचमुच ...?'

जब प्रोफ़ेसर मैक्गॉनेगल ने सिर हिलाया, तो हैरी ने जिनी को अपने पास हिलते हुए महसूस किया। उसने जिनी की तरफ़ देखा। उसकी थोड़ी सिकुड़ी हुई आँखें फ़्लर पर टिकी थीं, जो हतप्रभ होकर बिल की तरफ़ देख रही थी।

'डम्बलडोर चले गए,' मिस्टर वीज़्ली फुसफुसाकर बोले, लेकिन मिसेज़ वीज़्ली की आँखें तो अपने सबसे बड़े बेटे पर ही टिकी हुई थीं। वे सुबकने लगीं और उनके आँसू बिल के विकृत चेहरे पर गिरने लगे।

'ज़ाहिर है, इससे कोई फ़र्क़ नहीं पड़ता है कि वह कैसा दिखता है ... यह ... यह दरअसल महत्वपूर्ण नहीं है ... लेकिन वह बहुत ही सुंदर लड़का था ... हमेशा बहुत सुंदर ... और उसकी शादी ... हो - होने वाली थी!'

'इस बात से आपका क्या मतलब है?' फ़्लर ने अचानक ज़ोर से कहा। 'आपका क्या मतलब है कि उसकी शादी *होने वाली* थी?'

मिसेज़ वीज़्ली ने अपना आँसुओं से सना चेहरा उठाया। वे हैरान दिख रही थीं।

'देखो - सिर्फ़ यही -'

'आपको लगता है कि बिल अब मुझसे शादी नहीं करना चाहेगा?' फ़्लर ने पूछा। 'आपको लगता है कि इन चोटों के कारण वह मुझसे प्यार नहीं करेगा?'

'नहीं, मेरा मतलब यह -'

'लेकिन वह करेगा!' फ़्लर ने कहा। वह तनकर खड़ी हो गई और अपने चाँदी जैसे बालों की लंबी चोटी पीछे की तरफ़ उछाल दी। 'बिल मुझसे प्यार करना छोड़ दे, यह किसी नरभेड़िए के वश में नहीं है!'

'हाँ, मुझे यक़ीन है,' मिसेज़ वीज़्ली ने कहा, 'लेकिन मैंने सोचा शायद - उसकी स्थिति को देखते हुए - तुम -'

'आपने सोचा था कि मैं उससे शादी नहीं करना चाहूँगी? या शायद आपको यह उम्मीद थी?' फ़्लर ने अपने नथुने फुलाते हुए कहा। 'मुझे इस बात की कोई परवाह नहीं है कि वह कैसा दिखता है। मुझे लगता है कि मेरी सुंदरता ही हम दोनों के लिए काफ़ी है! ये घाव इस बात का सबूत हैं कि मेरा पति बहादुर है! और मैं उससे शादी ज़रूर करूँगी!' उसने आवेश में कहा और मिसेज़ वीज़्ली को हटाते हुए उनसे मल्हम छीन लिया।

मिसेज़ वीज़्ली अपने पति के क़रीब पहुँच गईं और फ़्लर को बिल के घाव साफ़ करते हुए देखती रहीं। उनके चेहरे पर बड़ा ही अजीब भाव था। किसी ने

कुछ नहीं कहा। हैरी की तो हिलने की भी हिम्मत नहीं हुई। बाक़ी सबकी तरह वह भी विस्फोट का इंतज़ार कर रहा था।

काफ़ी देर बाद मिसेज़ वीज़्ली बोलीं, 'हमारी नानी की बहन मुरियल के पास एक बहुत सुंदर मुकुट है – उसे पिशाचों ने बनाया है। मैं उन्हें मना लूँगी कि वे शादी में तुम्हें वह पहनने के लिए दे दें। वे बिल से बहुत प्यार करती हैं। वह मुकुट तुम्हारे बालों पर सुंदर दिखेगा।'

'धन्यवाद,' फ़्लर ने सख़्ती से कहा, 'मुझे यक़ीन है कि वह सुंदर होगा।'

और फिर – हैरी यह नहीं देख पाया कि यह कैसे हुआ – दोनों औरतें रोने लगीं और एक-दूसरे के गले लग गईं। पूरी तरह चकराते हुए, जैसे इस बात पर हैरान हो कि दुनिया पागल हो गई है, उसने मुड़कर देखा। रॉन भी हैरी जितना ही स्तब्ध दिख रहा था। उधर जिनी और हर्माइनी ने हैरानी भरी निगाह मिलाई।

'देखा!' एक तनाव भरी आवाज़ आई। टौंक्स ल्यूपिन को ग़ुस्से से देख रही थी। 'वह अब भी उससे शादी करना चाहती है, भले ही उसे नरभेड़िए ने काट लिया है! उसे परवाह नहीं है!'

'यह मामला अलग है,' ल्यूपिन ने कहा। वे अपने होंठ बहुत कम हिला रहे थे और अचानक बहुत तनाव में दिखने लगे थे। 'बिल पूरा नरभेड़िया नहीं है। बाक़ी मामले बिलकुल –'

'लेकिन मुझे भी परवाह नहीं है, मुझे भी परवाह नहीं है!' टौंक्स ने ल्यूपिन के दुशाले का अगला हिस्सा पकड़कर उसे हिलाते हुए कहा। 'मैं तुम्हें लाख बार बता चुकी हूँ ...'

और तब हैरी के सामने टौंक्स के पितृदेव और उसके चूहे जैसे रंग के बालों का कारण अचानक स्पष्ट हो गया। वह जान गया कि वह क्यों डम्बलडोर के पास भागती हुई आई थी, जब उसने यह अफ़वाह सुनी कि ग्रेबैक ने किसी पर हमला कर दिया था। वह सिरियस नहीं था, जिससे टौंक्स प्यार करती थी ...

'और मैं भी *तुम्हें* लाख बार बता चुका हूँ,' ल्यूपिन ने उससे नज़रें नहीं मिलाईं, बल्कि फ़र्श की तरफ़ देखते हुए कहा, 'कि मैं तुम्हारे लिहाज़ से बहुत बूढ़ा ... बहुत ग़रीब ... बहुत ख़तरनाक हूँ ...'

'मैं तो हमेशा से कह रही हूँ रीमस कि तुम इस मामले में मूर्खता कर रहे हो,' मिसेज़ वीज़्ली ने फ़्लर के कंधे के ऊपर से कहा, जब उन्होंने उसकी पीठ थपथपाई।

'मैं मूर्खता नहीं कर रहा हूँ,' ल्यूपिन ने कहा। 'टौंक्स को किसी जवान और पूरे आदमी से शादी करनी चाहिए।'

'लेकिन वह तुमसे शादी करना चाहती है,' मिस्टर वीज़्ली ने थोड़ा मुस्कराते हुए कहा। 'और रीमस, यह ज़रूरी तो नहीं है कि पूरे आदमी हमेशा ही पूरे बने रहें।' उन्होंने दुख से अपने बेटे की तरफ़ देखते हुए कहा, जो उनके बीच में लेटा हुआ था।

'यह ... इन मामलों पर बातचीत करने का समय नहीं है,' ल्यूपिन ने बाक़ी सबसे नज़रें चुराते हुए कहा, जब उन्होंने विचलित होकर चारों तरफ़ देखा। 'डम्बलडोर मर चुके हैं ...'

'इस बात से डम्बलडोर से ज़्यादा ख़ुशी किसी को नहीं होती कि दुनिया में प्रेम थोड़ा और बढ़ गया है,' प्रोफ़ेसर मैक्गॉनेगल ने कहा, जब अस्पताल का दरवाज़ा दोबारा खुला और हैग्रिड अंदर आ गया।

हैग्रिड के चेहरे का जो हिस्सा बालों या दाढ़ी से नहीं ढँका था, वह गीला और सूजा हुआ था। वह आँसुओं के साथ काँप रहा था और उसके हाथ में एक बड़ा सा धारीदार रूमाल था।

'हमने ... हमने वह काम कर दिया है, प्रोफ़ेसर,' उसने रुँधे गले से कहा। 'उन्हें ह - हटा दिया। प्रोफ़ेसर स्प्राउट ने बच्चों को वापस बिस्तर पर भेज दिया है। प्रोफ़ेसर फ़्लिटविक लेटे हुए हैं, लेकिन वे कहते हैं कि वे कुछ समय में बिलकुल ठीक हो जाएँगे और प्रोफ़ेसर स्लगहॉर्न कहते हैं कि उन्होंने मंत्रालय को ख़बर कर दी है।'

'धन्यवाद हैग्रिड,' प्रोफ़ेसर मैक्गॉनेगल एकाएक खड़ी हुईं और बिल के पलंग के पास के समूह की तरफ़ मुड़कर बोलीं। 'जब मंत्रालय के लोग यहाँ आएँगे, तो मुझे उनसे मिलना होगा। हैग्रिड, कृपया सभी हाउस प्रमुखों से कह दो - स्लगहॉर्न नागशक्ति का प्रतिनिधित्व कर सकते हैं - कि मैं उन सभी से तत्काल अपने ऑफ़िस में मिलना चाहती हूँ। मैं चाहूँगी कि तुम भी वहीं आ जाओ।'

जब हैग्रिड सिर हिलाकर मुड़ा और पैर घसीटता हुआ कमरे से बाहर चला गया, तो मैक्गॉनेगल ने हैरी की तरफ़ देखा।

'उनसे मिलने से पहले मैं तुमसे जल्दी से कुछ बात करना चाहूँगी, हैरी। मेरे साथ चलो ...'

हैरी खड़ा हो गया। वह रॉन, हर्माइनी और जिनी से बुदबुदाकर बोला, 'मिलते हैं।' फिर वह प्रोफ़ेसर मैक्गॉनेगल के पीछे-पीछे वार्ड से बाहर निकल गया। बाहर गलियारे वीरान थे; सिर्फ़ दूर से आता मायापंछी का संगीत सुनाई दे रहा था। कई मिनट बाद हैरी को यह एहसास हुआ कि वे प्रोफ़ेसर मैक्गॉनेगल के नहीं, बल्कि डम्बलडोर के ऑफ़िस की तरफ़ जा रहे हैं। कुछ सेकंड बाद उसे

एहसास हुआ कि ज़ाहिर है वे डिप्टी हेडमिस्ट्रेस थीं ... इसलिए अब वे हेडमिस्ट्रेस बन गई हैं ... इसलिए गारगॉइल के पीछे वाला कमरा अब उनका है ...

ख़ामोशी के साथ वे स्वचलित घुमावदार सीढ़ियों पर चढ़े और गोल ऑफ़िस में दाख़िल हुए। वह नहीं जानता था कि उसे क्या उम्मीद थी : कि कमरा काले पर्दों से ढँका होगा या फिर डम्बलडोर का शरीर वहाँ पड़ा होगा। सच तो यह था कि ऑफ़िस लगभग वैसा ही दिख रहा था, जैसा तब था, जब वह और डम्बलडोर कुछ घंटे पहले यहाँ से गए थे। चाँदी के यंत्र जर्जर टेबलों पर धुआँ निकाल रहे थे। गरुड़द्वार की तलवार काँच के केस में चाँदनी में चमक रही थी। चुनने वाली टोपी डेस्क के पीछे वाले शेल्फ़ पर रखी थी। लेकिन ज्वाला का अड्डा ख़ाली था। वह अब भी मैदान में विलाप कर रहा था। और हॉगवर्ट्स के मृत हेडमास्टरों और हेडमिस्ट्रेसेस की क़तार में एक नई तस्वीर लग चुकी थी ... डम्बलडोर डेस्क के ऊपर एक सुनहरे फ्रेम में आराम कर रहे थे, उनका आधे चाँद के आकार का चश्मा उनकी मुड़ी हुई नाक के ऊपर रखा था और वे शांत लग रहे थे।

इस तस्वीर पर एक नज़र डालने के बाद प्रोफ़ेसर मैक्गॉनेगल ने एक अजीब हरकत की, जैसे वे ख़ुद को मज़बूत कर रही हों। फिर उन्होंने डेस्क पर घूमकर हैरी की तरफ़ देखा। उनका चेहरा तना हुआ था और उस पर झुर्रियाँ थीं।

'हैरी,' उन्होंने कहा, 'मैं यह जानना चाहूँगी कि तुम और डम्बलडोर स्कूल से कहाँ गए थे और क्या करने गए थे।'

'मैं आपको नहीं बता सकता, प्रोफ़ेसर,' हैरी ने कहा। उसे इस सवाल की उम्मीद थी और वह इसका जवाब भी सोच चुका था। यहीं पर, इसी कमरे में, डम्बलडोर ने उससे कहा था कि वह उनके सबक़ के बारे में रॉन और हर्माइनी के अलावा किसी और को नहीं बता सकता था।

'हैरी, यह महत्वपूर्ण हो सकता है,' प्रोफ़ेसर मैक्गॉनेगल बोलीं।

'यह महत्वपूर्ण है,' हैरी ने कहा, 'यह बहुत महत्वपूर्ण है, लेकिन वे नहीं चाहते थे कि मैं यह बात किसी को बताऊँ।'

प्रोफ़ेसर मैक्गॉनेगल ने उसे ग़ुस्से से घूरा।

'पॉटर' (हैरी का ध्यान इस तरफ़ गया कि वे अब उसे उसके सरनेम से पुकार रही थीं) 'मुझे लगता है कि प्रोफ़ेसर डम्बलडोर की मृत्यु के बाद तुम्हें यह विचार करना चाहिए कि स्थिति अब बदल गई है –'

'मुझे ऐसा नहीं लगता,' हैरी ने कंधे उचकाते हुए कहा। 'प्रोफ़ेसर डम्बलडोर ने मुझसे यह कभी नहीं कहा कि उनकी मौत के बाद मुझे उनके आदेशों

का पालन नहीं करना है।'

'लेकिन –'

'सिर्फ़ एक चीज़ है, जो मंत्रालय के यहाँ आने से पहले आपको जान लेनी चाहिए। मैडम रोज़मर्टा सम्मोहन शाप की शिकार हैं। वे मैल्फ़ॉय और प्राणभक्षियों की मदद कर रही थीं। इसी तरह वह हार और ज़हर मिली शराब –'

'रोज़मर्टा?' प्रोफ़ेसर मैक्गॉनेगल ने अविश्वास से कहा, लेकिन इससे पहले कि वे आगे कुछ कह पाएँ, उनके पीछे दरवाज़े पर दस्तक हुई और प्रोफ़ेसर स्प्राउट, फ़्लिटविक तथा स्लगहॉर्न कमरे में आ गए। उनके पीछे हैग्रिड था, जो अब भी काफ़ी रो रहा था और उसका विशाल शरीर दुख से काँप रहा था।

'स्नेप!' स्लगहॉर्न बोले, जो बहुत हिले हुए, पीले और पसीना-पसीना दिख रहे थे। 'स्नेप! मैंने उसे पढ़ाया था! मुझे लगता था कि मैं उसे जानता था!'

लेकिन इससे पहले कि उनमें से कोई भी इस बात पर कुछ कह पाए, दीवार से एक तीखी आवाज़ आई। एक पीले चेहरे वाला जादूगर, जिसने एक छोटा काला झब्बा पहन रखा था, अपने ख़ाली कैनवास में अभी-अभी आया था।

'मिनर्वा, मंत्रीजी कुछ ही देर में यहाँ आ जाएँगे। वे अभी-अभी मंत्रालय से अंतर्ध्यान हुए हैं।'

'धन्यवाद, एवरार्ड,' प्रोफ़ेसर मैक्गॉनेगल ने कहा और वे जल्दी से टीचर्स की तरफ़ मुड़ीं।

उन्होंने जल्दी से कहा, 'उनके आने से पहले मैं इस बारे में बात करना चाहती हूँ कि हॉगवर्ट्स का क्या होगा? व्यक्तिगत रूप से मुझे नहीं लगता कि स्कूल को अगले साल दोबारा खुलना चाहिए। अपने ही एक सहकर्मी के हाथों हेडमास्टर की मौत हॉगवर्ट्स के इतिहास पर एक भयंकर कलंक है। यह भयंकर है।'

'मुझे पूरा यक़ीन है कि डम्बलडोर इस स्कूल को खुला रखना चाहते होंगे,' प्रोफ़ेसर स्प्राउट बोलीं। 'मुझे तो लगता है कि अगर एक भी विद्यार्थी यहाँ आना चाहता है, तो स्कूल को उस एक विद्यार्थी के लिए भी खुलना चाहिए।'

'लेकिन इसके बाद हमें एक विद्यार्थी भी कहाँ मिलेगा?' स्लगहॉर्न ने कहा, जो अब एक रेशमी रूमाल से अपनी पसीना-पसीना भौंह को पोंछ रहे थे। 'माता-पिता अपने बच्चों को घर पर रखना चाहेंगे और मैं उन्हें दोष नहीं दे सकता। व्यक्तिगत रूप से मुझे नहीं लगता कि हमें हॉगवर्ट्स में बाक़ी जगहों से ज़्यादा ख़तरा है, लेकिन आप यह उम्मीद नहीं कर सकते कि माताएँ ऐसा

सोचेंगी। वे अपने परिवार को एक साथ रखना चाहेंगी, जो स्वाभाविक भी है।'

'मैं सहमत हूँ,' प्रोफ़ेसर मैक्गॉनेगल ने कहा। 'और चाहे जो हो, यह कहना सच नहीं है कि डम्बलडोर ने हॉगवर्ट्स के बंद होने की कभी कल्पना ही नहीं की थी। जब रहस्यमय तहख़ाना दोबारा खुला था, तो उन्होंने स्कूल बंद करने के बारे में विचार किया था - और मुझे कहना होगा कि महल के नीचे नागशक्ति के किसी भयंकर प्राणी के छिपे रहने के बजाय प्रोफ़ेसर डम्बलडोर की हत्या मेरे लिए ज़्यादा परेशानी की बात है ...'

'हमें गवर्नरों से बातचीत करनी चाहिए,' प्रोफ़ेसर फ़्लिटविक ने चूँ-चूँ करती आवाज़ में कहा। उनके माथे पर एक बड़ा निशान था, लेकिन इसके अलावा स्नेप के ऑफ़िस में गिरने की कोई निशानी नहीं थी। 'हमें स्थापित प्रक्रियाओं का पालन करना चाहिए। कोई भी निर्णय जल्दबाज़ी में नहीं लेना चाहिए।'

'हैग्रिड, तुमने कुछ नहीं कहा,' प्रोफ़ेसर मैक्गॉनेगल ने कहा। 'तुम्हारा क्या विचार है? क्या हॉगवर्ट्स खुला रहना चाहिए?'

पूरी बातचीत के दौरान अपने बड़े धब्बेदार रूमाल में चुपचाप रो रहे हैग्रिड ने अब अपनी सूजी हुई लाल आँखें उठाईं और बोला, 'हम नहीं जानते, प्रोफ़ेसर ... यह निर्णय लेना तो हाउस प्रमुखों और हेडमास्टर के हाथ में है ...'

'प्रोफ़ेसर डम्बलडोर हमेशा तुम्हारी राय की क़द्र करते थे,' प्रोफ़ेसर मैक्गॉनेगल ने दयालुता से कहा, 'और मैं भी करती हूँ।'

'देखिए, हम तो रुकेंगे,' हैग्रिड ने कहा। उसकी आँखों के कोनों से मोटे-मोटे आँसू अब भी बह रहे थे और फिसलकर उसकी उलझी हुई दाढ़ी तक आ रहे थे। 'यह हमारा घर है। यह तब से हमारा घर है, जब हमारी उम्र तेरह साल थी। और अगर यहाँ के बच्चे चाहते हैं कि हम उन्हें पढ़ाएँ, तो हम उन्हें पढ़ाएँगे। लेकिन ... हम नहीं जानते ... डम्बलडोर के बिना हॉगवर्ट्स ...'

उसने थूक गटका और एक बार फिर रूमाल के पीछे मुँह छिपा लिया। दोबारा ख़ामोशी छा गई।

'तो ठीक है,' प्रोफ़ेसर मैक्गॉनेगल ने खिड़की से मैदान की तरफ़ देखा, ताकि यह जाँच कर सकें कि मंत्रीजी आ रहे हैं या नहीं, 'तब तो मुझे फ़्लिटविक की बात से सहमत होना होगा कि सही काम गवर्नर्स से परामर्श लेना है, जो अंतिम निर्णय लेंगे।

'अब जहाँ तक विद्यार्थियों के घर जाने का सवाल है ... एक तर्क दिया जा रहा है कि इसे देर से करने के बजाय जल्दी कर दिया जाए। अगर ज़रूरत हो, तो

हम हॉगवर्ट्स एक्सप्रेस कल ही बुलवा सकते हैं –'

'और डम्बलडोर की अंत्येष्टि?' हैरी ने आख़िरकार कहा।

'देखो ...' प्रोफ़ेसर मैक्गॉनेगल ने कहा और उनकी आवाज़ थोड़ी काँप गई, 'मैं – मैं जानती हूँ कि डम्बलडोर की इच्छा यह थी कि उन्हें यहीं – हॉगवर्ट्स में ही – दफ़नाया जाए!'

'तो फिर यही होगा, है ना?' हैरी ने आवेश में कहा।

'अगर मंत्रालय को यह उचित लगे,' प्रोफ़ेसर मैक्गॉनेगल ने कहा। 'यहाँ पर आज तक किसी भी अन्य हेडमास्टर या हेडमिस्ट्रेस को दफ़नाया नहीं –'

'किसी और हेडमास्टर या हेडमिस्ट्रेस ने स्कूल को उनसे ज़्यादा दिया भी नहीं है,' हैग्रिड गुर्राता हुआ बोला।

'हॉगवर्ट्स ही डम्बलडोर के चिर विश्राम की जगह होनी चाहिए,' प्रोफ़ेसर फ़्लिटविक ने कहा।

'बिलकुल,' प्रोफ़ेसर स्प्राउट ने कहा।

'और इस स्थिति में,' हैरी ने कहा, 'आपको विद्यार्थियों को तब तक घर नहीं भेजना चाहिए, जब तक कि अंत्येष्टि नहीं हो जाती। विद्यार्थी उन्हें –'

आख़िरी शब्द उसके गले में अटक गए, लेकिन प्रोफ़ेसर स्प्राउट ने उसकी बात पूरी कर दी।

'श्रद्धांजलि देना चाहेंगे।'

'बहुत ठीक,' प्रोफ़ेसर फ़्लिटविक ने चूँ-चूँ करते हुए कहा। 'सचमुच बहुत ठीक बात कही। हमारे विद्यार्थी श्रद्धांजलि देना चाहेंगे, यह उचित है। हम उसके बाद उन्हें घर भेज सकते हैं।'

'मैं इस बात का समर्थन करती हूँ,' प्रोफ़ेसर स्प्राउट ने तेज़ आवाज़ में कहा।

'मुझे लगता है ... हाँ ...' स्लगहॉर्न ने थोड़ी आंदोलित आवाज़ में कहा, जब हैग्रिड ने दबी हुई सिसकी के साथ हाँ भरी।

'वे आ रहे हैं,' प्रोफ़ेसर मैक्गॉनेगल ने मैदान में नीचे देखते हुए अचानक कहा। 'मंत्रीजी ... और मुझे लगता है कि वे अपने साथ एक प्रतिनिधि मंडल भी ला रहे हैं ...'

'क्या मैं जा सकता हूँ, प्रोफ़ेसर?' हैरी ने तत्काल कहा।

उसकी आज रात र्‌यूफ़स स्क्रिमग्योर को देखने या उनके सवालों के

जवाब देने की क़तई इच्छा नहीं थी।

'तुम जा सकते हो,' प्रोफ़ेसर मैक्गॉनेगल ने कहा। 'और जल्दी करो।'

वे दरवाज़े की तरफ़ बढ़ीं और उन्होंने उसे खोल दिया। हैरी तेज़ी से घुमावदार सीढ़ियों से नीचे उतरकर वीरान गलियारे में पहुँच गया। वह अपना चोगा खगोलशास्त्र की मीनार के ऊपर छोड़ आया था, लेकिन उसे इस बात की कोई परवाह नहीं थी। गलियारों में उसे देखने के लिए कोई नहीं था : फ़िल्च, मिसेज़ नॉरिस या पीव्ज़ भी नहीं। उसे तब तक कोई नहीं मिला, जब तक कि वह गरुड़द्वार के कॉमन रूम तक जाने वाले गलियारे में नहीं पहुँच गया।

'क्या यह सच है?' मोटी औरत ने पूछा, जब वह उसके पास पहुँचा। 'क्या यह सच है? डम्बलडोर – मर गए?'

'हाँ,' हैरी ने कहा।

मोटी औरत ने रोने की आवाज़ निकाली और पासवर्ड का इंतज़ार किए बिना उसे दाख़िल करने के लिए आगे झुक गई।

जैसा हैरी को अंदाज़ा था, कॉमन रूम खचाखच भरा हुआ था। जब वह तस्वीर के छेद को लाँघकर अंदर गया, तो ख़ामोशी छा गई। उसने डीन और सीमस को पास वाले समूह में बैठे देखा। इसका मतलब है कि कमरा ख़ाली होगा या लगभग ख़ाली होगा। बिना किसी से कुछ बोले या नज़रें मिलाए वह सीधा कमरे के पार गया और दरवाज़े से होता हुआ लड़कों के कमरों की तरफ़ चल दिया।

जैसी उसे उम्मीद थी, रॉन उसका इंतज़ार कर रहा था। वह पूरे कपड़े पहनकर अपने पलंग पर बैठा था। हैरी भी अपने पलंग पर बैठ गया और एक पल के लिए वे एक-दूसरे को एकटक देखते रहे।

'वे लोग स्कूल बंद करने के बारे में बात कर रहे हैं,' हैरी ने कहा।

'ल्यूपिन ने कहा था कि वे ऐसा ही करेंगे,' रॉन बोला।

ख़ामोशी छा गई।

'तो?' रॉन ने बहुत धीरे से कहा, जैसे उसे लग रहा हो कि फ़र्नीचर उनकी बात सुन सकता हो। 'क्या तुम्हें मिल गया? क्या तुम्हें मिल गया? होरक्रक्स?'

हैरी ने अपना सिर हिलाया। उस काली झील के पास जो कुछ हुआ था, वह अब एक बुरा पुराना सपना लग रहा था। क्या यह सचमुच हुआ था और वह भी सिर्फ़ कुछ घंटे पहले?

'तुम्हें वह नहीं मिला?' रॉन ने निशान दिखते हुए कहा। 'वह वहाँ नहीं था?'

'नहीं,' हैरी ने कहा। 'कोई उसे पहले ही ले जा चुका था और उसकी जगह पर एक नक़ली होरक्रक्स रख गया था।'

'पहले ही *ले जा चुका था* – ?'

बिना कुछ कहे हैरी ने अपनी जेब से नक़ली लॉकेट निकाला और उसे खोलकर रॉन को दे दिया। पूरी कहानी इंतज़ार कर सकती थी ... आज रात इससे कोई फ़र्क़ नहीं पड़ता था ... सिवाय अंत के कोई चीज़ महत्वपूर्ण नहीं थी, उनके महत्वहीन रोमांच का अंत, डम्बलडोर के जीवन का अंत ...

'**आर.ए.बी.**' रॉन फुसफुसाकर बोला, 'लेकिन वह कौन था?'

'क्या पता?' हैरी ने पूरे कपड़ों में ही अपने पलंग पर लेटते हुए और ऊपर की तरफ़ सूनेपन से घूरते हुए कहा। उसे **आर.ए.बी.** के बारे में कोई जिज्ञासा महसूस नहीं हो रही थी। उसे लग रहा था कि अब उसे दोबारा कभी जिज्ञासा महसूस ही नहीं होगी। जब वह वहाँ लेटा था, तो अचानक उसे एहसास हुआ कि मैदान में अब ख़ामोशी छा गई थी। ज्वाला ने अब गाना बंद कर दिया था।

और फिर वह जान गया, हालाँकि उसे यह पता नहीं था कि वह यह बात कैसे जान गया, कि ज्वाला चला गया था, हॉगवर्ट्स को हमेशा के लिए छोड़कर चला गया था, जिस तरह से डम्बलडोर स्कूल छोड़कर चले गए थे, दुनिया छोड़कर चले गए थे ... हैरी को छोड़कर चले गए थे।

अध्याय तीस

सफ़ेद समाधि

सभी क्लासें रद्द कर दी गई थीं, सभी परीक्षाएँ स्थगित कर दी गई थीं। अगले कुछ दिनों में कुछ विद्यार्थियों को उनके माता-पिता हॉगवर्ट्स से लेने के लिए आ गए। डम्बलडोर की मौत के अगले दिन सुबह नाश्ते से पहले ही पाटिल बहनें चली गई थीं और जकारियस स्मिथ को उसके घमंडी दिखने वाले पिता महल से ले गए। दूसरी तरफ़ सीमस फ़िनिगन ने अपनी माँ के साथ घर जाने से साफ़ इंकार कर दिया। उनके बीच प्रवेश हॉल में काफ़ी चिल्ला-चोट हुई। आख़िर में मामला तब सुलझा, जब वे इस बात पर सहमत हो गईं कि वह अंत्येष्टि के बाद उनके साथ जाएगा। सीमस ने हैरी और रॉन को बताया कि उसकी माँ को हॉग्समीड में कमरा मिलने में काफ़ी मुश्किल हुई, क्योंकि उस गाँव में जादूगर और जादूगरनियाँ दूर-दूर से डम्बलडोर को अंतिम श्रद्धांजलि देने के लिए आ रहे थे।

अंत्येष्टि के पहले वाली शाम को एक नीली गाड़ी आसमान में उड़ती हुई आई और जंगल के कोने पर उतरी। कम उम्र के विद्यार्थियों को यह थोड़ा रोमांचक लगा, जिन्होंने इसे पहले नहीं देखा था। यह गाड़ी किसी मकान जितनी बड़ी थी और इसे एक दर्जन विशाल पंख वाले घोड़े खींच रहे थे। हैरी ने एक खिड़की से देखा, जब जैतूनी चमड़ी तथा काले बालों वाली एक दैत्याकार और आकर्षक औरत गाड़ी की सीढ़ियों से उतरी तथा इंतज़ार कर रहे हैग्रिड के गले लग गई। इस दौरान मंत्रालय के अधिकारियों का प्रतिनिधि मंडल, जिसमें जादू मंत्री ख़ुद शामिल थे, महल के भीतर रह रहे थे। हैरी उनमें से किसी से भी संपर्क करने से बचने की कोशिश कर रहा था। उसे पूरा यक़ीन था कि देर-सबेर वे उससे ज़रूर पूछेंगे कि डम्बलडोर आख़िरी बार हॉगवर्ट्स से बाहर क्या करने गए थे।

हैरी, रॉन, हर्माइनी और जिनी ने अपना सारा समय एक साथ बिताया। सुंदर मौसम उन्हें ताने मारता हुआ लग रहा था। हैरी बस यह कल्पना ही कर

सकता था कि अगर डम्बलडोर नहीं मरते, तो क्या होता? अगर उनके पास साल के अंत में यह समय होता, जिनी की परीक्षाएँ ख़त्म हो जातीं, होमवर्क का दबाव ख़त्म हो जाता, तो वह जिनी के साथ कितना सुखद समय बिताता ... और वह हर घंटे उस चीज़ को टालता रहा, जो वह जानता था कि उसे कहनी है, क्योंकि उसे सही काम करना ही था! बहरहाल, वह टालमटोल करता रहा, क्योंकि राहत के अपने सबसे अच्छे स्रोत को छोड़ना बहुत मुश्किल था।

वे दिन में दो बार अस्पताल जाते थे। नेविल की छुट्टी हो गई थी, लेकिन बिल मैडम पॉमफ़्री की देखभाल में ही रह रहा था। उसके घाव पहले जितने ही बुरे थे। सच तो यह था कि अब वह बावरे-नैन मूडी से मिलती-जुलती शक्ल का दिख रहा था, हालाँकि उसके दोनों हाथ-पैर सलामत थे। बहरहाल, उसका व्यक्तित्व ज़्यादा नहीं बदला था। सिर्फ़ यह बदला था कि अब वह बहुत दुर्लभ स्टीक पसंद करने लगा था।

'... तो यह बहुत ख़ुशक़िस्मती की बात है कि वह मुझसे शादी कर रहा है,' फ़्लर ने ख़ुशी से बिल के तकियों को ऊँचा करते हुए कहा, 'क्योंकि मैं हमेशा कहती हूँ, अँग्रेज लोग अपने मीट को ज़्यादा पका देते हैं।'

'मुझे लगता है कि मुझे अब इस बात को स्वीकार करना होगा कि वह सचमुच उससे शादी कर रहा है,' जिनी ने बाद में उस शाम को कहा, जब वह, हैरी, रॉन और हर्माइनी गरुड़द्वार के कॉमन रूम की खुली खिड़की के पास बैठकर बाहर धुँधलके में डूबे मैदान को देख रहे थे।

'वह इतनी बुरी नहीं है,' हैरी ने कहा। 'वैसे बदसूरत है,' उसने जल्दी से कहा, जब जिनी ने अपनी भौंहें उठाईं और अनिच्छा से हँस दी।

'अच्छा, अगर मम्मी इसे सहन कर सकती हैं, तो मैं भी कर सकती हूँ।'

'हमारी पहचान का कोई मरा?' रॉन ने हर्माइनी से पूछा, जो *सांध्यकालीन जादूगर* पढ़ रही थी।

हर्माइनी उसकी आवाज़ में ठूँसी गई कठोरता पर चिढ़ गई।

'नहीं,' उसने झिड़कते हुए कहा और अख़बार मोड़ लिया। 'वे लोग अब भी स्नेप की तलाश कर रहे हैं, लेकिन कोई सुराग़ नहीं ...'

'ज़ाहिर है, कोई सुराग़ नहीं मिलेगा,' हैरी ने कहा, जो इस विषय के छिड़ने पर हर बार बहुत ग़ुस्सा हो जाता था। 'उन्हें स्नेप तब तक नहीं मिलेगा, जब तक कि वे वोल्डेमॉर्ट को खोज नहीं लेंगे और चूँकि वे अब तक वोल्डेमॉर्ट को नहीं खोज पाए हैं, इसलिए ...'

'मैं सोने जा रही हूँ,' जिनी ने जम्हाई लेते हुए कहा। 'मैं तब से ठीक से

सोई नहीं हूँ ... हाँ ... मुझे नींद की ज़रूरत है।'

उसने हैरी को चूमा (रॉन जान-बूझकर दूर देखने लगा), बाक़ी दोनों की तरफ़ हाथ हिलाया और लड़कियों के कमरे की तरफ़ चली गई। जिस पल उसके पीछे दरवाज़ा बंद हुआ, हर्माइनी आगे की तरफ़ हैरी के क़रीब झुकी और उसके चेहरे पर हर्माइनी जैसा विशिष्ट भाव था।

'हैरी, मैंने आज सुबह कुछ पता लगाया है, लाइब्रेरी में ...'

'**आर.ए.बी.** ?' हैरी ने सीधे तनकर बैठते हुए पूछा।

उसे वैसा महसूस नहीं हुआ, जैसा पहले अक्सर महसूस होता था - रोमांचित, जिज्ञासु, किसी रहस्य की तह तक पहुँचने के लिए व्याकुल। वह तो सिर्फ़ इतना जानता था कि उसे असली होरक्रक्स के बारे में सच्चाई पता लगाने का काम पूरा करना था, क्योंकि उसके बाद ही वह अपने सामने के अँधेरे और घुमावदार रास्ते पर थोड़ा आगे जा सकता था, उस रास्ते पर जिस पर वह और डम्बलडोर एक साथ चले थे तथा जिस पर वह जानता था कि अब उसे अकेले चलना होगा। अब भी कहीं पर चार होरक्रक्स छिपे होंगे और उन सभी को खोजकर ख़त्म करना था, तभी वोल्डेमॉर्ट को मारना संभव होगा। वह उनके नाम दोहराता रहा, जैसे उनकी सूची बनाने से ही वे उसकी पहुँच में आ जाएँगे : 'लॉकेट ... कप ... साँप ... गरुड़द्वार या चीलघात की कोई चीज़ ... लॉकेट ... कप ... साँप ... गरुड़द्वार या चीलघात की कोई चीज़ ...'

जब हैरी रात को सोने गया, तब भी यह सूची उसके दिमाग़ में घुमड़ती रही। उसे सपनों में कप, लॉकेट और रहस्यमयी चीज़ें दिखीं, जिन तक वह नहीं पहुँच सकता था, हालाँकि डम्बलडोर ने हैरी की मदद करते हुए उसे रस्सी की एक सीढ़ी दी, जो उसके चढ़ते ही साँप में बदल गई ...

उसने डम्बलडोर की मौत के बाद वाली सुबह हर्माइनी को लॉकेट के भीतर की चिट्ठी दिखा दी थी। हालाँकि वह आर.ए.बी. का संक्षिप्त नाम देखते ही यह नहीं पहचान पाई थी कि इस पुराने जादूगर के बारे में उसने कहीं पढ़ा था, लेकिन वह तब से अक्सर लाइब्रेरी जा रही थी, हालाँकि अब होमवर्क न होने के कारण विद्यार्थियों को लाइब्रेरी जाने की ज़रूरत नहीं थी।

'नहीं,' उसने दुखी मन से कहा, 'मैं कोशिश कर रही हूँ हैरी, लेकिन मुझे कुछ नहीं मिला है ... इस नाम के दो अच्छे जादूगर मिले हैं - रोज़ालिंड एंटीगॉन बंग्स ... रूपर्ट "एक्सबैंगर" ब्रुकस्टैंटन ... लेकिन वे उपयुक्त नहीं लगते हैं। उस चिट्ठी से तो ऐसा लगता है, जैसे जिस व्यक्ति ने होरक्रक्स चुराया था, वह वोल्डेमॉर्ट को जानता था और मुझे रत्ती भर भी सबूत नहीं मिल पाया है कि बंग्स या एक्सबैंगर का उससे कभी कोई लेना-देना रहा था ... नहीं, दरअसल यह स्नेप

के बारे में है।'

वह स्नेप का नाम दोबारा लेने में भी घबरा रही थी।

'उसके बारे में क्या?' हैरी ने भारी स्वर में कहा और अपनी कुर्सी से टिक गया।

'देखो, एक तरह से मैं हाफ़-ब्लड प्रिंस के बारे में सही थी?' उसने झिझकते हुए कहा।

'क्या तुम्हें अब भी यह ताना मारने की ज़रूरत है? तुम्हें पता है, मैं इस समय उसके बारे में कैसा महसूस कर रहा हूँ?'

'नहीं – नहीं – हैरी, मेरा वह मतलब नहीं है!' उसने तुरंत कहा और चारों तरफ़ देखकर जाँच की कि कहीं कोई उनकी बात सुन तो नहीं रहा है। 'मेरा मतलब सिर्फ़ यह है कि मैं सही थी कि एलीन प्रिंस कभी इस पुस्तक की मालकिन थी। देखो ... वे स्नेप की माँ थीं!'

'मुझे लगा भी था कि उनकी शक्ल ज़्यादा अच्छी नहीं थी,' रॉन ने कहा। लेकिन हर्माइनी ने उसकी बात अनसुनी कर दी।

'मैं पुराने *दैनिक जादूगर* पढ़ रही थी और वहाँ एक छोटी सी घोषणा थी कि एलीन प्रिंस ने टोबियास स्नेप नाम के आदमी से शादी कर ली है। बाद में एक और घोषणा थी कि उनके घर एक बच्चा पैदा हुआ है, जो –'

'– बड़ा होकर हत्यारा बनेगा,' हैरी ने ग़ुस्से से कहा।

'देखो ... हाँ,' हर्माइनी ने कहा। 'तो .... मैं एक तरह से सही थी। स्नेप ख़ुद को "हाफ़ प्रिंस" कहने में गर्व महसूस करता होगा, है ना? टोबियास स्नेप एक मगलू था, जैसा *दैनिक जादूगर* में बताया गया है।'

'हाँ, यह बात जमती है,' हैरी ने कहा। 'वह शुद्ध ख़ून वाला होने का नाटक करता था, ताकि वह लूसियस मैल्फ़ॉय और बाक़ी लोगों के बीच रह सके ... जबकि वह भी वोल्डेमॉर्ट की तरह ही है। शुद्ध ख़ून वाली माँ, मगलू पिता ... अपने पिता पर शर्मिंदा, काले जादू का प्रयोग करके शक्ति हासिल करने की कोशिश, ख़ुद को एक नया प्रभावशाली नाम देना – *लॉर्ड* वोल्डेमॉर्ट – हाफ़-ब्लड *प्रिंस* – डम्बलडोर यह बात कैसे चूक गए – ?'

उसकी आवाज़ टूट गई और वह खिड़की से बाहर देखने लगा। वह इस बात को लगातार याद करता रहा कि डम्बलडोर को स्नेप पर कितना भरोसा था, हालाँकि उसका कोई कारण स्पष्ट नहीं था ... लेकिन जैसा हर्माइनी ने उसे अभी-अभी याद दिलाया था, हैरी से भी तो इसी तरह की चूक हो गई थी ... उन लिखे हुए मंत्रों के भयंकर होने के बावजूद उसने उस लड़के के बारे में बुरा

सोचने से इंकार कर दिया था, जो इतना चतुर था, जिसने उसकी इतनी मदद की थी ...

मदद की थी ... अब यह विचार ही असहनीय था ...

'मैं अब भी यह नहीं समझ पाया हूँ कि उसने उस पुस्तक का इस्तेमाल करने के लिए तुम्हें पकड़वाया क्यों नहीं?' रॉन ने कहा। 'वह जानता होगा कि तुम यह सब कहाँ से कर रहे हो?'

'वह जानता था,' हैरी ने कटुता से कहा। 'जब मैंने *सेक्टमसेम्परा* का इस्तेमाल किया, वह तभी जान गया था। उसे दरअसल गुप्त-घुसपैठ करने की ज़रूरत नहीं थी ... हो सकता है उसे पहले ही पता चल गया हो, जब स्लगहॉर्न बात कर रहे थे कि मैं काढ़ों में कितना प्रतिभाशाली हूँ ... उसे उस अलमारी में अपनी पुरानी पुस्तक नहीं छोड़नी चाहिए थी, है ना?'

'लेकिन उसने तुम्हें पकड़वाया क्यों नहीं?'

'मुझे नहीं लगता कि वह ख़ुद का नाम उस पुस्तक से जोड़ना चाहता होगा,' हर्माइनी बोली। 'मुझे नहीं लगता कि अगर डम्बलडोर को पता चल जाता, तो वे इस बात को बहुत पसंद करते। और भले ही स्नेप यह नाटक करता कि यह पुस्तक उसकी नहीं है, लेकिन स्लगहॉर्न उसकी लिखाई तत्काल पहचान जाते। चाहे जो हो, पुस्तक स्नेप के पुराने क्लासरूम में थी और मैं शर्त लगा सकती हूँ, डम्बलडोर जानते होंगे कि उसकी माँ का सरनेम "प्रिंस" था।'

'मुझे वह पुस्तक डम्बलडोर को दिखानी चाहिए थी,' हैरी ने कहा। 'जब वे मुझे दिखा रहे थे कि वोल्डेमॉर्ट स्कूल में भी दुष्ट था, तब मेरे पास भी इस बात का सबूत था कि स्नेप भी दुष्ट था -'

'"दुष्ट" ज़्यादा सशक्त शब्द है,' हर्माइनी ने धीरे से कहा।

'तुम ही तो मुझसे बार-बार कह रही थीं कि पुस्तक ख़तरनाक थी!'

'मैं यह कहने की कोशिश कर रही हूँ हैरी कि तुम ख़ुद को बहुत ज़्यादा दोष दे रहे हो। मुझे लगता था कि प्रिंस का हास्यबोध बहुत बुरा है, लेकिन मैं कभी अंदाज़ा नहीं लगा सकती थी कि वह बाद में हत्यारा बन सकता है ...'

'हममें से कोई भी अंदाज़ा नहीं लगा सकता था कि स्नेप ... तुम जानते हो,' रॉन बोला।

उनके बीच ख़ामोशी छा गई और वे अपने-अपने ख़्यालों में खो गए। लेकिन हैरी को यक़ीन था कि वे दोनों भी उसी की तरह अगली सुबह के बारे में सोच रहे होंगे, जब डम्बलडोर को दफ़नाया जाने वाला था। हैरी पहले कभी किसी अंत्येष्टि में नहीं गया था। जब सिरियस की मौत हुई थी, तो दफ़नाने के

लिए कोई शरीर ही नहीं था। वह नहीं जानता था कि क्या उम्मीद करनी है और वह इस बात पर थोड़ा चिंतित था कि उसे क्या देखना पड़ेगा, वह कैसा महसूस करेगा। वह सोच रहा था कि अंत्येष्टि के ख़त्म होने के बाद डम्बलडोर की मौत क्या उसके लिए ज़्यादा वास्तविक बन जाएगी। हालाँकि कुछ पल ऐसे भी थे, जब यह भावना उस पर हावी हो जाती थी, लेकिन अब सुन्न एहसास के सूने दौर भी आते थे, हालाँकि पूरे महल में सभी लोग इसी के बारे में बात कर रहे थे। उसे अब भी यह यक़ीन करने में मुश्किल हो रही थी कि डम्बलडोर सचमुच चले गए हैं। यह सही है कि उसने सिरियस के मामले में जो बहाना खोजने की कोशिश की थी, वह डम्बलडोर के मामले में नहीं की थी। उसे क़तई उम्मीद नहीं थी कि डम्बलडोर लौट आएँगे।.उसने अपनी जेब में नक़ली होरक्रक्स की ठंडी चेन को महसूस किया, जिसे अब वह हर जगह अपने साथ ले जाता था - ताबीज़ की तरह नहीं, बल्कि इस बात की याद दिलाने के लिए कि इसकी क्या क़ीमत चुकाई गई थी और अब भी कितना काम बाक़ी था।

हैरी अगले दिन सुबह अपना सामान पैक करने के लिए जल्दी उठ गया। हॉगवर्ट्स एक्सप्रेस अंत्येष्टि के एक घंटे बाद ही जाने वाली थी। नीचे जाने पर उसे बड़े हॉल का माहौल बुझा-बुझा मिला। सभी लोग अपने ड्रेस दुशाले पहने हुए थे और कोई भी बहुत भूखा नहीं दिख रहा था। प्रोफ़ेसर मैक्गॉनेगल ने स्टाफ़ टेबल के बीच वाली सिंहासन जैसी कुर्सी ख़ाली छोड़ दी थी। हैग्रिड की कुर्सी भी ख़ाली थी। हैरी ने सोचा कि शायद वह नाश्ते का सामना नहीं कर पाएगा। लेकिन स्नेप की जगह अब र्‌यूफ़स स्क्रिमग्योर बैठे थे। जब उन्होंने हॉल में चारों तरफ़ नज़रें घुमाईं, तो हैरी उनकी पीली आँखों से बचता रहा। उसे यह कष्टकारी एहसास हुआ कि स्क्रिमग्योर उसी की तलाश कर रहे थे। स्क्रिमग्योर के साथ हैरी को सींग के फ्रेम वाला चश्मा लगाए लाल बालों वाला पर्सी वीज़्ली दिखा। रॉन ने ऐसा कोई चिह्न नहीं दिखाया कि उसे पर्सी के वहाँ होने की जानकारी है। वह तो बस हिक़ारत से नाश्ते के टुकड़े तोड़ने लगा।

नागशक्ति की टेबल पर क्रैब और गॉइल एक साथ बुदबुदा रहे थे। हालाँकि वे भारी-भरकम थे, लेकिन उनके बीच में मैल्फ़ॉय की लंबी, पीली आकृति के बिना वे अजीब तरीक़े से अकेले दिख रहे थे। हैरी को मैल्फ़ॉय से ज़्यादा चिढ़ नहीं थी। उसकी दुश्मनी सिर्फ़ स्नेप से थी, क्योंकि वह मीनार के ऊपर मैल्फ़ॉय की आवाज़ के डर को नहीं भूला था, न ही इस बात को भूला था कि बाक़ी प्राणभक्षियों के आने से पहले उसने अपनी छड़ी झुका ली थी। हैरी को यक़ीन था कि मैल्फ़ॉय डम्बलडोर की जान नहीं लेता। मैल्फ़ॉय के शैतानी कलाओं से मोह के कारण वह उससे अब भी नफ़रत करता था, लेकिन अब नापसंदगी के साथ करुणा का भाव भी जुड़ गया था। हैरी ने सोचा कि मैल्फ़ॉय

जाने कहाँ होगा और वोल्डेमॉर्ट उसे तथा उसके माता-पिता को जान से मारने की धमकी देकर उससे जाने क्या करवा रहा होगा?

हैरी के विचारों का सिलसिला तभी टूटा, जब जिनी ने उसकी पसलियों में कोहनी मारी। प्रोफ़ेसर मैक्गॉनेगल खड़ी हो गई थीं; हॉल में दुख भरी भनभन तत्काल ख़त्म हो गई।

'अब समय हो रहा है,' उन्होंने कहा। 'अपने हाउस प्रमुख के पीछे-पीछे चलो। गरुड़द्वार, मेरे पीछे आओ।'

वे लगभग ख़ामोशी में अपनी बेंचों के पीछे से लाइन बनाकर निकले। हैरी को नागशक्ति के विद्यार्थियों के आगे स्लगहॉर्न की झलक दिख रही थी, जो शानदार लंबे हरे दुशाले पहने थे, जिन पर सफ़ेद कढ़ाई थी। उसने कभी मेहनतकश हाउस की प्रमुख प्रोफ़ेसर स्प्राउट को इतना साफ़ नहीं देखा था। उनके हैट पर एक भी दाग़ नहीं था और जब वे लोग प्रवेश हॉल में पहुँचे, तो उन्हें मैडम पिन्स फ़िल्च के पास खड़ी मिलीं। मैडम पिन्स ने एक मोटा काला चोगा पहन रखा था, जो उनके घुटनों तक आ रहा था। फ़िल्च एक पुराने काले सूट और टाई में था, जिनमें से फ़िनाइल की गोली की बदबू आ रही थी।

हैरी ने जब सामने वाले दरवाज़े से बाहर निकलकर पत्थर की सीढ़ियों पर क़दम रखा, तो उसने देखा कि वे लोग झील की तरफ़ जा रहे थे। सूरज की गर्मी उसके चेहरे पर पड़ी, जब वे प्रोफ़ेसर मैक्गॉनेगल के पीछे ख़ामोशी से उस तरफ़ चलने लगे, जहाँ सैकड़ों कुर्सियाँ लाइन में लगी थीं। उनके बीच में एक गलियारा था। सामने संगमरमर की एक टेबल थी। सभी कुर्सियाँ उसके सामने थीं। यह गर्मी का बहुत सुहाना दिन था।

आधी कुर्सियों पर अलग-अलग तरह के लोग बैठ चुके थे : गंदे और स्मार्ट, बूढ़े और युवा। ज़्यादातर को हैरी नहीं जानता था, लेकिन कुछ को वह पहचानता था, जिनमें मायापंछी के समूह के सदस्य शामिल थे : किंग्सले शैकलबोल्ट; बावरे-नैन मूडी; टौंक्स, जिसके बाल अब चमत्कारिक रूप से चमकदार गुलाबी हो गए थे; रीमस ल्यूपिन, जिनका हाथ वह थामे हुए थी; मिस्टर और मिसेज़ वीज़्ली; बिल, जिसे फ़्लर सहारा दे रही थी; फ़्रेड और जॉर्ज, जो ड्रैगन की खाल वाली काली जैकेट पहनकर उनके पीछे चल रहे थे। फिर मैडम मैक्सिम थीं, जिन्होंने बैठने के लिए ढाई कुर्सियाँ ली थीं। रिसती कढ़ाही का मालिक टॉम, हैरी की नाकारा पड़ोसन अराबेला फ़िग, वीयर्ड सिस्टर्स नामक जादूगरी गायिका समूह की बालों वाली बैस प्लेयर, नाइट बस का ड्राइवर अर्नी प्रैंग, छूमंतर गली की दुशालों वाली दुकान की मैडम मैल्किन तथा अन्य कुछ लोग, जिनके नाम हैरी नहीं जानता था, हालाँकि वह उन्हें शक्ल से पहचानता

था, जैसे हॉग्स हेड का बारमैन और हॉगवर्ट्स एक्सप्रेस की ट्रॉली धकाने वाली जादूगरनी। महल के भूत भी वहाँ थे और दिन की उजली धूप में स्पष्ट नहीं दिख पा रहे थे। वे तभी दिखते थे, जब वे हिलते थे और चमकती हवा में हल्के चमकने लगते थे।

हैरी, रॉन, हर्माइनी और जिनी झील के पास एक लाइन के आख़िर की कुर्सियों पर बैठ गए। लोग एक-दूसरे से फुसफुसाकर बात कर रहे थे। उनकी आवाज़ घास पर हवा चलने जैसी लग रही थी। पक्षियों का गीत उनसे ज़्यादा तेज़ सुनाई दे रहा था। भीड़ बढ़ने लगी। हैरी ने बड़ी भावुकता के साथ देखा कि लूना नेविल को एक कुर्सी पर बैठा रही है। जिस रात को डम्बलडोर की मौत हुई थी, उस रात को **डीए** में सिर्फ़ वे दोनों ही हर्माइनी के बुलावे पर आए थे। हैरी इसका कारण जानता था। सिर्फ़ उन्हें ही **डीए** के बंद होने का सबसे ज़्यादा अफ़सोस था ... संभवतः वे इस आशा में अपने सिक्कों की हर दिन जाँच करते होंगे कि शायद एक और मीटिंग होगी ...

कॉर्नेलियस फ़ज उनके पास से होते हुए सामने वाली लाइन की तरफ़ बढ़ गए। उनके चेहरे पर दुख का भाव था। वे हमेशा की तरह अपना हरा हैट घुमा रहे थे। हैरी ने बाद में रीटा स्कीटर को पहचान लिया। वह यह देखकर आगबबूला हो गया कि उसके लाल नाख़ून वाले हाथों में एक नोटबुक थी और फिर आवेश के एक ज़्यादा बुरे झटके के साथ उसने डोलोरेस अंबरिज को देखा, जो अपने मेंढकी जैसे चेहरे पर दुख का अविश्वसनीय भाव ला रही थीं और उनके लोहे जैसे रंग के घुँघरों के ऊपर काले मख़मल की बो लगी थी। सेनटॉर फ़िरेंज पानी के किनारे पर संतरी की तरह खड़ा था। उसे देखते ही अंबरिज चौंक गईं और तेज़ी से दूर जाकर बैठ गईं।

स्टाफ़ आख़िरकार बैठ गया। हैरी देख सकता था कि आगे की क़तार में स्क्रिमग्योर गंभीर और गरिमापूर्ण अंदाज़ में प्रोफ़ेसर मैक्गॉनेगल के साथ बैठे थे। उसे शक था कि स्क्रिमग्योर या इनमें से किसी भी महत्वपूर्ण व्यक्ति को डम्बलडोर की मौत पर वाक़ई अफ़सोस होगा। लेकिन तभी उसे संगीत सुनाई दिया, अजीब सा, पारलौकिक संगीत, जिसे सुनते ही वह मंत्रालय के प्रति अपनी नापसंदगी भूल गया और संगीत के स्रोत की तलाश करने लगा। वह अकेला ही नहीं था : कई सिर मुड़कर देखने लगे थे और वे थोड़ी दहशत में थे।

'अंदर वहाँ,' जिनी ने हैरी के कान में कहा।

और उसने धूप से चमकते साफ़ हरे पानी में देखा। कुछ लोग पानी की सतह से कुछ इंच नीचे तैर रहे थे, जिससे उसे सजीव-लाशों की भयंकर याद आ गई। जलमानुषों का समूह एक अजीब भाषा में गा रहा था, जिसे वह नहीं

समझता था। उनके चेहरे पीले थे तथा बैंगनी बाल उनके चारों तरफ़ लहरा रहे थे। संगीत सुनकर हैरी के रोंगटे खड़े हो गए, हालाँकि यह अप्रिय नहीं था। इसमें स्पष्ट रूप से क्षति और हताशा का भाव था। जब उसने गायकों के जंगली चेहरों की तरफ़ देखा, तो वह जान गया कि कम से कम उन्हें डम्बलडोर के गुज़रने का वास्तव में अफ़सोस था। फिर जिनी ने उसे दोबारा कोहनी मारी और उसने पलटकर देखा।

हैग्रिड धीरे-धीरे कुर्सियों के बीच वाले गलियारे से आ रहा था। वह ख़ामोशी से रो रहा था, उसका चेहरा आँसुओं से चमक रहा था और उसकी बाँहों में डम्बलडोर का शरीर था, जो बैंगनी मख़मल में लिपटा हुआ था और जिस पर सुनहरे सितारे कढ़े थे। यह देखकर हैरी के गले में एक तेज़ हूक उठी। अजीब संगीत और डम्बलडोर के शरीर के इतने क़रीब होने का ज्ञान एक पल के लिए दिन की गर्मी से भी ज़्यादा गर्म लगने लगा। रॉन का चेहरा सफ़ेद था। वह सदमे में दिख रहा था। जिनी और हर्माइनी की गोद में आँसू तेज़ी से गिर रहे थे।

वे स्पष्टता से यह नहीं देख सकते थे कि सामने क्या हो रहा था। हैग्रिड ने शरीर को सावधानी से टेबल पर रख दिया। फिर वह गलियारे से लौटने लगा। उसने अपनी नाक ज़ोर-ज़ोर से कई बार साफ़ की, जिससे कई लोगों ने चिढ़कर उसे देखा, जिनमें डोलोरेस अंबरिज भी थीं ... लेकिन हैरी जानता था कि डम्बलडोर इस बात की परवाह नहीं करते। जब हैग्रिड पास से गुज़रा, तो हैरी ने उसकी तरफ़ हाथ हिलाया, लेकिन हैग्रिड की आँखें इतनी सूजी हुई थीं कि यह एक चमत्कार ही था कि वह सामने के रास्ते को देख पा रहा था। हैरी ने पीछे वाली लाइन को देखा, जिसकी तरफ़ हैग्रिड जा रहा था। तब जाकर उसे एहसास हुआ कि हैग्रिड को रास्ता कौन दिखा रहा था। वहाँ पर दानव ग्रॉप एक जैकेट और पैंट में था, जो छोटे-मोटे तंबू जैसे दिख रहे थे। उसका बड़ा बदसूरत शिलाखंड जैसा सिर झुका हुआ था, विनम्र, लगभग मानवीय। हैग्रिड अपने सौतेले भाई के पास बैठ गया और ग्रॉप ने हैग्रिड का सिर थपथपाया, जिससे उसकी कुर्सी के पाए ज़मीन में धँस गए। हैरी के मन में हँसने की प्रबल इच्छा हुई। लेकिन फिर संगीत रुक गया और वह आगे की तरफ़ देखने के लिए मुड़ा।

सादे काले दुशाले पहने गुच्छेदार बालों वाला एक नाटा आदमी अब डम्बलडोर के शरीर के सामने खड़ा हो गया था। हैरी यह नहीं सुन पाया कि वह क्या कह रहा था। सैकड़ों सिरों के ऊपर से अजीब शब्द तैरकर आ रहे थे। 'महान विभूति' ... 'बौद्धिक योगदान' ... 'विशाल हृदय' ... इन शब्दों का कोई ज़्यादा मतलब नहीं था। इनका उस डम्बलडोर से बहुत कम लेना-देना था, जिन्हें हैरी जानता था। उसे अचानक डम्बलडोर के कुछ शब्द याद आए : 'निटविट,' 'ऑडमेन्ट,' 'ब्लबर' और 'ट्वीक,' और एक बार फिर उसने अपनी हँसी दबा

ली ... उसे हो क्या गया था ?

उसकी बाईं तरफ़ छपाक की एक धीमी आवाज़ आई। उसने देखा कि जलमानुष भी सुनने के लिए सतह से ऊपर आ गए थे। उसे याद था कि डम्बलडोर दो साल पहले पानी के किनारे पर झुके हुए थे। वह जगह इसके बहुत क़रीब थी, जहाँ हैरी इस वक़्त बैठा था। तब डम्बलडोर ने जलभाषा में जलमानुषों की मुखिया से बात की थी। ऐसा बहुत कुछ था, जो उसने उनसे कभी नहीं पूछा था; ऐसा बहुत कुछ था, जो वह नहीं कह पाया था ...

और तभी बिना चेतावनी के उस पर यह भयंकर सच्चाई हावी हो गई कि डम्बलडोर चले गए थे ... उसने ठंडे लॉकेट को इतनी कसकर जकड़ा कि उसका हाथ दुखने लगा, लेकिन फिर भी उसकी आँखों से आँसू छलक ही गए। वह जिनी और बाक़ी लोगों से दूर झील के पार जंगल की तरफ़ घूरने लगा, जब काले दुशाले में नाटा आदमी लगातार बोलता रहा ... पेड़ों के बीच हलचल दिखाई दे रही थी। सेनटॉर्स भी अपनी श्रद्धांजलि देने आए थे। वे खुले में तो नहीं आए, लेकिन हैरी ने उन्हें छाया में आधे छिपकर बिलकुल स्थिर खड़े देखा। वे जादूगरों को देख रहे थे और उनके धनुष उनके बग़ल में थे। हैरी को जंगल में बुरे सपने जैसी अपनी पहली यात्रा याद आई, जब उसने पहली बार उस चीज़ से मुक़ाबला किया था, जो वोल्डेमॉर्ट था। हैरी को याद आया कि उसने किस तरह उसका सामना किया था और बाद में उसने तथा डम्बलडोर ने एक हारा हुआ युद्ध लड़ने के बारे में बात की थी। यह महत्वपूर्ण था, डम्बलडोर ने कहा था, लड़ना, लड़ते रहना, और लगातार लड़ते रहना। सिर्फ़ तभी बुराई को दूर रखा जा सकता है, हालाँकि उसे पूरी तरह कभी ख़त्म नहीं किया जा सकता ...

और हैरी ने गर्म धूप में बैठे-बैठे बहुत स्पष्टता से देखा कि उसकी परवाह करने वाले लोग एक-एक करके उसकी रक्षा के लिए खड़े हुए थे, उसकी मम्मी, उसके डैडी, उसका गॉडफ़ादर, और आख़िरकार डम्बलडोर। वे सभी उसकी रक्षा करने के लिए कृतसंकल्प थे। लेकिन अब यह ख़त्म हो गया था। अब वह अपने और वोल्डेमॉर्ट के बीच में किसी को खड़ा नहीं रहने देगा। उसे अब उस भ्रम को छोड़ना होगा, जो उसे एक साल की उम्र में ही छोड़ देना चाहिए था : कि अभिभावक की छत्रछाया का मतलब यह होता है कि उसे कोई चीज़ नुक़सान नहीं पहुँचा सकती। उसके बुरे सपने से जागने की कोई संभावना नहीं थी। अँधेरे में कोई राहत भरी फुसफुसाहट नहीं थी कि वह सचमुच सुरक्षित है, कि यह सब उसकी कल्पना में है। उसका सबसे अंतिम और सबसे बड़ा संरक्षक मर गया था और इस वक़्त वह जितना अकेला था, उतना पहले कभी नहीं रहा था।

काले दुशाले वाले नाटे आदमी ने आख़िरकार बोलना बंद कर दिया और अपनी सीट पर बैठ गया। हैरी ने इंतज़ार किया कि कोई और खड़ा होगा। उसे

भाषणों की उम्मीद थी, शायद मंत्रीजी से, लेकिन कोई भी नहीं हिला।

फिर कुछ लोग चीख़ उठे। डम्बलडोर के शरीर और जिस टेबल पर वे लेटे थे, उसके चारों तरफ़ चमकीली, सफ़ेद लपटें निकलने लगी थीं। वे ऊँची उठीं और उनके कारण शरीर छिप गया। सफ़ेद धुआँ हवा में उठा और अजीब से आकार बनाने लगा। एक पल के लिए तो हैरी ने सोचा कि उसने एक मायापंछी को ख़ुशी से नीले आसमान में उड़ते देखा था, लेकिन अगले ही पल आग ग़ायब हो गई। इसकी जगह पर सफ़ेद संगमरमर की समाधि थी, जिसमें डम्बलडोर का शरीर और वह टेबल थी, जिस पर वे आराम कर रहे थे।

सदमे की कुछ और चीख़ें सुनाई दीं, जब तीरों की बौछार हवा में से उड़कर आईं, लेकिन वे भीड़ से थोड़ी दूरी पर गिरे। हैरी जानता था कि यह सेनटॉर्स की श्रद्धांजलि थी। उसने उन्हें पूँछ दिखाकर ठंडे पेड़ों में ग़ायब होते देखा। इसी तरह जलमानुष भी हरे पानी में धीरे से नीचे चले गए और ओझल हो गए।

हैरी ने जिनी, रॉन और हर्माइनी को देखा। रॉन का चेहरा इस तरह तना हुआ था, जैसे धूप उसे अंधा कर रही हो। हर्माइनी का चेहरा आँसुओं से सना था, लेकिन जिनी ने रोना बंद कर दिया था। उसने हैरी से वैसी ही सख़्त और आग बरसाती निगाह मिलाई, जैसी उसकी अनुपस्थिति में क्विडिच कप जीतने के बाद गले मिलते समय मिलाई थी। वह जानता था कि उस पल वे एक-दूसरे को अच्छी तरह से समझते थे। वह जानता था कि अगर वह इस समय उसे बताएगा कि अब वह क्या करने वाला है, तो वह यह नहीं कहेगी, 'ध्यान रखना,' या 'ऐसा मत करना,' बल्कि उसके फ़ैसले को स्वीकार कर लेगी, क्योंकि वह इससे कम किसी चीज़ की उम्मीद नहीं करेगी। और इसलिए उसने दिल कड़ा करके वह कह दिया, जो वह जानता था कि डम्बलडोर के मरने के बाद उसे कहना ही था।

'जिनी, सुनो ...' उसने बहुत धीरे से कहा, जब उनके चारों तरफ़ बातचीत की भनभन तेज़ होती गई और लोग उठकर खड़े होने लगे। 'मैं तुमसे अब आगे संबंध नहीं रख सकता। हमें एक-दूसरे से मिलना बंद करना होगा। हम एक साथ नहीं रह सकते।'

जिनी ने एक अजीब सी मुस्कान के साथ कहा, 'इसके पीछे कोई मूर्खतापूर्ण, महान कारण होगा, है ना ?'

'देखो ... ऐसा लगता है ... ऐसा लगता है कि तुम्हारे साथ बिताए आख़िरी कुछ सप्ताह ... किसी और की ज़िंदगी के हैं,' हैरी ने कहा। 'लेकिन मैं नहीं कर सकता ... हम नहीं कर सकते ... मुझे अब कुछ काम अकेले करने हैं।'

वह रोई नहीं। उसने बस हैरी की तरफ़ देखा।

'वोल्डेमॉर्ट अपने दुश्मनों के नज़दीकी लोगों का इस्तेमाल करता है। उसने एक बार पहले भी तुम्हारा प्रयोग मुझे दाना डालने के लिए किया था और तब तुम सिर्फ़ मेरे सबसे अच्छे दोस्त की बहन थीं। सोचो अगर हम मिलते-जुलते रहेंगे, तो तुम्हें कितना ज़्यादा ख़तरा होगा? वह जान जाएगा, वह पता लगा लेगा। वह तुम्हारे माध्यम से मुझ तक पहुँचने की कोशिश करेगा।'

'मान लो, मुझे परवाह न हो?' जिनी ने आवेश में कहा।

'लेकिन मुझे परवाह है,' हैरी ने कहा। 'तुम्हें क्या लगता है, अगर यह तुम्हारी चिता होती, तो मुझे कैसा महसूस होता ... और यह मेरा दोष होता ...'

जिनी ने उससे दूर झील के पार देखा।

'मैंने दरअसल तुम्हारा पीछा कभी नहीं छोड़ा था,' उसने कहा। 'सचमुच नहीं। मुझे हमेशा उम्मीद थी ... हर्माइनी ने मुझसे कहा था कि मैं ज़िंदगी को ख़ुशी से जियूँ, दूसरे लोगों के साथ घूमूँ-फिरूँ, ताकि तुम्हारे सामने सहज रह सकूँ, क्योंकि याद है, जब तुम कमरे में रहते थे, तो मैं बोल नहीं पाती थी? और उसे लगा था कि अगर मैं अपने असली रूप में रहूँ, तो शायद तुम मेरी तरफ़ ज़्यादा ध्यान दोगे।'

'समझदार लड़की, हर्माइनी,' हैरी ने मुस्कराने की कोशिश करते हुए कहा। 'काश मैंने तुमसे जल्दी पूछ लिया होता! हमारे पास बहुत समय रहता ... महीनों ... शायद बरसों का ...'

'लेकिन तुम तो उस वक़्त जादूगरों की दुनिया को बचाने में बहुत व्यस्त थे,' जिनी ने थोड़ा हँसते हुए कहा। 'अच्छा ... मैं यह तो नहीं कह सकती कि मैं हैरान हूँ। मैं जानती थी कि आख़िर में यही होगा। मैं जानती थी कि तुम तब तक ख़ुश नहीं रहोगे, जब तक कि तुम वोल्डेमॉर्ट को खोज नहीं लोगे। शायद इसीलिए मैं तुम्हें इतना ज़्यादा पसंद करती हूँ।'

हैरी इस तरह की बातों को सुनना बर्दाश्त नहीं कर सकता था। वह यह भी जानता था कि अगर वह जिनी के पास बैठा रहेगा, तो शायद उसका संकल्प क़ायम नहीं रह पाएगा। उसने देखा कि रॉन अब हर्माइनी को पकड़े हुए था और जब वह उसके कंधे पर अपना सिर रखकर सुबक रही थी, तो वह उसके बालों को थपथपा रहा था। रॉन की लंबी नाक पर आँसू बह रहे थे। हैरी दुखी मन से उठकर खड़ा हुआ, जिनी और डम्बलडोर की समाधि की तरफ़ पीठ की तथा झील के किनारे-किनारे चलने लगा। स्थिर बैठे रहने से चलना ज़्यादा सहन करने लायक़ था। जिस तरह इंतज़ार करने के बजाय होरक्रक्सों का पता लगाने और वोल्डेमॉर्ट को मारने के अभियान पर निकल पड़ने का विचार था ...

'हैरी!'

वह मुड़ा। र्‌यूफ़स स्क्रिमग्योर झील के किनारे-किनारे लँगड़ाते हुए तेज़ी से उसकी तरफ़ आ रहे थे और वे अपनी चलने वाली छड़ी का सहारा ले रहे थे।

'मैं तुमसे कुछ बात करना चाहता हूँ ... मैं तुम्हारे साथ थोड़ी दूर चल सकता हूँ?'

'हाँ,' हैरी ने उदासीनता से कहा और आगे चलने लगा।

'हैरी, यह बहुत भयंकर त्रासदी थी,' स्क्रिमग्योर ने धीरे से कहा। 'मैं तुम्हें बता नहीं सकता कि यह सुनकर मैं कितना स्तब्ध रह गया। डम्बलडोर बहुत महान जादूगर थे। जैसा कि तुम जानते हो, हमारे बीच में मतभेद थे, लेकिन मुझसे ज़्यादा कोई नहीं जानता है कि -'

'आप क्या चाहते हैं?' हैरी ने सपाट अंदाज़ में पूछ लिया।

स्क्रिमग्योर झुँझलाए हुए दिखने लगे, लेकिन पहले की तरह ही उन्होंने अपने चेहरे के भाव तेज़ी से दुख भरी समझ में बदल लिए।

'ज़ाहिर है, तुम्हें बहुत सदमा लगा है,' उन्होंने कहा। 'मैं जानता हूँ कि तुम डम्बलडोर के बहुत क़रीब थे। मुझे लगता है कि तुम शायद उनके सबसे प्रिय विद्यार्थी थे। तुम दोनों के बीच का बंधन -'

'आप क्या चाहते हैं?' हैरी ने रुकते हुए दोहराया।

स्क्रिमग्योर भी रुक गए और अपनी छड़ी से टिककर हैरी को घूरने लगे। उनके चेहरे पर अब चालाकी का भाव था।

'कहा जा रहा है कि अपनी मौत वाली रात को जब वे स्कूल से गए थे, तो तुम उनके साथ थे।'

'कौन कह रहा है?' हैरी ने कहा।

'किसी ने डम्बलडोर के मरने के बाद मीनार के ऊपर एक प्राणभक्षी को स्तब्ध कर दिया था और वहाँ पर दो झाडुएँ भी मिली थीं। मंत्रालय दो और दो जोड़ सकता है, हैरी।'

'मुझे यह जानकर ख़ुशी हुई,' हैरी ने कहा। 'देखिए, मैं डम्बलडोर के साथ कहाँ गया था और हमने क्या किया था, यह मेरा मामला है। वे नहीं चाहते थे कि वह बात लोगों को पता चले।'

'ज़ाहिर है, इतनी वफ़ादारी प्रशंसनीय है,' स्क्रिमग्योर ने कहा, जिन्हें अब अपनी चिढ़ छिपाने में काफ़ी मुश्किल हो रही थी, 'लेकिन डम्बलडोर चले गए हैं, हैरी, वे चले गए हैं।'

'वे इस स्कूल से तभी जाएँगे, जब यहाँ उनका एक भी वफ़ादार नहीं बचेगा,' हैरी ने कहा और न चाहते हुए भी मुस्करा दिया।

'मेरे प्यारे बच्चे ... डम्बलडोर भी मौत से नहीं लौट सकते –'

'मैं यह नहीं कह रहा हूँ कि वे लौट सकते हैं। आप नहीं समझेंगे। लेकिन मेरे पास आपको बताने के लिए कुछ भी नहीं है।'

स्क्रिमग्योर झिझके, फिर नज़ाकत भरे अंदाज़ में बोले, 'जानते हो हैरी, मंत्रालय तुम्हें हर तरह की सुरक्षा दे सकता है। मुझे तुम्हारी सेवा में अपने कुछ ऑरर रखते हुए ख़ुशी होगी –'

हैरी हँस दिया।

'वोल्डेमॉर्ट मुझे ख़ुद मारना चाहता है और आपके ऑरर उसे नहीं रोक पाएँगे। इसलिए प्रस्ताव रखने के लिए धन्यवाद, लेकिन इसकी ज़रूरत नहीं है।'

'तो,' स्क्रिमग्योर ने कहा और उनकी आवाज़ अब ठंडी थी, 'मैंने तुमसे क्रिसमस पर जो अनुरोध किया था –'

'कौन सा अनुरोध? ओह हाँ ... वह वाला कि मैं दुनिया को बताऊँ कि आप लोग कितना बढ़िया काम कर रहे हैं –'

'– ताकि लोगों का मनोबल बढ़ जाए!' स्क्रिमग्योर ने कहा।

हैरी ने एक पल के लिए उन्हें घूरा।

'अब तक स्टैन शनपाइक को छोड़ा?'

स्क्रिमग्योर का चेहरा बुरे से बैंगनी रंग का हो गया, जिसे देखकर हैरी को वरनॉन अंकल की याद आने लगी।

'अच्छा, तो तुम अब भी –'

'डम्बलडोर का शागिर्द हूँ,' हैरी ने कहा। 'सही है।'

स्क्रिमग्योर ने एक पल के लिए उसे ग़ुस्से से घूरा और फिर बिना कुछ कहे लँगड़ाते हुए वापस चले गए। हैरी देख सकता था कि पर्सी और मंत्रालय के प्रतिनिधि मंडल के बाक़ी लोग उनका इंतज़ार कर रहे थे। वे सुबकते हुए हैग्रिड तथा ग्रॉप को देखकर घबरा रहे थे, जो अब भी अपनी कुर्सियों पर बैठे थे। रॉन और हर्माइनी जल्दी से हैरी की तरफ़ आ रहे थे। वे विपरीत दिशा में जाते स्क्रिमग्योर के पास से गुज़रे। हैरी मुड़ा और धीरे-धीरे आगे चलने लगा। वह उनके क़रीब आने का इंतज़ार कर रहा था। आख़िरकार वे एक पेड़ की छाया में उसके पास आ गए, जिसके नीचे वे पहले भी कभी बैठे थे।

हर्माइनी ने फुसफुसाकर पूछा, 'स्क्रिमग्योर क्या चाहते थे?'

'वही, जो वे क्रिसमस पर चाहते थे,' हैरी ने कंधे उचकाते हुए कहा। 'वे चाहते थे कि मैं उन्हें डम्बलडोर के बारे में अंदरूनी जानकारी दूँ और मंत्रालय का नया पोस्टरबॉय बन जाऊँ।'

रॉन एक पल के लिए ख़ुद से जूझता दिखा, फिर वह हर्माइनी से ज़ोर से बोला, 'देखो, मैं जाकर पर्सी को थपाड़ा मारना चाहता हूँ!'

'नहीं,' हर्माइनी ने दृढ़ता से कहा और रॉन की बाँह पकड़ ली।

'इससे मुझे अच्छा लगेगा!'

हैरी हँस दिया। यहाँ तक कि हर्माइनी भी थोड़ी मुस्करा दी, हालाँकि जब उसने महल की तरफ़ देखा, तो उसकी मुस्कान हल्की पड़ गई।

'मैं यह विचार बर्दाश्त नहीं कर सकती कि हम यहाँ कभी लौटकर नहीं आ पाएँगे,' उसने धीरे से कहा। 'हॉगवर्ट्स बंद कैसे हो सकता है ?'

'शायद यह बंद नहीं होगा,' रॉन ने कहा। 'हमें घर पर जितना ख़तरा है, यहाँ उससे ज़्यादा ख़तरा नहीं है, है ना ? अब हर जगह एक जैसी है। मैं तो यह कहूँगा कि हॉगवर्ट्स फिर भी सुरक्षित है, क्योंकि इस जगह की रक्षा के लिए यहाँ कई जादूगर हैं। तुम्हें क्या लगता है, हैरी ?'

'अगर यह खुलता भी है, तो भी मैं यहाँ नहीं आऊँगा,' हैरी ने कहा।

रॉन ने मुँह फाड़कर उसकी तरफ़ देखा, लेकिन हर्माइनी दुख से बोली, 'मैं जानती थी कि तुम यही कहोगे। लेकिन फिर तुम क्या करोगे ?'

'मैं एक बार फिर डर्स्ली परिवार के साथ रहने के लिए जा रहा हूँ, क्योंकि डम्बलडोर यही चाहते थे,' हैरी ने कहा। 'लेकिन बस कुछ ही समय के लिए। फिर मैं हमेशा के लिए वहाँ से निकल पडूँगा।'

'लेकिन अगर तुम स्कूल नहीं आओगे, तो कहाँ जाओगे ?'

'मुझे लगता है कि मैं गोडरिक्स हॉलो जाऊँगा,' हैरी बुदबुदाया। उसके मन में डम्बलडोर की मृत्यु की रात के बाद एक विचार आया था। 'मेरे लिए यह वहीं शुरू हुआ था, यह सब। मेरे मन में यह भावना है कि मुझे वहाँ जाने की ज़रूरत है। और मैं अपने माता-पिता की क़ब्रों को देखने भी जा सकता हूँ, मैं ऐसा करना पसंद करूँगा।'

'और उसके बाद ?' रॉन ने कहा।

'उसके बाद मुझे बाक़ी के होरक्रक्स भी तो खोजने हैं, है ना ?' हैरी ने कहा और उसकी आँखें डम्बलडोर की सफ़ेद समाधि पर थीं, जो झील की दूसरी तरफ़ के पानी में प्रतिबिंबित हो रही थी। 'वे चाहते थे कि मैं यही करूँ। इसीलिए उन्होंने मुझे उनके बारे में सब कुछ बताया है। अगर डम्बलडोर सही थे – और

मुझे यक़ीन है कि वे सही थे – तो अब भी चार बचे हुए हैं। मुझे उन्हें खोजना और नष्ट करना है। इसके बाद मुझे वोल्डेमॉर्ट की आत्मा के सातवें टुकड़े के पीछे जाना है, जो अब भी उसके शरीर में है। सिर्फ़ मैं ही उसे मार सकता हूँ। और अगर मुझे रास्ते में सीवियरस स्नेप मिला,' उसने आगे कहा, 'तो यह मेरे लिए बहुत अच्छा रहेगा और उसके लिए बहुत बुरा।'

एक लंबी ख़ामोशी छा गई। भीड़ अब लगभग तितर-बितर हो चुकी थी। बचे हुए लोग ग्रॉप के विशाल शरीर को काफ़ी जगह दे रहे थे, जब उसने हैग्रिड को गले लगाया, जिसके रोने की आवाज़ पानी के पार अब भी गूँज रही थी।

'हम वहाँ आएँगे, हैरी,' रॉन बोला।

'क्या ?'

'तुम्हारे अंकल-आंटी के घर,' रॉन ने कहा। 'और फिर तुम जहाँ जाओगे, हम भी तुम्हारे साथ चलेंगे।'

'नहीं –' हैरी ने तुरंत कहा। उसे इस बात का अंदाज़ा नहीं था। वह उन्हें यह बताना चाहता था कि वह इस सबसे ख़तरनाक यात्रा पर अकेला ही जाना चाहता है।

'तुमने एक बार पहले भी हमसे कहा था,' हर्माइनी ने शांत स्वर में कहा, 'अगर हम लौटना चाहते, तो उसी समय लौट जाते। हमारे पास समय था, है ना ?'

'चाहे जो हो, हम तुम्हारे साथ हैं,' रॉन ने कहा। 'लेकिन दोस्त, कुछ करने से पहले, गॉडरिक्स हॉलो जाने से पहले, तुम्हें हमारे घर भी तो आना पड़ेगा।'

'क्यों ?'

'बिल और फ़्लर की शादी में, भूल गए क्या ?'

हैरी ने उसकी तरफ़ हैरानी से देखा। शादी जैसी सामान्य चीज़ का विचार उसे अविश्वसनीय और आश्चर्यजनक लग रहा था।

'हाँ, हमें उसे नहीं छोड़ना चाहिए,' उसने आख़िरकार कहा।

उसका हाथ अपने आप नक़ली होरक्रक्स पर कस गया। बहरहाल, हालाँकि हर चीज़ निराशामय थी, हालाँकि उसके सामने अँधेरा और घुमावदार रास्ता था, हालाँकि वह जानता था कि एक महीने, एक साल या दस साल बाद वोल्डेमॉर्ट से उसकी आख़िरी मुठभेड़ होगी, लेकिन इस सबके बावजूद उसका दिल इस बात पर बहुत राहत महसूस करने लगा कि रॉन और हर्माइनी के साथ बिताने के लिए शांति से भरा एक आख़िरी सुनहरा दिन अब भी बचा था।